# Sammlung Handelsgerichtlicher Entscheidungen
by Bavaria (Kingdom)

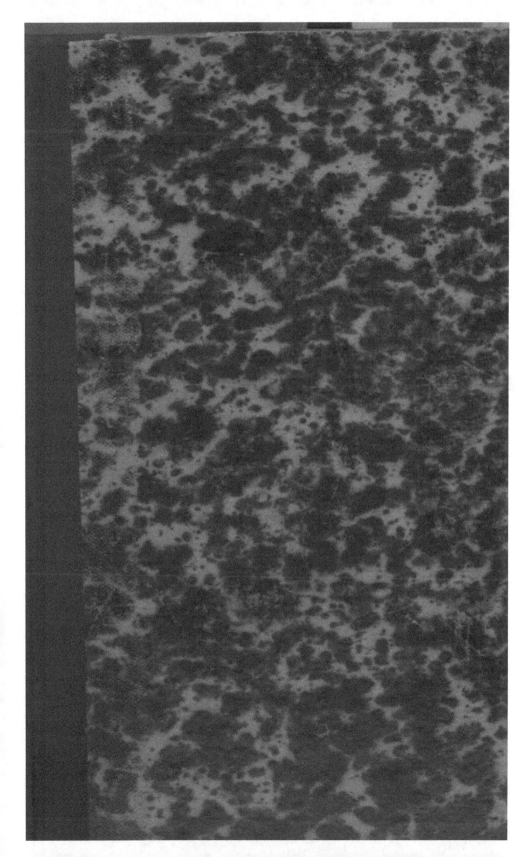

# Sammlung

# handelsgerichtlicher Entscheidungen

seit Einführung des a. d. HGB. in Bayern

herausgegeben von

## Dr. Otto Frhrn. v. Völderndorff,
kgl. Handelsappellrath.

———

Erster Band.

———

Erlangen,
Verlag von Palm & Enke.
(Adolph Enke.)
1865.

JAN 1 5 1912

Druck von Junge & Sohn in Erlangen.

# Sammlung

# handelsgerichtlicher Entscheidungen

## seit Einführung

### des

### allgemeinen deutschen Handelsgesetzbuches

### in Bayern.

#### Erster Band.

1. Juli 1862 — 31. Dezember 1864.

Separatabbruck aus der Zeitschrift für Gesetzgebung und Rechtspflege des Königreichs Bayern.

Erlangen,

Verlag von Palm & Enke.

(Adolph Enke.)

1865.

Druck von **Junge & Sohn** in Erlangen.

# Uebersicht

## über die Thätigkeit des k. Handelsappellationsgerichtes zu Nürnberg vom vierten Quartale des Jahres 18⁶¹/₆₂ bis zum ersten Quartale des Jahres 18⁶⁴/₆₅.

Am 31. Dezember 1864 ist das z e h n t e Quartal zu Ende gegangen, seitdem zu Nürnberg das Handelsappellationsgericht für das Königreich Bayern (diesseits des Rheins) sich in Wirksamkeit befindet.

In diesem Zeitraume sind bei genanntem Gerichte anhängig geworden: 1628 Spruchsachen [1]), von welchen 1591 ihre Erledigung gefunden, 37 aber (darunter 3 Akten, welche auf Ersetzung beruhten) auf das Jahr 1865 übergingen [2]).

Am 1. Juli 1862 wurden 39 geschlossene Akten übernommen, und war die Bewegung in den einzelnen Quartalen folgende:

| Rückstand des Vorquartales (als³) | Angefallen sind im | Sachen | Geschäfts-Aufgabe | Erledigt Handelssachen | Erledigt Wechselsachen | Durch Erkenntniß | Durch Vergleich |
|---|---|---|---|---|---|---|---|
| 39 | IV. Quartal 18⁶¹/₆₂ | 76 | 115 | 57 | 46 | 102 | 1 |
| 10 | I. " " ⁶²/₆₃ | 91 | 101 | 46 | 48 | 91 | 3 |
| 6 | II. " " " | 114 | 120 | 52 | 61 | 113 | — |
| 10 | III. " " " | 120 | 130 | 68 | 58 | 122 | 4 |
| 2 | IV. " " " | 135 | 137 | 80 | 54 | 128 | 6 |
| 3 | I. Quartal " ⁶³/₆₄ | 150 | 153 | 84 | 59 | 137 | 6 |
| 10 | II. " " " | 178 | 188 | 87 | 77 | 160 | 4 |
| 20 | III. " " " | 236 | 256 | 119 | 97 | 213 | 3 |
| 44 | IV. " " " | 251 | 295 | 141 | 101 | 234 | 8 |
| 53 | I. " " ⁶⁴/₆₅ | 238 | 291 | 157 | 99 | 253 | 3 |

[1]) Beschwerden gegen ein mehrere Forderungen umfassendes Erkenntniß, gegen verschiedene Punkte eines Erkenntnisses, Berufungen beider Parteien gegen dasselbe Erkenntniß, Berufung und Adhäsion werden nur als e i n e Sache gezählt.

[2]) 21 Akten unter diesen 37 datirten aus der zweiten, 5 aus der ersten Hälfte Dezember 1864, die älteste war eingelaufen am 13. November 1864.

[3]) Hierunter sind auch die auf Ersetzung beruhenden begriffen.

Demnach wurden erledigt 891 Handelssachen und 700 Wechselsachen, im Ganzen also, wie oben erwähnt, 1591 Sachen.

Die ergangenen 1553 Erkenntnisse wurden gefällt in 302 Sitz-
ungen von durchschnittlich fünfstündiger Dauer.

Aus diesen Urtheilen sind die in diesem Bande enthaltenen Erkenntnisse ausgewählt.

# Inhalt.

|  |  | Seite |
|---|---|---|
| I. | Zulässigkeit des Personalarrestes in Handelssachen *). Spezialmandat des Anwaltes hiezu nicht erforderlich . . . . . | 3 |
| II. | Zulässigkeit des Personalarrestes in Handelssachen . . . . | 6 |
| III. | Statthaftigkeit des Wechselarrestes nach bayerischem Rechte. Vorherige Androhung desselben . . . . . . . . . | 6 |
| IV. | Editionspflicht. — Umfang derselben. — Befugniß des Editionsberechtigten, zur Einsichtnahme von Geschäftsbüchern des Gegentheils einen Sachverständigen beizuziehen oder zu bevollmächtigen . . . . . . . . . . . | 8 |
| V. | Berufungssumme im Wechsel- und Merkantilprozesse. Appellabilität im Kostenpunkte devolvirt auch die Hauptsache an die zweite Instanz. Subsidiäre Geltung der Prozeßnovelle von 1837 im Merkantilprozesse . . . . . . . . | 13 |
| VI. | Berufungen gegen Erkenntnisse der k. Handelsgerichte sind auch dann, wenn die für das treffende Gericht bestehende Spezialprozeßgesetzgebung eine geringere Beschwerdesumme aufstellt, an das Vorhandensein der in Art. 70 des Einführungsgesetzes zum ADHGB. vorgeschriebenen Beschwerdesumme von 150 fl. gebunden. Die durch Abschnitt III Ziff. 32 und 33 der Nürnberger Taxordnung vom 5. Dezember 1803 vorgeschriebene Entrichtung von Aktenauslösungsgebühren und Sukkumbenzgeldern ist durch Art. 83 des oben allegirten Gesetzes als aufgehoben zu erachten . . . . . . . . . . | 17 |
| VII. | Nachweis der Präsentation eines eigenen Wechsels zur Zahlung zur Begründung der Klage aus letzterem nicht erforder- |  |

---

*) Nachdem inzwischen das Gesetz vom 5. Oktober 1863 erschienen ist, sind über die Frage der Arrestfähigkeit stets die späteren Präjudizien zu vergleichen.

Seite

lich. — Einfluß der Präsentation auf die Zinsen= und Kosten=
forderung . . . . . . . . . . . . . . . . . . . . . 23

VIII. Zulässigkeit selbständiger Berufung gegen ein Dekret, wodurch
der Antrag auf Einleitung des bedingten Mandatverfahrens
ohne Weiteres abgewiesen wurde. Statthaftigkeit einer Aeuder=
ung der Prozeßart im Laufe eines Rechtsstreites. — Bedingter
Mandatsprozeß in Handelssachen. — Beglaubigte Buchaus=
züge als Bescheinigungsmittel . . . . . . . . . . . . 25

IX. Kompetenz der Handelsgerichte in Beziehung auf Sachen, die
vor dem 1. Juli 1862 rechtshängig waren . . . . . . . 28

X. Anwendung der Wechsel= und Merkantilgerichtsordnung von
1785 und der Nürnberger Handelsgerichtsordnung auf Nicht=
kaufleute. Folge hievon in Bezug auf die Exekution durch
Personalarrest . . . . . . . . . . . . . . . . . . . 31

XI. Das Arrestprivileg der Müncher Bürger (sg. privilegium
Albertinum) kann an Forderungen nicht ausgeübt werden
und findet im W.= u. MP. nicht Statt . . . . . . . . 35

XII. Editionsanträge im Merkantilprozesse zulässig. — Selbständige
Appellation gegen ein das Restitutionsgesuch ohne weitere
Verhandlung abweisendes Dekret . . . . . . . . . . . 41

XIII. Unzulässigkeit von Einreden im Wechselprozesse aus dem dem
Wechsel unterliegenden Rechtsverhältnisse . . . . . . . 43

XIV. Wechsel als Zahlungsmittel bezüglich einer Waarenschuld. —
Verhältniß der Wechselobligation zu dem ursprünglichen
Schuldverhältnisse . . . . . . . . . . . . . . . . . 44

XV. Ein Blankoindossament legitimirt den Anwalt nicht, den Wechsel
Namens des Blankindossanten einzuklagen . . . . . . . 46

XVI. Einfluß von Korrekturen an dem im Wechsel vorkommenden
Namen des Remittenten. — Klagerecht auf Sicherheits=
leistung gegen den Acceptanten eines traffirten oder Aussteller
eines eigenen Wechsels . . . . . . . . . . . . . . . 47

XVII. Wechsel mit Zinsversprechen sind ungiltig *) . . . . . . 50

XVIII. Beweislast bei Forderungen aus einer kaufmännischen Ge=
schäftsverbindung . . . . . . . . . . . . . . . . . . 53

XIX. Das Verfahren nach der bayer. W.= u. MGO. findet in den
Gebietstheilen ihrer Geltung auf alle vor die Handelsgerichte
gehörigen Handelssachen Anwendung. — Klagsbescheinigung
ist nicht unbedingte Voraussetzung dieses Verfahrens . . . 54

—————————————

*) Seither ist die entgegengesetzte Ansicht durch Gesetz vom 5. Okt. 1863
sanktionirt.

Seite

XX. Zuständigkeit der Handelsgerichte für alle Wechselsachen. — Berufungen im Wechselexekutionsverfahren nach Preußischem Rechte. — Personalhaft während des Konkurses . . . . . 56

XXI. Berufungsförmlichkeiten nach dem bayer. W.= u. MP. . . . 59

XXII. Berufungssumme in Handelssachen, welche bereits vor dem 1. Juli 1862 anhängig geworden. — Zusammenrechnung des Betrages der Haupt= und Nebensache unstatthaft . . . . 61

XXIII. Berufung im Exekutivprozesse . . . . . . . . . . . . 63

XXIV. Berufungssumme in Wechselsachen . . . . . . . . . . 65

XXV. Zulässigkeit der Wechselhaft vor und neben der Exekution in das Vermögen. — Statthaftigkeit der Personalhaft bei nicht vorhandener Wechselarrestfähigkeit des Wechselschuldners. — Unstatthaftigkeit der Erlassung von sg. Steckbriefen gegen Wechselschuldner . . . . . . . . . . . . . . . . . 67

XXVI. Zulässigkeit des Personalarrestes wegen Wechselschulden . . 70

XXVII. Pflicht zum Kostenvorschusse für den Personalarrest . . . 73

XXVIII. Vertretung des Wechselbeklagten bei der Ableistung des Diffessionseides. — Aechtheitsbeweis statt des Diffessionseides des Beklagten . . . . . . . . . . . . . . . . . . . 75

XXIX. Saldoforderung aus Speditionsgeschäften. — Unwirksamkeit einer allgemeinen Erklärung der Nichtanerkennung des zur Begründung der Forderung mit der Klage vorgelegten Buchauszuges. — Verpflichtung des Beklagten zur speziellen Angabe seiner Erinnerungen gegen die im Buchauszuge aufgeführten einzelnen Posten bei Vermeidung der Annahme des Zugeständnisses . . . . . . . . . . . . . . . . . . . . 77

XXX. Provisorischer Arrest wegen noch nicht fälliger Wechselforderungen. — Flucht des Schuldners als Arrestgrund . . . . 78

XXXI. Zulässigkeit der provisorischen Personalhaft eines Wechselverklagten bei nicht vorhandener Wechselarrestfähigkeit des letzteren. Anwendung der bayer. W.= u. MGO. Kap. I §. 7 u. Kap. V §. 2. — Beschlagnahme von Pässen und Legitimationspapieren als Arrestmittel . . . . . . . . . . . . . . . . . 80

XXXII. Subsidiäre Anwendung der Prozeßnovellen v. J. 1819 und 1837 im b. W.= u. MGP., insbesondere auf Restitutionsgesuche 82

XXXIII. Einreden gegen den Wechselinhaber auf Grund seines bösen Glaubens . . . . . . . . . . . . . . . . . . . . 85

XXXIV. Ungiltigkeit f. g. Ratenwechsel und der Wechsel mit Zinsversprechen . . . . . . . . . . . . . . . . . . . . . 87

XXXV. Rückforderung einer ohne Verpflichtung gezahlten Wechselregreßsumme. — Einfluß der Unmöglichkeit rechtzeitiger Protesterhebung 88

Seite

XXXVI. Wechsel mit mehreren Remittenten. — Aktive Solidarobligation im Wechselrechte . . . . . . . . . . . . . . 90

XXXVII. Indossirung eines Wechsels von Seite eines Wechselunfähigen 94

XXXVIII. Wechselausstellung von Seiten einer Ehefrau . . . . . 96

XXXIX. Rechtswirksamkeit zerrissener und auf ein anderes Papier aufgeklebter Wechsel. — Indossamente auf dem aufgeklebten Papiere 97

XL. Ort der Unterschrift des Ausstellers auf einem eigenen Wechsel 99

XLI. Zur Begründung der Klage aus einem bei Sicht zahlbaren Wechsel ist urkundlicher Nachweis der stattgehabten Präsentation erforderlich . . . . . . . . . . . . . . . 100

XLII. Wirksamkeit der Einrede der Prolongation eines Wechsels, wenn dieselbe auf dem Wechsel nicht bemerkt ist. — Eideszuschiebung über dilatorische Einreden nach bayer. Wechselprozesse 102

XLIII. Anmeldung bereits vor dem 1. Juli 1862 durch Vertrag oder Erbgang erworbener Firmen zum Handelsregister . . . . 103

XLIV. Wiedereinsetzung gegen den Ablauf der im Art. 26 Abs. 2 des Einf.-Ges. zum ADHGB. vorgesteckten dreimonatlichen Frist . 106

XLV. Zuständigkeit der Handelsgerichte bezüglich der Wirthe . . 109

XLVI. Die Erkennung der Gant über das Vermögen eines Wechselschuldners steht der Geltendmachung und Liquidstellung der wechselrechtlichen Ansprüche gegen denselben vor dem Handelsrichter nicht im Wege . . . . . . . . . . . . . . 112

XLVII. Der Nachweis des besseren Glückes ist in Handelssachen nicht Erforderniß der Ausklagung eines verganteten Schuldners . 115

XLVIII. Ein arrangirter Schuldner kann sich auf die dem Kridar zustehende Rechtswohlthat des besseren Glückes nicht berufen . 118

XLIX. Einfluß der Intervention auf die Exekution . . . . . 120

L. Statthaftigkeit des Wechselarrestes. Nach welchem Zeitpunkte ist die Wechselarrestfähigkeit des Schuldners zu beurtheilen? . 122

LI. Statthaftigkeit des Wechselarrestes im Gebiete des preuß. LR. Nach welchem Gesetze ist zu beurtheilen, ob Jemand in diesem Gebiete als Kaufmann anzusehen sei? . . . . . . . . 124

LII. Maßstab für Festsetzung der Atzungskosten in der Wechselhaft 126

LIII. Zuständigkeit der Handelsgerichte für Klagen aus einem Anerkenntnisse einer Handelsschuld. — Begriff der Handelsgeschäfte 128

LIV. Einfluß eines vor dem ordentlichen Richter angebrachten Fristenund Nachlaßgesuches eines Schuldners auf die vor den Handelsgerichten anhängigen Streitsachen desselben . . . . . . 130

LV. Die Einrede des Macedonianischen Rathschlusses schützt den Haussohn nicht gegen Bezahlung einer übernommenen Wechselverpflichtung . . . . . . . . . . . . . . . . 132

Seite

LVI. Berufung der Ehefrau auf die weiblichen Rechtswohlthaten gegenüber der Wechselverpflichtung . . . . . 133

LVII. Die Bestimmung der Zahlungszeit eines Wechsels mit den Worten: „An Michaeli" in Verbindung mit der Jahreszahl genügt der Vorschrift des Art. 4 Nr. 4, Art. 96 Nr. 4 der a. d. WO. . . . . . . . . . . . . 136

LVIII. Präsentation eines auf Sicht gestellten Wechsels zur Annahme 137

LIX. Bei einfachen Domizilwechseln ist Protesterhebung zur Erhaltung des Wechselrechtes gegen den Acceptanten nicht erforderlich 139

LX. Inhalt und Umfang einer Handlungsvollmacht. — Unterschied von einem gewöhnlichen Auftrage . . . . . 140

LXI. Bedeutung des Termines zur Wechselproduktion . . . 143

LXII. Personalerekution gegen Offiziere. — Voraussetzung dieser Erekutionsart nach Kap. X §. 9 der d. W.= und M.=G.=O. 148

LXIII. Zulässigkeit der Berufung im preußischen Wechselprozesse. — Einfluß der Konkurseröffnung auf den Fortgang des Wechsel=erekutionsverfahrens 151

LXIV. Recht des Unterrichters zur Würdigung von Erekutionsein=reden. Remonstration im d. W.= u. Merkantilprozesse . . 153

LXV. Pflicht der Klagebescheinigung im Wechsel= und Merkantilprozesse 155

LXVI. Zulässigkeit des Personalarrestes wegen Handelsschulden, wenn der Schuldner gantmäßig ist 157

LXVII. Remonstration gegen einfache Dekrete sind im Nürnberger Handelsprozesse nicht ausgeschlossen . . . . . 159

LXVIII. Nothwendigkeit speziellen und bestimmten Widerspruches auch im bayer. Merkantilprozesse. — Nichtanerkennung eines der Klage beiliegenden Buchauszuges vertritt nicht dessen Stelle . 161

LXIX. Die Einrede des Wuchers im Wechselprozesse . . . 163

LXX. Wechsel mit zwei Remittenten . . . . . . 166

LXXI. Wechsel „nach Sicht" . . . . . . . . . 167

LXXII. Benennung eines Domiziliaten durch die Bezeichnung: „zahl=bar bei N. N." — Nothwendigkeit der Protesterhebung zur Erhaltung des Wechselrechtes gegen den Acceptanten im Falle der Identität des Trassanten und Domiziliaten . . . 168

LXXIII. Zahlungszeit eines Wechsels, mit: „Vierzehn Tage a. c." bezeichnet 172

LXXIV. Rechte des Kommissionärs auf Honorar . . . . 173

LXXV. Fortführung der Firma einer aus 2 Theilhabern bestehenden offenen Handelsgesellschaft, falls einer derselben austritt und der andere das Geschäft unter Uebernahme der Aktiven und Passiven allein fortsetzt . . . . . . . . . 174

| | | Seite |
|---|---|---|
| LXXVI. | Limitum beim Kommissionshandel | 179 |
| LXXVII. | Sitz einer Aktiengesellschaft. — Zuständigkeit zu deren Eintrag in's Handelsregister | 181 |
| LXXVIII. | Die unbeanstandete Annahme einer (auf Bestellung) käuflich von auswärts übersendeten Waare nebst Faktura verpflichtet den Empfänger zur Zahlung der fakturirten Preise zu der daselbst bemerkten Zeit | 184 |
| LXXIX. | Anwendbarkeit der b. W.= u. MGO. in den zum vormaligen Herzogthum Neuburg gehörigen Gebietstheilen | 187 |
| LXXX. | Handelsgerichtliche Kompetenz bei vorliegendem Anerkenntnisse einer Handelsschuld, — besgl. bezüglich der Ehefrau eines Kaufmannes. — Unanwendbarkeit des forum accessorium | 189 |
| LXXXI. | Das bloße Anmelden von Einreden ersetzt im bedingten Mandatsprozesse die wirkliche Geltendmachung von Einreden nicht und ist kein Grund zur Zurücknahme eines erlassenen Mandats | 191 |
| LXXXII. | Terminsverlegungen im Wechselprozesse unzulässig | 194 |
| LXXXIII. | Erekution von Forderungen im Wechsel= und Merkantilprozesse | 195 |
| LXXXIV. | Voraussetzung der Wechselarrestfähigkeit nach bayer. Rechte. — Wechselarrest gegen die Ehefrau eines Kaufmannes | 196 |
| LXXXV. | Indossirung eines eigenen Wechsels von Seite des Remittenten auf einen der Mitaussteller desselben | 199 |
| LXXXVI. | Apotheker sind den Kaufleuten beizuzählen und daher deren Firmen in das Handelsregister einzutragen | 204 |
| LXXXVII. | In Handelsfachen ist die Eigenschaft eines Schuldners als eines Ausländers für sich allein kein Grund mehr zur Verhängung eines Arrestes | 206 |
| LXXXVIII. | Verurtheilung zu Leistungen, welche zur Zeit der Klagestellung noch nicht verfallen waren. — Stillschweigende Gewährung einer Creditzeit | 211 |
| LXXXIX. | Einfluß eines bei dem ordentlichen Gerichte anhängigen Fristen= und Nachlaßverfahrens auf das Erekutionsverfahren in den bei dem Handelsgerichte anhängigen Sachen | 213 |
| XC. | Acceptation eines Wechsels vor Beisetzung der Unterschrift des Ausstellers | 217 |
| XCI. | Wechselklausel „ohne Protest" | 219 |
| XCII. | Bedeutung der Klausel „zahlbar hier und aller Orten" | 221 |
| XCIII. | Berechtigung zur Auflösung des zwischen Prinzipal und Handlungsgehilfen bestehenden Dienstverhältnisses. — Benützung des Inhaltes von Untersuchungsakten | 223 |
| XCIV. | Vertragsabschluß für Rechnung einer Handelsgesellschaft, — | |

Seite

Wirkung für den einzelnen Gesellschafter in Bezug auf dessen
Verhältniß zu Dritten . . . . . . . . . . . 225

XCV. Nach welchem Zeitpunkte ist zu beurtheilen, ob eine Sache
Handelssache sei? . . . . . . . . . . . . 228

XCVI. Rechtliche Bedeutung einer zwischen Kaufmann und Geschäftskunden längere Zeit bestandenen Uebung . . . . . . 229

XCVII. Unstatthaftigkeit der Berufung in Wechselsachen nach dem für
Nürnberg geltenden Wechselprozesse . . . . . . . 231

XCVIII. Die Abhäsion ist auch nach der bayer. W.= u. HGO. als
zulässig zu erachten . . . . . . . . . . . 233

IC. Zuständigkeit bei der Nachforderung wegen eingetretenen besseren Glückes des Gantirers . . . . . . . . . 236

C. Die Bestimmung der Zahlungszeit eines eigenen Wechsels
mit den Worten: „Drei Wochen, nachdem es verlangt wird",
ist zulässig . . . . . . . . . . . . . . 238

CI. Formel des Diffessionseides nach dem b. W.= u. M.-Prozesse 241

CII. Einrede des Wirthes, „schlechtes" Bier empfangen zu haben 243

CIII. Zuständigkeit der Handelsgerichte gegen Bäcker. — Ermittlung
der Absicht der Weiterveräußerung aus den Umständen . . 244

CIV. Kompetenz der Handelsgerichte gegen die Erben eines Kaufmannes. — Forderung unter 150 fl. . . . . . . . 246

CV. Kompetenz der Handelsgerichte bei Klagen gegen den angeblich zu besserem Glücke gelangten Kridar . . . . . . 250

CVI. Begründung von Fristverlängerungsgesuchen im b. W.= und
M.-Prozesse . . . . . . . . . . . . . . 253

CVII. Restitution im Berufungsstadium bei Wechsel= und Handelssachen . . . . . . . . . . . . . . . 255

CVIII. Einfluß der Intervention auf die Exekution . . . . . 256

CIX. Einfluß der Intervention auf die Exekution . . . . . 260

CX. Die Bezeichnung des Zahlungsjahres in einem Wechsel ist
wesentliches Erforderniß desselben . . . . . . . . 262

CXI. Novation einer Schuld durch Wechselausstellung. — Zuständigkeit der Handelsgerichte bei Bereicherungsklagen nach
Art. 83 der ADWO. . . . . . . . . . . . 266

CXII. Einträge in das Handelsregister im Allgemeinen. — Sind
die Geranten und sonstigen Beamten der Aktiengesellschaften
einzutragen? . . . . . . . . . . . . . . 268

CXIII. Abzug am Kaufpreise einer, wenn auch als vertragswidrig
beanstandeten Waare ist unstatthaft . . . . . . . 271

CXIV. Dispositionsstellung bei nicht vollständig erfolgter Lieferung 275

CXV. Entschädigungsanspruch des Käufers wegen Lieferungsver-

Seite

säumniß des Verkäufers. — Geltung des Handelsgesetzbuches hinsichtlich der Folgen des Verzuges . . . . . . 277

CXVI. Abschluß von Frachtverträgen durch Stellvertreter. — Bedeutung des Frachtbriefes. — Haftung des Frachtführers bei Diebstahl . . . . . . . . . . . . . . 280

CXVII. Kompetenz der Handelsgerichte bei Klagenkumulation . . 283

CXVIII. Gerichtsablehnende Einrede im Wechsel = und Merkantilprozesse . . . . . . . . . . . . . . . . 284

CXIX. Fristverlängerungen im Wechselprozesse. Verfahren nach der W.= u. MGO. von 1785 in seinen verschiedenen Modalitäten 288

CXX. Litisbenunziation im Wechselprozesse . . . . . . 292

CXXI. Erlassung von Steckbriefen gegen flüchtige Schuldner . . 293

CXXII. Maßstab für Festsetzung der Arrestkosten . . . . . 295

CXXIII. Festellung des Thatbestandes einer Beschädigung durch Sachverständige Rechtsmittel gegen deren richterliche Anordnung . 296

CXXIV. Zahlungszeit des Wechsels mit „1. August b. J." . . 300

CXXV. Was ist ein Domizilwechsel? . . . . . . . . 301

CXXVI. Form des Wechselprotestes. Ort der Präsentation des Wechsels und der Protesterhebung . . . . . . . . 302

CXXVII. Wechsel mit Kreuzen anstatt der Unterschrift . . . . 304

CXXVIII. Giltigkeit der b. W.= u. MGO. von 1785 für alle ehemals bayerischen Orte . . . . . . . . . . . 306

CXXIX. Ladung des Klägers zur Vornahme der Sperre . . . 306

CXXX. Die Einrede der Tilgung im Wechselprozesse . . . . 307

CXXXI. Giltigkeit der Wechsel=Unterschrift auf den nach dem Landesgesetze aufgeklebten Stempelmarken . . . . . . . 310

CXXXII. Die Bezeichnung der Zahlungszeit durch die Worte: „Nach Verlauf von 14 Tagen" ist nicht genügend . . . . . 312

CXXXIII. Zahlung des Kaufschillings, sobald der Käufer seinerseits die Waare an Dritte veräußert haben werde . . . . . 313

CXXXIV. Folgen der Verwerfung von Fristverlängerungsgesuchen nach b. M.=Prozeß . . . . . . . . . . . . 315

CXXXV. Umfang der stadt= und landgerichtlichen Zuständigkeit bei Immobiliarexekution in Handels= und Wechselsachen . . 316

CXXXVI. Die Eideszuschiebung über die Einrede der Kompensation ist nach dem Augsburger Wechselprozesse unzulässig . . . 319

CXXXVII. Berufungszulässigkeit nach Preußischem Wechselprozesse . 322

CXXXVIII. Auch gegen den Acceptanten eines Wechsels kann auf Sicherheitsleistung geklagt werden . . . . . . . . 325

CXXXIX. Rechte und Pflichten des Ehrenzahlers . . . . . 328

CXL. Begründung der Schadenersatzklage, wenn der Verkäufer die

Seite

Waare für Rechnung des säumigen Käufers verkauft. — Verkauf durch einen Pfuschmäkler . . . . . . . . . . 331

CXLI. Rechte und Pflichten des Verkäufers bei Saumsal des Käufers . . . . . . . . . . . . . . . . . 333

CXLII. Die Amortisation eines abhanden gekommenen Wechsels ist bei dem Handelsgerichte des Zahlungsortes nachzusuchen . 336

CXLIII. Umfang des Berufungsrechtes im Amortisationsverfahren bezüglich eines abhanden gekommenen Wechsels. — Passivlegitimation in diesem Verfahren . . . . . . . . 338

CXLIV. Zuständigkeit in einer Wechselsache, wenn bezüglich des eingeklagten Wechsels das Amortisationsverfahren eingeleitet ist 339

CXLV. Handelsgerichtliche Kompetenz bei Darlehensklagen gegen Kaufleute . . . . . . . . . . . . . . . . 342

CXLVI. Handelsgerichtliche Zuständigkeit bei Streitigkeiten aus Gesellschaftsverhältnissen . . . . . . . . . . . . 346

CXLVII. Unzuständigkeit der Handelsgerichte in Streitsachen über Spekulationsgeschäfte mit Immobilien . . . . . . . 348

CXLVIII. Wirkung der Einrede mangelnder Kaution in Bezug auf die Einlassung . . . . . . . . . . . . . . . 351

CXLIX. Beschlagnahme einer zu hoffenden Erbschaft . . . . 353

CL. Die Immission in Immobilien ist auch nach der b. W.= u. MGO.=zulässig . . . . . . . . . . . . . . 355

CLI. Ableistung des Diffessionseides in Krebulitätsform von Seite der Erben eines Wechselschuldners . . . . . . . 356

CLII. Bedeutung des Zahlungsortes eines Wechsels für den Gerichtsstand . . . . . . . . . . . . . . . 358

CLIII. Die in den Text der Wechselurkunde selbst aufzunehmende Bezeichnung derselben als Wechsel ist wesentlich; das Versprechen „nach Wechselrecht zu zahlen" ersetzt dieselbe nicht . 361

CLIV. Bestimmung der Zahlungszeit eines Wechsels mit „bis" . . 362

CLV. Haftung einer Ehefrau aus der Mitunterschrift eines Wechsels ihres Ehemannes nach bayer. Rechte . . . . . . . 363

CLVI. Zulässigkeit der subsidiären Personalhaft gegen die vom Wechselarreste nicht eximirten Personen . . . . . . . 366

CLVII. Die Zahlungszeit eines Wechsels durch die Worte: „binnen 3 Monaten" bestimmt . . . . . . . . . . . 368

CLVIII. Klag auf Zahlung eines Wechsels vor Verfall desselben . . 370

CLIX. Ergänzung eines mangelhaften Protestes durch anderweite Beweismittel . . . . . . . . . . . . . . 371

CLX. Verfahren bei Veräußerung eines kaufmännischen Pfandes. — Zuständigkeit zur Einleitung dieses Verfahrens . . . . 373

Seite

CLXI. Befugniſſe der Geſellſchafter in Bezug auf das gemeinſchaft= liche Vermögen nach eingetretener Liquidation . . . . 375
CLXII. Recht des Liquidators einer Geſellſchaft . . . . . . 377
CLXIII. Bedeutung der Firmenzeichnung bei einer Aktiengeſellſchaft . 380
CLXIV. Geltendmachung von Entſchädigungsanſprüchen aus einem Bierlieferungsvertrage Seitens des Wirthes . . . . . 383
CLXV. Beſtimmung des Kaufpreiſes. — Mangel einer ausdrück= lichen Stipulation. — Rechtsfolge desſelben . . . . 386
CLXVI. Rechte der Geſellſchaft aus den von einem Geſellſchafter für eigene Rechnung gemachten Geſchäften . . . . . . 390
CLXVII. Handelsgerichtliche Kompetenz gegen Schäffler . . . . 393
CLXVIII. Lieferung von Ziegelſteinen aus eigenem Grund und Boden iſt kein Handelsgeſchäft . . . . . . . . . . 395
CLXIX. Das im Art. 81 des Not.=Geſ. vorgeſchriebene Verfahren fin= det auch im Gebiete der b. W.= u. MGO. auf Handelsſachen Anwendung . . . . . . . . . . . . . 399
CLXX. Folgen des Ungehorſams bezüglich der Abgabe der Schluß= ſätze nach dem Syſteme der b. W.= u. MGO. . . . . 403
CLXXI. Begriff der Arreſtkoſten, welche der Gläubiger für den inhaf= tirten Schuldner zu entrichten hat . . . . . . . 404
CLXXII. Im Exekutionsverfahren ſind die erwachſenden Koſten regel= mäßig ſofort vom Verklagten zu erheben . . . . . 408
CLXXIII. Die in der b. GO. Kap. XVIII §. 3 Nr. 7 als ſubſidiäres Exekutionsmittel zugelaſſene Perſonalhaft iſt durch ver= ſchuldete Unvermögenheit des Schuldners nicht bedingt *). 409
CLXXIV. Berufungen der Klagpartei gegen Beſchlüſſe über Perſonal= exekution ſind an das Daſein der Berufungsſumme gebunden 411
CLXXV. Der Ankauf eines Gebäudes behufs des Abbruches und der Weiterveräußerung der Baumaterialien iſt ein Handelsgeſchäft 412
CLXXVI. Handelsgerichtliche Zuſtändigkeit bei Streitigkeiten unter Kauf= leuten über ihr Rechtsverhältniß aus einem nicht acceptirten Kaufofferte . . . . . . . . . . . . . 414
CLXXVII. Litisdenunziationen ſind im bayeriſchen Merkantilprozeſſe nicht unbedingt ausgeſchloſſen . . . . . . . . 416
CLXXVIII. Die Beſtimmung der Zahlzeit eines Wechſels mit den Wor= ten: „In 3½ Monaten zahle ich ꝛc.“ iſt ungenügend . . 417
CLXXIX. Wechſelausſtellung von Seite minderjähriger Gewerbs=Leute . 419
CLXXX. Die Bemerkung, daß der Proteſtat nicht anzutreffen geweſen, iſt nur dann in den Proteſt aufzunehmen, wenn ſich über= haupt Niemand, der eine Erklärung hätte abgeben können,

---

*) Ebenſo entſchied ein Erkenntniß des OAG. v. 21. November 1859 (18⁵⁹/₆₀ Nr. 140).

vorfand, oder eine Wohnung bezw. ein Geschäftslokal nicht ermittelt wurde . . . . . . . . . . . . . . . . 421

CLXXXI. Einrede des Ausstellers eines eigenen Wechsels, dem letzteren habe es zur Zeit der Unterzeichnung noch an der Angabe der Summe gefehlt . . . . . . . . . . . . . . . 427

CLXXXII. Rechtsverhältniß zwischen Aussteller und Indossatar bei Wechseln an eigene Ordre . . . . . . . . . . . . . 429

CLXXXIII. Nothwendigkeit vollständiger Wechselabschrift in dem Proteste 431

CLXXXIV. Wechselausstellung von Seite eines procurator omnium bonorum . . . . . . . . . . . . . . . . . . . 433

CLXXXV. Ausstellung von Zeugnissen über das Nicht bestehen gewisser Einträge im Handelsregister . . . . . . . . . . 437

CLXXXVI. Beweiskraft kaufmännischer Bücher, insbesondere s. g. Kommissionsbücher . . . . . . . . . . . . . . . 439

CLXXXVII. Befugnisse der sog. Agenten. Nichtberechtigung derselben zur Geldempfangnahme für ihre Vollmachtgeber . . . . . 444

CLXXXVIII. Umfang und Art der Rechnungslegung unter Handels-Gesellschaftern . . . . . . . . . . . . . . . . . . 447

CLXXXIX. Das Aufführen ganzer Häuser im Akkord oder Errichten eigener Gebäude auf Spekulation macht einen Maurermeister noch nicht zum Kaufmann . . . . . . . . . . . . . 450

CXC. In Bezug auf unbestellt zugesendete Waaren ist die Unterlassung alsbaldiger Untersuchung derselben und Anzeige über den Befund für den Empfänger unnachtheilig. — Die bloße Rücksendung einer auf Bestellung gelieferten Waare vertritt nicht die Stelle einer Dispositionsstellung . . . . . . 452

CXCI. Zahlung des Kaufpreises bei ratenweiser Lieferung einer gekauften Quantität fungibler Sachen . . . . . . . . . 457

CXCII. Begründung von Entschädigungsansprüchen auf dem Grund der Nichterfüllung von Lieferverträgen . . . . . . . . 459

CXCIII. Beweislast des Spediteurs gegenüber Ansprüchen aus angeblichen Pflichtverletzungen desselben . . . . . . . . . 461

CXCIV. Bedeutung der Beweisauflage, daß Kaufpreise „bedungen oder üblich" seien. — Beweiskraft einer Faktura gegen den Verkäufer . . . . . . . . . . . . . . . . . . . . 464

CXCV. Fristverlängerungen im Nürnberger Handelsprozesse . . . 467

CXCVI. Handelsgerichtliche Zuständigkeit bei Streitigkeiten über Ausübung und Umfang vertragsmäßig festgestellter Gewerbsrechte 467

CXCVII. Geltung der b. W.- u. MGO. für Handelssachen in den zum vormaligen Herzogthume Neuburg gehörigen Gebietstheilen . 469

CXCVIII. Handelsgerichtliche Zuständigkeit für Streitigkeiten zwischen Wirthen und ihrem Geschäftspersonale . . . . . . . 471

Seite

CXCIX. Zuständigkeit der Handelsgerichte hinsichtlich des Betriebes einer Lohmühle durch Gerber . . . . . . . . 474

CC. Umfang der Anwendbarkeit des gewöhnlichen Verfahrens in Wechselsachen im Gebiete der b. W.- u. MGO. . . . . 475

CCI. Umfang der Editionspflicht in Bezug auf Handelsbücher. Beweisdienlichkeit kaufmännischer Bücher für den Nichtabschluß eines Geschäftes . . . . . . . . 478

CCII. Die Bestellung einer zu einem gewissen Preise zu liefernden Sache enthält einen Antrag im Sinne des a. b. HGB. — Begriff des Auftrages . . . . . . . . 480

CCIII. Rechtsverhältniß aus einem Antrage zwischen dem Antragsteller und dem anderen Theile. — Begriff der rechtzeitigen, ordnungsmäßigen Absendung der Antwort auf den Antrag. Umfang der Zulässigkeit eines Widerrufes . . . . . 483

CCIV. Handelsgerichtliche Zuständigkeit in Werkverdingungsverträgen 487

CCV. Kompetenz der Handelsgerichte für Klagen gegen Nichtkaufleute aus Bürgschaften für Handelsschulden . . . . . 488

CCVI. Die Anschaffung von Baumaterialien zur Ausführung eines in Accord übernommenen Baues bildet kein Handelsgeschäft. Der gewerbmäßige Betrieb solcher Anschaffungen macht nicht zum Kaufmann . . . . . . . . 492

CCVII. Dispositionsstellung an Geschäftsreisende . . . . . 495

CCVIII. Schuldanerkennung als Verpflichtungsgrund . . . . 497

CCIX. Rechtsverhältniß aus einer Anweisung . . . . . 498

CCX. Rechtliche Bedeutung der Verabredung, der Kaufpreis solle „nach Belieben und Möglichkeit" des Käufers bezahlt werden 499

CCXI. Umfang der Haftpflicht des Spediteurs. — Beweislast bei Verlust oder Beschädigung des Gutes . . . . . 501

CCXII. Die Klage aus einem verjährten Wechsel ist von Amtswegen abzuweisen . . . . . . . . 504

CCXIII. Deposition der Wechselsumme bei Gericht anstatt der Zahlung unstatthaft. — Vorbehalt der Nachklage im Wechselprozesse unnöthig . . . . . . . . 506

CCXIV. Voraussetzung für die Haftung desjenigen, welcher einen Wechsel in Vollmacht eines Anderen ausgestellt hat. Beweislast hiebei . . . . . . . . 508

CCXV. Ein zu Augsburg zahlbarer, zwischen den dort bestehenden Kassirtagen fällig gewordener Wechsel kann auch vor dem nächsten Zahltage rechtswirksam protestirt werden . . . . 510

CCXVI. Haftung des Wechselbürgen . . . . . . . . 512

CCXVII. Befugniß des Blankoindossatars in Ausfüllung des Blankogiro 515

CCXVIII. Bei einem domizilirten Wechsel ohne Benennung eines Domiziliaten ist eine Protesterhebung nicht geboten, um die wechselrechtlichen Ansprüche gegen den Aussteller zu erhalten . 517

CCXIX. Der allgemeine Widerspruch gegnerischer Behauptungen ist unwirksam . . . . . . . . . . . . . . . . . . . . . . 519

CCXX. Zulässigkeit des Exekutivprozesses nach Nürnberger Recht . . 520

CCXXI. Exekutivprozeß auf Grund eines präjudizirten Wechsels . . 523

CCXXII. Delegation ist nicht geboten, wenn für die in verschiedenen Untergerichtsbezirken wohnhaften Verklagten ein aus anderen Gründen zuständiges gemeinsames Gericht besteht . . 525

CCXXIII. Verhältniß der Handelsgerichte zu den Gantgerichten . . . 528

CCXXIV. Bestimmung der Zahlzeit eines eigenen Wechsels . . . . 532

CCXXV. Der Name des Ausstellers einer Tratte muß aus dem Wechsel selbst mit Bestimmtheit erhellen . . . . . . . . . . 534

CCXXVI. Eine Differenz zwischen dem Datum der Ausstellung und der Acceptation eines Wechsels ist unschädlich . . . . . . 535

CCXXVII. Rechte des Indossanten, welchem der Wechsel nach ergangenem Urtheile begeben wurde, und desjenigen, welcher den Wechsel als regreßpflichtig bezahlt hat. — Berufung in der Exekutionsinstanz. — Provisorische Beschlagnahme . . . . . . 537

CCXXVIII. Eine ganz allgemein lautende Bürgschaftserklärung auf der Rückseite einer Tratte ist unwirksam . . . . . . . . 541

CCXXIX. Die Einrede der Zahlung ist als solche gegenüber einer Wechselforderung nur dann begründet, wenn die Zahlung zur Tilgung der Wechselschuld erfolgte . . . . . . . . . 542

CCXXX. Umfang der handelsgerichtlichen Zuständigkeit bei Streitigkeiten zwischen Kaufleuten . . . . . . . . . . . . . 544

CCXXXI. Lohnkutscher sind den Kaufleuten nicht beizuzählen . . . 546

CCXXXII. Handelsgerichtliche Zuständigkeit in Bezug auf Ansprüche gegen Verpächter realer Gewerbsrechte aus deren Gewerbsbetriebe 547

CCXXXIII. Verhältniß der statutarrechtlichen Haftung der mit ihren Männern zu offenem Kram und Markt sitzenden Frauen für die Geschäftsschulden zu den Bestimmungen des a. b. HGB. 548

CCXXXIV. Beweisdienlichkeit kaufmännischer Bücher bezüglich der käuflichen Bestellung von Waaren und der Preisverabredung, insbesondere gegen Nichtkaufleute . . . . . . . . . 553

CCXXXV. Handelsgerichtliche Zuständigkeit für Streitigkeiten zwischen Kaufleuten und ihren Lehrlingen bzw. deren rechtlichen Vertretern. — Goldschläger sind den Kaufleuten beizuzählen . 555

CCXXXVI. Legitimation offener Handelsgesellschaften als solcher bei Ausstellung von Prozeßvollmachten . . . . . . . . . 557

CCXXXVII. Der Ankauf von Holz auf dem Stocke zur Weiterveräußerung bildet ein Handelsgeschäft . . . . . . . . . . 559

CCXXXVIII. Werthangemessenheit des Kaufpreises . . . . . . . . . 561

CCXXXIX. Rechtswirksamkeit des Vorbehaltes Seitens eines Kaufmannes, die bestellte Waare zurückzugeben, wenn sie seinen Abnehmern nicht zusage . . . . . . . . . . . . . . . . . . 562

Seite

CCXL. Die Stipulation gewisser Eigenschaften einer bestellten Waare schließt in Ermangelung anderweiter Abreden das Vorhandensein eines Kaufes auf Besicht aus . . . . . . . 563

CCXLI. Der Verkauf einer Waare nach Art. 343 Abs. 2 des a. d. HGB. liegt außerhalb des Wirkungskreises der Gerichte . . 565

CCXLII. Dispositionsstellung bei Mehrsendung . . . . . . . 566

CCXLIII. Für Klagen auf Erfüllung sog. Firgeschäfte bildet die Behauptung, es sei dem Säumigen unverzüglich das Verlangen der Erfüllung angekündigt worden, einen wesentlichen Bestandtheil. — Begriff der unverzüglichen Anzeige . . . 569

CCXLIV. Begriff der die Haftpflicht des Frachtführers ausschließenden höheren Gewalt (vis major) . . . . . . . . . . 571

CCXLV. Begriff des im Falle des Verlustes oder der Beschädigung eines Frachtgutes zu ersetzenden gemeinen Handelswerthes . 574

Systematisches Register zum I. Bande der Sammlung handelsgerichtlicher Entscheidungen . . . . . . . . . . . . . 577

Alphabetisches Sachregister zum I. Bande der Sammlung handelsgerichtlicher Entscheidungen . . . . . . . . . . . 580

# Sammlung

# handelsgerichtlicher Entscheidungen

## seit Einführung

### des

### allgemeinen deutschen Handelsgesetzbuches

### in Bayern.

### Erster Band.

1. Juli 1862—31. Dezember 1864.

———————

# I.

## Zulässigkeit des Personalarrestes in Handelssachen.

**Kap. X §. 9 der Wechsel- und Merk.-Ger.-Ordn. v. 1785; Kap. XVIII §. 3 Nr. 7 der bayer. Ger.-Ordn. v. 1753.**

N. N., ehemals Inhaberin einer Handlung in München, später an einen Geschäftsmann dortselbst verheirathet, war rechtskräftig verurtheilt, dem Kaufmann A. A. eine Waarenschuld nebst inzwischen erwachsenen Zinsen und Kosten im Betrage von c. 500 fl. zu bezahlen. Die zur Erfüllung des Urtheiles betriebene Mobiliarexekution blieb fruchtlos, Immobilien waren nicht vorhanden und schließlich wurde durch Manifestationseid die volle Zahlungsunfähigkeit beschworen. Bei Ableistung dieses Eides mußte Beklagte zugestehen, daß sie zur Zeit der ersten Pfändung durch den Verkauf eines ihr zustehenden Privilegiums die Summe von c. 1000 fl. eingenommen, diese aber theils zur Abzahlung einiger Schulden, theils zur Haushaltung ihrem Ehemanne gegeben habe, welcher das Geld auch vollständig verausgabt hatte. Der klägerische Anwalt impetrirte nunmehr den Personalarreß *), welchem Antrage das Gericht I. Instanz auch stattgab, mit der Motivirung, daß der Personalarrest gegen die Beklagte „als Handelsfrau" zulässig sei. Hiegegen Berufung des Anwaltes der Bekla-

---

*) Ein Spezialmandat zu dieser Prozeßhandlung lag nicht vor; indem beide Gerichte demungeachtet den Personalarrest verfügten, schlossen sie sich also der in einem Erkenntnisse des Münchner Wechsel- und Merkantilgerichtes II. Instanz v. 9. Januar 1834 (Posset S. 281)

1 *

ten, die sich darauf stützte, „daß der Personalarrest nach Art. 2 Ziff. 3 der a. d. WO. nur gegen solche Frauen stattfinde, welche gegenwärtig Handel und Gewerbe treiben; die Beklagte habe aber das früher betriebene Handelsgeschäft längst aufgegeben, sich verheirathet und ihre Thätigkeit auf die einer Hausfrau beschränkt." Das k. Handelsappellationsgericht verwarf diese Berufung durch Erkenntniß vom 8. Juli 1862 aus folgenden Gründen:

Es hat im gegebenen Falle auf die Auslegung des Art. 2 Ziff. 3 der a. d. WO. nicht anzukommen, da es sich nicht um Verhängung des Wechselarrestes handelt*), sondern um Anwendung des in Kap. X §. 9 der W.= und MGO. v. 1785 in Ermangelung aller Zahlungsmittel gegen den Schuldner gegebenen letzten Executionsmittels. Eine ausdrückliche Vorschrift, daß dieser §. 9 sich auf Merkantilforderungen nicht beziehe, ist nicht vorhanden **), und kann

---

aufgestellten Ansicht, daß zur Beantragung des Personalarrestes der Anwalt Spezialvollmacht bedürfe, nicht an; wohl auch mit Recht, denn es läßt sich aus der GO. Kap. VII §. 9 die Nothwendigkeit nicht deduziren; das „große Präjudiz" des Antrages auf Personalexekution für den Impetranten könnte nur in der dadurch hervorgerufenen Haftung für die Ernährungskosten des Arrestaten liegen; allein diese fallen eben auf den Anwalt, wenn er ohne Mandat gehandelt hat; dem Kläger erwächst dadurch keinerlei Präjudiz.

*) Die hier angeregte Frage ist bekanntlich sehr kontrovers; der Brockhaus'ische Kommentar (Liebe) ist der Ansicht, die Frau müsse zur Zeit der Execution Handelsfrau sein; Bluntschli und Brauer sprechen sich dafür aus, daß es nur auf die Eigenschaft der Frau zur Zeit der Wechselausstellung ankomme; der neueste Kommentator Hoffmann stellt die Meinung auf, die fragliche Eigenschaft müsse sowohl zur Zeit der Wechselausstellung als auch zur Zeit der Exekution vorhanden sein. Das kgl. Handelsappellationsgericht zu Nürnberg nahm in diesem und andern Fällen (z. B. München I/J. Reg.=Nr. 8 und 13) übrigens an, daß das Aufhören der Eigenschaft, welche den Personalarrest als Exekutionsmittel zulässig machte, dessen Anwendbarkeit für Geschäftsschulden aus der früheren Zeit nicht bewirke, da die vom Schuldner eingegangenen Verpflichtungen später nicht mehr einseitig alterirt werden können.

** Entgegen den in Klette Wechsel= und Merkantilprozeß (Fortsetzung S. 71) angeführten Erkenntnissen des ehemaligen Wechsel= und Merkantilgerichtes II. Instanz zu Freising; aber in Uebereinstimmung mit mehreren Erkenntnissen des früheren Handelsappellationsgerichtes München.

dies insbesondere daraus nicht gefolgert werden, daß die Bestimmungen desselben auf die Verordnung v. 1. August 1780 und 18. Nov. 1782 gebaut sind*).; im Gegentheile spricht die ausdrückliche Erwähnung des „Merkantilgerichtes" in Ziff. 4 des §. 9 dafür, daß auch der §. 9 wie die ganze Gerichtsordnung von 1785 gleichmäßig beim Merkantil- wie beim Wechselprozesse zur entsprechenden Anwendung zu kommen hat. Allein abgesehen davon ist der Personalarrest als Exekutionsmittel auch in Handelssachen jedenfalls dann anwendbar, wenn die Voraussetzungen der GO. Kap. XVIII §. 3 Nr. 7 gegeben sind, wie dieses hinsichtlich der Beklagten der Fall ist. Die Angabe des Klägers, daß andere Mittel, zu seiner Befriedigung zu gelangen, nicht vorhanden sind, wird durch die aktenmäßig bisher fruchtlos gebliebene Exekution bestätigt, und es wäre Sache der Beklagten gewesen, zur Vermeidung des Personalarrestes reelle Befriedigungsmittel darzubieten**). Es ist durch die eigenen Erklärungen der N. N. bei Ableistung des Manifestationseides sogar dargethan, daß sie der Vorwurf verschuldeter Unvermögenheit treffe ***). Denn sie gesteht ein, zu einer Zeit, da ihre Verpflichtung zur Bezahlung der Waarenschuld an den Kaufmann A. A. bereits feststand, die Summe von c. 1000 fl. eingenommen, anstatt aber ihre Schuld damit zu decken, das Geld ihrem Ehemanne theilweise zur Bestreitung des Hauswesens überlassen zu haben. Hierin liegt aber eine offenbare Unredlichkeit, welche um so weniger entschuldigt werden kann, als die zu bezahlende Forderung eine Geschäftsforderung war und die Beklagte als ehemalige Handelsfrau wissen mußte, daß es die Pflicht

---

*) Diese Verordnungen sprachen allerdings nur von den Befugnissen der Wechselgerichte; allein damals gab es eben noch keine Merkantilgerichte, und gerade daß nunmehr der Inhalt jener Verordnungen ohne Vorbehalt oder Beschränkung in die allgemeine Wechsel- und Merkantilgerichtsordnung aufgenommen ist, begründet die Ueberzeugung, daß der Gesetzgeber dieselben ausdehnen wollte. Von dieser Ansicht geht auch offenbar der Landtagsabschied von 1856 aus, in welchem insbesondere die für das Exekutionsverfahren gegebenen Bestimmungen ganz allgemein sich auf Merkantilsachen wie auf Wechselsachen beziehen.

**) Vgl. Seuffert's Kommentar Bd. IV S. 301.

***) Das kgl. Handelsappellationsgericht hat sich übrigens darüber noch nicht definitiv ausgesprochen, ob der Arrest nach GO. Kap. XVIII §. 3 Nr. 7 nur dann eintrete, wenn den Schuldner der Vorwurf verschuldeter Unvermögenheit trifft.

jedes ehrlichen Geschäftsmannes ist, vor Allem feine Verbindlichkeiten zu erfüllen*).    (München 1/3. R.-Nr. 5.)

## II.
### Zuläffigkeit des Perfonalarreftes in Handelsfachen.

Die Anficht, daß der Perfonalarreft in Merkantilfachen ohne Rückficht auf die Gerichtsordnung Kap. XVIII §. 3 lediglich wegen Erfolglofigkeit anderer Erekutionsmittel auf Grund des Kap. X §. 9 der W.- und MGO. v. 1785 ftattfinde, fprach das k. Handelsappel- lationsgericht zu Nürnberg auch durch Urtheile vom 11. Juli 1862 (München 1/3. Reg.-Nr. 7) und 22. Auguft 1862**) (München 1/3. Reg.-Nr. 19) aus, mit dem weiteren Motive, „es entfpreche vollkom- men dem Zwecke der Förderung des kaufmännifchen Kredites und der Sicherung des Gefchäftsverkehres gegen unfolides Treiben, daß jeder Handelsmann für die eingegangenen Gefchäftsverbindlichkeiten fubfi- diär mit feiner eigenen Perfon einzuftehen habe." In dem erften Erkenntniffe wurde ferner angenommen, „es fei nirgends gefetzlich ausgefchloffen, den Antrag auf Perfonalarreft mit dem Antrage auf Sperre eventuell auf den Fall zu verbinden, daß diefe Sperre erfolg- los bleibe, und den Arreft auch fofort auf diefen Fall zu verhän- gen***).    Sache des Schuldners fei es, bei erfolglofer Vornahme der Mobiliarfperre, falls er anderweitige Erekutionsobjekte befitze, folche anzuzeigen und fo die Erekution an der Perfon abzuwenden."

## III.
### Statthaftigkeit des Wechfelarreftes nach bayerifchem Rechte.    Vorherige Androhung deffelben.

Art. 2 des Einführungsgefetzes vom 25. Juli 1850, Kap. X §. 9 Nr. 2 der W.- u. MGO. von 1785.

N. N., ehemaliger Gutsbefitzer, zuletzt in München wohnhaft, war rechtskräftig zur Bezahlung einer Wechfelfchuld in Haupt- und

---

*) Der etwaige Einwand „primum est vivere" widerlegte fich im vorlie- genden Falle überdieß durch den Hinblick auf die beftehende Alimenta- tionspflicht des Ehemannes.

**) In diefer Sache hatte der Betrag des Streitobjektes die Summe von 150 fl. nicht erreicht, vgl. hierüber die Note auf S. 14.

***) Bei Einhaltung diefer Praxis werden die vielen erfolglofen Mobiliar-

Nebensache von c. 500 fl. verurtheilt und die Sperre verfügt worden. Da diese, sowie die versuchte Exekution an Immobilien fruchtlos blieb, so rief der klägerische Anwalt auf Verhängung des Wechselarrestes an, und das Gericht I. Instanz verfügte auch sofort den Arrest und ließ ihn mit Zustellung dieses Bescheides in Vollzug setzen. Hiegegen Berufung des Anwaltes des Beklagten.

Das k. Handelsappellationsgericht gab dieser Berufung Statt durch Erkenntniß v. 11. Juli 1862, welches nachstehend motivirt ist:

Der Anwalt des Beklagten stellt in seiner Berufungsschrift zwei Beschwerdepunkte auf. Der erste besteht darin, daß der Arrest ohne vorherige Androhung ausgeführt worden sei; allein nach Kap. X §. 9 Nr. 2 der W.- u. MGO. von 1785 kann der Wechselarrest, wenn der Antrag darauf begründet ist, simpliciter bewilligt werden*). Sonach bedarf es keiner vorherigen Androhung desselben, die auch weder nothwendig noch im Hinblicke auf die zu besorgende Flüchtigefahr zweckmäßig wäre**).

Der zweite Beschwerdepunkt besteht darin, daß der Wechselarrest gegen den Beklagten, welcher doch weder Kaufmann, noch Fabrikant, auch nicht besonders in die Wechselmatrikel eingetragen sei, verhängt wurde.

Diese Beschwerde stellt sich als gerechtfertigt dar.

Nach Art. 2 des Einführungsgesetzes zur allg. d. Wechselordnung vom 25. Juli 1850 können Personen, gegen welche der Wechselarrest in Gemäßheit der in den einzelnen Landestheilen vor Einführung der a. d. WD. bestehenden Vorschriften über Wechselfähigkeit und Wechselarrest nicht Platz greifen durfte, auch zur Zeit dem Wechselarreste nicht unterworfen werden***), und es hat sonach dieses Exekutionsmittel im Gebiete der früheren bayer. Wechselordnung nur gegen berechtigte Handelsleute und Fabrikanten und die in die Wechselmatrikel eingetragenen Gewerbsleute und Personen Statt.

(Reskript vom 19. Juli 1787, MGS. Bd. III S. 131. — Gesetz vom 11. Sept. 1825, die Einführung des Wechselrechtes u. s. w. betr.)

---

exekutionen rasch verschwinden, und der Gläubiger braucht sich nicht mehr in lange Interventionsstreite einzulassen.

*) Daß dieser Ausdruck so zu verstehen sei, geht aus dem Zusammenhalte mit der gleichen Anordnung in Kap. 9 §. 2 hervor.

**) Dasselbe wurde ausgesprochen in einem Erkenntnisse vom 25. Juli 1862. München I/J. R.-Nr. 4.

***) Es ist dieß allerdings eine dem Kredit schädliche und der deutschen Wechselordnung erheblich derogirende Beschränkung; vgl. den Kommissionsbericht der Handelsgesetzbuchskonferenz über „mehrere zur a. d. WD. in Anregung gekommene Fragen". S. XIV ff.

Daß der **Schuldner**, gegen den der **Wechselarrest** beantragt wird, eine Person sei, über welche dieser Arrest gesetzlich verhängt werden darf, stellt sich demnach als ein zur Begründung eines derartigen Antrages nothwendiges Moment dar.

Der **Kläger** hat aber keinen Nachweis beigebracht, daß der Beklagte zu der bezeichneten Klasse von Personen gehöre, und in seinem Antrage dieß nicht einmal behauptet.

Es war daher seinem Verlangen nicht stattzugeben, sondern der Antrag in der angebrachten Art abzuweisen *). (München I/J. R.-Nr. 4.)

## IV.

**Editionspflicht — Umfang derselben — Befugniß des Editionsberechtigten, zur Einsichtnahme von Geschäftsbüchern des Gegentheils einen Sachverständigen beizuziehen oder zu bevollmächtigen.**

Art. 33, Nr. 5, 6 und 8 der Nürnberger Handelsgerichtsordnung. — L. 181 de verb. significat. (50. 16).

Der **Großhändler W.** zu Nürnberg hatte gegen den Handlungsreisenden F. daselbst, welchen er im Jahre 1853 in dieser Eigenschaft unter Zusicherung eines Gewinnantheiles von 10 Prozent am Reinertrage seines Geschäftes in letzteres aufgenommen hatte, nach Auflösung dieses Geschäftsverhältnisses im Jahre 1856 auf Herausgabe des Betrages von 68055 fl. 40 kr. als seines rechnungsmäßigen Guthabens bei dem k. Handelsgerichte Nürnberg Klage erhoben.

In seiner Vernehmlassung auf diese Klage hat Verklagter vor Allem die Edition der sämmtlichen Geschäftsbücher, Korrespondenzen und sonstigen Papiere des Klägers, welche sich auf den Zeitraum der gegenseitigen Geschäftsverbindung bezögen, begehrt, um die Richtigkeit der klägerischen Forderung prüfen und eine genügende Vertheidigung, insbesondere durch Geltendmachen seiner Gegenforderungen, abgeben zu können, — welchem Antrage entsprechend, das Gericht I. Instanz den Kläger auch für verbunden erkannte, dem Verklagten die Einsichtnahme dieser Urkunden, soweit sich deren Inhalt auf den Zeitraum der

---

*) Diese Sache war nach dem frühern Rechte zu entscheiden; über die seit 1. Juli 1862 eingetretene Aenderung siehe Nr. X.

zwischen Beiden bestandenen Geschäftsverbindung beziehe, bei Gericht in einem hiezu anzuberaumenden Termine in seiner, des Klägers, oder seines Bevollmächtigten Gegenwart zu gestatten.

In dem in Vollzug dieses Erkenntnisses zur Edition anberaumten Termine hatte sich der Verklagte eingefunden, von einem Theile der vom Kläger vorgelegten Bücher Einsicht genommen, wegen Ablaufes der Gerichtszeit jedoch behufs der Einsichtnahme der übrigen Bücher und Aufschreibungen um Anberaumung eines neuen Termines gebeten, welcher Bitte auch stattgegeben wurde.

Zu dem neuen Termine war der Verklagte nicht mehr persönlich erschienen, sondern lediglich dessen Anwalt, welcher einen gerichtlich verpflichteten Bücherrevisor zur Stelle brachte, um unter dessen Beiziehung oder durch diesen allein die Einsichtnahme und Prüfung sämmtlicher vorgelegter Urkunden bei Gericht vornehmen zu lassen, zu welchem Zwecke er denselben kraft der ihm zustehenden Substitutionsvollmacht speziell bevollmächtigte.

Gegen dieses Verfahren wurde von Seite des Klägers zwar Verwahrung eingelegt, jedoch ohne Erfolg, indem das Gericht erster Instanz nach gepflogener Inzidentverhandlung aussprach, derselbe sei verbunden, die von ihm zufolge rechtskräftigen Erkenntnisses dem Verklagten zu gestattende Einsichtnahme seiner Geschäftsbücher durch den Anwalt des letzteren unter Zuziehung eines Sachverständigen oder durch einen solchen allein in der in fraglichem Erkenntnisse bezeichneten Weise an Stelle des Verklagten vornehmen zu lassen.

Hiegegen legte Kläger Berufung ein, wobei er als Beschwerdepunkte bezeichnete, daß die Einsichtnahme seiner Geschäftsbücher durch den Anwalt des Verklagten unter Zuziehung eines Sachverständigen oder durch einen solchen allein für zulässig erklärt, eventuell, daß bezüglich der vom Verklagten im 1. Termine bereits eingesehenen Geschäftsbücher noch eine Editionspflicht als auf seiner Seite bestehend angenommen wurde.

Durch Urtheil des k. Handelsappellationsgerichtes vom 14. Juli 1862 wurde jedoch das erstrichterliche Erkenntniß bestätigt.

In den Gründen ist über diese Punkte bemerkt:

Vor Allem läßt sich der klägerischen Auffassung des §. 33 Nr. 6 der Nürnb. HGO. *), wornach nicht die selbständige Einsicht der

---

*) Dieser Art. lautet in Nr. 5 und 6:

     5) Die Handelsbücher müssen auf Verlangen Dessen, gegen den

Handelsbücher durch einen Sachverständigen, sondern nur die Beiziehung eines solchen und auch dieses nur dann gestattet sei, wenn
der zur Einsicht Berechtigte nicht selbst Handlungsverständiger ist, mit
Grund entgegensetzen, daß diese Auffassung eine zu beschränkte, der
Absicht des Gesetzes nicht entsprechende sei, weil dieselbe in ihren
Konsequenzen das demjenigen, gegen welchen Handelsbücher gebraucht
werden wollen, eingeräumte Recht, deren Einsicht auch von einem
Bevollmächtigten vornehmen zu lassen (§. 33 Nr. 5, 8 l. c.),
theilweise illusorisch machen oder doch beschränken würde.

Würde nämlich zwar der Vollmachtgeber selbst, nicht aber der
Bevollmächtigte Handlungsverständiger und nach obiger Auffassung
das Recht der Beiziehung eines Sachverständigen dadurch bedingt sein,
daß Derjenige, gegen den die Handelsbücher gebraucht werden wollen,
nicht selbst Handlungsverständiger sei, so müßte dies indirekt zu einem
nicht gerechtfertigten Zwange gegen den letzteren führen; derselbe wäre
in diesem Falle genöthigt, entweder einen solchen Bevollmächtigten zu
wählen, der zugleich Handlungsverständiger ist, oder die Einsicht der
Handelsbücher in eigener Person vorzunehmen; weder für die eine
noch für die andere Verbindlichkeit besteht aber ein gesetzlicher Grund;
die Bestimmung der HGO. §. 33 Nr. 6 findet vielmehr ihre einfache
und natürliche Erklärung dadurch, daß man die Worte: „soferne er
nicht selber Handlungsverständiger ist", auf jede der Personen bezieht,
denen nach §. 32 Nr. 5 und Nr. 8*) die Einsicht der Bücher erlaubt ist, also nicht bloß auf Denjenigen, gegen welchen die Bücher
gebraucht werden wollen, sondern auch auf seinen Gewalthaber oder
Bevollmächtigten.

Dem Einen wie dem Andern ist es erlaubt, von den Büchern
Einsicht zu nehmen; der Eine wie der Andere ist aber auch berechtigt,

---

sie gebraucht werden, zur Gerichtsstelle gebracht werden. Diesem,
oder seinem Gewalthaber, ist dann eine persönliche Einsicht der
treffenden Stelle derselben erlaubt; er ist aber auch berechtigt,

6) soferne er nicht selbst Handlungsverständiger ist, zur Inspektion
einen Sachkundigen mitzubringen.

*) Die Ziffern 7 und 8 lauten;

7) Niemand ist indessen schuldig, seine Handelsbücher wider seinen
Willen außerhalb seines Wohnortes zu senden; wogegen er jedoch

8) verpflichtet ist, dieselbe vor dem ordentlichen Richter seines
Wohnortes, dem Produkten, oder einem Bevollmächtigten desselben
zur Einsicht vorzulegen, wenn dieser sie in dem Hause des Produzenten einzusehen verweigert.

soferne er nicht selbst Handlungsverständiger ist, einen Sachverständigen zur Inspektion mitzubringen.

Es ist überhaupt kein genügender Grund gegeben, anzunehmen, daß die oben angeführten Worte des Gesetzes: „soferne er nicht selber Handlungsverständiger ist" als eine Bedingung der Zulassung von Sachverständigen aufzufassen seien; das Gesetz wollte offenbar hiemit nur den Gedanken ausdrücken, daß auch die Beiziehung von Sachverständigen zur Inspektion erlaubt sei, soferne die Einsicht der Bücher nicht durch Denjenigen, gegen welchen dieselben gebraucht werden, weil ihm selbst die Eigenschaft eines Handlungsverständigen zukomme, vorgenommen werden sollte.

Es liegt aber auch in der Natur der Sache, daß mit dem Ausdrucke: „mitbringen" nicht angedeutet werden wollte, es müsse bei der Inspektion der Prinzipal oder der Bevollmächtigte oder Gewalthaber immer gegenwärtig sein, sondern daß hiemit nichts Anderes gesagt ist, als: es sei gestattet, dem Gerichte zur Inspektion einen Sachverständigen zu bezeichnen.

Denn ist diese Beiziehung geschehen, so ist die weitere Gegenwart des nicht handlungsverständigen Prinzipals oder Gewalthabers bezw. Bevollmächtigten ohne alle rechtliche Bedeutung.

Hiernach spricht der von dem Appellanten für sich angezogene §. 33 Nr. 5 und 6 der HGO. nicht für, sondern geradezu gegen ihn.

Allein ganz abgesehen hievon, so muß in dem vorliegenden Falle in Betracht gezogen werden, daß es sich hier nicht von den Voraussetzungen, für welche obige Vorschriften der HGO. gegeben sind, von der Produktion von Handelsbüchern zum Beweise wider den Prozeßgegner handelt, — daß vielmehr der Verklagte von dem Kläger die Gestattung der Einsicht von Geschäftsbüchern verlangt, deren Edition er, wie schon die früher in dieser Sache erlassenen Erkenntnisse aussprechen, kraft selbständigen Rechtes von dem Kläger fordern kann, welche Bücher als gemeinschaftliche Urkunden betrachtet werden müssen.

Mag auch der Verklagte nur Reisender, nicht Associé, des klagenden Geschäftshauses gewesen sein, so steht doch soviel fest, daß ihm vertragsmäßig für seine Dienstleistungen ein Gewinnantheil aus dem Ertrage des klägerischen Hopfengeschäftes zugesichert war, die über dieses Hopfengeschäft geführten Bücher und Korrespondenzen berühren demnach das Interesse des Verklagten ebensosehr, wie jenes des Klägers; sie sind ebensogut für den Verklagten, wie für den Kläger ge-

führt worden, denn sie bilden die Grundlage für Berechnung des Gewinnantheiles des Beklagten; sind sie auch nicht im Miteigenthume
des Verklagten, da derselbe nicht Geschäftstheilhaber ist, so sind sie
ihm doch zugehörig im Sinne des fr. 181 de verb. signific., er hat
einen Anspruch auf deren Herausgabe, und weil sie nicht minder auch
dem Kläger zugehörig erscheinen, so sind sie eben gemeinschaftliche
Urkunden, zu deren Begriffe keineswegs das Vorhandensein eines
Miteigenthumes gehört *).

Ganz ungerechtfertigt ist daher die Behauptung des Appellanten,
daß Verklagter kein anderes Recht habe, als jeder Andere, welcher
mit der klägerischen Firma in Geschäftsverbindung stehe.

Eine etwaige Beläftigung des Klägers endlich kann hier nicht
entscheidend sein, weil Derjenige, welcher sein Recht ausübt, dem
Anderen nicht Unrecht thut. Stellt sich hienach die im Vorstehenden
erörterte Beschwerde des Klägers als unbegründet dar, so ist es nicht
minder die eventuelle Beschwerde.

Es ergibt sich dieses aus der einfachen Erwägung, daß die ausgesprochene und anerkannte Verpflichtung des Klägers zur Edition
auf der vertragsmäßigen Einräumung eines Gewinnantheiles aus diesen Geschäften an den Verklagten beruht, daß die Einsicht der fraglichen Bücher und Papiere nur einem einzigen Zwecke, dem der Feststellung jenes Gewinnantheiles dient, dieser Zweck aber nicht durch
die Einsicht einzelner Urkunden, sondern nur durch die Einsicht der
sämmtlichen betreffenden Geschäftsbücher und Papiere in ihrer Tota-
lität erreicht wird, indem, um das festzustellende Gesammtresultat zu
erzielen, bei Prüfung der einen Urkunde leicht wieder ein Zurück-
greifen auf eine andere bereits früher eingesehene nothwendig werden kann.

Kläger kann sich daher seiner Verbindlichkeit zur Urkundenedition
nicht stückweise dadurch entledigen, daß er ein Buch nach dem anderen
dem Verklagten zur Einsicht vorlegt und dasselbe nach genommener
Einsicht wieder zurückzieht; vielmehr hat derselbe seiner Editionspflicht
erst dann vollständig Genüge geleistet, wenn dem Verklagten die Gelegenheit gegeben war, sämmtliche Urkunden sowohl einzeln wie in
ihrer gegenseitigen Beziehung zu einander zu prüfen und miteinander
zu vergleichen. (Nürnberg R.-Nr. 9.)

---

*) Vgl. Seuffert, Pand.-Recht §. 434.

## V.

**Berufungssumme im Wechsel- und Merkantilprozesse. Appellabilität im Kostenpunkte devolvirt auch die Hauptsache an die zweite Instanz. Subsidiäre Geltung der Prozeßnovelle von 1837 im Merkantilprozesse.**

Landtagsabschied v. 1. Juli 1856, Abschn. III C. §. 27 Nr. 1. — §. 58 u. 38 der Prozeßnovelle von 1837.

Der Weinhändler A. A. zu Dettelbach hatte von dem Gastwirthe N. N. zu Murnau für gelieferten Wein mittelst Klage den Betrag von 24 fl. 12 kr. gefordert; Beklagter gestand den Empfang des Weines und die Richtigkeit des Preises zu, behauptete aber, die Forderung sei längst durch Abrechnung getilgt. Hierüber wurde ihm der Beweis aufgelegt, und das Beweiserkenntniß am 16. April 1862 publizirt. Durch Dekret vom 1. Mai wurde dem Beklagten auf Ansuchen die Frist zum Beweisantritte um weitere 14 Tage vom Ablauf der früheren an verlängert, so daß sie am Mittwoch, den 14. Mai 1862, zu Ende ging. Erst am 15. Mai 1862 aber lief die Beweisantretung ein, weßhalb Beklagter durch Dekret vom 19. Mai 1862 damit ausgeschlossen und die Akten zum Spruche ausgesetzt wurden.

Das am 28. Mai 1862 gefällte Erkenntniß verurtheilte den N. N. zur Zahlung der Hauptsache sammt Zinsen und zur Tragung aller Kosten. Auf den am 26. Mai 1862 dem Anwalte des Beklagten insinuirten Bescheid des Beweisausschlusses wurde von demselben am 29. Mai 1862 ein Restitutionsgesuch eingereicht, worin die Schuld der Versäumung der Post zugeschoben und dies bescheinigt ward. Auf dieses Gesuch wurde von dem Prozeßgerichte signirt: „einstweilen ad acta" und das obige Erkenntniß am 12. Juni 1862 den Parteien publizirt, wonach vom Beklagten sofort Berufung insinuirt und rechtzeitig ausgeführt wurde.

Die Bitte ging auf Aufhebung des Ausschlusses des Beweises und sofortige Zulassung desselben oder doch eventuell um Zulassung nach Instruirung des als Bitte um Inzidentrestitution reprobuzirten Restitutionsgesuches.

Das k. Handelsappellationsgericht zu Nürnberg sprach durch Erkenntniß vom 29. Juli 1862 aus, „es sei das erstrichterliche Erkenntniß aufzuheben, und habe das Gericht vorerst das von dem Beklagten eingereichte Restitutionsgesuch prozeßordnungsgemäß zu bescheiden, sodann aber weiter zu verfahren, wie Rechtens".

Die Entscheidungsgründe besagen:

Die Berufung des Beklagten stellt sich als formell zulässig dar. Zwar erreicht der Werth der Hauptsache nicht den Betrag von 50 fl.; allein die Bestimmung des Landtagsabschiedes vom 1. Juli 1856 (Abschn. III C. §. 27 Nr. 1: „die Berufung in Handels- und Wechselsachen, in welchen der Gegenstand der Beschwerde in der Hauptsache fünfzig Gulden nicht erreicht, ist unzulässig") ist nicht wörtlich, nämlich so zu verstehen, als ob, wenn nicht die Hauptsache 50 fl. beträgt, überhaupt keine Berufung stattfinden solle, — selbst dann nicht, wenn der Werth einer ab- und zuerkannten Nebensache für sich schon diesen Betrag erreichen würde. Vielmehr zeigt die Entstehungsgeschichte dieser gesetzlichen Bestimmungen (Verhandl. der Kammer der Abgeord. v. 1856 Beil.-Bd. II S. 460 ff.), daß damit lediglich die Vorschriften der Prozeßnovelle von 1837 über die Berufungssumme im gewöhnlichen Verfahren auch auf den Wechsel- und Merkantilprozeß ausgedehnt werden sollten*). Da nun im vorlie-

---

*) Der Abgeordnete Simmerl, auf dessen Antrag die fraglichen Vorschriften beruhen, hatte nur die Nichtappellabilität der Zwischenbescheide vorgeschlagen. Der Referent Abgeordnete Dr. Barth sagt nun in seinem Vortrage (Beil.-Bd. II S. 460):

es seien nicht nur die §. 51—56 der Prozeßnovelle, sondern auch §. 57—63 analog auf den Wechsel- und Merkantilprozeß auszudehnen; es sei nicht abzusehen, weßhalb die Berufung in dieser Prozeßart nicht wenigstens an das Vorhandensein derselben Streitsumme geknüpft sein solle, wie im ordentlichen Prozesse.

Daraufhin wurde der obige Passus eingesetzt, der also nichts anderes vorschreiben sollte und wollte, als die Bestimmung über die Berufungssumme, wie sie in der Prozeßnovelle von 1837 besteht, auch auf den Merkantilprozeß auszudehnen, so daß allerdings die bezeichneten Paragraphen subsidiär auch im Wechsel- und Merkantilprozesse anzuwenden sind.

In gleicher Weise ist auch die Bestimmung des Einführungsgesetzes zum Handelsgesetzbuche vom 10. Novbr. 1861 Art. 70 Abs. 4 auszulegen. Auch hier wollte nicht ein absoluter Grundsatz geschaffen werden, sondern die Bestimmung tritt nur für Handelssachen an die Stelle der für den ordentlichen Prozeß schon längst bestehenden Bestimmungen über die Berufungssumme. Sie kann also auch nur soweit zur Anwendung kommen, als diese letztere bisher zur Anwendung kamen. Wo es bisher im ordentlichen Prozesse auf eine Berufungssumme nicht ankam, kommt es auch nunmehr in Handelssachen nicht auf eine solche

genden Falle die Kosten, gegen deren Ueberbürdung die Berufung
gleichfalls gerichtet ist, jedenfalls den Betrag von 50 fl. über-
steigen, indem die von dem klägerischen Anwalte liquidirten allein
schon die Summe von 42 fl. 24½ kr. entziffern, so ist in diesem
Punkte die Berufungssumme allerdings gegeben *).

Hiedurch ist aber auch die Beschwerde in der Hauptsache an die
Berufungsinstanz devolvirt; denn der §. 58 der Prozeßnovelle von
1837 verbietet lediglich das Zusammenrechnen der Haupt- und
Nebensache, um die Berufungssumme zu ermitteln; dagegen folgt
schon aus dem Wortlaute des §. 57, daß, falls in einer Sache der
Beschwerdegegenstand einmal den Betrag von 50 fl. erreicht, — sei
nun der Ausspruch in einem Hauptpunkte, oder derjenige in einem
Nebenpunkte dieser Beschwerdegegenstand — dann in der Sache
also nicht blos in dem einen oder anderen Theil der Sache, die Berufung zulässig sei.

Zu demselben Resultate gelangt man, wenn man den legislati-
ven Grund des erwähnten §. 56 der Prozeßnovelle in's Auge faßt.
Derselbe besteht darin, daß die Obergerichte erleichtert und insbeson-
dere mit Sachen von geringerem Werthe nicht befaßt werden sollen.
Allein dieser Grund schlägt nicht an, sobald einmal die Berufung im
Kostenpunkte zulässig ist, und wäre gar nicht abzusehen, warum in
einem solchen Falle eine Beschränkung des Obergerichtes, die ganze
Sache zu prüfen, bestehen sollte.

---

an. Demgemäß hat das k. Handelsappellationsgericht zu Nürnberg
durch Erkenntnisse vom 22. August und 9. September 1862 (München I/S. Reg.-Nr. 19 und 22) ausgesprochen, daß die Berufung
des Beklagten gegen den Bescheid auf Verfügung des Personalarrestes
formell zulässig sei, wenn auch das Streitobjekt, wegen dessen der
Personalarrest impetrirt wird, die Summe von 150 fl. nicht erreicht
(vgl. Seuffert's Kommentar IV S. 53 Note 136). Denn der Schuldner streitet in einem solchen Falle um Erhaltung seiner persönlichen
Freiheit, — eines Gutes, das eine Schätzung in Geld nicht zuläßt.

*) Im Wechsel- und Merkantilprozesse kann sich der Richter freier bewe-
gen; streng genommen hätte allerdings vorher das Expensar des Anwaltes des Beklagten eingefordert und beide Expensare richterlich festgesetzt werden sollen; allein dieß hätte nur eine neue Verzögerung veranlaßt, und schließlich doch nur bestätigt, was jetzt schon, wenn auch
nicht aktenmäßig, so doch nach vernünftigem Ermessen anzunehmen war.

Im Gegentheile iſt es gar nicht möglich, die Richtigkeit des Aus=
ſpruches im Koſtenpunkte zu prüfen, wenn man nicht vorerſt den
Ausſpruch in der Hauptſache prüft *), und es würde gegen die eigentliche Aufgabe der Rechtspflege, das materielle Recht zur Geltung zu
bringen, verſtoßen, wenn der Oberrichter, nachdem er dieſe Prüfung
vorgenommen hat, nicht auch das von ihm als Recht Erkannte aus-
ſprechen dürfte **).

In materieller Beziehung nun iſt die Beſchwerde des Beklagten
darauf gegründet, daß er mit ſeinem Beweiſe ausgeſchloſſen und ſofort
definitiv verurtheilt wurde. Dieſe Beſchwerde iſt auch gerechtfertigt. Denn
nachdem vor Eröffnung des verurtheilenden Erkenntniſſes, mit welchem
Akte daſſelbe erſt als erlaſſen angeſehen werden kann ***), ein Reſti-
tutionsgeſuch des Beklagten eingekommen war, hätte vor Allem nach
§. 38 der Prozeßnovelle von 1837 †) verfahren, das Geſuch beſchie-

---

*) Denn wenn der Ausſpruch in der Hauptſache feſtſteht, ſo ergibt ſich
der Ausſpruch im Koſtenpunkte von ſelbſt, die ganze Verurtheilung
könnte daher ohne Abänderung des erſteren nie aufgehoben werden,
höchſtens könnte der Oberrichter kompenſiren.

**) Dieß iſt auch die Anſicht S e u f f e r t's im Kommentar Bd. IV S. 44.
Das entgegengeſetzte oberſtrichterliche Erkenntniß vom 10. Dezember
1844 (Bl. f. RA. Bd. XIII S. 57) beruft ſich darauf, daß die im
obigen Urtheile adoptirte Anſicht gegen den Grundſatz verſtoßen würde,
„causa major minorem ad se trahit"; allein abgeſehen davon, daß
dieſer Grundſatz kein zwingender ſein kann, darf man in einem derartigen Falle die bedeutenden Koſten gegenüber dem geringfügigen Pro-
zeßgegenſtande eben als causa major anſehen.

***) Vgl. GO. Kap. XIV §. 5 Nr. 3 und §. 9.

†) Dieſer Satz rechtfertigt ſich durch folgende Erwägung. Die Prozeßnovellen von 1819 und 1837 ſind allerdings nur zur Verbeſſerung des
Codex judiciarius erlaſſen, ſie berogiren daher den Beſtimmungen der
Wechſel- und Merk.-Ger.-Ord. von 1785 nicht; dieß iſt längſt anerkannt und deßhalb wurden die Abänderungen des Landtagsabſchiedes
von 1856 erlaſſen. Allein ſo weit dieſe W.- u. MGO. keine Beſtimmungen enthält, ſomit ſubſidiär die GO. zur Anwendung zu kommen
hat, iſt natürlich die j e t z i g e GO. mit ihrem durch die verſchiedenen
Novellen verbeſſerten Inhalte anzuwenden. So iſt z. B. in dem Berchtes-
gadener Rechte das bayer. Landrecht als ſubſidiäres Recht erklärt worden;
dieß geſchah zu einer Zeit, wo noch das bayer. Landrecht von 1616
galt; dem ohngeachtet wird ſeit 1756 der Codex Maximilianeus ſubſidiär angewendet, weil eben dieſer nun das bayer. Landrecht iſt.

den und jedenfalls bis dahin die Publikation des gefaßten Erkenntniſſes unterbleiben ſollen. Indem der Erſtrichter dieſes unterlaſſen,
hat er den Beklagten weſentlich in ſeinen Rechten verletzt, und muß
deßhalb das ergangene Erkenntniß in allen ſeinen Punkten aufgehoben werden, ſo daß nunmehr das Verſäumte nachzuholen und nach
prozeßordnungsgemäßer Beſcheidung des Reſtitutionsgeſuches entweder
im Falle der Zulaſſung deſſelben der Beweis zu inſtruiren oder im
Falle der Verwerfung neuerdings Erkenntniß zu erlaſſen iſt. Zu einer
Inzidentreſtitution, um welche Appellant zugleich gebeten hat, iſt die
Sache eben um deßwillen nicht angethan, weil die Reſtitution ſchon
vor erlaſſenem Urtheile bei dem Unterrichter nachgeſucht worden iſt,
daher vor Allem von dieſem beſchieden werden muß*). (München I/3.
Reg.-Nr. 14.)

## VI.

Berufungen gegen Erkenntniſſe der k. Handelsgerichte
ſind auch dann, wenn die für das treffende Gericht be-
ſtehende Spezialprozeßgeſetzgebung eine geringere Beſchwerdeſumme aufſtellt, an das Vorhandenſein der in
Art. 70 des Einführungsgeſetzes zum a. d. HGB. vorge-
ſchriebenen Beſchwerdeſumme von 150 fl. gebunden.
Die durch Abſchnitt III Ziff. 32 und 33 der Nürnberger
Taxordnung vom 5. Dezember 1803 vorgeſchriebene
Entrichtung von Aktenauslöſungsgebühren und Suk-
kumbenzgeldern iſt durch Art. 83 des eben allegirten
Geſetzes als aufgehoben zu erachten.

In einer bei dem k. Handelsgerichte Nürnberg anhängig geweſe-
nen Handelsſtreitſache wurde durch Endurtheil vom 7. Auguſt 1862

---

*) Eigentlich hätte im vorliegenden Falle der Beklagte gar nicht ſofort
appelliren, ſondern mit Remonſtration gegen die Publikation des Erkenntniſſes auftreten und bezw. um deſſen Zurücknahme nachſuchen ſollen (vergl. Seuffert's Kommentar Bd. IV S. 293), worauf der
Erſtrichter unzweifelhaft hätte eingehen müſſen; übrigens wäre im vorliegenden Falle, auch wenn die obige Anſicht über die Appellabilität
nicht adoptirt worden wäre, das erſtrichterliche Erkenntniß als unheil-
bar nichtig aufzuheben geweſen, da daſſelbe erlaſſen wurde, ohne den
Beklagten mit ſeinem Reſtitutionsgeſuche zu hören, daher eine Nullität
wegen mangelnden rechtlichen Gehöres hätte angenommen werden
müſſen.

in der Hauptsache theils zu Gunsten des Klägers, theils zu Gunsten des Verklagten erkannt und die Kompensation der Kosten ausgesprochen.

Gegen den letzteren Ausspruch meldete der Kläger rechtzeitig das Rechtsmittel der Berufung bei dem k. Handelsgerichte Nürnberg an, worauf letzteres die f. g. Abschiedsbriefe ertheilte und die Aktenauslösungsgebühren und Sukkumbenzgelder festsetzte, nach deren Bezahlung Kläger die Berufung selbst rechtzeitig bei dem k. Handelsappellationsgerichte zu Nürnberg ausführte *).

---

*) Die gesetzlichen Bestimmungen, nach welchen sich dieses Verfahren richtete, sind folgende;

1) §. 19 der Nürnberger Appellationsgerichtsordnung vom 19. Juli 1802.

Wer also durch einen Spruch, Bescheid oder Verfügung sich beschwert erachtet und daher das Rechtsmittel der Appellation oder der Klage gegen heilbare Nullitäten ergreifen will, mag solches entweder selbst oder durch einen Anwalt bei sitzendem Gericht oder vor Amt sogleich nach Eröffnung des Urtheiles oder Bescheides mündlich thun.

2) §. 20 l. c. Wofern aber die Appellation auf der Stelle mündlich nicht eingewandt worden ist, so muß der sich beschwert erachtende Theil binnen 10 Tagen nach eröffnetem Urtheil, von der Stunde an gerechnet, wo das Urtel publizirt wurde, die vorhabende Appellation dem Gerichte oder Amte schriftlich anzeigen.

3) §. 23. l. c. Der Unterrichter, von welchem die Appellation interponirt wird, hat dem Appellanten sogleich apostolos zu ertheilen.

4) §. 57 der Nürnberger Handelsgerichtsordnung vom J. 1804. Die Berufung kann, innerhalb der dazu bestimmten Nothfrist von 10 Tagen, sowohl schriftlich als mündlich geschehen, sie muß jedoch bei dem Obergerichte innerhalb 20 Tagen, bei Nebenpunkten aber schon innerhalb 10 Tagen, von der Eröffnung des Erkenntnisses an mittelst Einreichung der Beschwerdeausführung eingeführt sein.

5) Abschnitt III der Nürnberger Taxordnung vom 5. Dezember 1803.

Nr. 32. Bei Appellationen sind vom Richter I. Instanz die Akten auszulösen und ist hiefür, noch vor Einreichung des Gravatoriallibelles und zwar sub poena desertae vom Appellanten sowohl als vom Abhärenten, (welcher ebenfalls als Appellant zu betrachten ist) die Hälfte der auf jeden getroffen habenden Urtelsgebühr oder resp. Interlokutstaxe zu entrichten, doch so, daß diese Aktenauslösung für einen Theil niemals mehr als 25 fl. betragen soll. Zugleich aber liegt

Nr. 33 dem Appellanten wie dem Abhärenten ob, zu gleicher Zeit und bei Vermeidung derselben Strafe die doppelte Urtels- oder Inter-

In der Berufungsſchrift gab Kläger ſelbſt zu, daß der Betrag ſeiner Koſten, welcher im gegebenen Falle die Beſchwerdeſumme bildete, auf 150 fl. ſich nicht belaufe, ſuchte aber auszuführen, daß nach dem für das Handelsgericht Nürnberg geltenden Prozeßrechte eine Beſchwerdeſumme gar nicht vorgeſchrieben, und an dieſer ſpeziellen Beſtimmung auch durch die generelle Vorſchrift des Art. 70 Abſ. 4 des Einführungsgeſetzes zum allgemeinen deutſchen Handelsgeſetzbuche eine Aenderung nicht hervorgebracht worden ſei.

Das k. Handelsappellationsgericht Nürnberg ſchlug indeſſen, ohne die Berufungsſchrift dem Gegentheile mitzutheilen und die Akten I. Inſtanz abzuverlangen, auf Grund des §. 29*) der Handelsappellationsgerichtsordnung ſofort die Berufung ab, ordnete übrigens die Rückgabe der Aktenauslöſungsgebühren und Sukkumbenzgelder an, welchen Ausſpruch daſſelbe, wie folgt, motivirte:

1) Nach §. 29 der Nürnberger Appellationsgerichtsordnung vom 19. Juli 1802, welche gemäß §. 13, 56 und 58 der Nürnberger Handelsgerichtsordnung vom 17. Januar 1804 und konſtanter Praxis auch in Handelsſachen und insbeſondere dann überall zur Anwendung kommt, wenn Beſchleunigung und Abkürzung des Verfahrens bezweckt wird, hat ſogleich nach der bei dem Appellationsgerichte geſchehenen Einführung der Berufung das letztere zu unterſuchen, ob die Fatalien

---

lokutsgebühr, welche auf ihn getroffen hatte, für den Sukkumbenzfall zu erlegen.

Wird das Urtheil voriger Inſtanz pure beſtätigt, ſo ſind die einſtweilen in dep. zu behaltenden Sukkumbenzgelder der Sportelkaſſe verfallen. Wird aber das Erkenntniß I. Inſtanz reformirt, ſo werden, je nachdem die Reformatoria durchgängig oder in wichtigen oder minberwichtigen Punkten eingetreten, die Sukkumbenzgelder ganz oder zu ³/₄ oder zur Hälfte oder noch weiter zurückgegeben, als worüber der höhere Richter gleich im Urtheile mit zu erkennen hat.

*) Dieſer Artikel lautet:

Gleich nach der beim Appellationsgerichte geſchehenen Einführung hat das Appellationsgericht zu unterſuchen, ob die Fatalien beobachtet worden, ob die Sachen ihrer Eigenſchaft nach appellabel ſeien oder nicht. Letzteren Falles iſt, wenn die Verſäumung muthwillig und zu keiner restitutio contra lapsum fatalium geeignet iſt und wenn die Frivolität der Beſchwerden ſelbſt ohne Einſicht der Akten und ſchon bei bloßer Vergleichung mit dem Urtel in die Augen fällt, die Appellation ſogleich abzuſchlagen und dem Unterrichter zur Vollziehung ſeines Urtheiles das decretum denegatorium mitzutheilen.

2*

beobachtet worden, und ob die Sachen ihrer Eigenſchaft nach appellabel ſeien oder nicht. Leßterenfalls und wenn die Frivolität der Beſchwerden ſelbſt ohne Einſicht der Akten in die Augen fällt, ſoll die
Appellation ſogleich abgeſchlagen und dem Unterrichter zur Vollziehung ſeines Urtheils das Decretum denegatorium mitgetheilt werden.
Da nach derſelben Geſeßesſtelle Abſ. 2 und §. 37 zur Einforderung
der Akten und Einholung der Nebenverantwortung erſt dann geſchrit-
ten werden ſoll, wenn die Appellation vorerſt nicht abgeſchlagen, ſondern für zuläſſig befunden wird, ſo folgt ſelbſtverſtändlich, daß ein
ſolches decretum denegatorium ohne Einholung der Akten und Vernehmung des Gegentheiles erlaſſen werden kann und nach Befund
ſelbſt erlaſſen werden muß.

2) In vorliegendem Falle iſt nach Inhalt der Abſchiedsbriefe
die Berufung rechtzeitig eingewendet und, als am 2. Tage nach Ertheilung der Abſchiedsbriefe eingekommen, auch rechtzeitig ausgeführt
worden, allein die Sache iſt ihrer Eigenſchaft nach nicht appellabel.
Denn nach §. 17 lit. d der öfters erwähnten Appellationsgerichtsordnung von 1802 ſind unter anderen für nicht appellabel erklärt jene
Sachen, in welchen summa appellabilis nicht vorhanden iſt. Zwar
hat das erwähnte Geſeß eine Berufungsſumme gar nicht feſtgeſeßt,
vielmehr die Feſtſeßung und Bekanntmachung einer ſolchen vorbehalten; es hat aber eben hiemit ganz klar und rückhaltlos ausgeſprochen,
daß, ſobald im Wege der Geſeßgebung eine Berufungsſumme beſtimmt
ſein werde, die Zuläſſigkeit einer Berufung von dem Daſein jener
Summe abhängig ſein ſolle. Nun verordnet der Art. 70 Abſ. 4 des
Einführungsgeſeßes vom 10. November 1861 zum allgemeinen deutſchen Handelsgeſeßbuche, daß Berufungen gegen die Erkenntniſſe der
Handelsgerichte an das Vorhandenſein einer Berufungsſumme von
150 fl. gebunden ſeien. Dieſes für das Königreich gegebene Geſeß
beherrſcht auch die Stadt Nürnberg und hat für die dortige Lokal-
geſeßgebung in vorliegender Frage noch die beſondere Bedeutung
nicht eines derogatoriſchen, ſondern eines ergänzenden Geſeßes, indem
es die Lücke der Nürnberger Appellationsgerichtsordnung am angeführten Orte ausfüllt, den dort gemachten Vorbehalt bereinigt, und
die blos hypothetiſche Faſſung jener Stelle in eine abſolute und definitive verwandelt. Ob jene Lücke durch die Geſeßgebung der ehemaligen Reichsſtadt Nürnberg oder durch eine ſpätere ergänzt worden
iſt, deren Herrſchaft die Stadt Nürnberg anzuerkennen hat, iſt ganz
gleichgültig, und ändert um ſo weniger etwas an den Reſultaten, als
es eben die k. bayer. Verordnung vom 18. Mai 1809 geweſen iſt,

welche die Nürnberger Handelsgerichts- und die hierin in Bezug genommene Appellationsgerichtsordnung wieder hergeſtellt, neu eingeführt, und hiedurch die ununterbrochene Kontinuität der bayeriſchen
Geſetzgebung auch rückſichtlich der hier fraglichen Beſtimmungen zweifellos begründet hat.

3) Schon hiedurch widerlegt ſich die Behauptung des Appellanten, als ob die Nürnberger Appellationsgerichtsordnung eine Berufungsſumme nicht kenne, und ſeine eben ſo grundloſe als frivole Aufſtellung, als habe jenem Geſetze durch das Einführungsgeſetz am angeführten Orte nicht derogirt werden können.

Abgeſehen hievon aber verhalten ſich beide Geſetze nicht wie
Appellant aufzuſtellen verſucht, ſondern gerade umgekehrt iſt die Appellationsgerichtsordnung ein ganz allgemeines für alle Berufungsſachen
und alle Nürnberger Gerichte gegebenes Geſetz, welches vermöge
§. 56 u. folg. der Handelsgerichtsordnung von 1804 nur mit Modifikationen auf Handelsſachen anwendbar erklärt worden iſt, während
Art. 70 Abſ. 4 des Einführungsgeſetzes als ein höchſt ſpezielles Geſetz erſcheint und ſich nur auf die Erkenntniſſe der Handelsgerichte
bezieht.

Daß eine ausdrückliche Aufhebung der Appellationsgerichtsordnung in dieſem Punkte gar nicht ſtattfinden konnte, folgt aus dem
oben ad 2 Erörterten, da hienach die letztere mit dem Einführungs-
geſetze gar nicht im Widerſpruche ſteht, dieſes vielmehr nur ergänzend
zu jener hinzugetreten iſt. Aber auch den übrigen Geſetzen gegenüber,
welche wirklich eine mindere Berufungsſumme fordern, bedurfte es
keiner ausdrücklichen Außerkraftſetzung, weil der allegirte Art. 70
Abſ. 4 eine poſitive Beſtimmung enthält, welche ſchon durch ihr
bloßes Beſtehen an und für ſich ſelbſt deßhalb an die Stelle aller
anderen abweichenden tritt, weil ſie mit ihr abſolut unvereinbar ſind,
neben ihr nicht gedacht werden können, während andere, namentlich
die von dem Appellanten angerufenen Artikel 76 und 77, rein dero-
gatoriſcher Natur ſind, und daher nothwendig entnehmen laſſen müſſen, welche früheren geſetzlichen Beſtimmungen der Geſetzgeber außer
Kraft geſetzt wiſſen wollte.

Die Argumentation des Appellanten entwürdigt der Art. 70
Abſ. 4 des EG. zu einer ſinn- und bedeutungsloſen Phraſe, und
erſcheint um ſo frivoler, als er ſich aus den Verhandlungen der Ge-
ſetzgebungsausſchüſſe von der völligen Haltloſigkeit derſelben hätte
überzeugen können.

4) Es ſteht ſonach feſt, daß alle Berufungen gegen Erkenntniſſe

der Handelsgerichte seit dem 1. Juli an die Berufungssumme von 150 fl. gebunden sind, — vorausgesetzt, daß sie nach dem erften Juli erlaffen und verkündigt wurden. Leßteres ist hier der Fall, da das beschwerende Erkenntniß nach des Appellanten eigener Angabe am 7. Auguft d. Js. erlaffen wurde. Da nun Appellant das erftrichterliche Urtheil nur im Koftenpunkte unter Pos. III angegriffen hat, und ferner felbft zugefteht, daß feine eigenen Prozeßkoften, deren Ueberbürdung auf den Gegentheil er im Wege der Berufung zu erwirken fucht, fich lediglich auf circa 70 fl. beziffern, daher den Betrag von 150 fl. auf keinen Fall erreichen, diefe eigenen Zugeftändniffe des Appellanten aber jede weitere Unterfuchung überflüffig machen, auch felbft nach den Grundfäßen der Verhandlungsmaxime gar nicht mehr zu einer folchen berechtigen, fo ift es jeßt fchon als klar und evident anzunehmen, daß die vorliegende Sache zu denjenigen gehört, welche ihrer Eigenfchaft zufolge nicht appellabel find, weßhalb denn auch in Gemäßheit obiger Ausführung ad 1 die Appellation ohne Einholung der Akten abzufchlagen und decretum denegatorium zu erlaffen war.

5) Folge diefer Entschließung ift die Verurtheilung des Appellanten zur Tragung der durch feine unzuläffige Berufung erwachfenen Koften.

Da jedoch die von dem Appellanten erhobenen Aktenauslöfungsgebühren und Sukkumbenzgelder fich lediglich in der Nürnberger Taxordnung vom 5. Dezember 1803 Abfchn. III §. 32 und folg. gründen, welche bei den gewöhnlichen Gerichten dahier nicht angewendet wird; da ferner nach Art. 53 Abf. 2 des Einführungsgefeßes vom 1. Juli d. Js. ab alle bisher in den einzelnen Landestheilen diesfeits des Rheines in Handels- und Wechfelfachen in Anwendung gekommenen befonderen Taxordnungen aufgehoben find, und nur diejenigen noch angewendet werden follen, welche für die an die ordentlichen Gerichte gehörigen Rechtsfachen gefeßliche Geltung haben, da endlich den leßteren Aktenauslöfungsgebühren und Sukkumbenzgelder in dem Sinne der Nürnberger Taxordnung unbekannt find, fo war deren Erhebung und Verrechnung im gegenwärtigen Falle unberechtigt, und daher deren Rückgabe ohne Rückficht auf den Erfolg der Berufung anzuordnen. (Nürnberg R.-Nr. 29.)

## VII.

**Nachweis der Präsentation eines eigenen Wechsels zur Zahlung zur Begründung der Klage aus letzterem nicht erforderlich. — Einfluß der Präsentation auf die Zinsen- und Kostenforderung.**

Art. 41, 44, 99 der a. d. WO. Verhandlungen der Handelsgesetzgebungs-kommission, mehrere zur a. d. WO. in Anregung gekommene Fragen betr. S. LX—LXII. CI und CXX.

J. B. zu K. war auf Grund eines von ihm am 16. Juli 1862 an die Ordre von S. ausgestellten, vier Wochen a dato zahlbaren Solawechsels über 332 fl. von letzterem unter der Behauptung, daß ungeachtet der Fälligkeit des Wechsels die Zahlung von dem Schuldner nicht zu erlangen sei, auf Bezahlung jener Summe nebst 6% Verzugszinsen daraus vom Verfalltage an vor dem k. Handelsgerichte Nürnberg mit Klage vom 1. Sept. 1862 belangt worden.

Durch Verfügung des genannten Gerichtes vom 5. September 1862 wurde jedoch dem Kläger eröffnet, daß auf seine Klage erst dann weitere Verfügung erlassen werden könne, wenn ein urkundlicher Nachweis darüber vorgelegt worden sei, daß der Schuldner unter Vorzeigung des Wechsels ohne Erfolg zur Zahlung aufgefordert und deßhalb rechtlicher Grund zur Klage gegen ihn gegeben gewesen sei.

Hiegegen legte Kläger das Rechtsmittel der Berufung ein, in Folge dessen von dem k. Handelsappellationsgerichte zu Nürnberg am 23. September 1862 abändernd erkannt wurde, daß die Klage d. d. 1. September 1862 zur Verhandlung zu ziehen und sodann weiter zu erkennen sei, was Rechtens.

In den Entscheidungsgründen wurde mit Rücksicht auf die Motivirung der klägerischen Beschwerde zuvörderst ausgeführt, daß es sich nicht um eine Präsentation zur Erhaltung des Wechselrechtes, sondern nur um einen prozessualen Nachweis über die Nothwendigkeit der Klagestellung handle, und sodann weiter bemerkt:

Voraussetzung der Anstellung einer Klage ist in Obligationsverhältnissen einmal das Vorhandensein eines dem Kläger zustehenden Rechtes, dessen Erfüllung derselbe vom Schuldner zu fordern befugt, welches also fällig, klagbar ist, sodann eine Verletzung dieses Rechtes durch den Schuldner, wie z. B. die Verweigerung der Erfüllung;

ersteres Moment bildet den eigentlichen Grund der Klage (fundamentum agendi), letzteres deren Veranlassung.

Hieraus folgt aber nicht, daß für den Fall eines Widerspruches des Schuldners nicht nur der eigentliche Grund der Klage, sondern auch deren Veranlassung besonders darzuthun sei; denn in jenen Fällen, in welchen eine Verletzung des Rechtes des Gläubigers schon mit der Unterlassung der Erfüllung von Seite des Schuldners zur Verfallzeit der Forderung auch ohne vorgängige Mahnung anzunehmen ist, wird sich dieses schon aus dem Beweise des Klagegrundes ergeben, wo aber der Schuldner nur nach vorgängiger Anforderung zu erfüllen verbunden ist, liegt diese Anforderung in der Klageerhebung selbst und besteht daher kein Grund, dem Kläger vorerst auch noch den Beweis einer vorausgegangenen außergerichtlichen Mahnung aufzutragen. Nur insoweit wäre eine solche Beweisführung nothwendig, als neben der Hauptforderung auch Verzugszinsen aus der Zeit vor der Klagestellung und bez. Kostenersatz begehrt werden, weil für diese Ansprüche die schuldhafte Verzögerung der Leistung den eigentlichen Klagegrund bildet, und bezüglich der Kosten auch dies nur insoferne, als Verklagter die Bezahlung des Wechsels nach der Klagemittheilung sofort leisten würde.

Bei Wechselforderungen ist nun allerdings der Schuldner nicht verpflichtet, dem Gläubiger nach deren Verfall die Zahlung anzubieten oder solche in's Haus zu bringen, vielmehr die Mahnung des Gläubigers abzuwarten befugt und nur gegen Aushändigung des quittirten Wechsels zu zahlen verbunden.

Art. 39 und 40 der a. d. WO.

Hieraus geht aber nur soviel hervor, daß rücksichtlich der vorgängigen Zahlungsaufforderung Wechselforderungen den mit einem bestimmten Zahlungstage nicht versehenen Obligationen gleich zu achten sind, und daher bei ihnen eine mora ex re nicht eintritt. Es besteht daher auch bei Wechselforderungen, abgesehen von Verzugszinsen und Kosten, kein Grund, nach erhobener Klage noch den Beweis einer vorgängigen außergerichtlichen Mahnung zu fordern, um so weniger, als ja dem Verklagten die Einsicht des mit der Klage ohnehin vorgelegten Wechsels gestattet ist, und hiernach erscheint es auch als unzulässig, die Verhandlung der Sache von vorheriger Beibringung eines urkundlichen Nachweises hierüber abhängig zu machen.

Hieran vermag auch der Umstand, daß in der Klage Zinsen und Kostenersatz begehrt sind, nichts zu ändern, da bereits die Klage die

Behauptung einer vorausgegangenen Zahlungsaufforderung resp. Präsentation des Wechsels enthält, und der Mangel sofortigen urkundlichen Nachweises hierüber die Abweisung der fälligen und klagbaren Hauptforderung um so weniger rechtfertigen kann, als es im Falle Nichtbestreitens jener Behauptung auf fraglichen Nachweis nicht mehr ankommt, anderen Falles aber Kläger denselben noch bei der Verhandlung der Sache beibringen oder auf seinen Zinsen- und Kostenanspruch ganz verzichten, schlimmsten Falles aber die Abweisung dieser Ansprüche immer noch erfolgen kann, während bei Durchführung der unterrichterlichen Annahme nur unnöthige Verzögerungen hervorgerufen würden. Ueberdies würde nach der erstrichterlichen Aufstellung der Gläubiger, um sicher zu gehen und nicht vom Belieben des Schuldners abzuhängen, in die Nothwendigkeit versetzt, bei verweigerter Zahlung einen förmlichen Protest aufnehmen zu lassen, womit auf prozessualem Wege jene Förmlichkeiten, welche die allg. d. WO. nur für die Geltendmachung der Wechselregreßansprüche und beim domizillirten Wechsel vorschreibt, ohne ein Bedürfniß hiefür wieder eingeführt würden, indem ja im Falle eines Streites über Zinsen- und Kostenforderung dem Gläubiger die Art des schleunigen Nachweises der behaupteten Zahlungsaufforderung resp. Präsentation überlassen werden kann *), in der Regel aber über jene Nebensache ein Streit nicht entstehen wird. (Nürnberg, R.-Nr. 35.)

### VIII.

Zulässigkeit selbständiger Berufung gegen ein Dekret, wodurch der Antrag auf Einleitung des bedingten Mandatverfahrens ohne Weiteres abgewiesen wurde. Statthaftigkeit einer Aenderung der Prozeßart im Laufe eines Rechtsstreites. — Bedingter Mandatsprozeß in Handelssachen. — Beglaubigte Buchauszüge als Bescheinigungsmittel.

Proz.-Nov. vom 17. Nov. 1837 §. 52 Nr. 1. GO. Kap. V §. 6. Kap. IV §. 13. Kap. V §. 9. — Seuffert's Komm. (Aufl. II) Bd. II S. 249 ff.

Die N.'sche Dampf- und Kunstmühle zu E. erhob am 7. Juli 1862 gegen den Mehlhändler G. H. zu B. auf Bezahlung eines Kaufschillingsrestes von 308 fl. 18 kr. für geliefertes Mehl bei dem

---

*) Im gegebenen Falle war die Klage nach den Bestimmungen der bayer. W.- und MGO. vom Jahre 1785 zu verhandeln.

Handelsgerichte B. Klage und bat unter Vorlage einer einfachen Abschrift der über die fragliche Lieferung ausgestellten Faktura sowie
eines den Empfang dieser Lieferung bestätigenden und Zahlung zu-
sichernden Briefes des Verklagten um Einleitung des bedingten
Mandat-eventuell des gewöhnlichen Verfahrens.

Das k. Handelsgericht Bayreuth wies durch Dekret vom 8. Juli
1862 den primären Antrag wegen mangelnder Bescheinigung des
Klagegrundes ab und eröffnete dem Verklagten zur Abgabe der Vernehmlassung eine 30tägige Frist*).

Nach Zustellung dieses Dekretes, jedoch noch vor Abgabe der
Vernehmlassung, kam der Kläger mit einem Klagenachtrag ein, womit er einen notariell beglaubigten Saldokontobuchauszug vorlegte
und worin er auf Grund des letzteren seine Bitte um Einleitung des
bedingten Mandatsprozesses wiederholte.

Das k. Handelsgericht Bayreuth inhärirte aber durch Beschluß
vom 29. Juli 1862 seinem früheren Beschlusse vom 8. dess. Mts.
und motivirte diesen neuerlichen Beschluß damit, daß über die Prozeßart bereits entschieden, Litispendenz eingetreten und es unzulässig sei,
im Laufe des Prozesses die Prozeßart zu ändern.

Hiegegen legte Verklagter die Berufung an das k. Handelsappellationsgericht zu Nürnberg ein, welches unter Abänderung der Verfügungen des k. HG. Bayreuth d. d. 8. und 29. Juli 1862
dem Verklagten sofort den Auftrag ertheilte, binnen 14 Tagen entweder den Kläger in Haupt- und Nebensache zu befriedigen oder seine
allenfallsigen Erinnerungen bei Vermeidung des Ausschlusses vorzubringen.

In den Entscheidungsgründen nahm dieser Gerichthof Veranlassung, vor Allem über die Appellabilität der angefochtenen Bescheide
sich auszusprechen und bemerkte hierüber, was folgt:

Ob ein appellabler Beschluß nach Ziffer 1 des §. 52 des Prozeßgesetzes vom 17. November 1837 vorliege, weil die Einleitung
des bedingten Mandatsprozesses abgelehnt wurde, sowie ob Kläger an
dessen Einleitung ein Interesse habe, könnte aus dem Grunde bezweifelt werden, weil durch die GO. Kap. V §. 6 das bedingte Mandat
nur als eine Art der Citation bezeichnet wird; allein diese Bestimmung

---

*) Nach Art. 70 des Einf.-Ges. vom 10. Nov. 1861 zum allg. d. Han-
delsgesetzbuche richtete sich das Verfahren nach den Bestimmungen der
bayer. GO. und den hiezu erlassenen Novellen.

der GO. kann gegenüber dem Umstande, daß im gemeinen Prozeßrechte der bedingte Mandatsprozeß als eine eigene Art des summarischen Prozesses durch die Praxis der Reichsgerichte sich ausgebildet
hat, und daß auch im bayerischen Prozeßrechte klausulirte und unklau-
sulirte Mandate vorkommen, nicht zu dem Schlusse berechtigen, daß
in Bayern ein bedingter Mandatsprozeß nicht stattfinde, vielmehr ist
derselbe in der Praxis allgemein als besondere Prozeßart anerkannt,
und deßhalb auf ihn auch der §. 52 Ziff. 1 des Prozeßgesetzes vom
17. Nov. 1837 anwendbar.

In der Sache selbst wurde die erlassene Entscheidung motivirt
wie folgt:

Es ist zwar richtig, daß in dem Dekrete vom 8. Juli über die
einzuleitende Prozeßart insoferne entschieden ist, als die Erlassung
eines bedingten Mandates wegen Mangels der Bescheinigung des
Klaganspruches abgelehnt wurde. Allein hierin liegt ein definitiver
Ausspruch, daß für die vorliegende Sache ein bedingtes Mandat nun
nicht mehr erlassen werden könnte, nicht, — da ja nicht die Streitsache
überhaupt zur beantragten Prozeßart ungeeignet befunden, sondern
nur die vorgelegten Bescheinigungsmittel nicht für genügend erachtet
wurden, die Ergänzung eines derartigen Mangels aber, so lange nicht
eine bestimmte Prozeßart wirklich eingeleitet ist, immerhin zulässig ist.
Nach Kap. IV §. 13 der GO. steht es nämlich dem Kläger frei, bis
zur erfolgten Streiteinlassung seines Gegners die Klage in der Hauptsache zu ändern, und es kann ihm daher auch nicht benommen sein,
seinen Klagevortrag durch Urkunden zu bescheinigen, da hierin nicht
eine Klageänderung, sondern nur eine bestimmtere Begründung seines
Klagevorbringens liegt. Die bloße Streithängigkeit aber, welche nach
GO. Kap. V §. 9 mit Insinuation der Ladung eintritt, steht nach
der vorhin angezogenen Gesetzesstelle einer Klageverbesserung nicht im
Wege, vielmehr ist erst der Streiteinlassung diese Wirkung beigelegt,
und es kann daher auch die Unzulässigkeit einer Aenderung der Prozeßart im Laufe des Rechtsstreites erst von dem Zeitpunkte nach erfolgter Streiteinlassung an angenommen werden.

Es fragt sich deßhalb nur noch, ob die Klage und deren Bescheinigung zur Erlassung eines bedingten Mandates geeignetschaftet erscheint,
welche Frage aber bejahend zu beantworten ist. Die GO. hat zwar
für Einleitung des bedingten Mandatsprozesses bestimmte Vorschriften
nicht gegeben; nach der Praxis, durch welche überhaupt diese Prozeßart ausgebildet wurde, wird jedoch zur Erlassung eines bedingten
Mandates nur Bescheinigung des Klageanspruches und des Interesse

der Parteien an schleuniger Erledigung des Prozeßes gefordert. Durch den in beglaubigter Form anliegenden Auszug aus dem Saldokontobuche des Klägers in Verbindung mit dem bereits erwähnten abschriftlich vorgelegten Briefe des Verklagten ist nun die eingeklagte Forderung genügend bescheinigt. Nicht minder ist das bedingte Mandatsverfahren für die vorliegende Streitsache durchaus angemessen, da es im Interesse des Handels liegt, daß entstehende Rechtsstreitigkeiten möglichst schleunig ihrer Erledigung zugeführt werden, wie dies auch allgemein und insbesondere in den in Bayern geltenden, auf dem gemeinen Prozeße beruhenden Handelsgerichtsordnungen anerkannt ist. Es war demgemäß der beantragte bedingte Zahlungsbefehl an den Verklagten zu erlassen, wodurch letzterer auch in keiner Weise in seiner Vertheidigung beschränkt ist. (Erkannt am 2. Sept. 1862. Bayreuth R.-Nr. 1.)

## IX.

### Kompetenz der Handelsgerichte in Beziehung auf Sachen, die vor dem 1. Juli 1862 rechtshängig waren.

#### Einführungsgesetz Art. 62 ff.

Der Lederhändler A. A. zu München belangte unter dem 6. pr. 16. Februar 1862 den Schuhmacher N. N. zu Haidhausen wegen im Sommer 1861 gelieferten Leders, an dessen Kaufpreis N. N. noch mit etwa 305 fl. rückständig war, vor dem k. Handelsgerichte München r. d. Isar, und gründete die Zuständigkeit dieses Gerichtes darauf, daß N. N. auf Vorrath arbeite und Messen und Märkte beziehe. Beklagter stellte diese Behauptungen in Abrede und bat deshalb, unter Verweigerung der Streiteinlassung primär um Abweisung der Klage wegen Inkompetenz des angegangenen Gerichtes; eventuell setzte er dem Klagfundamente speziellen Widerspruch entgegen.

Die Sache wurde verhandelt, am 3. Juni 1862 die Akten zum Spruche ausgesetzt; und am 21. Juli 1862 das Erkenntniß gefällt. In diesem wurde der Beweis der Merkantilfähigkeit des Beklagten dem Kläger nur „in Ansehung des Kostenpunktes wegen verweigerter Streiteinlassung" auferlegt und in den Entscheidungsgründen ausgeführt, daß der Einwand des Beklagten, welcher bis zum 1. Juli 1862 allerdings von Einfluß auf die Kompetenz des Gerichtes hätte sein können, durch die am 1. Juli l. Js. in's Leben getretene neue Handelsgesetzgebung gegenstandslos geworden sei. Das vorliegende Rechtsgeschäft, Kauf von Leder zum Zwecke der Anfertigung und des Verkaufes von Schuhen, sei unläugbar ein Handelsgeschäft im Sinne des Art. 271 Nr. 1 des allg. d. HG.; alle aus derartigen Handelsgeschäften entspringenden Rechtsverhältnisse seien aber nach Art. 63 Nr. 1 des Einf.-Ges. zum Handelsgesetzbuche „Handelssachen."

Nach Art. 62 des Einf.-Ges. erstrecke sich nun die Kompetenz der Handelsgerichte auf alle Handelssachen, und zwar nach Art. 64 l. c. auch bei Klagen gegen Nichtkaufleute, wenn das Geschäft auf Seite des Beklagten ein Handelsgeschäft war. Der Art. 82 des Einf.-Ges. bestimme ferner, daß alle Handelssachen, bezüglich deren die Klage vor dem 1. Juli 1862 bei Gericht eingereicht sei, bis zur Erledigung bei dem bisher zuständigen Gerichte verbleiben sollen. Daraus ergebe sich, daß für alle Handelssachen, bezüglich deren die Klage nach dem 1. Juli l. Js. eingereicht werde, die Handelsgerichte kompetent sein sollen.

Folglich würde, wenn die vorliegende Klage erst nach dem 1. Juli l. Jrs. gestellt worden wäre, das Handelsgericht München r/J. kompetent sein, und schon daraus ergebe sich die praktische Nothwendigkeit, die Sache bei diesem Handelsgerichte fortan zu verhandeln, denn es wäre offenbar absurd, wenn man die Klage, weil das Handelsgericht vor dem 1. Juli nicht kompetent gewesen, von hier abweisen würde, da doch der Kläger die neu zu stellende Klage nur wieder beim Handelsgerichte München r/J. stellen könnte.

Diese praktische Nothwendigkeit habe aber auch ihre streng juristische Grundlage darin, daß die vorliegende Sache, — vorausgesetzt, daß in derselben vor dem 1. Juli das Handelsgericht nicht kompetent war, — unmöglich bei dem bisher zuständigen Gerichte „verbleiben" könnte, weil sie eben bei dem bisher zuständigen Gerichte gar nicht gestellt worden, daß also der Art. 82 des Einf.-Ges. seinem Wortlaute nach in dieser Richtung gar nicht auf den vorliegenden Fall angewendet werden könnte.

Es bleibe demnach nichts übrig, als die Sache beim Handelsgerichte, welches seit dem 1. Juli l. Jrs. kompetent geworden sei, zu belassen.

Dagegen sei die Frage der früheren Zuständigkeit in Bezug auf die Kosten des bisher geführten Rechtsstreites von Relevanz; denn wenn der Beklagte vor dem 1. Juli l. Jrs. nicht merkantilfähig gewesen, so habe er das Recht gehabt, die Einlassung auf den Streit vor diesem Gerichte zu verweigern, und es wäre mindestens eine Kompensation der Kosten am Platze.

Die Merkantilfähigkeit des Beklagten vor dem 1. Juli l. Jrs. hänge aber lediglich von der Frage ab, ob er als Schuhmachermeister

mit seinen Gewerbserzeugnissen offenen Kram und La=
den gehalten habe.

Vgl. Kletke, Wechsel= und Merkantilgerichtsprozeß S. 25
Nr. 33 und 34.

Gegen dieses Erkenntniß ergriff der Anwalt des Beklagten recht=
zeitig die Berufung und behauptete, abgesehen davon, daß die vor=
liegende Sache auch nach dem a. d. HG. nicht als Handelssache er=
scheine, könne dieses jedenfalls keine rückwirkende Kraft haben; der
Art. 82 des bayer. Einf.=Ges. sage ganz allgemein, daß alle Sachen,
bezüglich deren die Klage bereits vor dem 1. Juli 1862 bei Gericht
eingereicht sei, bis zur vollständigen Erledigung bei dem nach den
bisherigen gesetzlichen Bestimmungen zuständigen Gerichte verbleiben;
in vorliegendem Falle sei bereits vor dem 1. Juli 1862 Klage einge=
reicht gewesen; habe nun die Sache nach den bisherigen gesetzlichen
Bestimmungen vor das ordentliche Gericht gehört, so müsse sie auch
bei diesem verbleiben.

Das k. Handelsappellationsgericht zu Nürnberg verwarf die Be=
rufung durch Erkenntniß vom 2. September 1862 aus folgenden
Gründen:

Wie der Erstrichter in den Entscheidungsgründen des angefochte=
nen Erkenntnisses ausgeführt hat, gehört nach den Bestimmungen des
Einf.=Ges. zum allgem. d. HGB. die Forderung des N. N. wegen
der Eigenschaft des Geschäftes, aus welchem sie entspringt, zu den
Handelssachen; die hiegegen in der Berufungsschrift auf Grund des
Art. 4 des allgem. d. HB. versuchte Aufstellung, als ob nur der ge=
werbsmäßige Kauf von Waaren, um sie weiter zu veräußern, ein
Handelsgeschäft sei, ist nach dem klaren Wortlaute des Art. 271 Nr. 1
völlig haltlos. Da nun im Art. 64 des Einf.=Ges. ausdrücklich be=
stimmt ist, daß die Klagen aus Handelssachen auch gegen Nichtkauf=
leute zur Zuständigkeit der Handelsgerichte gehören, wenn das Ge=
schäft, aus welchem geklagt wird, wie hier, auf Seite des Beklagten
ein Handelsgeschäft war, so hat das erstrichterliche Erkenntniß mit
Recht angenommen, daß es hinsichtlich der Zuständigkeit des Handels=
gerichtes in vorliegendem Falle auf die Frage, ob der Beklagte als
Handelsmann anzusehen sei, nicht mehr ankomme.

Appellant behauptet zwar, die Bestimmungen des Einf.=Ges. über
die Zuständigkeit seien auf die in Frage stehende Sache, als eine
schon vor dem 1. Juli 1862 anhängig gewesene, nicht anwendbar;
allein das erwähnte Einf.=Ges. verweist alle Sachen, welche in Ge=
mäßheit desselben als Handelssachen anzusehen sind, vor die Handels=

gerichte, ohne Unterschied, ob die Sache auf einem vor oder auf einem nach dem 1. Juli 1862 abgeschlossenen Rechtsgeschäfte beruht. Der Art 82 des Einf.-Ges. macht an diesem Grundsatze keine Aenderung, er verordnet nur, wie aus den Motiven (zu Art. 83 des Entwurfes) erhellt, daß „ein Uebergang der Prozesse von einem Gerichte zum anderen nicht stattfindet", daß also der Rechtsstreit über eine Sache, die bisher keine Handelssache war, und in Folge dessen bei dem ordentlichen Gerichte verhandelt wurde, nicht mit dem 1. Juli 1862 an das Handelsgericht übergehen solle, wenn auch die Sache nach den Bestimmungen des Einf.-Ges. nunmehr sich als eine Handelssache darstelle.

Allein im vorliegenden Falle will der Appellant gerade umgekehrt, daß ein Prozeß, welcher eine jetzt unzweifelhaft zur Zuständigkeit des Handelsgerichtes gehörige Sache betrifft, von dem Handelsgerichte auf das ordentliche Gericht übergehen solle und dafür kann er sich auf den Art. 82 offenbar nicht berufen.

Es ist sohin das angefochtene Erkenntniß vollkommen gerechtfertigt, und kann insbesondere auch nicht etwa eine Verletzung des Grundsatzes darin gefunden werden, daß keinem Gesetze rückwirkende Kraft beigelegt werden dürfe. Denn auch das Handelsgericht hat das in Frage stehende Rechtsverhältniß immerhin nach den zur Zeit seiner Eingehung gültigen Gesetzen zu beurtheilen, und es ist dem Beklagten seine Rechtsvertheidigung vor dem Handelsgerichte eben so vollständig möglich, als vor dem ordentlichen Gerichte. (München r./J. Reg.-Nr. 4.)

## X.

**Anwendung der Wechsel- und Merkantilgerichtsordnung von 1785 und der Nürnberger Handelsgerichtsordnung auf Nichtkaufleute. Folge hievon in Bezug auf die Exekution durch Personalarrest.**

Einführungsgesetz zum allg. d. HG. Art. 62, 63, 64, 70.

Die bayerische Wechsel- und Merkantilgerichtsordnung von 1785 ist nach Kap. I §. 1 und 2 „für die Irrungen zwischen Kaufleuten, Negotianten und Gewerbern" gegeben; ebenso soll die Nürnberger Handelsgerichtsordnung gemäß §. 8 angewandt werden „in allen Streitigkeiten, die aus Handelssachen entstehen und entweder zwischen Kaufmann und Kaufmann sich verhalten, oder in denen doch wenigstens der Beklagte ein Handelsmann (oder derglei= chen) ist"*).

Nach dem Entwurfe des Einf.=Ges. zum allg. d. HGB. sollten die Handelsgerichte nur für Klagen gegen Kaufleute zuständig sein, und hienach verstand es sich von selbst, daß diese Klagen nach den betreffenden Handelsgerichtsordnungen zu entscheiden seien.

Allein das Einf.=Ges. verweist bekanntlich in Art. 64 auch ge= wisse Klagen gegen Nichtkaufleute vor die Handelsgerichte, und man könnte nun der Ansicht sein, es müßten, da die beiden erwähnten Handelsgerichtsordnungen nicht für die Handelssachen, sondern für die Rechtsstreite der Kaufleute gegeben, sonach rein personal gemeint waren, die Klagen gegen Nichtkaufleute zwar von den Han= delsgerichten, jedoch nach den ordentlichen Prozeßgesetzen behandelt werden.

Es läßt sich aber nicht verkennen, daß die Festhaltung dieser Ansicht die größten Inkonvenienzen hervorrufen würde, und die An= sicht der Kammern bei Abänderung des Entwurfes zum Einf.=Ges. war es gewiß nicht**), daß bei einem und demselben Gerichte eine verschiedene Prozeßform angewendet werden sollte, je nachdem der Beklagte ein Kaufmann ist oder nicht.

Das k. Handelsappellationsgericht zu Nürnberg hat sich auch dieser Ansicht nicht angeschlossen, vielmehr angenommen, daß, nachdem Art. 70 des Einführungsgesetzes einen Unterschied nicht macht, nun= mehr in allen vor den Handelsgerichten zu verhandelnden Sachen, sei der Beklagte ein Kaufmann oder Nichtkaufmann, und einerlei, ob die Sache eine Handelssache (Art. 63) oder sonst (Art. 67) dem Handelsgerichte zugewiesen ist, die einschlägigen Spezialordnungen zur Anwendung zu kommen ha= ben; zugleich hat das Gericht hieraus die sich ergebenden Konsequen= zen, insbesondere über die nunmehrige Anwendung der Personalexe= kution auch gegen Nichtkaufleute, gezogen und hierüber in der nach= folgenden Rechtssache sich ausführlich ausgesprochen.

---

*) Außer diesen beiden gibt es in Bayern keinen besonderen Merkantil= prozeß, da die Anwendung des Augsburger Wechselprozesses auf ge= wisse Handelssachen durch das Einführungsgesetz zum allg. d. HGB. Art. 70 (vergl. Motive Bd. 1 p. 78) aufgehoben ist.

**) Der Referent der Abgeordnetenkammer, welcher die Abänderung pro= ponirte, war (Bd. II p. 99) der Meinung: die Handelsgerichtsord= nungen seien für die Handelssachen gegeben.

Das Sachverhältniß war folgendes:

N. N., zu München domizilirend, Besitzer eines Gutes in D., mit welchem ein Bräuereirecht verbunden war, hatte am 14. August 1860 eine an die Ordre des L. E. gestellte (kaufmännische) Anweisung auf den Betrag von 125 fl., einen Monat a dato zahlbar, acceptirt, am Verfalltage aber nicht Zahlung geleistet.

A. A., an welchen die Anweisung durch Indossament übergegangen war, stellte Klage und schlüßlich nach fruchtloser Exekution an Mobilien und Immobilien unter dem 6. Juli 1862 den Antrag, über den Beklagten den Personalarrest zu verhängen.

Das k. Handelsgericht München l/J. beauftragte durch Dekret vom 12. Juli 1862 den N. N., die sich mit Zinsen und Kosten auf 168 fl. 26½ k. entziffernde Gesammtschuld binnen drei Tagen bei Vermeidung des Personalarrestes zu bezahlen.

Gegen dieses Dekret kam der Anwalt des Beklagten rechtzeitig mit Berufung ein, welche jedoch durch Erkenntniß des k. Handelsappellationsgerichtes zu Nürnberg vom 9. September 1862 verworfen wurde *). In diesem Erkenntnisse heißt es:

„Inhaltlich des Einf.-Ges. zum allg. d. HGB. Art. 60 und 67 erstreckt sich die Zuständigkeit der Handelsgerichte fortan auf Klagen gegen Nichtkaufleute, wenn diese aus Handelsgeschäften (nach Art. 271—277 des allg. d. HG.), aus Wechseln oder aus kaufmännischen Anweisungen herrühren, und nachdem der Art. 70 des erwähnten Einf.-Ges. allgemein verordnet, daß sich das Verfahren vor den Handelsgerichten nach den hiefür bestehenden besonderen Gesetzen, demnach im Gebiete der Wechsel- und Merkantilgerichtsordnung von 1785

---

*) Hinsichtlich der formellen Zulässigkeit trotz mangelnder Berufungssumme siehe Nr. VI.

Hiebei möge bemerkt werden, daß die namentlich im Gebiete der b. W.- u. MGO. v. 1785 eingerissene Praxis, auch im Exekutionsstadium alle Taxen auf den Kläger zu stellen, ein Verfahren, welches nothwendig dazu führen muß, den zahlungsflüchtigen Schuldner die Trainirung der Exekution zu erleichtern und dem Gläubiger die Verfolgung seines guten Rechtes zu verleiden, vom HAG. entschieden gemißbilligt und in einer Streitsache (München l/J. N.-Nr. 25) deßhalb abändernder Bescheid erlassen wurde. In diesem Erkenntnisse wurden auch bei der auf Berufung des Klägers erfolgten Abänderung des erstrichterlichen Dekretes die Kosten der Berufungsinstanz nicht kompensirt, sondern dem Beklagten auferlegt, weil derselbe durch seine nach dieser Prozeßordnung *) zu richten hat, muß in jenem Gebiete vom 1. Juli 1862 an auch auf die bei den Handelsgerichten zu verhandelnden Rechtsstreite gegen Nichtkaufleute die Wechsel- und Merkantilgerichtsordnung von 1785 in ihrem vollen Umfange, also auch das Kap. X §. 9 derselben zur Anwendung kommen **). Es haben somit seit dem 1. Juli 1862 diejenigen Handelsgerichte, welche nach der Wechsel- und Merkantilgerichtsordnung von 1785 urtheilen ***). wegen Schulden aus Handelssachen, aus Wechseln und kaufmännischen Anweisungen bei Fruchtlosigkeit der Vermögensexekution auch gegen Nichtkaufleute den Personalarrest zu verhängen†).

Hiemit steht nicht im Widerspruche, daß nach dem Einf.-Ges. zur allg. d. WO. (Art. 2) der Wechselarrest nur gegen berechtigte Handelsleute und Fabrikanten, dann in die Wechselmatrikel eingetragene Personen, — nach dem Gesetze über die kaufmännischen Anweisungen vom 29. Juni 1851 (Art. 6) aber wegen solcher Anweisungen der Wechselarrest überhaupt nicht stattfindet; denn hiedurch ist nach dem klaren Wortlaute der Gesetze nur der Wechselarrest ausgeschlossen, d. h. der Zugriff auf die Person des Schuldners, welcher ohne alle Rücksicht auf die Vermögensexekution, neben und selbst vor derselben, vermöge der Wechselstrenge dem Gläubiger gestattet ist††), (Art. 2

---

Zahlungssaumsal das ganze Exekutionsverfahren veranlaßt habe und er daher auch füglicher Weise die Kosten, welche durch Abänderung des unrichterlichen Ausspruches veranlaßt seien, tragen müsse, während es gegen die Billigkeit verstieße, diese dem obsiegenden Kläger aufzubürden.

*) Im Nürnberger Burgfrieden (Gesetz vom 1. Juli 1856) nach der HGO. von 1804.

**) Nach der Nürnberger HGO., welche in subsidium auf die Nürnberger Reformation verweist, das G. 6 des Tit. XI Thl. I, welches dieselbe Bestimmung enthält.

***) Bei den Handelsgerichten desjenigen Gebietes, in welchem nur die bayer. WGO., nicht aber die HGO. gilt, fällt die Anwendung des Kap. X §. 9, das heißt die Personalexekution für Handelssachen weg, nicht aber für Wechselsachen und für Klagen aus kaufmännischen Anweisungen, welche (Art. 1 des Ges. von 29. Juni 1851) gesetzlich den gezogenen Wechseln gleichgestellt sind. Vor dem 1. Juli 1862 war dieß nicht der Fall, weil in dem Einf.-Ges. zur allg. d. WO. eine Bestimmung, wie die im Art. 70 des neuen Einf.-Ges. enthaltene, fehlte.

†) Natürlich, wenn der Gläubiger ihn beantragt.

††) Dieser Grundsatz macht allein das Wechselrecht zu dem, was es sein soll, und hat in der Novelle zu Art. 2 der a. d. WO. (Ver-

der allg. d. WO.), nicht aber die als letztes Exekutionsmittel in allen Fällen vermöge der Prozeßordnung gegen den Schuldner zuläſſige Perſonalexekution, welche nach Kap. X §. 9 der W.= u. MGO. von 1785 in den zu den Handelsgerichten gehörigen Sachen lediglich an die Vorausſetzung der vorher fruchtlos verſuchten Vermögensexekution geknüpft iſt, während ſie in gewöhnlichen Sachen nach der GO. von 1753 Kap. XVIII §. 3 Nr. 7*) außerdem noch eine verſchuldete Unvermögenheit vorausſetzt.

Es wäre auch in keiner Weiſe gerechtfertigt, wenn der Schuldner bei Unzureichendheit des Vermögens für die Schulden aus den ſonſtigen Handelsgeſchäften mit ſeiner Perſon einſtehen müßte, von dieſer Haftung aber gerade bei ſo ſpezifiſch merkantilen Verbindlichkeiten, wie die aus der Annahme einer kaufmänniſchen Anweiſung entſtandenen oder gar bei einer Wechſelverpflichtung frei ſein ſollte.

(Im Weiteren wurde dann deduzirt, es würde, wenn man mit Rückſicht darauf, daß zwar der Antrag auf Perſonalarreſt und die Androhung deſſelben nach dem 1. Juli 1862 erfolgt ſei, das Schuldverhältniß ſelbſt aber in die frühere Zeit falle, von der Anwendung des Art. 70 des Einf.=Geſ. abſehen wollte, auch nach früherem Rechte gegen den Beklagten, der als Fabrikant anzuſehen ſei, der Perſonalarreſt zuläſſig erſcheinen.)     (München I/J. Reg.=Nr. 22.)

## XI.

**Das Arreſtprivileg der Münchener Bürger (ſg. privilegium Albertinum) kann an Forderungen nicht ausgeübt werden und findet im W. u. M.Prozeß nicht Statt.**

Münchener Stadtrechtbuch von 1347 Art. 35 und 44. Cod. judic. Kap. I §. 8 Nr. 3. W.= und MGO. v. 1785 Kap. I §. 1 u. 2.

Die Banquiers A. A. in München und N. N. in Bamberg ſtunden in den letzten Jahren in Geſchäftsverbindung und Kontokorrent, aus welchem A. A. einen am 5. Dezember 1861 ihm zu-

---

handlung p. XXIII) ſeinen Ausdruck gefunden; das k. HAG. zu Nürnberg hat daher die bisherige Praxis mancher Untergerichte, welche in Wechſelſachen den Antrag auf Perſonalarreſt, wenn nicht vorher die ganze Vermögensexekution durchgemacht war, als verfrüht verwerfen, für unrichtig erklärt. (Erk. v. 19. Auguſt 1862. München I/J. RNr. 1.)

*) Das heißt nach der bisherigen Praxis der Gerichte, welche jedoch von dem k. HAG. noch nicht anerkannt iſt.

kommenden Aktivsaldo von 773 fl. 5 kr. in Anspruch nahm, während N. N., der einige ihm aufgerechnete Debetposten bestritt nnd einige weitere Kreditposten als ihm zukommend behauptete, die Rechnuug als ausgeglichen erklärte. Am 27. Dezember 1861 beantragte nun A. A. auf Grund des ihm als Münchener Bürger zustehenden privilegium Albertinum\*), es möge eine von N. N. gegen E. F. in München eingeklagte und von diesem gerichtlich zugestandene Forderung von 1142 fl. 40 kr. auf den Betrag seines Guthabens, das er mit Zinsen und Kosten auf 973 fl. 3 kr. berechnete, mit Arrest belegt werden, mit welchem Antrage er zugleich Klage in der Hauptsache verband.

Der Arrest wurde auch durch Beschluß des Handelsgerichtes München I/3. vom 8. bez. 16. Januar 1862 durch ein an E. F. erlassenes Verbot, bei Vermeidung der Doppelzahlung und eigener Haftung die von ihm an N. N. geschuldete Summe bis zum Betrage von 973 fl. 3 kr. nur bei Gericht zu erlegen, verhängt, dann aber nach verhandelter Sache unter dem 28. Mai 1862 Erkenntniß dahin erlassen:

es werde der verfügte Arrest als rechtlich unbegründet und unzulässig aufgehoben, die erhobene Klage von hier abgewiesen und Kläger in alle Kosten verfällt.

In den Entscheidungsgründen kommt vor\*\*):

„Was vorerst die Anwendbarkeit und Zulässigkeit des Münchener Arrestprivilegiums in Handels- und Wechselstreitigkeiten betrifft, so ist dieselbe an sich betrachtet allerdings als vorhanden und gegeben zu erachten. Denn wenn auch die bayer. W.- und MGO. von 1785 in Kap. I. §. 2. bestimmt, daß Streitigkeiten zwischen Kaufleuten, Negotianten und Gewerbsleuten cum derogatione omnium aliarum instantiarum et privilegiorum ausschließlich bei dem Wechselgerichte

---

\*) Art. 35 des Münchener Stadtrechtbuches von 1347 lautet: Swer purger hi zu munichen ist, der mag und soll mit fronboten gesten in der stat ir guot umb gelt verpieten und niderlegen, als ez von aller gewonhait ist chömen.

. Dieses Arrestprivileg wird durch Cod. jur. Kap. 1 §. 8 Nr. 3 vorbehalten.

\*\*) Der Beklagte hatte seine Arrestimpugnation darauf gestützt, daß nach einer feststehenden Praxis der Satz zur Anerkennung gelangt sei, die durch das privilegium Albertinum der Münchener Bürger eingeräumten Ansprüche auf Real- und Personalarrest gegen Inländer fänden in Wechsel- und Merkantilsachen keine Anwendung.

verhandelt und entschieden werden sollen, so bezieht sich diese gesetzliche Bestimmung zunächst ihrem Wortlaute gemäß auf die zahlreichen zur Zeit der Promulgirung der W.- und MGO. bestandenen privilegirten Gerichtsstände, und das Wort: privilegium ist mehr im staatsrechtlichen als prozessualen Sinne zu fassen. Es kommt fernerhin in Betracht zu ziehen, daß auch der W.- und MP. gleichwie der ordentliche Prozeß einen Personal- und Realarrest unter dem Namen der Sicherheitssperre als provisorische Sicherungsmaßregel kennt, und daß zur Zeit der Promulgirung des privilegium Albertinum eigene Handelsgerichte noch nicht bestanden, somit die ordentlichen Gerichte auch zur Verhandlung und Entscheidung von Handels- und Wechselsachen zuständig waren, von diesen Gerichten aber das privilegium Albertinum unzweifelhaft beachtet werden mußte. — Wenn sich nun auch demnach die Anwendung des Münchener Arrestprivilegiums im W.- und MP. im Allgemeinen als zulässig darstellt, so kommt doch in Erwägung zu ziehen, daß in concreto die gesetzlichen Voraussetzungen des privilegium Albertinum nicht gegeben sind. Nach Art. 35 des Münchener Stadtrechtbuches kann der Münchener Bürger an der Person oder an dem Gute eines Gastes, sei er Ausländer oder Inländer, den Arrest verfügen, jedoch muß der Arrest in der Stadt realisirt werden können, die Person des Gastes oder dessen Gut muß sich in der Stadt befinden. Im vorliegenden Falle wurde aber der Arrest lediglich an einer Forderung des Beklagten, welcher zur Zeit der Arrestverhängung keineswegs hier zu Gast war, verfügt und vorgenommen. Eine Forderung ist aber ein Anspruch an eine bestimmte Person, daß sie Etwas thue, leiste oder gebe; Forderungen sind demnach keine körperlichen, greifbaren Güter oder Sachen, sondern bilden ein unkörperliches Gut, und es kann von ihnen nicht gesagt werden, daß sie sich wie körperlich greifbare Sachen, — welche die angezogene Gesetzesstelle ausschließlich im Sinne hat, — in einem bestimmten Orte befinden. Es wurde sohin im gegebenen Falle nicht an einem Gute eines Fremden, welches sich in München befindet, der Arrest verhängt, und es stellt sich aus diesen Gründen der impetrirte Arrest als rechtlich unbegründet und unzulässig dar."

Hiegegen wurde von dem Anwalte des Klägers rechtzeitig Berufung eingelegt[*]); allein das k. HAG. zu Nürnberg bestätigte un-

---

[*]) Diese stützte sich hauptsächlich darauf, „daß Art. 35 des Stadtrechtbuches einen Unterschied zwischen körperlichem oder unkörperlichem

ter dem 9. September 1862 das angefochtene Erkenntniß aus folgenden Gründen;

Der in Frage stehende Arrest ist allerdings als ungerechtfertigt zu erachten.

Zwar sind nach den gesetzlichen Bestimmungen über den im ordentlichen Prozeßverfahren, theils als provisorische Maßregel theils als Exekutionsmittel vorkommenden Arrest auch Forderungen ein Gegenstand, an welchem der Arrest zulässig ist, und wäre demnach das privilegium Albertinum als eine Art des gewöhnlichen prozessualen Arrestes, als ein Arrest anzusehen, der nur hinsichtlich seiner Vorbedingungen privilegirt, das heißt erleichtert ist, so könnte es keinem Anstande unterliegen, denselben auch an Forderungen vorzunehmen. Allein eben dieses ist nicht der Fall*).

---

Gute nicht mache, daß als Ort des Arrestschlages der Wohnort des Schuldners erscheine, denn diesem werde das Zahlungsverbot gemacht; und endlich, daß Forderungen als Arrestobjekte tota die vorkämen und in den Prozeßgesetzen ausdrücklich als solche erklärt seien."

Die Nebenverantwortung machte vorerst wiederholt geltend, daß im W.- u. MB. das privilegium Albertinum nicht Platz greife; bemerkt dann, „der Art. 35 des Stadtrechtbuches, sowie sein Zusammenhang mit anderen Artikeln des genannten Gesetzbuches gebe unzweifelhaft an die Hand, daß das fragliche Arrestprivileg jedenfalls nur dann Platz greife, wenn Nichtmünchener trotz ihrer obliegenden Verpflichtung sich mit ihrer Person und ihrem physischen Vermögen in den Bereich des Burgfriedens gewagt; es sei gleichsam die Frechheit des persönlichen Erscheinens im feindlichen Lager, welche handgreiflich gesühnt werden solle; endlich sei das Forderungsrecht jedenfalls ein persönliches, klebe also der Person des Gläubigers an, und das Dispositionsverbot müßte sich rechtlich an den Gläubiger resp. dessen Domizil halten; nur nebensächlich, lediglich zum Zwecke der Sicherheit, sei es praktisch, auch dem anderwärts domizilirenden Schuldner davon Nachricht zu geben."

*) Ursprünglich beruhte allerdings der Rechtssatz des Art. 35 des Münchener Stadtrechtbuches auf demselben Prinzipe, welches noch jetzt im Codex judiciarius Geltung hat; man nahm an, es genüge schon der Umstand, daß der Beklagte ein Fremder sei, um darzuthun, daß der Kläger in billiger Sorge stehe, er werde vor der ordentlichen Obrigkeit das Seinige ohne sonderliche Beschwerde nicht erlangen. Zur Zeit der Abfassung des Münchener Stadtrechtbuches erscheint nun dem Bürger der Stadt gegenüber jeder Nichteinwohner als ein solcher Fremder, und die Art der damaligen Rechtspflege ließ auch als vollkommen zweifellos annehmen, daß Jeder nur in der eigenen Stadt sein Recht finden könne, während man außer den Mauern zu seinem Rechte ent-

Der Codex judiciarius von 1753, auf welchen sich die Fort=
dauer des erwähnten Arrestrechtes gründet, erklärt denselben in
Kap. I §. 8 Nr. 3 als ein privilegium loci, als ein besonderes
Rechtsinstitut, welches demnach nur aus sich selbst erklärt und lediglich
lich nach seinem Wortlaute interpretirt werden muß.

Nach dem juristischen Sprachgebrauche\*) zur Zeit der Abfassung
des Stadtrechtbuches von 1347 sind aber unter der in Art. 35 vor=
kommenden Benennung: „Gut" nur körperliche Sachen \*\*), keines=

---

weder gar nicht oder doch nur mit großer Beschwerde gelangen konnte.
Mit dem Wachsen der Landeshoheit änderte sich dieß, als Fremder
wurde nur mehr der A u s l ä n d e r angesehen und nur dieser unterlag
nun noch ohne weitere Voraussetzung dem Arrest; in den Städten
aber gelangte diese Milderung nicht so rasch zur Geltung. So besagt
das bayer. Landrecht von 1616 Tit. 19 Art. 7:
„es sollen auch Städte und Märkte, welche von Alters her die Freiheit
haben, daß die Bürger ihre Gelter (d. h. Schuldner cf. S ch m e l l e r
Wörterbuch II 41), wenn sie gleich Inländer sind in den Städten und
Märkten verbieten mögen, bei solcher Freiheit gelassen werden."
Hier wird noch der Nichtbürger dem Bürger gegenüber als Aus=
länder fingirt; im Cod. jud. Kap. I §. 8 Nr. 3 aber ist von dieser
Anschauung keine Spur mehr; hier wird das Münchener Arrestrecht als
ein reines privilegium loci behandelt und als ein Fall aufgeführt, in
dem der Arrest nicht nach den gewöhnlichen prozessualen Voraussetzun=
gen zu behandeln ist.

\*) Allerdings ist auch das Forderungsrecht ein Gut im Sinne der Na=
tionalökonomie; es hat einen Tauschwerth, läßt sich in Geld anschlagen
und ist daher ein Vermögensbestandtheil, insbesondere wenn, wie oben,
die Forderung auf eine bestimmte Summe gerichtet ist. Gegen das
im erstrichterl. Erkenntnisse Bemerkte, man könne nicht sagen, „die
Forderung sei in der Stadt München", läßt sich einwenden, daß eine
Forderung da ihre Existenz habe, wo sie zur Erfüllung zu kommen
hat, und dieß war im obigen Falle allerdings in München, auch
konnte der Arrest in der Stadt vollzogen werden, wie ja auch durch
die erste Verfügung wirklich geschehen ist. Daß der Schuldner das
Gut selbst in die Stadt müsse gebracht haben, wie die oben
citirte Ansicht der Rebenverantwortung war, ist nicht richtig; in dem
Satze „gesten in der stat ir gout" ist der Passus „in der stat" nicht
zu „gesten" zu beziehen; denn Art. 44 des Stadtrechtbuches gibt dem
Gaste, wenn er inner Landes ist, 14 Tage, wenn er ausser Landes ist,
dreimal 14 Tage zur Anfechtung des Arrestes, ein Zeichen, daß die
Anwesenheit des Gastes in der Stadt keine Voraussetzung des Arrest=
schlages ist.

\*\*) Die Immobilien werden speziell als „liegendes Gut" bezeichnet; so=

wegs aber Forderungen oder sonstige Rechte zu verstehen, wie dieß auch aus Art. 44 deutlich hervorgeht, indem hier gesagt wird, „der Gläubiger solle mit dem in Beschlag genommenen Gute, falls der Schuldner es nicht rechtzeitig verantwortet, verfahren, wie es Pfandesrecht ist." Zu Pfand konnten aber nach damaligen Rechten Forderungen niemals gesetzt werden\*).

Abgesehen hievon aber war der verhängte Arrest schon deßhalb nicht gerechtfertigt, weil das fragliche privilegium der Münchener Bürger in Wechsel- und Merkantilsachen überhaupt nicht Platz greift\*\*).

Vor Allem ist zu berücksichtigen, daß sich die Fortdauer jenes Privilegs lediglich auf die Gerichtsordnung Kap. I §. 8 Nr. 3 stützt; dasselbe gilt nicht, weil es in Art. 35 des Münchener Stadtrechtbuches von 1347 steht\*\*\*), sondern weil es in der obigen Stelle der Gerichtsordnung vorbehalten ist. Nun findet aber jenes Kap. I §. 8 der Gerichtsordnung auf Handels- und Wechselsachen keine Anwendung†); für diese hat die Wechsel- und Merkantilgerichtsordnung von 1785 ein erschöpfendes System des Exekutions- und Sicherheitsarrestes aufgestellt, welches dem Bedürfnisse des Handelsverkehres genügt und zu welchem jenes Privileg nicht mehr paßt.

Hätte die Wechsel- und Merkantilgerichtsordnung von 1785 das

---

wenig nun z. B. Hypothekforderungen, obgleich sie jetzt zu den Immobilien gezählt werden, „liegende Güter" genannt werden können so wenig andere Forderungen zu den beweglichen Gütern, zur Fahrniß im Sinne des damaligen Rechtes.

\*) Der Arrestschlag war ursprünglich nichts Anderes, als ein Selbstpfändungsrecht; wie der Eigenthümer den Fremden auf eigenem Grund und Boden, so durfte der Bürger den Fremden auf Grund und Boden der Stadt pfänden.

\*\*) So war es auch von jeher Praxis, vgl. hierüber Posset S. 158 ff. Hinsichtlich der Wechsel kommt noch dazu, daß die a. d. WO. nur einen Fall des provisorischen Arrestes nach Art. 29 bez. 92 zuläßt, und es würde gewiß eine Abnormität sein, wenn der Münchener Bürger auf Grund der in jedem Wechsel liegenden Forderungsbescheinigung den fremden Wechselaussteller, Acceptanten oder Indossanten sofort arretiren lassen dürfte.

\*\*\*) Denn dieses Stadtrechtbuch hat längst keine Geltung als Gesetzbuch mehr.

†) Es ist nämlich bei der Vollständigkeit des Systemes der Wechsel- und Merkantilgerichtsordnung von 1785 auch zu deren subsidiären Anwendung kein Raum, was sich jedoch nicht auf das forum arresti bezieht.

privilegium Albertinum daneben aufrecht erhalten wollen, so hätte sie dasselbe ebenso wie der Codex judiciarius ausdrücklich vorbehalten müssen; indem sie dieses nicht gethan, hat sie erklärt, daß der Münchener Bürger im Handels- und Wechselprozesse nicht anders gehalten werden solle, wie alle Uebrigen.

Dieser Grundsatz ist aber auch außerdem deutlich in Kap. I §. 3 der Wechsel- und Merkantilgerichtsordnung ausgesprochen, worin bestimmt wird, daß auch fremde Kaufleute, Negotianten und Gewerber lediglich nach den Bestimmungen der vorliegenden Prozeßordnung behandelt und sonach sämmtliche Handelsleute völlig gleichgestellt sein sollten, weßhalb die in Kap. I §. 2 enthaltene Aufhebung aller Privilegien allerdings auch auf das privilegium Albertinum zu beziehen ist. (München l/J. R.-Nr. 21.)

## XII.

Editionsanträge im Merkantilprozesse zulässig. — Selbständige Appellation gegen ein das Restitutionsgesuch ohne weitere Verhandlung abweisendes Dekret.

Prozeßnovelle vom 17. November 1857 §. 52 Ziff. 1; Landtagsabschied vom 1. Juli 1856 Abschn. III Lit. C §. 27 Nr. 2 und 3.

L. E., Kaufmann in M., von dem Kaufmanne S. zu N. wegen eines Schuldrestes für gelieferte Cigarren zu 329 fl. — Ir. vor dem l. Handelsgerichte München l/J. belangt, hatte die Klage unter Anderem den Einwand einer mit dem Kläger gepflogenen Abrechnung, wodurch seine Schuld auf 158 fl. 22 Ir. reduzirt und auch die Zahlungszeit auf einen späteren Zeitpunkt hinausgeschoben worden sei, entgegengesetzt, und zum Beweise dieser Einrede erstrichterlich zugelassen, primär die Abrechnungsurkunde und einen Zeugen als Beweismittel benannt. Da jedoch die Aussage des Letzteren nicht zu seinen Gunsten ausfiel, begehrte er am 16. Mai von dem Kläger die Vorlage der auf fragliche Abrechnung bezüglichen Geschäftskorrespondenz und verband mit dem hierauf gerichteten Antrage zum Zwecke der Zulassung dieser Korrespondenz als Beweismittel ein Gesuch um Wiedereinsetzung in den vorigen Stand gegen Ablauf der Beweisantretungsfrist.

Das l. Handelsgericht München l/J. wies durch Beschluß vom 19. Mai 1862 das Editions- und das damit verbundene Restitutionsgesuch ohne weitere Verhandlung ab, weil im Wechsel- und Merkantilprozesse als einem höchst summarischen Prozesse Editionsstreitigkeiten, sowie alle übrigen Inzidentverfahren unzulässig seien, das Restitutionsgesuch aber lediglich auf die zu edirenden Beweismittel sich beziehe.

Bei diesem Ausspruche beruhigte sich der Verklagte zwar vorerst, verband aber, als er durch Erkenntniß vom 14. Juli 1862 zur Zahlung nach dem Klagantrage verurtheilt wurde, mit der Berufung gegen dieses Urtheil auch seine Beschwerde gegen jenes abweisende Dekret.

Das k. Handelsappellationsgericht zu Nürnberg erachtete diese letztere Beschwerde als formell zulässig, die Stellung eines Editionsantrages im Merkantilprozesse auch nicht für ausgeschlossen, bestätigte übrigens das angefochtene erstrichterliche Dekret wegen Mangels der gesetzlichen Voraussetzungen zu der erbetenen Restitution.

Die Entscheidungsgründe enthalten über die beiden ersteren Punkte Folgendes:

Im §. 27 Abschn. III lit. c des Landtagsabschiedes vom 1. Juli 1856 ist zwar unter Nr. 2 lit. a in Handelssachen selbständige Berufung gegen die im §. 52 der Prozeßnovelle vom 17. Novbr. 1837 aufgeführten Zwischenbescheide für zulässig erklärt, und zu diesen Zwischenbescheiden gehören auch diejenigen, welche das Gesuch um Wiedereinsetzung in den vorigen Stand ohne weitere Einleitung des Verfahrens ganz oder sowie angebracht oder zur Zeit oder von diesem Gerichte abweisen. Allein das Gesetz hat, wie auch in der Praxis anerkannt ist, hier nicht die im Laufe des Prozesses vorkommenden Restitutionen gegen Fristversäumnisse, sondern nur die Restitutionen gegen eine Sentenz im Sinne, und da es sich im gegebenen Falle offenbar nur um eine Restitution der ersteren Art handelt, greift obige Bestimmung über die Zulässigkeit selbständiger Appellation hier nicht Platz. Es ist sonach auch nicht aus dem Grunde, weil Verklagter innerhalb der gesetzlichen Berufungsfrist gegen das sein Restitutionsgesuch abweisende Dekret die Berufung nicht ergriffen hat, dieses Dekret rechtskräftig geworden, sondern konnte Verklagter nach Nr. 3 des §. 27 loco cit. seine deßfallsige Beschwerde der Berufung gegen das appellable Endurtheil vom 14. Juli 1862 und zwar ohne vorgängige Verwahrung einverleiben.

In materieller Hinsicht ist die unterrichterliche Annahme der Unzulässigkeit von Editions- und sonstigen Inzidentstreitigkeiten im Merkantilprozesse unrichtig, weil zwischen dem Wechsel- und dem Merkantilprozesse der bedeutsame Unterschied besteht, daß in jenem in

Folge des Erforderniffes der fofortigen Liquidftellung aller Einreden alle nicht fofort liquidirlichen Einwendungen und Gegenansprüche der separaten Austragung vorbehalten bleiben, im Merkantilprozeffe aber jene fofortige Liquidftellung nicht geboten ift*), vielmehr förmliche Beweisinterlokute ftattfinden, und alle Beweismittel des gewöhnlichen Prozeffes zuläffig find, deßhalb aber auch alle Beweisbehelfe, welche der Partei zu Gebote ftehen, von ihr angegeben werden müffen, wenn fie nicht ausgeschloffen werden follen.

Hiernach ift hier die Rückficht auf das materielle Recht gegenüber der im Uebrigen allerdings summarischen Natur des Merkantilprozeffes überwiegend, und es kann der Partei nicht benommen fein, fich durch vorgängige Editionsgefuche die erforderlichen Beweismittel von dem Gegner zu verfchaffen.

(Im Folgenden ift nun gezeigt, warum das Restitutionsgefuch gleichwohl als materiell unbegründet fich darftelle.)

Erkannt am 19. Sept. 1862. (München 1/I. R.-Nr. 23.)

## XIII.

Unzuläffigkeit von Einreden im Wechselprozeffe aus dem dem Wechsel unterliegenden Rechtsverhältniffe.

a. d. WO. Art. 82.

In einer Wechselstreitfache hatte der Verklagte der Klage unter Anderem den Einwand bereits erfolgter Tilgung der Wechselschuld entgegengefetzt und denfelben damit begründet, daß der Wechsel zur Deckung einer inzwischen erloschenen Pachtverbindlichkeit ausgeftellt worden fei. Diefer Einwand wurde in beiden Instanzen als im Wechselprozeffe unftatthaft verworfen. In den Gründen des handelsappellationsgerichtlichen Erkenntniffes vom 5. Sept. 1862 kommt hierüber vor:

1) Die a. d. WO. erfordert zur Begründung der Wechselverpflichtung im Art. 8 nicht mehr als die Ausftellung, im Art. 14 das Indoffament, im Art. 23 die Annahme einer in den Art. 4 und 46 näher bezeichneten Skriptur ohne Erwähnung eines anderen, etwa aus dem unterliegenden Rechtsverhältniffe entnommenen Verpflichtungsgrundes, und betrachtet somit die Wechselobligation als eine selbständige, abftrakte, lediglich auf der Skriptur beruhende.

2) Diefe Annahme fteht auch vollkommen im Einklange nicht nur mit den Motiven des preußischen Entwurfes der WO., wornach

---

*) In der Regel, foferne nicht etwa die Klage auf den Wechseln ähnlichen Urkunden beruht.

der Wechsel als ein einseitiger, ohne Rücksicht auf Grund und Veranlassung zur Zahlung verpflichtender Formalakt aufgefaßt ist, sondern auch mit den Verhandlungen der Wechselkonferenz, wonach insbesondere das Bekenntniß des Valutaempfanges deßhalb als nicht wesentlich erachtet wurde, weil bei der Natur des Wechselgeschäftes als eines rein formellen die causa debendi zurücktrete (vergl. Prot. S. 11), und jeder auf das zu Grunde liegende kontraktliche Verhältniß sich beziehende Zusatz im Wechsel als nicht geschrieben betrachtet werden solle.  (Prot. S. 155 ff.)

3) Auch der von den indossabeln Papieren handelnde, in diese Beziehung an die WD. sich anschließende Art. 301 des a. d. HGB. erklärt nur jene Anweisungen und Verpflichtungscheine für indossabel, in denen die Verpflichtung zur Leistung von Geld oder einer Quantität vertretbarer Sachen nicht von einer Gegenleistung abhängig gemacht ist.

4) Die Bestimmung des Art. 82 der a. d. WD. steht dieser Annahme nicht entgegen, da, wie sich aus den Konf.=Prot. S. 161 ff. ergibt, nur die Zulässigkeit aller sofort liquiden oder liquidirbaren Einreden ausgesprochen werden wollte, durch welche die Verpflichtung aus dem Wechsel, d. h. die Pflicht, diesen zu bezahlen, als niemals entstanden, oder dem Kläger gegenüber als erloschen oder getilgt sich ergeben würde, während Einreden aus dem unterliegenden Rechtsverhältnisse nach dem Vorbemerkten auf die Wechselverpflichtung überhaupt kein Einfluß eingeräumt werden wollte.

5) Endlich würde auch mindestens nach bayer. Prozeßrechte den Handelsgerichten als Spezialgerichten die Zuständigkeit zur Würdigung von Einreden der letzterwähnten Art mangeln.

(München r. d. J. Nr. 6.)

## XIV.

**Wechsel als Zahlungsmittel bezüglich einer Waarenschuld. — Verhältniß der Wechselobligation zu dem ursprünglichen Schuldverhältnisse\*). —**

Bayer. Landrecht Thl. IV Kap. 15 §. 4. — A. d. WD. Art. 43.

Kaufmann P. hatte wegen eines Waarenkaufschillingsrestes von 192 fl. 1 kr. drei auf diesen Gesammtbetrag lautende Wechsel dem Verkäufer behändigt, welcher solche auch annahm, jedoch zu gehöriger Zeit beim Domiziliaten zur Zahlung zu präsentiren versäumte.  Von

---

\*) Vgl. Renaub, Lehrbuch S. 230 und die dort citirten.

dem Verkäufer nunmehr auf Grund des Kaufkontraktes belangt, setzte er der Klage den Einwand der Tilgung seiner Schuld durch die eine Novation enthaltende Hingabe resp. Annahme der in Rede stehenden Tratten entgegen. Von erster Instanz deßhalb von der Klage entbunden, wurde er auf klägerische Beschwerde durch das Erkenntniß des kgl. Handelsappellationsgerichtes vom 22. August 1862 zur Zahlung verurtheilt.

Gründe:

1) Der Wechsel vertritt nicht schon für sich selbst die Zahlung jenes Betrages, auf welchen er lautet, sondern gewährt nur das Recht, von der bestimmten Person zur bestimmten Zeit Zahlung zu verlangen. Die Ansicht, der Wechsel sei kaufmännisches Papiergeld, ist ebensowenig in der Wissenschaft die herrschende, als in der a. d. WO. oder dem Handelsrechte zur durchgreifenden Geltung gelangt.

2) Die Uebernahme eines Wechsels für eine Waarenforderung enthält aber, abgesehen von einer ausdrücklichen deßfalligen Erklärung der Kontrahenten, auch keine Novation, soll vielmehr der Regel nach dem Gläubiger nur ein kräftigeres Mittel zur Erlangung schleuniger Befriedigung gewähren und ist daher im Zweifel dahin aufzufassen, daß der Gläubiger lediglich unter Voraussetzung der seinerzeit wirklich erfolgenden Zahlung des Wechsels die alte Obligation aufgeben wolle. Eine allgemeine Handelsusance endlich, wonach die Wechselausstellung für eine bestehende Schuld als die ursprüngliche Verpflichtung aufhebend angesehen würde, besteht nicht.

3) Allerdings wird durch die Annahme von Wechseln der Gläubiger rücksichtlich der Zeit der Geltendmachung seiner Forderung gewissen Beschränkungen unterworfen, indem er die Erfüllung der Schuldverbindlichkeit zunächst nur in der Weise ansprechen darf, wie sie zwischen ihm und dem Schuldner neuerdings bedungen worden ist, — woraus sich ergibt, daß er erst dann, wenn er die Erfüllung der Wechselverbindlichkeit ohne Erfolg verlangt hat, sein Recht aus der ursprünglichen Obligation geltend machen kann.

4) Diese Voraussetzung ist aber hier gegeben, da die fraglichen Wechsel wegen Mangels rechtzeitiger Präsentation oder doch Protestation präjudizirt sind, die Leistung auf Grund der Wechsel nicht erfolgte und auch nicht mehr verlangt werden könnte, wobei der Umstand, daß

5) Kläger selbst am Verluste seiner wechselmäßigen Ansprüche schuld ist, deßhalb als ihm unnachtheilig erscheint, weil Verklagter selbst nicht behauptete, daß die Wechsel bei rechtzeitiger Präsentation

beim Domiziliaten gezahlt worden wären, daß er dem Domiziliaten bereits die erforderliche Deckung verschafft habe und ihm daher das Versäumniß des Klägers nicht die Pflicht nochmaliger Herbeischaffung von Befriedigungsmitteln für letzteren auferlegen könne.

(Passau Reg.-Nr. 2.)

XV.

**Ein Blankoindossament legitimirt den Anwalt nicht, den Wechsel Namens des Blankoindossanten einzuklagen.**

Advokat M. zu N. hatte auf Grund eines von dem Remittenten B. mit Blankgiro versehenen eigenen Wechsels aus angeblichem Auftrage und Name'ns des B. gegen den Schuldner Klage erhoben und wegen seiner Legitimation zum Prozeße auf dieses Blankoindossament sich berufen.

Das k. Handelsappellationsgericht zu Nürnberg erachtete hiedurch die Prozeßlegitimation nicht für hergestellt und zwar aus nachstehenden Gründen:

Die Begebung des Wechsels mittelst Blankoindossaments überträgt das Eigenthum des letzteren auf den Indossatar, das angeblich hier beabsichtigte Prokuraindossament gibt dem Indossatar nur die Befugniß zur Geltendmachung der Wechselforderung Namens des Indossanten. Beide sind somit ganz verschiedene Arten von Rechtsgeschäften und es kann keineswegs, wie Beschwerdeführer zu unterstellen scheint, angenommen werden, daß das Blankoindossament das Prokuraindossament als das minus in sich schließe. Angenommen daher auch, es wäre bei Ausstellung des in Rede stehenden Blankoindossaments die Absicht des Indossanten gewesen, daß der Wechsel nur für ihn geltend gemacht werden solle, und Adv. M. hätte den Wechsel auch nur zu diesem Zwecke übernommen, so würde dieses Uebereinkommen zwar bezüglich des Rechtsverhältnisses zwischen diesen Beiden nicht ohne Einfluß und bezüglich seiner Wirkungen nach allgemeinen civilrechtlichen Grundsätzen zu beurtheilen sein.

Im Verhältnisse zu Dritten, hier dem Wechselschuldner, kann jedoch nur der Inhalt des Wechsels selbst maßgebend sein, — nur derjenige, welcher hiernach legitimirt erscheint, die Wechselforderung geltend machen.

Wollte demgemäß Adv. M. den Wechsel so, wie er vorliegt, einklagen, so mußte er dieses im eigenen Namen thun, er mußte selbst als Partei auftreten und, wenn er seinerzeit die Wechselsumme beigetrieben hatte, mit seinem Vollmachtgeber auf Grund des zwischen ihnen bestehenden, außerhalb des Wechselrechtes liegenden Mandatsverhältnisses Abrechnung pflegen. Wollte Adv. M. aber, wie dieses nach Inhalt der Klage und Berufung anzunehmen ist, diesen Weg nicht einschlagen, so hatte er auch entweder förmliche Vollmacht von Seite des Indossanten vorzulegen oder dafür zu sorgen, daß das Blankoindossament in ein Prokuraindossament umgewandelt werde.

Die einfache Erklärung des Adv. M. in der Klage endlich, daß er die Klage aus Auftrag des Blankoindossanten B. erhebe, vermag den Mangel rechtsgenügender Vollmacht nicht zu ersetzen. Denn wenn es auch unzweifelhaft in der Befugniß und dem Belieben dieses Anwaltes steht, die Rechte eines Eigenthümers des fraglichen Wechsels, als welcher er nach Inhalt des letzteren sich darstellt, auszuüben, oder den wechselordnungsgemäß dermalen nicht legitimirten Indossanten als Eigenthümer anzuerkennen und mittelst Durchstreichung seines Giros jederzeit wieder als den Wechselberechtigten darzustellen, so ist doch immerhin die Möglichkeit gegeben, daß der Indossant, — angenommen auch, er habe nicht das Eigenthum des Wechsels an Adv. M. übertragen wollen, — doch auch den Wechsel nicht in seinem, des Indossanten, Namen geltend gemacht und in einem Rechtsstreit mit dem Aussteller sich verwickelt sehen wollte, woraus sich die Nothwendigkeit ergibt, daß Adv. M. in jedem Falle in gehöriger Weise zum Prozesse sich legitimire. (Nürnberg Reg.-Nr. 20.)

## XVI.

Einfluß von Korrekturen an dem im Wechsel vorkommenden Namen des Remittenten. — Klagerecht auf Sicherheitsleistung gegen den Acceptanten eines trassirten oder Aussteller eines eigenen Wechsels*).

A. b. WO. Art. 4 Ziff. 3. Art. 96 Ziff. 3. Art. 29.

Am 23. Juli 1862 erhob der k. Advokat R. zu N. als Prokuraindossatar des J. W. aus Sch. auf Grund eines von dem Hopfen-

---

*) Inhaltlich der Verhandlungen der Kommission zur Berathung eines a.

händler Sp. zu N. am 3. Oktober 1861 an die Ordre des letzteren ausgestellten, am 1. Aug. 1862 zahlbaren Solawechsels über 1374 fl. unter der Behauptung, daß bereits in anderen Sachen mehrfache Exekutionen gegen den Aussteller ohne Erfolg geblieben seien, gegen letztere auf Grund des Art. 29 der a. d. WO. vor dem k. Handelsgerichte Nürnberg Klage auf Sicherheitsleistung, welche er durch Einweisung in die Realitäten des Sp. auf den Betrag seiner Wechselforderung und Eintragung der Sperre im Hypothekenbuche in vim arresti zu bewirken beantragte.

In dem Kontexte des mit der Klage im Originale vorgelegten Wechsels war der Vorname des Remittenten W. vollkommen ausgeschrieben und erkenntlich als „Isaak" zu lesen, jedoch war leicht ersichtlich, daß ursprünglich ein anderer Vorname gesetzt und derselbe erst später mit kräftigeren Schriftzügen in den Namen „Isaak" umgewandelt worden war. Bei der Unterschrift des Prokuraindossaments war der Vorname des W. nicht ausgeschrieben, sondern nur mit einem „Is." angedeutet, welches aber augenscheinlich gleichfalls auf einen anderen Schriftzug, der schon vorher auf dem Papiere gestanden hatte, gesetzt war.

Das k. Handelsgericht Nürnberg wies diese Klage a limine ab und zwar aus dem doppelten Grunde:

1) Weil wegen der bezüglich des Vornamens des W. vorliegenden Korrektur eines der wesentlichen Erfordernisse eines eigenen Wechsels, nämlich die genaue Bezeichnung des Remittenten, fehle;

2) weil der Antrag auf Sicherstellung nur bei indossirten Wechseln gegenüber den Vormännern des Wechselinhabers, nicht aber gegenüber dem Acceptanten oder Aussteller zulässig sei.

Dieser Beschluß wurde auf eingelegte Berufung des Klägers von

d. HGB., mehrere zur allg. d. WO. in Anregung gekommene Fragen betr., war von dieser Kommission die aufgeworfene Frage nach der Berechtigung zur Klage auf Sicherheitsleistung gegen den Acceptanten im Jahre 1858 verneint, bei wiederholter Berathung dieser Frage bei Gelegenheit der 3. Lesung des Entwurfes eines allg. d. HGB. aber der Vorschlag angenommen worden, zu Art. 29 einen Zusatz dahin zu begutachten:

„Der Wechselinhaber ist berechtigt, in den unter Nr. 1 u. 2 genannten Fällen auch von dem Acceptanten im Wege des Wechselprozesses Sicherheitsbestellung zu fordern."

dem k. Handelsappellationsgerichte zu Nürnberg durch Erkenntniß vom 26. August 1862 bestätigt, jedoch nicht aus den eben angeführten Gründen, sondern weil das Petitum nach Lage der Sache nicht gerechtfertigt, vielmehr zu weit gegriffen sei, — ein Umstand, der zwar an sich nur die Abweisung in angebrachter Art rechtfertigen würde, jedoch mit Rücksicht darauf, daß mittlerweile auch der Wechsel zur Zahlung verfallen sei und somit die Voraussetzungen der Sicherheitsleistung im Sinne des Art. 29 und 98 Nr. 4 der a. d. WO. hinweggefallen seien, die pure Bestätigung des erstrichterlichen Dekretes rechtfertige.

Zur Widerlegung der unterrichterlichen Motivirung ist Folgendes bemerkt:

1) Wenn auch der Wechsel vom 3. Oktober 1861 in dem Vornamen des Remittenten und in gleicher Weise bei der Unterschrift des Prokuraindossanten in dessen Vornamen eine Korrektur enthält, so läßt sich doch immerhin der Name des Remittenten und Prokuraindossanten, nämlich Isaak W., aus dem Wechsel klar und deutlich entnehmen, und es ist, insolange nicht von Seite des Wechselausstellers selbst der Wechsel in der fraglichen Beziehung mit Grund beanstandet wird, für den Richter keine Veranlassung gegeben, denselben als nichtig zu bezeichnen und einen auf solchen gegründeten Antrag des Wechselinhabers ohne vorgängige Vernehmung des Ausstellers sofort abzuweisen.

2) Was aber die Zulässigkeit einer Forderung auf Sicherheitsleistung gegen den Aussteller eines eigenen Wechsels betrifft, so muß solche unter den sonstigen gesetzlichen Voraussetzungen ebenso anerkannt werden, wie die gleiche Verpflichtung des Acceptanten eines trassirten Wechsels.

Zwar sprechen die desfallsigen Bestimmungen der a. d. WO. Art. 29 und Art. 98 Nr. 4 zunächst nur von dem Sicherheitsregreß, allein daß auch von dem Acceptanten selbst Sicherheit gefordert werden kann, ergibt sich aus dem Absatze 2 des Art. 29, und der Art. 98 Nr. 4 läßt den Art. 29 mit entsprechender Modifikation auch für den eigenen Wechsel gelten, erkennt also hiemit an, daß auch von dem Aussteller eines eigenen Wechsels Sicherheit gefordert werden könne.

Zur Annahme aber, daß die Forderung einer Sicherheit von dem Acceptanten eines trassirten resp. von dem Aussteller eines eigenen Wechsels nur als Vorbedingung des Sicherheitsregresses gegen den Trassanten resp. die Indossanten aufzufassen, m. a. W., daß die angeführte Be-

**4**

stimmung des Art. 29 nur dahin zu deuten sei, daß der Sicherheits-regreßnahme gegen Trassanten und Indossanten eine fruchtlose Auf-forderung zur Sicherheitsleistung gegen den Acceptanten eines trassirten, resp. Aussteller eines eigenen Wechsels vorhergehen müsse, ein klagbares Recht auf Sicherheitsleistung dagegen dem Wechsel-gläubiger gegen letztere Personen nicht zustehe, ist ein genügender Grund nicht vorhanden.

Vgl. Hoffmann, ausführl. Erläuterung der a. d. WO. S 343 u. ff.

Wenn die Sicherheitsregreßnahme dadurch bedingt ist, daß eine Sicherheitsleistung von dem primär Wechselverpflichteten nicht erfolgte, so liegt doch wohl hierin zugleich die Anerkennung, daß die Genannten auch primär zur Sicherheitsleistung verbunden seien, da außer diesem Verpflichtungsmomente kein anderes Moment vorliegt, durch welches die vorgängige Forderung der Sicherheitsleistung von dem primär Wechselverpflichteten geboten sein könnte; ist dieses aber der Fall, so muß dem Gläubiger auch gestattet sein, statt nach erhobenem Proteste den Sicherheitsregreß zu nehmen, den primär Verpflichteten selbst wechselrechtlich auf Sicherheitsleistung zu belangen.

(Nürnberg Reg.-Nr. 25.)

## XVII.

### Wechsel mit Zinsversprechen sind ungültig*).

#### A. d. WO. Art. 4 Nr. 2. Art. 96.

Diesen Rechtssatz sprach das k. Handelsappellationsgericht zu Nürnberg durch Erkenntniß vom 23. September 1862 (bestätigend den Beschluß des k. Handelsg. Landshut vom 5. August 1862) aus und zwar aus folgenden Gründen:

Von Anfang an war es die Eigenthümlichkeit des Wechsels in seiner Form als Wechselbrief (Tratte), daß sein Inhalt eine feste, bestimmte Summe betraf, und bekanntlich gewann der Wechselverkehr gerade hiedurch seine Hauptbedeutung in einer Zeit, in welcher das Zinsnehmen als eine gegen die Religion verstoßende Wucherhandlung

---

*) Vergl. Blaschke, Wechselrecht S. 62. — Renaud, Wechselrecht S. 112. — Bluntschli, Kommentar S. 137. — Biener, Archiv für Wechselrecht Bd. VI und die dort angeführten Erkenntnisse; auch Zeitschr. f. Gesetzgeb. u. Rechtspfl. Bd. II S. 499 ff. — Bl. f. RA. Bd. 20 S. 199 ff. — Brauer, d. WO. S. 11 ff.

(usuraria pravitas) allgemein verboten war. Es ist auch in der neueren Wissenschaft keine Meinungsverschiedenheit darüber vorhanden, daß der gezogene Wechsel, wenn er als solcher gelten und die besonderen Vortheile der Wechselstrenge genießen soll, auf eine feste, bestimmte Summe lauten muß, und insbesondere nicht durch ein Zinsversprechen diese Wechselsumme zu einer zur Zeit noch unbestimmten und von anderweitigen Thatsachen abhängenden gemacht sein darf *).

Von dem eigenen Wechsel, dessen Form nicht die eines Briefes, sondern die eines Zahlungsversprechens ist, läßt sich historisch nachweisen, daß er der Absicht, die kanonischen Zinsverbote zu umgehen, hauptsächlich seinen Ursprung verdankt, und eben darin bestand seine Eigenthümlichkeit, daß der Wechselaussteller die empfangene Summe nicht im Wechsel als eine verzinsliche anerkannte, sondern von vorneherein die Wechselsumme durch einen die Zinsen ersetzenden Zuschlag erhöht wurde. Auch bei dem eigenen Wechsel also ist die Stipulation von Zinsen ursprünglich ausgeschlossen gewesen; und wenn später, als die Zinsverbote des kanonischen Rechtes ihre Wirksamkeit verloren hatten, mitunter dem eigenen Wechsel ein Zinsversprechen beigefügt ward und vermöge des deutschen Gewohnheitsrechtes auch solche Zinswechsel als wahre Wechsel anerkannt wurden, so blieb doch der Wechsel mit fester, bestimmter Summe immer als die eigentliche und hauptsächlichste Form des eigenen Wechsels anerkannt.

Mit dem Inslebentreten der a. d. WO. wurde der Rechtszustand wieder in der früheren Reinheit hergestellt. Durch die wenn auch nicht in ausdrücklichen theoretischen Sätzen ausgesprochenen **) so doch in der ganzen praktischen Gestaltung mit Entschiedenheit festgehaltenen Prinzipien dieses Gesetzes ist die ehedem von Wissenschaft und Praxis nicht selten gehegte Ansicht ausgeschlossen, als sei der Wechsel ein Wesen accessorischer Natur, welches mit und neben einem anderen Hauptgeschäfte bestehe und sich mit und neben diesem fortpflanze, nicht selbständig seinen Lauf beginne, vielmehr um seines accessorischen Inhaltes halber in allen Beziehungen seiner Wirksamkeit sich als von jenem Hauptgeschäfte abhängig erweise.

---

*) Vergl. Treitschke, Encyklopädie der Wechselrechte Bd. II S. 831. — Arnold, Zinsenversprechen in eigenen Wechseln S. 22 Note 1. — Gerber, D. Privatrecht S. 503.

**) Dieser Ausspruch wurde von Einert beantragt, aber — nicht als falsch — sondern nur als unnöthig beseitigt. — Protokolle.

Im Gegentheile, die Wechfelverpflichtung ift nach der a. d. WO.
eine felbftändige, für fich beftehende Verpflichtung, übernommen durch
das unbedingte Zahlungsverfprechen, welches zwar mit einem anderen
neben ihm fortdauernden Gefchäftsverhältniffe im faktifchen Zufammenhange ftehen kann, aber als Wechfel ohne alle Beziehung auf das-
felbe in rechtlichen Betracht kommt.

Zinfen find nun aber ihrer Natur nach das Aequivalent für
die Benützung eines Kapitales, und ein Zinsverfprechen kann daher
immer nur aus dem Gefchäftsverhältniffe, aus der causa debendi
begründet fein, welche neben dem Wechfel hergehen und etwa den
Anlaß zur Wechfelausftellung gegeben haben.

Sobald aber diefes der Fall ift, kann ein folcher Schuldfchein
nicht mehr als ein unbedingtes Summenverfprechen, d. h. als Wechfel
angefehen werden; denn nur dadurch, daß der Schuldner fich unabhängig von jeder causa debendi durch ein abfolutes Zahlungsverfprechen bindet, nicht durch den bloßen Gebrauch des Wortes „Wechfel"
wird die rechtliche Natur des Wechfels bedingt.

Hält man zu diefem aus der Theorie der a. d. WO. mit innerer
Nothwendigkeit fich ergebenden Grunde noch die weiteren aus dem
Abftrich des §. 88 des preuß. Entwurfes der WO., aus der Aus-
fchließung der Zuläffigkeit aller Wechfelklaufeln, aus den Art. 4, 50,
51 u. 96 der a. d. WO. zu entnehmenden formellen Gründe, welche
zwar von einzelnen Stimmen der Wiffenfchaft*) bekämpft, aber nicht
entkräftet wurden, dann das Gewicht der Beiftimmung der großen
Majorität der deutfchen Gerichtshöfe, endlich den Umftand, daß die
zur Berathung der ftrittigen Fragen der a. d. WO. berufene Kom-
miffion für die Unwirkfamkeit des eigenen Wechfels als Wechfel im
Falle der Beifügung eines Zinsverfprechens fich erklärt hat, — fo
ergibt fich, daß die vom Erftrichter feiner Entfcheidung zu Grunde
gelegte Rechtsanficht als die richtige erfcheint**).

(Landshut Reg.-Nr. 7.)

---

*) In erfter Reihe mit gewohnter Vorzüglichkeit v. Biener a. a. O.
**) Ebenfo wurde entfchieden durch Erkenntniffe vom 15. November 1862
    (Hof Reg.-Nr. 2), 3. Dezember 1862 (Landshut Reg.-Nr. 13) und
    15. Januar 1863 (Augsburg Reg.-Nr. 5); auch das k. Handelsgericht
    Nürnberg hat fich in diefer Weife ausgefprochen. (Befchluß v. 9. Ok-
    tober 1862. Reg.-Nr. S. 1⁶²/₆₃.)

## XVIII.

### Beweislaſt bei Forderungen aus einer kaufmänniſchen Geſchäftsverbindung.

**A. D. HG. Art. 291. — Vgl. Seuffert's Archiv Bd. VIII Nr. 159.**

Die Handelsfrau A. A. zu Bamberg ſtand ſeit Jahren in Ge=
ſchäftsverbindung mit dem Handelsmann N. N. zu Nürnberg, nach
deren Auflöſung ſie von letzterem unter Vorlage einer Spezifikation
des Soll und Haben ein Reſtguthaben mit circa 810 fl. klagend ein=
forderte.   N. N. wollte außer den ihm gutgeſchriebenen Zahlungen
noch weitere circa 640 fl. in drei Poſten abgeführt haben, wogegen
die Klägerin replizirte, ſie habe von dem Beklagten die fraglichen
drei Zahlungen allerdings erhalten, allein damit ſeien nicht ihre in
der Klage aufgeführten Forderungen getilgt, ſondern für andere an
den Beklagten gelieferte Waaren Zahlung geleiſtet worden.

Das kgl. Handelsappellationsgericht von Nürnberg beſtätigte in
ſeinem Erkenntniſſe vom 14. Juli 1862 die unterrichterlich erkannte
Entbindung von der Klage und bemerkte in den Entſcheidungs=
gründen:

Bevor auf die Prüfung des geführten Beweiſes eingegangen
werden kann, iſt zuvörderſt feſtzuſtellen, wie ſich in vorliegendem Falle
die Beweislaſt vertheilt.

Würde es ſich um ein gewöhnliches Schuldverhältniß handeln,
ſo wäre dieſelbe offenbar bei dem Beklagten; denn die Einrede der
Zahlung iſt gegen eine Forderung begründet nicht dadurch, daß der
Schuldner dem Gläubiger überhaupt Geld bezahlt hat, ſondern da=
durch, daß er ihm dieſes Geld zur Tilgung der in Frage ſtehenden
beſtimmten Forderung gezahlt hat.   Allein im vorliegenden Falle iſt
nicht ein gewöhnliches einzelnes Schuldverhältniß zu behandeln, ſon=
dern eine gegenſeitige kaufmänniſche Geſchäftsverbindung.

Aus einer ſolchen Geſchäftsverbindung ſieht ſich aber der Kauf=
mann nicht als Gläubiger und Schuldner der Geſchäfte — jedes im
Einzelnen genommen — an, ſondern es kommt bei ihm als Forder=
ung oder Verbindlichkeit nur mehr der Saldo zur Ausgleichung, —
der Aktivſaldo oder Paſſivſaldo in Betracht.

Wer aus einer ſolchen Geſchäftsverbindung eine Forderung geltend
macht, kann daher auch nur dasjenige verlangen, was ihm nach Ein=

stellung aller zugestandenermaßen empfangenen Zahlungen in sein Debet, an den von ihm behaupteten Kreditposten als Aktivsaldo bleibt.

Er kann zwar, wenn der andere Theil Zahlungen behauptet, deren Empfang er leugnet, von diesem hierüber Nachweis verlangen; wenn er aber die Thatsache der Zahlung an sich nicht leugnen kann, so mindert sich hiedurch von selbst sein Aktivsaldo und also seine Forderung.

Die Behauptung, daß die Zahlung für anderweite Forderungen geschehen sei, ist in diesem Falle nichts anderes, als die Angabe, daß dem Fordernden aus der gegenseitigen Geschäftsverbindung noch anderweite Kreditposten zustehen, und hierüber muß er den Nachweis führen.

Solches hat die Klägerin aber nicht gethan und mußte daher der Beklagte auch ohne Rücksicht auf den von ihm erbrachten Beweis von der Klage, soweit sie auf diesen Betrag gerichtet ist, entbunden werden. (Nürnberg Reg.-Nr. 7.)

## XIX.

**Das Verfahren nach der b. W.- u. MGO. findet in den Gebietstheilen ihrer Geltung auf alle vor die Handelsgerichte gehörigen Handelssachen Anwendung. — Klagsbescheinigung ist nicht unbedingte Voraussetzung dieses Verfahrens.**

Einf.-Ges. zum a. d. HGB. Art. 70.
B. W.- u. MGO. Kap. V §. 5.

In einer Handelssache hatte das k. Handelsgericht München I/J. dem Klagantrage auf Einleitung des in Kap. V §. 5 der b. W.- u. MGO. vorgeschriebenen Verfahrens nicht stattgegeben, weil dieses Verfahren nach Art. 70 des Einf.-Ges. zum a. d. HGB. auch jetzt noch nur für die nach dem genannten Gesetze vor die Handelsgerichte verwiesenen Sachen, wozu die vorliegende nicht gehöre, Geltung habe, übrigens auch die dort vorgeschriebene Bescheinigung der Klage mangle.

Auf klägerische Beschwerde ordnete jedoch das Handelsappellationsgericht durch Erkenntniß vom 3. November 1862 die Einleitung jenes Verfahrens an. In den Gründen kommt vor:

Die erstrichterliche Auslegung des Art. 70 a. a. O. widerspricht schon dem Wortlaute dieser Gesetzesstelle. Derselbe geht nämlich dahin, daß das Verfahren vor den Handelsgerichten nach den hiefür bestehenden besonderen Gesetzen sich richte. Unter den Handelsgerichten können aber hier keine anderen gemeint sein, als die nach dem 1. Juli 1862 in's Leben tretenden, und da deren Zuständigkeit nur nach dem a. d. HGB. und dem Einf.-Ges. hiezu sich bemißt, so ergibt sich, daß durch Art. 70 das Verfahren für alle Sachen geregelt werden wollte, welche nach letzterwähnten Gesetzen vor die Handelsgerichte gehören. Das Wort „hiefür" kann aber nicht, wie Unterrichter thut, etwa auf die nach den früheren Gesetzen vor die damaligen Handelsgerichte verwiesenen Sachen bezogen werden, da von letzteren im Art. 80 überhaupt nicht die Rede ist, läßt sich vielmehr nur auf das Wort „Verfahren" beziehen, und ist der Kürze halber statt der Worte: „für das Verfahren vor den Handelsgerichten" gesetzt, in welchem Zusammenhange unter den letzterwähnten Handelsgerichten selbstverständlich nur die vor dem 1. Juli 1862 bestandenen gemeint sein können. Der Sinn des Art. 70 ist hienach offenbar der, daß in allen vor die neu errichteten Handelsgerichte gehörigen Sachen in den mit besonderen Gesetzen für solche Sachen schon früher versehenen Gebietstheilen diese Gesetze von dem treffenden Handelsgerichte auch ferner anzuwenden seien. Dieser Sinn würde sich übrigens grammatischer Auslegung gemäß auch dann ergeben, wenn man das Wort „hiefür" von den schon vor dem 1. Juli durch besondere Gesetze den Handelsgerichten zugewiesenen Sachen verstehen wollte, da, wie bemerkt, Art. 70 das Verfahren nicht nur in gewissen, sondern in allen nun vor die Handelsgerichte gehörigen Sachen regeln wollte und die Bestimmung des Artikel ohne Ausnahme hingestellt ist.

Die erstrichterliche Auffassung ist aber auch gegen die Intention des Gesetzes. Denn diese ging dahin, daß es bei sämmtlichen Handelsgerichten bis zur Einführung neuer Prozeßordnungen bei den bestehenden Gesetzen, demnach in den Gebietstheilen, für welche besondere Handelsprozeßordnungen bestunden, bei diesen belassen werden solle, — weil es, wie dortselbst in Bezug auf die für Handelssachen aufgehobenen Bestimmungen des Kap. II §. 1 der Augsburger Wechselordnung bemerkt ist, nicht für räthlich erachtet wurde, für die verschiedenen Arten von Handelssachen an einem Gerichte und für eine Stadt verschiedene Verfahren bestehen zu lassen, ein Grund, welcher auch im vorliegenden Falle vollkommene Anwendung findet.

Eine urkundliche Bescheinigung der Klage ist aber nach den Bestimmungen der W.- u. MGO. nur da erforderlich, wo nach der Natur des strittigen Rechtsverhältnisses, der Eigenschaft und dem Berufe der Streittheile eine Beurkundung als stattgefunden anzunehmen ist; aber auch wenn dies nicht der Fall, hat doch der Merkantilprozeß

mit den sonstigen dieser summarischen Prozeßart eigenthümlichen Abkürzungen und Abweichungen vom gewöhnlichen Verfahren stattzufinden.

(München I/3. Nr. 37.)

## XX.

### Zuständigkeit der Handelsgerichte für alle Wechselsachen. — Berufungen im Wechselexekutionsverfahren nach Preußischem Rechte — Personalhaft während des Konkurses.

In einer Wechselsache unter 150 fl., welche vor dem 1. Juli
1862 bei dem k. Landgerichte Selb als Einzelrichteramt*) angebracht, aber wegen Ausbruches des Konkurses über den Verklagten
nicht zur Verhandlung gelangt war, erachtete sich das k. Handelsgericht Hof, an welches die Sache auf klägerischen Antrag nach dem
1. Juli und noch während des Konkurses abgegeben worden war, für
zuständig, verurtheilte den Verklagten und verfügte schließlich die
Wechselhaft.

Die von dem Verklagten wegen angeblich mangelnder Kompetenz
hiegegen ergriffene Nichtigkeitsbeschwerde wurde von dem k. HAG.
durch Urtheil vom 20. Oktober 1862 als unbegründet, die eventuelle
Berufung aber, welche auf den Umstand der Fortdauer des Konkurses
gegründet wurde, soweit sie gegen den Zahlungsbefehl überhaupt gerichtet war, als unstatthaft, soweit sie Beseitigung des Personalarrestes
bezweckte, als unbegründet verworfen.

In den Gründen ist bemerkt:

Die Annahme des Verklagten, daß die Kompetenz des k. Handelsgerichtes Hof aus dem Grunde nicht gegeben sei, weil der Betrag
der beiden eingeklagten Wechsel die Summe von 150 fl. nicht erreiche,
steht mit den Bestimmungen des Einf.-Ges. zum a. d. HGB. im Widerspruche. Nach Art. 67 dieses Gesetzes erstreckt sich die Zuständigkeit der Handelsgerichte auf alle Wechselsachen ohne Ausnahme, insbesondere ohne Rücksicht auf den Betrag des eingeklagten Wechsels.
Muß schon wegen dieser allgemeinen Fassung des Gesetzes nach dem
Rechtsgrundsatze, daß, wo das Gesetz nicht unterscheidet, auch der
Richter nicht zu unterscheiden habe, die Zuständigkeit der Handelsgerichte für Wechselsachen schlechthin gefolgert werden, so gewinnt dieses
Argument nur umsomehr Gewicht dadurch, daß wenige Artikel vorher

---

*) In Selb gilt das preußische LR, u. in Wechselsachen die pr. Ger.-Ordn.

gerade bei den Handelsgerichten eine verschiedene Kompetenzregulirung je nach der Streitsumme getroffen ist.

Jeder Zweifel hierüber wird aber durch die Verhandlungen der Gesetzgebungsausschüsse und Kammern über die Einführung des a. d. HGB. Bd. II S. 138 gehoben, wornach in der 75. Sitzung auf Anregung eines Kammermitgliedes ausdrücklich konstatirt wurde, daß die im Art. 64 statuirte Konkurrenz der Handels- und der Stadt- und Landgerichte auch für Wechselsachen eintreten zu lassen nicht beabsichtigt sei. Die hieraus sich ergebende Eigenthümlichkeit aber, daß über Wechselsachen unter 150 fl. die Handelsgerichte in I. und letzter Instanz zu erkennen haben, vermag der klaren Bestimmung des Art. 67 gegenüber die von dem Verklagten hieraus gezogene Schlußfolgerung nicht zu rechtfertigen, steht übrigens nicht vereinzelt da, indem derselbe Fall nach Art. 64 Abs. 2 a. a. O. auch bei Handelssachen vorkommen kann. Ebensowenig kann die einzelnrichterliche Kompetenz auf die Bestimmung des Art. 82 a. a. O., wornach die vor dem 1. Juli bei den damals zuständigen Gerichten angebrachten Handelssachen bis zu ihrer Erledigung dortselbst verbleiben sollten, gegründet werden. Denn diese Bestimmung bezieht sich ihrem Wortlaute nach nur auf Handelssachen, worunter nach der aus den Artikeln 62, 63, 64, 65, 83 im Zusammenhalte mit Art. 67 und 70 sich ergebenden Ausdrucksweise des Gesetzes nur Handelssachen im Sinne des Art. 63 gemeint sein können. Ueberdieß würde auch auf Wechselsachen der Grund des Gesetzes, Schwierigkeiten bei dem Uebergange der Prozesse von einem Gerichte zum anderen zu vermeiden, nicht anschlagen, da nach Art. 67 Abs. 3 a. a. O. in dem Verfahren in Wechselsachen durch die neue Gerichtsverfassung eine Aenderung nicht eingetreten ist*).

Hiernach erscheint aber auch die eventuelle Berufung nach Art. 70 Abs. 4 a. a. O., welcher die Berufung gegen alle Erkenntnisse der Handelsgerichte, gleichviel ob in Handels- oder Wechselsachen erlassen, von einer Berufungssumme von 150 fl. abhängig macht**), unstatthaft,

---

*) Auch in den Erkenntnissen v. 26. Januar 1863 (Fürth Reg.-Nr. 6) und v. 5. Februar 1863 (Ansbach Reg.-Nr. 3) wurde die Ansicht festgehalten, daß mit dem 1. Juli 1862 die im Gebiete des Pr. LR. bei den ordentlichen Gerichten anhängigen Wechselsachen sofort an die Handelsgerichte abzugeben waren, und das kgl. App.-Ger. v. Mittelfranken theilt diese Ansicht (Erk. v. 4. Nov. 1862 K. 11. 18⁶²/₆₃).

**) Vergl. Nr. IV und VI.

da die eingeklagten Wechselbeträge zusammen nur 78 fl. 15 fr. entziffern.

Dieses gilt jedoch nur insoweit, als die eventuelle Berufung Zurücknahme des Zahlungsbefehles überhaupt, nicht aber, soweit sie blos Beseitigung der angedrohten Personalhaft bezweckt, da in Ermangelung besonderer Vorschriften über Appellation im Wechselexekutions= wie im Exekutionsverfahren überhaupt in den Tit. 27 und 24 Thl. I der preuß. Gerichtsordnung die allgemeine Bestimmung des §. 2 Tit. 14 a. a. O., wornach gegen alle etwas zum Nachtheile einer Partei aussprechenden Beschlüsse Berufung gestattet ist, in Anwendung zu kommen hat *), das Erforderniß der Berufungssumme aber in dieser Hinsicht nicht in Betracht kommt, da das dem Verklagten zu entziehende Gut der Freiheit eine Schätzung in Geld nicht zuläßt **).

Dagegen ist die Beschwerde des Verklagten bezüglich des Personalarrestes materiell unbegründet.

Der Umstand, daß der Konkurs gegen den Verklagten noch nicht beendigt ist, erscheint deßhalb unerheblich, weil die pr. GO. im §. 46 Tit. 27 Thl. I zwar eine gleichzeitige Verhängung der Personalhaft und Vermögensexekution ausschließt, hiedurch jedoch nur demjenigen Wechselgläubiger, welcher seine Forderung auch gegen die Konkursmasse liquidirt hat, das Rechtsmittel der Personalhaft entzogen ist, während im vorliegenden Falle Kläger ihre Forderung gegen die Konkursmasse gar nicht liquidirt haben. Zudem hat der Art. 2 der allg. d. WO. inhaltlich der Konferenzprotokolle die Personalexekution neben und sogar vor der Exekution in das Vermögen gestattet, — eine Bestimmung, welche auch durch den, lediglich von den aus der Person des Wechselschuldners abgeleiteten Beschränkungen der Personalhaft handelnden Art. 2 des bayer. Einf.=Ges. z. WO. keine Modifikation erfahren hat, weßhalb es seit Einführung der a. d. WO. kaum einem Zweifel unterliegen kann, daß die Wechselhaft gegen den im Konkurse befindlichen Wechselschuldner selbst ohne jene Erschränkung stattfinden könne.

(Hof Reg.=Nr. 1.)

---

*) Dieselbe Ansicht wurde auch in den Erkenntnissen vom 19. Septbr. 1862 (Ansbach Reg.=Nr. 2) und v. 26. Januar 1863 (Fürth Reg.=Nr. 6) ausgesprochen.

**) Vergl. Zeitschr. f. GS und Rechtspflege Bd. IX S. 392 in der Note.

## XXI.

**Berufungsförmlichkeiten nach dem bayer. Wechsel- und Merkantilprozesse.**

W.- u. MGO. v. 1785 Kap. VIII §. 5, Kap. IX §. 3. — Gesetz vom 11. September 1825 §. 1.

In einem Erkenntnisse des kgl. Handelsappellationsgerichtes zu Nürnberg vom 3. November 1862 kommt Folgendes vor[*]):

Es war das System der älteren Prozeßgesetzgebung, welches auch die W.- u. MGO. von 1785 befolgt, daß die Appellation vorerst binnen einer kurzen Frist nach der Erkenntnißpublikation bei dem Unterrichter insinuirt oder interponirt, dann binnen eines weiteren Fatale unter Vorlage des gravirlichen Bescheides bei dem Oberrichter introduzirt werden mußte. Dieses System wurde von der neueren Gesetzgebung als schleppend und zu Verzögerungen Anlaß gebend beseitigt, und der jetzige Prozeß bindet die Zulässigkeit der Berufung lediglich daran, daß binnen einer gewissen Frist die Appellationsschrift bei dem Unterrichter eingereicht wird. Wie dieses System für den ordentlichen Prozeß in §. 23 der Prozeßnovelle von 1819, so wurde es durch §. 1 des erwähnten Gesetzes vom 11. September 1825 für den Wechsel- und Merkantilprozeß eingeführt, und es ist hienach die in der Wechsel- und Merkantilgerichtsordnung von 1785 Kap. VIII §. 5 und Kap. IX §. 3 Nr. 1 u. 2 vorgeschriebene Form der Appellation durch sofortige Insinuation der Berufung bei dem Unterrichter und Introduktion derselben binnen 8 Tagen bei dem Oberrichter unter Vorlage des Bescheides, gegen welchen appellirt werden will, aufgehoben[**]); die Appellation wird nach den jetzt geltenden gesetzlichen

---

[*]) Ebenso wurde entschieden durch Erkenntniß vom 19. November 1862 (München I/J. Reg.-Nr. 45) und 24. November 1862 (München I/J. Reg.-Nr. 26).

[**]) Die Praxis hat sich in doppelter Weise zu helfen gesucht, einmal indem sie das Wegfallen der sofortigen Insinuation der Berufung gegen Bescheide, die schriftlich zugestellt werden, statuirte (ohne hiefür einen gesetzlichen Grund anzuführen); dann indem sie (vgl. Kletke. Wechsel- u. Merkantilprozeß S. 57) annahm, daß die Bestimmung des Kap. VIII §. 5 nur auf die bei der Publikation anwesenden Parteien Anwendung finde. Allein diese Auslegung ist eine gewaltsame; nach der W.- und MGO. v. 1785 ist wie in allen dasselbe System befolgenden

Bestimmungen eingelegt lediglich durch Uebergabe der Berufungsschrift bei dem Gerichte erster Instanz binnen 8 Tagen vom Tage der Erkenntnißpublikation, sei diese nun durch mündliches Ablesen der Sentenz oder durch schriftliche Zustellung des Bescheides erfolgt. Und zwar läuft in dem ersteren Falle — die richtige Ladung vorausgesetzt — die achttägige Frist auch für eine zur Publikation nicht erschienene Partei von diesem Termine an, da nach der Bestimmung des Kap. VIII §. 4 der W.- u. MGO. durch die Ablesung des Erkenntnisses dieses auch dem Abwesenden gegenüber als richtig kundgemacht angesehen werden muß, und die in Kap. XIV §. 8 Nr. 7 der GO. von 1753 vorgeschriebene Zusendung des Urtheils an den ausbleibenden Theil in der W.- u. MGO. von 1785 nicht angeordnet ist *), auch bei der Vollständigkeit ihrer Bestimmungen über die Publizirung der Sentenz eine subsidiäre Herbeiziehung der GO. nicht zulässig erscheint.

Die Richtigkeit der obigen Aufstellung ergibt sich vor Allem aus dem Wortlaute des citirten §. 1 des Gesetzes vom 11. Sept. 1825, welcher weder einer Insinuation noch einer Introduktion der Berufung erwähnt und nichts weiter vorschreibt als eine Uebergabe der Berufungschrift beim Unterrichter, sowie daraus, daß die vorherige Insinuation beim Unterrichter nur dann einen Zweck und eine Bedeutung hat, wenn die Appellation selbst nicht bei ihm, sondern beim Oberrichter eingeführt wird. Nachdem aber dieses letztere hinweggefallen ist, und der Unterrichter ohnehin durch die bei ihm erfolgende Einreichung der Berufungsschrift von der Ergreifung des Rechtsmittels Kenntniß erhält, würde die Insinuation zu einer leeren Förmlichkeit herabsinken, wie sich da, wo die Praxis dieselbe den Parteien noch auflegt, deutlich zeigt **), und es hat sie daher das Gesetz mit Recht ***) beseitiget †).   (München 1/3. Reg.-Nr. 38.)

---

Prozeßordnungen die Berufungsinsinuation eine absolut nothwendige Förmlichkeit; erscheint eine richtig geladene Partei bei der Publikation nicht, so hat sie ihr Berufungsrecht verloren; dies geht daraus hervor, daß das Gesetz nirgends eine Ausnahme macht, und ergibt sich die Irrigkeit obiger Ansicht der Praxis schon dadurch, daß durch dieselbe der Ungehorsame besser gestellt wäre, als diejenige Partei, welche der gerichtlichen Ladung gehorcht hat.

*) Wie die Praxis hie und da irrig annimmt.

**) Gewöhnlich sind es Substitute, die bei der Erkenntnißpublikation erscheinen, und diese insinuiren unbesehen stets die Appellation; dem Handelsappellationsgerichte sind Akten vorgelegen, in denen die Berufung

## XXII.

**Berufungssumme in Handelssachen, welche bereits vor dem 1. Juli 1862 anhängig geworden. — Zusammenrechnung des Betrages der Haupt- und Nebensache unstatthaft.**

Art. 70 Abf. 4, Art. 64 Abf. 2 des Einf.-Gef. zum a. b. HGB. — Art. 73 und 79 des Gerichtsverfassungsgesetzes vom 10. November 1861. Landtagsabschied vom 1. Juli 1856, Abschn. III, C. §. 27. Prozeßnovelle vom 17. November 1837, §. 58 ff.

Kaufmann D. in Th., von dem Handlungshause Gebrüder M. zu München wegen eines Kaufschillingsrestes im Betrage von 81 fl. 32 kr. belangt, war durch erstrichterliches Erkenntniß vom 29. Juli 1862 zur Zahlung jenes Betrages nebst Zinsen, sowie zur Tragung bezw. Erstattung der Prozeßkosten verurtheilt worden.

Die von demselben hiegegen erhobene Berufung wurde durch Erkenntniß des k. Handelsappellationsgerichtes vom 3. Oktober 1862

---

von Seite derjenigen Partei insinuirt wurde, die vollständig obgesiegt hatte.

***) Man könnte die Pflicht zur sofortigen Erklärung über die Berufung allenfalls für zweckmäßig halten, damit um so rascher der Richter erfahre, ob sein Urtheil rechtskräftig und daher exekutionsreif werde; allein auch dieses Motiv für das frühere System ist seit Erlassung des Landtagsabschiedes v. 1856 (Abschn. III lit. C §. 27 Nr. 4) weggefallen. Auch kann man die Tragweite des Gesetzes vom 11. September 1825 nicht etwa wegen seiner Ueberschrift einschränken wollen; wenn dasselbe nur die Nothfristen hätte abkürzen wollen, wäre im Hinblicke auf die W.- u. MGO. von 1785 Kap. IX §. 3 die Ausdehnung im Landtagsabschied v. 1837 gar nicht nöthig gewesen; ebenso geht aus dem Wortlaute des Land.-Absch. v. 1837 hervor, daß das Gesetz auch für Merkantilsachen gilt.

†) Leider ist es zur Zeit nicht möglich, die ganz unzweckmäßige Art der Erkenntnißpublikation zu Protokoll, welche den Parteien unnöthige Kosten macht und die Advokaten zwingt, namentlich von größeren Erkenntnissen doch stets eine Abschrift nehmen zu lassen, zu beseitigen, da der desfallsige Antrag des Abg. Dr. Simmerl (1856) verworfen wurde, sonach lediglich diese Publikationsart zur Zeit gesetzlich ist. Allein die Anwälte können sich im Hinblick auf obiges Erkenntniß nun helfen; sie brauchen nur in ihrer letzten Schrift um seinerzeitige Zusendung einer Abschrift zu bitten, was von den Gerichten nicht versagt werden kann.

wegen mangelnder Beschwerdesumme als unzuläffig abgewiesen, welcher Ausspruch motivirt ift, wie folgt:

Nach Art. 70 Abf. 4 des Einführungsgefetzes zum a. d. HGB. find Berufungen gegen Erkenntniffe der Handelsgerichte an das Vorhandenfein einer Berufungsfumme von 150 fl. gebunden. Im gegebenen Falle handelt es fich zwar um eine bereits vor dem 1. Juli 1862 anhängig gewordene Streitfache, welche im Hinblicke auf Art. 64 Abf. 2 a. a. O., da die eingeklagte Forderung in der Hauptfache den Betrag von 150 fl. nicht erreicht, am Sitze des einschlägigen Stadt- oder Landgerichtes auch ein Handelsgericht fich nicht befindet, nach dem 1. Juli 1862 der einzelnrichterlichen Zuftändigkeit anheim gefallen wäre, in welchem Falle nach Art. 79 des Gerichtsverfaffungsgesetzes vom 10. November 1861 die Berufungsfumme 50 fl. betragen hätte. Das vorliegende Erkenntniß war aber nach Art. 82 des Einführungsgefetzes nicht von einem Stadt- oder Landgerichte, fondern von einem Handelsgerichte zu erlaffen, und da bei diefen nach Art. 70 Abf. 3 a. a. O. auch in den zum mündlichen Verhöre fich eignenden Sachen die Erkenntniffe von einem Senate gefällt werden müffen, fo gilt auch für fie wie für alle anderen Erkenntniffe diefer Gerichte die Berufungsfumme von 150 fl. Die Beftimmung im Abfchn. III lit. C. §. 27 des Landtagsabfchiedes vom 1. Juli 1856, wonach für die nach der b. W.- u. MGO. zu verhandelnden Streitfachen eine Berufungsfumme von nur 50 fl. feftgefetzt war, erfcheint aber durch den Art. 79 des Gerichtsverfaffungsgefetzes vom 10. November 1861 und Art. 70 Abf. 4 des Einführungsgefetzes zum a. d. HGB. als aufgehoben, indem an die Stelle der früher beftandenen Handelsgerichte neue getreten find, für diefe aber eine andere als die im Art. 70 Abf. 4 a. a. O. feftgefetzte Berufungsfumme nicht befteht, was auch durch die Art. 76, 77 und 73 des Gerichtsverfaffungsgefetzes beftätigt wird.

Da nun im vorliegenden Falle der Streitgegenftand in der Hauptfache die Berufungsfumme nicht erreicht, Verklagter aber auch im Koftenpunkte die Berufung ergriffen hat, und die richterlich feftgefetzten klägerifchen Koften 75 fl. 44 $1/2$ kr. betragen, fo könnte es fich nur noch darum fragen, ob nicht beide Beträge zufammengerechnet werden dürften, in welchem Falle die Berufungsfumme gegeben wäre.

Auch diefe Frage muß indeffen verneint werden. Das Einf.-Gef. zum allg. d. HGB. enthält nämlich eine Beftimmung über die Berechnung der Berufungsfumme nicht, und wurde eine folche abfichtlich und zwar aus dem Grunde nicht in daffelbe aufgenommen, weil man es bei den allgemeinen gesetzlichen Bestimmungen über die Berechnung der Berufungssumme, wie solche in dem Prozeßgesetze vom 17. Nov. 1837 §. 58 ff. gegeben sind, belassen wollte. (Verhandlungen der Gesetzgebungsausschüsse der Kammer der Reichsräthe und Abgeordneten über das Einf.-Ges. zu allg. d. HGB. Bd. II S. 161 ff., 170 ff.)

Nach §. 58 des Prozeßgesetzes vom 17. November 1837 sind aber bei Berechnung der Berufungssumme Zinsen, Kosten rc., als Nebensache zu- oder aberkannt, nicht in Anschlag zu bringen, und es darf somit im gegebenen Falle, da die Kosten des Rechtsstreites nur als Nebensache dem obsiegenden Theile zuerkannt worden sind, eine Zusammenrechnung Beider nicht stattfinden, vielmehr muß die Berufung wegen mangelnder Berufungssumme als unzulässig verworfen werden. (Passau Reg.-Nr. 12).

## XXIII.

### Berufung im Exekutivprozesse.

GO. Kap. III §. 3 Nr. 5. — Prozeßnovelle v. 1837 §. 51 und 52.

Die k. Bank zu Nürnberg klagte gegen N. N. auf Bezahlung eines anerkannten Kontokorrentes, dessen Saldo zu Gunsten der Bank die Summe von 9458 fl. 31 kr. entzifferte, und beantragte*) Verhandlung der Sache im Exekutivprozesse. Diesem Antrage stattgebend setzte das k. Handelsgericht Fürth durch Beschluß vom 14. Aug. l. Js. Termin zur Urkundenproduktion an, unter den geeigneten Präjudizien.

Gegen diesen Beschluß ergriff die beklagte Partei Berufung, legte aber zugleich Remonstration**) gegen denselben ein und bemerkte, die

---

*) Die beklagte Partei lebt unter preußischem Rechte, daher die allgemeinen Prozeßgesetze in dieser Handelssache zur Anwendung zu kommen hatten.

**) Die Zulässigkeit des Exekutivprozesses wurde bestritten, weil die Urkunden, auf welche hin geklagt wurde, die Zahlungszeit nicht bestimmt erkennen ließen. Der Erstrichter erklärte diese Bemängelung für unstichhaltig und auch das k. Handelsappellationsgericht bemerkte in seinen Entscheidungsgründen, daß es zur Einleitung des Exekutivprozesses genüge, wenn aus den benützten Urkunden Person des Gläubigers und Schuldners sowie quantum und quale der Schuld deutlich erhelle, da die GO. Kap. III, §. 3 Nr. 5 von der Zahlungszeit nicht spreche.

Berufung solle nur eventuell, nämlich für den Fall ergriffen sein, wenn das Untergericht nicht selbst seinen Beschluß wieder aufheben würde. Allein dieses geschah nicht, das k. Handelsgericht Fürth inhärirte seinem früheren Bescheide durch Beschluß vom 4. September 1862 und legte (am 9. Oktober 1862) die Akten dem k. Handelsappellationsgerichte vor.

Dieser Gerichtshof verwarf durch Erkenntniß vom 13. Oktober 1862 die ergriffene Berufung und zwar aus folgenden Gründen:

Nach den allgemeinen Bestimmungen über das Verfahren in bürgerlichen Rechtsstreitigkeiten, welche in Ermangelung besonderer Prozeßgesetze im vorliegenden Falle zufolge Art. 70 Abs. 2 des Einführungsgesetzes zum allg. d. HGB. zur Anwendung zu kommen haben, und zwar nach §. 52 Nr. 3 der Prozeßnovelle von 1837 ist selbständige Berufung nur zulässig gegen „Erkenntnisse, welche den Streit über die Prozeßart entscheiden."

Das ohne jede Verhandlung erlassene Dekret vom 14. August 1862, wodurch der Exekutivprozeß eingeleitet wurde, ist aber in keiner Weise als solches Erkenntniß anzusehen und daher nicht selbständig appellabel *).

Nach der Erklärung der beklagten Partei in der Remonstration soll nun allerdings die Berufung vom 26. August 1862 als gegen den Inhäsivbeschluß vom 4. September 1862 gerichtet angesehen werden **). Allein auch in diesem Falle kann die Berufung als formell zulässig nicht erachtet werden; denn nachdem es der beklagten Partei freisteht, im Verhandlungstermine alle ihre Einwendungen gegen die Beschaffenheit der zum Exekutivprozesse benützten Urkunden vorzubringen, und der Unterrichter unzweifelhaft nach verhandelter Sache immer noch die gestellte Klage als zum Exekutivprozesse nicht geeignet erklären kann, ist es klar, daß auch der fragliche Inhäsivbeschluß noch keineswegs als das Erkenntniß erscheint, welches den Streit über die Prozeßart entscheidet ***).                (Fürth Reg.-Nr. 4.)

---

*) Vgl. Seuffert's Kommentar Bd. IV S. 17 Note 36.

**) Korrekt wäre es aber gewesen, wenn die beklagte Partei die Berufung erst nach Zustellung dieses Bescheides insinuirt, oder doch die früher ergriffene nachträglich ausdrücklich auf das Inhäsivdekret erstreckt hätte.

***) Diese Entscheidung ist mit der in Seuffert's Kommentar Bd. IV S. 13 Note 24 geäußerten Ansicht übereinstimmend; sie sichert die Erfüllung der wohlthätigen Intention des Einf.-Ges. zum allg. d. Handelsgesetzbuche, Art. 71, welche geradezu vereitelt würde, wenn der

## XXIV.

### Berufungsſumme in Wechſelſachen.
(Einführungsgeſetz zum a. d. HGB. Art. 67 Abſ. 3 Art. 70.)

Gegen ein Erkenntniß des k. Handelsgerichtes Memmingen vom 19. September 1862, durch welches N. N. unter Verweiſung der von ihm vorgeſchützten Kompenſationseinrede ad separatum zur Zahlung eines Wechſels mit einhundert Gulden ſammt Zinſen und Koſten verurtheilt worden war, wurde die Berufung ergriffen, und in derſelben die Behauptung aufgeſtellt, für Wechſelſachen ſei durch Art. 67 Abſ. 3 des Einführungsgeſetzes zum allgemeinen deutſchen Handelsgeſetzbuche die Beſtimmung des Landtagsabſchiedes vom 1. Juli 1856 Abſchn. III lit. C. § 27 Nr. 1 vorbehalten.*)

---

zahlungsflüchtige Schuldner im Exekutivprozeſſe eine Berufungsmöglichkeit mehr als in ordinario hätte. Die Untergerichte haben daher derartige unzuläſſige Berufungen nach §. 65 der Prozeßnovelle von 1837 ſofort abzuweiſen und in der Hauptſache fortzufahren. —

Das handelsappellationsgerichtliche Erkenntniß hat hier die oben erwähnte Autorität nicht citirt; es iſt eine in den letzten Jahrzehnten immer mehr überhandnehmende Sitte, die Literatur, welche in dem Referate am Platze iſt, den Urtheilen einzuverleiben und richterliche Ausſprüche, anſtatt ſie auf die betreffende Geſetzesſtelle zu ſtützen, mit einer Verweiſung auf „Bl. f. RA.", „Kletke's Darſtellung" u. ſ. w. zu begründen. Gewiß läßt ſich Nichts einwenden, wenn der Richter ſich die Anſichten bedeutender Rechtslehrer oder der Obergerichte aneignet, und auch das erſcheint als zweckmäßig, wenn ſich anſtatt weitläufiger Erörterungen lieber auf eine durch den Druck allgemein zugängliche Ausarbeitung einer juriſtiſchen Anſicht berufen wird. Allein als Entſcheidungsnorm darf das richterliche Urtheil immer nur das Geſetz ſelbſt citiren. Um die Bedeutung dieſer „Formfrage" zu erkennen, denke man ſich nur einen Kaſſationshof; die meiſten der Civilerkenntniſſe und Beſchlüſſe, wie ſie jetzt zu ergehen pflegen, müßten vor einem ſolchen als null und nichtig erſcheinen, wie es ein ſtrafrichterliches Urtheil wäre, das am Schluſſe anſtatt der Artikel des Strafgeſetzbuches den Satz enthalten würde: „Alſo geurtheilt im Hinblicke auf Bl. f. RA. Bd. . . . Seite . . . und N. N. Kommentar S. . . . .".

*) Dieſe Anſicht wird vertheidigt in der Anwaltszeitung Bd. II Nr. 18; allein die hiefür aufgeſtellten Gründe widerlegen ſich, wenn man die Abſicht des Geſetzgebers bei Feſtſetzung der Berufungsſumme in's Auge faßt. Ein Erkenntniß des k. Handelsappellationsgerichtes zu Nürnberg

**5**

Das k. Handelsappellationsgericht verwarf jedoch durch Erkenntniß vom 20. Oktober 1862 die Berufung als formell unzulässig und bemerkte hierüber in den Entscheidungsgründen:

Art. 70 Abs. 4 des Einführungsgesetzes zum allgemeinen deutschen Handelsgesetzbuche bestimmt, daß Berufungen gegen die Erkenntnisse der Handelsgerichte an das Vorhandensein einer Berufungssumme von 150 fl. gebunden sind; ein Unterschied, ob das Erkenntniß in eigentlichen Handelssachen oder in Wechselsachen oder in einem Streite über eine kaufmännische Anweisung erlassen wurde, ist von dem Gesetze nicht gemacht, und die Behauptung der Berufungsschrift, als sei durch Art. 67 Abs. 3 des genannten Einführungsgesetzes die Vorschrift des Landtagsabschiedes von 1856, Absch. III. lit. C. §. 27 Ziff. 1 aufrecht erhalten, entbehrt jeden juristischen Grundes, wie sich insbesondere aus den Motiven zum Entwurfe des erwähnten Gesetzes ergibt, wonach lediglich die einzelnen Wechselprozeßordnungen, die das Verfahren in Wechselsachen betreffenden Normen, zur Zeit noch vorbehalten bleiben sollen*).

(Memmingen Reg.-Nr. 1.)

---

vom 3. Novbr. 1862 (Regensburg R.-Nr. 6) sagt hierüber: „Diese Feststellung beruht auf dem allgemeinen bei der Gerichtsorganisation durchgeführten Prinzipe, daß die Berufung gegen Collegialgerichte nur bei einer Beschwerdesumme von 150 fl. „zulässig sein soll; daher ist auch Art. 70 Abs. 3. angeordnet, daß selbst in jenen Sachen, die vor einem Handelsgerichte im mündlichen Verhör verhandelt werden, das Erkenntniß von einem Senate gefällt werden muß. Erwägt man hiezu, daß die Modifikation „Berufungen in Handelssachen sind an eine Beschwerdesumme von 150 fl. gebunden" (Verhandlungen des Gesetzgebungsausschusses Band II Seite 161) ausdrücklich verworfen wurde, weil es nicht auf die Qualität der Sache, sondern auf das Gericht ankomme, von welchem geurtheilt werde, so ist schwer abzusehen, wie man behaupten kann, obgleich in Wechselsachen die Erkenntnisse und zwar gerade hier ausnahmslos (Verh. des Ges.-Ausch. Bd. II S. 138) von den Handelsgerichten gefällt werden, solle doch die Berufung wie gegen Erkenntnisse der Einzelrichter stattfinden.

*) Ebenso wurde erkannt am 3 Dezbr. 1862 in der Sache Schweinfurt R.-Nr. 2, am 15. Januar 1863 (Landshut R.-Nr. 17) u. am 1. Febr. 1863 (Regensburg R.-Nr. 7). Vgl. auch Z. f. G. u. R. Bd. X. S. 126.

# XXV.

Zulässigkeit der Wechselhaft vor und neben der Exekution in das Vermögen. — Statthaftigkeit der Personalhaft bei nicht vorhandener Wechselarrestfähigkeit
des Wechselschuldners. —
Unstatthaftigkeit der Erlassung von sog. Steckbriefen
gegen Wechselschuldner.

B. W. u. MGO. Kap. I §. 7; IX §. 5; X. §. 9. — A. b. WO. Art. 2, 4,
Ziff. 8.
Bayer. Einf.-Ges. hiezu Art. 2. — Ger.-Ordn. Kap. XVIII. §. 3. Nr. 7.

B. aus W. in Preußen, längere Zeit in Bayern wohnhaft, war
wegen einer Wechselschuld von 5000 fl. von dem k. Handelsgerichte Kempten durch Erkenntniß vom 8. Mai 1861 zur Zahlung in
Haupt- und Nebensache verurtheilt worden.

Nachdem mehrere Anträge des klägerischen Anwaltes auf Mobi-
liar- und Immobiliarexekution die Abweisung in angebrachter Art erfahren hatten, beantragte derselbe am 16. August 1862 die Vollstreckung der Wechselhaft, zu welchem Behufe er, da der damalige
Aufenthalt des Verklagten unbekannt sei, an sämmtliche Gerichte des
In- und Auslandes mittelst öffentlichen Ausschreibens das Ersuchen
um Verhaftung desselben zu erlassen bat.

Durch Beschluß vom 26. August 1862 wies indessen das kgl.
Handelsgericht Kempten diesen Antrag gleichfalls in angebrachter Art
ab, weil abgesehen davon, daß der Wechselarrest nach Kap. X, §. 9
der B. W.- und MGO. nur in Ermangelung von Zahlungsmitteln
verfügt werden dürfe, in einer Civilsache, auch wenn dieselbe eine
Wechselsache sei, Ausschreibungen der vom Klagetheil beantragten Art
unzulässig seien.

Auf Beschwerde des klägerischen Anwaltes wurde durch Urtheil
des k. Handelsappellationsgerichtes vom 3. Oktober 1862 abändernd
erkannt, daß dem klägerischen Antrag auf Vollstreckung der Personalhaft des Verklagten stattzugeben und dieselbe im Falle Betretens
des letzteren im Königreiche Bayern zu vollziehen, von der beantragten öffentlichen Ausschreibung aber Umgang zu nehmen sei.

In den Motiven des zweitrichterlichen Erkenntnisses ist bemerkt:
Durch die vom Unterrichter geschehene Bezugnahme auf Kap. X.
§. 9 der b. W.- u. MGO. kann zwar die Abweisung des kläger-

5*

iſchen Antrages auf Vollzug der Wechſelhaft als ſolcher nicht ge=
rechtfertigt werden. Denn dieſe Geſetzesbeſtimmung iſt durch Art. 2
der a. d. WO. als modifizirt zu erachten, indem durch dieſen Artikel,
wie die Protokolle der Leipziger Konferenz ergeben, die Zuläſſigkeit
des Wechſelarreſtes neben und ſogar vor der Vermögens=Exekution
ausgeſprochen werden wollte, und hieran auch durch Art. 2 des bayer.
Einf.=Geſ. vom 25. Juli 1850, — welcher nur von den aus der
Perſon des Wechſelſchuldners abgeleiteten Beſchränkungen der Wechſel=
haft ſpricht, — eine Aenderung nicht eingeführt wurde. Dagegen fehlt
es hinſichtlich der Perſon des Verklagten an den erforderlichen
Vorausſetzungen des Vollzugs der Wechſelhaft.

Mag man nämlich die Frage, ob Jemand dem Wechſelarreſte
unterworfen werden dürfe, als eine reine prozeſſuale lediglich das
Exekutionsverfahren betreffende, oder als eine zivilrechtliche,
auf den Umfang der Haftpflicht des Wechſelſchuldners bezügliche,
betrachten, ſo iſt es immer keinem Zweifel unterworfen, daß dieſelbe
in vorwürfiger Sache nach den Beſtimmungen der bayer. WO.
von 1785 zu entſcheiden ſei.

Nach Vorſchrift der bayer. WO. und des zur Ergänzung
derſelben dienenden Geſetzes vom 11. September 1825, die Ein=
führung des WR. und der WGO. ꝛc. betr., ſind aber als wechſel=
arreſtfähig nur Handelsleute und Fabrikanten, ſowie diejenigen Ge=
werbsleute und ſonſtigen Perſonen, welche die Eintragung in die
Wechſelmatikel erlangt haben, erklärt. Die Wechſelarreſtfähigkeit bil=
det mithin nach dieſem Geſetze keineswegs die Regel, vielmehr iſt der
größere Theil der überhaupt Vertragsfähigen von der Wechſelhaft aus=
genommen, und es iſt deßhalb Sache des die Wechſelhaft beantragen=
den Klägers, die Eigenſchaft des Wechſelſchuldners als einer wechſel=
arreſtfähigen Perſon, ſoferne dieſelbe nicht ohnehin unbeſtritten und
außer Zweifel ſein ſollte, zu behaupten und zu beſcheinigen.

Dieß iſt nun vorliegenden Falles nicht geſchehen, vielmehr nach
der ganzen Sachlage anzunehmen, daß Verklagter dem Stande der
Privatleute beizuzählen ſei.

Aus dieſem Grunde folgt jedoch, wie bereits angedeutet, nur die
Unzuläſſigkeit der Wechſelhaft, nicht aber auch die der Perſo=
nalhaft überhaupt. Verklagter iſt nämlich ſeinem eigenen Vorbringen
gemäß Ausländer, d. h. Nichtbayer, da er angeblich aus W. im Re=
gierungsbezirke Weſtphalen, ſomit k. preußiſcher Unterthan iſt und
nur vorübergehend in Bayern ſich aufhält. Vermöge dieſer Eigen-

schaft allein würde nun gegen ihn schon nach der Bestimmung der Ger.=Ordn. Kap. I §. 8 und Kap. VIII § 6.*) selbst bei nur vorliegender Bescheinigung einer Forderung die Verhängung des Personalarrestes insolange, bis er gezahlt oder Kaution geleistet, gerechtfertigt sein: es muß daher dasselbe nach Kap. I §. 7 u. Kap. IX §. 5 der W.= u. MGO. um somehr in dem Falle gelten, wenn, wie hier, eine rechtskräftige Verurtheilung des Verklagten in Mitte liegt, und letzterer überdieß Wechselschuldner ist, da es eine offenbare Ungereimtheit wäre, dem Gläubiger gegenüber dem Wechselschuldner geringere Rechte zuzugestehen, als gegenüber dem gewöhnlichen Schuldner.

Was jedoch die Art des Vollzuges beantragten Arrestes betrifft, so geht der klägerische Antrag auf Erlassung eines öffentlichen Verhaftsbefehles zu weit. Denn wenn auch im Allgemeinen dem Kläger, sofern sein Recht auf Verhaftung des Verklagten nicht in manchen Fällen illusorisch werden soll, alle Mittel zur Erreichung dieses Zweckes eingeräumt werden müssen, so ist dieß doch nur unter der Beschränkung zu verstehen, daß diese Mittel nicht gesetzlich ausgeschlossen seien. Daß dieß aber bezüglich des von der Klagpartei beantragten Verfahrens der Fall sei, ergibt sich aus der Bestimmung des Kap. XVIII §. 3 Nr. 7 a. a. O., indem daselbst die Verhaftung des Schuldners an allen Orten, wo er sich betreten läßt, nur im Falle der Flucht desselben gestattet, hiemit aber für alle übrigen Fälle ausgeschlossen ist, und von klägerischer Seite selbst nicht behauptet wurde, daß Verklagter als flüchtiger Schuldner zu erachten sei. — ganz abgesehen davon, daß einer derartigen Requisition, da es sich nicht um Verhaftung eines bayerischen sondern eines preußischen Unterthans handelt, wohl kaum von irgend einem auswärtigen Gerichte entsprochen würde **).

(Kempten Reg.=Nr. 1.)

---

*) Ob nicht im Hinblicke auf die Bestimmung des Art. 70. des Einf.=Ges. z. a. b. HG. Buche auf die b. W.= u. MGO. zurückzugehen, und nach Kap. X. §. 9 derselben der Arrest zu verhängen sei, wurde unerörtert gelassen.

**) Die Frage, ob beim Mangel hinlänglicher Zahlungsmittel und abgesehen von dem Vorliegen verschuldeter Unvermögenheit des Verklagten der Personalarrest nicht auch auf Grund des Kap. XVIII §. 3 Nr. 7 habe verfügt werden können, blieb im vorliegenden Falle unentschieden.

## XXVI.

### Zulässigkeit des Personalarrestes wegen Wechselschulden*).

Art. 2 des Einf.-Ges. zur ADWO. — Kap. X §. 9 der W. u. MGO. v. 1785.

N. N. aus München stellte am 23. November 1854 an die Ordre des A. A. in R. einen Solawechsel auf 560 fl., zahlbar 7 Tage a dato in München und aller Orten, aus, leistete jedoch zur Verfallzeit keine Zahlung und wurde durch Kontumazialurtheil des vormaligen Wechsel- und Merkantilgerichtes München I. Instanz vom 8. Januar 1855 zur Zahlung der Wechselsumme sammt Zinsen und Kosten verurtheilt. Durch die Mobiliarexekution erlangte der Gläubiger eine Deckung von 270 fl.; später brach über den Schuldner der Konkurs aus, welcher durch Ausschüttung der Masse, von der auf den Wechselgläubiger die Summe von 34 fl. 58$^1/_2$ kr. traf, im März 1861 geendet wurde. Nunmehr wandte sich der Gläubiger an das k. Handelsgericht München I. d. J. mit dem Antrage, gegen N. N. auf den Restbetrag seiner Forderung den Personalarrest nach der W. und MGO. von 1785 Kap. X §. 9 zu verhängen. Er wurde jedoch durch Dekret des k. Handelsgerichtes München I. d. J. vom 9. Mai 1862 auf Grund des Art. 2 des Einf.-Ges. d. ADWO. zurückgewiesen: „weil der Beklagte nicht unter jene Personen gezählt werden könne, gegen welche der Wechselarrest vor Einführung der ADWO. zulässig war."

Gegen dieses Dekret ergriff Kläger die Berufung, deren Mittheilung an den Beklagten am 4. Oktober 1862 erfolgte, worauf die Akten dem k. Handelsappellationsgerichte zu Nürnberg vorgelegt wurden.

Dieses gab der Berufung durch Erkenntniß vom 16. Oktober 1862 statt, und verfügte gegen N. N. den Personalarrest. In den Entscheidungsgründen kommt Nachstehendes vor:

Art. 2 der ADWO. bestimmt, daß der Wechselschuldner für die Erfüllung der übernommenen Wechselverbindlichkeit mit seiner Person und seinem Vermögen hafte, so daß der Gläubiger, ohne vorher eine Vermögensexekution zu versuchen oder auch zugleich mit derselben oder auch später, während sie schon im Laufe ist, auf die Person des Schuldners greifen kann.

---

*) Vgl. Zeitschrift für GG. und Rechtspflege Bd. IX S. 408.

Von dieſer Wechſelſtrenge hat der erwähnte Art. 2 der ADWO. nur wenige Ausnahmen gemacht; dagegen aber verfügt das b. Einf.-Geſ. von 25. Juli 1850 in Art. 2, daß der Wechſelarreſt auch nach Einführung der ADWO. gegen alle Perſonen ausgeſchloſſen bleibe, gegen welche der Wechſelarreſt in Gemäßheit der in den einzelnen Landestheilen dermalen beſtehenden Vorſchriften über Wechſelfähigkeit und Wechſelarreſt nicht Platz greifen würde. Nachdem nun die Frage: ob der Beklagte vor Einführung der ADWO. wechſelfähig geweſen ſei, gegebenen Falls nach der bayer. WO. von 1785 und ihren Novellen zu beurtheilen iſt, und aus den Akten erhellt, daß derſelbe zu denjenigen Perſonen gehört, welche nach der fraglichen Wechſelordnung und den Novellen vom 11. Mai und 19. Juli 1787, bez. dem Geſetze vom 11. Sept. 1825 nicht wechſelfähig waren, ſo kann es keinem Zweifel unterliegen, daß derſelbe dem in Art. 2 der ADWO. gegen den Wechſelſchuldner angedrohten Wechſelarreſte nicht unterworfen werden könne*).

Der Antrag des Gläubigers vom 16. April 1862 verlangt aber gar nicht die Verhängung dieſes Wechſelarreſtes, ſondern beſagt ausdrücklich, „daß er von dem in Kap. X §. 9 der W. und MGO. benannten Exekutionsmittel Gebrauch machen und darauf hin den Perſonalarreſt des Beklagten beantragen wolle", und dieſer Antrag iſt nach der jetzt geltenden Prozeßgeſetzgebung, welche zufolge des Einführungsgeſetzes zum ADHG. Art. 5 Nr. 2 ſeit dem 1. Juli 1862 in allen vor die Handelsgerichte gebrachten Streitſachen zur Anwendung zu kommen hat, auch wenn das ihnen zu Grunde liegende Rechtsverhältniß aus früherer Zeit datirt, vollſtändig gerechtfertigt.

Denn nach Art. 70 des Einführungsgeſetzes zum ADHG. richtet ſich nunmehr das Verfahren vor den Handelsgerichten nach den hiefür beſtehenden beſondern Geſetzen; es haben daher die Handelsgerichte in denjenigen Landestheilen, in welchen die b. W.- u. MGO. von 1785 publizirt iſt, dieſe Prozeßordnung, und zwar, da Art. 70 keine Beſchränkung enthält, in allen bei ihnen verhandelten Sachen anzuwenden.

Demnach kann nicht bezweifelt werden, daß, im Falle nach Art. 64 des Einführungsgeſetzes ein Nichtkaufmann aus einem Geſchäfte, welches auf ſeiner Seite ein Handelsgeſchäft iſt, oder als

---

*) Beklagter iſt Privatmann.

Widerbeklagter vor dem Handelsgerichte belangt wird, in dem bereits erwähnten Rechtsgebiete der Prozeß nach der W.= u. MGO. von 1785 verhandelt werden muß, und daß also von nun an unter den in Kap. X §. 9 der W.= u. MGO. von 1785 enthaltenen Voraussetzungen ein solcher Beklagter, auch wenn er kein Kaufmann ist, dem Personal= arrest unterworfen werden kann.

Nun erklärt aber ferner Art. 67 dess. Gesetzes alle Wechselsa= chen und Klagen aus kaufmännischen Anweisungen als Sachen, die von den Handelsgerichten zu verhandeln sind, und es ist daher, ins= besondere mit Rücksicht auf Abs. 3 des Art. 67, keinem Zweifel un= terworfen, daß in dem oben bezeichneten Rechtsgebiete auch in We= selsachen die W.= u. MGO. von 1785 in ihrem vollen Umfange zur Anwendung zu kommen habe, und zwar gegen alle Wechselbe= klagte, da Art. 70 nicht etwa blos von „Handelssachen" spricht, son= dern, wie bereits erwähnt, ganz allgemein das Verfahren vor den Handelsgerichten überhaupt normirt, also kein Unterschied zu machen ist, ob der Wechsel ein kaufmännischer, das ihm zu Grunde liegende Rechtsverhältniß eine Handelssache ist, oder ob es sich um Wechsel von Personen handelt, welche nach den früheren Gesetzen nicht mer= kantilfähig waren. Als ein Bestandtheil der erwähnten W.= u. MGO. erscheint aber die in §. 9 Kap. X getroffene Bestimmung, und es ist der Richter nicht befugt, wenn einmal das Gesetz ganz allgemein die Anwendung der W.= u. MGO. vorschreibt, hievon diese Bestimmung auszunehmen.

Dem Inhalte des Einführungsgesetzes zur ADWO. wird da= durch nicht entgegengetreten; denn, wie bereits erörtert, besteht ein großer Unterschied, ob der Schuldner dem eigentlichen Wechselarreste unterworfen ist, in welchem Falle er ohne Weiteres der persönlichen Freiheit beraubt werden kann, — oder ob nur das in Kap. X §. 9 der W.= u. MGO. von 1785 gestattete letzte Exekutionsmittel gegen ihn Platz greift, welches nur dann zulässig ist, wenn alle sonstigen Versuche des Gläubigers, seine Befriedigung zu erlangen, fruchtlos geblieben waren.

Es wäre auch offenbar nicht zu rechtfertigen, wenn der Nicht= kaufmann in Folge der Klage aus einem gewöhnlichen Handelsge= schäfte dem Personalarreste nach der mehrerwähnten Bestimmung des Kap. X §. 9 der W.= u. MGO. von 1785 unterworfen werden könnte, gegen den aus einem Wechsel Beklagten aber, welcher nach der ganzen Beschaffenheit seiner Schuld vor allen Schuldnern mit Strenge zu behandeln ist, von diesem Exekutionsmittel kein Gebrauch gemacht werden dürfte. Vielmehr ist anzunehmen, daß, wenn das Einführungsgesetz zum ADHG., wie oben nachgewiesen wurde, gewollt hat, es solle jeder vor einem im Gebiete der W.= u. MGO. gelegenen Handelsgerichte aus Handelsgeschäften Beklagte, sei er nun Kaufmann oder Nichtkaufmann, im äußersten Falle der Personalexekution unterworfen werden, es dieses ebenso hinsichtlich der Wechselschuldner gehalten wissen wollte.

Nachdem nun diese in Kap. X §. 9 der W.= u. MGO. von 1785 bestimmten Voraussetzungen in vorliegendem Falle aktenmäßig sind, erscheint in Anwendung des Kap. X §. 9 der Personalarrest gegen den Beklagten vollkommen statthaft\*).

(München I/J. Reg.=Nr. 24.)

## XXVII.

### Pflicht zum Kostenvorschusse für den Personalarrest\*\*).
### W.= u. MGO. von 1785 Cap. X §. 9.

Gegen N. N., der einen Quieszenzgehalt aus der Staatskassa bezog, war von dem k. Handelsgerichte München I. d. J. der Personalarrest verhängt. Nachdem der vom Gläubiger anfänglich erlegte Kostenvorschuß aufgezehrt war, erneuerte er denselben, beantragte jedoch: „es wolle die k. Centralstaatskassa angegangen werden, allmonatlich einen zur Berichtigung der Atzungskosten erforderlichen Betrag aus dem mit der Exekution nach §. 37 der Prozeßnovelle von 1837 nicht angreifbaren Theile des Quieszenzgehaltes des Beklagten an das k. Handelsgericht abzuliefern, und es wolle daraus die Deckung der Atzungskosten besorgt werden; ferner wollen ihm aus den eingesendeten Beträgen die bereits geleisteten Kostenvorschüsse ersetzt werden."

Das k. Handelsgericht München I. d. J. wies durch Bescheid vom 10. September 1862 diesen Antrag zurück, worauf Kläger die Berufung ergriff.

Durch Erkenntniß des k. Handelsappellationsgerichtes zu Nürnberg vom 16. Okt. 1862 wurde die Berufung unter Verurtheilung des Beschwerdeführers in die Kosten der zweiten Instanz verworfen.

---

\*) In gleicher Weise wurde erkannt am 24. Nov. 1862 in den Sachen München I/J. Reg.=Nr. 26 u. 47, u. am 19. Jan. 1863 in der Sache München I/J. Reg.=Nr. 66.

\*\*) Vgl. Posset, Entscheidungen S. 284. — Kletke, Darstellung des W.= u. M. Prozesses, I. Supplement S. 72.

In den Entscheidungsgründen kommt Folgendes vor:

Nachdem es sich hier nicht um eine Entscheidung über die Pflicht zur definitiven Tragung der Kosten des Perfonalarreftes handelt, welche unstreitig dem Schuldner obliegt, sondern lediglich über die Frage, ob Kläger diese Kosten gegebenen Falles vorzuschießen habe oder nicht, sonach die erstrichterliche Verfügung weder den Gang des Verfahrens, noch die Materie der anhängigen Streitsache betrifft, muß die erhobene Beschwerde als eine Extrajudizialappellation betrachtet werden, und ist daher ihre formelle Zuläßigkeit nicht zu beanstanden.

Dagegen stellt sich dieselbe als materiell ungegründet dar.

Die W.- u. MGO. von 1785 bestimmt in Kap. X §. 9 Nr. 2 ausdrücklich, daß der Perfonalarreft gegen den Schuldner auf Kosten des Klägers zu verwilligen sei. Der Beschwerdeführer behauptet nun, daß diese Bestimmung keineswegs eine unabänderliche Richtschnur abgeben wolle, sondern eine Ausnahme erleiden müffe, wenn, wie bei Staatsbeamten, noch hinreichende Mittel vorhanden seien, aus denen ihre Alimentation bestritten werden könne.

Allein die W.- u. MGO. von 1785 enthält in demselben Kap. X §. 4 gleichfalls die Bestimmung, daß Penfionen und Besoldungen zu einem gewiffen Theile der Sperre nicht unterliegen, und hat demnach in dem erwähnten §. 9 den Satz, daß der Perfonalarreft auf Kosten des Klägers zu verhängen sei, ganz unbedingt hingestellt, während doch nothwendigerweise, wenn für den Fall des §. 4 eine Ausnahme hätte zugelaffen werden wollen, dieses ausdrücklich hätte gesagt werden müffen.

Es läßt sich auch eine derartige Ausnahme mit der gesetzlich garantirten Unangreifbarkeit des in Frage stehenden Penfionstheiles nicht vereinigen; denn — wie Appellant selbst in seinem Antrage vom 9. September l. J. erörtert, — würde die Bestreitung der Atzungskosten des Schuldners aus jenem Penfionstheile, nachdem dem Arrestaten im Hinblicke auf Kap. X §. 9 Nr. 4 kein Geld in Händen gelaffen werden darf, voraussetzen, daß die Penfion vom k. Handelsgerichte München l. d. J. in dem erforderlichen Betrage an sich genommen würde, d. h. es müßte eine Beschlagnahme derselben erfolgen, was dem Gesetze offenbar widerstreiten würde.

Als geradezu unzuläßig stellt sich die weitere Bitte des Appellanten dar, die von ihm bereits vorgeschoffenen Kosten aus jenem Penfionstheile zurückzuerfetzen; denn dieß wäre nichts Anderes, als eine Exekution für eine Forderung des Klägers an einem Vermögenstheile des Beklagten, der gesetzlich mit Exekution nicht angegriffen werden kann.

Bei der ausdrücklichen Vorschrift des W.- u. Merk. Prozesses, daß der Kläger die Kosten des Personalarrestes bei Gericht erlegen müsse, muß die allgemeine civilrechtliche Bestimmung, daß Niemand den Unterhalt von einem Andern fordern könne, der selbst die Mittel hat, sich zu ernähren, zurücktreten, und ebendeßhalb kann auch darauf nichts ankommen, daß diese Pflicht zum Kostenvorschuße hinsichtlich des in der GO. Kap. I §. 8, Kap. VIII §. 6 und Kap. XVIII §. 3 Nr. 7 vorkommenden Arrestes nirgends unbedingt ausgesprochen wird, weil die GO. von 1753 nur dann subsidiär zur Anwendung kommt, wenn die W.- u. MGO. von 1785 eine Frage nicht entscheidet, keineswegs aber eine deutliche Bestimmung dieser Spezialprozeßordnung in einer dieselbe abändernden Weise aus der allgemeinen Prozeßgesetzgebung ergänzt werden darf.

Aus diesen Gründen stellt sich der Bescheid des k. Handelsgerichtes München l. d. J. vom 10. September 1862, welcher auch mit der bisherigen Praxis übereinstimmt, als gerechtfertigt dar.

(München l. d. J. Reg.-Nr. 15.)

## XXVIII.

Vertretung des Wechselbeklagten bei der Ableistung des Diffessionseides. — Aechtheitsbeweis statt des Diffessionseides des Verklagten.

GO. Cap. XIII §. 1 Nr. 2. — VO. v. 11. Januar 1806, die Eidesleistung der Anwälte betr. (Reg.-Bl. St. V S. 33). — B. W. und MGO. Cap. III §. 1 u. 2.

Privatier N. zu M. hatte gegen den landesabwesenden B. aus Z. kgl. Ldg. Z., wegen einer Wechselforderung Klage erhoben und bei Unbekanntheit des Aufenthaltes des letzteren die Ediktalladung beantragt.

Zu dem anberaumten Produktionstermine, wozu Verklagter in Person sub poena recogniti edictaliter geladen worden war, hatte sich jedoch außer dem Kläger nur der in der Verlassenschaftssache der Mutter des Verklagten von dem Ldg. Z. für letzteren bestellte Curator absentis eingefunden, welcher den Wechsel diffitirte, zur eigenen Ableistung des Diffessionseides Namens des Verklagten, so wie zur Führung des Unächtheitsbeweises durch Zeugen und Sachverständige sich erbot, wogegen Kläger seinerseits die Aechtheit des Wechsels, falls solche beanstandet und weiterer Beweis erfordert werden sollte, durch Zeugen beweiſen wollte, jedoch ſchließlich die Klagbitte wiederholte.

Das hierauf ergangene, den Verklagten verurtheilende erſtrichterliche Urtheile wurde auf Beſchwerde des Kurators am 20. Oktober 1862 zweitrichterlich beſtätigt aus folgenden Gründen:

Nach Kap. 3 § 2 der b. W. u. MGO. hat der Beklagte den Wechſel im Produktionstermine zu rekognosziren oder sub poena recogniti eidlich zu diffitiren. Im gegebenen Falle iſt der Verklagte ſeiner gehörig erfolgten Ladung ungeachtet in Perſon zu dieſem Termine nicht erſchienen, weßhalb ihn mit Recht die geſetzliche Folge das Ungehorſams trifft.

Das von dem Kurator desſelben gemachte Offert, ſtatt ſeiner den Diffeſſionseid abzuſchwören, kann nicht berückſichtigt werden. Gemäß der ſubſidiär zur Anwendung kommenden b. GO. und bez. der in dieſem Punkte an deren Stelle getretenen Verordnung vom 11. Januar 1806 ſoll jeder Eid in der Regel von der Partei perſönlich abgeſchworen werden. Beſondere Gründe zu einer Abweichung von dieſer Regel liegen im gegebenen Falle nicht vor. Zudem iſt der für den Verklagten aufgetretene Vormund nicht zur Vertretung desſelben in allen ſeinen perſönlichen Angelegenheiten, zur Führung von Rechtsſtreitigkeiten jeder Art oder ſpeziell für vorwürfige Sache und mit der Befugniß der Eidesleiſtung, wozu ihm überdieß das eigene Wiſſen fehlen würde, ſondern nur zur Vertretung desſelben bei der Auseinanderſetzung des Nachlaſſes ſeiner Mutter und zur Verwaltung des ihm aus dieſem Nachlaſſe zugefallenen Vermögens aufgeſtellt worden.

Daß Kläger im Produktionstermine zur Führung des Aechtheitsbeweiſes ſich erboten, iſt unerheblich, indem einestheils ein ſolcher Beweis im Wechſelprozeſſe unſtatthaft iſt, da der Verklagte nur die Wahl zwiſchen Anerkennung oder eidlicher Diffeſſion des Wechſels hat, anderntheils ein Verzicht des Klägers auf Verfolgung ſeiner wechſelmäßigen Anſprüche deßhalb hierin nicht gefunden werden kann, weil Verzichte einer ausdrücklichen Erklärung bedürfen, Kläger auch nur für den Fall, daß die Aechtheit des Wechſels beanſtandet, und in Folge hievon ein weiterer Beweis nothwendig werden ſollte, die Schriftenvergleichung als weiteres Beweismittel benannte und trotz jenes eventuellen Erbietens ſchließlich auf den Klagspetiten beharrte.　(Augsburg Reg.-Nr. 3.)

## XXIX.

Saldoforderung aus Speditionsgeschäften. — Unwirksamkeit einer allgemeinen Erklärung der Nichtanerkennung des zur Begründung der Forderung mit der Klage vorgelegten Buchsauszuges. — Verpflichtung des Beklagten zur speziellen Angabe seiner Erinnerungen gegen die im Buchsauszuge aufgeführten einzelnen Posten bei Vermeidung der Annahme des Zugeständnisses.

Der Spediteur St. in S. hatte gegen das Handlungshaus Sch. und Söhne in M. eine Saldoforderung aus Speditionsgeschäften im Betrage zu 2817 fl. 41 kr. eingeklagt und zur näheren Begründung dieser Forderung einen Buchsauszug (Kontokorrent) mit seiner Klage vorgelegt, dessen Abschluß die vorerwähnte Summe als Saldo zu Gunsten des Klägers ergab.

Das beklagte Handlungshaus erkannte in seiner Vernehmlassung den vorgelegten Buchsauszug nicht an und bezeichnete die Saldoberechnung des Klägers als unrichtig, beschränkte sich aber mit seinen speziellen Erinnerungen gegen die einzelnen im Buchsauszuge aufgeführten Sollposten darauf, daß es unter Bezugnahme auf einen ihm von dem Kläger mitgetheilten theilweisen Buchsauszug 3 hier verzeichnete, übrigens auch in dem mit der Klage übergebenen vollständigen Buchsauszuge enthaltene Spesenposten, sowie die hierauf bezüglichem unter Haben aufgeführten Beträge anerkannte und unter Hinzurechnung eines weiteren Spesenpostens zu dem hienach für den Kläger verbleibenden Saldo, welcher Posten sich gleichfalls in der Klageanlage unter dem Soll verzeichnet fand, am letzterwähnten Saldo noch einige weitere Beträge bezahlt zu haben behauptete, sowie an der hienach verbleibenden Summe eine Gegenforderung für Manco an den vom Kläger zur Spedition übernommenen Waaren in Abrechnung brachte und den Rest zu 15 fl. 7 kr. zu zahlen sich erbot.

Bezüglich aller übrigen in der Klagebeilage aufgeführten einzelnen Posten gab das beklagte Handlungshaus eine spezielle Erklärung nicht ab.

Der Unterrichter, das k. Handelsgericht Passau, nahm daher diese Posten als zugestanden an, und auf ergriffene Berufung wurde dessen Erkenntniß in diesem Punkte vom Oberrichter bestätigt aus folgenden Gründen:

Nachdem der Kläger in dem vorgelegten Buchsauszuge seine einzelnen Forderungen unter Hinweisung auf die betreffenden speziellen dem Beklagten mitgetheilten Rechnungen genau bezeichnet hat, kann ihnen gegenüber die Erklärung, daß der Buchsauszug nicht anerkannt werde und die klägerische Berechnung nicht richtig sei; als ein genügender Widerspruch nicht angesehen werden, das beklagte Handlungshaus war vielmehr verpflichtet, ebenso wie dieses von ihm bezüglich der 3 Spesenposten vom 17., 19. und 28. Mai 1861 geschehen, auch bezüglich der übrigen Posten seine Beanstandungen speziell anzuführen, und aus seiner Unterlassung muß im Hinblicke auf letzteren Umstand gefolgert werden, daß die Nichtanerkennung des Buchsauszuges und die Bezeichnung der klägerischen Berechnung als eine unrichtige einzig und allein in jenen Beanstandungen ihren Grund hat, welche von ihm speziell geltend gemacht wurden.

Zwar versuchte Beklagter in seiner Duplik den unterlassenen speziellen Widerspruch der übrigen einzelnen Soll-Posten nachzuschleppen, allein an dieser Stelle ist der bemerkte Widerspruch verspätet und kann eine weitere Berücksichtigung um so weniger finden, als derselbe nach dem bereits Gesagten überhaupt nicht als ein ernstlich gemeinter angesehen werden kann.

(Passau Reg.-Nr. 14.)

## XXX.

Provisorischer Arrest wegen noch nicht fälliger Wechselforderungen — Flucht des Schuldners als Arrestgrund. B. W.- u. MGO. Cap. I §. 7. Cap. IX. §. 5. — ADWO. Art. 29 und 98. Ziff. 4.

Das k. Handelsgericht München r/J. hatte einen Antrag auf provisorischen Arrestschlag gegen einen wegen Raufexzesses steckbrieflich verfolgten Wechselschuldner zur Sicherung mehrerer erst später fällig werdenden Wechsel deßhalb abgewiesen, weil eine Sicherheitssperre wegen noch nicht fälliger Wechsel undenkbar und auch eine Verlustgefahr nicht dargethan sei. Das königliche Handelsappellationsgericht gab auf klägerische Beschwerde dem Arrestantrage durch Urtheil vom 20. November 1862 Statt. In den Gründen kommt vor:

„Die b. W.- u. MGO. hat in dem von der Sicherheitssperre und dem Sicherungsarreste handelnden Kap. I §. 7 die Zulässigkeit dieses Arrestes von der Fälligkeit der zu sichernden Forderung nicht abhängig gemacht, und es darf daher ein solcher Unterschied auch

nicht vom Richter gemacht werden, umsoweniger, als auch die gemeinrechtliche Doktrin sowohl, wie insbesondere die b. GO. im Kap. I
§. 8 und Kap. VIII §. 6., wo sie vom Arreste handelt, dieses Erforderniß nicht aufstellt, und nicht abzusehen ist, weßhalb ein hiernach
und constanter Praxis gemäß jedem Gläubiger wegen einer gewöhnlichen Forderung eingeräumtes Recht dem vom Gesetze gerade besonders
geschützten Wechselgläubiger entzogen sein sollte.   Diese Annahme
wird auch durch den von dem Arreste in einer bereits anhängigen
Sache handelnden §. 5 des Kap. IX der b. W.- u. MGO. nicht
ausgeschlossen, da hiedurch dem Unterrichter nur das Recht des Arrestschlages auch während des Schwebens einer Sache in appellatorio,
d. i. in einem Stadium, in welchem er sich in der Regel alles weiteren Einschreitens in der Sache zu enthalten hat, ertheilt werden soll,
findet vielmehr eine positive Bestätigung durch den das Recht auf
Sicherung der Wechselzahlung regelnden Art. 29 d. ADWO., welcher zwar auf den gegebenen Fall insoferne nicht anwendbar ist, als
es sich hier nicht um eine speziell für die Wechselzahlung haftende
Sicherheit, sondern um eine provisorische, ein Vorzugsrecht vor anderen
Gläubigern nicht begründende, Maaßregel zur Sicherung des Erfolges
der künftigen Exekution handelt, wohl aber insofern als auch hiernach die Fälligkeit des Wechsels keine Voraussetzung des Rechtes
auf Sicherstellung bildet, vielmehr gerade die Nichtfälligkeit des Wechsels wenigstens in der Regel vorausgesetzt wird.   Andererseits kann
aber das Recht auf provisorischen Arrest nicht auf die Vorbedingung
des Art. 29 beschränkt erachtet werden, da dieser Artikel eine das
materielle Wechselrecht betreffende Bestimmung enthält und es
daher außer seiner Intention liegt, an den prozessualen Vorschriften, welche den Arrest zur Sicherung künftiger Exekution
zum Gegenstande haben, Aenderungen einzuführen.

Es ist aber durch die Erlassung eines Steckbriefes auch die Flucht
des Imploraten festgestellt, und diese bildet nach Kap. I §. 7 l. c.,
worin sogar nur von Besorgung der Flucht gesprochen wird, im
gegebenen Falle für sich allein schon einen Grund zum Arrestschlage,
indem dadurch den Gläubigern nicht nur die Verfolgung ihrer Rechte,
vornämlich durch die Nothwendigkeit der Erlassung von Ediktalzi-
tationen überhaupt erschwert, sondern insbesondere auch das Rechtsmittel des Personalarrestes entzogen wird, wobei es gleichgiltig ist,
ob die Flucht des Imploraten in der Absicht, die Befriedigung seiner
Gläubiger zu vereiteln oder zu erschweren, oder etwa nur, um sich
einer strafrechtlichen Untersuchung zu entziehen, erfolgt ist, da Im-

plorat eine Vorsorge wegen Deckung seiner Gläubiger nicht getroffen und daher jedenfalls die Vermuthung gegen sich hat, daß durch seine Entfernung die Lage seiner Gläubiger eine schlimmere geworden sei *).

(München r/J. Nr. 10.)

## XXXI.

Zulässigkeit der provisorischen Personalhaft eines Wechselverklagten bei nicht vorhandener Wechselarrestfähigkeit des letzteren. — Anwendung der bayer. W.- u. WGO. Kap. I. §. 7 und Kap. V. §. 2. — Beschlagnahme von Pässen und Legitimationspapieren als Arrestmittel. —
B. W.- u. WGO. Kap. I §. 7. Kap. V. §. 2.

Der Kaufmann R. aus O. hatte unter'm 7. Mai 1862 gegen den Grafen W. aus R. in Rußland, welcher sich der Studien halber zu München aufhielt, auf Zahlung einer Wechselregreßsumme bei dem kgl. Handelsgerichte München I/J. Klage erhoben und hiemit, weil der Verklagte ein Ausländer und ohne Immobiliarbesitz in Bayern sei, den Antrag auf provisorische Haft desselben verbunden.

Durch Beschluß vom 14. Mai 1862 erließ das kgl. Handelsgericht München I/J. in der Hauptsache einen bedingten Zahlungsbefehl, wies jedoch gleichzeitig den gestellten Arrestantrag ab. Der Kläger erneuerte noch vor Erlassung des Urtheils, nämlich am 28. Juli, seinen Arrestantrag, welchen er nun damit zu begründen suchte, daß W. nach den an seinem Domizil geltenden Gesetzen wechselarrestfähig sei, übrigens schon nach den subsidiär zur Anwendung kommenden prozessualen Bestimmungen der Personalarrest bei Bescheinigung einer Forderung und Verlustgefahr verhängt werden könne, Verklagter aber ein Ausländer und überdies bereits wegen einer anderweiten Forderung an ihn von 700 fl. von dem Stadtgerichte München mit Personalarrest belegt sei.

Durch Beschluß vom 29. Juli 1862 gab das k. HG. München I/J. dem Arrestantrage unter Bezugnahme auf Kap. I §. 7 der b. W.- u. WGO. nunmehr statt, weil Verklagter ein Ausländer und im Falle der Aufhebung des bereits über ihn verhängten Arrestes seine Entfernung von München zu befürchten sei.

---

*) Ebenso wurde erkannt am 26. Nov. 1862 in der Sache München r/J. Reg.-Nr. 11.

Hiegegen legte nun der Verklagte rechtzeitig das Rechtsmittel der Berufung ein, worin er u. A. geltend machte, daß eine Verlustgefahr nicht einmal behauptet und auch der anderweit verhängte Arrest nur in Anwendung des s. g. privilegium Albertinum erkannt worden sei, äußersten Falles aber auch die Beschlagnahme des Passes, der Legitimationspapiere und der Universitätszeugnisse genügen würden. Durch Urtheil vom 6. Oktober 1862 bestätigte indessen das k. HAG. den erstrichterlichen Beschluß *) und zwar ohne die Frage der Wechselarrestfähigkeit näher zu untersuchen, aus folgenden Gründen:

---

*) In diesem Beschlusse war ein Termin zur Impugnation und Justifikation des Arrestes nicht angesetzt worden, wie es scheint in der Meinung, nach der W.- u. MGO. hätten diese Termine nicht stattzufinden; dieß widerspricht nicht nur der Praxis der übrigen nach der W.- und MGO. von 1785 urtheilenden Handelsgerichte, sondern auch der Natur der Sache. Auf bloße Bescheinigung hin, auf einseitigen Antrag des Gläubigers, ohne den Verklagten nur zu hören, definitiv so präjubizielle Maaßregeln vorzukehren, Jemanden sogar der persönlichen Freiheit zu berauben, ohne ihm nur Gelegenheit zur Verantwortung zu geben, würde offenbar gegen alle rechtliche Prinzipien verstoßen. Es spricht nun zwar die W.- u. MGO. von 1785 Kap. I §. 7 nicht davon, daß ein provisorisch verhängter Arrest gerechtfertigt werden müsse, sie sagt aber auch nicht das Gegentheil; sie bestimmt lediglich, der Merkantilrichter solle in den bezeichneten Fällen „das Gehörige vorkehren;" das Gehörige ist aber nach der hier subsidiär zur Anwendung kommenden Gerichtsordnung von 1753 die Verhängung des provisorischen Arrestes und die Anordnung der weiteren Verhandlung hierüber, mit welcher natürlich, wenn thunlich zugleich die Verhandlung über die Hauptsache zu verbinden ist. Die zweite Instanz ordnete daher im vorliegenden Falle nachträglich noch dieses an; allerdings war hiebei das Gebiet der Impugnation (nachdem über die rechtliche Zulässigkeit des Arrestes schon oberrichterlich erkannt war) im Grunde nur auf Anfechtung der Thatsachen eingeschränkt. Allein dieß ließ sich nicht mehr vermeiden; wäre ordnungsgemäß mit dem Arrestschlage die Ansetzung der Impugnation und Justifikation hierüber verbunden worden, so wäre das Dekret nicht appellabel gewesen und die Verhandlung in erster Instanz hätte nicht nach bereits vorliegendem zweitrichterlichen Erkenntnisse stattgefunden. Nachdem aber der Arrestschlag vom Erstrichter definitiv ausgesprochen war, mußte das Dekret unter Ziff. 2 lit. d des Landtagsabschiedes von 1856 subsumirt werden, weil sonst der Beklagte völlig rechtlos gestellt gewesen wäre. In einem anderen Falle wurde übrigens angenommen, Berufung finde auch dann nicht statt, wenn der Erstrichter der provisorischen Arrestverhängung auf ergriffene Remonstration inhärirt habe;

**6**

Die Zulässigkeit des beantragten Arrestes ist mit Rücksicht auf die Bestimmungen der Wechsel- und Merkantilgerichtsordnung Kap. I §. 7 und Kap. V §. 2 nicht zu beanstanden und von dem Appellanten auch nicht angefochten; ebenso enthält der Antrag des Klägers alle zur Begründung eines provisorischen Arrestgesuches nothwendigen Erfordernisse. Der Verklagte hat den Wechsel und sein darauf befindliches Indossament formell anerkannt, wodurch genügende Bescheinigung der Forderung gegeben ist; seine Eigenschaft als Ausländer hat derselbe ebensowenig zu widersprechen vermocht als den Umstand, daß er sich nur des Studirens halber in München befinde, somit in keiner Weise einen ständigen Aufenthalt daselbst habe; endlich hat derselbe nicht in Abrede zu stellen vermocht, daß er wegen einer Schuld von 700 fl. in Personalarrest genommen wurde.

Wenn nun auch dieser Arrest auf Grund des sog. privilegium Albertinum erkannt wurde, so zeigt doch dessen Fortdauer, daß Verklagter sofort für die Forderung Deckung nicht beschaffen konnte, und daß somit die Besorgniß des Klägers, er werde für seine bedeutende Forderung ebenfalls nicht Deckung erhalten können, und wenn der Verklagte Bayern zu verlassen in den Stand gesetzt sein würde, äußerst schwer zu dem Seinigen gelangen, genügend begründet sei, um provisorisch den Personalarrest gegen den Verklagten zu verfügen.

Die Beschlagnahme seiner Universitätszeugnisse oder seines Passes vermöchte aber nicht dem Kläger genügende Sicherheit zu bieten, da, wenn auch der Personalarrest nur als äußerstes Sicherungsmittel angewendet werden soll, doch die eingeklagte Forderung von solcher Bedeutung ist, daß kaum zu erwarten steht, der Verklagte werde anderweite Deckungsmittel von solchem Werthe sofort zur Hand haben, sowie daß es seine Sache wäre, wenn er solche besäße, sie anzugeben.

(München I/J. Reg.-Nr. 29.)

### XXXII.

**Subsidiäre Anwendung der Prozeßnovellen v. J. 1819 und 1837 im b. W.- und MGProzesse, insbesondere auf Restitutionsgesuche.**

In einer Wechselsache hatte der im Produktionstermine nicht er-

---

erst der auf geschehene Impugnation und Justifikation ergangene Bescheid stelle sich als der Endbescheid in diesem Inzidentverfahren, daher als appellabel dar.

schienene Verklagte gegen den ihn zur Zahlung verurtheilenden erstrichterlichen Beschluß *) Berufung ergriffen und eventuell um Wiedereinsetzung in den vorigen Stand gegen Ablauf jenes Termines
gebeten.

Das l. HAG. beurtheilte die materielle Begründung dieses Restitutionsgesuches nach §. 38 der Prozeßnovelle vom Jahre 1837, bei
der subsidären Anwendung dieses Gesetzes von folgenden Erwägungen
ausgehend:

Die b. W.- u. MGO. beabsichtigte nicht, für Wechsel- und
Merkantilsachen ein vollständiges Prozeßsystem, wodurch das ganze bei
Streitigkeiten dieser Art eintretende Verfahren geregelt werden sollte,
aufzustellen, sondern wollte nur diejenigen vom gemeinen bürgerlichen
Prozesse abweichenden Grundsätze festsetzen, welche durch die Natur
dieser Streitsachen und den Zweck einer möglichst raschen und sachge-
mäßen Entscheidung geboten waren. Dieselbe enthält daher auch über

---

*) Das l. Handelsappellationsgericht hat wiederholt (z. B. Erkenntniß v.
8. Dezember 1862, München I/J. Reg.-Nr. 50) den Grundsatz ausgesprochen, daß im Gebiete der b. W.- u. MGO. v. 1785 nach
Kap. VIII §. 1 nur die Erkenntnisse in der Hauptsache auf vorgängige
kollegiale Berathung und Beschlußfassung zu ergehen haben, wogegen
dies bei allen übrigen im Laufe des Prozesses zu erlassenden Verfügungen nicht oder doch nicht absolut erforderlich sei. Diese Ansicht theilte
der oberste Gerichtshof in seinem am 20. Januar 1863 in einer Advo-
katendisziplinarsache erlassenen Erkenntnisse (Reg.-Nr. 340⁸²/₈₃). — Hiebei möge ein bei verschiedenen Gerichten bestehendes, höchst anerkennens-
werthes Verfahren bei Kontumazialerkenntnissen in Wechselsachen erwähnt und zur Nachahmung empfohlen werden. Sofort am Schlusse des
Protokolles, in welchem das Wechseloriginal produzirt und die Kontumazirung von Seite des Klägers oder seines Anwaltes beantragt wurde,
ergeht die

Verfügung.

Wird Termin zur Urtheilspublikation auf den . . . . anberaumt, wovon Kläger sofort laut Unterschrift Kenntniß nimmt.

Der Instruent ist ein für allemal als Referent in Kontumazial-
sachen ernannt, bis zum Publikationstermine füllt er das für solche
Erkenntnisse bestehende Formular aus, trägt es bei Gelegenheit vor,
(wo man nicht auf Grund des Kap. VIII §. 1 solche Kontumazirungs-
bescheide ohne Sitzungsbeschluß erläßt,) und eine Menge Zeit und Arbeit
ist erspart, die entsteht, wenn das Protokoll präsentirt, dann ein Referent ernannt, dann das Erkenntniß gemacht, vorgetragen und erst
hierauf der Publikationstermin signirt und notifizirt wird.

eine Reihe von prozessualen Instituten keine Vorschriften, und soweit dieß der Fall ist, muß angenommen werden, daß sie in dieser Beziehung nichts vom gemeinen bayer. Prozesse Abweichendes aufstellen wollte und daher der Richter nach letzterem instruiren und entscheiden sollte.

Welches Recht dieses subsidiär anzuwendende sei, hierüber enthält die b. W.- u. MGO. keine Bestimmung, und es bedurfte einer solchen auch nicht, weil zur Zeit der Promulgation derselben außer der b. GO. ein anderes den gewöhnlichen Prozeß enthaltendes Gesetz nicht bestund, und daher kein Zweifel bestehen konnte, daß eben dieses subsidiär in Anwendung zu bringen sei.

Nicht ebenso zweifellos ist jedoch die Frage, ob in diesem Zustande nicht durch die Proz.-Nov. vom J. 1819 und 1837 eine Aenderung herbeigeführt worden sei, ob nämlich auch nach dem Erscheinen dieser Novellen nur die b. GO. oder, soweit diese durch erstere aufgehoben oder modifizirt worden, deren Bestimmungen subsidiär anzuwenden seien. Da indessen keine ausdrückliche Gesetzesvorschrift, welche die b. GO. als subsidiäres Recht erklärte, besteht und die W.- u. MGO. die b. GO. nur deshalb als subsidiäre Rechtsquelle im Sinne hatte, weil diese eben das geltende gewöhnliche Prozeßrecht enthielt, und das dermalen geltende gemeine b. Prozeßrecht in der GO. verbunden mit den Novellen zu suchen ist, so kann die subsidiäre Anwendung der letzteren um so weniger einem Anstande unterliegen, als diese selbst als Verbesserungen der GO. sich darstellen und dieselben Gründe, welche für ihre Einführung im gewöhnlichen Prozesse sprechen, im gleichen Grade auf das handelsgerichtliche Verfahren Anwendung finden. Daß der ausgesprochene Zweck dieser Novellen Verbesserung des ordentlichen Prozeßrechtes gewesen, vermag hieran nichts zu ändern, da dieser Zweck eben nur der nächste war, und aus der Intention der W.- u. MGO., subsidiär das geltende gewöhnliche Prozeßrecht für anwendbar zu erklären, mittelbar die Anwendung jener Novellen für das Handels- und Wechselverfahren von selbst sich ergibt. Hiebei bedarf es aber keiner Ausführung, daß von einer Anwendung dieser Novellen insoweit keine Rede sein kann, als die b. W.- u. MGO. und die zu deren Ergänzung erlassenen Gesetze ausdrückliche oder aus ihren Prinzipien abzuleitende Bestimmungen, mit denen die Vorschriften der Novellen in Widerspruch stehen, enthalten. — Zu den Materien, über welche die b. W.- u. MGO. keine Bestimmungen enthält, gehört nun auch die Lehre von der Restitution, und da die Vorschriften der GO. im Kap. XVI §. 1 durch die Novelle von 1837 theils aufgehoben, theils

modifizirt sind, so müssen diese letzteren auch im b. W.- u. H.G.Pro-
zeße zur Anwendung kommen. (Bamberg Reg.-Nr. 2).

## XXXIII.

### Einreden gegen den Wechselinhaber auf Grund seines bösen Glaubens.

#### Art. 82 der A.D.W.O.

N. N. setzte dem klagenden Indossatar A. A. die Einrede entgegen, er habe an dem eingeklagten Wechsel bereits 300 fl. an den
ursprünglichen Wechselgläubiger gezahlt, was A. A. bei der Erwerbung des Wechsels gewußt habe.

Das k. Handelsgericht München l/J. hatte diese Einrede, weil
nicht liquid gestellt *), zurückgewiesen; das k. Handelsappellationsgericht zu Nürnberg bestätigte durch Erkenntniß vom 3. November 1862
diesen Ausspruch und besagt in seinen Entscheidungsgründen Folgendes:

Wollte man auch die fragliche Zahlung als prozeßordnungsgemäß
nachgewiesen annehmen, so würde doch im Hinblicke auf Art. 82 der
a. d. WO. eine Zurückweisung des Klägers nicht gerechtfertigt sein,
da eine Theilzahlung auf dem Wechsel nicht vorgemerkt ist, daher die
Einrede nicht aus dem Wechselrechte selbst hervorgeht, und ebensowenig
die Behauptung, an den früheren Inhaber des Wechsels gezahlt zu
haben, als eine dem Schuldner unmittelbar gegen den klagenden Indossatar zustehende Einrede angesehen werden kann **).

Hiebei ist nicht weiter zu untersuchen, ob der Indossatar zur
Zeit, als der Wechsel auf ihn girirt wurde, gewußt habe, daß eine

---

*) Was hinsichtlich eines Theiles der Abschlagszahlung jedoch sehr zweifel-
haft war.

**) Ueber diesen Satz besteht keine Kontroverse; dagegen findet sich über die
weitere Frage in den meisten Kommentaren und Schriften über das
Wechselrecht keine Erörterung; folgende zwei Stellen sprechen sich darüber aus. — In der Erörterung in den Bl. f. RA. Bd. 26 S. 402
heißt es: „Hat ein Wechselinhaber des Zahlungsempfanges ungeachtet den
Wechsel weiter begeben, so ist der weitere Wechselnehmer selbständig berechtigt. Doch dürfte dieses nur von dem redlichen Nehmer (b. WO.
Art. 74) anzunehmen sein, während gegenüber dem von dem Umstande

Theilzahlung geleistet worden sei, was der Beklagte behauptet und worüber er dem Kläger den Haupteid zugeschoben hat; denn durch ein solches Wissen tritt der Indossatar noch keineswegs in das lediglich zwischen seinem Vormanne und dem Schuldner bestehende Rechtsverhältniß ein und wird daher die Zahlungseinrede nicht auf ihn übertragen. Eine exceptio doli ist aber gleichfalls dadurch nicht begründet, denn der Indossatar hat nach den Bestimmungen der ADWO. Art. 82 und Art. 39 Abs. 2 keine Verpflichtung, andere Zahlungen als die an ihn selbst geleisteten oder auf dem Wechsel vorgemerkten anzuerkennen, und hätte das Gesetz hievon eine Ausnahme, für den Fall der Indossatar nicht in gutem Glauben ist, machen wollen, so würde es dieses ebenso ausdrücklich gesagt haben, wie solches in Art. 74 hinsichtlich der Legitimation durch den Besitz des Wechsels geschehen ist.

Dem Schuldner ist durch Art. 39 der ADWO. das Mittel gegeben, sich sicher zu stellen; unterläßt er dieses, so hat er es sich selbst zuzuschreiben, wenn er an den Dritten nochmals zu zahlen hat.

Er muß sich an seinen Gläubiger halten, welcher gleichfalls mindestens eine Nachlässigkeit begeht, wenn er nicht die etwa erhaltenen Zahlungen auf dem Wechsel bemerkt, ehe er denselben weiter begibt.

Es würde aber nicht nur den Wechselverkehr in hohem Grade beeinträchtigen, sondern auch frivolen Schuldnern ein Mittel zur Verzögerung und zur Chikane an die Hand geben, wenn der Erwerber eines unquittirten Wechsels zu besorgen hätte, die Geltendmachung seines Rechtes nur mittelst eines Eides über sein Wissen von dem, was zwischen dem Schuldner und einem Dritten vorgegangen ist, zu erlangen.

(München l/J. Reg.-Nr. 38.)

---

der Zahlung wissenden, somit unredlichen Wechselnehmer allerdings eine Einrede auf Grund der Thatsache der Zahlung und der Unredlichkeit zugelassen werden dürfte.''

Gründe hiefür sind nicht angeführt; ebensowenig in dem Kommentar v. Volkmar u. Loewy, in welchem (S. 302) ohne nähere Motivirung der Satz aufgestellt wird:

,,Der Zahlende kann dem dritten redlichen Besitzer des Wechsels die Einrede der Zahlung nur dann entgegensetzen, wenn die Zahlung sich aus dem Wechsel durch Quittung ergibt. —''

## XXXIV.

## Ungiltigkeit s. g. Ratenwechsel und der Wechsel mit Zinsversprechen.

ADWO. Art. 4 Nr. 4; Art. 96 Nr. 4.

Verhandlungen der Handelsgesetzgebungskommission, mehrere zur allg. d. WO. in Anregung gekommene Fragen betr. S. XL. LXXVIII.

Archiv f. d. WR. Bd. I S. 199. — Gelpcke, Zeitschrift für HR. Heft 3 S. 102. — Zeitschrift f. Gg. u. Rechtspfl. in Bayern Bd. VII S. 467.

Der k. Advokat N. hatte auf Grund eines über „848 fl. Rhein. nebst Zinsen" lautenden eigenen Wechsels, worin 200 fl. als am 15. Nov., dann alle $1/4$ Jahre 150 fl. als zahlbar bezeichnet waren, gegen den Aussteller auf Bezahlung des Wechselrestbetrages von 650 fl. bei dem k. Handelsgerichte München I/J. Klage erhoben, war aber durch Beschluß dieses Gerichtes vom 28. August 1862 mit derselben abgewiesen worden, weil in dem vorgelegten Wechsel die Verfallzeit der jeweiligen Zahlungsraten nicht mit der im Art. 4 Nr. 4 der a. d. WO. vorgeschriebenen Bestimmtheit ausgedrückt, deßhalb aber der Betrag der Wechselsumme selbst nicht genügend aus dem Wechsel selbst zu entnehmen sei.

Dieser Ausspruch wurde auf klägerische Berufung durch Urtheil vom 16. Oktober 1862 aus nachstehenden Gründen bestätigt:

Die ADWO. bezeichnet im Art. 4 Nr. 4 und Art. 96 Nr. 4 als wesentliches Erforderniß eines Wechsels die Angabe der Zeit, zu welcher gezahlt werden soll. Es ist nun zwar richtig, daß in dem mit der Klage vorgelegten Wechsel die Zahlungszeit bestimmt angegeben ist, allein jene Gesetzesbestimmung hat auch die Bedeutung, daß die Zahlungszeit für den gesammten Wechsel eine und dieselbe sein soll.

Wollte man die Theilung der Wechselsumme in mehrere Raten und die Festsetzung verschiedener Zahlungstermine für diese verschiedenen Raten in einer Wechselurkunde als zulässig erklären, so würde dieses zu mannichfachen Unzukömmlichkeiten im Wechselprozesse und möglicher Weise zu Kollisionen mit anderen Bestimmungen der WO. führen. So würde insbesondere bei der Verschiedenheit der Verfalltermine eines Ratenwechsels auch die Verjährungsfrist für den Wechsel eine verschiedene sein, während die WO. überall nur von einem Verfalltage und von einer Verjährungsfrist spricht; Art. 30, 77 u. ff.; im Falle eines Regresses müßte die Protesterhebung an jedem der einzelnen Verfalltermine erfolgen, sonach der Wechselberechtigte nicht blos bei dem Verfalle der ersten Rate, sondern auch bei dem Verfalle aller übrigen Raten im Besitze des Wechsels sein, während doch andererseits der Regreßpflichtige gegen Erstattung der Wechselsumme nebst Zinsen und Kosten die Auslieferung des quittirten Wechsels zu verlangen berechtigt, überhaupt nur gegen Auslieferung des Wechsels Zahlung zu leisten verbunden ist. Art. 48, 54, 63 der ADWO.

Diese Konsequenzen widerstreiten aber der Natur des Wechsels und berechtigen zu dem Schlusse, daß die WO. in Art. 4 Nr. 4, Art. 96 Nr. 4 für je einen Wechsel auch immer nur Einen bestimmten Verfalltag vorausgesetzt habe, und diese Bestimmung als eine prohibitive, der willkürlichen Abänderung von Seite der Parteien entzogene, aufzufassen sei*).

Abgesehen aber auch hievon wäre der eingeklagte Wechsel nicht minder deßhalb ungiltig, weil derselbe ein Zinsenversprechen enthält**).

(München I/J. Reg.-Nr. 31.)


## XXXV.

## Rückforderung einer ohne Verpflichtung gezahlten Wechselregreßsumme. — Einfluß der Unmöglichkeit rechtzeitiger Protesterhebung.

### Art. 41, 16 der ADWO.

Von den Indossanten eines auf P. zu Greiz gezogenen, von diesem acceptirten Wechsels, welcher jedoch von dem letzten Inhaber nicht innerhalb der in Art. 41 der ADWO. vorgeschriebenen Frist zur Zahlung präsentirt worden war, hatte einer an seinen unmittelbaren Nachmann gleichwohl die Wechselregreßsumme bezahlt, jedoch unter dem Vorbehalte, daß ihm der Betrag vom Aussteller des Wechsels vergütet werde, und bei Nichteintritt dieser Voraussetzung gegen ersteren auf Rückerstattung der gezahlten Summe Klage erhoben. In erster Instanz wurde Verklagter auf Grund des als erwiesen erachte-

---

*) Ebenso entschied das k. Handelsgericht München I/J. in einem Beschlusse v. 20. Oktober 1862. S. 321/1862.
**) Vgl. Nr. XVII.

ten Einwandes, daß bei der weiten Entfernung seines Wohnortes von Greiz und den zwischen beiden bestehenden Kommunikationsmitteln eine rechtzeitige Präsentation des erst 3 Tage vor Verfall an ihn girirten Wechsels, nicht möglich gewesen sei, von der Klage entbunden, auf Beschwerde des Klägers aber von dem k. Handelsappellationsgerichte unter dem 3. Oktober 1862 zur Zahlung verurtheilt.

Gründe:

Die Klage ist unter dem Gesichtspunkte der condictio causa data causa non secuta aufzufassen.

Erste Voraussetzung des klägerischen Anspruches ist, daß Kläger die fragliche Zahlung unter dem bezeichneten Vorbehalte gemacht habe, da, wenn ein solcher nicht erklärt worden wäre, in dem Anbetrachte, daß Kläger selbst eine Zahlung aus Irrthum nicht behauptet, umsomehr das Unterliegen irgend eines Verpflichtungsgrundes angenommen werden müßte, als beide Theile in handelsrechtlichen Beziehungen zu einander standen. Von Seite des Verklagten ist nun weder der Empfang der Zahlung noch der fragliche Vorbehalt des Klägers widersprochen worden, weßhalb die Behauptung des letzteren, daß er den bezeichneten Vorbehalt gemacht, als feststehend und hiemit der erste Theil des Klagegrundes als liquid zu erachten ist.

Als weitere Vorbedingung des klägerischen Anspruches stellt sich dar, daß die genannte Voraussetzung nicht eingetreten ist. Dieses ist aber wirklich der Fall, indem Kläger anerkannter und erwiesener Maßen bei den in Rede stehenden Personen nicht nur außergerichtlich vergebliche Versuche, jene Zahlung zu erlangen, gemacht, sondern auch die von ihm gegen dieselben erfolgte Klagestellung irgend einen Erfolg nicht gehabt hat.

So wie die Sache liegt ist übrigens auch anzunehmen, daß Kläger in der That jene Zahlung indebite geleistet habe, da dieselbe zur Befriedigung des Verklagten wegen eines von letzterem gegen ihn erhobenen wechselrechtlichen Regreßanspruches erfolgte, dieser aber unzweifelhaft als nicht bestanden zu erachten ist, nachdem, wie anerkannt, die im Art. 41 der ADWO. vorgeschriebene Protestfrist versäumt wurde. Auf die angebliche Unmöglichkeit der Einhaltung dieser Frist könnte, angenommen auch daß sie bestünde, doch schon deßhalb kein Gewicht gelegt werden, weil alsdann der Nichteintritt der Vorbedingung für die Regreßpflicht des Klägers nach Art. 50 der ADWO. von Anfang an gewiß und es deßhalb Sache des Verklagten gewesen wäre, den Wechsel nicht anzunehmen, sondern zurückgehen zu lassen, während die gleichwohl erfolgte Uebernahme und Indossirung

des Wechsels Seitens des Verklagten unter der angenommenen Voraussetzung keine andere Deutung zuließe, als daß er sich die Begebung des Wechsels gefallen lassen und alle für ihn hieraus entspringenden nachtheiligen Folgen unbedingt übernehmen wollte.  Unter
diesen Umständen könnte aber Verklagter in keinem Falle mehr Rechte
gegen den Indossanten W. erworben haben, als er gehabt haben
würde, wenn der Wechsel erst nach abgelaufener Protestfrist an ihn
girirt worden wäre, und da auch in diesem Falle seine Regreßansprüche an den Indossanten W. durch Aufnahme eines Protestes, für
dessen Vornahme jedoch die ganze Verjährungsfrist offen stund, bedingt gewesen wären, ein solcher aber auch nach Ablauf der im
Art. 41 a. a. O. vorgeschriebenen Frist nicht aufgenommen wurde,
so ergibt sich, daß ihm in keiner Weise ein Regreßanspruch zur
Seite stund *).                          (Landshut Reg.-Nr. 8.)

## XXXVI.

**Wechsel mit mehreren Remittenten. — Aktive Solidar-
obligation im Wechselrechte.**
Art. 4 Nr. 2 u. 3, Art. 81, 96 Nr. 2 u. 3 der ADWO.

Der Bauer N. N. stellte am 16. Juli 1862 einen auf Sicht
lautenden Solawechsel von 1000 fl. an die Ordre der Herren A
(eines Wirthes) und B (eines Mäklers) aus, zahlte denselben jedoch
nicht und es kam deshalb zum Prozesse, in welchem vorerst kontro-
vertirt wurde, ob der fraglichen Skriptur wechselmäßige Wirksamkeit
beizulegen sei.

Das Erkenntniß des k. Handelsgerichtes München r/J. vom
6. Oktober 1862 nahm dieses an; das k. Handelsappellationsgericht
zu Nürnberg aber entband den Beklagten unter dem 13. November
1862 von der Wechselklage, „weil die Urkunde vom 16. Juli 1862,
in welcher zwei verschiedene, in keinerlei rechtlicher Beziehung stehende
Personen als Remittenten bezeichnet seien, den in Art. 96 der a. d.
WO. aufgeführten Erfordernissen eines eigenen Wechsels nicht entspreche, und daher (Art. 7 der ADWO.) aus derselben eine wechselmäßige Verbindlichkeit nicht entstehen könne **)."

---

*) Daß Verklagter die an ihn gezahlte Summe auf Grund des zwischen
   ihm und Kläger bestehenden handelsrechtlichen Verhältnisses zu behalten
   befugt sei, war nicht behauptet worden.

**) Ebenso entschieden am 2. März 1868 (München r/J. Reg.-Nr. 17).

Dieser Ausspruch ist, wie folgt, motivirt:

Das erstrichterliche Erkenntniß nimmt an, die beiden im Wechsel eingesetzten Remittenten seien als Korrealgläubiger anzusehen, so daß jeder von ihnen zur ganzen Wechselsumme berechtigt, der Schuldner aber nur einmal zu zahlen verpflichtet sei. Allein zu einer solchen Annahme fehlt der gesetzliche Grund; eine Korrealobligation entsteht nicht, sobald in einer Obligation mehrere Personen als Berechtigte oder Verpflichtete vorkommen, vielmehr ist in einem solchen Falle an und für sich jeder Gläubiger pro rata berechtigt, jeder Schuldner pro rata verpflichtet (nomina ipso jure sunt divisa).

Savigny, Obligationenrecht Bd. I S. 137.

Solidarobligationen entstehen nur, wenn das Gesetz ausdrücklich dieses bestimmt, Korrealobligationen erfordern zu ihrer Begründung insbesondere eine darauf gerichtete ausdrückliche Willensbestimmung und deutliche Erklärung.

Bayerisches Landrecht Thl. IV Kap. I §. 21 Nr. 6.

Eine solche Erklärung ist nun in der als Wechsel bezeichneten Urkunde vom 16. Juli l. Js. nicht enthalten; nirgends aber ist es vorgeschrieben, daß mehrere Personen, die in einer als Wechsel bezeichneten Schrift als Remittenten genannt sind, kraft des Gesetzes als solidarisch berechtigt angesehen werden sollen; insbesondere kann dieß nicht aus den Art. 36, 71 und 81 Abs. 3 der ADWO. gefolgert werden, denn hieraus würde sich nur der Satz ableiten lassen, daß mehrere Gläubiger, soferne sie den Wechsel gemeinsam innehaben, die Rechte daraus zusammen ausüben können, nicht aber das Gegentheil, daß jeder Einzelne, soferne er den Wechsel innehat, durch dieses Innehaben allein schon zur ganzen Forderung berechtigt werde. Ebensowenig genügt zur Begründung der solidarischen Berechtigung die Vorschrift des Art. 269 Abs. 2 des ADHGB., da das Ausstellen und Annehmen eines Wechsels an und für sich nicht als Handelsgeschäft anzusehen ist, (vgl. Protokolle der Kommission zur Berathung eines allg. d. Handelsgesetzbuches, S. 1290,) auf das der Wechselausstellung unterliegende Rechtsgeschäft aber und eine etwa aus diesem sich ergebende Solidarberechtigung der mehreren Gläubiger nicht zurückgegangen werden darf. Hienach können also die beiden als Remittenten bezeichneten Personen nicht als solidarisch berechtigt angesehen werden; ein jeder von ihnen ist nur zu einem Theile berechtigt *), der Schuldner einem jeden von ihnen nicht zum ganzen als Wech-

---

*) Dieß erkannte der Kläger im zweiten Falle selbst an.

selsumme bezeichneten Betrage, sondern zu einem Theile derselben verpflichtet, und hieraus ergeben sich solche Unzulässigkeiten, daß man eine
solche Wechselausstellung mit dem bestehenden Wechselrechte nicht vereinbaren kann.

Es ist allerdings nach allgemeinen gesetzlichen Grundsätzen, falls
bestimmte Theile nicht ausgeschieden sind, zu vermuthen, daß jeder
Gläubiger zu einem Kopftheile berechtigt ist; allein diese Vermuthung
als eine praesumtio hominis kann durch die Gläubiger und durch
den Schuldner jederzeit entkräftet werden, und es fehlt also einer
Urkunde wie der in Frage stehenden von vornehrein jene bestimmte
Angabe der Wechselsumme, wie sie Art. 4 Nr. 2 und Art. 96 Nr. 2
der ADWO. verlangt*).

Allein auch abgesehen hievon ließen sich die Vorschriften des
Wechselrechtes über Zahlung und Quittirung, Indossament, Protesterhebung, Benachrichtigung der Vormänner, Verjährung u. s. w. für
den Fall, daß mehrere verschiedene Personen aus derselben Wechselschrift zu besonderen Theilen berechtigt wären, gar nicht oder wenigstens nicht ohne daß Verwirrungen und Schwierigkeiten aller Art
entständen, erfüllen. Allerdings würden sich zur Beseitigung aller
dieser Verwickelungen Auswege finden lassen, z. B. durch eine Vorschrift, daß die sämmtlichen Remittenten stets gemeinsam handeln, oder
daß sie einen gemeinsamen Bevollmächtigten aufstellen müßten oder
dgl.**); aber ein solches Verfahren könnte nur vom Gesetze selbst aus-

---

*) Es könnte jedenfalls, die Zulässigkeit überhaupt vorausgesetzt, nicht
ausgeschlossen sein, bestimmte Theile auszuscheiden und z. B. einen
Wechsel auszustellen etwa folgenden Inhaltes:
Gegen diesen Primawechsel zahlen Sie an die Ordre des Herrn
Aulus und Herrn Agerius die Summe von tausend Gulden
und zwar ersterem $1/_5$, letzterem $4/_5$ 2c. 2c.
Denke man sich nun einen solchen Wechsel weiter begeben. Selbst
wenn (mit Unrecht) die Zulässigkeit von Theilindossamenten angenommen wird, ließe sich doch ein derartiger Wechselverkehr nicht wohl verthei-
bigen.

**) Das vorstehende Erkenntniß wurde nicht einstimmig beschlossen; darin
aber waren auch die divergirenden Stimmen einig, daß aus einem und
demselben Wechsel niemals eine pro rata Berechtigung abgeleitet werden
dürfe, daß vielmehr im Falle solcher Berechtigungen verschiedene Wechsel
gegeben werden müßten. Um nun den Wechsel mit mehreren Remittenten zu halten, argumentirten die Einen, es müsse „nach der Natur
der Sache" eine Solidarberechtigung angenommen werden; die Anderen

drücklich vorgeschrieben werden, es liegt nicht in der Befugniß des Richters, in solcher Weise das Gesetz zu ergänzen und beziehungs-weise abzuändern.

Wenn die ADWO. über den Fall mehrerer verschiedener Re-mittenten in demselben Wechsel nichts sagt, obwohl es im Hinblick auf Art. 81 gewiß nahe gelegen wäre, davon zu sprechen, so muß dieses einen Grund gehabt haben; und dieser Grund liegt in der Natur des Wechsels selbst. Die Wechselverbindlichkeit erfordert ihrer eigenthümlichen Beschaffenheit gemäß absolut das Verhältniß e i n e s Berechtigten zu e i n e m Verpflichteten; nur bei einer solchen Einheit des obligatorischen Bandes läßt sich jene Sicherheit und Bestimmt-heit der Berechtigung und Verpflichtung denken, welche schon bei ge-wöhnlichen Handelsgeschäften wünschenswerth erscheint,

(vergl. Protokolle der Kommission zur Berathung eines a. d. HGB. S. 398, 496), —

bei dem Wechselgeschäfte aber die Voraussetzung bildet, unter welcher allein die formelle Strenge desselben gerechtfertigt ist und gewahrt wer-den kann. Um diese Einheit zu sichern, hat daher die ADWO. in Art. 81 die Solidarität sämmtlicher Wechselverpflichteten ausgesprochen; sie konnte dieses thun, weil es hiebei auf das zwischen den einzelnen Personen, welche den Wechsel unterschreiben, bestehende Rechtsverhältniß nicht weiter anzukommen hat, vielmehr der in dem freien Willen liegenden Unter-zeichnung des Wechselversprechens ohne Unbilligkeit diese gesetzliche Folge beigelegt werden kann. Diese Motive passen aber nicht auf die mehreren Gläubiger; hier könnte eine solidarische Berechtigung nur aus dem zwischen denselben bestehenden Rechtsverhältnisse fließen; allein auf dieses darf das Wechselrecht keine Rücksicht nehmen, und es war daher vollkommen gerechtfertigt, wenn die Wechselordnung eine aktive Solidarität kraft des Gesetzes nicht eintreten ließ*).

---

nahmen an, es verstehe sich von selbst, daß die verschiedenen Remitten-ten alle wechselrechtlichen Handlungen nur g e m e i n s a m vornehmen könnten, wobei noch angeregt wurde, derjenige Remittent, der den Wechsel in Händen habe, könne als für den anderen bevollmächtigt an-gesehen werden; eine Meinung endlich ging dahin, ein derartiger Wechsel setze zur Geltendmachung stets die Aufstellung eines gemeinschaftlichen Bevollmächtigten voraus.

*) In den Protokollen der Leipziger Wechselkonferenz (S. 144) ist gesagt: „Bei dem §. 74 kam in Frage, ob nicht auch der Solidarität in Bezieh-ung auf die Wechselgläubiger Erwähnung geschehen müsse. Man hielt

Vielmehr muß es den mehreren Gläubigern überlassen bleiben, falls sie vermöge des dem Wechsel unterliegenden Rechtsgeschäftes Korrealgläubiger sind, ihre einheitliche Berechtigung wechselmäßig festzustellen, oder falls sie nur theilweise berechtigt sind, für diese theilweisen Berechtigungen sich einzelne Wechsel ausstellen zu lassen. Ist aber, wie in vorliegendem Falle keines von beiden geschehen, so ermangelt die Urkunde der gesetzlichen Erfordernisse eines Wechsels und kann im Wechselprozesse nicht eingeklagt werden*). (Münchenr/J. Nr. 9.)

## XXXVII.
## Indossirung eines Wechsels durch einen Wechselunfähigen.
ADWO. Art. 3, 75, 76, 36, 74 und 73.

In einer bei dem k. HG. München I/J. anhängigen Wechselsache

---

dieß jedoch nicht für nöthig, da zufolge der vom Herrn Referenten gegebenen Erläuterung, wogegen sich kein Widerspruch erhob, nach Absicht des Entwurfes aktive Solidarität nicht Statt finden solle."

Hieraus geht jedenfalls soviel hervor, daß das ipso jure Eintreten einer Korrealberechtigung auch in dem oben in Frage stehenden Falle nicht beabsichtigt war. Dagegen aber kann aus der Stelle der Protokolle nicht das argumentum a contrario gezogen werden und zwar aus nachstehender Erwägung: Bei Berathung des Art. 82 (früher 83) handelte es sich gar nicht um den Fall mehrerer absichtlich gemeinsam als Wechselschuldner sich verpflichtenden Personen, sondern um die Art und Weise, wie mehrere auf dem Wechsel überhaupt als verpflichtet Erscheinende haften sollten. Hier ist nun bestimmt, daß keine Reihenfolge zu beobachten sei, auch keine Theilung eintrete und der Gläubiger die Wahl habe.

Ebenso hätte man nun fragen können, wie es gehalten werden sollte, wenn mehrere Personen als Berechtigte auf dem Wechsel erscheinen, z. B. der ursprüngliche Remittent, der Indossatar, der den Wechsel einlösende Ehrenacceptant u. s. w. — Daß hier eine Theilung der Berechtigung ausgeschlossen ist, ergibt sich von selbst; eine Solidarberechtigung dagegen ließe sich wohl denken, lag aber nicht in der Absicht der ADWO., welche das Forderungsrecht an den Besitz des Wechsels knüpft und daher nothwendig das Prinzip der Berechtigung nach der Reihenfolge annehmen mußte.

*) Es steht nicht zu befürchten — sagen die Entscheidungsgründe des zweiten Erk. —, daß der Wechselverkehr durch die hier zur Geltung gebrachten Rechtssätze verkürzt werde, da, wie die Erfahrung lehrt, im gesunden kaufmännischen Verkehre solche Wechsel nicht vorkommen. (Bei keinem der großen Handlungshäuser zu Nürnberg waren solche Tratten oder Eigenwechsel zu erfragen.)

war der von den Wechfelschuldnern dem klagenden Indoffatar entgegengesetzte Einwand, daß das von der Remittentin (einer Bierbrauers-
gattin\*) auf ihn ausgestellte Giro wegen mangelnder Zustimmung
des Ehemannes der ersteren unwirksam und Kläger daher nicht aktiv
zur Sache legitimirt sei, verworfen worden. In den Gründen des
dieses Urtheil bestätigenden handelsappellationsgerichtlichen Erkenntnisses vom 26. November 1862 kommt vor:

Angenommen auch, daß die Indoffantin nach dem zur Anwendung kommenden Civilrechte zur Zeit des in Rede stehenden Indoffa-
mentes ohne Zustimmung ihres Ehemannes über ihr Vermögen nicht
habe verfügen können, so würde hieraus doch nur soviel folgen, daß
sie selbst durch das in Rede stehende Indoffament keine wechselrechtliche Verpflichtung habe überkommen, Kläger daher keine wechselmäßigen Ansprüche gegen sie habe erlangen können; hinsichtlich der
Wechselerklärung der Aussteller ist jedoch jener Umstand ohne Einfluß.
Der Fall, daß Ansprüche auf Grund der Wechselerklärung eines zur
Disposition über den Wechsel nicht Berechtigten abgeleitet werden,
kann nemlich in doppelter Weise vorkommen, einmal in der Weise,
daß fragliche Wechselerklärung von Seite eines überhaupt Vertrags-
unfähigen abgegeben worden ist, sodann in der Art, daß eine an sich
dispositionsfähige, aber zur Verfügung über den Wechsel nicht berechtigte Person Verfügungen darüber getroffen hat; von dem ersteren
Falle handelt Art. 3, bezüglich des letzteren sind die Art. 75 und 76
der ADWO. maßgebend. Der Art. 3 bestimmt nun, daß Wech-
selunterschriften von Personen, welche eine Wechselverbindlichkeit überhaupt nicht oder nicht mit vollem Erfolge eingehen können, auf die
Verbindlichkeiten der übrigen Wechselverpflichteten ohne Einfluß seien, —
eine Bestimmung, welche bei ihrer Allgemeinheit alle Fälle der Abgabe
von Wechselerklärungen Seitens Wechselunfähiger umfaßt, und zwar
ohne Unterschied, ob der Wechselinhaber die Wechselunfähigkeit der
letzteren gekannt hat oder nicht. Deßgleichen räumen die Art. 75 u.
76 den ächten Unterschriften der Aussteller, Acceptanten und Indof-
santen wechselmäßige Wirkung ein, wenn sich auch unächte Accepte
und Indoffamente, bez. Unterschriften von Ausstellern auf dem Wechsel befinden, ohne daß auch hier das Gesetz der Kenntniß des Wechselinhabers von einer vorgekommenen Fälschung irgend eine Wirkung
beilegt. In Uebereinstimmung hiemit bestimmt der Art. 36 a. a. O.
daß der Inhaber durch eine zusammenhängende, bis auf ihn hinabreich-

---

\*) Als solche war dieselbe im Wechsel selbst bezeichnet.

ende Reihe von Indoſſamenten als Eigenthümer des Wechſels legitimirt werde und der Zahlende die Aechtheit der Indoſſamente zu prüfen nicht verpflichtet ſei, woraus ſich ergibt, daß der Wechſelſchuldner
an den Wechſelpräſentanten zu zahlen verbunden und berechtigt iſt,
wenn dieſer nur äuſſerlich in der bezeichneten Weiſe legitimirt iſt,
ohne daß es darauf anzukommen hätte, ob unter den Indoſſamenten
ſolche, welche gefälſcht ſind oder von Wechſelunfähigen herrühren, vorkommen und der Wechſelinhaber von dieſem Umſtande Kenntniß habe
oder nicht, — ein Unterſchied, welcher vom Geſetze zweifelsohne, wie im
Art. 74, ſo auch hier ausdrücklich gemacht worden wäre, wenn es ihn
beabſichtigt hätte.    Von einer Anwendbarkeit des im Art. 74 aufgeſtellten Prinzipes auf den gegebenen Fall kann aber deßhalb keine
Rede ſein, weil dieſer Artikel ſeinem klaren Wortlaute nach nur für
den Fall der Vindikation eines Wechſels Beſtimmungen trifft, daher
nur das Verhältniß des Wechſelinhabers zu dem angeblich Wechſel-
berechtigten, nicht aber das zu dem Acceptanten oder Ausſteller vor Augen hat, während eine Ausdehnung fraglichen Prinzipes in letzterer Richtung Angeſichts der im Art. 3, 36 und 75, dann
76 aufgeſtellten Grundſätze eine ausdrückliche und beſtimmte Vorſchrift
erheiſcht hätte, — und zwar um ſo mehr, als auch nach Art. 73 erſt
nach eingeleitetem Amortiſationsverfahren der Eigenthümer eines abhanden gekommenen Wechſels die Zahlung von dem Acceptanten zu fordern berechtigt und letzterer folgeweiſe ſie zu leiſten verbunden iſt, vorher alſo eine ſolche Berechtigung und bez. Verpflichtung nicht beſteht, und bis dahin der Wechſelausſteller daher ohne
alle Einſchränkung an den nach Art. 36 legitimirten Beſitzer zu zahlen
ſo berechtigt wie verpflichtet erſcheint.    Würde daher auch im gegebenen Falle Kläger bei Erwerb des fraglichen Wechſels gewußt haben,
daß die Indoſſantin zur Zeit der Wechſelbegebung ohne Zuſtimmung
ihres Mannes nicht habe verfügen können, ſo würde ſich die Einrede
der Verklagten immerhin als exc. de jure tertii darſtellen, welcher
keine Beachtung zu Theil werden kann.    (München I/3. Nr. 27.)

### XXXVIII.

Wechſelausſtellung von Seiten einer Ehefrau*).
Art. 1 der ADWO. — Bayer. Landrecht Thl. 1 Kap. 6 § 27.

Das k. Handelsgericht M. hatte die Klage eines Wechſelgläu-

---

*) Vgl. Zeitſchrift Bd. II S. 484, Bd. IV S. 434.

bigers gegen eine zu München wohnende Ehefrau auf Bezahlung eines von dieser ohne Mitunterschrift ihres Ehemannes ausgestellten Wechsels durch Verfügung vom 26. August aus dem Grunde a limine in angebrachter Art abgewiesen, weil nach den Bestimmungen des an dem dermaligen Wohnorte der Verklagten geltenden und daher für Beurtheilung der Vertragsfähigkeit derselben maßgebenden bayer. Landrechtes Ehefrauen in der Regel ohne Zustimmung ihres Mannes über ihr Vermögen zu verfügen nicht berechtigt und das Vorliegen einer der gesetzlichen Ausnahmen von dieser Regel in der Klage nicht behauptet sei.

Auf Beschwerde des Klägers sprach das k. Handelsappellations= gericht durch Urtheil vom 3. Dezember die Zulassung der Klage aus. In den Gründen kommt hierüber vor:

Wenn auch bei Beurtheilung der Vertragsfähigkeit einer Ehe= frau das ihren Güterstand bestimmende Partikularrecht in Betracht zu ziehen ist, so ist gegebenen Falles doch noch keineswegs gewiß, daß dieses Partikularrecht das bayer. Landrecht sei, weil sich das eheliche Güterrecht nicht nach den Gesetzen des jeweiligen Wohnortes der Eheleute, sondern nach denen ihres Wohnortes zur Zeit der Ehe= schließung bemißt. Es muß daher vorerst abgewartet werden, ob Verklagte bei Vorlage des Wechsels auf das bayerische Landrecht als das für ihren Güterstand maßgebende Gesetz sich berufen kann, und liegt dem Kläger erst dann, wenn dieses der Fall ist, der Nachweis des Vorhandenseins derjenigen Voraussetzungen ob, unter welchen auch nach diesem Rechte die Ehefrau als vertrags= und bzw. wechselfähig anzusehen ist. Ebensowenig kann dem Kläger zugemuthet werden, sogleich in der Klage die auf die ehelichen Vermögensrechte der ver= klagten Ehefrau anzuwendenden Gesetze näher zu bezeichnen, weil, nachdem die ADWO. die Wechselfähigkeit der Frauen im Allge= meinen anerkennt, zur Begründung der Klage die Vorlage des von einer Frau ausgestellten Wechsels genügen muß.

(München 1/J. Reg.=Nr. 30.)

## XXXIX.

**Rechtswirksamkeit zerrissener und auf ein anderes Pa= pier aufgeklebter Wechsel. — Indossamente auf dem aufgeklebten Papiere.**
Art. 7 u. 11 der ADWO.

N. N. war auf Grund eines von ihm ausgestellten eigenen Wech=

7

sels von dem letzten Indossatare auf Zahlung belangt, jedoch in Folge seines Einwandes, daß der fragliche Wechsel von dem Remittenten durch Zerreißen in mehrere Stücke kassirt, sodann aber wieder auf ein Papier von gleicher Größe und Farbe aufgeklebt und weiter begeben worden sei, durch Urtheil des kgl. Handelsgerichtes München l/J. vom 27. Oktbr. 1862 von der Klage entbunden worden. Durch Erkenntniß des k. Handelsappellationsgerichtes Nürnberg vom 4. Dezember 1862 wurde dieses Urtheil bestätigt und in den Gründen bemerkt:

Die Einrede, daß der Wechsel von dem Remittenten für kraftlos erklärt und kassirt worden sei, geht aus dem Wechselrechte selbst hervor, und ist daher auch dem gegenwärtigen Kläger gegenüber als zulässig zu erachten. Dieselbe ist vom Kläger zwar mit Widerspruch belegt, allein der Augenschein ergibt zweifellos, daß der eingeklagte Wechsel in der Mitte ganz durchrissen war, auch an anderen Stellen Risse hatte, und erst später auf ein gleich großes Stück Papier gleicher Farbe aufgeklebt wurde; ebenso lehrt der Augenschein deutlich, daß der Wechsel erst nach dieser Alteration seiner Integrität weiter begeben wurde, somit zur Zeit der Indossirung bereits zerrissen war, indem die Indossamente erst auf das Papier, auf welches der ursprüngliche Wechsel aufgeklebt war, geschrieben sind, so daß es über keinen dieser Thatumstände eines Beweises bedarf.

Schon im Civilrechte begründet nun die Vernichtung eines Schuldbriefes, welcher hier nur ein Beweismittel für eine außer ihm bestehende Schuld bildet, eine gesetzliche Vermuthung für die Zahlung oder Erlassung der Schuld. Es muß daher im Wechselverkehre, bei welchem die Zahlungspflicht unabhängig von dem unterliegenden Rechtsverhältnisse ausschließlich auf der Ausstellung der Wechselurkunde beruht, der Vernichtung der letzteren eine um so größere Wirkung beigelegt werden. Diese besteht aber nothwendiger Weise in der Zerstörung der Wechselkraft selbst, da durch das Zerreißen des Wechsels dessen Form gänzlich vernichtet wird, und hieran offenbar keine geringeren Folgen geknüpft sein können, als an einen Mangel in der schriftlichen Form, welche ausdrücklicher Bestimmung gemäß die Ungiltigkeit des Wechsels zur Folge hat. Ob dieser Mangel von Anfang an vorhanden war oder erst später eingetreten ist, erscheint hiebei als belanglos, weil das wechselrechtliche Verhältniß an die Wechselurkunde gebunden und daher mit Vernichtung dieser Form zugleich zerstört ist; ebensowenig kann die Möglichkeit, daß die Vernichtung blos durch einen Zufall oder ein

Verſehen erfolgt ſei, in rechtlichen Betracht kommen, da, abgeſehen davon, daß Kläger, während deſſen Beſitz eine ſolche Vernichtung nach dem Vorbemerkten nothwendigerweiſe vorgekommen ſein müßte, eine hierauf gerichtete Behauptung nicht aufgeſtellt hat, die Wirkung offenbar dieſelbe iſt, mag die Wechſelurkunde auf die eine oder andere Art zerſtört ſein*).

Die Indoſſamente inſonderheit aber ſtellen ſich ſchon aus dem weiteren Umſtande als rechtsunwirkſam dar, weil ſie nicht auf die Rückſeite des Wechſels ſelbſt oder eine Wechſelcopie oder auf ein als Allonge damit verbundenes Blatt, ſondern auf ein anderes, nämlich auf das aufgeklebte Blatt Papier geſchrieben ſind, was der Vorſchrift des Art. 11 der ADWO. zuwider iſt. Hiegegen kann auch nicht in Betracht kommen, daß das aufgeklebte Blatt mit dem Wechſel ſo feſt verbunden iſt, daß es ohne Hilfsmittel von demſelben nicht getrennt werden kann und daß auch die Allonge an die Wechſelurkunde befeſtigt iſt. Denn für die letztere ſtatuirt das Geſetz ſelbſt ausdrücklich eine Ausnahme. Wollte man aber die Aufklebung eines Indoſſamentes auf den Wechſel als giltiges Indoſſament betrachten, ſo würde dadurch die Sicherheit des Wechſelverkehrs auf das Erheblichſte beeinträchtigt, weil damit bei der Möglichkeit, ein aufgeklebtes Papier durch geeignete Mittel wieder abzulöſen, jede Gewißheit, daß das Indoſſament dem Wechſel, welchem es aufgeklebt iſt, angehöre, aufgehoben wäre**). (München l/J. Reg.-Nr. 49.)

## XL.

### Ort der Unterſchrift des Ausſtellers auf einem eigenen Wechſel.
#### Art. 96 Ziff. 5 und Art. 20 der ADWO.

N. N. hatte der Klage des Remittenten A. A. aus einem von ihm an deſſen Ordre ausgeſtellten eigenen Wechſel, welchem er ſeine Namensunterſchrift auf der Vorderſeite links zwiſchen den obenſtehenden Worten: „Sola auf mich ſelbſt“ und den unten folgenden Wor-

---

*) Auf Riſſe, denen man ſofort anſieht, daß ſie nur durch den längeren Umlauf des Wechſels entſtanden ſind, und die mit ſchmalen Papierſtreifen verklebt zu werden pflegen, iſt ſelbſtverſtändlich dieſe Argumentation nicht anwendbar.

**) Bei der Allonge wird bekanntlich durch gemeinſames Ueberſchreiben des Wechſelrechts und ihres Anfanges eine Sicherheit erzielt.

7 *

ten „zahlbar in München und aller Orten" beigesetzt hatte, den Einwand entgegengesetzt, daß der eingeklagte Wechsel seiner Unterschrift entbehre, indem sein auf dem Wechsel befindlicher Name nur einen Theil der Adresse bilde und der eingeklagte Wechsel daher lediglich als ein nicht unterschriebenes Formular sich darstelle.

Dieser Einwand wurde in beiden Instanzen verworfen und in den Gründen des handelsappellationsgerichtlichen Erkenntnisses vom 15. Dezember 1862 hierüber bemerkt:

Die auf dem eingeklagten Wechsel befindliche Unterschrift des Verklagten entspricht vollkommen der Bestimmung des Art. 96 Ziff. 5 der ADWO., da weder an dieser noch an einer andern Stelle des Gesetzes eine nähere Vorschrift darüber enthalten ist, an welcher Stelle eines Wechsels die Unterschrift des Ausstellers sich finde, ob dieses insbesondere, wie Verklagter behauptet, auf der rechten Seite des Wechsels der Fall sein müsse, vielmehr nach Art. 81 und 20 a. a. O. jede Unterzeichnung eines Wechsels die Verbindlichkeit als Acceptant bez. Aussteller und Indossant begründet. Die von dem Appellanten aufgestellte Behauptung, daß, gleichwie bei einem gezogenen Wechsel die Adresse an den Bezogenen nicht genüge, sondern noch dessen Accept zur Begründung einer wechselmäßigen Verpflichtung gefordert werde, so auch bei eigenen Wechseln die Verpflichtung des Ausstellers erst durch die von der Adresse verschiedene Unterschrift desselben bewirkt werde, ist durchaus unstichhaltig. Denn da bei dem eigenen Wechsel der Aussteller auch der zur Zahlung Verpflichtete ist, so ist eine Adresse rechtlich nicht denkbar, in jedem Falle überflüssig, und in Art. 96 a. a. O. daher auch nicht unter den Erfordernissen eines eigenen Wechsels aufgeführt, weßhalb auch jede unter dem Contexte des eigenen Wechsels befindliche Unterschrift als Unterschrift des Wechsels im Sinne des Art. 96 gelten muß, soferne nicht etwa ein bei derselben sich findender Beisatz eine andere Willenserklärung des Unterzeichners kund gibt, was hier aber der Fall nicht ist. (München I/J. Reg.-Nr. 53.)

## XLI.

Zur Begründung der Klage aus einem bei Sicht zahlbaren Wechsel ist urkundlicher Nachweis der stattgehabten Präsentation erforderlich.

ADWO. Art. 31. 96. Art. 4. Nr. 4.

Das I. Handelsgericht Bamberg hatte die Klage eines Remittenten gegen den Aussteller eines „bei Sicht" zahlbaren eigenen

Wechsels aus dem Grunde angebrachtermaßen abgewiesen, weil in der Klage nicht behauptet, geschweige urkundlich nachgewiesen sei, daß der Wechsel vor der Klagestellung zur Zahlung vorgezeigt worden sei.

Das k. Handelsappellationsgericht bestätigte auf eingelegte klägerische Beschwerde unter'm 22. Dezember 1862 diesen Bescheid aus nachstehenden Gründen:

Nach der Bestimmung des Art. 31, Abs. 1 der ADWO. ist ein auf Sicht gestellter Wechsel bei der Vorzeigung fällig, d. h. sobald ein solcher Wechsel von dem Inhaber vorgezeigt ist, hat dieser das Recht, die Zahlung zu verlangen, der Schuldner die Pflicht, diese zu leisten. Schon hiernach hat die Vorzeigung eines Wechsels dieser Art die Bedeutung einer wesentlichen Voraussetzung für das Recht des Wechselinhabers auf Zahlung; sie gewinnt diese aber noch mehr durch die Vorschrift des Abs. 2 daselbst, wornach sogar der wechselmäßige Anspruch gegen den Aussteller und die Indossanten selbst verloren geht, wenn ein solcher Wechsel nicht binnen zwei Jahren von der Ausstellung an gerechnet zur Zahlung präsentirt wird. Daß diese letztere Bestimmung nicht als eine Vorschrift über die Verjährung aufzufassen sei, ergibt sich abgesehen davon, daß sie nicht im Abschnitte XIII, sondern im Abschnitt VII sich findet, auch daraus, daß der Beginn der Verjährung ja gerade die Fälligkeit einer Forderung voraussetzt, diese aber bei einem Sichtwechsel nach dem Abs. 1 a. a. O. erst mit der innerhalb der fraglichen 2 jährigen Frist zu irgend einer Zeit erfolgten Vorzeigung beginnt.

Kann der Inhaber eines solchen Wechsels aber erst nach Vorzeigung des letzteren Zahlung verlangen, so ist auch sein Klagerecht im Falle der Zahlungsweigerung erst mit Vornahme jenes Aktes geboren, und es stellt sich daher die Behauptung, daß die Vorzeigung zur Zahlung stattgefunden, als ein wesentlicher Bestandtheil der Klage aus einem Wechsel der fraglichen Art dar. Diese Behauptung muß aber auch sofort mit der letzteren urkundlich dargethan werden. Denn bei einem auf Sicht lautenden eigenen Wechsel ist wohl die Zahlungszeit, deren Angabe nach Art. 96 Nr. 4 und Art. 4 Nr. 4 a. a. O. ein wesentliches Erforderniß eines jeden Wechsels bildet, nicht aber der Zahlungstag, d. i. der Fälligkeitstag, im Wechsel selbst bestimmt, dieser vielmehr erst durch eine anderweite Handlung des Wechselinhabers, nämlich die Vorzeigung, festzusetzen, weßhalb diese letztere zur näheren Bestimmung der Wechselobligation selbst, wie solche zur Klagestellung vorausgesetzt wird, unumgänglich nöthig ist, gewissermaßen einen ergänzenden Bestandtheil der Wechselobligation selbst bildet. Da nun aber eine Wechselklage die urkundliche Bescheinigung des Klagegrundes durch den Wechsel und die sonst etwa erforderlichen Urkunden erheischt, zum Klagegrunde, wie gezeigt, die Vorzeigung des Wechsels gehört, letzterer aber, wenn er auf Sicht gestellt ist, den Zahlungstag und damit die Fälligkeit nicht entnehmen läßt, so ergibt sich die Nothwendigkeit der sofort mit der Klage erfolgenden Vorlage eines urkundlichen Nachweises über die Präsentation.

Die bloße Möglichkeit endlich, daß der Verklagte in fraglichem Punkte keine Erinnerungen vorbringen möchte, kann hiebei keinen Grund abgeben, von dem Erfordernisse der Behauptung und sofortigen urkundlichen Belegung der Präsentation abzusehen, da der Richter ebenso berechtigt wie verpflichtet ist, mangelhafte Klagen ohne Rücksicht darauf, was etwa der Verklagte einwenden werde, nicht zur Verhandlung zu ziehen, sondern in angebrachter Art von der Gerichtsschwelle abzuweisen.     (Bamberg Reg.-Nr. 4.)

## XLII.

**Wirksamkeit der Einrede der Prolongation eines Wechsels, wenn dieselbe auf dem Wechsel nicht bemerkt ist. — Eideszuschiebung über dilatorische Einreden nach bayerischem Wechselprozesse.**

Art. 82 der ADWO.
B. W.- u. MGO. Kap. III §. 4 A.

Der Aussteller eines eigenen Wechsels hatte der gegen ihn alsbald nach Verfall des letzteren gestellten Klage des Remittenten auf Zahlung des bestehenden Wechselrestes den Einwand der Verfrühung entgegengesetzt, weil Kläger zufolge mündlichen Uebereinkommens gegen eine sofort nach Verfall erfolgende Abschlagszahlung von 100 fl. zu einer viermonatlichen Zahlungsnachsicht sich verpflichtet und er, Verklagter, diese Abschlagszahlung auch rechtzeitig geleistet habe.

Dieser Einwand wurde in beiden Instanzen zwar an und für sich als zulässig anerkannt, jedoch wegen Mangels der Liquidität verworfen. In den Gründen des handelsappellationsgerichtlichen Urtheiles vom 15. Dezember 1862 kommt hierüber vor:

Nach Art. 82 der ADWO. sind im Wechselprozesse alle Einreden zulässig, welche aus dem Wechselrechte selbst hervorgehen oder gegen den jedesmaligen Kläger zustehen. Daß der in Frage stehende

Einwand nicht aus dem Wechselrechte hervorgehe, ist nun zwar außer Zweifel, da die Prolongation nicht auf dem Wechsel vorgemerkt, sondern nur mündlich gewährt wurde.

Dagegen wäre derselbe gleichwohl dem Kläger gegenüber zulässig, wenn er wechselmäßig nachgewiesen werden könnte, weil Kläger selbst die Prolongation gewährt haben soll. Dieser Nachweis kann indessen nicht, wie Beklagter meint, durch Eidesdelation geführt werden. Die b. W.- u. WGO. hat nämlich im Kap. III §. 4 lit. A die Eideszuschiebung nur über die Einreden, daß der Wechsel bezahlt oder sonst unwirksam sei, mithin über peremtorische, die Wechselkraft zerstörende Einreden zugelassen; in jedem anderen Falle wird also Nachweis durch klare Urkunden oder das Anerkenntniß des Gegners gefordert. Die Einrede, daß der Wechsel prolongirt worden, kann aber nicht dem Falle der Unwirksamkeit des letzteren beigezählt werden, da die Prolongation des Wechsels nicht die Wechselkraft selbst, und zwar auch nicht zur Zeit aufhebt, sondern nur die Klagbarkeit desselben hinausschiebt, weßhalb der hieraus entnommene Einwand als ein dilatorischer sich darstellt, welcher nach der Natur des Wechselprozesses sofort durch klare Urkunden oder Geständniß des Klägers hätte liquid gestellt werden sollen, — Voraussetzungen, von denen im vorliegenden Falle keine gegeben ist.

(München 1/3. Reg.-Nr. 53.)

## XLIII.

Anmeldung bereits vor dem 1. Juli 1862 durch Vertrag oder Erbgang erworbener Firmen zum Handelsregister.

Allg. d. HGB. Art. 16—18, 22.
Einf. = Ges. hiezu Art. 25, 26.

Karl H. zu W., angeblich seit 25 Jahren Inhaber des von seinem verlebten Vater Johann H. unter diesem Namen dortselbst betriebenen Handelsgeschäftes, hatte es versäumt, innerhalb der durch Art. 25 des Einf. = Ges. zum ADHandelsgesetzbuche vorgeschriebenen dreimonatlichen Frist diese Firma zum Handelsregister anzumelden. Als er am 1. Oktober 1862 die Bitte um Eintragung gedachter Firma nachträglich stellte, wurde er durch handelsgerichtlichen Beschluß mit diesem Antrage abgewiesen und der von ihm hiegegen erhobene Einspruch,

welchen er namentlich auf die angebliche Einwilligung seiner Geschwi-
ster und Miterben zur Führung fraglicher Firma sowie die Bestimmung des Art. 22 des ADHGB. gründete, in dieser Beziehung aus
dem Grunde verworfen, weil die Vorschrift des Art. 26 des
Einf.-Ges. ganz allgemein und ohne irgend einen Vorbehalt hinsichtlich des in dem Art. 22 des HGB. erwähnten Falles hingestellt
sei. Auf eingelegte Beschwerde des Bittstellers ordnete das k. HAG.
durch Urtheil vom 15. Dezember 1862 unter Aufhebung des angefochtenen erstrichterlichen Beschlusses vor allen Dingen Erhebungen
über die Richtigkeit jener Behauptungen und sodann weitere
Beschlußfassung hierüber von Seite I. Instanz an. In den Gründen
kommt vor:

Nach dem Wortlaute des Art. 25 Abs. 1 des Einf.-Ges.
zum ADHGB. sollen zwar alle bereits vor dem 1. Juli 1862 geführten Firmen ohne Unterschied binnen der im Abs. 2 erwähnten
Frist bei Vermeidung des im Art. 26 festgestellten Rechtsnachtheiles
zu dem Handelsregister angemeldet werden, und es könnte hienach
scheinen, als bezögen sich die Vorschriften im Art. 25 Abs. 2 und
Art. 26 auch auf solche Fälle, in welchen Jemand eine mit der Bestimmung des Art. 16 d. ADHGB. nicht im Einklange stehende
Firma führen will, die er bereits vor dem 1. Juli 1862 durch
Vertrag oder Erbgang erworben gehabt hatte. Diese Annahme
würde indessen ebenso mit der Intention der erwähnten Artikel des
Einf.-Ges. wie mit dem Verhältnisse, in welchem dieselben zu den Bestimmungen des Titel 3 Buch I des ADHGB. sich befinden, im
Widerspruch stehen. Wie die Motive zu Art. 25—27 des Entwurfes
des Einf.-Ges. ergeben, liegt denselben die Erwägung zu Grunde, daß
es zu großer Härte führen und die Inhaber alter Firmen mit un-
berechenbaren Nachtheilen bedrohen würde, wenn man sie zum Aufgeben ihrer seit Jahren mit Ehren geführten Geschäftsnamen deßhalb zwingen wollte, weil diese den Bestimmungen des HGB.
nicht entsprächen oder wenigstens nicht als entsprechend nachgewiesen werden könnten. Um diese Härte zu vermeiden, hat das
Einf.-Ges. den Ausweg gewählt, daß es die Fortführung der
vor dem 1. Juli 1862 bestandenen, wenn auch nicht mit den Vorschriften der Art. 16—18 und 27 des HGB. im Einklange stehenden, Firmen unter der Voraussetzung gestattete, daß dieselben
innerhalb der im Abs. 2 des Art. 25 a. a. O. erwähnten Frist angemeldet
werden; wird hiegegen diese Frist versäumt, so sollen solche Firmen
als neue behandelt, d. h. es soll bezüglich derselben eine Ausnahme

von den Vorschriften des HGB. nicht mehr zugelassen werden und daher eine den letzteren entsprechende Umänderung der alten Firmen einzutreten haben.

Hiemit ist Zweck und Tragweite der Vorschriften der mehrerwähnten Art. 25 und 26 von selbst gegeben; dieselben sollen unter einer gewissen Voraussetzung eine Befreiung von Befolgung der in den Art. 16 — 18 und 251 des ADHGB. aufgestellten Regeln gewähren, sie sollen das Recht geben, eine schon vor dem 1. Juli 1862 geführte Firma nach diesem Zeitpunkte fortzuführen, wenn sie auch jenen Vorschriften nicht entspricht; weiter erstreckt sich jedoch ihre Wirksamkeit nicht, und es bleiben daher die übrigen Bestimmungen des Handelsgesetzbuches, deren in den Art. 25 und 26 auch keine Erwähnung geschieht, von ihnen unberührt. Uebrigens ergibt sich die Unanwendbarkeit der Art. 25 und 26 auf Fälle der vorliegenden Art von selbst. Wer ein bestehendes Handelsgeschäft durch Vertrag oder Erbgang erworben hat, ist schon nach der Bestimmung im Art. 22 des HGB. selbst von der Regel des Art. 16 daselbst ausgenommen; er darf die frühere Firma fortführen, auch wenn sie in Ansehung seiner Person nicht der Vorschrift dieses Artikels entspricht; es hatte demgemäß das Einf.-Ges. gar nicht mehr nöthig, für diesen Fall eine Ausnahmsbestimmung zu treffen, da sie durch das HGB. selbst bereits getroffen war, und erscheint ohne allen Belang, daß Art. 26 des Einf.=Ges. bezüglich des Art. 22 einen Vorbehalt nicht gemacht hat, weil es eben hiernach eines solchen nicht bedurfte. Daß diese Annahme allein den Bestimmungen des Einf.=Ges. entspricht, ergibt sich auch bei dem Versuche, den im Art. 26 angedrohten Rechtsnachtheil auf Fälle der vorliegenden Art anzuwenden, da, wenn man auch auf die durch Vertrag oder Erbgang auf den jetzigen Besitzer übergegangenen Firmen die Vorschrift des HGB. anwenden wollte, dies doch nur zu einer Anwendung des angef. Art. 22 führen würde, welcher aber gerade eine Aenderung einer solchen Firma keineswegs schlechthin gebietet, vielmehr unter gewissen Bedingungen das Fortführen der alten Firma gestattet, woraus sich abermals ergibt, daß die mehrerwähnten Art. 25 und 26 auf Fälle der fraglichen Art nicht bezogen werden können.

Es würde auch ein offenbarer Widerspruch sein, wenn man dem Einführungsgesetze, dessen Absicht auf möglichste Berücksichtigung der Interessen alter Firmen und Erweiterung der denselben nach dem HGB. zustehenden Befugnisse gerichtet war, eine Bedeutung beilegen wollte, wonach die Inhaber solcher Firmen schlimmer gestellt wären

als nach dem HGB. ſelbſt, welches die Geltendmachung des im
Art. 22 ſtatuirten Rechtes an irgend eine Präkluſivfriſt nicht gebunden hat. Endlich würde nach der vom Unterrichter aufgeſtellten Anſicht eine Ungleichheit inſoferne entſtehen, als im Falle eines bereits
vor dem 1. Juli 1862 ſtattgehabten Ueberganges einer Firma durch
Tod oder Erbgang der neue Erwerber bei Verſäumung der dreimonatlichen Friſt weit nachtheiliger geſtellt wäre, als dieß bei einem ſolchen
Uebergange nach dem 1. Juli der Fall wäre, eine Ungleichheit, welche
offenbar gegen die Intention des Einführungsgeſetzes wäre. Angeſichts dieſer aus der unterrichterlichen Annahme ſich ergebenden Folgen
könnte dieſe aber nur dann als dem Geſetze entſprechend erachtet
werden, wenn dieſelbe eine beſondere Geſetzesbeſtimmung für ſich
hätte, — was um ſo nothwendiger wäre, als ja gerade das Einführungsgeſetz den Uebergang zu den Beſtimmungen des HGB. zu vermitteln beſtimmt war*). (Kempten Reg.-Nr. 2.)

## XLIV.

Wiedereinſetzung gegen den Ablauf der im Art. 26 Abſ. 2
des Einf.-Geſ. zum allg. d. HGB. vorgeſteckten dreimonatlichen Friſt.

Karl N. zu W., welcher das von ſeinem längſt verſtorbenen
Vater unter ſeinem bürgerlichen Namen Johann N. zu W. ausge-
übte Handelsgeſchäft im Erbgange erworben und ſeitdem unter derſelben Firma fortgeführt hatte, meldete am 1. Oktober 1862 dieſe Firma
zum Eintrage in das Handelsregiſter an. Durch handelsgerichtlichen
Beſchluß vom 7. Oktober wurde dieſer Eintrag, wegen Ablaufes der
im Art. 26 Abſ. 2 des Einf.-Geſ. zum a. d. HGB. vorgeſetzten
dreimonatlichen Friſt und mit Rückſicht auf Art. 16 des letzterwähnten Geſetzes verweigert, und Antragſteller zugleich unter Androhung
einer Ordnungsſtrafe aufgefordert, binnen 14 Tagen ſeine Anmeldung
in einer den Art. 16 und 19 des a. d. HGB. entſprechender Weiſe
zu erneuern oder die Unterlaſſung mittelſt Einſpruches zu rechtfertigen.
Als durch handelsgerichtlichen Beſchluß vom 4. November auch
dieſer Einſpruch verworfen und die erwähnte Aufforderung erneuert

---

*) Ebenſo entſchieden am 12. u. 13. Januar 1863 (Würzburg Reg.-Nr. 3
und Bamberg Reg.-Nr. 6). Dann am 5. Februar 1863 (Landshut
Reg.-Nr. 12).

wurde, legte N. hiegegen Berufung an das k. HAG. ein, worin er
vor Allem die Nichteinhaltung der dreimonatlichen Anmeldefriſt mit
dringenden Geſchäften zu entſchuldigen ſuchte und um Wiedereinſetzung in den vorigen Stand bat.

Das k. HAG. gab jedoch in ſeinem Urtheile vom 15. Dezember
1862 dieſem Antrage nicht ſtatt und bemerkte in den Gründen über
dieſen Punkt:

Der Art. 26 des Einf.-Geſ. zum a. d. HGB. hat keine Erörterungen über den Grund der Nichteinhaltung der daſelbſt vorgeſetzten
3 monatlichen Anmeldefriſt zugelaſſen, ſondern die für dieſen Fall
angedrohte Rechtsfolge, daß die angemeldete alte Firma als neue behandelt werden ſolle, an die Thatſache der Nichtbenützung der Friſt
allein geknüpft, ſo daß dieſe Rechtsfolge ohne Unterſchied, ob ein
verſchuldetes oder unverſchuldetes Verſäumniß in Mitte liegt, einzutreten hat.

Von einer ſubſidiären Anwendung der prozeſſualen Vorſchriften
über Verſäumung von Friſten und Wiedereinſetzung gegen deren Ablauf kann aber im gegebenen Falle keine Rede ſein. Zwar beſtimmt
der Art. 70 a. a. O., daß das Verfahren vor den Handelsgerichten
in Ermangelung beſonderer hiefür beſtehender Geſetze nach den ſonſtigen über das Verfahren in bürgerlichen Rechtsſachen geltenden Geſetzen ſich richte. Dieſe Beſtimmung kann jedoch nur auf das Verfahren in den zwiſchen den betheiligten Privaten ſtrittig gewordenen
Handelsſachen, nicht aber auch auf das Verfahren bei Errichtung und
Fortführung der Handelsregiſter bezogen werden. Für letzteres hat
das Einf.-Geſ. im Abſchn. III Art. 8 — 24 eigene, genau beſtimmte
Vorſchriften aufgeſtellt, welche — wie die Art. 10—12, 15, 16, 19,
20 u. 28 ergeben, — ein in ſich abgeſchloſſenes, vollſtändiges Ganzes
bilden, und daher eine analoge Anwendung der prozeſſualen Regeln
über Friſten, Rechtsmittel u. ſ. w. nicht zulaſſen. Hieran vermag
auch der Umſtand nichts zu ändern, daß der Art. 26 nicht in jenem
Abſchnitte III, ſondern im Abſchn. IV ſich befindet, da die Beſtimmungen des letzteren mit den vorausgehenden in dem innigſten Zu-
ſammenhange ſtehen und ſogar ausdrücklich auf dieſe verweiſen. Hätte
das Geſetz insbeſondere eine Reſtitution gegen Ablauf der erwähnten
Friſt als zuläſſig erachtet, ſo würde es dieß ohne Zweifel ſpeziell ausgeſprochen und Vorſchriften über das in ſolchen Fällen einzuhaltende
Verfahren gegeben haben. Endlich können aber auch die in den
Abſchn. III u. IV a. a. O. enthaltenen Beſtimmungen nicht als civilrechtliche betrachtet werden, da ſie nicht die Rechte und Verpflichtungen

von Privatpersonen gegen einander, sondern die Verpflichtungen der Mitglieder des Kaufmannsstandes zur Eintragung ihrer Firmen in das im öffentlichen Interesse errichtete Handelsregister betreffen und somit dem öffentlichen Rechte angehören *).

(Kempten Reg.-Nr. 2.)

---

*) Ebenso wurde am nämlichen Tage erkannt in der Sache (Würzburg Reg.-Nr. 2), dann am 12. u. 13. Januar 1863 (Würzburg Reg.-Nr. 3; Bamberg Reg.-Nr. 6; Aschaffenburg Reg.-Nr. 7), ebenso am 5. Febr. 1863 (Landshut Reg.-Nr. 12).

Der Beschwerdeführer hatte unter Anderm auch vorgebracht, daß die fragliche Frist am 1. Oktober noch gar nicht abgelaufen gewesen sei, weil der 1. Juli bei Berechnung der 3 Monate nicht mehr miteinge-rechnet werden dürfe; allein auch diese Ansicht verwarf das k. HAG., indem schon nach dem Wortlaute des Gesetzes die 3monatliche Frist mit Beginn des 1. Juli 1862 zu laufen angefangen habe und der 3. Monat mit Ende des 30 Septbr. geschlossen gewesen sei; auch sei die 3 monatliche Frist zur Anmeldung der bestehenden Handelsfirmen längst vor dem 1. Juli festgesetzt, verkündigt und noch insbesondere der Handelsstand darauf aufmerksam gemacht worden, so daß Jeder-mann schon sofort bei Beginn derselben dem Gesetze zu genügen in der Lage war, also ein hinreichender Grund bei der Berechnung der 3 Mo-nate, den 1. Juli noch nicht zu zählen, durchaus nicht gegeben ist. — Die Härte, welche in diesen Entscheidungen des k. HAG. zu liegen scheint, ist einestheils im allgemeinen Interesse geboten, welches eine definitive Vereinigung der Handelsregister bringend erfordert, andern-theils aber ist denjenigen Inhabern alter Firmen, welche dieselben recht-lich erworben haben, durch die in Nr. XLIII niedergelegte milde Praxis vollkommen ausreichender Schutz gewährt. Merkwürdig bleibt es aller-dings, daß ungeachtet der seit Jahren schon geführten Verhandlungen über das ADHGB. noch so manche, das Interesse des Handelsstandes tief berührende Vorschriften desselben den Mitgliedern dieses Standes unbekannt geblieben sind. Es wäre zu wünschen, daß die Bestimmun-gen des neuen Gesetzbuches, die in mancher Beziehung erheblich von den bisherigen Usancen abweichen, allseitig kennen gelernt werden, außerdem mancher Geschäftsmann durch Unkenntniß derselben in Scha-den gerathen wird.

## XLV.

Zuständigkeit der Handelsgerichte bezüglich der Wirthe.

(Art. 271 Abs. 1, Art. 273 Abs. 10 des ADHG. Art. 62, 63 Abs. 1 und Art. 64 des Einf.=Ges. hiezu).

Das k. Handelsgericht Landshut hatte durch Beschluß vom 14. Januar 1863 die Klage eines Bräuers gegen einen Wirthschafts= pächter zu Straubing auf Bezahlung eines Saldorestes für geliefertes Bier wegen mangelnder Zuständigkeit der Handelsgerichte von der Gerichtsschwelle abgewiesen, weil Wirthe nicht den Kaufleuten, son= dern mit Rücksicht auf die für dieselben gegebenen Biertarifsnormen den Handwerkern beizuzählen seien, Weiterveräußerungen solcher in Ausübung ihres Geschäftsbetriebes aber als Handelsgeschäfte nicht zu betrachten seien.    (Art. 273 des ADHGB.)

Auf klägerische Beschwerde erkannte das k. Handelsappellations= gericht zu Nürnberg am 5. Februar 1863, daß die Klage nicht wegen mangelnder handelsgerichtlicher Zuständigkeit von der Gerichtsschwelle abzuweisen, vielmehr von dem k. Handelsgerichte Landshut weitere pro= zeßordnungsgemäße Verfügung darauf zu erlassen sei.

In den Gründen ist bemerkt:

Das ADHGB. bezeichnet im Art. 4 als Kaufmann denjenigen, welcher gewerbemäßig Handelsgeschäfte treibt, als Handelsgeschäfte un= ter Anderm aber im Art. 271 Ziff. 1 den Kauf oder die anderweite Anschaffung von Waaren oder anderen beweglichen Sachen, von Staatspapieren, Aktien oder anderen für den Handelsverkehr be= stimmten Werthpapieren, in der Absicht, solche weiter zu veräußern, gleichviel ob die Weiterveräußerung in Natur oder nach einer Bear= beitung oder Verarbeitung erfolgt.

Diese Voraussetzungen sind sämmtlich bei einem Wirthe oder Wirthschaftspächter gegeben; denn dessen Gewerbe besteht gerade in dem Ankaufe oder der anderweiten Anschaffung von Speisen und Ge= tränken in größeren Quantitäten, um solche in kleineren Portionen, sei es nun ohne weitere Zubereitung oder mit solcher, an die Konsu= menten käuflich weiter zu begeben; diese Anschaffung zur Wiederver= äußerung betreibt derselbe aber auch gewerbemäßig, da dieselbe gerade den Gegenstand seines Wirthschaftsbetriebes, soweit dieser auf das hier allein in Betracht kommende Verhältniß desselben zu dem Lieferanten der verleitzugebenden Getränke sich bezieht, ausmacht. Eine positive gesetzliche Bestätigung erhält diese Annahme

8

durch die Bestimmung des Art. 10 des ADHG., wodurch ausdrücklich die Bestimmungen des Gesetzes über Firmen, Prokuren und Handelsbücher auf Handelsleute von geringem Gewerbsbetriebe, sowie unter Anderm auch auf Wirthe für nicht anwendbar erklärt sind, da es einer solchen Bestimmung gar nicht bedurft hätte, wenn diese Gattung von Gewerbtreibenden den Kaufleuten überhaupt nicht beizuzählen wäre. Der Umstand, daß der Wirth bei Abgabe der Getränke an die Konsumenten zur Zeit noch in gewissem Maaße an polizeiliche Taxen gebunden ist, erscheint nicht geeignet, die Eigenschaft des Verklagten als Kaufmann im Sinne des Handelsgesetzbuches auszuschließen. Ganz abgesehen nämlich davon, daß diese Frage nur das hier, wie bemerkt, nicht in Betracht kommende Verhältniß zwischen Wirth und Konsumenten berühren würde, so hat auch das ADHG. die Eigenschaft eines Kaufmanns nirgends von jenem Umstande abhängig gemacht und kann dieß nm so weniger als in seiner Intention gelegen betrachtet werden, als auch in der That durch jenen Umstand die Annahme einer Spekulation Seitens des Wirthes in keiner Weise ausgeschlossen wird, und überhaupt die fernere Anwendung der besonderen landesgesetzlichen Bestimmungen, welche in Rücksicht auf Gewerbepolizei oder Gewerbesteuer Erfordernisse zur Begründung der Eigenschaft eines Kaufmanns oder besonderer Klassen von Kaufleuten aufstellen, durch Art. 11 ausdrücklich ausgeschlossen wurde, welcher Gesetzesartikel durch das bayer. Einf.-Ges. eine Aenderung nicht erlitten hat.

Verklagter gehört zwar nicht zu der Klasse von Kaufleuten, für welche die Tit. 2—4 Buch I des ADHGB. aufgestellt sind, d. h. er kann weder einen Prokuristen bestellen, noch ist seine Firma in das Handelsregister einzutragen, noch seinen etwaigen Büchern die Beweiskraft kaufmännischer Bücher beigelegt. Allein dadurch, daß das HGB. nur diese speziellen Rechtsinstitute von der Anwendung bei Handelsleuten von geringerem Gewerbsbetriebe und insbesondere Wirthen ausgeschlossen hat, hat es diese zugleich in allen übrigen Beziehungen als den Kaufleuten gleichstehend erklärt, weßhalb auch die materiellen Bestimmungen des HGB. über Handelsgeschäfte, sowie die Bestimmungen des Einf.-Ges. über die Kompetenz der Handelsgerichte bezüglich der Kaufleute auf sie Anwendung zu finden haben.

Angenommen übrigens auch, Verklagter wäre als Kaufmann im Sinne des Handelsgesetzbuches nicht zu betrachten, so würde gleichwohl auch in diesem Falle die Zuständigkeit des Handelsgerichts Landshut als gegeben zu erachten sein.

Nach Art. 62 des Einf.-Ges. erstreckt sich die Zuständigkeit der Handelsgerichte auf alle Handelssachen, und als solche sind unter Anderm im Art. 63 Ziff. 1 ganz allgemein die Rechtsverhältnisse, welche aus Handelsgeschäften zwischen den Betheiligten entstehen, bezeichnet, wobei hinsichtlich des Begriffes der Handelsgeschäfte auf die Art. 271—77 des HGB. verwiesen ist. In den eben erwähnten Artikeln ist nun eine doppelte Gattung von Rechtsgeschäften aufgeführt, welche als Handelsgeschäfte zu gelten haben; die einen sind Handelsgeschäfte, mögen sie vorgenommen werden von wem und wie oft sie wollen; den anderen kommt diese Eigenschaft nur unter der Voraussetzung zu, daß sie gewerbemäßig, oder, wenn auch nur einzeln, so doch von einem Kaufmanne im Betriebe seines gewöhnlich auf andere Geschäfte gerichteten Handelsgewerbes gemacht werden, wie denn überhaupt alle einzelnen Geschäfte eines Kaufmanns, welche zum Betriebe seines Handelsgewerbes gehören, als Handelsgeschäfte anzusehen sind. Je nachdem bei einem Rechtsgeschäfte das eine oder andere der gesetzlichen Erfordernisse nur bei einem oder bei beiden Kontrahenten eintritt, liegt ein zweiseitiges oder nur ein einseitiges Handelsgeschäft vor, und diesen Unterschied hat Art. 64 des Einf.-Ges. vor Augen, indem er von Rechtsgeschäften spricht, welche auf Seite des Verklagten ein Handelsgeschäft sind, und für Klagen aus solchen Geschäften die Zuständigkeit der Handelsgerichte auch bezüglich der Nichtkaufleute als gegeben erklärt.

Zu den Geschäften, welche ohne Rücksicht auf die Gewerbemäßigkeit ihres Betriebes oder ihre Vornahme von Seite eines Kaufmanns den Handelsgeschäften beizuzählen sind, gehört nun aber gerade der Ankauf oder die anderweite Anschaffung von Waaren und sonstigen beweglichen Sachen in der Absicht, solche weiter zu veräußern. Würde daher auch im gegebenen Falle Verklagter nicht als Wirth gewerbemäßig mit diesem Geschäfte, hier dem Ankaufe von Bier zum Ausschenken an seine Kunden, sich befassen, sondern nur bei verschiedenen einzelnen Gelegenheiten diesen Verbrauchsartikel zu dem bezeichneten Zwecke bezogen haben, so würde gleichwohl auch auf seiner Seite das Geschäft, aus welchem geklagt wird, als Handelsgeschäft sich darstellen und daher nach der vorallegirten Gesetzesbestimmung die handelsgerichtliche Zuständigkeit zur Entscheidung vorwürfiger Sache begründet sein.

Aus Vorstehendem ergibt sich bereits, daß von einer Anwendbarkeit des von dem Untergerichte in Bezug genommenen Art. 273, wonach die von Handwerkern in Ausübung ihres Handwerks vorge-

8 *

nommenen Weiterveräußerungen als Handelsgeschäfte nicht zu betrachten sind, keine Rede sein kann, da Verklagter eben nicht den Handwerkern beizuzählen ist. Es würde dieser Artikel aber auch abgesehen hievon auf den vorliegenden Fall aus dem doppelten Grunde keine Anwendung leiden, weil erstens das Geschäft, aus welchem hier geklagt wird, nicht in einer Weiterveräußerung, sondern in einer Anschaffung von Bier Seitens des Verklagten besteht, sodann aber das Gesetz nur von den Weiterveräußerungen der Handwerker in Ausübung ihres Handwerksbetriebes spricht, und daher von der getroffenen Bestimmung einestheils solche Fälle ausnimmt, in welchen überhaupt ein über den Umfang des Handwerkes hinausgehender Geschäftsbetrieb oder ein wirklich kaufmännisches Geschäft im Sinne des Handelsgesetzbuches vorliegt *).  (Landshut Reg.-Nr. 21.)

## XLVI.
### Die Erkennung der Gant über das Vermögen eines Wechselschuldners steht der Geltendmachung und Liquidstellung der wechselrechtlichen Ansprüche gegen denselben vor dem Handelsrichter nicht im Wege.
B. W. u. MGO. Kap. 10 §. 9; Kap. 11 §. 1.

Das k. Handelsgericht L. hatte in einer Wechselsache nach dem ungehorsamen Ausbleiben der Verklagten in dem Produktionstermine auf den klägerischerseits gestellten Kontumazialantrag durch Urtheil vom 10. Dezember 1862 zwar in Verwirklichung des den Verklagten angedrohten Rechtsnachtheiles die vorgelegten Urkunden für anerkannt und die eingeklagte Wechselschuld für zugestanden erklärt, jedoch weder einen Zahlungsbefehl, noch auch nur einen Schuldausspruch erlassen weil über das Vermögen der Verklagten der Konkurs ausgebrochen sei.

Auf Beschwerde des Klägers verurtheilte das k. Handelsappellationsgericht durch Urtheil vom 15. Januar 1863 die Verklagten zur Zahlung in Haupt- und Nebensache aus nachstehenden Gründen:

Schon nach Kap. X §. 9 der b. W.- u. MGO. steht dem Wechselgläubiger, im Falle sich bei dem Schuldner keine Zahlungsmittel vorfinden, die Exekution gegen die Person des letzteren zu, und zwar selbst dann, wenn derselbe im Konkurse sich befindet, und nach der Bestimmung des Art. 2 der ADWO., wodurch der Wechsel-

---

*) Vgl. Thöl, Handelsrecht II. Auflage §. 14a. Snab, Handbuch des Handelsrechtes S. 15.

schuldner mit seiner Person neben und sogar vor der Vermögensexekution für haftbar erklärt werden wollte, ist diese Haftung selbst
im Falle der Liquidation Seitens des Gläubigers im Konkurse als
fortbestehend anzunehmen.

In Kap. XI §. 1 der b. W.- u. MGO. ist zwar bestimmt, daß
nach ausgebrochener Gant von dem Wechselrichter selbst dann, wenn
der Wechselschuldner bereits kondemnirt oder mit Sperre angegriffen
worden wäre, die Exekution nicht vorgenommen oder fortgesetzt, sondern das ganze Schuldenwesen zum Gantrichter und der Kläger ad
concursum verwiesen werden solle*).

An dieser Stelle kann jedoch im Hinblicke auf die Bestimmung
in Kap. X §. 9 unter der hienach von der Zuständigkeit des Wechselgerichtes ausgeschlossenen Exekution nicht diejenige gegen die Person,
sondern nur die in das Vermögen des Wechselschuldners verstanden
werden, — eine Annahme, deren Richtigkeit auch durch das eine au-
thentische Interpretation des Kap. XI §. 1 l. cit. enthaltende ah.
Reskript vom 17. Dezember 1816**), worin die Verhängung der Personalhaft auch während der Gant des Wechselschuldners ausdrücklich
für statthaft erklärt ist, ihre Bestätigung findet***).

---

*) Da die b. W.- u. MGO. an fraglicher Stelle nur von einem Erkennt-
   nisse auf Gant spricht, ohne der Rechtskraft als Erforderniß desselben
   zu erwähnen, so darf dieses Erforderniß wohl auch von Richteramts-
   wegen nicht aufgestellt werden, — eine Annahme, deren Richtigkeit
   sich aus dem im Texte selbst in Bezug genommenen ah. Reskripte
   vom 17. Dezember 1816 ergibt, woselbst der Anfang des Konkurses
   durch Ausschreibung der Ediktalien als ein späterer, dem Ganterkennt-
   nisse nachfolgender und von diesem verschiedener Akt hingestellt ist.
   (Erk. v. 21. Januar 1863, Passau Reg.-Nr. 19.)

**) Jahrbücher der Gesetzgebung und Rechtspflege im Königreiche Bayern
    Bd. I S. 364.

***) Nach dem Wortlaute dieses Reskripts war auch nach der Konkurseröff-
    nung die Mobiliarsperre noch gestattet und nur die Versteigerung
    und Einantwortung der gesperrten Gegenstände sistirt. Diese Be-
    stimmung hatte jedoch ihren Grund darin, daß nach der damals noch
    giltigen Vorschrift der GO. Kap. XX §. 10 Nr. 6 und §. 12 Nr. 5 die
    Vornahme oder Verfügung der Exekution dem Gläubiger im Konkurse
    nur ein Vorzugsrecht in der 8. bez. 10. Klasse gewährte, Wechselforder-
    ungen als solche aber schon den Rang der 7. Klasse einnahmen, weß-
    halb die Mobiliarsperre als ein „den übrigen Gläubigern unschädlicher
    Anfang der Exekution" wohl zugelassen werden konnte. Nachdem jedoch

Die Exekution durch Personalhaft setzt aber, wie diejenige in das Vermögen des Schuldners, das rechtskräftige Feststehen der Schuld des Verklagten voraus und es muß daher, wenn bei Eröffnung der Gant gegen den Kridar eine Wechselschuld noch nicht gerichtlich festgestellt ist, dem Gläubiger das Recht eingeräumt werden, einen richterlichen Ausspruch über die Zahlungspflicht des Wechselschuldners zu beantragen.

Dieser Ausspruch kann nur von dem Handelsgerichte ausgehen, da der Konkurs die Befriedigung der Gläubiger lediglich aus dem Vermögen des Schuldners bezweckt, die handelsgerichtliche Zuständigkeit daher durch denselben nur insoweit, als es sich hierum handelt, suspendirt wird, im Uebrigen aber daher bezüglich der Rechte des Gläubigers gegen die Person des Schuldners unverändert fortbesteht.

Im gegebenen Falle war demnach das k. Handelsgericht L. ungeachtet der Ganteröffnung ebenso berechtigt wie verpflichtet, nicht nur einen Schuldausspruch, sondern auf desfallsigen klägerischen Antrag nach Kap. II §. 3, Kap. X §. 1 l. c. sofort einen Zahlungsbefehl zu erlassen. In dem unterrichterlichen Urtheile vom 10. Dezember kann aber weder das eine noch andere gefunden werden, da dasselbe dem Kläger eine bestimmte Summe nicht zuerkennt, die Annahme des Urkundenanerkenntnisses und Zugeständnisses der Wechselschuld, welche nur auf die faktische Grundlage der Klage bezogen werden kann, die Existenz der Wechselschuld selbst nicht nothwendig zur Folge haben würde, ein ausdrückliches unumwundenes Geständniß aber nicht vorliegt. Es war daher, da der als anerkannt zu erachtende eingeklagte Wechsel alle gesetzlichen Erfordernisse an sich trägt, sofort in II. Instanz die Verurtheilung der Verklagten nach der Klagbitte auszusprechen *). (Landshut Reg.-Nr. 18.)

---

durch Art. 23 Ziff. 7 u. 8 der Prior.-Ordnung einerseits die Wechselforderungen als solche zum Theile mindestens mit den übrigen Kurrentforderungen auf gleiche Stufe gestellt, anderseits den Gläubigern, welche die Auspfändung oder Immission in die Güter des Schuldners erlangt hatten, der Rang in der IV. Klasse angewiesen, endlich aber durch Art. 10 des bayer. Einf.-Ges. zur ADWO. das Vorzugsrecht der Wechselforderungen im Konkurse gänzlich aufgehoben wurde, sind offenbar die Voraussetzungen jenes Reskripts weggefallen und die Mobiliarsperre nunmehr als unzulässig zu erachten.

*) Nach gleichen Grundsätzen wurde am 21. Januar 1863 erkannt in der

## XLVII.

Der Nachweis des besseren Glückes ist in Handelssachen nicht Erforderniß der Ausklagung eines verganteten Schuldners.

(GO. Kap. XIX §. 20 Nr. 3.) *)

N. N. hatte im Jahre 1859 fallirt; vor Erlassung des Prioritäts-urtheiles kam mit den Gläubigern ein Vergleich zu Stande, durch welchen der Schuldner im Besitze seines sämmtlichen, sehr beträchtlichen Vermögens blieb gegen fristenweise Zahlung gewisser Prozente (60% bis 80%). Das Handlungshaus A. A., welches im Konkurse nicht liquidirt hatte, erhob nun im Jahre 1862 Klage gegen N. N. auf Bezahlung einer Waarenforderung, dieser wurde aber von derselben durch Erkenntniß des k. Handelsgerichtes Nürnberg vom 30. Oktober 1862, weil dessen besseres Glück nicht behauptet und bezw. nachgewiesen sei**), in der angebrachten Art entbunden. Das k. HAG. zu

---

Sache Passau Reg.=Nr. 19 und demgemäß ungeachtet der Eröffnung des Konkurses über das Vermögen des Verklagten Zahlungsbefehl unter Androhung der „Sperre" gegen den letzteren erlassen, wobei von der Ansicht ausgegangen wurde, daß der Ausdruck „Sperre" nach dem im Kap. X der b. W.= u. MGO. herrschenden Sprachgebrauche mit Wechselerekution überhaupt gleichbedeutend sei, was sich aus Ueberschrift und Anfang von §. 3, Eingang von §. 4, Ueberschrift und Eingang von §. 5, sowie der die Erekution einleitenden Formel in §. 1 ergebe, weßhalb unter der angedrohten Sperre auch die durch den Konkurs nicht ausgeschlossene Personalhaft zu verstehen sei.

*) Die Frage, ob die besseren Glücksumstände des verganteten Schuldners die Vorbedingung der Klagestellung gegen denselben bilden, oder ob nur die Erekution ausgeschlossen bleibt, wenn der Kridar nicht nach Beendigung des Konkurses neues Vermögen erworben hat, ist sehr kontrovers. Der oberste Gerichtshof von Bayern (Bl. f. RA. Bd. XVII S. 394, Bd. XIX S. 172) hat sich der ersteren Ansicht angeschlossen, auch die Obergerichte zu Stuttgart und Wolfenbüttel betrachten die Thatsache als eine verzögerliche Einrede gegen den Klaganspruch (Archiv für Entsch. der ob. Ger. Bd. II Nr. 127 Bd. XII Nr. 382); dagegen hat sich das Obergericht zu Kassel der entgegengesetzten Anschauung angeschlossen, wie auch im Kommentar v. Seuffert's Bd. IV S. 499 (vgl. auch Bl. f. RA. Bd. XVII S. 395) vertheidigt wird.

**) Nach der Nürnberger Handelsgerichtsordnung muß der Beweis antizipirt werden.

Nürnberg verurtheilte dagegen auf klägerische Berufung den Beklag=
ten*) und stellte folgende Sätze in den Entscheidungsgründen auf:

Es steht rechtlich fest und kann wohl nicht bezweifelt werden, daß
der Konkurs an und für sich keine Aufhebungsart der Obligationen
bildet, daß der Schuldner durch Verhängung der Gant über sein Ver=
mögen von seinen Verbindlichkeiten nicht befreit wird. Nun hat aller=
dings das römische Recht demjenigen Schuldner, welcher bonis cedirte,
also dem durch unverschuldete Unglücksfälle herabgekommenen Schuld=
ner, wenn er Alles, was er besaß, freiwillig seinen Gläubigern
hingegeben hatte, insoferne eine Berücksichtigung zugewandt, daß seine
nachher erworbenen Güter nicht ohne Weiteres nochmals verkauft
werden konnten, sondern nur dann, wenn dieß dem Prätor billig
schien**), und die Praxis des gemeinen Rechtes hat diese Rechtswohl=
that auf jeden Schuldner ausgedehnt, welchem sein Vermögen durch
die Gant entzogen wurde. Allein nur das nochmalige Verkaufen***)
der schuldnerischen Güter wird im gemeinen Rechte von dem besseren
Glücke des Kridars abhängig gemacht, und es stellt sich daher in
Wirklichkeit dieses beneficium rechtlich nicht von anderer Qualität
dar, als jedes sonstige dem Schuldner eingeräumte Recht der Kompe=
tenz, und so wenig die Einrede der Kompetenz irgend von Einfluß
auf den Prozeß vor der Exekutionsinstanz ist†), ebensowenig kann es
die dem verganteten Schuldner eingeräumte Rechtswohlthat sein. Diese
soll ihn gegen eine völlige Entziehung aller Hülfsmittel zur Fristung
des Lebens und zu neuem Erwerbe schützen; sie bezieht sich also gar
nicht auf die Frage des Schuldigsein oder Nichtschuldigsein, sondern
lediglich auf die Frage, was kann von dem Gläubiger, wenn eine

---

*) Die Schuld selbst war durch Urkunden, welche nicht diffitirt werden
konnten, liquid.
**) Fr. 6 und 7 D. de cess. bon. (42,3.) — Gaji Inst. Comm. 155.
***) Zwar wird in Fr. 25 §. 7. D. quae in fraud. (42,8) gesagt: ini-
quum esset actionem dari in eum, cui bona ablata essent; und in
c. 3. C. de bonis auth. jud. poss. (VII, 72¹ wird der Schuldner
als durch die aequitas exceptionis auxilio geschützt erklärt; allein in
der ersten Stelle ist, wie deren Zusammenhang zeigt, nicht von der
Klage aus einem Kontraktsverhältnisse, sondern von der actio Pauliana
gesprochen, und die im Kober erwähnte exceptio ist eben die exceptio
competentiae, welche dem unverschuldet Verganteten zusteht.
†) Siehe Anmerkungen zum Codex judic. ad Cap. XVIII §. 10.

Schuld vorhanden ist, gerichtlich dem verganteten Schuldner entzogen werden.

Die bayerische Gerichtsordnung von 1753 Kap. XIX §. 20 Nr. 3 hat den obigen Rechtssatz nicht geändert; aus der Fassung der citirten Stelle geht deutlich hervor, daß keineswegs die weitere Klagestellung gegen den Kridar ausgeschlossen werden sollte, indem sich das Gesetz in diesem Falle sicherlich dieses bestimmten und naheliegenden Ausdruckes bedient haben würde; der Gebrauch des Wortes „Regreß" in Verbindung mit der übrigen Fassung der angeführten Gesetzstelle zeigt vielmehr, daß dieselbe lediglich die Frage der Bei treibung einer bereits feststehenden Schuld gegen den Kridar nach beendigtem Konkursverfahren im Auge hat und daher nur die weitere Exekution an die Voraussetzung knüpft, daß der Vergantete wieder zu Kräften gekommen ist*).

Es wird zwar eingewendet, daß solange das bessere Glück des Kridars nicht nachgewiesen, die Klagstellung vergeblich die Gerichte behelligen, den Schuldner quälen und nutzlose Kosten verursachen würde. Allein dieses Argument geht einestheils zu weit; die Existenz der Verbindlichkeit hängt überall nicht davon ab, ob der Schuldner zahlungsfähig ist oder nicht, und wenn auch etwa in einem Falle durch bereits in anderen Prozessen versuchte und fruchtlos gebliebene Exekutionen genugsam dargethan wäre, daß ein Beklagter, auch wenn er zur Zahlung verurtheilt wird, voraussichtlich doch seiner Verbindlich= keit nicht nachkommen werde, so könnte sicherlich das Schuldigerken= nen desselben hiedurch nicht ausgeschlossen werden. Es ist aber an= derntheils gar nicht richtig, daß eine jede solche Klage nutzlos sei;

---

*) Für die Stadt Nürnberg ist noch speziell auf die Bestimmung der Re formation Tit. XI Ges. 6 Abs. 3 Rücksicht zu nehmen; hier ist ver= ordnet: auf Anrufen des Gläubigers müsse bei fruchtloser Exekution der Schuldner schwören: „daß er außerhalb der Kleider, die er an= habe, nichts vermöge, und ob er über kurz oder lang zu besserem Glück oder Nahrung kommen würde, den Gläubiger vergnügen wolle getreu= lich und ohne Gefährde." Hier ist die ganze Sache in das richtige Licht gestellt; die Bestimmung vom Eintreten des besseren Glückes ist überhaupt nicht zum Nachtheile des Gläubigers gegeben, sondern sie be= steht, damit nicht der Schuldner etwa glaube, er werde durch den Kon= kurs von seinen Verbindlichkeiten frei, damit er wisse, daß wenn auch momentan bei ihm Nichts zu finden ist, doch seine Schuld zur Zahl= ung bestehen bleibt und sogleich wieder wirksam wird, sobald ihm Ver= mögen zufällt.

vielmehr kann es dem Gläubiger wegen der Verjährung, der Gefahr des Verlustes von Beweismitteln, der rascheren Durchführung seines Anspruches in späterer Zeit und aus anderen Gründen von hohem Interesse sein, anstatt einer bestrittenen und erst noch von dem Gelingen eines Beweises abhängigen Forderung ein rechtskräftiges Erkenntniß zu besitzen, und es läßt sich kein rechtlicher Grund denken, weßhalb zu Gunsten eines verganteten Schuldners dem Gläubiger das Recht entzogen sein sollte, für seinen Anspruch eine richterliche Anerkennung zu erwirken. Diese Erwägung ist aber von entscheidendem Gewichte in den zur Zuständigkeit der Handelsgerichte gehörigen Sachen.

Denn nachdem in diesen dem Kläger *) als letztes Exekutionsmittel die Personalexekution wider den Schuldner zusteht, und gegen dieses durch einen über den Schuldner verhängt gewesenen Konkurs nicht ausgeschlossene Exekutionsmittel die mehrerwähnte, lediglich das Vermögen des Kridars schützende Einrede nicht Platz greift, so muß in Handelssachen die Verhandlung der Klage gegen den verganteten, Schuldner schon um deßwillen ihren ungehemmten Fortgang haben, weil der Richter vorerst gar nicht weiß, ob seiner Zeit die Exekution in das Vermögen oder an der Person des Schuldners verlangt werden wird.

Aus allem diesen geht hervor, daß die Entscheidung der Frage, ob N. N. dem Handlungshause A. A. für gelieferte Waaren die fakturirten Beträge schuldig sei, nicht davon abhängen kann, in welchen Vermögensverhältnissen sich zur Zeit N. N. befindet, sondern davon, ob die behaupteten die Verpflichtung begründenden Thatsachen wahr sind oder nicht **). (Nürnberg Reg.-Nr. 41.)

## XLVIII.

**Ein arrangirter Schuldner kann sich auf die dem Kridar zustehende Rechtswohlthat des besseren Glückes nicht berufen.**

(GO. Kap. XIX §. 20 Nr. 3.)

Diesen Satz sprach das k. HAG. zu Nürnberg in seinem Erkenntnisse vom 5. Januar 1863 mit folgender Motivirung aus:

---

*) Und zwar nach der W.- u. MGO. v. 1785 Kap. X §. 9 und nach der Nürnberger Reformation Tit. XI Gei. 6.

**) Sobald man die Frage in dieser Weise stellt, und logisch muß man dieß thun, so ist die Entscheidung der Kontroverse nicht mehr zweifelhaft.

Wenn ein Gantverfahren nicht durch Ausschüttung der Masse, sondern durch ein Arrangement geendet wird, kann nach der ganzen Bedeutung der in Frage stehenden gesetzlichen Bestimmung und nach dem deutlichen Wortlaute der betreffenden Stellen des gemeinen Rechtes, welche nur von einem bonis cedirten Schuldner sprechen, das bessere Glück des Kridars überhaupt nicht in Frage kommen. Der Grund der bezüglichen Rechtswohlthat ist darin zu suchen, daß ein Mann, welcher in mißliche Vermögensverhältnisse gerathen ist und seinen Gläubigern durch Hingabe seines gesammten Vermögens gerecht zu werden trachtete, einige Rücksicht verdient, und ihm nicht sofort jeder neue, noch so unbedeutende Erwerb wieder entrissen werden soll.

Diese ratio legis findet auf einen arrangirten Schuldner keine Anwendung; ein solcher hat sich gar nie in einer völligen Vermögenslosigkeit befunden; er behält stets, wie dieses im Wesen des Vergleiches liegt, einen Theil seines Vermögens, nicht selten einen nicht unerheblichen. Nun findet sich aber nirgends eine gesetzliche Bestimmung, daß, weil eine Anzahl Gläubiger sich mit ihrem Schuldner verglichen hat, Alles, was dieser besitzt, von nun an gleichsam ein unantastbares Gut geworden sei. Im Gegentheile bestimmt §. 70 der Prozeßnovelle von 1837 ausdrücklich, daß die übrigen Gläubiger an ein Arrangement nur dann gebunden seien, wenn die sämmtlichen in diesem Paragraphen aufgeführten Voraussetzungen vorhanden sind. In allen andern Fällen steht der vergantete Schuldner demjenigen Gläubiger, welcher einem von andern Gläubigern geschlossenen Vergleiche nicht beigetreten ist, nach wie vor gegenüber als ein zum vollen Betrage seiner Forderung ihm Verpflichteter, und insbesondere kann der Gläubiger, welcher seine Forderung vor Eröffnung der Gant bereits erworben hatte, nicht schlechter gestellt sein, als derjenige, welcher nachträglich mit dem arrangirten Schuldner kontrahirt; dieser aber kann unzweifelhaft das Vermögen des Schuldners angreifen, ohne nachweisen zu müssen, was der letztere davon vermöge des Arrangements behalten und was er neu erworben hat, — ein Nachweis, der ohnehin nahezu niemals zu erbringen wäre, da es nicht genügen würde, darzuthun, daß der Schuldner diese oder jene Vermögensstücke neu erworben hat, sondern auch bewiesen werden müßte, daß diese Vermögensstücke nicht mit solchen Mitteln erworben wurden, welche dem Schuldner in Folge des Arrangements geblieben sind*).

(Nürnberg Reg.-Nr. 41.)

---

*) Der Nachweis ist allenfalls noch zu erbringen, daß ein Schuldner, der

## XLIX.

### Einfluß der Intervention auf die Exekution.
#### (Nach preußischem Rechte.)

In einer bei dem k. BG. Ansbach anhängigen Wechselsache (welche mit 1. Juli 1862 an das k. Wechselgericht Ansbach überging) waren die in der Wohnung des zu Roth domizilirenden Beklagten vorgefundenen Mobilien gepfändet worden, worauf von der Ehefrau und dem Vormunde der erstehelichen Kinder Intervention angemeldet wurde. Kläger erklärte, diese Ansprüche nicht anzuerkennen, und rief auf Wegschaffung der Pfandobjekte in das gerichtliche Konservatorium an, welchem Antrage das Untergericht auch stattgab.

Auf hiegegen eingelegte Berufung*) bestätigte das k. OAG. zu Nürnberg unter dem 26. Januar 1863 den Ausspruch des Erstrichters und zwar unter folgender Motivirung:

Bei rechtlicher Würdigung**) der erhobenen Beschwerde müssen, da in der Stadt Roth das preußische Recht gilt, die Vorschriften des preußischen Wechselprozesses maßgebend sein. Die betreffende graviirliche Verfügung vom 9. Mai v. Js. stellt sich nicht als in dem Interventionsstreite erlassen dar, sondern sie entscheidet die im Verlaufe der Exekution der eingeklagten Wechselforderungen angeregte Frage, ob und inwieweit die Wechselexekution in Folge der Intervention dritter Personen gehemmt werden könne. Nachdem nun weder die Novelle vom 29. Novbr. 1810 noch das Gesetz vom 11. September 1825, die Einführung der Wechselgesetze u. s. w. betreffend ausspre-chen, daß der preußische Wechselprozeß nur hinsichtlich des Verfahrens

---

einmal vermögenslos war, nunmehr diese und jene Vermögensstücke besitze, und wenn diese nicht ganz unbedeutend sind, so ist das bessere Glück desselben dargethan; eine probatio diabolica aber wäre es, einem arrangirten Schuldner nachzurechnen, um wie viel das Gesammtvermögen, was er jetzt besitze, mehr werth sei, als dasjenige, was ihm vermöge des Arrangements geblieben.

*) Erstrichter gab dieser Berufung mit vollem Rechte keinen Suspensiv-Effekt.

**) Es war nämlich auf Grund der in den Bl. f. RA. Bd. VII S. 350 enthaltenen Erörterung behauptet worden, daß auch im Gebiete des preuß. LR. weder die Formalitäten der zweiten Instanz, noch die Frage, welchen Einfluß die Intervention auf die Exekution habe, nach einem anderen Rechte als dem Codex judiciarius zu entscheiden seien.

vor den Untergerichten Platz greife oder hinsichtlich der Exekution und der damit zusammenhängenden Fragen nicht anwendbar sei, und es jedenfalls unzulässig, ja unmöglich erscheint, in einem und demselben Rechtsstreite nach verschiedenen Gerichtsordnungen zu entscheiden, so müssen für die Prüfung der vorliegenden Berufung die in der preußischen Gerichtsordnung von 1793 für den Wechselprozeß gegebenen Vorschriften maßgebend erachtet werden.

Hienach erscheint nun aber die Beschwerde als vollkommen ungerechtfertigt.

Nach Art. 51 und 52 ff. des Tit. 27 der preuß. GO. kann die Wechselexekution durch keinerlei Vorbringen des Beklagten gehindert werden; nur wenn dieses Vorbringen einen Arrestschlag begründen würde und zugleich die gerichtliche Deposition der schuldigen Summe sammt Zinsen und Kosten erfolgt, wird der weitere Fortgang der Exekution gehemmt. Diese Bestimmungen finden, wie sich aus Tit. 18 §. 5 ergibt, auch auf das Vorbringen dritter Personen gegen den Fortgang der Exekution Anwendung; auch in Folge einer Intervention kann nur bei vorhandener Gefahr und gegen Legung einer genügenden Kaution (Tit. 29 §. 31) die begonnene Exekution einstweilen sistirt werden; es muß in diesem Falle die Deposition oder Sequestration der Sache erfolgen.

Im vorliegenden Falle hat die Ehefrau des Beklagten durchaus keine Thatsachen angeführt, welche zur Begründung eines Arrestgesuches gegenüber dem Kläger, sei es nach preußischem Rechte (GO. Tit. 29 §. 31), sei es nach bayerischem Prozesse (GO. Kap. I §. 8), geeignet wären. Es lag daher für den Erstrichter nicht der entfernteste Grund vor, dem Verfahren in der Exekutionsinstanz Instand zu geben, und dieß umsoweniger, als das bisherige Verfahren des Beklagten die Anwendung der angeordneten Maßregel vollkommen rechtfertigte, und die Intervenienten hiedurch in ihren angeblichen, durch nichts bescheinigten Rechten nicht beeinträchtigt sind. Denn durch die mit Berufung angefochtene Verfügung des Erstrichters ist ohnehin nichts Anderes geschehen, als daß die strittige Sache aus den Händen des Schuldners und in gerichtliche Deposition genommen wurde, sonach erscheinen jedenfalls die Intervenienten hiedurch in keiner Weise beschwert und mußte deren Berufung als gesetzlich unbegründet verworfen werden.

(Fürth Reg.-Nr. 6.)

## L.

**Statthaftigkeit des Wechselarrestes. Nach welchem Zeitpunkte ist die Wechselarrestfähigkeit des Schuldners zu beurtheilen.**

Art. 1 und 2 der ADWO.

Art. 2 des Einf.-Ges. zur ADWO.

Die Entscheidungsgründe eines handelsappellationsgerichtlichen Erkenntnisses vom 5. Februar 1862 besagen Folgendes:

Bei Entscheidung der Frage, nach welchem Zeitpunkte die Wechselarrestfähigkeit des Schuldners beurtheilt werden müsse, ist zu unterscheiden, ob der Wechselarrest gegen denselben ausgeschlossen sei, weil er überhaupt nicht zur Eingehung der streng persönlichen Wechselverbindlichkeit befähigt erscheint oder nur deßhalb, weil ihn das Gesetz von der äußersten Strenge des Wechselrechtes aus Rücksicht für das Geschlecht oder die rechtliche und soziale Stellung verschont lassen will.

Im ersten Falle muß die Frage, ob der Wechselarrest Platz greife, entschieden werden nach der Eigenschaft, welche dem Schuldner im Zeitpunkte der Eingehung der Wechselverbindlichkeit innewohnte. War der Schuldner damals gesetzlich nicht befugt, sich in der Weise zu verpflichten, daß er, wie es der Begriff des Wechselrechtes mit sich bringt, sofort mit seiner Person verhaftet wird, so hat der Gläubiger durch die Eingehung des Vertrages überhaupt kein Wechselrecht zu erwerben vermocht, und da Niemand mehr Rechte in Anspruch nehmen kann, als er erworben hat, so müssen spätere Ereignisse ohne Einfluß auf die bereits begründete Obligation bleiben; es kann der Umstand, daß der Schuldner später die Eigenschaft erwirbt, deren Mangel ihn wechselunfähig machte, oder daß ein späteres Gesetz die Wechselfähigkeit von anderen Voraussetzungen abhängig macht, nicht dahin rückwirken, daß die von einem Wechselunfähigen ausgestellte Skriptur nachträglich sich in einen Wechsel verwandelt, beziehungsweise die bei ihrer Ausstellung nur beschränkt wechselkräftige Urkunde zu einem richtigen Wechsel wird.

Umgekehrt kann aber nach dieser Richtung auch nicht dadurch, daß der Wechselschuldner später entweder durch eigene Handlungen sich seiner bisherigen Wechselfähigkeit entäußert oder diese ohne sein Zuthun verliert, die einmal begründete Haftung seiner Person geändert oder aufgehoben werden; denn auch nach dieser Hinsicht ist festzuhalten, daß dem Gläubiger einmal erworbene Rechte nicht rückwirkend entzogen werden können.

Anders aber verhält es sich, wenn nicht die Wechselfähigkeit des Schuldners in Frage steht, sondern es sich lediglich darum handelt, ob eine Ausnahme von der Personalhaftung begründet sei. Wenn Art. 2 der ADWO. in Abs. 1 verordnet, daß der Wechselschuldner für die Erfüllung seiner Verbindlichkeit mit seiner Person hafte, so will damit nicht blos dem Wechselgläubiger für seine spezielle Forderung eine privatrechtliche Begünstigung gewährt werden, sondern die höhere Bedeutung dieser Bestimmung ist, daß im Wechselverkehre überhaupt Treue und Glauben gewahrt und dadurch der Kredit im Interesse der allgemeinen Volkswirthschaft geschützt werden solle. Sobald es sich daher um Wechselverbindlichkeiten einer an sich wechselfähigen Person handelt, ist die Exekution mittelst Personalarrest nicht sowohl als ein Theil der obligatio anzusehen, welche durch den Rechtsakt der Wechselausstellung oder des Acceptes dem Gläubiger gegenüber entsteht; vielmehr ist sie ein in das öffentliche Recht hinüberreichendes prozessuales Institut, dessen Anwendbarkeit sich wie die Anwendbarkeit derartiger Prozeßbestimmungen überhaupt nach den zur Zeit ihrer Anwendung geltenden Gesetzen richtet. Zu diesem Falle kommt es demnach nicht darauf an, welche Person den Wechsel ausgestellt hat, sondern welche Eigenschaft der zu Arrest zu bringenden Person innewohne.

Ist diese eine solche, daß das Gesetz keine Unzukömmlichkeiten in deren Exekution mittelst Personalarrest sieht, so findet die ratio legis auf dieselbe keine Anwendung, auch wenn sie zur Zeit der Wechselausstellung diese Eigenschaft noch nicht besessen haben sollte. Umgekehrt aber ist das öffentliche Interesse, welches den Wechselarrest gegen gewisse Klassen von Schuldnern verbietet, ganz gleich betheiligt, wenn auch der Schuldner, dessen Arrestnahme als unzulässig erscheint, früher die Eigenschaften, auf welche das Gesetz sich gründet, nicht besessen hätte *). 　　　　　　　　　　　(Ansbach Reg.-Nr. 3.)

---

*) In dem speziellen Falle wurde dann weiter ausgeführt, die Bestimmungen des preuß. Landrechtes beruhten allerdings auf der Erwägung, daß manche Personen überhaupt nicht die nöthige Besonnenheit und Geschäftskenntniß für den Wechselverkehr besäßen, und jenes Gesetzbuch erkläre deßhalb nicht blos den Wechselarrest nur gegen gewisse Klassen von Personen zulässig, sondern räume überhaupt nur ihnen die Wechselfähigkeit ein. Das bayerische Einf.-Ges. zur ADWO. habe, wie die Entstehungsgeschichte des Art. 2 und die darüber von den gesetzgebenden Faktoren geäußerten Ansichten deutlich zu erkennen geben, an die

## LI.

Statthaftigkeit des Wechselarrestes im Gebiete des preuß. LR. Nach welchem Gesetze ist zu beurtheilen, ob Jemand in diesem Gebiete als Kaufmann anzusehen sei? Preuß. LR. Thl. II Tit. 8 §. 718 ff. §. 475. HG. Art. 4, 10, 271, 273. Einf.-Ges. zum ADHG. Art. 6. Einf.-Ges. zur ADWO. Art. 2.

Ueber diese Frage sprach sich das k. Handelsgericht zu Nürnberg in einem Erkenntnisse vom 5. Februar 1863 folgendermaßen aus:

Nach Art. 2 des Einf.-Ges. zur ADWO. dürfen Personen, gegen welche der Wechselarrest in Gemäßheit der in den einzelnen Landestheilen vormals bestandenen Vorschriften über Wechselfähigkeit nicht Platz greifen konnte, auch jetzt dem Wechselarreste nicht unterworfen werden; demnach kann in den Gebietstheilen, in welchem das preußische Landrecht als Civilgesetz gilt, nur über solche Personen der Wechselarrest verhängt werden, welche unter die in Thl. II Tit. 8 §. 718—747 und Anhang I §. 110 aufgeführten Kategorien gehören; daher auch der klägerische Antrag auf Verhängung des Wechselarrestes gegen N. N. darauf gestützt wurde, daß N. N. als Kürschnermeister und Pelzwaarenhändler für einen Kaufmann angesehen und daher nach §. 718 Thl. II Tit. 8 des preuß. LR. für wechselfähig erachtet werden müsse.

Es unterliegt nun keinem Zweifel, daß Kaufleute nach preuß. LR. wechselfähig waren und demnach nach dem bayerischen Einf.-Ges. zur ADWO. dem Wechselarreste unterworfen werden können, so daß es sich nur darum fragen kann, ob der Beklagte ein Kaufmann sei.

Erstrichter beurtheilt diese Frage nach den Bestimmungen des preuß. Landrechtes, kommt hienach zu der Entscheidung, daß Beklagter, nachdem er diesem Gesetze gemäß nicht als Kaufmann erscheine, auch nicht wechselarrestfähig sei, und spricht dabei ferner aus, daß derselbe auch nach dem ADHG. als Kaufmann nicht angesehen werden könne.

---

sem legislativen Systeme vorerst Nichts ändern wollen, und es müsse also angenommen werden, daß hinsichtlich der Gebietstheile, in denen preußisches Recht gilt, die Wechselarrestfähigkeit nicht gegeben sei, wenn der Aussteller zwar jetzt nach den Bestimmungen des ADHG. als Kaufmann anzusehen ist, zur Zeit der Wechselausstellung aber nach dem preußischen LR. nicht als Kaufmann angesehen werden konnte.

In beiden Punkten erscheint der erstrichterliche Ausspruch als ungerechtfertigt:

a) Nach Art. 6 des Einf.-Ges. zum ADHG. ist, wenn nach den
Bestimmungen des bürgerlichen Rechtes oder der Prozeßgesetze Rechte
oder Verpflichtungen davon abhängig gemacht werden, daß eine Person
ein Kaufmann sei, das Vorhandensein dieser Eigenschaft nach Art. 4
und 6 des ADHG. zu beurtheilen.

Zufolge dieser deutlichen und allgemeinen Vorschrift hat vom
1. Juli 1862 an Jedermann, der nach dem ADHG. als Kaufmann
zu erachten ist, alle Rechte und auch alle Pflichten, welche das Civil-
recht oder die Prozeßgesetzgebung den Kaufleuten zuweisen. Die Motive zu diesem Artikel *) berühren das preußische Landrecht ausdrücklich
und führen als Beispiel an, daß das in dieser Gesetzgebung dem Kaufmanne eingeräumte Recht, bewegliche Sachen ohne körperliche Tradition
zu verpfänden oder sich verpfänden zu lassen, nunmehr allen jenen
zustehe, welche im Sinne des ADHG. Kaufleute sind.

Das Gesetz enthält selbst den im Entwurfe dem Art. 6 beigefügten Zusatz „im Zweifel" nicht mehr, weil eine Ausnahme gar nicht
zugelassen werden sollte **).

Es unterliegt hienach keinem Zweifel, daß seit dem 1. Juli 1862
auch im Gebiete des preuß. LR. die Frage, wer als Kaufmann zu
erachten sei, nicht mehr nach den Bestimmungen des preuß. LR., sondern nach dem ADHG. zu entscheiden ist, und demnach die Wechselarrestfähigkeit bei allen denjenigen Personen, welche nach dem ADHG.
als Kaufleute anzusehen sind, begründet erscheint.

Hiegegen läßt sich auch nicht der Art. 2 des ADHG. anführen,
indem dieser auf die vorliegende Frage gar nicht quadrirt.

b) Daß nun der Beklagte N. N. nach den Bestimmungen des
ADHG. als Kaufmann zu erachten sei, kann mit Grund gar nicht
beanstandet werden.

Nach Art. 4 des ADHG. ist Kaufmann, wer gewerbsmäßig Handelsgeschäfte betreibt; Handelsgeschäfte sind nach Art. 271 Nr. 1 des
ADHG. der Kauf oder die anderweite Anschaffung von Waaren oder
anderen beweglichen Sachen, um dieselben entweder in Natur oder
nach einer Bearbeitung oder Verarbeitung weiter zu veräußern.
N.-N. schafft aber nach den Akten gewerbsmäßig Pelze an, um sie

---

*) Verh. des Gesetzgebungsausschusses zum ADHG. Bd. I S. 42.
**) Verh. Bd. II S. 66.

verarbeitet weiter zu veräußern; er ist also Kaufmann im Sinne des Gesetzbuches.

Ob dieser Geschäftsbetrieb schwunghaft ist oder nicht, hat auf die rechtliche Beschaffenheit desselben keinen Einfluß, und insbesondere ist es ganz irrig, wenn der Appellat die in Art. 10 des ADHG. enthaltenen Bestimmungen als Beschränkungen des in Art. 4 aufgestellten Begriffes eines Kaufmannes auffaßt; im Gegentheile ist nach dem Grundsatze: „Ausnahmen bestärken die Regel für die nicht ausgenommenen Fälle,“ gerade aus dem Umstande, daß das Handelsgesetz für die in dem citirten Artikel genannten Personen hinsichtlich mehrerer im Allgemeinen für die Kaufleute gegebenen Vorschriften Ausnahmen zu machen für nöthig fand, klar zu entnehmen, daß an sich alle diese Personen, insbesondere also auch „Personen, deren Gewerbe nicht über den Umfang des Handwerksbetriebes hinausgeht“ zu den Kaufleuten gehören.

Auch der Art. 273 Abs. 3 kann nicht gegen die obenaufgestellte Ansicht vorgebracht werden; denn der Beklagte soll nicht deßhalb als Kaufmann angesehen werden, weil er seine gefertigten Waaren an Kunden veräußert, sondern weil er Waaren ankauft, um sie verarbeitet weiter zu veräußern. Endlich kommt auch darauf Nichts an, ob N. N. sich zum Eintrag in das Handelsregister angemeldet hat oder nicht, da das ADHG. diesen Eintrag nur im öffentlichen Interesse für Kaufleute mit größerem als dem in Art. 10 bezeichneten Geschäftsbetriebe vorschreibt, aber auch bei diesen nicht ihre Eigenschaft als Kaufleute davon abhängig macht*).     (Ansbach Reg.-Nr. 3.)

## LII.

### Maßstab für Festsetzung von Atzungskosten.

(W. W.- und MGO. Kap. X §. 9 nebst den einschlägigen Bestimmungen der Tarordnung hiezu.)

In einer gegen einen israelitischen Handelsmann zu Würzburg anhängigen Wechselsache war von dem k. Handelsgerichte Würzburg auf klägerischen Antrag der Personalarrest vollzogen, und durch Beschluß vom 7. Januar 1863 der Gesammtaufwand für die Verpflegung des Verklagten auf 54 kr., nämlich auf 6 kr. für das Frühstück, 24 kr. für das Mittagessen, 6 kr. für das Abendessen, 15 kr. für

---

*) Die Motive zum preuß. Entwurf. S. 4 und 5 enthalten die Gründe,

täglich zweimalige Beheizung und 3 fr. Schlafgeld festgesetzt, und hiebei mit Rücksicht auf das Glaubensbekenntniß des Verklagten der Bezug der Kost aus einer israelitischen Garküche gestattet worden. Gegen diese Festsetzung legte der klagende Anwalt unter Bezugnahme auf die b. W.- u. MGO. Kap. X §. 9 und die churpfalzbayer. Wechsel- und Merkantilgerichtstaxordnung vom Jahre 1785 Extrajudizialbeschwerde ein, und zwar sowohl deßhalb, weil dem Verklagten der Bezug der Kost aus einer israelitischen Garküche bewilligt *), als auch deßhalb, weil die Mittagskost zu 24 fr., statt nur zu 12—15 fr., die Auslage für Beheizung aber auf 15 fr., statt nur auf 9 oder doch 12 fr. berechnet wurde.

Durch Urtheil vom 26. Januar 1863 setzte das k. Handelsappellationsgericht die Auslage für die Mittagskost auf 15 fr. täglich fest, bestätigte aber im Uebrigen den unterrichterlichen Beschluß, von nachstehenden Erwägungen ausgehend:

Es kann dem Verklagten zwar nicht zugemuthet werden, seine Kost aus einem beliebigen christlichen Speisehause zu beziehen, sondern er ist ohne Zweifel berechtigt, sich einer seinen Religionsvorschriften gemäß bereiteten Kost zu bedienen, allein es kann daraus nicht eine vermehrte Ausgabe für seine Verpflegung, soweit solche der Gläubiger zu bestreiten hat, abgeleitet werden. Vielmehr ist es seine Sache, wenn er sich der Kost aus einer jüdischen Küche bedienen zu müssen glaubt, und dieselbe dort theurer zu stehen kommt, sich mit der für den festgesetzten Betrag zu beschaffenden geringeren Kost zu begnügen, da der Kläger dem im Wechselarrest befindlichen Schuldner nur die nothwendige Verköstigung zu reichen verbunden ist.

Die Taxordnung zur b. W.- u. MGO. hat zwar für die bessere Kost täglich 8 fr. festgesetzt, indem sie von dem Grundsatze ausgeht, daß nur der nothwendigste Lebensunterhalt gereicht, keineswegs aber dem Schuldner ein gemächliches Leben auf Kosten des Gläubigers gewährt werden soll; diese Bestimmung ist jedoch durch Art. 83 Abs. 2 des Einf.-Ges. zum allg. d. HGB. mit den bisher in einzelnen Landestheilen in Handels- und Wechselsachen in Anwendung gekommenen

---

weßhalb nicht, wie im spanischen Handelsgesetzbuche, im österreichischen Handelsrechte und im Entwurfe eines HG. für Würtemberg die Eigenschaft eines Kaufmanns vom Eintrage in die Handelsmatrikel abhängig gemacht wurde. Vergl. auch Protokolle S. 528 und 1258.

*) Hiedurch erwuchs, da die Garküche vom Arrestlokale sehr entfernt lag, eine besondere Auslage für Trägerlohn.

besonderen Taxordnungen vom 1. Juli 1862 an aufgehoben\*), so daß sie nicht mehr als Vorschrift, sondern nur als Zeugniß der früheren Uebung bei der nun dem Ermessen des Richters anheimgestellten Festsetzung der Verpflegungskosten eines in Wechselarrest befindlichen Schuldners dienen kann. Mit Rücksicht auf die in jetziger Zeit geänderten Lebensverhältnisse und die gesteigerten Preise aller Lebensbedürfnisse erscheint nun dermalen ein Ansatz von 15 kr. für Mittagskost um so mehr vollkommen hinreichend, als noch außerdem 6 kr. für Kaffee und 6 kr. für Abendkost bewilligt wurden, wogegen andererseits die berechnete Heizgebühr von 15 kr. für den ganzen Tag während der Winterszeit nicht zu hoch gegriffen erscheint, da der Verklagte mit Recht ein gehörig erwärmtes Zimmer beanspruchen kann.

(Würzburg Reg.-Nr. 4.)

## LIII.

### Zuständigkeit der Handelsgerichte für Klagen aus einem Anerkenntnisse einer Handelsschuld. — Begriff der Handelsgeschäfte.

Art. 271 Abf. 1. Art. 272, Abf. 1. Art. 273, Art. 4 des a. d. HGB. — Art. 62. Art. 63 Abf. des Einf.-Ges. hiezu.

Das k. Handelsgericht Aschaffenburg hatte die Klage eines Fruchthändlers gegen einen Müllermeister auf Bezahlung des Kaufschillings von 203 fl. für eine gelieferte Quantität Getreide, in welcher auch ein Zahlungsversprechen des Verklagten bezüglich des eingeklagten Betrages behauptet war, wegen mangelnder Zuständigkeit a limine abgewiesen, weil es bezüglich des Liefervertrages selbst an der Angabe der Quantität und Qualität des gelieferten Getreides gebreche, die Klage aus dem Zahlungsversprechen aber nur dann vor die Handelsgerichte gehören würde, wenn dasselbe auf ein Handelsgeschäft sich bezöge, — eine Voraussetzung, die hier nicht vorliege, indem weder die Eigenschaft des Verklagten als eines Kaufmannes, welche die Vermuthung für das Vorliegen eines in dessen Handelsgewerbe vorgenommenen und daher als Handelsgeschäft zu beurtheilenden Geschäftes begründen würde, behauptet sei, noch die Wirkungen eines

---

\*) Hinsichtlich der übrigen nunmehr zur Anwendung kommenden Taxordnungen fehlt es an Ansätzen für die hier in Frage stehenden Posten. Die Praxis hat übrigens diese Ansätze längst als stillschweigend berogirt erachtet.

einzelnen solchen Geschäftes über das Gebiet des Kaufkontraktes erstreckt werden könnten, das Zahlungsversprechen an sich aber kein Handelsgeschäft sei.

Das k. Handelsappellationsgericht sprach auf klägerische Beschwerde durch Urtheil vom 9. Februar 1862 aus, daß die Klage nicht wegen Unzuständigkeit von der Gerichtsschwelle abzuweisen, sondern darauf weiter zu verfügen sei, was Rechtens. In den Gründen ist bezüglich des Zahlungsversprechens als Klagegrundes bemerkt *):

Zwar wäre es möglich, daß das fragliche Kaufgeschäft, sei es auch daß das Getreide zum Verarbeiten und Weiterveräußern gekauft wurde, nur ein vereinzeltes wäre, Verklagter dergleichen Käufe nicht gewerbemäßig triebe, sondern sein Gewerbe auf die Uebernahme der Verarbeitung von Getreide für andere beschränkte. Allein daß dieses der Fall sei, steht zur Zeit keineswegs fest; Appellant hat vielmehr in seiner Berufungsschrift behauptet, daß der Verklagte dergleichen Getreideeinkäufe zum Zwecke der Verarbeitung und Weiterveräußerung gewerbemäßig abschließe, daß er Kaufmann im Sinne des HGB. sei. Zudem ist aber die Annahme nicht ausgeschlossen, daß Verklagter in einem über den Umfang des Handwerkes hinausgehenden Geschäftsbetrieb die Verarbeitung von Getreide für Andere besorge, in welchem Falle derselbe, gleichwie in ersterem, Handelsgeschäfte gewerbemäßig betreiben und daher nach Art. 4 des HGB. als Kaufmann zu betrachten sein würde.

Die von ihm abgeschlossenen Verträge würden hienach gemäß Art. 274 Abs. 1 l. c. im Zweifel als zum Betriebe seines Handelsgewerbes gehörig zu gelten haben, und es wäre diese Annahme für den hier in Frage stehenden Anerkennungsvertrag mit Zahlungsversprechen um so mehr gerechtfertigt, als ja hierin der Klage zufolge Verklagter anerkannt haben soll, dem Kläger für eine von diesem gekaufte Quantität Getreide die Summe von 203 fl. 50 kr. schuldig geworden zu sein, unter dem Versprechen, dieselbe binnen 2 Monaten zu bezahlen.

Stünde aber auch fest, daß Verklagter ein Kaufmann im Sinne des HGB. nicht sei, so würde die Abweisung der Klage a limine auch in diesem Falle nicht gerechtfertigt sein. Denn daß der vor-

---

*) Bezüglich der mangelhaften Angabe des Liefergeschäftes selbst wurde ausgeführt, daß solche einen Grund zur Abweisung der Klage in angebrachter Art, nicht aber wegen Inkompetenz hätte abgeben können.

würdige Kauf zum Zwecke der Verarbeitung und Weiterveräußerung des Getreides erfolgt sei, ist nach dem Stande beider Streittheile mit gutem Grunde anzunehmen, daß aber ein solcher Kauf auf Seite des Verklagten ein Handelsgeschäft sei, nach Art. 271 Abs. 1 außer Zweifel. Da nun unter die nach Art. 62 des Einf.-Ges. zur Zuständigkeit der Handelsgerichte gehörigen Handelssachen nach Art. 63 daselbst alle aus Handelsgeschäften zwischen den Betheiligten entstehenden Rechtsverhältnisse zu zählen sind, so ist auch bezüglich des den 2. Klagegrund bildenden Anerkennungsvertrages und des durch ihn begründeten Rechtsverhältnisses, da solches jenem Handelsgeschäfte seine Entstehung verdankt, die Zuständigkeit der Handelsgerichte als gegeben zu erachten \*).     (Aschaffenburg Reg.-Nr. 8.)

## LIV.

### Einfluß eines vor dem ordentlichen Richter angebrachten Fristen- und Nachlaßgesuches eines Schuldners auf die vor den Handelsgerichten anhängigen Streitsachen desselben.

B. W.- und MGO. Kap. XI §. 1, Kap. X §. 11, GO. Kap. XVIII §. 8 und 9.

In einer bei dem k. Handelsgerichte Passau anhängigen Handelssache hatte der Verklagte gegen den ihm ertheilten Auftrag, binnen 3 Tagen bei Vermeidung der Sperre zu bezahlen, unter dem Vorbringen remonstrirt, daß er bereits bei dem k. Bezirksgerichte Pfarrkirchen ein allgemeines Fristen- und Nachlaßgesuch eingereicht habe, und um Sistirung der Exekution gebeten. Das k. Handelsgericht Passau wies diesen Antrag ab, welcher Ausspruch auf Beschwerde des Verklagten durch Urtheil des k. Handelsappellationsgerichtes vom 12. Februar 1863 bestätigt wurde \*\*).

---

\*) Ueber die Frage, ob die Ausstellung jenes Anerkenntnisses nicht eine die handelsgerichtliche Zuständigkeit ausschließende Novation enthalte, hat sich das k. Handelsappellationsgericht nicht ausdrücklich ausgesprochen, es ist jedoch diese Frage nach Inhalt vorstehender Motivirung als stillschweigend verneint zu erachten. Einen ausdrücklichen Ausspruch hierüber zu erlassen, war bei der Art der Motivirung des unterrichterlichen Bescheides keine Veranlassung gegeben.

\*\*) Es wäre sehr zu wünschen, daß in diesem Punkte die Gerichte mit großer Strenge verfahren möchten, denn eine gewöhnliche Manipulation

In den Gründen des zweitrichterlichen Urtheiles kommt vor:

Im gegebenen Falle handelt es sich nicht um Sistirung der Exekution aus einem der im Kap. XI §. 1 der b. W.- und MGO. aufgeführten, die handelsgerichtliche Kompetenz zur Vornahme von Vermögensexekutionen ausschließenden Grunde *), indem Verklagter das Vorhandensein eines solchen Grundes gar nicht behauptet hat, sondern um Würdigung einer nach Kap. X §. 11 a. a. O. und GO. Kap. XVIII §. 8 und 9 zulässigen Exekutionseinrede. Die Prüfung der Frage, ob diese Einrede begründet und auf Grund derselben das handelsgerichtliche Exekutionsverfahren bis zur Erledigung des Fristen- und Nachlaßgesuches bei dem ordentlichen Richter zu sistiren sei, steht dem Handelsrichter, dessen Kompetenz in der bei ihm anhängigen speziellen Streitsache durch die Einbringung eines solchen Gesuches bei dem ordentlichen Richter in keiner Weise beeinträchtigt wird, ganz unabhängig von den Verfügungen des ordentlichen Richters zu. Die Anberaumung einer Tagfahrt zur Verhandlung über ein Gesuch dieser Art, die Einstellung der Partikularexekutionen von Seite des letzteren binden den Handelsrichter in keiner Weise, er ist berechtigt, trotz der Berufung des Beklagten auf ein von ihm eingereichtes Nachlaßgesuch in den seiner Zuständigkeit unterworfenen Spezialsachen mit der Exekution insolange fortzufahren, als nicht eine der Voraussetzungen des Kap. XI §. 1 der b. W.- und MGO. eingetreten ist, oder eine in der Exekutionsinstanz zulässige und rechtzeitig vorgebrachte Einrede ihm die Sistirung der Exekution als begründet erscheinen läßt. Hieraus geht aber weiter hervor, daß eine solche Einrede auch sofort ihm gegenüber urkundlich dargethan werden muß, daß also, wenn sich Verklagter, wie hier, auf ein eingerichtetes Fristen- und Nachlaßgesuch beruft, ihm nicht blos dieses Gesuch nach seinem Inhalte vorgelegt werden, sondern aus demselben zugleich hervorgehen muß, daß alle Erfordernisse vorhanden sind, unter welchen nach §. 70 der Prozeßnovelle vom 17. November 1837 die Minderheit der Gläubiger verpflichtet ist, sich den Beschlüssen der Mehrheit zu unterwerfen. Sind diese Voraussetzungen gegeben, so ist allerdings der Handelsrichter berechtigt, das von ihm eingeleitete Exekutionsverfahren bis zur Erledigung des allgemeinen Fristen- und Nachlaßgesuches vor dem ordentlichen Richter zu sistiren.

---

zahlungsflüchtiger Schuldner ist es, eine Insolvenzanzeige einzureichen und um Sistirung aller Partikularexekutionen zu bitten.

*) Vgl. Zeitschr. Bd. X S. 197.

(Im Weiteren wurde nun aber gezeigt, daß im gegebenen Falle diefe Vorausfezungen nicht vorhanden feien.)

(Paffau Reg.-Nr. 20.)

## LV.

**Die Einrede des Macedonianifchen Rathfchluffes fchüzt den Haussohn nicht gegen Bezahlung einer übernommenen Wechselverpflichtung.**

Art. 1 und 81 der a. d. WO. *)

In einer bei dem k. Handelsgerichte München l/J. anhängigen Wechselsache hatte der noch unter väterlicher Gewalt befindliche zu München wohnhafte Verklagte der Klage die Einrede des Macedon. Rathschluffes entgegengesetzt, wurde jedoch unter Verwerfung diefer Einrede zur Zahlung verurtheilt, und diefer Ausspruch auf eingelegte Beschwerde in II. Instanz bestätigt. In den Gründen des oberrichterlichen Erkenntniffes vom 22. Dezember 1862 kommt vor:

1) Nach Art. 1 der a. d. WO. ist wechselfähig Jeder, welcher sich durch Verträge verpflichten kann. Das hier zur Anwendung kommende bayer. Landrecht hat dem großjährigen Haussohne die Vertragsfähigkeit nicht entzogen, sondern demselben nur gegen eine gewiffe Art von Verträgen, die Darlehensverträge, eine Einrede gegeben, mit welcher er sich von der wider ihn erhobenen Darlehensklage befreien kann. (Vergl. Thl. I Kap. V §. 2. Thl. IV Kap. I §. 4 Annot. zu lezter Stelle Nr. 10.) Wenn nun hiernach sogar jene vom Haussohne eingegangene Darlehensverträge giltig find, gegen welche sich derselbe jener Einrede nicht bedient, so kann aus diefer beschränkten Wirksamkeit gewiffer Verträge des Haussohnes noch viel weniger auf deffen allgemeine Vertragsunfähigkeit ein Schluß gezogen werden. Ist er aber vertragsfähig, so ist er auch wechselfähig.

2) Die civilrechtliche Einrede, die den Haussohn gegen die Klage aus dem Darlehen schüzt, ist ohne Belang gegen die Klage aus einem von dem Haussohne ausgestellten Wechsel **). Denn die

---

*) Vergl. hierüber auch Zeitschr. f. S u. R. Bd. IV S. 433, dann Renaud, Lehrbuch S. 201 Nr. 10.

**) Im entgegengesetzten Sinne sprach das Oberappellationsgericht zu Dresden. Vgl. Borchardt 2. Auflage S. 5; ebenso Hoffmann, Kommentar S. 172.

Wechselschuld besteht unabhängig von dem ihr unterliegenden Rechtsverhältnisse; mag auch in dem Wechsel einer Baarvaluta Erwähnung geschehen sein, so ändert dieser Umstand nichts an der von jedem materiellen Rechtsgrunde befreiten Natur des Wechsels; der Wechselschuldner muß zahlen, weil er den Wechsel ausgestellt, nicht weil er gegen Ausstellung des Wechsels ein Darlehen erhalten hat oder die Ausstellung des Wechsels für eine Gegenleistung geschehen ist.

Wollte man aber auch ein Zurückgehen auf das dem Wechsel unterliegende Rechtsverhältniß dann für statthaft erklären, wenn der Mangel jeden Grundes der Wechselobligation oder die Ungesetzlichkeit oder sonstige Ungiltigkeit der Rechtsursachen, aus welchen dieselbe hervorgegangen, nachgewiesen zu werden vermöchte, so könnte dies auf das einem Haussohne gegebene Darlehen doch deßhalb keine Anwendung finden, weil, wie schon bemerkt, die Wirksamkeit eines solchen Darlehens nur durch eine Einrede beseitigt wird, dasselbe aber nicht von vorneherein ungiltig ist.

(München 1/3. Reg.-Nr. 54.)

## LVI.
### Berufung der Ehefrau auf die weiblichen Rechtswohlthaten.
#### Art. 1 und Art. 81 der allg. d. WO.

Die Eheleute M. und N. N. zu Fürth (im Gebiete des pr. LR.) hatten gemeinsam einen Solawechsel unterzeichnet; die bei nicht erfolgter Zahlung gegen sie gestellte Klage wurde durch Bescheid des k. Handelsgerichts Fürth vom 12. Januar 1863 in der Richtung gegen die Ehefrau N. N. als unstatthaft zurückgewiesen, da die Bestimmungen des preußischen Landrechtes Thl. I Tit. 14 §. 221 u. ff., dann Thl. II Tit. 1 §. 341 und ff. durch Art. 1 der a. d. WO. nicht aufgehoben seien*).

---

*) Nach diesen Bestimmungen ist, wenn eine Manns- und Frauensperson sich in einem Instrumente als Selbstschuldner verpflichtet haben, gesetzlich zu vermuthen, daß die Mannsperson Hauptschuldner, die Frauensperson lediglich Bürge sei, und gemäß Thl. II Tit. 1 §. 343 und 344 ist die Bürgschaft der Ehefrau für den Mann nur giltig, wenn sie gerichtlich mit Zuziehung eines ihr bestellten rechtskundigen Beistandes erfolgt und die in Thl. I Tit. 14 §. 221 ff. näher bezeichnete Verwarnung geschehen und nachgewiesen ist, welch' letztere Momente sämmtlich im ge-

Das k. Handelsappellationsgericht zu Nürnberg änderte diesen Beschluß durch Erkenntniß vom 9. Februar 1863 ab, von der Ansicht ausgehend, daß die Vorschriften der Gesetze, wonach die Bürgschaften der Frauen und Ehefrauen an gewisse Formen und Verwahrungen geknüpft sind, auf das Wechselrecht keine Anwendung finden können.

In dieser Beziehung bemerken die Entscheidungsgründe:

Nach Art. 81 der a. d. WO. verbindet das Gesetz die Absicht, wechselmäßig zu haften, schlechthin mit der Unterzeichnung des Wechsels, und es muß der Unterzeichnende, falls er die Uebernahme der Verpflichtung überhaupt nicht oder nicht in ihrem vollen Umfange will, solches seiner Namensunterschrift ausdrücklich beisetzen. Es enthält also auch jede Mitunterschrift auf dem Wechsel, da sie eine Unterschrift des Wechsels ist, soferne sie nicht ausdrücklich und bestimmt in ihrer Bedeutung beschränkt wird, die Uebernahme der vollen wechselmäßigen Haftung und Verpflichtung *), und selbst wenn der Unterzeichnende sich dabei nur als Bürge benannt hat, tritt er nach der ausdrücklichen Vorschrift des Art. 81 der a. d. WO. (Abs. 1 am Ende) nicht wie bei der gewöhnlichen Bürgschaft accessorisch für den Schuldner ein, sondern es trifft ihn vermöge seiner Unterschrift die wechselmäßige Verpflichtung als solche **). Auch in diesem Falle ist sein Verpflichtungsgrund nicht die durch Interzession übernommene Schuld dessen, mit dessen Unterschrift er seine Unterschrift in Verbindung bringt, sondern das vermittelst seiner eigenen Unterschrift auf dem Wechsel eingegangene absolute Zahlungsversprechen. Seine Verbindlichkeit ist nicht wie die gewöhnliche Bürgschaft von der Verbindlichkeit eines Hauptschuldners abhängig, so daß sie nur insolange und in soweit wirkt, als die Obligation des Dritten wirksam ist***); vielmehr ist sie so sehr eine prinzipale und selbständige, daß selbst eine Fälschung der ersten Unterschrift für den Mitunterzeichner ohne Einfluß bleibt. (Art. 75 der a. d. WO.)

---

gebenen Falle mangelten; allein diese Vorschriften sind wohl nach Thl. II Tit 8 §. 786 schon nach pr. LR. auf die Mitunterzeichnung von Wechseln nicht anwendbar.

*) Vergl. Volkmar und Loewy, deutsche Wechselordnung. Berlin 1862 S. 283.

**) Vgl. Motive zum I. preußischen Entwurf S. 49.

***) Vgl. Thöl, Handelsrecht S. 267; v. Gerber, deutsches Privatrecht §. 216.

Nach diesem stellt sich aber die Ehefrau R., indem sie den in Frage stehenden Wechsel gezeichnet hat, nicht als Bürgin ihres mitunterzeichneten Ehemannes im civilrechtlichen Sinne dar, sondern sie erscheint als Prinzipalschuldnerin, ebenso als wenn sie den Wechsel allein gezeichnet, acceptirt oder girirt hätte, und sie kann sich deßhalb auf die vom Gesetze den Frauen und Ehefrauen, falls sie als Bürginnen belangt werden, eingeräumten Rechtswohlthaten nicht berufen. Sie kann dieß aber auch nicht etwa deßhalb, weil der Grund, warum sie die Wechselverbindlichkeit einging, eine Interzession für ihren Ehemann gewesen sei; denn bei der streng formalen Rechtsnatur des Wechsels finden gegen das durch denselben eingegangene absolute Summenversprechen Einreden aus dem unterliegenden Rechtsverhältnisse nicht statt*).

Aus diesen Gründen ist die gegen die Ehefrau R. gerichtete Wechselklage nicht deßhalb als unstatthaft zu erklären, weil sie gegen die Vorschriften des preuß. Landrechtes Thl. I Tit. 14 § 221 ff. und Thl. II Tit. 1 § 341 ff. verstoße, — abgesehen davon, daß diese Vorschriften jedenfalls nur Anlaß zu einer Einrede, niemals aber zur Abweisung der Klage von Amtswegen hätten bieten können **).

(Fürth Reg.-Nr. 8).

---

*) Ebenso entschied das Obergericht zu Wolfenbüttel (Zeitschrift für Rechtspflege in Braunschweig 1855 S. 153) und das Obertribunal zu Berlin in wiederholten Erkenntnissen (vgl. Borchard S. 8). (Vgl. auch Gelpke in der Zeitschr. für Handelsrecht Heft 3 S. 131.) Auch war dieß die bisherige Praxis der bayer. Wechselappell.-Gerichte (vgl. Zeitschr. für Gesetzg. und Rechtspfl. Bd. II S. 483, 485; Bd. IV S. 434; Bd. VI S. 116). — Dagegen lassen die Oberappellationsgerichte zu Darmstadt und Dresden die exceptio ex SCt. Vellejani unbedingt, das Obertribunal zu Stuttgart und das Oberappellationsgericht zu Frankfurt wenigstens dem unmittelbaren Kontrahenten gegenüber zu; ebenso Renaud, Lehrb. S. 202 Note 13.

**) Eine andere Frage ist es, inwieweit der Ehefrau etwa Einwendungen aus einer Beschränkung ihrer Vertragsfähigkeit vermöge des ehelichen Güterstandes zustehen, und ferner, wenn nach diesem Güterstande die Eingehung einer Wechselverbindlichkeit nur mit Zustimmung des Ehemannes erfolgen kann, ob diese Zustimmung in der auf dem Wechsel befindlichen Unterschrift des Mannes gefunden werden könne.

## LVII.

Die Bestimmung der Zahlungszeit eines Wechsels mit den Worten: „An Michaeli" in Verbindung mit der Jahreszahl genügt der Vorschrift des Art. 4 Nr. 4, Art. 96 Nr. 4 der a. d. WO.

Das k. Handelsgericht Schweinfurt hatte die Klage des Inhabers eines eigenen Wechsels gegen den Aussteller des letzteren, welcher hierin „an Michaeli" zu zahlen versprochen hatte, aus dem Grunde a limine abgewiesen, weil dieser Wechsel eine wechselordnungsmäßige Bestimmung der Zahlungszeit nicht enthalte.

Auf erhobene klägerische Beschwerde erkannte das k. Handelsappellationsgericht am 21. Januar 1863, daß die Klage nicht a limine abzuweisen, sondern weitere sachgemäße Verfügung darauf zu erlassen sei, von folgenden Erwägungen ausgehend:

Nach Art. 4 Nr. 4 und Art. 96 Nr. 4 gehört zu den wesentlichen Erfordernissen eines jeden Wechsels die Bestimmung der Zeit, zu welcher gezahlt werden soll, und es kann diese Zahlungszeit nur festgesetzt werden:

a) auf einen bestimmten Tag,

b) auf Sicht oder auch eine bestimmte Zeit nach Sicht,

c) auf eine bestimmte Zeit nach dem Tage der Ausstellung, endlich

d) auf eine Messe oder einen Markt.

Von diesen Arten der Bestimmung der Zahlungszeit ist nun die unter lit. a bemerkte hier als gegeben zu erachten.

Denn die Eingangsworte des Wechsels: „An Michaeli dieses Jahres" lassen nicht den mindesten Zweifel darüber, daß derjenige, welcher den Wechsel schrieb[*] und sonach auch der Aussteller desselben, da er dessen Inhalt durch seine Namensunterschrift anerkannte, hiemit nichts Anderes habe sagen wollen, als daß am Michaelitage gezahlt werden solle. Auch ist durch die beigefügten Worte: „dieses Jahres" im Zusammenhalte mit dem Datum des Wechsels, dem 16. Juni 1862, deutlich ausgedrückt, daß die Zahlung am Michaelitage 1862 erfolgen solle. Da nun aber der Michaelitag in jedem Jahre der 29. September ist, so ist außer Zweifel, daß der Aussteller sich

---

[*] Der Kontext des Wechsels war von einer andern Hand als der des Ausstellers geschrieben.

habe verpflichten wollen und verpflichtet habe, an diesem Tage den Wechsel zu zahlen.

In den Protokollen der Leipziger Konferenz zur Berathung der a. b. WO. S. 14 heißt es zwar:

„Auf die Bemerkung, daß hie und da die christlichen Feste, z. B. Ostern, Weihnachten 2c. oder auf andere Weise bestimmte Zeitabschnitte, z. B. in Mecklenburg der Antonitermin und der Johannistermin, als Zahlungszeit häufig vorkommen, war man der Meinung, daß dieser Gebrauch in Beziehung auf Wechsel auszuschließen sei."

Allein diese Bemerkung erklärt sich daraus, daß die erstgenannten Feste bekanntlich nicht blos aus einem, sondern aus zwei Feiertagen bestehen, und sich deßhalb Streit darüber hätte ergeben können, ob der erste oder zweite derselben als Verfalltag in Betracht zu kommen habe, während unter den zuletzt erwähnten Zahlungszeiten nur bestimmte Zeitabschnitte oder Termine, innerhalb deren oder bis zu denen die Zahlung eines Wechsels zu erfolgen habe, verstanden wurden *).

Ist dagegen, wie hier, die Zahlungszeit durch Benennung eines bestimmten, allgemein bekannten Kalendertages mit Angabe des ihn in sich fassenden Jahres angegeben, so ist den Vorschriften der WO. Genüge geleistet **).　　　　　　　　　(Schweinfurt Reg.-Nr. 3.)

## LVIII.

### Präsentation eines auf Sicht gestellten Wechsels zur Annahme.

#### Art. 31, 18 der ADWO.

Die Handlung M. und Komp. zu U. zog von dort am 17. Nov. 1862 einen bei Sicht an ihre eigene Ordre zahlbaren Wechsel über

---

*) Als eine solche Frist ist aber „Michaeli" nicht anzunehmen, wenn auch nach einigen Lokalgebräuchen Miethzinse, Ewiggeldgilten und selbst Hypothekzinsen, die zu Michaeli fällig sind, zwischen dem 15. September bis 15. Oktober gezahlt werden dürfen, auch eine 14 Tage vor oder 14 Tage nach dem 29. September erfolgte Kündung als zu Michaeli geschehen angesehen wird; denn hierin liegt nur ein herkömmliches Respiro; wahrer Verfalltag bleibt doch immer der 29. September.

**) Hiefür haben sich nachstehende Kommentare ausgesprochen: Brauer S. 35, Bluntschli S. 27, Liebe S. 49, Hoffmann S. 193.

den Betrag von 305 fl. 27 kr. auf den Schuhmacher P. zu E., und fügte diesem Wechsel sofort selbst die Worte: „Angenommen U. den 17. November 1862" bei, unter welche der Bezogene P. bei Vorzeigung des Wechsels seine Unterschrift setzte.

Auf Grund dieses Acceptes erhob am 7. Januar 1863 die Handlungsfirma M. und Komp. unter dem Anführen, daß bis zur Stunde noch keine Zahlung erfolgt sei, gegen den Acceptanten P. wegen Bezahlung der Wechselschuld bei dem k. Handelsgerichte Augsburg Klage. Durch Beschluß vom 13. Januar 1863 wies jedoch das gedachte Gericht die Klage zur Zeit ab, welcher Beschluß auf klägerische Beschwerde durch Urtheil des k. Handelsappellationsgerichtes vom 2. Febr. 1863 aus folgenden Gründen bestätigt wurde:

Nach Art. 31 der ADWO. ist ein auf Sicht gestellter Wechsel bei der Vorzeigung fällig. Diese Bestimmung setzt aber voraus, daß die Vorzeigung zur Zahlung geschehen sei. Nun wird zwar ein auf Sicht gestellter Wechsel in der Regel nicht vorher acceptirt, und es fällt daher in diesem Falle die Präsentation zur Annahme und zur Zahlung zusammen *). Allein es ist nirgends in der ADWO. untersagt, auch einen reinen Sichtwechsel zur Annahme zu präsentiren, vielmehr räumt der Art. 18 jedem Inhaber eines trassirten Wechsels dieses Recht ausdrücklich ein. Ergibt sich demnach in einem gegebenen Falle, daß die Präsentation eines Sichtwechsels nicht sowohl zur Zahlung als zum Behufe vorgängiger Annahme erfolgt sei, so kann auch nicht gesagt werden, daß mit der geschehenen Acceptation oder vielmehr mit der lediglich zu diesem Zwecke erfolgten Vorzeigung der Wechsel fällig sei; die Fälligkeit des Wechsels tritt in Gemäßheit der Vorschrift des Art. 31 erst dann ein, wenn der vorerst acceptirte Wechsel dem Acceptanten in der Folge behufs der Zahlung vorgezeigt worden ist. Der vorliegende Wechsel ist ein reiner Sichtwechsel, gezogen von dem Kläger auf den Beklagten an eigne Ordre ohne Indossament. Derselbe wurde sogleich am Tage seiner Ausstellung, den 17. Novbr. 1862, dem Verklagten, Trassaten, vorgezeigt und von diesem unter dem nämlichen, vom Trassanten selbst beigesetzten Datum acceptirt. Hieraus muß gefolgert werden, daß die Vorzeigung von Seite des Trassanten an den Trassaten zunächst geschehen ist, um durch das beigesetzte Accept einen wechselmäßigen An-

---

*) Dieß wird von besonderer Wichtigkeit hinsichtlich des Anfanges der Verjährungszeit. Vgl. Hoffmann, Kommentar S. 561.

spruch gegen den letzteren zu erwerben, oder doch, daß Trassant, da die Honorirung nicht sofort erfolgte, sich vorläufig mit der Acceptation begnügte, und nach beiderseitiger Willensmeinung die Honorirung erst bei wiederholter Präsentation zur Zahlung geschehen sollte. Es fallen also im gegebenen Falle Präsentation zur Annahme und zur Zahlung nicht zusammen, und da weder aus dem Wechsel noch in anderer Weise ersichtlich oder auch nur behauptet ist, daß mittlerweile — was unmittelbar nach der Acceptation hätte geschehen können — die Vorzeigung des Wechsels zur Zahlung geschehen sei, so war eine Verbindlichkeit des Acceptanten zur Zahlung noch nicht eingetreten, weßhalb die Abweisung der Klage zur Zeit als gerechtfertigt sich darstellt. (Augsburg Reg.-Nr. 6.)

## LIX.

**Bei einfachen Domizilwechseln ist Protesterhebung zur Erhaltung des Wechselrechtes gegen den Acceptanten nicht erforderlich.**

### Art. 43 der ADWO.

Dieser Satz wurde in einem Erkenntnisse des k. Handelsappellationsgerichtes vom 26. Februar 1863 ausgesprochen und zur Motivirung desselben bemerkt:

Die Annahme, daß bei einfachen Domizilwechseln, d. h. solchen, bei welchen ein Domiziliat nicht genannt ist, die rechtzeitige Protesterhebung zur Erhaltung des Wechselrechtes auch gegenüber dem Acceptanten erforderlich sei, hat nicht nur den Wortlaut des Art. 43 Abs. 2 der ADWO. gegen sich, indem die hierin enthaltenen Worte: „bei dem Domiziliaten" ganz überflüssig wären, wenn sich derselbe auf alle domizilirte Wechsel ohne Ausnahme bezöge, sondern auch die Geschichte der Entstehung der fraglichen Gesetzesbestimmung *).

Die Vorschrift des dem Art. 43 der ADWO. entsprechenden §. 41 des Preußischen Entwurfes hat nämlich in der Bemerkung der mit Begutachtung dieses Entwurfes betrauten Kommission ihren Grund, daß im Falle der Benennung eines Domiziliaten der Bezogene bei der rechtzeitigen Präsentation und Protestation dasselbe Interesse habe,

---

*) Protokolle, Seite LVIII u. S. 83 ff., S. 257, 258.

wie der Aussteller. In den Motiven zu fraglichem Entwurfe selbst ist sodann bemerkt, daß mit Rücksicht darauf, daß das Verhältniß des Acceptanten zum Domiziliaten dem des Ausstellers zum Bezogenen in der Rücksicht, aus welcher man zur Erhaltung des Regresses gegen den Aussteller die Protesterhebung verlangt, im Wesentlichen gleich sei, das Wechselrecht auch gegen den Acceptanten durch die Protesterhebung beim Domiziliaten zu bedingen sei. Dieser Ausführung trat auch die Leipziger Konferenz bei und es wurde von der Versammlung allseitig anerkannt, daß die Folge der Präjudizirung des Wechsels gegenüber dem Acceptanten wenigstens dann nicht eintrete, wenn der am Zahlungsorte aufzusuchende Zahler nicht ein Dritter, sondern der Acceptant selbst sei. Diesem Beschlusse entsprechend wurde von der Fassungskommission zu dem von ihr aufgestellten §. 44 des Entwurfes, welcher dem §. 43 des schließlichen Entwurfes entspricht, ein Beisatz dahin aufgenommen, daß in dem Falle der Versäumung des rechtzeitigen Protestes beim Domiziliaten der wechselmäßige Anspruch auch gegen den Acceptanten verloren gehe, „jedoch nur in dem Falle, wenn der am Zahlungsorte aufzusuchende Zahler nicht der Acceptant selbst ist." Bei Berathung des gedachten Entwurfes der Fassungskommission wurde nun zwar der Abstrich jenes Zusatzes beschlossen, jedoch nur deßhalb, weil derselbe unnöthig sei, indem für den Fall, daß der Acceptant eine Zahlungsadresse nicht beigefügt habe, und demnach selbst der am Zahlungsorte aufzusuchende Zahler sei, von einer Protesterhebung beim Domiziliaten keine Rede sein könne, woraus sich ergibt, daß die Bestimmung des Abs. 2 a. a. O. auf einfache Domizilwechsel nicht zu beziehen ist[*]).

(Aschaffenburg Reg.-Nr. 9.)

## LX.

Inhalt und Umfang einer Handlungsvollmacht. — Unterschied von einem gewöhnlichen Auftrag.

Art. 47, 52 u. 298 des allg. d. HGBuches.

Eine Stuttgarter Handlungsfirma hatte am 26. Oktober 1862 gegen den Hofbesitzer M. zu H. auf Lieferung einer Quantität Pech,

---

[*]) Vgl. Verhandlungen der Nürnberger Konferenz S. LIII und die daselbst aufgeführten Schriftsteller.

welche nach ihrer Behauptung der Holzhändler H. im Auguſt 1862 in ihrem Auftrage und Namen bei M., bis 15. Oktober zu München zu liefern, beſtellt hatte und eventuell auf Zahlung der Differenz zwiſchen dem Ankaufspreiſe und den Preiſen zur Zeit der Lieferung bei dem k. Handelsgerichte München r/J. Klage erhoben. Der Verklagte gab den Abſchluß eines ſolchen Lieferungsvertrages zu, behauptete aber insbeſondere, daß H. bei dem Vertragsabſchluſſe ohne Vollmacht des Klägers und in eigenem Namen gehandelt habe, überdieß ſpäterhin laut Uebereinkunft vom 25. September 1862 gegen Zahlung einer Abfindungsſumme von 365 fl. vom Vertrage zurückgetreten ſei und auch Kläger ſelbſt, als er hievon Kenntniß erhalten, keine Anſprüche an ihn, den Verklagten, mehr machen zu wollen erklärt habe.

Das k. Handelsgericht München erkannte auf Beweis der widerſprochenen und für relevant erachteten Thatumſtände, und zwar unter Anderem für die Kläger über die Auftragsertheilung an ꝛc. H. und den Abſchluß des Lieferungsvertrages in ihrem Namen, für den Verklagten bezüglich der ebenerwähnten Verzichtserklärung des Klägers ſelbſt.

Hiegegen legte Verklagter Berufung ein, weil überhaupt auf Beweis erkannt und nicht vielmehr ſeine definitive Entbindung von der Klage ausgeſprochen wurde, welche Beſchwerde er lediglich durch die Bezugnahme auf die nach ſeiner Anſicht hier Anwendung findenden Art. 47 und 52 des ADHG. wonach H., wenn mit Eingebung des Lieferungsvertrages beauftragt, auch zu deſſen vom Kläger nicht widerſprochenen Auflöſung befugt geweſen ſei, zu begründen ſuchte. Durch Urtheil vom 29. Januar 1863, beſtätigte indeſſen das k. Handelsappellationsgericht den erſtrichterlichen Beſcheid und zwar aus nachſtehenden Gründen:

Der Art. 47 des HGB. bezieht ſich ſowohl nach ſeiner Stellung im Tit. 5 des I Buches als nach der in ihm ſelbſt enthaltenen Einſchaltung lediglich auf Handlungsbevollmächtigte*). Wer nämlich in einem Handelsgewerbe von dem Prinzipale zu deſſen Stellvertretung nach Außen, ſei es auch nur bezüglich einzelner Geſchäfte, worunter jedoch das Geſetz immer einen, wenn auch kleinen, Kreis von Befugniſſen, ein wenn auch beſchränktes Gebiet handelsgewerblicher Thätigkeit verſteht, beſtellt iſt, der bedarf zu jenen Geſchäften reſp.

---

*) Vgl Protokolle S. 4515.

Rechtshandlungen, welche innerhalb des ihm angewiesenen Gebietes seiner Thätigkeit liegen, keiner weiteren Spezialvollmacht. Die ihm für ein gewisses Geschäft ertheilte Vollmacht erstreckt sich nach der vom Gesetze aufgestellten Präsumtion auch ohne spezielle Anführung in derselben auf alles dasjenige, was die Ausführung derartiger Geschäfte gewöhnlich mit sich bringt. Was hieher zu rechnen, ist mit Rücksicht auf die erfolgte Bestellung eine rein thatsächliche Frage *).

Als Handlungsbevollmächtigter gilt aber nach dem angeführten Artikel nur derjenige, welcher von dem Prinzipal zur Vornahme von Rechtsgeschäften in seinem Handelsgewerbe bestellt ist, welcher also einerseits als eine zu einem bestimmten Handelsgewerbe als Ganzes gehörige Person sich darstellt, andererseits mit Rücksicht auf diese Stellung zur Stellvertretung des Prinzipals in seinem Handelsgewerbe in größerem oder geringerem Maße ermächtigt ist. Die Frage, ob dieß der Fall, ist ebenfalls eine rein thatsächliche.

Nun läßt sich aber weder aus den Akten entnehmen, noch hat der Verklagte selbst behauptet, daß der Holzhändler H. zu den vom Kläger in seinem Handelsgewerbe angestellten Personen gehöre, Handlungsbevollmächtigter desselben sei, — die Klage stützt sich vielmehr lediglich auf die Behauptung, daß H. bei dem in Frage stehenden Lieferungskaufe als einfach Bevollmächtigter des Klägers gehandelt habe. Es können daher bei Beurtheilung dieses Rechtsverhältnisses nur jene Grundsätze zur Anwendung kommen, welche für den Vollmachtsvertrag im Allgemeinen gelten und bezüglich der einfachen Vollmacht zu Handelsgeschäften speziell im Art. 298 des ADHGB. ausgesprochen sind. In diesem Artikel ist aber in Betreff des Verhältnisses zwischen dem Vollmachtgeber, dem Bevollmächtigten und dem Dritten, in welchem der Bevollmächtigte Namens des Vollmachtgebers das Geschäft schließt, zwar auf den Art. 52, nicht aber auf den Art. 47 Bezug genommen, womit die ganze Argumentation des Appellanten als haltlos zusammenfällt.

Stellt sich hiernach H. als einfacher Bevollmächtigter des Klägers dar, so war derselbe auch nur zu jenen Handlungen für letzteren ermächtigt, welche ihm in der ertheilten Vollmacht übertragen wurden, also zum Abschlusse des Lieferungsvertrages, nicht aber, nachdem der Abschluß vollzogen und dem Auftraggeber nach Art. 52 l. c. ein Recht hieraus erworben war, auch zur Wiederauflösung desselben.

---

*) Vgl. v. Hahn, Kommentar zum ADHG. S. 130.

Daß aber etwa H. auch zur Wiederauflöſung des Vertrages von dem
Kläger ſpeziell ermächtigt geweſen ſei, hat Verklagter, abgeſehen
von der unrichtigen Folgerung, die er aus dem Abſchluß des Ge=
ſchäfts zieht, ebenſowenig behauptet, als das Beſtehen eines allge=
meinen Auftragsverhältniſſes zwiſchen Kläger und H. zum Abſchluſſe
derartiger Lieferungsgeſchäfte.

(München r/J. Reg.=Nr. 14.)

## LXI.
### Bedeutung des Termines zur Wechſelproduktion.
**W. = u. MGO. Kap. III §. 1—3. BGO. Kap. XI §. 5 Nr. 4. 5 u 8.**

Auf die Wechſelklage des A. A. wurde von dem k. HG. München
l/J. „Kommiſſion zum Sühneverſuch, Produktion der Originalurkunden
und ſummariſchen Verhandlung der Sache" auf den 27. Dezember
10—11 Uhr anberaumt*). Zu der 10. Stunde erſchien der Anwalt
des Beklagten, wartete bis die Uhr auf der Frauenkirche eilf Uhr aus=
geſchlagen hatte, und ſtellte dann den Antrag: „den Kläger mit dem
zu probuzirenden Wechſel auszuſchließen, demgemäß mit ſeiner Klage
als fällig zu erachten und Erkenntniß zu fällen". Noch während des
Diktirens des Antrages erſchien der Kläger, produzirte den mit der
Klage bereits vorgelegten Originalwechſel und bat: „denſelben dem Be=
klagten zur Erklärung über deſſen Aechtheit und zum Vorbringen wech=
ſelmäßiger Einreden vorzulegen". Der Anwalt des Beklagten ließ
hierauf lediglich zu Protokoll konſtatiren, daß es bereits 11 Uhr ge=
ſchlagen gehabt, als Kläger erſchien, und entfernte ſich, worauf Kläger
den Antrag ſtellte, „den Beklagten mit ſeinen Einreden auszuſchließen,
ſohin den Wechſel als anerkannt zu erachten und ſeiner Klagbitte ge=
mäß Erkenntniß zu fällen".

Das k. Handelsgericht München l/J. reaſſumirte durch Beſchluß
vom 5. Januar 1863 in der Erwägung, daß das Beharren auf dem
Kontumazialantrage Seitens des Beklagten als Chikane ſich darſtelle,
die Kommiſſion „auf Koſten des Klägers, der durch ſein verſpätetes
Erſcheinen zu der Vereitelung der Tagsfahrt Veranlaſſung gegeben".

---

*) Die Klage war am 25 Novbr. eingelaufen; der erſte auf 16. Dezbr.
anberaumt geweſene Termin wurde ohne Verhandlung reaſſumirt. Dieſe
Reaſſumtionen, welche die Anwälte bereitwilligſt einander zu gewähren
pflegen, ſind ein Hauptgrund der langſamen Rechtshülfe bei den Ge=
richten, bei welchen dieſes hergebracht iſt.

**10 \***

Nunmehr wurde verhandelt, Erkenntniß gefällt und dann von beiden Parteien*) Berufung ergriffen, vom Beklagten vorerst gegen den Erlaß vom 5. Januar.

In der Berufungsschrift war zuerst bemerkt, daß es Pflichtverletzung eines Anwaltes wäre, wenn er aus „Kollegialität" gegen seinen Mit= anwalt einen prozessualen Vortheil aufgeben würde; nachdem nun fest= stehe, daß der Kläger an der Tagsfahrt vom 27. Dezember in der fest= gesetzten Kommissionsstunde nicht gehandelt habe, habe er an diesem Tage überhaupt nicht mehr handeln können. Dieses sei erstrichter= lich selbst anerkannt worden, da die nach abgelaufener Kommissionszeit gleichwohl noch zugelassene Handlung hinterher als wirkungslos behan= delt worden sei. Folge der Unterlassung der rechtzeitigen Handlung sei aber Ausschluß mit derselben, zumal da Kläger auch nicht rechtzeitig, überhaupt gar nicht eine Reassumtion beantragt habe.

Die Nebenverantwortung hielt daran fest, daß auf Grund der

---

*) Kläger hatte darüber appellirt, daß das Erkenntniß dem klagenden In= dossatar den Eid darüber auferlegt hatte : „daß er bei Uebernahme des Wechsels davon keine Kenntniß gehabt habe, daß an der hier eingeklag= ten Wechselforderung an den ursprünglichen Wechselgläubiger, den In= dossanten, schon 94 fl. baar bezahlt und 50 fl. durch Ueberlassung von Bildern an Zahlungsstatt berichtigt worden seien".

Das k. Handelsappellationsgericht änderte durch Erkenntniß vom 19. März 1863 diesen Ausspruch ab und verurtheilte den Beklagten sofort zur Zahlung; außer dem für diese Ansicht in dem früheren Erkennt= nisse (oben S. 85, 86) bereits aufgeführten Gründen wurde noch be= merkt:

Der Indossatar erwirbt unter allen Umständen den Wechsel, so wie er lautet; denn durch das Indossament gehen nicht blos die Rechte des Indossanten (wie solches ausnahmsweise beim Giro nach Verfall ge= schieht (Art. 16 der allg. b. WO.), sondern die Rechte aus dem Wech= sel über (Art. 10 der allg. b. WO.); hätte das Gesetz hiervon eine Ausnahme machen wollen, für den Fall der Indossatar nicht in gutem Glauben ist, so würde es dieß ebenso ausdrücklich gesagt haben, wie solches in Art. 74 hinsichtlich der Legitimation durch den Besitz des Wechsels geschehen ist. Unter allen Umständen aber könnte der Beweis des bösen Glaubens des Indossatars erst dann in Frage kommen, wenn die Thatsache der Zahlung selbst bewiesen wäre, welcher Beweis aber auf andere Art erbracht werden müßte, da über diese Thatsache als eine dem Indossatar fremde Handlung dieser zum Eide nicht angehalten werden dürfte.

gesetzlichen Bestimmung und konstanten Gerichtspraxis die Dauer einer
jeden Tagsfahrt nicht blos die anberaumte Stunde, sondern die ganze
halbtägige Kanzleizeit umfasse; dieses sei auch eine nothwendige Folge
davon, daß ein und dasselbe Gericht den Anwalt am selben Tage zur
selben Stunde zu den verschiedensten Zwecken vorlade*), so daß es ihm
geradezu unmöglich sei, die Stunde einzuhalten; übrigens handle es
sich hier nur um ein Zuspätkommen von einigen Minuten, was bei
der Unmöglichkeit, daß alle Uhren gleich gingen, und da die der Frauenkirche nicht als Normaluhr erklärt sei, ohne Präjudiz sein müsse; endlich würde nie der Verlust der Wechselprozeßart als Folge des Nichter-
scheinens ausgesprochen werden können, da die Handelsgerichte nach
einer anderen Prozeßart nicht verfahren dürften, Wechsel aber nur bei
den Handelsgerichten eingeklagt werden könnten, sonach die Ausschließ-
ung vom Wechsel p r o z e ſ ſ e einer Entbindung des Schuldners von der
We c h ſ e l ſ c h u l d gleichkäme; die Analogie des Exekutivprozeſſes paſſe
nicht, weil dem Kläger hier immer noch das ordentliche Verfahren übrig
bleibe, auch das Präjudiz ausdrücklich angedroht werde, was im Wech-
felprozeſſe nicht geſchehe**).

Durch Erkenntniß vom 19. März 1863 verwarf das k. Handelsappellationsgericht zu Nürnberg die Berufung des Beklagten.

In den Entscheidungsgründen des Erkenntnisses kommt vor:

Es ist allerdings richtig, daß, wenn der Wechselkläger den Wechselbrief im Original nicht produzirt, nach der W.= u. MGO. Kap. IV
§. 3 die Klage als hinfällig erscheint und dieselbe vom Untergerichte
abgewiesen werden muß.   Hieburch würde aber der Kläger keineswegs,
wie die Nebenverantwortung ausführen will, rechtlos gestellt, da es

---

*) Bei vielen Gerichten mag dieses der Fall sein, überall aber nicht.   Bei
einigen großen Gerichten besteht ein s. g. Präsenzkalender, in welchen
die Vorladung eines Anwaltes von dem Verfügenden eingetragen wird,
so daß jeder später Verfügende ersehen kann, welche Stunden für den
betreffenden Anwalt noch frei sind.

**) Appellant hatte schlüßlich noch vorgebracht, jedenfalls liege ein Verzicht
des Beklagten in Mitte, da er sich gegen den Erlaß vom 5. Jan. nicht
verwahrt, auch an der Tagsfahrt vom 16. Jan. ohne Protestation gehandelt habe   Das k. Handelsappellationsgericht verwarf dieses Eingelenke, weil es im Wechsel- und Merkantilprozesse gegen nicht selbständig
appellable Dekrete keiner Verwahrung bedürfe, und ebensowenig eine
gesetzliche Bestimmung vorhanden sei, daß die Partei einer nicht selbständig appellablen Verfügung nur mit Protestation gehorchen dürfe.

demselben immerhin freistünde, auf Grund des in dem Wechsel enthaltenen Schuldversprechens vor den ordentlichen Gerichten zu klagen. Eine vorherige Androhung des Präjudizes wäre gleichfalls nicht nöthig; denn der Kläger verlöre in diesem Falle seinen Prozeß nicht durch eine prozessuale Fiktion, sondern weil er die Klage nicht bewiesen hätte, und die Pflicht, im Wechselprozesse sofort bei der ersten Tagfahrt liquiden Beweis zu stellen, ist eine schon im Gesetze peremtorisch ausgesprochene. Allein es fehlt im vorliegenden Falle die oben aufgestellte Voraussetzung, daß der Wechsel nicht im Originale produzirt worden sei. Vor Allem kann das vom Appellanten behauptete ungehorsame Ausbleiben des Klägers nicht als vorhanden angenommen werden. Wollte man nämlich die Ansetzung eines Zeitraumes zur Verhandlung, wie im vorliegenden Falle der Stunde von 10—11 Uhr, so auffassen, daß die Verhandlung der Sache mit Ablauf dieser Zeit geschlossen werden dürfte oder gar müßte, so wäre dies gegen die Vorschriften der W.- u. MGO. und würde absolut gegen die Natur des Wechselprozesses verstoßen. Dieser muß nach der W.- u. MGO. Kap. III §. 1 regelmäßig in ein und derselben Tagfahrt zu Ende gebracht werden, und es kann demgemäß nur angenommen werden, das Gericht wolle mit Festsetzung einer solchen Endstunde lediglich die s. g. Kontumazirzeit *) bestimmen, das heißt die Stunde, bei deren Eintritt der Ungehorsam derjenigen Partei, welche bis dahin zur Abhaltung des Termines nicht erschienen ist, wirksam angeklagt werden kann. Erscheint aber die Partei noch vor Abschluß des Protokolles, so muß die Verhandlung demohngeachtet gepflogen werden, und eine Vertagung auf Kosten des später Erscheinenden kann nur dann stattfinden, wenn die Verhandlung im Reste der Gerichtszeit des Tages nicht mehr geschehen kann. Im gegebenen Falle wäre daher, nachdem Kläger noch vor Abschluß des Protokolles erschienen und noch Zeit genug zur Sachverhandlung an jenem Tage gegeben war, der Beklagte bezw. sein Vertreter zur Erklärungsabgabe verpflichtet gewesen und erscheint daher keinesfalls beschwert, daß eine Reassumtion der Tagsfahrt stattfand, weil er als ungehorsam hätte erachtet werden sollen.

Dieses hätte aber auch, abgesehen von dem Erscheinen des Klägers, um die eilfte Stunde geschehen müssen.

---

*) Vgl. über diese Frage Seuffert's Kommentar Bd. II S. 247; Bl. f. RA. Bd. VIII S. 1; Bd. IX S. 305, 345, 406; Bd. XVI S. 247.

In der bayer. GO. Kap. XI §. 5 wird davon ausgegangen, daß die Urkunde, auf welche der Beweis gegründet werden soll, regelmäßig nur in Abschriften eingesendet, die Originalien aber von der Partei nicht aus den Händen gegeben, sondern nur einmal bei Gericht vorgezeigt werden; es geht insbesondere aus §. 5 Nr. 4 und 5 hervor, daß unter Nichtproduktion der Urkunden im Produktionstermine verstanden wird, daß an diesem Termine die Urkunden nicht zu Gericht gebracht werden.

Wenn dann im §. 5 Nr. 8 ausdrücklich gesagt wird, „was schon einmal in forma authentica produzirt ist und sich wirklich bei den Akten befindet, bedarf keiner weiteren Produktion mehr", so läßt sich die Praxis schwer erklären, welche, auch wenn die Urkunden längst im Originale im Akte liegen, dennoch eine sogenannte Produktion derselben fordert*).

In der W. = u. WGO. von 1785 ist nun von vorneherein vorgeschrieben, daß der Wechselbrief schon mit der Klage übergeben werden muß, er ist also schon mit dem Einlaufe der Klage in forma authentica produzirt und bei den Akten. Einer weiteren Produzirung von Seite des Klägers bedarf es nicht und insbesondere besagt Kap. VII nur, daß auf Abschriften hin nicht verurtheilt werden darf, sondern der Beklagte das Recht hat, den Wechsel im Originale zu sehen. Auch Kap. III §. 1 besagt nicht, daß der Wechsel vom Kläger in Person zur Rekognition vorgelegt werden müsse, vielmehr sind die Worte „von dem Kläger", wie sich aus den beiden letzten Sätzen unzweifelhaft ergibt, nur auf den ersten Satz zu beziehen. Ohnehin wäre diese Art der Produktion ganz unthunlich, wenn nach Kap. V §. 5 a. E. verfahren wird, wie denn auch jene Wechselgerichte, welche mit Mandaten vorgehen, den Beklagten das Präjudiz vorzustecken pflegen „der Annahme der Anerkennung des bei Gericht in Original zur Einsichtnahme vorliegenden Wechsels".

Es unterliegt daher keinem Zweifel, daß der Anwalt des Beklagten, auch ohne Beisein des Klägers, den Wechsel, der bei Gericht bereits

---

*) Diese besteht ohnehin nur darin, daß der Anwalt zu Protokoll diktirt: „erscheint der k. Advokat N. N. und produzirt die in den Akten befindlichen Urkunden." Das Gerichtsorganisationsgesetz von 1856 (welches in dieser Hinsicht durch das Gesetz von 1861 aufrecht blieb) hat auch die einzige in der GO. §. 5 Nr. 8 für den Konkurs bestandene Ausnahme beseitigt und besagt: „Die Uebergabe der Beweisurkunden vertritt die Stelle ihrer Produktion."

vorlag, einsehen und seine Erklärung darüber abgeben mußte, auch, da der Diffessionseid im Wechselprozesse nicht verlangt zu werden braucht, im Falle der Nichtanerkennung zur eidlichen Diffession hätte angehalten werden können; er hätte ferner sofort alle seine Einreden vorbringen sollen, und da er sich entfernte, ohne dieses zu thun, hätte das ihm angedrohte Präjudiz verwirklicht werden müssen. Auch aus diesem Grunde also kann sich Beklagter gegen die handelsgerichtliche Verfügung vom 5. Januar nicht beschweren.

(München l/J. Reg.-Nr. 79.)

## LXII.

**Personalexekution gegen Offiziere. — Voraussetzung dieser Exekutionsart nach Kap. X §. 9 der b. W.- und M.-Ger.-Ordg.**

In einer bei dem k. Handelsgerichte Amberg anhängigen Wechselsache war gegen den Verklagten, einen k. Unterlieutenant, nach fruchtlos versuchter Mobiliarsperre auf weiteren klägerischen Antrag die Beschlagnahme des Gagefünftels erkannt und wegen Vollzugs dieser Maßregel an das treffende Regiment Requisition erlassen worden. Als letzteres jedoch in dem die Vormerkung der Beschlagnahme mittheilenden Schreiben an das k. Handelsgericht Amberg die Bemerkung beifügte, daß auf die Gage des Verklagten bereits 215 fl. vorgemerkt seien, beantragte der Kläger unter Erlegung eines Verpflegungskostenvorschusses die Exekution durch Personalhaft. Das k. Handelsgericht wies durch Beschluß vom 7. Februar 1863 diesen Antrag ab, von der Ansicht ausgehend, daß nach Kap. X §. 9 der b. W.- u. MGO. der Personalarrest bei dem Mangel von Zahlungsmitteln zwar als ein gegen alle Schuldner zulässiges Exekutionsmittel sich darstelle, diese Voraussetzung desselben jedoch hier deßhalb nicht gegeben sei, weil Kläger die Immission in das Gagefünftel des Verklagten erlangt habe, wodurch von diesem die ihm mögliche Sicherung der klägerischen Forderung geleistet und nach dem Rechtssatze: non bis in idem, der gleichzeitige Zugriff auf die Person des Schuldners ausgeschlossen sei.

Auf klägerische Beschwerde erkannte das k. Handelsappellationsgericht am 12. März 1863, daß gegen den Verklagten der Personalarrest zu verhängen sei und das k. Handelsgericht Amberg das zu

biefem Behufe weiter Erforberliche zu verfügen habe, unter Verurtheil=
ung bes Appellaten in den Koften II. Inftanz.

In den Gründen ift bemerft\*).

Nach Kap. X §. 9 der b. W. = u. MGO. ift allerbings eine we=
fentliche Vorausfetzung bes Perfonalarreftes, baß der Verklagte weber
ganz noch zu rechter Zeit gezahlt ober cavirt hat und anderweite Zahl=
ungsmittel nicht befitzt. Unter der hier erwähnten Kaution kann aber
nach dem Zufammenhange und der Wortfaffung nur eine dem Gläubiger
für die richtige Zahlung aufrecht gemachte Sicherftellung durch Pfand
ober Bürgen ober Einweifung verftanden werden, welche auf gegenfei=
tigem Uebereinkommen zwifchen dem Berechtigten und Verpflichteten be=
ruht. Denn ein rechtlicher Zwang zur Annahme einer Kaution für
eine liquide Forderung findet nicht ftatt, und ebenfowenig ift der
Gläubiger verpflichtet, fich mit einer dem Schuldner etwa allein mög=
lichen, wenn auch nicht hinreichenden Kaution zu begnügen, da keine
gefetzliche Beftimmung das Recht eines Gläubigers auf Befriedigung
in folcher Weife befchränkt, am allerwenigften das Wechfelinftitut, welches
die größtmögliche Gewähr für fichere und fchleunige Befriedigung bes
Wechfelgläubigers bezweckt, eine berartige Schranke geftattet. Ein Ueberein=
kommen der erwähnten Art ift aber vom Verklagten nicht behauptet worden
und auch nicht baburch ftillfchweigend als zu Stanbe gekommen zu erach=
ten, baß Verklagter gegen die vom Kläger beantragte Einweifung in das
Gagefünftel nichts erinnerte, da jenem Antrage bes Klägers nach frucht=
lofem Verfuche der Mobiliarexefution ohne weiteres Gehör bes Schuld=
ners ftattgegeben wurde, weßhalb von einer Einwilligung bes letzteren
um fo weniger die Rede fein kann, als berfelbe wie überhaupt im
ganzen Rechtsftreite fo auch hier ganz paffiv fich verhalten hat. Es
fteht aber auch feft, baß Verklagter bermalen überhaupt gar keine an=
nehmbaren Zahlungsmittel befitzt, inbem bereits die Mobiliarfperre

---

\*) Die Zuläffigkeit der Perfonalhaft gegen Offiziere war auch von dem
Untergerichte angenommen worden, daher es in diefer Hinficht einer
Motivirung nicht beburfte; es ift auch diefe Zuläffigkeit in dem Gefetze
vom 15. Aug. 1828, die Militärgerichtebarkeit in bürgerlichen Rechts=
fachen betr., anerkannt, indem dortfelbft im Art. 7 Abf. 2 ausgefprochen
ift, daß die Hilfsvollftreckung mittelft Zwang an der Perfon, mittelft
Abpfändung von Mobilien ober mittelft Befchlagnahme der Gage durch
die vorgefetzte Militärbehörde gefchehen foll, woraus fich ergibt, baß die
Exefution „mittelft Zwang an der Perfon" als ein auch gegen Mili=
tärperfonen zuläffiges Exefutionsmittel vorausgefetzt wurde.

ohne Erfolg verſucht wurde, auf dem mit Beſchlag belegten Gagefünftel
desſelben aber ſchon eine andere Forderung im Betrage von 215 fl.
vorgemerkt iſt, deren Zahlung ſohin mehr als ein Jahr in Anſpruch
nimmt, ſo daß Kläger mindeſtens inſolange nicht zum Zuge kommt.
Denn eine Einweiſung, welche erſt in mehreren Jahren zur Befriedig=
ung des Gläubigers führt, und auch dieſes nur unter der Bedingung,
daß der Schuldner alsdann noch am Leben und in ſeiner bienſtlichen
Stellung ſich befindet, kann überhaupt und insbeſondere im Wechſelver=
fahren als eine von dem Gläubiger anzunehmende Zahlungsart nicht
erachtet und daher auch demſelben wider ſeinen Willen nicht aufgebrungen
werden. Daß Kläger ſelbſt es war, welcher die Beſchlagnahme des
Gagefünftels des Verklagten wählte, vermag die Annahme, daß der=
ſelbe mit dieſer Art ſeiner Befriedigung ſich ein für allemal begnügt
habe, nicht zu rechtfertigen. Bei Stellung ſeines desfallſigen Antrages
ging nämlich Kläger, wie deſſen Faſſung deutlich ergibt, von der Vor=
ausſetzung aus, daß er bei Vollzug der beantragten Beſchlagnahme
ſofort in den Bezug der Abzugsraten treten würde, worauf auch die
von dem Untergerichte an das treffende Regiment geſtellte Requiſition
gerichtet war. Dieſe Vorausſetzung ſtellte ſich aber in der Folge in=
haltlich des von dem Regimente auf die fragliche Requiſition erlaſſenen
Schreibens als eine irrige dar, weßhalb Kläger an ſeinen früher er=
klärten Willen, durch die Gageabzüge ſucceſſive zu ſeinem Guthaben zu
gelangen, nicht mehr als gebunden erachtet werden kann. Von ſelbſt
verſteht ſich hiebei, daß Kläger die Perſonalhaft des Verklagten, welche
wie bemerkt, die Erſchöpfung aller übrigen Eretutionsmittel vorausſetzt,
nicht gleichzeitig neben Fortbauer ſeiner Einweiſung in das Gagefünftel
begehren kann; er hat indeſſen ein derartiges Begehren auch nicht ge=
ſtellt, vielmehr durch die lediglich mit der Erfolgloſigkeit der Beſchlag=
nahme motivirte Beantragung des Perſonalarreſtes thatſächlich auf die
erlangte Einweiſung verzichtet und dieſen Verzicht in der Berufung
auch noch ausbrücklich erklärt, weßhalb die Abweiſung ſeines Antrages
auch in dieſer Hinſicht nicht gerechtfertigt wäre.
Da es ſich um Vollzug eines rechtskräftigen Endurtheiles gegen
den zahlungsſäumigen Schuldner handelt, welcher durch ſeine Zahlungs=
ſaumſal die weiteren Verhandlungen veranlaßt hat, ſo war der Ver=
klagte auch in die Koſten II. Inſtanz zu verurtheilen[*]).

(Amberg Reg.=Nr. 6.)

---

[*]) Vgl. oben S. 93 Note *.

## LXIII.

**Zulässigkeit der Berufung im Preußischen Wechselprozesse — Einfluß der Konkurseröffnung auf den Fortgang des Wechselexekutionsverfahrens.**

Preuß. GO. Thl. I Tit. 27 §§. 48—51 Tit. 14, §§. 3 u. 9.
B Ger.-Ordg. Kap XIX §. 3.
GBGesetz vom 10. November 1861 Art. 73 Einf. Gesetz z. a. b. HGB.
Art. 56

In einer bei dem kgl. Handelsgerichte Fürth anhängigen Wechselsache hatte der Kläger am 24. November 1862 gegen den zur Zahlung verurtheilten Verklagten auf Vollstreckung der Mobiliarexekution angerufen, und das genannte Gericht am 27. November diesem Antrage entsprechende Verfügung erlassen. Mittlerweile, nämlich am 25. November, hatte der Verklagte seine Insolvenz beim kgl. Bezirksgerichte Fürth angezeigt, welches am nämlichen Tage die Vornahme der Inventur und Einstellung aller Partikularexekutionen beschloß und hievon auch am 27. desf. Mts. das kgl. Handelsgericht Fürth verständigte. Dessen ungeachtet wurde von dem k. Handelsgerichte Fürth die Exekution am 1. Dezember vollzogen und für Unterbringung der gepfändeten Gegenstände Sorge getragen, deren Versteigerung jedoch unterlassen, weil am 23. Dezember über das Vermögen des Verklagten der Konkurs förmlich erkannt wurde. Gegen die Vornahme der Versteigerung hatte nun der Verklagte bereits unter'm 11. Dezember nach vorheriger erfolgter Protestation Berufung erhoben, worin er um Aufhebung der bereits vollzogenen Exekutionshandlungen bat, weil dieselben wegen des inzwischen von dem ordentlichen Gerichte eingeleiteten, die handelsgerichtliche Zuständigkeit ausschließenden Konkursverfahrens nichtig seien.

Das k. Handelsappellationsgericht erachtete durch Urtheil vom 9. März 1863 *) die Berufung zwar als formell zulässig aber als materiell unbegründet.

In den Gründen kommt hierüber vor:

Die Preuß. Ger.-Ordg. bestimmt zwar in Thl. I Tit. 27 §. 51,

---

*) Die Verzögerung der zweitrichterlichen Entscheidung hatte in der Bitte des kläg. Anwaltes ihren Grund, die Bescheidung der erhobenen Beschwerde bis nach Abhaltung des 1. Ediktstages ausgesetzt sein zu lassen.

daß gegen die Wechſelexekution der Verklagte ſich nur durch baare Ein=
zahlung der ſchuldigen Summe in das Depoſitorium ſchützen könne
und auch dieſes nur in dem Falle, wenn er gegen das verurtheilende
Erkenntniß appellirt oder bei der ſeparaten Verhandlung ſeiner Einreden
Umſtände vorgebracht hat, welche einen Arreſtſchlag zu begründen geeignet
ſind, — wonach es ſcheinen könnte, als ſei durch dieſe Beſtimmung auch
jede Berufung in der Exekutionsinſtanz ausgeſchloſſen. Allein da nir=
gends eine ausdrückliche Beſtimmung dieſes Inhaltes exiſtirt und nach
den allgemeinen Grundſätzen über die Appellation, wie ſolche Thl. I
Tit. 14 der Pr. Ger.=Ord. anfgeſtellt ſind, insbeſondere nach §. 3
dieſes Rechtsmittel der Regel nach in allen Fällen zuläſſig iſt, Beruf=
ungen gegen Beſchlüſſe der hier in Frage ſtehenden Art aber unter den
vom Geſetze gemachten Ausnahmen ſich nicht befinden, die Beſtimm=
ungen des allgirten Tit. 14 endlich, wie der §. 9 ebendaſelbſt entneh=
men läßt, allgemein und daher auch für Wechſelſachen gegeben ſind,
ſo iſt die Zuläſſigkeit der Berufung, was die rechtliche Natur des an=
gefochtenen Beſcheides betrifft, nicht zu beanſtanden *).

Was die materielle Begründung der Beſchwerde betrifft, ſo bilden
die k. Handelsgerichte nach §. 73 des GOGeſetzes vom 10. Novbr.
1861 einen exemten Gerichtsſtand für Handels= und Wechſelſtreitigkeiten
und ſind nach §. 56 des Einf.=Geſ. zum a. b. HGBuche von den Be=
zirksgerichten durchaus unabhängig. Beſchlüſſe der Bezirksgerichte ſind
daher im Allgemeinen für die Handelsgerichte nicht bindend, ſoferne
nicht durch ſie eine rechtskräftige Entſcheidung zwiſchen den Parteien
erfolgt iſt oder das Bezirksgericht als Konkursgericht auch in Handels=
und Wechſelſachen die Zuſtändigkeit zur Entſcheidung der Liquidität
und Priorität derartiger Forderungen, ſo weit ſie das Vermögen des
Kridars betreffen, nach der b. GO. Kap. XIX §. 13 erlangt hat. Als
Zeitpunkt des Eintrittes dieſes Univerſalgerichtsſtandes für die das
Vermögen des Gemeinſchuldners betreffenden Rechtsſtreite kann aber
nur die Eröffnung des Konkurſes durch Anſchlag der Ediktalien er=
achtet werden, (GO. Kap. XIX §. 3,) weßhalb die Zuſtändigkeit der
Spezialgerichte bis zu dieſem Zeitpunkte fortdauert. Es war das
k. Handelsgericht Fürth ſchon nach dieſen allgemeinen Kompetenzbe=
ſtimmungen zu der am 27. November, mithin noch vor der förmlichen
Konkurseröffnung, verfügten Mobiliarſperre vollkommen berechtigt.
Hiemit ſtehen aber auch die Beſtimmungen in Tit. 27 Thl. 1 der hier

---

*) Vergl. auch oben S. Note *.

anzuwendenden Preuß. Ger.-Ordg. im Einklange, indem diese in
Wechselsachen schleunigste Hilfsvollstreckung vorschreibt und nicht nur
eine Sistirung der Exekutionen vor eröffnetem Konkurse nicht kennt,
sondern im Falle die Eröffnung des Konkurses binnen 24 Stunden
nach vollzogener Auspfändung beantragt wird, nur den Verkauf der
abgepfändeten Gegenstände nicht mehr gestattet, während es anderenfalls
sogar diesen noch zuläßt oder falls derselbe vor der wirklichen Konkurseröffnung nicht mehr bewerkstelligt werden sollte, dem Gläubiger
in Ansehung der mit Beschlag belegten Objecte mindestens ein Vorzugsrecht in der V. Klasse einräumt, woraus sich, mag nun diese letztere
Bestimmung dermalen in Bayern Geltung haben oder nicht, jedenfalls
soviel ergibt, daß eine Beschlagnahme bis zur förmlichen Konkurseröffnung gestattet und rechtswirksam war. Ebenso vermochte auch die
von dem k. Bezirksgerichte Fürth unter'm 25. November beschlossene
Einstellung aller Partikularexekutionen hieran eine Aenderung nicht
hervorzubringen, da dieselbe in dem von jenem Gerichte eingeleiteten präparatorischen Verfahren, mithin noch vor wirklicher Konkurseröffnung ausgesprochen wurde, ein solches Verfahren aber überhaupt auf die handelsgerichtliche Zuständigkeit ohne Einfluß ist.

(Fürth Reg.-Nr. 7).

### LXIV.

Recht des Unterrichters zur Würdigung von Exekutionseinreden — Remonstrationen im b. W.- u. M.-Prozesse.

In einer bei dem kgl. Handelsgerichte München l./J. anhängigen
Wechselsache war von der mitverklagten und durch unterrichterliches Urtheil vom 28. Juli 1862 in cont. zur Zahlung verurtheilten Ehefrau
des Verklagten gegen den ihr auf klägerischen Antrag unter'm 3. Januar 1863 zugegangenen Zahlungsauftrag unter Sperranrohung eingewendet worden, daß die sämmtlichen Verhandlungen in Bezug auf
sie wegen mangelnder Citation nichtig und daher außer Wirksamkeit zu
setzen seien, eventuell die vorgeschlagene Exekutionsart nicht in Anwendung kommen könne. Als das Untergericht durch Verfügung vom
3. Februar jene Einwände verwarf, und zugleich die Exekution in der
angedrohten Art verfügte, legte die Verklagte hiegegen das Rechtsmittel
der Berufung ein, dessen Zulässigkeit vom Kläger deßhalb bestritten
wurde, weil das als selbständig appellabel erscheinende Dekret vom
3. Januar wegen unterlassener Appellation rechtskräftig geworden sei.

In den Gründen des die Beschwerde zulassenden zweitrichterlichen
Urtheiles vom 5. März 1863 kommt bezüglich der Statthaftigkeit der

Remonstration als Rechtsmittel gegen die vorgeschlagene Exekutionsart vor:

Gegen einen lediglich auf Antrag des Klägers erlassenen Zahlungsbefehl mit Androhung einer bestimmten Exekutionsart stand der Verklagten nur die innerhalb der vorgestreckten Zahlungsfrist geltend zu machende Remonstration zu. Denn Verklagte hatte vorher noch keine Gelegenheit, ihre Einreden gegen die beantragte Exekutionsart geltend zu machen, dieselben erscheinen vielmehr als ein neues Vorbringen, worüber der Unterrichter noch nicht in der Lage war, sich auszusprechen. So lange dieses aber nicht der Fall ist, fehlt es auch an der Voraussetzung, um den Oberrichter angehen zu können, da dessen Aufgabe gerade darin besteht, die Richtigkeit einer unterrichterlichen Entscheidung nach Lage der Sache zur Zeit der Erlassung der letzteren zu prüfen, hievon aber in obigem Falle keine Rede sein könnte, indem eine unterrichterliche Entscheidung über die strittigen Punkte noch gar nicht vorläge. Würde die Berufung gleichwohl zugelassen, so könnte sich die oberrichterliche Funktion in der Sache selbst doch nur darauf erstrecken, die Sache zur weiteren Entscheidung an die I. Instanz zurückzuweisen, ein Verfahren, welches nur zwecklose Weiterungen verursachen würde, die wie überhaupt so insbesondere im Wechsel- und Merkantilprozesse zu vermeiden sind. Von der vorherigen Angehung des Unterrichters hätte nur dann Umgang genommen werden können, wenn derselbe die von der Verklagten geltend gemachten Einwände in der Voraussetzung, daß solche erhoben werden könnten, allenfalls schon im Voraus gewürdigt und stillschweigend verworfen hätte, was jedoch hier nicht als stattgefunden angenommen werden kann.

Es ist aber auch das Rechtsmittel der Remonstration im b. W.- u. M.-Prozesse nicht als ausgeschlossen zu erachten, da dasselbe weder ausdrücklich für unstatthaft erklärt ist, noch mit dem Systeme der b. W.- u. MGO. hinsichtlich der Rechtsmittel im Widerspruche steht, und daher schon nach der subsidiären Bestimmung der GO. Kap. **XIV** §. 9 Nr. 1 als anwendbar erscheint. Diese Annahme findet ihre Bestätigung auch in den Kammerverhandlungen vom Jahre 1856, die Berufungen in Handels- und Wechselsachen betr., wonach sowohl von Seite der k. Staatsregierung als der Kammern als selbstverständlich angenommen wurde, daß jenes Rechtsmittel auch im b. W.- u. MP. nicht ausgeschlossen sei.

Eignete sich aber das Dekret vom 3. Januar nicht zur Anfechtung im Wege der Berufung, so erscheint dasselbe auch nicht wegen unterlassener Einlegung dieses Rechtsmittels als rechtskräftig und konnte daher die Berufung gegen die Verfügung vom 3. Februar noch erhoben werden *).  (München l./J. Nr. 75.)

LXV.

**Pflicht zur Klagebescheinigung im Wechsel= und Merkantilprozesse.**

(Art. 70 des Einf.=Ges. zum a. b. HG. — W. W.= u. MGO. Kap. V §. 5.)

**A.** A. forderte unter Bezugnahme auf sein Geschäftsbuch klagend eine Handelsschuld ein und stellte, jedoch ohne Vorlage eines Auszuges aus dem Geschäftsbuche oder sonstiger Bescheinigungsmittel den Antrag, die Sache im ordentlichen Verfahren zu verhandeln.

Das k. Handelsgericht Amberg wies diese Klage angebrachtermaßen zurück, weil die Verhandlung im ordentlichen Verfahren durch Art. 70 des Einf.=Ges. zum a. b. HG. ausgeschlossen sei, vielmehr im Gebiete der W.= und MGO. von 1785 alle Handelssachen nach dieser Prozeßordnung zu instruiren seien, hienach aber jede Klage bescheinigt sein müsse.

Auf ergriffene Berufung bestätigte das k. Handelsappellationsgericht durch Erkenntniß vom 26. März 1863 den erstrichterlichen Beschluß aus folgenden Gründen:

Appellant bittet, seine Klage zuzulassen und den bedingten Mandatsprozeß einzuleiten oder sie zu summarischer Verhandlung auszusetzen.

Er hat hiebei die in der Klage enthaltene Bitte, die Sache im ordentlichen Verfahren verhandeln zu wollen, dahin erläutert, daß er nicht die Verhandlung nach den gewöhnlichen Prozeßgesetzen, sondern nach der für Handelssachen in den ehedem altbayerischen Gebietstheilen als das ordentliche Verfahren anzusehenden W.= u. MGO. von 1785 beantragen wollte, und es bedarf daher keiner weiteren Motivirung des ganz richtigen erstrichterlichen Ausspruches, daß das Verfahren nach der GO. von 1753 und den hiezu ergangenen Prozeßnovellen für Han-

---

*) Nach den gleichen Grundsätzen war in der Sache München r./J. Nr. 16 erkannt worden, in welcher die von dem Verklagten gegen die unterrichterlich eingeleitete Exekutionsart sofort erhobene Berufung als unstatthaft verworfen wurde, weil er seine Exekutionsgegenvorschläge, über welche der Erstrichter noch nicht in der Lage gewesen, sich auszusprechen, zunächst im Wege der Einrede, bezw. Remonstration hätte geltend machen sollen.

belsfachen in denjenigen Gebietstheilen niemals stattfinden könne, für welche besondere Merkantilgerichtsordnungen bestehen.

Den Vorschriften der W.- u. MGO. von 1785 entspricht aber die gestellte Klage nicht. Allerdings kann Bescheinigung der Klage nicht als unbedingte Voraussetzung des Merkantilprozesses angesehen werden; denn auch wenn es dem Kläger nach der Natur des der Klage zu Grunde liegenden Anspruches unmöglich sein sollte, diesen sofort zu bescheinigen, könnte doch eben auf Grund des Art. 70 des Einf.-Ges. zum a. b. HG. die Sache nicht im gewöhnlichen Prozeßverfahren verhandelt werden, sondern es hätte immerhin der Merkantilprozeß mit den dieser summarischen Prozeßart eigenthümlichen Abkürzungen und Abweichungen (z. B. dem affirmativen Präjudize, der besonderen Erekution u. s. w.) Platz zu greifen. In dieser Hinsicht sind die Ausführungen der Berufungsschrift vollkommen richtig \*).

Allein in vorliegendem Falle handelt es sich nicht um einen derartigen, eines urkundlichen Beleges ermangelnden Anspruch; vielmehr muß nach der Natur des streitigen Rechtsverhältnisses und nach der Eigenschaft des Berechtigten wie des Verpflichteten angenommen werden, daß eine Beurkundung des Geschäftes stattgefunden habe, und Kläger hat überdieß eine solche, nämlich sein Geschäftsbuch ausdrücklich in Bezug genommen.

Nun bestimmt aber die W.- u. MGO. von 1785, daß diejenigen Urkunden, auf welchen die Klage beruhe, sofort mit der Klageschrift vorgelegt werden müssen, und die Vorschrift des Kap. III §. 1, Kap. IV §. 3 bezieht sich keineswegs blos auf den Wechselprozeß, sondern muß, (wie dieses nach der Fassung der W.- u. MGO. fast bei allen ihren Bestimmungen der Fall ist,) analog auch auf den Prozeß in Handelssachen bezogen werden.

Es ist von dem Erstrichter schon darauf hingewiesen, daß die Pflicht zur Bescheinigung der Merkantilklagen auch daraus sich ergibt, daß nach Kap. V §. 5 im Merkantilprozesse regelmäßig das Mandatsverfahren einzutreten hat. Wenn nun nach der GO. Kap. IV §. 12 dem Kläger schon im ordentlichen Verfahren obliegt, die Urkunden sogleich mit der Klage zu übergeben, falls sie von besonderer Wichtigkeit sind, so muß dieses um so mehr dann der Fall sein, wenn nach der besonderen Prozeßart Kläger auf Erlassung eines bedingten Mandates Anspruch macht \*\*).                    (Amberg Reg.-Nr. 8.)

---

\*) Vgl. oben S. 54.

\*\*) Die W.- u. MGO. von 1785 enthält über die Prozeßführung in Mer-

## LXVI.

Zulässigkeit des Personalarrestes wegen Handelsschul=
ben, wenn der Schuldner gantmäßig ist.

B. W.= u. MGO. Kap X §. 9, Kap. XI §. 1.

In einer bei dem k. Handelsgerichte München l./J. anhängigen Handelsache hatte der Kläger nach fruchtlos versuchter Mobiliarsperre den Personalarrest gegen den Schuldner beantragt, mit diesem Antrage jedoch die Abweisung erfahren, weil inzwischen von dem k. Bezirksge= richte München l./J. in Folge der Insolvenzanzeige des Schuldners das Präliminarverfahren behufs der Eröffnung des Konkurses einge= leitet und die Sistirung der Partikularexekutionen beschlossen worden sei, die Bestimmung in Ziff. 1 des Kap. X §. 9 der b. W.= u. MGO. aber, wornach der Personalarrest auch gegen die der Gant bereits unter= worfene Wechselschuldner zulässig sei, nur auf gantmäßige Wechsel= schuldner sich beziehe.

Auf klägerische Beschwerde gab das k. Handelsappellationsgericht durch Urtheil vom 30. März 1863 dem beantragten Arreste statt. In den Gründen desselben ist, nachdem zunächst gezeigt worden, daß nach Kap. XI §. 1 a. a. O. bei vorliegender Insolvenzanzeige Seitens des Schuldners zur Sistirung des handelsgerichtlichen Verfahrens die gerichtliche Herstellung der Insolvenz und Erkennung der Gant er= forderlich gewesen wäre, übrigens auch die dort angeordnete Sistirung nur auf Vermögensexekutionen sich beziehe *), weiter bemerkt:

Die Ansicht des k. Handelsgerichtes München, daß die Bestimmung unter Ziff. 1 Kap. X §. 9 der b. W.= u. MGO. nur auf gantmäßige Wechselschuldner sich beziehe, kann nicht als richtig anerkannt werden.

---

kantilsachen keine besonderen Vorschriften, sie gibt ihre Prozeßbestimm= ungen stets in Bezug auf Wechselsachen. Wenn sie nun bemungeachtet in Kap. I §. 2 auch alle Merkantilsachen nach der für das Wechselge= richt gegebenen Ordnung untersucht und beschieden haben will, so folgt daraus, daß die für den Wechselprozeß gegebenen Prozeßvorschriften im Allgemeinen auch auf den Prozeß in Handelssachen angewendet werden müssen, und hievon nur dann abgewichen werden darf, wenn eine solche Anwendung absolut unmöglich wäre. Denn anderenfalls wären Be= stimmungen über den Handelsprozeß überhaupt in diesem Gesetze nicht vorhanden, und hätte dasselbe daher nicht als Wechsel= und Merkan= ti lgerichtsordnung gegeben werden können.

*) Vgl. oben S. 113.

**11**

Das ganze Kap. X der b. W.= u. MGO. macht zwiſchen der Erekution in Wechſelſachen und in Merkantilſachen keinen Unterſchied; ebenſowenig iſt dieſes im Landtagsabſchiede vom 1. Juli 1856 geſchehen, vielmehr bezieht dieſer das Kap. X der W.= u. MGO. von 1785 ausdrücklich auf Wechſel= wie auf Merkantilgläubiger, weßhalb auch für den Richter zu einem Unterſchiede in dieſer Beziehung kein Grund gegeben iſt *). In der von dem Untergerichte weiter in Bezug genommenen allerhöchſten Entſchließung vom 17. Dezember 1816, welche in Folge einer in einem Kompetenzkonflikte zwiſchen dem ordentlichen Civilgerichte und dem Wechſelgerichte in einer Debitſache erlaſſenen allerhöchſten Entſchließung vom 1. Auguſt 1816 auf Anfrage eines Wechſel= und Merkantilgerichtes erlaſſen wurde, heißt es allerdings unter Ziff. 1, es könne der Perſonalarreſt auch gegen einen gantmäßigen Schuldner verhängt werden, weil dieſer Arreſt auf den Eigenthümlichkeiten des Wechſelrechtes beruhe und keinem anderen mehr bevorzugten Gläubiger an ſeinen Rechten Schaden bringe. Der Umſtand, daß hier von einer Wechſelſache und den Eigenthümlichkeiten des Wechſelrechtes die Rede iſt, erklärt ſich aber einfach aus dem der Anfrage zu Grunde liegenden Falle, berechtigt jedoch nicht zu dem Schluſſe, daß der Perſonalarreſt in Handelsſachen gegen einen gantmäßigen Schuldner habe ausgeſchloſſen werden wollen. Denn es liegt kein Anhaltspunkt für die Annahme vor, daß bei der fraglichen Entſcheidung die Zuläſſigkeit des Perſonalarreſtes in Handelsſachen überhaupt nur in Frage geſtellt war, und jene Bemerkung trägt lediglich den Charakter eines Entſcheidungsgrundes für einen ſpeziellen Fall an ſich. Ueberdieß paßt aber der für jenen Ausſpruch geltend gemachte Grund, daß durch Zulaſſung des Perſonalarreſtes keinem bevorzugten Gläubiger an ſeinen Rechten Eintrag geſchehe, auf Handelsſachen ebenſo wie auf Wechſelſachen, weßhalb auch hieraus kein Grund zu einer einſchränkenden Auslegung des Kap. X §. 9 a. a. O. abgeleitet werden kann, vielmehr eine ausdrückliche Entſchließung erforderlich geweſen wäre, falls die Zuläſſigkeit des Perſonalarreſtes gegen Handelsſchulden bei eröffnetem Konkurſe hätte ausgeſchloſſen werden wollen **).

(München I./J. Reg.=Nr. 66).

---

*) Läge ein ſolcher Unterſchied in der Intention des Geſetzes, ſo hätte überhaupt früherhin der Perſonalarreſt gegen Merkantilſchuldner nicht Platz greifen können, während er doch nach konſtanter Praxis auch gegen ſolche zugelaſſen wurde.

**) Das k. Handelsgericht München I./J. hatte ſich zur Begründung ſeiner

## LXVII.

### Remonstrationen gegen einfache Dekrete sind im Nürnberger Handelsprozesse nicht ausgeschlossen.
#### (§. 59 der Handelsger.-Ordg. von 1804.)

Die Praxis des Nürnberger Handelsgerichtes hatte wenigstens in neuerer Zeit den entgegengesetzten Grundsatz adoptirt gehabt *). Das k. Handelsappellationsgericht aber sprach sich durch Erkenntniß vom 30. März 1863 für obigen Satz aus und zwar in nachstehender Motivirung:

„Allerdings kann man sich zur Begründung der Zulässigkeit dieses Rechtsmittels nicht auf den §. 55 der Novelle von 1837 **) berufen; im §. 59 der Nürnberger Handelsgerichtsordnung von 1804 ist als subsidiäre Rechtsquelle, wie sich durch den Ausdruck „die gemeinen Reichsrechte" ergibt, nur der gemeine deutsche Prozeß aufgeführt; die bayerische Ger.-Ordg. konnte selbstverständlich bei Abfassung jenes §. 59 nicht im Sinne des Gesetzgebers gelegen sein und ist auch später weder durch ein ausdrückliches Gesetz noch durch den Gerichtsgebrauch an die Stelle des subsidiären gemeinen deutschen Prozesses getreten; im Gegentheile hat die Praxis der Nürnberger Gerichte stets die Nichtanwend-

---

Ansicht auch noch auf die von der Kommission z. Ber. e. a. d. HGB. zu Art. 2 Abs. 2 der a. d. WO. in Vorschlag gebrachte Novelle berufen, wornach den Landesgesetzgebungen überlassen bleiben solle, die Personalhaft auch dann auszuschließen, wenn über das Vermögen des Schuldners der Konkurs eröffnet, oder der Schuldner zur Güterabtretung zugelassen worden ist. Ganz abgesehen indessen davon, daß jener Vorschlag nur auf den Personalarrest in Wechselsachen sich bezieht, so ist auch von jenem Vorbehalte in Bayern noch kein Gebrauch gemacht worden und hat es daher im Gebiete der b. W.- u MGO. lediglich bei deren Bestimmungen sein Bewenden, wornach der Personalarrest auch gegen einen der Gant unterworfenen Wechsel- und Merkantilschuldner statthaft ist.

*) Die in Kletke, Darstellung S. 200 Note abgedruckte Entschließung des k. Handelsgerichtes Nürnberg vom 17. Januar 1850 spricht übrigens nicht für diese Praxis, da nur die Verwahrung nach den Prozeßnovellen von 1819 u. 1837 ausgeschlossen. am Schlusse aber ausdrücklich nicht die Berufung allein erwähnt, sondern von „dem geeigneten Rechtsmittel" gesprochen wird.

**) Wie vom Appellanten geschehen war.

barkeit der bayerischen Prozeßgesetze als subsidiäre Rechtsquelle festge=
halten.

Fragt man dagegen nach den Bestimmungen des gemeinen deutschen
Prozesses über die Remonstrationen, so können solche nicht als absolut
ausgeschlossen erachtet werden; vielmehr ist in Fällen, wie der in Frage
stehende, wo eine Verfügung auf einseitigen Antrag einer Partei erfolgt,
das Recht des Verurtheilten, zu remonstriren, nur eine Folge des all=
gemeinen prozessualen Grundsatzes, daß eine Partei ohne vorheriges
Gehör nicht verurtheilt werden darf, daß jeder auch in der Form eines
unbedingten Mandats erlassenen Verfügung stillschweigend die clausula
„rebus sic stantibus" (wenn anders die Sache sich so verhält) inne=
wohnt, und insbesondere, daß ein sogenanntes einfaches, das heißt
ohne vorläufiges Gehör beider Parteien erlassenes, Dekret keine Rechts=
kraft beschreiten kann *).

Der Umstand, daß ein derartiges Dekret auch mittelst Berufung
angegriffen werden kann, ändert hieran Nichts, denn hieraus folgt noch
nicht die Pflicht, bei Meidung des Verlustes der Appellation solches
zu thun **).

Es ist deßhalb unbestreitbar, daß in einem Falle, wie der oben=
bezeichnete, die Remonstration beim Unterrichter nach dem gemeinen
ordentlichen Prozesse unzweifelhaft zulässig sein würde (vgl. Bayer,
Vorträge S. 661).

Ja man könnte eher die Nothwendigkeit als die Unzulässigkeit der
Remonstration gegen einfache Zwischenbescheide im gemeinen Prozesse
ausgesprochen finden, da, wenn gegen ein solches einfaches Dekret sofort
appellirt wird, bei der Interposition der Appellation beim Unterrichter
alle Beschwerdegründe bei Vermeidung der Nichtberücksichtigung in zwei=
ter Instanz angeführt werden müssen.

Linde, Lehrbuch §. 412.

Nachdem nun die Nürnberger Prozeßordnungen zwar des Rechts=
mittels der Remonstration nicht ausdrücklich Erwähnung thun, aber
auch nirgends dieselbe ausdrücklich ausschließen, nachdem ferner häufig
durch die Darlegung der von dem Richter noch nicht gehörten Gründe

---

*) Vergl die beßfallsigen Erörterungen des Reichsrathes v. Bayer in der
Kammerverhandlung von 1856 Prot.=Bd. II S. 247, 248.
**) Das „nur" im §. 56 der Handelsg.=Ordg gehört nicht zu „Berufung",
sondern zu „Ober= und Appellationsgericht", und soll die Unzulässigkeit
einer Beschwerde bei fremden oder Reichsgerichten aussprechen.

des Imploraten die Zurücknahme der auf einseitigen Antrag erlassenen Verfügung erwirkt werden wird, sonach auch die Zulassung der Remonstration keineswegs gegen die dem handelsgerichtlichen Prozeßverfahren zu Grunde liegenden Gesichtspunkte der Beschleunigung und Beseitigung unnöthiger Verhandlungen verstößt, welche in §. 59 der Beachtung bei Anwendung des subsidiären gemeinen Rechtes anempfohlen sind, so kann die vom Beklagten gegen den Beschluß vom 5. Februar eingelegte Remonstration, in welcher vom Erstrichter bei Erlassung dieses Beschlusses noch nicht gewürdigte Exekutionseinreden vorgebracht werden, nicht als formell unzulässig erachtet werden *).      (Nürnberg Reg.-Nr. 48.)

## LXVIII.

**Nothwendigkeit speziellen und bestimmten Widerspruches auch im b. Merkantilprozesse. — Nichtanerkennung eines der Klage beiliegenden Buchauszuges vertritt nicht dessen Stelle.**

In einer bei dem k. HG. Regensburg anhängigen Streitsache wegen Waarenkaufschillings hatte der Verklagte dem mit der Klage vorgelegten Buchauszuge die Anerkennung versagt und die eingeklagten Beträge im Einzelnen oder Ganzen schuldig geworden zu sein widersprochen, weßhalb das genannte Gericht, hierin einen genügenden Widerspruch erblickend, für den Kläger unter Anderem auf Beweis über die käufliche Abgabe der Waaren erkannte. Auf klägerische Beschwerde verurtheilte das k. HAG. am 2. März 1863 den Verklagten nach dem Klagantrage und bemerkte in den Motiven:

Im gegebenen Falle handelt es sich nicht um eine Forderung, welche den Grund ihres Bestandes lediglich in einer Skriptur, hier dem vorgelegten Buchauszuge oder dem klägerischen Originalbuche selbst,

---

\*) Auch nach der bayer. W.- u. MGO. von 1785 ist die Berufung gegen jedes Dekret zulässig gewesen und der Remonstration nirgends erwähnt, die Praxis hatte deßhalb auch hier die Unzulässigkeit der Remonstration gefolgert. Vgl. Bl. f RA. Bd. XVIII S. 356. Zeitschr. f GG. u. RPfl. Bd. II S 115. Allein diese Praxis ist nach den Verhandlungen der Kammern im Jahre 1856 über diese Materie nicht als gerechtfertigt anzuerkennen, worüber insbesondere der treffliche Vortrag des Reichsrathes v. Bayer (Beil.-Bd. II S. 298) zu vergleichen ist.

hätte, sondern um Zahlung des Kaufschillings für käuflich abgegebene Waaren; den Grund der Klage bildet allein die käufliche Abgabe der Waaren, während der Eintrag in den klägerischen Büchern und der Auszug aus diesen nur als Beweismittel für jene sich darstellt. In der Nichtanerkennung eines von einer Partei als Beweismittel benützten Buchauszuges Seitens des Produkten liegt nun für sich allein nichts weiter als die Erklärung, daß dieser den vorgelegten Auszug nicht als dasjenige, als was er produzirt wurde, nämlich als ein Beweis= mittel für die gegnerische Forderung, anerkenne, — sei es nun, daß er in die Uebereinstimmung des Auszuges mit den Büchern selbst Zweifel setzt oder von der die Beweisdienlichkeit der letzteren bedingenden ord= nungsmäßigen Führung derselben durch Einsichtnahme der Originale selbst sich überzeugen will. Immerhin erstreckt sich daher, wie bei Ur= kunden überhaupt so auch bei Buchauszügen, die Erklärung über An= erkennung oder Nichtanerkennung derselben nur auf deren formelle Seite, während eine besondere Erklärung über die Richtigkeit des Inhaltes einer Urkunde überhaupt als etwas Bedeutungsloses sich darstellt. Denn ist dasjenige, was durch eine Urkunde dargethan wer= den soll, nicht widersprochen, so bedarf es überhaupt keines Nachweises mehr; entgegengesetzten Falles nützt aber der bloße Widerspruch des Inhaltes der Urkunde dem Produkten nichts, da eine Urkunde, wenn ihr nur die formellen Bedingungen ihrer Beweisfähigkeit nicht mangeln, ungeachtet des Widersprochenseins ihres Inhaltes bezüglich der Richtig= keit des letzteren denjenigen Grad von Beweisfähigkeit verdient, welcher ihr zufolge ihrer rechtlichen Natur den Gesetzen gemäß beikommt.

Verklagter hat zwar auch ausdrücklich widersprochen, daß er die eingeklagten Beträge im Einzelnen oder im Ganzen 1037 fl. 59 tr. schuldig geworden sei. Auch diesem Widerspruche kann aber die Wirk= ung eines rechtsgenügenden Widerspruches des gesammten Klage= grundes nicht beigelegt werden, da derselbe nicht entnehmen läßt, ob Verklagter die Thatumstände, aus welchen Kläger seine Forderung ableitet, in Abrede stellen, oder diese Thatumstände zugeben und nur die vom Kläger hieraus gezogene Schlußfolgerung als eine irrige bezeichnen, oder endlich keines von beiden, sondern nur die Höhe der klägerischen Forderung, welche auch ausdrücklich mit einer Einrede an= gefochten ist, bestreiten wollte, während es doch nach dem in dieser Materie auch für die W.= u. MG. subsidiär zur Anwendung kom= menden ordentlichen Prozeßrechte (GO. Kap. VI §. 1 und Prozeß= novelle vom Jahre 1837 §. 19) Pflicht des Verklagten gewesen wäre, über den thatsächlichen Grund der Klage bei Vermeidung der An=

nahme seines Zugeständnisses ausbrücklich und bestimmt sich zu
erklären *).                                    (Regensburg R.-Nr. 16.)

## LXIX.

### Die Einrede des Wuchers im Wechselprozesse.
(Art. 82 der a. b. WO. Kap. III §. 4 der W.- u. WGO. v. 1785.)

Ein Erkenntniß des k. Handelsappellationsgerichtes vom 9. März
1863 besagt:

Beklagter beschwert sich, baß die von ihm vorgeschützte und burch
die mittelst Eidesbelation liquid gestellte Behauptung, er habe für die
beiden Wechsel zu 2500 fl. nur 2000 fl. erhalten, substanzirte Einrede
des Wuchers als unzulässig verworfen worden sei.

Die Einwenbung, welche Beklagter vorgebracht hat, kann nach
verschiedenen Richtungen betrachtet werden. Zuvörberst nämlich stellt
sie sich als die Einrede der nicht empfangenen Valuta bar; als solche
ist sie aber, wie Appellant selbst zugibt, nicht zulässig **); denn nachbem
der Wechselschuldner aus dem Wechsel deshalb verpflichtet ist, weil er
den Wechsel gezeichnet oder acceptirt und damit den Willen, sich zu
verpflichten, rechtswirksam an den Tag gelegt hat, so kann es nicht mehr
barauf ankommen, burch welche Gegenleistung etwa bieser Wille her-

---

*) In einer anderen, einen Waarenkaufschilling zum Gegenstand habenden
  Streitsache hatte der Berklagte nur widersprochen, baß er die in der
  Klagsbeilage (einem notariell beglaubigten Buchauszuge) verzeichneten
  Waaren zu den beigesetzten Preisen käuflich erworben habe, und
  die berechneten Preise um 10% überseßt bezeichnet. Das k. HAG.
  gab auch in biesem Falle der Berufungsbitte des in I. Instanz zur
  Zahlung verurtheilten Berklagten, dem Kläger noch den Beweis des
  Klagegrundes aufzulegen, nicht statt, von der Erwägung ausgehend,
  baß nach Lage der Sache vorausgängige Bestellung der Waaren anzunehmen sei, Kläger seiner Pflicht durch Uebersendung der letzteren genügt habe, der Versendung der Waaren nicht widersprochen und baher
  der Widerspruch des käuflichen Erwerbes berselben nur auf die Uebernahme zu den fakturirten Preisen Seitens des Empfängers zu beziehen sei, dieser Widerspruch aber in Ermangelung einer rechtzeitigen
  und rechtlich begründeten Dispositionsstellung als unerheblich sich darstelle. (Augsburg Nr 7.)
**) Vergl. Verh. der Nürnberger Konferenz S. LVIII und die bort aufge-
  führten Schriften und Erkenntnisse.

vorgerufen worden iſt, und tritt bei der Natur des Wechſelgeſchäftes als eines formellen das Empfangen einer Valuta oder eines ſonſtigen Gegenwerthes als völlig überflüſſig zurück*).

Sodann könnte die erhobene Einwendung als Behauptung einer geſpielten Gefährde betrachtet werden; als ſolche wäre ſie dem Betrüger gegenüber jedenfalls zuläſſig, und es unterliegt keinem Zweifel, daß, wenn etwa die Wechſelunterſchrift dem Schuldner durch falſche Vorſpiegelungen**) abgelockt worden wäre, daraus eine Verpflichtung von demjenigen nicht abgeleitet werden könnte, der ſich dieſer unredlichen Handlung ſchuldig gemacht hat***). Allein in dieſer Hinſicht fehlt es der vorgeſchützten Einwendung an der nöthigen thatſächlichen Subſtanzirung. Beklagter hat keinen Umſtand behauptet, aus welchem hervorgehen könnte, daß ihm ſeine Unterſchrift etwa durch Täuſchung über die Größe der Gegenleiſtung betrüglicher Weiſe abgelockt worden ſei; vielmehr muß er ſelbſt zugeben, daß er über die angebliche Proviſion nicht in Unkenntniß geweſen, ſondern dieſelbe freiwillig zugeſichert habe.

Ferner kann die Behauptung des Beklagten in der Richtung aufgefaßt werden, daß er die Höhe der verſprochenen Summe, weil darin eine ungeſetzliche Zinſenforderung enthalten, anſicht und damit entweder die Rebuzirug der Verurtheilung auf den wirklich empfangenen Betrag, oder, weil dadurch die Wechſelſumme alterirt und unbeſtimmt geworden iſt, Abweiſung des Anſpruches überhaupt zu erlangen trachtet†).

Nun unterliegt es keinem Zweifel, daß nach dem im vorliegenden Falle zur Anwendung kommenden bayer. Landrechte Th. II Kap. III §. 21 Nr. 7 Niemanden erlaubt iſt, höhere als 5% Zinſen jährlich zu bedingen, und daß, wenn bedungen iſt, ein Darlehen von 2000 fl. ſolle in 4 Monaten mit 2500 fl. zurückbezahlt werden, damit eine verdeckte Zinſenſtipulation von 75% jährlich geſchloſſen iſt. Ob aber zwiſchen A. A. und dem Grafen N. N. ein derartiges Darlehensgeſchäft ſtattgefunden habe, und welche Rechte dem letzteren demnach gegen ſeinen Darlehensgeber etwa zuſtehen, unterliegt zur Zeit nicht der richterlichen Prüfung und Entſcheidung. Im gegebenen Falle han-

---

*) Konferenzprotokolle S. 11.
**) Nämlich hinſichtlich der Valuta; z. B. die eingehändigte Geldrolle enthalte Dukaten, während ſie nur Pfennige enthält u. dgl.
***) Kletke, Präjudizien S. 163 u Borchardt, S. 206.
†) Vgl. Kletke. W.- u. M.-Proz. 2. Abth. S. 205.

delt es sich um den Vollzug der von dem Grafen N. N. in Wechsel=
form abgelegten unbedingten Zahlungsversprechen, die möglicherweise
in Folge von Darlehensgeschäften eingegangen wurden, die aber als
solche kein Darlehensgeschäft sind und bei denen daher der Umstand,
ob ungesetzliche Zinsen bedungen wurden oder nicht, gar nicht in Frage
kommen kann.

Es wird zwar geltend gemacht, daß ein für wucherische Zinsen
geleistetes Zahlungsversprechen, weil es ohne Rechtsgrund geleistet
worden sei, zurückgenommen, die darüber ausgestellte Urkunde mit der
condictio sine causa zurückgefordert werden könne, und daß dieses
Recht auch einredeweise geltend zu machen sein müsse *). Allein es
ist ein feststehender Grundsatz des Wechselrechtes und die eigentliche
Basis dieses modernen Rechtsinstitutes, daß die Wechselverpflichtung
eine abstrakte, formelle Verbindlichkeit ist, zu ihrer Giltigkeit keines
materiellen Rechtsgrundes bedarf und der Schuldner, wie schon er=
wähnt, wechselrechtlich lediglich deßhalb haftet, weil er den Wechsel
gezeichnet hat.

Hält man diesen Grundsatz fest, — und man muß daran festhal=
ten, weil außerdem das Wechselrecht illusorisch gemacht würde, — so
ist klar, daß wegen Mangels des Rechtsgrundes eine Anfechtung der
Wechselausstellung nicht stattfinden kann. Denn was zur Rechtsgiltigkeit
eines Aktes überhaupt nicht nothwendig ist, dessen Nichtvorhandensein
ist eben kein Mangel.

Hiedurch wird selbstverständlich nicht der Anspruch das Bewucher=
ten gegen den Wucherer überhaupt ausgeschlossen, vielmehr bleibt es dem
Grafen N. N. unbenommen, auf Grund seiner Angaben aus dem wucheri=
schen Darlehensgeschäfte gegen seinen Darlehensgeber eine Gegenfor=
derung auf den Betrag der ungesetzlichen Zinsen zu erheben. Insoferne
aber diese Forderung im Wege der Einrede gegen den Anspruch aus
der Wechselausstellung geltend gemacht werden will, muß sie, wie jede
Kompensationseinrede nach der W.= u. MGO. v. 1785 Kap. III §. 4
lit. B sofort urkundlich belegt sein und kann deren Liquidstellung durch
den Eid nicht geschehen.

Es fehlt daher dem beklagtischen Vorbringen in dieser letzten
Richtung die gesetzliche Art des Nachweises und kann dasselbe im
Wechselprozesse keine Berücksichtigung finden.

(München I./J. Reg.=Nr. 77.)

---

*) Viele Gerichte und Schriftsteller lassen deshalb die Wuchereinrede zu, z B.
Bl. f. RA Bd. XXVI S. 389 Renaud, S. 202 Nr. 13. Borchardt,
S. 207. Bluntschli, S. 126.

## LXX.

### Wechsel mit zwei Remittenten.
#### (Vgl. S 90.)

Ein an Ordre „des Herrn Ernst und Rosina Schw., Gold=
arbeiters=Eheleute", ausgestellter Solawechsel wurde von diesen Remit=
tenten eingeklagt; die Schuldner brachten bei der Verhandlung eine
nicht gesetzlich substanzirte Zahlungseinrede vor. Erstrichter verwarf
diese Einrede und verurtheilte die Beklagten, wogegen diese Berufung
ergriffen und nunmehr den Wechsel als ungiltig anfochten, weil er
an zwei Remittenten laute. Das k. Handelsappellationsgericht be=
stätigte durch Erkenntniß vom 23. März den erstrichterlichen Ausspruch
und bemerkte:

Indem die a. d. WO. durch Art. 96 bezw. Art. 4 Ziff. 3
die Benennung einer rechtlichen Vereinigung von Personen als Re=
mittenten zuläßt und demnach nur die Benennung verschiedener in
keiner rechtlichen Verbindung stehenden Personen als Remittenten
unzulässig erscheint, ergibt sich von selbst, daß es Sache des Beklagten
ist, einredeweise diesen Umstand anzuregen, indem außerdem der Rich=
ter keinen Anlaß hat, zu untersuchen, ob die in der als Wechsel ein=
geklagten Urkunde als Remittenten bezeichneten Personen nicht eine
gemeinsame Firma bilden oder sonst in einer Rechtsgemeinschaft
stehen.

Nun haben aber Verklagte in der Verhandlung vom 27. Januar
l. Js. in dieser Beziehung keinerlei Einwendung erhoben, und auch
in der Berufung, woselbst ohnehin Einreden mit Wirksamkeit nicht
mehr nachgeschleppt werden könnten, wird nicht behauptet, daß die
beiden als Remittenten genannten Personen in keiner rechtlichen Ver=
bindung stünden.

Es wäre aber eine beßfallsige Einrede um so mehr nöthig gewesen,
wenn die Gültigkeit des Wechsels beanstandet werden wollte, da schon
im Allgemeinen Eheleute vermöge des ehelichen Güterrechtes wenn nicht
als ein Rechtssubjekt erscheinen, so doch immerhin in einer engen recht=
lichen Verbindung stehen, und unter der Bezeichnung des Remittenten
in vorliegendem Falle (Ernst und Rosina Schw., Goldarbeiterseheleute)
nur die eheliche Genossenschaft als solche verstanden werden kann. Es
besteht daher kein Grund, den eingeklagten Wechsel als ungültig zu
erklären. (München l./J. Reg.=Nr. 80.)

## LXXI.
## Wechsel „nach Sicht“.
### (Art. 4 Nr. 4. Art. 96 Nr. 4. Art. 31 Abf. 1 b. a. b. WO.)

Das k. Handelsgericht Landshut hatte die Klage des Inhabers eines „nach Sicht“ zahlbaren eigenen Wechsels gegen den Aussteller des letzteren aus dem Grunde a limine abgewiesen, weil die Bestimmung der Zahlungszeit mit den Worten: „nach Sicht“ als eine der Vorschrift des Art. 96 Nr. 4, Art. 4 Nr. 4 der a. b. WO. entsprechende nicht angesehen werden könne und es daher dem eingeklagten Wechsel an einem wesentlichen Erfordernisse zu seiner Giltigkeit gebreche *).

Auf klägerische Beschwerde sprach das k. HAG. durch Urtheil v. 5. März 1863 aus, daß die Klage nicht a limine abzuweisen, sondern darauf zu verfügen sei, was Rechtens. In den Gründen ist bemerkt:

Der in dem fraglichen Wechsel gebrauchte Ausdruck: „Nach Sicht zahle ich ꝛc.“ muß als gleich bedeutend mit „Auf Sicht zahle ich“ angesehen werden **). Die Bestimmung des Art. 4 Nr. 4 der a. b. WO. „die Zahlungszeit kann nur festgesetzt werden ꝛc. auf Sicht (Vorzeigung, à vista etc.) oder eine bestimmte Zeit nach Sicht“ stellt das unterscheidende Merkmal dieser beiden Fälle nicht in den Gebrauch der Worte „auf Sicht“ oder „nach Sicht“, und zwar in der Weise, daß bei dem Gebrauche der letzteren Worte immer auch der Beisatz und die Angabe einer bestimmten Zeit nach Sicht als nothwendiges Erforderniß bezeichnet würde, sondern vielmehr in den Gebrauch eines Ausdruckes, welcher entnehmen läßt, daß der Wechsel sofort nach dessen Vorzeigung von dem Schuldner gezahlt werden soll, in dem einen Falle, und in die Festsetzung der Zahlungszeit im Wechsel auf eine bestimmte Zeit nach dessen an den Schuldner erfolgten Vorzeigung zur Zahlung in dem anderen Falle.

Daß mit den Worten „auf Sicht“ nicht eine bestimmte unabänderliche Form des Wechsels vorgeschrieben werden sollte, ergibt sich aus der Einschaltung „auf Vorzeigung, à vista ꝛc.“, welche Ausdrücke beispielsweise als gleichbedeutend mit „auf Sicht“ hier aufgeführt sind.

Als ein solcher gleichbedeutender Ausdruck sind aber auch die Worte „nach Sicht“ ohne weiteren Beisatz zu betrachten.

---

*) So entschied das Oberappellgericht in München unter'm 27. Juli 1854. (Seuffert, Archiv X. 277. Zeitschr. f. GG. u. RPfl. Bd. III. S. 544).

**) Nach den Erklärungen der technischen Beisitzer kommt im kaufmännischen Verkehre der Sichtwechsel fast immer in der Form „Nach Sicht zahlen Sie“ ꝛc. ꝛc., höchst selten dagegen in der Form „Auf Sicht“ ꝛc. ꝛc., vor.

Wer erklärt, „nach Sicht" zahlen zu wollen, der räumt seinem Gläubiger die Befugniß ein, die Zahlung zu verlangen, sobald ihm der Wechsel zur Zahlung vorgezeigt worden ist; er macht sich daher auch verbindlich, die Zahlung sofort nach erfolgter Vorzeigung zu bewirken.

Ist in einem „nach Sicht" lautenden Wechsel die Zahlungszeit nicht auf eine bestimmte Zeit nach Sicht festgestellt, so muß eben gefolgert werden, daß das Recht, die Zahlung zu verlangen, nicht vor dem Ablaufe eines weiteren Zeitraumes nach erfolgter Vorzeigung abhängig gemacht werden wollte, sondern der Schuldner zu jedem Zeitpunkte nach erfolgter Vorzeigung, also auch sofort nach letzterer, zu zahlen verpflichtet sei.

Es kann daher der erstrichterlichen Ansicht, daß ein lediglich „nach Sicht" zahlbar lautender Wechsel den Vorschriften in Art. 4 Nr. 4 der a. d. WO. nicht entspreche und daher keine wechselmäßigen Verpflichtungen erzeuge, nicht beigestimmt werden, und war, da ein sonstiger Grund zur Abweisung nicht als gegeben erscheint [*]), wie geschehen, zu erkennen [**]).

(Landshut Reg.-Nr. 22.)

## LXXII.

Benennung eines Domiziliaten durch die Bezeichnung: „zahlbar bei N. N." — Nothwendigkeit der Protesterhebung zur Erhaltung des Wechselrechtes gegen den Acceptanten im Falle der Identität des Trassanten und Domiziliaten.

### Art. 43 der a. d. WO.

Kaufmann S. zu Frankfurt a. M. hatte zwei an seine Ordre gestellte Wechsel auf K. zu M., „zahlbar bei S. [***]) zu Frankfurt a. M.", gezogen und solche, nachdem er dieselben noch vor Verfall weiter begeben, in der Folge aber von dem Giratar zurückerhalten hatte [†]), nach

---

[*])  Die Vorzeigung des Wechsels zur Zahlung war erfolgt und Protest hierüber aufgenommen.

[**])  Ebenso entschied das Berliner Obertribunal in einem Plenarbeschlusse vom 5. November 1855 (Archiv f. d. W. Bd. V S. 422), sowie das Obertribunal zu Stuttgart und Wolfenbüttel (Kletke, Präjudize Nr. 52 u. 33), in Uebereinstimmung mit Gelpke, Zeitschr. für Handelsrecht I S. 188: Bluntschli, S. 27; Hoffmann, S. 195.

[***])  Daß der als Domiziliat benannte S. mit dem Aussteller identisch sei, war unter den Parteien nicht bestritten.

[†])  Wann diese Zurückerwerbung stattgefunden, war weder aus den Parteischriften noch dem Wechsel zu entnehmen.

vorheriger Durchstreichung des Giro gegen den Trassaten und Acceptan=
ten bei dem k. HG. Aschaffenburg eingeklagt.

Durch Urtheil vom 20. Jänner 1863 entband jedoch dieses Ge=
richt den Verklagten von der Klage, welches Urtheil in II. Instanz am
26. Febr. 1863 bestätigt wurde. In den Gründen des letzteren kommt vor:

Im gegebenen Falle liegen keine einfachen Domizilwechsel, bei wel=
chen der Bezogene und Acceptant selbst an einem von seinem Wohn=
orte verschiedenen Orte, dem Wechselbomizile, Zahlung zu leisten hätte,
sondern Domizilwechsel mit besonders benanntem Domiziliaten vor, in=
dem dieselben als „zahlbar bei S. in Frankfurt a. M.", ausgestellt
sind. Dem gewöhnlichen Sprachgebrauche gemäß könnte zwar der Aus=
druck: „zahlbar bei" auch nur in dem Sinne aufgefaßt werden, daß
damit der Ort, wo der Acceptant Zahlung leisten solle, nämlich in der
Wohnung oder dem Geschäftslokale des Traffanten, habe näher bezeich=
net werden sollen. Nach einem unter dem Handelsstande, welchem beide
Streittheile ohne Zweifel beizuzählen sind, allgemein bestehenden kon=
stanten Handelsbrauche wird jedoch der Ausdruck „zahlbar bei" als
gleichbedeutend mit „zahlbar durch" gebraucht und daher durch denselben
stets diejenige Person angedeutet, durch welche die Zahlung an Stelle
des Bezogenen am Wechselbomizile erfolgen soll. *)

Daß hier der Traffant selbst es ist, welcher auch als diejenige
Person, „bei" welcher die Zahlung erfolgen solle, aufgeführt erscheint,
vermag an der rechtlichen Natur der eingeklagten Wechsel als Domi=
zilwechsel mit besonders benanntem Domiziliaten, und der hieraus nach
Art. 43 Abs. 2 l. c. sich ergebenden Folgerung keine Aenderung her=
vorzubringen. Es würde dieses schon aus dem Rechtssatze folgen, daß,
wo das Gesetz keinen Unterschied macht, auch der Richter zu einem
solchen nicht berechtigt ist, indem die a. b. WO. unter der Vorausset=
ung der Benennung eines Domiziliaten ganz allgemein die rechtzeitige
Protesterhebung bei letzterem vorschreibt, ohne für den Fall, daß der Traf=
fant selbst als Domiziliat benannt sein sollte, eine Ausnahme festzusetzen.

---

*) In diesem Sinne hat sich auch die zur Berathung des ersten preußi=
schen Entwurfes niedergesetzte Kommission ausgesprochen; ebenso ein Er=
kenntniß des Obertribunals zu Berlin vom 3. Mai 1855 und 19.
Februar 1856. Ferner ein Erkenntniß des vormaligen k. HAGerichtes
zu Nürnberg vom 20. September 1860, Zeitschr. Bb. VIII S. 260.
Das k. HAGericht zu Nürnberg hat auch in der Sache Augsburg
Reg.=Nr. 4 in Uebereinstimmung mit dem k. Handelsgerichte Augsburg
durch Erkenntnisse vom 31. Dezember 1862 und 9. April 1863 die
obige Ansicht ausgesprochen.

Es bestehen aber auch keine ausreichenden inneren Gründe, welche einen solchen Unterschied rechtfertigen würden. Wenn Jemand auf eine an einem anderen Orte wohnhafte Person einen an seine Ordre lautenden, bei sich selbst zahlbaren, Wechsel zieht, so ist nach dem vorerwähnten Handelsgebrauche als Intention desselben anzunehmen, daß der Trassat und Acceptant ihm zur Verfallzeit die nöthige Deckung an seinen, des Trassanten, Wohnort übersende, damit er alsdann aus der übersendeten Summe selbst sich bezahlt mache. Die mehrfach ausgesprochene Ansicht, daß in Fällen dieser Art die Absicht der Wechselkontrahenten nur darauf gerichtet sei, daß der Acceptant selbst in der Wohnung oder dem Geschäftslokale des Trassanten Zahlung leisten solle*), hat nicht nur die Vorschrift des Art. 43 Abs. 1 l. c., wornach es zur Erreichung jenes Zweckes eines besondern Beisatzes gar nicht bedürfte, sondern auch den im Wechselrechte geltenden allgemeinen Grundsatz gegen sich, daß der Wechselschuldner dem Wechselgläubiger die Zahlung nicht nachzubringen und sich deshalb zu ihm zu verfügen verbunden ist (Art. 40 l. c.). Die verschiedenen Rollen, welche in einem Falle der vorausgesetzten Art nach dem eben Bemerkten dem Aussteller zukommen, bringen es aber mit sich, daß auch in einem solchen Falle Protest erhoben und hiedurch in urkundlicher Form konstatirt werde, daß eine Deckung Seitens des Trassaten nicht erfolgt sei. Es ist allerdings nicht zu verkennen, daß die doppelte Stellung, in welcher der Trassant hiebei sich befindet, eine außergewöhnliche sei; sie ist indessen nur eine Anwendung des Rechtssatzes, daß unus homo plures personas sustinere potest, von welchem sich auch anderwärts im Wechselverkehre Beispiele finden (z. B. Art. 6 Abs. 2 der a. d. WO.), und widerstrebt auch nicht der rechtlichen Auffassung des Handelsstandes, indem in Fällen der vorliegenden Art die Protestaufnahme Seitens des Trassanten bei sich selbst durchaus nicht zu den Seltenheiten gehört**).

Diese Eigenthümlichkeit in der Stellung des Trassanten ist übrigens auch nur insolange vorhanden, als der Wechsel sich noch in dessen

---

*) Dieser Ansicht ist Hoffmann in seiner Erläuterung der a. d. WO. S. 322, 398, 399, dann Borchardt, a. b. WC. S. 121; ferner spricht sich in diesem Sinne der Kommissionsbericht, mehrere zur a. d. WO. in Anregung gekommene Fragen betr., aus. S. LIII. Ebenso hat in mehreren Fällen der oberste Gerichtshof zu Wien entschieden. Seuffert's Archiv Bd. V S. 336, Bd. VI S. 296 u. 306. Archiv für deutsches Wechselrecht Bd. XI S. 24.

**) Vgl. z. B. das Zeugniß von Wächter's im Archiv f. d. WR. Bd. V S. 162; ferner Seuffert's Archiv Bd. XV S. 100, Note 3.

Händen befindet, fällt aber im Falle der Weiterbegebung desselben weg, weshalb unter dieser Voraussetzung auch von Denen, welche im ersteren Falle die Nothwendigkeit einer Protesterhebung in Abrede stellen, die Vorschrift des Art. 43 Abs. 2 l. c. wieder als anwendbar erachtet wird \*).

Allein, ist diese Annahme richtig, so muß das Gleiche auch in dem ersteren der unterstellten Fälle Anwendung finden. Denn die Verpflichtung des Trassanten und Acceptanten kann nur nach Inhalt des v o n  i h m  acceptirten Wechsels beurtheilt werden; eine Haftung, welche ihm nach Inhalt dieses Wechsels zur Zeit der Acceptation nicht oblag, kann ihm auch in Folge einseitiger Handlungen eines Anderen späterhin nicht obliegen, m. a. W., der rechtliche Charakter eines Wechsels kann von Anfang an nur ein und derselbe sein. War daher ein accepirter Wechsel zur Zeit der Acceptation kein domizilirter mit besonders benanntem Domiziliaten, so kann er auch im Falle der Weiterbegebung nicht als solcher behandelt werden, und umgekehrt muß diese Eigenschaft konsequent als bereits von Anfang an vorhanden erachtet werden, wenn man sie im Falle der Indossirung des Wechsels als gegeben annimmt.

Fehlt es hienach aber an genügenden Gründen, um den Fall der Identität des Trassanten mit dem Domiziliaten von der Vorschrift des Art. 43 Abs. 2 auszunehmen, so sprechen auch die Konsequenzen, welche sich an einen solchen Unterschied knüpfen würden, gegen Statuirung eines Ausnahmsfalles. Denn läßt man die Vorschrift des Art. 43 Abs. 2 nicht als ausnahmslose gelten, so fehlt es an allen gesetzlichen Anhaltspunkten, um den Umfang der Ausnahme scharf zu begrenzen, und die Mannigfaltigkeit der in Theorie und Praxis über die Nothwendigkeit eines Protestes in Fällen der vorliegenden und ähnlicher Art herrschenden Ansichten \*\*) läßt am deutlichsten er-

---

\*) Vgl. z. B. K h e i l, Wechselrecht, II. Aufl. S. 220. — N o r t h o f f im Arch. f. d. WR. Bd. IX S. 111. Erk. des k. k. Oberlandesgerichtes zu Wien in demselben Archiv Bd. V S. 83 ff.

\*\*) Es wird unterschieden, ob der Trassant selbst Domiziliat sei oder der Wechsel durch Indossament an den Domiziliaten gelangt sei; ob ferner ersteren Falles der Trassant Inhaber des Wechsels geblieben oder dieser durch Indossament weiter begeben worden; im Falle der Weiterbegebung des Wechsels wird weiter verschieden erkannt, je nachdem der Wechsel wieder an den Aussteller zurückgegangen oder nicht, und bejahenden Falles, ob dieses v o r  oder  n a c h  Verfall des Wechsels geschehen. Ueber die verschiedenen Ansichten vergl. H o f f m a n n, Erläuterung der a. d. WO. S. 398. K h e i l, Wechselordnung S. 220. B l a s c h k e, Wechselrecht S. 191. S e u f f e r t's Archiv Bd. IV S. 104—108. Archiv

kennen, daß ein ausnahmsloses Festhalten an der mehrerwähnten Ge=
setzesvorschrift ein wohl berechtigtes ist *).

(Aschaffenburg. Reg.=Nr. 9.)

### LXXIII.
**Zahlungszeit eines Wechsels, mit: „Vierzehn Tage a. c."**) bezeichnet.**

Art. 4 Nr. 4, Art 96 Nr. 4 der allg. d. WO.

Das k. Handelsgericht Würzburg hatte die Klage aus einem eige=
nen Wechsel, in welchem die Zahlungszeit in vorstehender Weise be=
zeichnet war, a limine abgewiesen, weil es dem Wechsel an einem
wesentlichen Erfordernisse, der gehörigen Angabe der Zahlungszeit, ge=
breche. Das kgl. Handelsappellationsgericht bestätigte auf erhobene
klägerische Beschwerde dieses Urtheil am 26. März 1863 aus folgen=
den Gründen:

Der vorliegende Wechsel läßt nicht entnehmen, ob die 14 Tage,
von denen im Wechsel die Rede ist, vom Tage der Wechselausstellung
oder von irgend einem anderen Zeitpunkte beginnen. Auch der eigene
Wechsel, nicht blos der trassirte, kann auf Sicht, auf eine bestimmte
Zeit nach Sicht gestellt, der Lauf der im Wechsel bemerkten Frist
also von einer vorgängigen Präsentation abhängig gemacht werden,
die Worte: „14 Tage im laufenden Jahre zahle ich" geben aber nicht
den mindesten Anhaltspunkt für die Annahme, daß in 14 Tagen vom

---

für d. WR Bd. III S. 343, Bd. IV S. 372, Bd. V S. 336; 834,
Bd. VII S. 179, Bd. IX S. 126 ff. Das k. Handelsappellationsge=
richt zu Nürnberg hat den Protest auch für den Fall, daß der Wechsel
konstatirtermaßen v o r dem Verfalltage durch Indossament an den Domi=
ziliaten gelangt, für nothwendig erklärt. Erk. v. 9. April 1863 (Augs=
burg. Reg. Nr. 4).

*) Der Umstand, daß in Fällen der fraglichen Art der Protest nicht die
Natur eines Zeugnisses eines öffentlichen Beamten darüber, daß eine
Zahlung nicht stattgefunden habe, an sich trägt, indem der Beamte
nicht wissen kann, ob die Angabe des Domiziliaten, keine Deckung er=
halten zu haben, eine richtige sei, läßt den Protest nicht als überflüssig
erscheinen, seine Bedeutung liegt hier in der von Seite des Domizilia=
ten rechtzeitig abgegebenen Deklaration, daß eine Deckung nicht erfolgt
sei. Einen anderen Charakter trägt derselbe auch nicht in den Fällen,
in welchen der Domiziliat durch Giro Wechseleigenthümer geworden ist,
und gleichwohl wird derselbe hier zur Erhaltung des Regreßanspruches
gegen die Vormänner als nöthig erachtet.

**) Die Buchstaben a. c. waren eine Abbreviatur für „anni currentis",
was Kläger selbst zugegeben hatte.

Tage der Wechselausstellung habe gezahlt werden sollen, der Beisatz im laufenden Jahre" (a. c.) läßt vielmehr auch die Annahme zu, daß dem Schuldner ein größerer, sich erst mit Ablauf des Jahres endigender Zeitraum zur Zahlung gegeben werden wollte. Es ist also ungewiß, welche Zahlungszeit die Kontrahenten bei der Wechselausstellung im Sinne hatten; es mangelt dem Wechsel an dem Erfordernisse des Art. 4 Nr. 4 resp. Art. 96 Nr. 4 der a. b. WO., an der bestimmten Angabe der Zeit, zu welcher gezahlt werden soll, aus dem Wechsel ist keine jener Zeitbestimmungen ersichtlich, durch welche allein nach den Vorschriften der angeführten Artikel die Zahlungszeit festgesetzt werden kann.

Aus diesem Grunde ist aber auch das weitere Vorbringen des Appellanten, daß jedenfalls mit Umfluß des Jahres 1862 die Wechselschuld als fällig erachtet werden müsse, ohne alle Erheblichkeit.

Das Gesetz verlangt die bestimmte Angabe der Zeit, zu welcher die Zahlung des Wechsels verlangt werden kann. Eine Zeitbestimmung, aus der sich zwar entnehmen läßt, daß jedenfalls bis zu einem gewissen Zeitpunkte gezahlt werden sollte, die aber zugleich unbestimmt läßt, ob und wann nicht schon früher die Zahlung verlangt werden kann, entspricht den Vorschriften der WO. über die Erfordernisse eines Wechsels nicht.

Eine solche läge aber hier vor, wenn man den erwähnten Worten des Wechsels die vom Appellanten eventuell beigelegte Deutung geben wollte. (Würzburg. Reg.=Nr. 5.)

## LXXIV.
### Rechte des Kommissionärs auf Honorar.
#### Art. 371 des a. b. HG.

Ein Kommissionär, welchem 5% Sconto und 5% Provision bei Eingehung des Geschäftes stipulirt war, verlangte noch außerdem „für seine Bemühungen" die Summe von 300 fl., wurde aber in beiden Instanzen damit abgewiesen.

Die handelsappellationsgerichtlichen Entscheidungsgründe des Erkenntnisses vom 12. März 1863 besagen hierüber:

Es ist allerdings richtig, daß der Kommissionär unter Umständen neben der Provision noch Entschädigung fordern kann.

Zur Begründung eines solchen Anspruches kann sich aber nicht auf die für das Geschäft aufgewendeten Bemühungen berufen werden; denn diese werden eben durch die Provision gelohnt, und ist dabei ins-

12

besondere, wenn, wie im gegebenen Falle die Höhe der Provision bei Eingehung des Kommissionsvertrages verabredet war, ohne Einfluß, ob die Abwickelung des übernommenen Geschäftes längere oder kürzere Zeit gedauert hat, ob der Aufwand von Arbeit ein größerer oder geringerer war und dgl.; alles dieses muß vor der Uebernahme eines solchen Geschäftes zum Voraus in's Auge gefaßt werden, und hat sich der Kommissionär eine zu geringe Provision bedungen, so hat er eben falsch spekulirt und den Schaden sich selbst zuzuschreiben.

Der Anspruch auf besondere Entschädigung setzt besondere Leistungen voraus, welche als zum Vollzuge des Geschäftes nothwendig oder nützlich nachgewiesen werden müssen *).

Appellant hat in seinen Erinnerungen die Entschädigung lediglich für seine Bemühungen als Kommissionär gefordert, auch in der Schlußäußerung eine anderweitige Begründung nicht versucht. Was nunmehr in der Appellationsinstanz vorgebracht wird, bezieht sich ebenfalls zuvörderst nur auf die angeblich sehr großen Bemühungen des Kommissionärs; und wenn hiebei angefügt wird, daß demselben auch für die Aufbewahrung der Waaren und für Instandsetzung der hiezu erforderlichen Lokalitäten Auslagen erwachsen seien, so ist diese ohnehin unzulässig nachgeschleppte Behauptung wegen ihrer gänzlichen Unbestimmtheit zur Berücksichtigung nicht geeignet.

(München I/J. Reg.=Nr. 74.)

## LXXV.

**Fortführung der Firma einer aus 2 Theilhabern bestehenden offenen Handelsgesellschaft, falls einer derselben austritt und der andere das Geschäft unter Uebernahme der Aktiven und Passiven allein fortsetzt.**

Art. 16, 22, 24 des a. d. HGBuches.
Art. 25 u 26 des Einf=Gesetzes hiezu.
Prot. der HGKommission Bd. I S. 39 ff. Bd. III S. 921, 922.

In einem Falle der überschriftlich genannten Art hatte das k. Handelsgericht Ansbach durch Beschluß vom 12. Februar 1863 dem das Handelsgeschäft allein fortsetzenden bisherigen Gesellschafter das Recht zur Fortführung der bisherigen Firma Gebrüder S. **) aus

---

*) Und zwar wie der Schlußsatz dieses Erkenntnisses ersehen läßt, im Einzelnen.

**) Diese Firma war von beiden Theilhabern innerhalb der durch Art. 25 u. 26 des Einf.=Ges. vorgesetzten Frist zum Handelsregister angemeldet worden.

dem Grunde abgesprochen, weil diese Firma bis zu der am 10. Februar erfolgten Auflösung der Gesellschaft eine Gesellschaftsfirma gewesen, und nur als solche angemeldet worden sei, nach Auflösung der Gesellschaft aber der das Handelsgeschäft übernehmende Gesellschafter als Einzelkaufmann erscheine, welcher der Vorschrift des Art. 16 des a. d. HGBuches unterworfen sei.

Gegen jenen Beschluß hatte der fragliche Gesellschafter das Rechtsmittel der Berufung eingelegt und sich zur Begründung desselben insbesondere auf die Bestimmungen der Art. 25 u. 26 des Einf.-Ges. zum a. d. HGBuche, sowie der Art. 22 u. 24 des letzteren Gesetzes selbst berufen.

Durch Urtheil vom 23. März 1863 sprach das k. Handelsappellationsgericht aus, daß Beschwerdeführer zur Fortführung der Firma „Gebrüder S." als berechtigt zu erachten und dem entsprechend in der Sache weiter zu verfügen sei.

In den Gründen ist bemerkt:

Die vom Unterrichter zur Begründung seines Beschlusses in Bezug genommene Vorschrift des Art. 16 des a. d. HGB. kann nur unter der selbstverständlichen Beschränkung aufgefaßt werden, daß nicht Ausnahmen vom Gesetze selbst zugelassen sind, und solche Ausnahmen enthalten die vom Beschwerdeführer angezogenen Art. 22 u. 24 des a. d. HGB. selbst wie die Art. 25 u. 26 des Einf.-Ges. hiezu.

Was indessen die angezogenen Bestimmungen des Einf.-Ges. betrifft, so steht allerdings soviel fest, daß am 12. August v. Jrs., mithin innerhalb der vorgeschriebenen 3 monatlichen Frist, die beiden damaligen Inhaber der fraglichen Firma P. A. S. sen. und jun. letztere zur Eintragung in das Handelsregister anmeldeten und dadurch auch das Recht auf deren Fortführung erlangten, obwohl dieselbe den auf die Führung der Firmen offener Handelsgesellschaften bezüglichen Bestimmungen (Art. 17 des a. d. HGB.) nicht entsprach. Allein hieraus würde noch keineswegs folgen, daß auch nach nunmehriger Auflösung jener Gesellschaft von dem das Geschäft allein fortführenden P. A. S. sen. die ursprüngliche Firma beibehalten werden dürfe. Die Art. 25 u. 26 enthalten eine den Uebergang von dem früheren Zustande in den neuen vermittelnde Bestimmung und haben nur die am 1. Juli bereits bestandenen Firmen zum Gegenstande, deren Fortführung unter gewissen Voraussetzungen selbst dann, wenn sie den Bestimmungen der Art. 16—18 und 251 des HGB. nicht entsprächen, gestattet werden wollte. Von selbst versteht sich aber hiebei, daß hiemit den Inhabern solcher Firmen nicht für alle Zeiten ein unantaftbares Recht auf die letzteren eingeräumt werden sollte, sondern die Befugniß zu deren Fortführung von der Bedingung abhängig ist, daß die für die Wahl einer Firma in Betracht kommenden Verhältnisse so, wie sie zur Zeit des 1. Juli 1862 bestanden, fortdauerten und hierin keine Aenderungen einträten, welche nach anderweiten Bestimmungen des HGB. eine Aenderung der bisher geführten Firma zur nothwendigen Folge haben. Eine solche Aenderung wäre aber, abgesehen von der Vorschrift der Art. 22 u. 24 des HGB., im Hinblicke auf die Art. 16 u. 17 daselbst in der That im vorliegenden Falle eingetreten, indem zur Zeit des 1. Juli 1862 die Firma „Gebrüder S." von einer offenen Handelsgesellschaft geführt wurde, während diese Gesellschaft nunmehr als aufgelöst erscheint und Beschwerdeführer als Einzelkaufmann dasteht, bezüglich dessen, falls keine weiteren Ausnahmen von den Vorschriften des Art. 16 des a. d. HGB. als die im Art. 25 und 26 des Einf.=Ges. statuirten bestünden, die Bestimmung des Art. 16 Maaß zu geben haben würde.

Aber auch aus der Bestimmung des Art. 22 des HGB. kann das Recht des Beschwerdeführers auf Fortführung der Firma „Gebrüder S." nicht abgeleitet werden. Denn derselbe setzt den Fall voraus, daß Jemand ein Handelsgeschäft, an welchem er bisher noch gar keinen Theil gehabt, durch Vertrag oder Erbgang erwerbe; es ergibt sich dieß nicht nur aus der Fassung des Artikels, welche auf den Erwerb eines Handelsgeschäftes im Ganzen hindeutet und daher auf Fälle, in welchen Jemand schon Theilhaber eines Geschäftes war und dasselbe nun ausschließlich erhält, nicht wohl bezogen werden kann, sondern auch aus den auf diese Artikel bezüglichen Verhandlungen der HGKommission. Bei Berathung der Art. 20 u. 22 des preußischen Entwurfes, welche den Art. 16 und 17 des HGB. entsprechen, wurde nämlich allseitig anerkannt, daß die Vorschriften jener Artikel nur mit Vorbehalt des Art. 26 des Entwurfes, entsprechend dem Art. 22 des HGB., zu verstehen seien, daß jedoch hiemit nur für den Fall Vorsorge getroffen sei, in welchem eine Firma von den bisherigen Inhabern gänzlich auf andere übergehe, weshalb auch für den Fall Bestimmung getroffen werden müsse, in welchem nur eine theilweise Aenderung in den Personen der bisherigen Inhaber eintrete, worauf in letzterer Richtung weitere Berathung gepflogen wurde. Von einem Uebergange der Firma „Gebrüder S." auch auf ganz andere Personen als die bisherigen Inhaber kann aber im gegebenen Falle, in welchem der schon bisher als Gesellschafter betheiligte Beschwerdeführer das Geschäft unter Uebernahme der Aktiven und Passiven für alleinige Rechnung fortsetzte, keine Rede sein.

Dagegen ist das Recht des Appellanten zur Führung der fraglichen Firma auf dem Grunde der bereits angeführten Vorschrift des Art. 24 des HGB. als begründet zu erachten. Nach dem Wortlaute dieser Gesetzesstelle könnte es zwar als zweifelhaft erscheinen, ob hierunter auch der Fall als inbegriffen gedacht wurde, wenn aus einer nur 2 Theilhaber zählenden offenen Handelsgesellschaft einer derselben austritt, oder ob das Gesetz nur solche Fälle vor Augen gehabt habe, in welchen nach dem Austritte eines oder mehrerer Gesellschafter immerhin noch eine offene Gesellschaft besteht. Mit Rücksicht auf die Entstehungsgeschichte und die Motive des Art. 24 kann es indessen kaum einem gegründeten Zweifel unterworfen sein, daß auch Fälle der ersteren Art durch den Art. 24 getroffen werden wollten, dieser daher in jenem weiteren Sinne aufzufassen sei.

Nach dem der Kommission z. Ber. d. a. d. HGBs. als Grundlage vorgelegenen preußischen Entwurfe war von den Bestimmungen der Art. 20 u. 22, welche die in den Art 16 u. 17 des HGB. bezüglich der Firmen aufgestellten Regeln enthielten, nur eine einzige Ausnahme für den Fall zugelassen gewesen, daß Jemand ein bestehendes Handelsgeschäft durch Vertrag oder Erbgang erwirbt, welcher Fall im Art 26 daselbst vorgesehen war. Wie schon bemerkt, wurde aber (in der VI. Sitzung vom 27. Januar) bei der Berathung der ebenerwähnten Artikel allseitig anerkannt, daß im Art. 26 nur für den Fall Vorsorge getroffen sei, daß eine Firma von allen bisherigen Inhabern veräußert werde, somit auf ganz andere Personen übergehe, und daher für nöthig erachtet, auch für den Fall Bestimmungen zu treffen, daß nur eine theilweise Aenderung in der Person der bisherigen Inhaber statt habe. Bei der hierüber erfolgten Diskussion bestand nun kein Zweifel darüber, daß es sich nur um solche Fälle handeln könne, in welchen neben der Firma das Handelsgeschäft selbst, d. h. dessen Aktiva und Passiva ohne völlige Liquidation der letzteren von einem der mehreren Theilhaber allein übernommen werden, oder wo der einzige Inhaber einem Eintretenden einen Theil seiner Rechte einräumt. Hiebei wurde nicht verkannt, daß es in solchen Fällen allerdings nicht unbedenklich sei, von dem Gebote, die Firmen möglichst getreu der Wahrheit zu erhalten, eine Ausnahme zu machen und auch hier die unveränderte Erhaltung bereits bestehender und vielleicht rühmlich bekannter Firmen zuzulassen; gleichwohl erschien aber auch hier das Interesse für das Fortbestehen be-

reits wohlgegründeter Firmen vor Allem maßgebend zu
sein.   Mit Rücksicht hierauf wurde mit 9 gegen 5 Stimmen zum Beschlusse erhoben, daß in das Gesetz ein neuer Artikel mit folgenden
Worten salva redactione eingeschaltet werde:

„Wenn ein bestehendes Handelsgeschäft sich in Folge des Eintrittes oder Austrittes eines Gesellschafters ändert, so kann die ursprüngliche Firma trotz der erfolgten Veränderung fortgeführt werden.
Im Falle des Austrittes eines Gesellschafters bedarf es jedoch, wenn
der Name desselben in der Firma stehen bleiben soll, dessen ausdrücklicher Zustimmung."

Diesen Beschlüssen entsprechend wurde in dem Entwurfe erster
Lesung als Art. 26 eine neue Vorschrift aufgenommen, welche in der
II. Lesung zwar eine Fassungsänderung erlitt, im Prinzipe aber nicht
beanstandet wurde, in III. Lesung überhaupt keinen Gegenstand der
Erörterung mehr bildete und schließlich als Art. 24. dem HGB. ein-
verleibt wurde.

Aus diesem ganzen Verlaufe geht hervor, daß der Art. 24 des
HGB. nichts Anderes sagen will und soll, als was der Art. 26 des
Entwurfes erster Lesung bezweckte, und da dessen Intention, wie namentlich die in II. Lesung s. r. beschlossene Fassung entnehmen läßt,
offenbar auch dahin ging, in Fällen der vorbezeichneten ersteren Gattung die Fortführung der bisherigen Firma zu gestatten, so muß
das gleiche von Art. 24 gelten.

Auch das Motiv, welchem die fragliche Gesetzesbestimmung ihr
Entstehen verdankt, nämlich schon bestehende und vielleicht rühmlichst
bekannte Firmen möglichst zu erhalten, paßt in gleicher Weise auf
diejenigen Fälle, in welchen blos noch einer der bisherigen Gesellschafter das bisher gemeinschaftliche Geschäft für alleinige Rechnung
fortbetreibt, wie auf solche Fälle, in welchen nach dem Austritte einzelner Gesellschafter immer noch eine Gesellschaft bestehen bleibt. Desgleichen ist die Gefahr einer Täuschung des Publikums in Fällen der
ersteren Art kaum größer als in denen der letzteren, und daher auch
aus dieser Rücksicht nicht wohl ein Grund zu einer beschränkenden Gesetzesauslegung gegeben.

Erwägt man hiezu, daß nach dem klaren Wortlaute des Gesetzes
auch in dem umgekehrten Falle, wenn nämlich Jemand in ein bereits
bestehendes — wenn auch nur von einem Einzelkaufmann betriebenes
— Handelsgeschäft eintritt, die Fortführung der bisherigen Firma gestattet ist, sowie daß sogar einem Dritten, welcher das in Frage stehende Handelsgeschäft durch Vertrag von beiden bisherigen Theilhabern

erworben hätte, das gleiche Recht zugestanden wäre, so kann auch die Befugniß des Beschwerdeführers, die Firma „Gebrüder S." weiter fortzuführen, keinem gegründeten Zweifel unterworfen sein, ohne daß auf die, zum Ueberflusse übrigens auch ertheilte, Einwilligung des P. A. S. jun. hiezu etwas anzukommen hätte, da dessen Name in der Firma gar nicht vorkommt*).

(Ansbach Reg.=Nr. 4.)

## LXXVI.
### Limitum beim Kommissionshandel.
#### Art. 363 des allg. b. HG.

Fabrikant A. A. hatte dem Kommissionär N. N. verschiedene Schnittwaaren konsignirt und bei jeder Sendung Faktura mit Preisangabe ertheilt. Bei der Abrechnung behauptete N. N., er habe die Waaren um die ihm notirten Preise nicht anbringen können und wollte sich nur zur Bezahlung des angeblichen Erlöses verstehen. Es kam zum Prozesse. Kläger stützte sich auf die handelsrechtliche Usance und behauptete überdieß, es sei ausdrücklich bedungen worden, daß nicht unter den notirten Preisen verkauft werden dürfe, während Beklagter angab, es sei ihm ein Limitum nicht gesetzt und jedenfalls vermöge Uebereinkunft gestattet gewesen, wenn nöthig auch unter die notirten Preise zu gehen.

Das k. Handelsgericht München I/J. verurtheilte den Kommissionär zur Bezahlung des Betrages, welchen die Konsignationsfakturen entzifferten, wogegen dieser die Berufung ergriff, aber ohne Erfolg.

In dem handelsappellationsgerichtlichen Erkenntnisse v. 12. März 1863 kommt vor**):

Es wird von dem Appellanten die von dem Erstrichter seiner Entscheidung zu Grunde gelegte Rechtsansicht bestritten, daß nach

---

*) Ebenso legt v. Hahn, Kommentar S. 76, den Art. 24 des allg. b. HG. aus.

**) Zweifelhafter ist die Frage, ob, wenn in den Konsignationsfakturen „Nettopreise" notirt sind, hiemit stillschweigend der Kommittent diese Preise als den Betrag erklärt hat, welcher ihm ungeschmälert zukommen muß, so daß der Kommissionär seine Auslagen und Provision davon nicht abziehen darf, bez. ob in solchem Falle als limitum die notirten Preise unter Hinzurechnung der Provision und sonstiger Auslagen gelten sollen.

kaufmänniſcher Anſchauung für unſeren Binnenverkehr die in einer
dem Verkaufskommiſſionäre ertheilten Faktura bezeichneten Preiſe als
Limitum gelten, auch wenn dieſelben nicht ausdrücklich als ſolches bezeichnet ſeien.

Allein Gründe zur Widerlegung dieſer Anſicht hat Appellant
nicht vorgebracht, ſondern lediglich auf die Entſcheidungen des OAG.
zu Lübeck verwieſen *). In Bezug auf dieſe iſt aber zu bemerken,
daß der Kommiſſionshandel in den Hanſeſtädten eine weſentlich andere Beſchaffenheit hat als im ſonſtigen Deutſchland, daß insbeſondere bisher in Hamburg die Uſance Geltung genoß, den Kommiſſionär
ſo frei als möglich zu ſtellen, daß bei Berathung des allg. d. HG.
gerade aus der Grundverſchiedenheit der Handelsgewohnheiten in dieſem Punkte die heftigſten Kämpfe entſtanden, die Vertreter der Hanſe-
ſtädte aber mit ihren Anſichten unterlagen, ſo daß die früheren Entſcheidungen der dortigen Gerichte in dieſer Materie weder für das
neue allg. d. HGBuch noch für das bisherige Handelsrecht im übrigen Deutſchland benützt werden können.

Was nun die vorliegende Frage insbeſondere betrifft, ſo iſt noch
weiter zu berückſichtigen, daß bei überſeeiſchen Konſignationen nothwendig dem Kommiſſionär hinſichtlich des Verkaufspreiſes, mit Rückſicht auf das bedeutende Schwanken der Konjunkturen ſowie die
Schwierigkeit der Retournirung und der Einholung neuer Ordre, eine
größere Freiheit gegeben werden muß; daß bei ſolchen Geſchäften die
Preiſe in der Faktura häufig nur der Verzollung oder der Verſicher-
ung halber oder aus anderen ähnlichen Gründen beigeſetzt werden
und daher, beſonders wo Werthverzollungen in Frage kommen, keineswegs als jene Preiſe anzuſehen ſind, an welche der Kommiſſionär gebunden ſein ſoll.

In dem kleineren Binnenverkehre fallen dieſe Momente hinweg
und es iſt in dieſem nicht anders Gebrauch, als daß die in
der Konſignationsfaktura notirten Preiſe an und für ſich als diejenigen gelten, welche dem Kommiſſionär für den Verkauf als Limitum
geſetzt ſein ſollen, weßhalb Kläger keines weiteren Beweiſes mehr
bedarf.

Allerdings unterliegt es nun keinem Zweifel, daß die erörterte
Handelsuſance keine Anwendung finden könnte, wenn Beklagter ver-

---

*) Vgl. Sammlung der Erkenntniſſe des OAG. zu Lübeck in Ham-
burg'ſchen Rechtsſachen, Bd. 1 S. 992, Bd. II S. 771.

möge Uebereinkunft ermächtigt gewesen wäre, nöthigenfalls unter die notirten Preise herabzugehen. Würde ihm diese Ermächtigung zugestanden sein, so hätte er allerdings freiere Hand gehabt, als ein Kommissionär, dem unbedingt ein Limitum gesetzt ist. Zwar wird auch ein solcher nicht unter allen Umständen, wenn er unter dem Limitum verkauft, zur Zahlung der Differenzen verpflichtet; allein er muß, um sich hievon zu befreien, nachweisen, daß er den Verkauf zu geringeren Preisen effektuiren mußte, um von dem Kommittenten Schaden abzuwenden, insbesondere, daß eine Returnirung der Waare oder die Einholung neuer Ordre, ohne den Kommittenten in Schaden zu setzen, nicht möglich gewesen sei*). Der Beklagte dagegen wäre, sein Vorbringen als wahr vorausgesetzt, auch ohne weitere Anfrage und wenn auch durch den Nichtverkauf der Waare dem Kommittenten an sich kein Schaden zugegangen wäre, dennoch zum Verkaufe unter dem notirten Preise berechtigt gewesen, falls es die Geschäftskonjunkturen erfordert hätten. Allein wenn man auch als zweifelhaft erachten wollte, ob dem Beklagten die fragliche Ermächtigung zugestanden oder ob er unbedingt an die notirten Preise als Limitum gebunden gewesen sei, so würde doch eine Beweisauflage in dieser Richtung deßhalb zu keinem Resultate führen, weil der Beklagte keinerlei thatsächliche Anhaltpunkte darüber zu geben wußte, welche Preise er für die Waaren im Einzelnen löste, und daß eine solche Reduktion der notirten Preise durch die besonderen Umstände gerechtfertigt war.

(München I/J. Reg.-Nr. 74.)


### LXXVII.

Sitz einer Aktiengesellschaft. — Zuständigkeit zu deren Eintrag in's Handelsregister.
(Art. 210 des allg. d. HGBuches.)

Ueber den Eintrag der im J. 1861 allerhöchst genehmigten Aktiengesellschaft „Baumwollenspinnerei Kolbermoor" in das Handelsregister

---

*) Ein anderer Fall natürlich ist es, wenn dem Kommissionär zwar Preise notirt werden, aber dabei die Befugniß „nach Belieben" oder „nach Ihrem besten Ermessen" u. s. w. ertheilt ist; hier muß sich der Kommissionär nur über die von ihm bewilligten Preise, nicht auch über die Nothwendigkeit derselben ausweisen und müßte Kommittent einen etwaigen dolus beweisen.

hatte sich zwischen den k. Handelsgerichten München l/J. und München r/J. ein Kompetenzkonflikt erhoben, indem beide ihre Kompetenz zur Vornahme dieses Eintrages ablehnten, und zwar ersteres deßhalb, weil nach den gepflogenen Erhebungen der merkantile und technische Betrieb zunächst von Kolbermoor*) ausgehe, dieser Ort daher als Hauptniederlassung und somit Sitz der Gesellschaft erscheine, letzteres deßhalb, weil statutengemäß der Sitz der Gesellschaft zu München sei.

Bei der auf Anregen dieses negativen Kompetenzkonfliktes von Seite des Ausschußvorstandes in Gemäßheit der Art. 59 Abs. 2 und Art. 70 Abs. 2 des Einf.=Ges. zum allg. d. HGB., dann Art. 14 ff. des Kompetenzkonfliktgesetzes vom 28. Mai 1850 von dem k. HAG. zu Nürnberg auf den 19. Februar 1863 anberaumten öffentlichen Sitzung, zu welcher ein Vertreter der fraglichen Gesellschaft nicht erschienen war, beantragte der k. Staatsanwalt**) auszusprechen, daß das k. Handelsgericht München l/J. zuständig sei, das Weitere bezüglich des Eintrages der Aktiengesellschaft „Baumwollenspinnerei Kolbermoor“ in das Handelsregister vorzunehmen.

Diesem Antrage wurde auch durch das in öffentlicher Sitzung verkündete Urtheil stattgegeben und in den Motiven bemerkt:

Die Fassung des Art. 210 des a. d. HG., so wie sie jetzt lautet, insbesondere der Ausdruck „Sitz der Gesellschaft“ ist erst in der 3. Lesung von Seite der Konferenz angenommen worden. (Protokolle S. 4658.)

Der Entwurf eines Handelsgesetzbuches für die Preußischen Staaten (1857) enthielt Buch II Tit. IV Abschn. 2 (von der Errichtung der Aktiengesellschaften) im Art. 181 Abs. 4 die Bestimmung: „der Gesellschaftsvertrag und die Genehmigungsurkunde müssen in das Handelsregister des Ortes, wo die Gesellschaft ihre Hauptniederlassung hat, eingetragen werden.“

Bei der Diskussion dieser Bestimmung wurde von der Konferenz der Redaktionskommission überlassen, ob nicht statt „Hauptniederlassung“ zu setzen sei „Handelsniederlassung“ (Protokolle S. 171), und es erhielt die in Frage stehende gesetzliche Vorschrift im Ent-

---

*) Bei Aibling im Bezirke des k. Handelsgerichts München r/J. gelegen.
**) Die staatsanwaltschaftliche Funktion bei den in Gemäßheit des Art. 21 des Kompetenzkonfliktgesetzes durch das HAG. zu entscheidenden Streitigkeiten wurde durch höchstes Just.=Min.=Reskript vom 4. Februar 1863 dem jeweiligen I Staatsanwalte am k. Bezirksgerichte Nürnberg übertragen.

wurfe I. Lesung (Art. 188), wie im Entwurfe II. Lesung (Art. 196) die Fassung: „wo die Gesellschaft ihre Niederlassung hat."

Auf Anregung der k. sächsischen Regierung (Monitum 212) wurde bei der III. Lesung diese Bezeichnung einer nochmaligen Prüfung unterzogen und bemerkt, es sei nicht die Absicht, die Erfüllung der besonderen Formvorschriften, welche bei Errichtung oder Statutenveränderungen von Aktiengesellschaften zu geschehen habe, an allen Orten vorzuschreiben, wo etwa Zweigniederlassungen der Gesellschaft beständen; vielmehr müsse der Ausdruck „Niederlassung" in dem prägnanten Sinne von „Hauptniederlassung oder Sitz der Gesellschaft" verstanden werden; nur an diesem Orte sei die vollständige Veröffentlichung der vorgeschriebenen Punkte nothwendig und zweckmäßig.

Auf Grund dieser Bemerkungen erhielt dann der Art. 210 des allg. d. HG. seine jetzige Fassung, daß die Eintragung bei dem Handelsgerichte erfolgen müsse, in dessen Bezirke die Gesellschaft ihren Sitz habe.

Demgemäß unterliegt es keinem Zweifel, daß im Sinne des allg. d. HG. als Sitz einer Aktiengesellschaft deren Hauptniederlassung anzusehen ist, und hieraus folgt weiter, daß dieser Sitz nicht beliebig bestimmt werden kann, sondern durch die faktischen Verhältnisse gegeben ist, indem, wie das k. Handelsgericht München I/J. in seinem Beschlusse richtig bemerkt hat, unter Hauptniederlassung der Mittelpunkt der kaufmännischen Geschäftsführung, des Verkehrs nach Außen, der Sitz des Komptoirs, der Kassa und Buchführung der Aktiengesellschaft verstanden wird; wenn daher Art. 209 des allg. d. HG. anordnet, daß der Gesellschaftsvertrag unter anderen „den Sitz der Gesellschaft" zu bestimmen habe, so soll damit keineswegs das Recht eingeräumt sein, diesen Sitz willkürlich zu erwählen, sondern es ist darin die Vorschrift gegeben, daß in dem Vertrage ausgesprochen werden muß, an welchem Orte die Gesellschaft ihre Hauptniederlassung begründen wolle.

Indem die Aktiengesellschaft „Baumwollenspinnerei Kolbermoor" im §. 2 ihrer allerhöchst genehmigten Statuten die Stadt München als den Sitz der Gesellschaft bestimmte, hat sie dadurch erklärt, ihre Hauptniederlassung in dieser Stadt begründen zu wollen, und hiemit stimmt auch der Inhalt des §. 23 der Statuten überein, da nach diesem der Ausschuß, dessen Mitglieder zur Zeit in München domiziliren und dessen Versammlungen daher zu München stattfinden, die Gesellschaft repräsentirt, bindende Beschlüsse über alle, die Interessen der Gesellschaft betreffenden Gegenstände faßt, und insbesondere die

Materialanschaffungen, sowie die Ueberwachung der ganzen Geschäftsführung einschließlich des Kassawesens in seiner Kompetenz liegt, sonach die definitive Feststellung des Geschäftsbetriebes zu München
stattfinden soll.

Gegenüber diesen Thatsachen kann man der Erklärung des Ausschußvorstandes, k. Notars Schlichthörle, vom 14. Januar l. Js.,
daß von der Vollendung des Fabrikgebäudes an der merkantile Betrieb, sohin auch die technische und merkantile Geschäftsführung,
Komptoir und Buchführung sich in Kolbermoor befinden werde, kein
entscheidendes Gewicht beilegen; denn abgesehen davon, daß sich dieses
nur auf die Thätigkeit der Geranten beziehen kann, diesen aber nach
dem Inhalte der Statuten nicht die Befugniß wahrer Vertreter der
Gesellschaft zukommt, sondern nur die Eigenschaft von Beamten,
welche nach besonderer Instruktion zu handeln haben und denen die
Rechte von Vorständen mangeln, — so daß es zweifelhaft erscheint, ob
der Sitz ihrer Thätigkeit als der eigentliche Mittelpunkt des Geschäftsbetriebes der Gesellschaft angesehen werden könne, so würde, wenn
von jenem Zeitpunkte an die Hauptniederlassung der Aktiengesellschaft,
„Baumwollenspinnerei Kolbermoor", nach Kolbermoor wirklich verlegt
werden sollte, eine Abänderung des §. 2 der Statuten in der vor-
schriftsmäßigen Weise nothwendig werden.

Für die gegenwärtige Entscheidung kann aber nur der dermalen bestehende Zustand maßgebend sein.

(München l/J. Reg.-Nr. 69.)

## LXXVIII.

**Die unbeanstandete Annahme einer (auf Bestellung)
käuflich von auswärts übersendeten Waare nebst Faktura verpflichtet den Empfänger zur Zahlung der fakturirten Preise zu der daselbst bemerkten Zeit.**

### Art. 347 des allg. d. HGB.

In einer die Zahlung eines Waarenkaufschillings betreffenden
Streitsache hatte das k. Handelsappellationsgericht als feststehend angenommen, daß Verklagter die in der Klage bezeichneten Waaren auf
seine Bestellung*) mit Faktura käuflich von auswärts zugesendet er-

---

*) Ueber die Frage, wie sich der Empfänger unbestellter Waaren nach
Einführung des allg. d. HGB. zu verhalten habe, hatte das Handelsappellationsgericht weder in vorwürfiger noch in einer anderen Sache
bisher Veranlassung, eine Entscheidung zu treffen.

halten und Waare nebst Faktura ohne Einspruch angenommen habe. Ueber die hieraus für den Verklagten sich ergebende Folgen ist in den Motiven des Urtheiles vom 2. März 1863 bemerkt:

Bei dieser Sachlage sind die Voraussetzungen zur Anwendung des Art. 347 des allg. d. HGB. gegeben, und es wäre demgemäß Verklagter verbunden gewesen, seine etwaigen Erinnerungen gegen die Waare ohne Verzug dem Kläger bekannt zu geben; da er dieses unterlassen oder doch nicht behauptet hat, eine Reklamation erhoben zu haben, so muß die Waare als genehmigt gelten, und das Gleiche ist auch bezüglich des Preises anzunehmen.

Der Umstand, daß der in Bezug genommene Artikel 347 nur einer Genehmigung der Waare, nicht aber auch des Preises erwähnt, steht der Annahme, daß auch der letztere im gegebenen Falle als genehmigt zu erachten sei, keineswegs entgegen. Bei Aufstellung des Art. 347 hatte der Gesetzgeber im Sinne, über die Voraussetzungen der Anwendung der ädilitischen Rechtsmittel im Handelsverkehre eine Bestimmung zu treffen. Ueber die Frage, unter welcher Voraussetzung der Kaufpreis als behandelt zu gelten habe, wollte er ebensowenig in jenem Artikel, wie in einem sonstigen eine Bestimmung treffen, wie sich denn eine solche auch bezüglich der weiteren Frage nirgends findet, auf welche Weise überhaupt der Kaufpreis festgestellt werden könne. Alle diese Fragen sind vielmehr im Handelsgesetzbuche offen gelassen und daher in Gemäßheit der Bestimmung des Art. 1 in jedem einzelnen Falle nach dem Handelsgebrauche und subsidiär den Vorschriften des Civilrechtes zu entscheiden. Demgemäß kann auch jetzt nach Einführung jenes Gesetzbuches im Handelsverkehre die Feststellung des Kaufpreises nicht blos durch ausdrückliche unmittelbare Bestimmung der Kontrahenten, sondern auch durch Bezugnahme auf den Markt- oder Börsenpreis eines gewissen Ortes *) oder durch unbeanstandete Hinnahme der vom Verkäufer dem Käufer mit der Waare übersendeten Faktura erfolgen, welch' letztere Art der Vereinbarung auf einem konstanten und allgemeinen Handelsgebrauche beruht.

In der unbeanstandeten Annahme der Faktura ist aber auch ein stillschweigendes Uebereinkommen dahin als zu Stande gekommen zu

---

*) Für diesen Fall sind im Art 353 des allg. d. HGB. Vorschriften gegeben und hiemit die Zulässigkeit jener Kaufschillingsbestimmung besonders anerkannt.

betrachten, daß der Kaufpreis binnen 3 Monaten bezahlt werden
solle, indem die dem Verklagten mit der Waare ertheilte Faktura die
Bemerkung: „zahlbar 3 Monate a dato" (Münchner Jacobibult)
enthält, und in der unbeanstandeten Annahme dieser Faktura auch die
Genehmigung dieser Vertragsproposition enthalten erscheint. Daß
Verklagter die ausdrückliche Festsetzung einer dreimonatlichen Zahlungs=
frist widersprochen, ist hiebei selbstverständlich ohne allen Belang, da
nicht eine ausdrückliche, sondern nur eine stillschweigende Vereinbarung
dieses Inhaltes in Frage steht, die Thatumstände, auf welcher diese
Annahme beruht, wie bereits vorhin erörtert, als nicht widersprochen
und daher zugestanden erscheinen, die hieraus abzuleitende S c h l u ß =
f o l g e r u n g aber von dem Richter nach Gesetz oder Handelsgebrauch
unabhängig von dem Parteivorbringen zu ziehen ist*).

(Regensburg Nr. 16.)

---

*) Die oben angenommenen Grundsätze hinsichtlich des Abschlusses eines
   Kaufgeschäftes durch Uebergabe der Faktura Seitens des Verkäufers und
   deren unbeanstandete Annahme Seitens des Käufers ist nicht nur im
   Code de commerce Art. 109, sondern auch in den meisten übrigen
   Gesetzbüchern der handeltreibenden Nationen ausdrücklich ausgesprochen.
   (Vgl. hierüber E n d e m a n n, Lehrbuch des Handelsrechts §. 79.)
   Auch in dieser Beziehung muß die oben (Seite 108 Note) gemachte
   Bemerkung wiederholt werden, daß es unbegreiflich ist, wie wenig sich
   bisher namentlich die Detaillisten mit den Bestimmungen des a. d. HG.
   bekannt gemacht haben. Dem k. Handelsappellationsgerichte liegen fast
   täglich Fälle vor, in denen die Empfänger von Waaren durch ihr Ver=
   fahren zeigen, daß die Art. 347 u. ff. des a. d. HG. für sie gar nicht
   zu existiren scheinen, insbesondere wird gewöhnlich völlig ignorirt, daß
   nicht die Dispositionsstellung allein, sondern nur die r e c h t z e i t i g e,
   das heißt die s o f o r t i g e Dispositionsstellung den Empfänger unbrauch=
   barer Waaren vor Schaden sichern kann; ebenso wird in der Regel
   darauf gar keine Sorge verwendet, die Beschaffenheit der angeblich feh=
   lerhaften Waare sofort genügend konstatiren zu lassen u. s. w.
   Es kann der Handelswelt nicht genug eingeschärft werden, daß der
   Geschäftsschlendrian Angesichts des neuen Handelsgesetzbuches absolut
   beseitigt werden muß und daß man insbesondere im Zeitalter der Eisen=
   bahnen und Telegraphen alle Pflichten r a s c h zu erfüllen hat; der Be=
   queme geht zu Grunde.

## LXXIX.

Anwendbarkeit der b. W.= u. MGO. in den zum vormaligen
Herzogthume Neuburg gehörigen Gebietestheilen.
Moritz, Handbuch sämmtlicher Wechsel= und Merkantilgesetze. S. 1—5.

In einer bei dem k. Handelsgerichte Augsburg anhängigen Han=
delssache hatte dieses Gericht den mit der Klage verbundenen Antrag
auf Verhängung der Sicherheitssperre gegen den Verklagten aus dem
Grunde abgewiesen, weil an dem Wohnsitze des letzteren zu Neuburg
a/D. die b. GO. gelte, und nach dieser die Voraussetzungen zur Ver=
hängung eines Arrestes nicht gegeben seien. Das in Folge klägerischer
Beschwerde mit der Sache befaßte k. HAG. bestätigte zwar die unter=
richterliche Verfügung, erachtete aber die b. W.= u. MGO. als an=
wendbar und sprach sich hierüber im Erk. v 27. April 1863 wie folgt aus:

Durch Patent vom 24. November 1785 wurde sowohl die b. WO.
als auch die b. W.= u. MGO. ausdrücklich auch in den Neuburgischen
Ländern vom 1. Jänner 1786 an eingeführt; ein Antrag, das Her=
zogthum Neuburg von der erneuerten Wechselordnung ganz oder in
einigen Stücken auszunehmen, ward durch höchste Entschließung vom 9.
Mai 1786 abgewiesen; vielmehr wurden durch Verordnung vom
29. Mai 1804 die genannten Wechselordnungen auch auf die mit
Bayern, der oberen Pfalz, Neuburg und Sulzbach vereinigten neuen
Landestheile erstreckt und in der Verordnung vom 18. April 1806 die
Kompetenz des Wechselgerichtes München für das Herzogthum Neuburg
ausdrücklich anerkannt. Durch die weiteren Verordnungen vom 30.
Mai 1811 und 24. November 1812 das Wechsel= und Merkantilgericht
München mit dem Stadtgerichte dortselbst vereinigt und dessen Zustän=
digkeit noch weiter auf den Regen=, Unterdonau= und Salzachkreis
ausgedehnt.

Eine spezielle Abschaffung der W.= u. MGO. in dem Gebiete
des vormaligen Herzogthumes Neuburg ist nun nicht erfolgt, und es
muß daher deren Anwendbarkeit als unbeschränkt fortdauernd erachtet
werden. Bezüglich der Wechselsachen kann dieses keinem Zweifel unter=
liegen, da fortwährend Wechselgerichte bestanden; dagegen könnte es
als zweifelhaft erachtet werden bezüglich der Handelssachen, indem
weder für den Oberdonaukreis, mit welchem das vormalige Herzogthum
Neuburg vereinigt wurde, noch für den späterhin gebildeten Kreis
Schwaben und Neuburg ein Merkantilgericht errichtet, vielmehr eine

**13**

deßfalls gestellte Bitte bereits durch allerhöchste Entschließung vom 10. Januar 1817 beßhalb abgewiesen wurde, „weil zu wenig Kaufleute und Fabrikanten vorhanden seien, um beßwegen die merkantilischen Schuldklagen den ordentlichen Gerichten zu entziehen und diese kleine Zahl der Bewohner blos wegen historischer Verhältnisse an ein weit entferntes Wechselgericht zu verweisen". Allein aus der Unterlassung der Bildung von Merkantilgerichten kann nicht der Schluß auf die Absicht der höchsten Justizgewalt, die W.= u. MGO. abzuschaffen, geschlossen werden*), vielmehr ist dieselbe als noch zu Recht bestehend und nur deren Anwendung wegen Mangels der erforderlichen Gerichte für suspendirt gewesen zu erachten. Nachdem nun aber dieser Mangel durch Bildung von Handelsgerichten weggefallen ist, und nach Art. 70 des Einf.=Ges. zum a. d. HGB. das Verfahren vor den Handelsgerichten nach den hiefür, d. h. für dieses Verfahren bereits bestehenden Gesetzen sich zu richten hat, so ist auch für handelsrechtliche Streitsachen gegen Einwohner des vormaligen Herzogthumes Neuburg die b. W.= u. MGO. in Anwendung zu bringen, da dieses Gesetz auch jetzt noch im vormaligen Herzogthume Neuburg für das Verfahren in Handelssachen, welche nunmehr von den ordentlichen Gerichten wieder ausgenommen sind, in Kraft besteht**).

(Augsburg Nr. 13.)

---

*) Eben deßhalb kann auch nicht, wie der Aufsatz in den Bl. für RA. N. F. Bd. VIII Nr. 8 meint, aus der Nichteinführung von Merk.=Ger in jenem Kreise durch das Ges. vom 11. Septbr. 1825 auf Abschaffung der MGO. in denjenigen Gebietestheilen, in welchen sie eingeführt war, geschlossen werden; eine solche Aufhebung hätte ausdrücklich geschehen müssen, während jenes Gesetz nur von einer nicht weiteren Ausdehnung der Merk.=Gesetze spricht, und überhaupt dieses Gesetz sich nur auf das Wechselrecht bezieht.

**) Die Annahme des schon citirten Aufsatzes in den Bl. f. RA. S. 117, daß die W.= u. MGO. vom J. 1785 in den Landg. Aichach, Friedberg, Rain, Schrobenhausen, Hilpoltstein, Eschenbach, Kemnath, Neustadt a/W. Tirschenreuth und Waldsassen keine Geltung habe, ist unrichtig. Dieselbe gilt in diesen Gebietestheilen allerdings nicht, weil solche durch die allerh. Verordn. v. 15. Sept. 1837 zu Oberbayern, bezw. der Oberpfalz geschlagen wurden, dagegen aber deshalb weil sie im Jahre 1785 zu den altbayer. Provinzen gehörten, die MGO. für sie publicirt wurde und seither durch keinen gesetzlichen Akt abgeschafft worden ist. Was die Landg. Beilngries, Eichstädt und Kipfenberg betrifft, so gilt auch in diesen die MGO. von 1785, insoweit deren Bezirke am 24. Novbr. 1812 zum Regentkreise gehörten.

## LXXX.

Handelsgerichtliche Kompetenz bei vorliegendem Aner=
kenntnisse einer Handelsschuld, — desgl. bezüglich der
Ehefrau eines Kaufmanns. — Unanwendbarkeit des
forum accessorium.

Die Wirthseheleute Joseph und Katharina B. hatten der von dem
Bräuer P. auf Bezahlung einer Bierschuld bei dem k. Handelsgerichte
München l/J. wider sie erhobenen Klage, welcher ein schriftliches An=
erkenntniß der Verklagten über die eingeklagte Schuld unter Bezeich=
nung des Entstehungsgrundes der letzteren beigelegt war, die Einrede
der Inkompetenz entgegengesetzt, weil den eigentlichen Klagegrund das
schriftliche Anerkenntniß der klägerischen Forderung bilde, in welchem
nur zufällig des Entstehungsgrundes der letztern Erwähnung geschehe,
und welches die handelsgerichtliche Zuständigkeit nicht begründen könne,
jedenfalls die Klage gegen die Frau nicht vor die Handels= sondern
vor die Civilgerichte gehöre, und da beide Eheleute einen gemeinsamen
Gerichtsstand vor den ordentlichen Gerichten hätten, die Sache wegen
Konnexität der Ansprüche der beiden Verklagten vor die letzteren Ge=
richte sich eignete.

Dieser Einwand wurde in beiden Instanzen verworfen. In den
Gründen des handelsappellationsgerichtlichen Urtheiles vom 13. April
1863 kommt vor:

In der vorliegenden, von den Verklagten anerkannten Schuldur=
kunde vom 1. August 1862 ist das derselben zu Grunde liegende
Rechtsverhältniß (Bierlieferung) genau angegeben und es erscheint diese
Anführung nicht nur nicht unwesentlich, sondern läßt aus ihrem ganzen
Zusammenhange deutlich die Absicht der Betheiligten erkennen, das
ganze Rechtsverhältniß sowohl bezüglich der Größe der Schuld, als be=
züglich deren Verzinsung und Tilgung urkundlich festzustellen. Es er=
hellt dieses schon daraus, daß, wenn von den Betheiligten lediglich die
Anerkennung der klägerischen Forderung beabsichtigt gewesen wäre, die
übrigen in die Urkunde aufgenommenen Bestimmungen über die Ver=
zinsung und Rückzahlung jener Summe durchaus überflüssig gewesen
wären.

Hiernächst steht unbestritten fest, daß der Kläger ein Bräuer, die
Verklagten Wirthseheleute sind, welche nach Art. 4 u. 271 des a. d.
HGB. als Kaufleute zu betrachten sind, da sie sich gewerbemäßig mit
dem Ankaufe von Bier und anderen Gegenständen in der Absicht der

13 *

Weiterveräußerung an ihre Gäste befassen, wenn auch nach Art. 10 des
a. b. HGB. die Bestimmungen über Firmen, Prokuren und Handels=
bücher auf sie keine Anwendung finden.

Durch die Anführung des Schuldgrundes in dem Schuldscheine
vom 1. August 1862 ist nun aber dargethan, daß es sich bei Einklag=
ung dieser Forderung um ein nach Art. 271 Abf. 1 des HGB. als
ein Handelsgeschäft an sich ohne Rücksicht auf die Person, welche es
abschließt, und den gewerbsmäßigen Betrieb desselben als solches sich
darstellendes Rechtsgeschäft handelt, woraus sich die Zuständigkeit des
HG. München für die vorwürfige Klage, soweit sie gegen den verklag=
ten Ehemann gerichtet ist, ergibt.

Aber auch gegenüber der verklagten Ehefrau muß die handelsge=
richtliche Zuständigkeit als begründet erachtet werden. Zwar kann hier
nicht von Anwendung des f. g. forum accessorium nach Kap. I §. 14
der bayer. GO. die Rede sein, da sich die fraglichen Bestimmungen
der GO. nur auf den allgemeinen ordentlichen Gerichtsstand einer Per=
son, nicht aber auf die für gewiße Arten von Rechtsgeschäften konsti=
tuirten besonderen Gerichtsstände, wie dieses bei den den Handelsge=
richten zugewiesenen Sachen der Fall ist, beziehen. Nachdem indeßen
die verklagte Ehefrau zugestandenermaßen den vorliegenden Schuldschein
mit ausgestellt hat und in der Wirthschaft Beihilfe leistet, so ist, wenn
dieselbe auch deshalb allein mit Rücksicht auf Art. 7 Abf. 3 des a. b.
HGB. nicht als Handelsfrau erachtet werden kann, nach Thl. I Kap. 6
§. 32 Ziff. 6 des bayer. Landrechts doch zu vermuthen, daß sie am
Gewinn und Verlust des gemeinschaftlich betriebenen Geschäftes Theil
hat, folglich auch für die in diesem Geschäfte eingegangenen Verbind=
lichkeiten mithaftet, — welche Haftung, wie bemerkt, sogar urkundlich an=
erkannt ist. Da nun der Schuldgrund, nämlich der Kauf von Bier,
unzweifelhaft ein Handelsgeschäft ist, und zwar nach Art 271 des a.
b. HGB. sogar ein absolutes, welches die Zuständigkeit der HGerichte
nach Art. 64 Abf. 1 des Einf.=Ges. an und für sich schon gegen sie
begründet, so erscheint die Beanstandung der Kompetenz auch in dieser
Richtung unbegründet.

Abgesehen hievon würde die Zuständigkeit gegen die Ehefrau schon
vom Gesichtspunkte der Konnerität aus als gegeben erscheinen, da eine
Forderung, für welche beide Eheleute als in ihrem gemeinsamen Ge=
schäfte eingegangen gemeinschaftlich haften, in Frage steht, mithin der
Klagegrund für beide derselbe ist und nach Art. 64 Abf. 1 des Einf.=
Ges. gerade wegen Konnerität der Sache auch die Kompetenz der Han=
delsgerichte selbst gegen Nichtkaufleute eintreten kann.

Dagegen könnte umgekehrt der Umstand, daß der ordentliche Gerichtsstand die Regel bildet, ungeachtet der Konnexität der Klagen gegen den Ehemann und die Ehefrau nicht die Kompetenz der ordentlichen Gerichte begründen, weil die Zuständigkeit der Handelsgerichte mit Rücksicht auf gewisse Gattungen von Rechtsverhältnissen ohne Rücksicht auf die Person oder persönliche Qualitäten festgestellt ist, und daher für Handelssachen die Kompetenz der ordentlichen Gerichte nur unter ganz besonderen Voraussetzungen, von denen aber hier keine gegeben ist, eintreten kann.

(München I/J.  Reg.-Nr. 85).

## LXXXI.

Das bloße **Anmelden** von Einreden ersetzt im bedingten Mandatsprozesse die wirkliche Geltendmachung von Einreden nicht und ist kein Grund zur Zurücknahme eines erlassenen Mandats.

GO. Kap. V §. 6. — v. Bayer, Theorie der summ. Prozesse VI. Aufl. S. 55 ff.

In einer Handelssache hatte das k. Handelsgericht Würzburg dem Klagantrage entsprechend das bedingte Mandatsverfahren eingeleitet und den Beklagten eine 14tägige Frist eröffnet, um innerhalb derselben entweder den Kläger klaglos zu stellen oder ihre Einwendungen geltend zu machen, widrigenfalls der Klageanspruch unter Ausschluß aller Einreden in Haupt- und Nebensache für anerkannt erachtet würde. Innerhalb jener Frist zeigte der Anwalt der Verklagten an, daß dieselben den Klageanspruch durchaus bestritten und verschiedene Einwendungen gegen denselben geltend zu machen hätten, und bat aus diesem Grunde um Zurücknahme des erlassenen Mandates. Das k. Handelsgericht Würzburg verwarf diesen Antrag, weil eine Einredeanmeldung im Mandatsprozesse nicht genüge, verlängerte aber, — in dem gestellten Antrage das Gesuch um Fristverlängerung erblickend, — die anberaumte Einredefrist um weitere 14 Tage, unter Fortdauer der bereits in der ersten Verfügung für den Ungehorsamsfall angedrohten Rechtsnachtheile. Als Verklagte auch innerhalb dieser Frist eine Antwort auf die Klage nicht abgaben, erklärte das k. Handelsgericht Würzburg auf klägerischen Antrag durch Beschluß vom 9. Februar die den Verklagten angedrohten Rechtsnachtheile für verwirkt und erließ sofort auf den Betrag der schuldigen Haupt- und Nebensache Zahlungsbefehl an die Verklagten. Dieser Beschluß wurde auf Beschwerde der Verklagten von dem k.

Handelsappellationsgerichte unter dem 27. April 1863 bestätigt und in den Gründen bemerkt:

Nach Art. 71 des Einf.-Ges. zum a. b. HGB. soll es für Handelssachen, insoweit sie sich zum Mandatsprozesse eignen, bei dem für diese Prozeßart vorgeschriebenen Verfahren sein Verbleiben haben. Nun spricht zwar die GO. blos gelegentlich der Citation in Kap. V davon, daß es in summario auch gebräuchlich sei, bei Mittheilung der Klagschrift das Prozeßverfahren gleich a praecepto vel mandato zu beginnen, ohne für das weitere prozessuale Verfahren für solchen Fall Vorschriften zu geben.

Indem jedoch die GO. auf den Gerichtsgebrauch hinweist und die Anmerkungen zu dieser Stelle sich auf die Praxis der Reichsgerichte zurückbeziehen, rechtfertigt diese Bezugnahme die Anwendung derjenigen Rechtsregeln für das Verfahren im Mandatsprozesse bei Handelssachen, welche sich durch einen zweckentsprechenden Gerichtsgebrauch herausgebildet haben.

Die wesentlichen Merkmale des bedingten Mandatsprozesses sind, dem Zwecke dieser Prozeßart entsprechend, das affirmative Präjudiz und die abgekürzten Fristen. Es pflegt daher bei den wichtigen Folgen eines affirmativen Präjudizes nach dem Grundsatze, welcher auch in der Prozeßnovelle vom 17. November 1837 §. 18 Ziff. 1 seinen Ausdruck gefunden hat — der Mandatsprozeß, falls er beantragt ist, nur dann eingeleitet zu werden, wenn die Klage genugsam durch Urkunden bescheinigt ist.

Im vorliegenden Falle hatte das k. Handelsgericht Würzburg im Dekrete vom 21. Novbr. 1862 ausdrücklich ausgesprochen, daß es die Bescheinigung des Klageanspruches als gegeben erachte, und es ist diese Annahme Angesichts der Klagbeilage auch vollkommen gerechtfertigt. Wenn daher dieses Gericht den Beklagten bei Zuschluß der Klage nebst deren Beilagen gleichzeitig die Auflage zugehen ließ, den Kläger klaglos zu stellen oder binnen 14 Tagen Einwendungen gegen die Klage geltend zu machen, so war es nach der zugelassenen Prozeßart auch gerechtfertigt, hiemit die Androhung des Rechtsnachtheiles zu verbinden, daß außerdem der Klaganspruch, unter Ausschluß aller Einwendungen dagegen, in Haupt- und Nebensache anerkannt erachtet würde. Dieser Verfügung vom 21. Novbr. 1862 gegenüber haben sich die Beklagten darauf beschränkt, innerhalb der vorgesteckten präjudiziellen Frist zu erklären, daß sie den Klaganspruch durchaus bestreiten und verschiedene Einwendungen geltend zu machen haben, weshalb um Zurücknahme des Mandats gebeten werde.

Gerade diese Geltendmachung aber war von ihnen unter dem affirmativen Präjudize, unter Androhung des Ausschlusses solcher Einwendungen gefordert worden. Es waren demnach Beklagte nur in der Lage, diese Geltendmachung sofort auszuführen oder, falls ihnen die Frist hiefür zu kurz war, sich die letztere rechtzeitig verlängern zu lassen. Es kann daher in jener Erklärung um so weniger die geforderte Geltendmachung gefunden werden, als ja die Beklagten diese Geltendmachung erst in das ordentliche Prozeßverfahren verlegt wissen wollen.

Läßt nun eine solch' allgemein, durch gar nichts begründete, geschweige belegte Erklärung eines Beklagten, welcher Bescheinigung des Klagegrundes gegenübersteht, an sich schon nicht sowohl die Absicht rechtmäßiger Vertheidigung als vielmehr geflissentlicher Prozeßverzögerung erkennen, so haben Beklagte in ihrer Erklärung auch nicht den Versuch gemacht, die Zulässigkeit des eingeleiteten summarischen Prozeßverfahrens zu bestreiten, so daß sie umsomehr verbunden waren, dem Auftrage der Geltendmachung nachzukommen, wenn sie sich nicht der Gefahr des Eintrittes der Rechtsnachtheile aussetzen wollten, welche für den Fall dieser Unterlassung angedroht waren und, — wie oben gezeigt — dem eingeleiteten Verfahren gemäß unzweifelhaft vom Richter angedroht werden konnten. —

Hiezu kommt ferner, daß in der weiteren Verfügung vom 15. Dezember 1862 den Beklagten wiederholt eine Frist von 14 Tagen zur Geltendmachung von Einreden gewährt und die Beklagten ausdrücklich darauf hingewiesen wurden, daß die bloße Anmeldung von Einwendungen nicht genüge, wobei für den Fall der Nichtgeltendmachung die früheren Rechtsnachtheile angedroht wurden.

Hierauf haben aber die Beklagten eine Antwort gar nicht gegeben, sondern lediglich durch Einlegung einer Verwahrung sich das Recht der Beschwerde hiegegen gewahrt.

Da jedoch in dieser als Inhäsivbescheid erscheinenden Verfügung ebensowenig, wie in der ersten oben gewürdigten, ein Grund zur Beschwerde gefunden werden kann, und diesmal in der Hauptsache eine Erklärung intra terminum gar nicht abgegeben wurde, so hat das k. Handelsgericht Würzburg mit Recht in Ermangelung jeglicher Erklärung auf klägerisches Betreiben die angedrohten Rechtsnachtheile für verwirkt erklärt und hiemit Zahlungsauftrag unter Exekutionsbedrohung verbunden.

(Würzburg Reg.-Nr. 9.)

## LXXXII.

### Terminsverlegungen im Wechselprozesse unzulässig.
#### W. u. MGO. von 1785 Kap. III §. 1 u. 4.

In der Wechselstreitsache des A. A. gegen N. N. war „Kommis=
sion zur Produktion der Originalurkunde und summarischer Verhand=
lung der Sache" auf den 12. März anberaumt, wozu beklagter Theil
„bei Vermeidung der Urkundenanerkennung und bezw. Einsichtsnahme
und des Einredeausschlusses" geladen war. Am 7. März wurde die
betreffende Verfügung dem Beklagten insinuirt, worauf am 11. März
der Advokat X. ohne Vollmachtsvorlage um Verlegung der Kommission
auf einen anderen Tag einkam, wobei vorgebracht wurde, „Beklagter
habe ihm heute seine Vertretung übertragen, zur Erklärung über die
in der Klage allegirten Urkunden und zur Vorbringung der dem Be=
klagten zustehenden Einreden sei Information durch Inspizirung des
Gerichtsaktes und durch umständliche Unterredung mit dem Beklagten
nothwendig, wozu die Zeit bis zur anberaumten Kommission zu kurz sei".

An der Tagfahrt erschien dann von Seite des Beklagten Niemand,
worauf entsprechend klägerischem Antrage das k. Handelsgericht Mün=
chen I/J. unter dem 20. März 1863 den Beklagten beauftragte, den
Wechsel in Haupt= und Nebensache bei Sperrvermeidung binnen 3 Ta=
gen zu bezahlen, nachdem das vom k. Advokaten X. ohne Vollmacht
vorgelegte Exhibit vom 11. März wegen gänzlicher Unglaubwürdigkeit
und Mangels aller Bescheinigung verworfen werden müsse. Hiegegen
Berufung des Beklagten.

Das k. Handelsappellationsgericht zu Nürnberg bestätigte durch
Erkenntniß vom 23. April 1863 den unterrichterlichen Bescheid und be=
sagte in den Entscheidungsgründen:

Die W. u. MGO. von 1785 kennt Terminsabbitten und Ter=
minsverlegungen überhaupt nicht. Nach Kap. III §. 1 soll zwar dem
Beklagten zur Erklärung über den Wechsel ein einmaliger 24 stündiger
Aufschub gewährt werden, ferner ist dem Beklagten nach Kap. III §. 4
zur Liquidstellung seiner Einreden auf Verlangen gleichfalls eine Frist
von 24 Stunden zu gestatten; allein hiebei ist immer vorausgesetzt, daß
sich der Beklagte bei der Verhandlungstagfahrt eingefunden hat, und
es zeigen diese Gesetzesstellen, daß die Haupthandlung selbst, die Ein=
sichtnahme der Originalurkunden durch den Beklagten, nicht vertagt
werden darf.

Sonach hätte jedenfalls der Beklagte in Person oder durch einen

—

Anwalt (welchem im Hinblicke auf W. u. MGO. Kap. VI §. 2 man-
datum praesumtum zukommt) bei dem angesetzten Termine erscheinen
und den Wechsel einsehen sollen; dann wäre es ihm freigestanden, zur
Abgabe seiner Erklärung und zur Liquidstellung seiner Einreden sich
einen 24stündigen Termin vorzubehalten; nachdem er dies nicht gethan,
stellt sich dessen Kontumazirung als vollkommen gerechtfertigt dar, und
es hätten die Folgen der Terminsversäumung nur im Wege der Restitution, wenn hiezu Grund vorhanden gewesen wäre, beseitigt werden
können.

(München I/J. Reg.=Nr. 97.)

## LXXXIII.

### Erekution an Forderungen im Wechsel= und Merkantil= prozesse.

#### W. u. MGO. Kap. X §. 5 u. 6.

Das k. Handelsappellationsgericht zu Nürnberg sprach sich in einem Erkenntnisse vom 1. April 1863 über die rechtliche Beschaffenheit
einer Erekution an Forderungen nach den Bestimmungen der bayer.
W. und MGO. von 1785 folgendermaßen aus:

Nach dem Systeme der W. und MGO. gibt es an Mobilien
keine andere Erekution, als die Hingabe an Zahlungsstatt an den
Gläubiger durch das Gericht. Diese Art der Erekution durch Einantwortung ist nach Kap. X §. 5 insbesondere auch in den Fällen angeordnet, „wo eines Beklagten Kassa, Aktivschulden oder andere Forderungen in Sperre genommen werden sollen"; und während bei den körperlichen Sachen der Landtagsabschied von 1856 alternativ die Erekution durch Zwangsverkauf eingeführt hat, ist hinsichtlich der Erekution
an Forderungen eine Aenderung nicht eingetreten.

Durch die Einantwortung wird aber, da sie eben eine Hingabe an
Zahlungsstatt ist, die Schuld des Verurtheilten getilgt, und wie der
Gläubiger bei der Sperre an Mobiliarsachen dadurch vor Schaden geschützt wird, daß eine Schätzung durch einen beeidigten Schätzmann angeordnet ist, hat §. 6 l. c. durch seine Bestimmungen den Gläubiger
gegen Beschädigung zu sichern gesucht, welche ihm durch Einantwortung
ungenügender Forderungen zugehen könnte.

Es ist daher unrichtig, wenn behauptet wird, die Einantwortung
gelte nur dann als Tilgung der jubikatmäßigen Schuld, wenn die ein-
geantwortete Forderung liquid und sogleich einbringlich ist.

„Einantwortung zum Eigenthum“, wie sich die W. und MGD. ausdrückt, ist nicht blos eine pfandweise Beschlagnahme *), sondern eine vollständige Uebertragung des Rechtes; sie muß daher unter allen Umständen der datio in solutum gleichwirken, und wie bei der Einantwortung von Mobiliarsachen die Forderung des Klägers nicht bestehen bleibt oder etwa wieder auflebt, wenn er die ihm eingeantworteten Sachen nicht um den Schätzungswerth an den Mann bringt, ebenso bei der Einantwortung von Aktiven; zu welchem Betrage dieselben eingeantwortet werden, um diesen tilgen sie die judikatmäßige Schuld, und es ist Sache des Gläubigers, sich nur an solche Aktiven zu halten, welche ihm reelle Deckung gewähren.

Wenn der Kläger durch Annahme einer Forderung des Beklagten gefährdet zu sein glaubt, so ist es ihm nach Kap. X §. 6 freigestellt, dieselben einer Schätzung unterziehen und sich nur nach deren innerem Werthe einantworten zu lassen, auch, wenn bei der Ungewißheit ihrer Fälligkeit ein bestimmter Werth derselben nicht zu ermitteln sein sollte, dieselbe überhaupt als Exekutionsobjekt nicht anzunehmen.

Versäumt er diese Vorsicht, so hat er sich jeden Schaden selbst zuzuschreiben.

Eine weitere Folge dieser rechtlichen Beschaffenheit der fraglichen Exekutionsart ist, daß sobald einmal die Einantwortung erfolgt ist, jede weitere Verzinsung der Wechselschuld aufhören muß, beziehungsweise es treten an deren Stelle die paktirten oder Verzugszinsen der eingeantworteten Forderung.

(München I/J. Reg.-Nr. 86.)


## LXXXIV.

Voraussetzung der Wechselarrestfähigkeit nach bayer. Rechte. — Wechselarrest gegen die Ehefrau eines Kaufmannes.

A. b. WO. Art. 2. Einf.-Ges. hiezu Art. 2. — Bayer. WO. vom J. 1785 §. 1 nebst Novellen. (Moritz, Sammlung S. 41, 42.) — Ges. vom 11. September 1825, die Einführung des WR. u. s. w. betr. §. 4 Nr. 1.

In einer bei dem k. Handelsgerichte Landshut gegen die Lebzelterseheleute Aloys und Anna M. zu N. anhängigen Wechselsache hatte der Kläger, nachdem über das Vermögen der Verklagten der Konkurs

---

*) Als solche stellt sich schon die „Sperre der Aktiven“ dar.

eröffnet worden war, die Erlassung eines Zahlungsbefehles unter An= drohung der Wechselhaft gegen beide Verklagte beantragt. Das k. Handelsgericht Landshut hatte jedoch diesen Antrag auf Grund des Art. 2 des bayer. Einf.=Ges. zur allg. b. WO. und der Bestimmungen der bayer. WO. abgewiesen, weil nicht behauptet sei, daß die Verklag= ten den mit eigener Firma in die Wechselmatrikel einge= tragenen Handelsleuten, Fabrikanten oder Gewerbsleuten, überhaupt nicht den Handelsleuten beizuzählen seien, dieselben vielmehr nur dem Gewerbestande angehörten.

Das k. Handelsappellationsgericht erließ auf Beschwerde des Klä= gers gegen den verklagten Ehemann den beantragten Zahlungsbefehl, während es bezüglich der verklagten Ehefrau den erstrichterlichen Beschluß bestätigte. In den Gründen kommt vor:

Der Art. 2 der a. b. WO., welcher den Wechselarrest gegen alle Personen mit Ausnahme der daselbst unter Ziff. 1—3 erwähnten für zulässig erklärt, hat allerdings durch den Art. 2 des bayer. Einf.=Ges. zu diesem Gesetze insoferne eine Einschränkung erfahren, als durch die= ses letztere Gesetz die Unstatthaftigkeit des Wechselarrestes auch gegen solche Personen ausgesprochen wurde, gegen welche nach den bis dahin in den einzelnen Gebietstheilen bereits bestandenen Vorschriften über Wechselfähigkeit und Wechselarrest diese Art der Exekution nicht ver= hängt werden konnte. Diese Vorschriften wären im gegebenen Falle, abgesehen von dem Einflusse der neueren Gesetzgebung, da die Beklag= ten in einem der Herrschaft des bayer. Rechtes unterworfenen Gebiets= theile ihren Wohnsitz haben, ausschließlich in der bayer. WO. und den hiezu erlassenen Novellen sowie in dem Gesetze vom 11. Septbr. 1825, die Einführung des Wechselrechtes und der Wechselgerichtsordnung in den damit noch nicht versehenen Theilen des Königreichs betr., zu suchen.

Auch nach den Bestimmungen dieser Gesetze, von denen die ersteren in fraglichem Punkte durch das letztere modifizirt worden sind, war aber die Wechselfähigkeit und damit die Wechselarrestfähigkeit keineswegs schlechthin durch Eintragung in die Wechselmatrikel bedingt, vielmehr bei Handelsleuten und Fabrikanten ohne weitere Voraussetzung ausgesprochen und nur für Gewerbsleute und andere Perso= nen davon abhängig gemacht, daß dieselben die Eintragung in die Wechselmatrikel erlangt haben. Es ergibt sich dies aus der Fassung dieses Gesetzes, wornach nur bei Personen der letzteren Kategorie die wirkliche Eintragung in die Wechselmatrikel als Voraussetzung ihrer Wechselfähigkeit hingestellt ist, während bezüglich der Handelsleute und Fabrikanten nur eine Vorschrift dahin gegeben werden wollte, daß sie in die Wechselmatrikel einzutragen seien, ohne daß ihnen jedoch, für den Fall dies nicht geschehen, die Wechselfähigkeit abgesprochen worden wäre.

Hiernächst ist aber die Frage, ob Jemand den Kaufleuten beizuzählen sei, dermalen gar nicht mehr nach den Bestimmungen jener Gesetze, sondern vielmehr nach denen des a. d. HGB. zu beurtheilen, indem Art. 6 des Einf.=Ges. zu diesem Gesetzbuche vorschreibt, daß in allen Fällen, in denen nach den Bestimmungen der bürgerlichen= oder Prozeßgesetze Rechte oder Verpflichtungen davon, ob eine Person Kaufmann sei, abhängig gemacht sind, diese Eigenschaft nach den Art. 4 u. 6 des allg. d. HGB. bemessen werden solle.

Nach Art. 4 und 271 des a. d. HGB. kann es aber keinem Zweifel unterliegen, daß der Verklagte den Kaufleuten beizuzählen sei, da sein Gewerbe in dem Ankaufe von beweglichen Sachen in der Absicht, solche verarbeitet oder in Natur weiter zu veräußern besteht, und daß er daher auch dem Wechselarreste unterworfen werden könne. *)

Dem Vollzuge des Wechselarrestes steht auch der Umstand, daß über das Vermögen der Verklagten der Konkurs eröffnet worden, nicht entgegen, da die a. d. WO. für diesen Fall die Zulässigkeit des Wechselarrestes nirgends ausgeschlossen hat und die Unzulässigkeit von Partikularzahlungen im Konkurse die Möglichkeit einer anderweiten Befriedigung des Wechselgläubigers nicht ausschließt. Es würde dies selbst in dem Falle zu gelten haben, daß Kläger seine Forderung im Konkurse liquidirt haben sollte, weil durch Art. 2 der a. d. WO. die Personalexekution neben und sogar vor derjenigen in das Vermögen zugelassen werden wollte, die Liquidation aber keineswegs die Befriedigung des Liquidanten, am allerwenigsten eine sofortige, nothwendig zur Folge hat, sondern nur die Aussicht auf eine mögliche spätere, sei es vollständige oder theilweise, Befriedigung gewährt.

Anders verhält sich dagegen die Sache, insoweit die Androhung des Wechselarrestes gegen die mitverklagte Ehefrau in Frage steht.

-----

*) Auf die Frage, nach welchem Zeitpunkte das Vorhandensein jener Eigenschaft sich richte, ob insbesondere die Verhängung des Wechselarrestes durch das Vorhandensein jener Eigenschaft zur Zeit der Wechselausstellung oder der des Arrestvollzuges bedingt sei, ob ferner ersteren Falls der Art. 6 auch auf solche Fälle, in welchen die Wechselausstellung vor dem 1. Juli 1862 stattgefunden, Anwendung leide, war nicht einzugehen, weil die Wechselausstellung erst nach dem 1 Juli 1862 erfolgt und die Eigenschaft des Verklagten als Kaufmann schon zur Zeit der Wechselausstellung ohne Zweifel vorhanden war.

Nach Art. 2 der a. d. WO. ist zwar der Wechselarrest auch gegen Frauen als zulässig erklärt, soferne sie Handel oder ein anderes Gewerbe treiben, und in gleicher Weise war auch in der gemäß Art. 2 des Einf.-Ges. zu jenem Gesetze in Betracht zu ziehenden bayer. WO. nebst Novellen die Wechselarrestfähigkeit der Handelsfrauen anerkannt. Allein die Eigenschaft einer Frau als Handelsfrau ist in Gemäßheit der Bestimmung des Art. 6 des Einf.-Ges. zum a. d. HGB. in Verbindung mit Art. 6 dieses letzteren Gesetzes selbst nunmehr nach dieser letzteren Gesetzesbestimmung und den auf dieselbe folgenden Artikeln zu beurtheilen.

Hienach ist aber unter Handelsfrau nicht die Ehefrau eines Kaufmannes als solche, wenn sie letzterem auch in seinem Handelsgewerbe Beistand leistet, zu verstehen, sondern eine Frau, welche in eigenem Namen selbstständig Handelsgeschäfte gewerbemäßig betreibt. Daß diese Voraussetzung im gegebenen Falle bei der verklagten M'schen Ehefrau zutreffe, kann nun weder durch die Motive des unterrichterlichen Beschlusses vom 11. März noch durch die notariell beurkundeten Zeugenaussagen, welche als unbeeidet ohnehin keinen großen Glauben verdienen würden, als konstatirt erachtet werden; es liegt nicht einmal eine desfallsige Behauptung des Klägers vor, vielmehr ist der gewöhnlichen Erfahrung gemäß anzunehmen, daß Verklagte nur im Geschäfte ihres Mannes Dienste leiste und Handelsgeschäfte abschließe. Kann sie aber hienach als Handelsfrau im Sinne des a. d. HGB. nicht erachtet werden, so fehlt es auch an der Vorbedingung ihrer Wechselarrestfähigkeit. *)

(Landshut Reg.-Nr. 18.)

## LXXXV.

Indossirung eines eigenen Wechsels von Seite des Remittenten auf einen der Mitausteller desselben.

A. d. WO. Art. 10, 98, Nr. 2; Art. 16, 81.

Ein von drei Personen über den Betrag von 300 fl. ausgestellter eigener Wechsel war von dem Remittenten R. nach eingetretener Verfallzeit und Ablauf der Protestfrist an eine der Mitaustellerinnen Maria S. unter Bestätigung des baaren Empfanges des Werthes girirt und

---

*) Ein Antrag auf Vollzug des Personalarrestes nach Kap. X §. 9 der bayer. W. u. MGO. war vom Kläger nicht gestellt worden.

von letzterer sodann gegen eine der beiden andern ausstellenden Personen, Josepha S., zu seinem ganzen Betrage eingeklagt worden. Das
k. HG. München l/J. verurtheilte die Verklagte zur Zahlung von einem
Drittel d. i. 100 fl. nebst Zinsen, von der Annahme ausgehend, daß
durch die Einlösung des Wechsels Seitens der einen Ausstellerin deren
Verpflichtung, sowie die der anderen Aussteller zwar gegenüber dem
Remittenten erloschen sei, daß dagegen die letzteren dem ersteren
vermöge des unter ihnen als Ausstellern bestehenden Rechtsverhältnisses
hafteten. In Ermangelung anderweiter Anhaltspunkte und Angaben
müsse nun angenommen werden, daß die 3 Aussteller die Valuta gemeinsam, zu je ein Drittel, empfangen haben und daher die zur Indossatarin gewordene Mitausstellerin, deren eigener Schuldantheil durch
Konfusion erloschen sei, von den beiden anderen Ausstellern nur je ein
Drittel ersetzt verlangen könne, ein Anspruch derselben auf Ersatz des
Ganzen, mithin auch des von ihr geschuldeten Antheiles aber der bona
fides widerstreiten würde.

Auf die von beiden Theilen hiegegen erhobene Beschwerde*) erkannte das k. HAG. durch Urtheil vom 29. April 1863 die Verklagte
für schuldig, die ganze eingeklagte Summe zu bezahlen. In den Gründen kommt vor:

Nach Art. 10 der a. d. WO., welcher nach Art. 98 Nr. 2 auch
für eigene Wechsel gilt, kann der Wechsel auch an den Acceptanten,
welchem der Aussteller eines eigenen Wechsels gleich steht, giltig indossirt werden.

Rücksichtlich der Zulässigkeit eines solchen Indossaments ist es
gleichgiltig, ob dasselbe vor oder nach Verfall des Wechsels erfolgt;
nur dessen rechtliche Wirkungen sind im Hinblicke auf Art. 16 verschieben, je nachdem der eine oder der andere Fall vorliegt.

Der in Frage stehende Wechsel ist nach Verfall an die Mitausstellerin Maria S. indossirt worden und konnte dieses nach dem Gesagten auch rechtsgiltig geschehen.

Wäre Maria S. die alleinige Ausstellerin des Wechsels, so
würde mit dem nach Verfall eingetretenen Indossamente an dieselbe die
Wechselschuld erloschen sein; denn mit dem Eintritte der Verfallzeit hat
der Wechsel den ihm vorgeschriebenen Lauf vollendet, das im Art. 10
auch dem Acceptanten gewährte Recht der Weiterindossirung bezieht sich,

---

*) Klägerin bat um Verurtheilung der Verklagten zur Zahlung der ganzen
Summe, Verklagte adharendo um gänzliche Entbindung von der Klage.

wie aus der Entstehungsgeschichte dieses Artikels hervorgeht, nur auf das Indossament v o r dem Verfalle und mit dem Zusammentreffen des Wechselgläubigers und Wechselschuldners in e i n e r Person ist eine Konfusion des Rechtes und der Verbindlichkeit eingetreten.

Anders gestaltet sich aber das Verhältniß durch die Thatsache, daß neben der Klägerin und Indossatarin Maria S. noch 2 andere Personen, nämlich Mathias und Josepha S., den Wechsel unterzeichnet haben und in Gemäßheit des Art. 81 resp. 98 Nr. 10 der a. b. WO. dem Wechselgläubiger als Aussteller verhaftet sind.

In Folge dieser Unterzeichnung trifft jede der 3 genannten Personen die wechselmäßige Verpflichtung auf das Ganze; sie sind Korrealschuldner.

Nun wird zwar die Korrealobligation durch die von Seite des Einen der Korrealschuldner erfolgte Zahlung aufgehoben und hieburch zugleich die Befreiung der übrigen Korrealschuldner von ihrer Verbindlichkeit herbeigeführt; dagegen berührt der Umstand, daß einer der Korrealschuldner zugleich Gläubiger wird, die Korrealobligation in ihrem objektiven Bestande nicht; nur in subjektiver Beziehung hinsichtlich des Gläubiger gewordenen Korrealschuldners tritt insoferne eine Konfusion ein, als dieser nicht eine Forderung an sich selbst haben kann; rücksichtlich der übrigen Korrealschuldner besteht dagegen die Obligation fort. — Bayer. LR. Thl. IV c. 15 §. 3 Nr. 7. —

Im vorliegenden Falle ist eine Zahlung des Wechsels behufs der Tilgung der Schuld nicht erfolgt; vielmehr fand lediglich eine Girirung des Wechsels von Seite des Remittenten an einen der Wechselaussteller (Acceptanten) statt, durch welche die Rechte aus dem Wechsel gegen Zahlung der Valuta an den Indossatar übertragen wurde; die Zahlung erfolgte nicht behufs der Tilgung, sondern behufs der Uebertragung der Obligation. Hienach steht auch der Klägerin das Recht zu, die durch ein giltiges Indossament erworbenen Ansprüche wechselmäßig gegen die beiden übrigen Wechselaussteller und Korrealschuldner oder auch nur gegen einen derselben zu verfolgen.

Gegen die unterrichterliche Motivirung kommt in Betracht, daß Klägerin durch das in giltiger Weise erfolgte Indossament die gegen die beiden übrigen Mitaussteller noch fortbestehende Wechselforderung erworben hat, für diese lediglich auf der Wechselurkunde beruhende Forderung aber das derselben unterliegende Rechtsverhältniß nicht weiter in Frage kommt.

Wenn auch nach Art. 82 der a. b. WO. der Wechselschuldner sich solcher Einreden bedienen kann, die ihm unmittelbar gegen den jedesmaligen Kläger zustehen, so sind hierunter doch keineswegs alle aus dem unterliegenden Rechtsverhältnisse hergeleiteten Einreden inbegriffen, die Zulässigkeit jener Einreden ist vielmehr immerhin dadurch bedingt, daß durch dieselben die Verpflichtung aus dem Wechsel als niemals entstanden oder dem Kläger gegenüber als erloschen oder getilgt sich ergibt.

Die Pflicht, den Wechsel zu bezahlen, ist aber im gegebenen Falle nicht davon abhängig, daß die Beklagte für sich allein die Valuta in Empfang genommen habe, sondern beruht einzig und allein auf der Skriptur, mit welcher sich dieselbe verbindlich machte, eine gewisse Summe zu bezahlen.

Es ist aber auch nicht einmal durch den Inhalt des Wechsels dargethan, daß die in demselben erwähnte Valuta von den 3 Unterzeichnern zu je $\frac{1}{3}$ in Empfang genommen worden sei; der Wechsel enthält nur die Bestätigung des Empfanges des Werthes in Baarem überhaupt, und da er zudem von der Person, welche den Werth in Empfang genommen, nur im Singular spricht, so ist es ebenjo gut möglich, daß nur der Eine der 3 Unterzeichner das Geld erhalten, die anderen dagegen sich als Bürgen unterzeichnet haben.

Keinenfalls war es Sache der Klägerin, hierüber sofort näheren Nachweis zu erbringen, da die Verpflichtung der Beklagten, die Wechselsumme ungetheilt an die durch das Indossament legitimirte Wechselinhaberin zu zahlen, aus dem Wechsel selbst hervorgeht. *)

Der Umstand, daß die klagende Indossatarin auf diese Weise möglichen Falles das Wechselrecht mißbrauchen könnte, um im Widerspruche mit dem zwischen den 3 Ausstellern bestehenden civilrechtlichen Verhältnisse von der Beklagten die Zahlung des von ihr, der Klägerin, selbst und einem Dritten geschuldeten Antheiles an der Schuld zu fordern, kann nicht maßgebend sein, weil dieses unterliegende Verhältniß keineswegs liquid gestellt ist und möglicher Weise auch die Beklagte die

---

*) Für die gegentheilige Ansicht kann auch nicht der Kommissionsbericht, mehrere zur a. b. WO. in Anregung gekommene Fragen betreffend, angeführt werden. Derselbe führt S. XI. III nur die spezielle Entscheidung eines Obergerichtes in diesem Punkte an, ohne sich selbst gutachtlich hierüber auszusprechen; noch weniger wurde von Seite der Konferenz hierüber ein Beschluß gefaßt, vielmehr in dieser Beziehung geäußert, (S. LXXX) daß man keineswegs eine allseitige Uebereinstimmung mit den im Kommissionsberichte ausgesprochenen Ansichten erklärt

eigentliche Schuldnerin und dagegen Klägerin nur Bürge sein kann. *)

Verklagte sucht zwar die Unrichtigkeit der Ansicht, daß einer der Wechselaussteller gegen seine Mitverpflichteten mit der Wechselklage auftreten könne, an einem Beispiele darzulegen **), woraus sich ergeben soll, daß nach jener Ansicht ein nie endender Kreislauf von Zahlung und neuer Klagerhebung unter den Wechselausstellern eintreten würde. Könnte diese Folge eintreten, so wäre allerdings genügender Grund vorhanden, die Richtigkeit der aufgestellten Ansicht zu bezweifeln; allein zu einem solchen nie endenden Kreislaufe kann es in der That nicht kommen.

Es ist nämlich schon oben erwähnt worden, daß, wie sich aus der Entstehungsgeschichte des Art. 10 der a. d. WO. nachweisen läßt, das Recht des Acceptanten zur Weiterindossirung des Wechsels an ein vor Verfall des Wechsels auf ihn geschehenes Indossament geknüpft ist; ein Indossament an den Acceptanten nach Verfall, wenn auch an sich zulässig, schließt die weitere Begebung des Wechsels aus; denn, ist einmal der Wechsel zur Zahlung verfallen, so wird durch das Zusammentreffen des Wechselinhabers und letzten Schuldners, des Acceptanten, in einer Person die Wechselverbindlichkeit aufgehoben.

In einem Falle der vorliegenden Art, in welchem mehrere Acceptanten vorhanden sind, kann nun eine solche Aufhebung auch nur insoweit stattfinden, als jene Vereinigung von Gläubiger und Schuldner in einer Person eintritt; es erlischt also, um bei obigem Beispiele stehen zu bleiben, durch das Giro auf A nur die Verbindlichkeit dieses Schuldners, dagegen bleibt die volle Verpflichtung des B und C, welchen gegenüber nunmehr A Wechselgläubiger ist; andererseits ist aber auch mit dem Erlöschen der Verbindlichkeit des A die rechtliche Wirksamkeit des Wechsels nach dieser Richtung abgeschlossen; dem Acceptanten A gegenüber hat der Wechsel seinen Lauf vollendet; durch ein wei-

---

haben wolle, wie denn auch innerhalb der Kommission selbst verschiedene Auffassungen geltend gemacht worden seien.

*) Verklagte hatte unter Anderem auch behauptet, daß sie durch ihre Unterschrift sich nur verbürgt habe.

**) Der unterstellte Fall war: A, B und C haben gemeinschaftlich den Wechsel unterzeichnet; A läßt ihn auf sich giriren, belangt aus dem Giro den B; dieser bezahlt, läßt ihn wieder auf sich indossiren, klagt gegen den C, und dieser macht das gleiche Manöver; nun haben alle 3 den Wechsel bezahlt und C fängt wieder von vorne an, indem er den A aus seinem Giro belangt.

teres Giro können die Verpflichtungen des **A** als Acceptanten nicht wieder aufleben; er ist mit dieser Wirkung zu indossiren nicht mehr befugt; sein weiteres Giro überträgt nur die Rechte an die Mitaussteller **B** und **C**. — Kömmt nun **B** durch dieses Giro in den Besitz des Wechsels, so treten dieselben Wirkungen bei ihm ein; seine Verbindlichkeit erlischt und es bleibt nur noch die Verbindlichkeit des **C**. — Ist aber durch ein Giro an **C** auch die Verpflichtung des Letzteren erloschen, so kann eine weitere Cirkulation des Wechsels mit rechtlicher Wirkung überall nicht mehr stattfinden, weil nunmehr Recht und Verbindlichkeit sich in sämmtlichen Wechselausstellern konfundirt haben, und hiemit die Wechselforderung vollständig zerstört ist.

(München l./J. Reg.=Nr. 96.)

## LXXXIV.

**Apotheker sind den Kaufleuten beizuzählen und daher deren Firmen in das Handelsregister einzutragen.**

### Art. 4, 271, 19, 10 des a. d. HB.

Apotheker N. zu R., im Bezirke des k. Handelsgerichtes Aschaffenburg, welcher eine Filiale seiner Apotheke zu F. im Bezirke des HG. Würzburg hatte, war von letzterem Gerichte auf Grund des Art. 21 Abf. 1 des a. d. HGB. zur Anmeldung seiner Firma in das Handelsregister aufgefordert, jedoch von dem k. HG. Aschaffenburg, bei welchem er hierauf nach der Bestimmung des Abf. 3 daselbst zunächst die Eintragung anmeldete, mit diesem Antrage abgewiesen worden, weil die Apotheker nicht zu den Kaufleuten, sondern zu den im Art. 10 des a. d. HGB. aufgeführten Gewerben gehörten. *)

Das k. HAG., welchem von diesem Sachverhalte durch das k. HG. Würzburg berichtlich Anzeige erstattet worden war, erachtete sich durch Beschluß vom 23. April 1863 für zuständig, von Oberaufsichtswegen die zwischen beiden genannten Gerichten bestehende Kollision zu beseitigen und erließ an das k. HG. A. den Auftrag, die in seinem Bezirke befindlichen Apotheker zum Eintrage ihrer Firmen in das Handelsregister aufzufordern und die erfolgten Anmeldungen ordnungsge=

---

*) In den Gründen war angegeben, daß die Beschäftigung der Apotheker doch hauptsächlich in Abgabe der von ihnen vorschriftsgemäß gefertigten Arzneien bestünde.

mäß zu bescheiden und zu behandeln. Diese Entschließung ist motivirt, wie folgt:

Nach Art. 19 des a. d. HGB. ist jeder Kaufmann verpflichtet, seine Firma bei dem Handelsgerichte, in dessen Bezirke seine Hauptniederlassung sich befindet, behufs der Eintragung in das Handelsregister anzumelden, und nach Art. 15 ist unter Firma der Name, unter welchem ein Kaufmann im Handel seine Geschäfte treibt und die Unterschrift abgibt, zu verstehen. Von dieser Bestimmung des Art. 19 hat Art. 10 zwar insoferne eine Ausnahme statuirt, als hienach die Vorschriften des Gesetzbuches über Firmen, Handelsbücher und Prokuren auf Höcker, Tröbler und dergleichen Handelsleute von geringem Gewerbsbetriebe, dann auf Wirthe, gewöhnliche Fuhrleute, gewöhnliche Schiffer und Personen, deren Gewerbe nicht über den Handwerksbetrieb hinausgeht, keine Anwendung finden. Der Gewerbsbetrieb eines Apothekers, selbst eines solchen auf dem Lande, kann aber weder mit dem der Höcker oder Tröbler, noch mit dem Handwerksbetriebe auf eine und dieselbe Stufe gestellt werden, da derselbe nicht nur höhere Vorbereitung und Bildung erfordert, um den die Abgabe der vorräthigen Stoffe in der Regel bedingenden ärztlichen Vorschriften entsprechen zu können, sondern auch das Halten größerer, zum Theil kostbarer Vorräthe an Arzneistoffen voraussetzt. Daß die letzteren vom Apotheker nur in kleinen Quantitäten zu festgesetzten Preisen verabreicht werden, ändert an dessen Eigenschaft als Kaufmann im Sinne des Handelsgesetzbuches nichts, da ja der Apotheker im Einkaufe seiner Arzneistoffe an keinen Preis gebunden ist, vielmehr gerade aus dem billigeren Einkaufe gegen den tarmäßigen Verkaufspreis seinen Gewinn zieht, übrigens auch nicht gehindert ist, Arznei und andere Stoffe in größeren Quantitäten zum Absatze an andere Abnehmer herzustellen. Ebensowenig ist der Umstand, ob der Geschäftsbetrieb eines Kaufmanns, der nicht zu den im Art. 10 des a. d. HGB. bezeichneten Ausnahmen gehört, bedeutend oder unbedeutend ist, für die Frage nach der Eintragung der Firma in das Handelsregister von Bedeutung, da das Gesetz die Eintragung bei Personen der fraglichen Kategorie ohne alle Rücksicht auf den Umfang des Geschäftsbetriebes vorgeschrieben hat. Vielmehr ist daraus, daß das Gesetz die Apotheker ungeachtet ihrer allerdings eigenthümlichen Stellung nicht von der Bestimmung des Art. 19 ausgenommen hat, — obwohl an dieselben gedacht wurde, — mit Grund zu folgern, daß es deren Stellung nicht für unvereinbar mit den allegirten Vorschriften über die Firmen erachtete. Dies wird auch durch die Geschichte der Entstehung der Art. 4 und 271 des a. d. HGB. be

14 *

stätigt, indem in Art. 2 des preußischen Entwurfes eines HGB. die Eigenschaft eines Kaufmanns in den gewerbmäßigen Kauf von Waaren zum Zwecke der Weiterveräußerung in Natur oder in verarbeitetem Zustande gestellt, in den Motiven hiezu ausdrücklich erwähnt wurde, daß Apotheker hierunter begriffen seien (vgl. S. 6 daselbst), und dieser Begriff auch von Seite der Kommission zur Berathung eines a. d. HGB. Aufnahme in das Gesetzbuch fand*).

(Gen.=Rep. Nr. 50.)

## LXXXVII.

**In Handelssachen ist die Eigenschaft eines Schuldners als eines Ausländers für sich allein kein Grund mehr zur Verhängung eines Arrestes.**

Einf.=Ges. zum a. d. HGB. Art. 76.<br>BGO. Kap I § 8 und Kap. VIII §. 6.

Der Kaufmann N. N. zu Hof hatte wegen einer Handelsforderung gegen den Kaufmann X. zu S. im Königreiche Sachsen mit Rücksicht darauf, daß letzterer Ausländer sei, Impetrant daher in billiger Sorge stehe, vor dessen ordentlicher Obrigkeit das Seinige nicht ohne sonderliche Beschwerniß zu erlangen, nach GO. Kap. I § 8**) behufs Begründung des forum arresti und zur Sicherung seiner Rechtsverfolgung die Beschlagnahme einer dem X. gegen D. zu Hof zustehenden Aktivforderung bei dem k. HG. Hof beantragt, war jedoch von diesem Gerichte auf Grund des Art. 76***) des Einf.=Ges. zum a. d. HGB.

---

*) Vgl. über diese Frage „Centralorgan für den deutschen Handelsstand" 1862 S. 18 u. 269, ferner Archiv für Theorie und Praxis des a. d. HR. von Busch, S. 222: woselbst der Irrthum auf S. 24 berichtigt wird; dann Gerichtszeitung v. 1862 S 148.

**) Nach der konstanten Praxis der bayerischen Gerichte (vergl. Seuffert, Kommentar Bd. I S. 79) wurde bisher angenommen, daß die Ausländereigenschaft des Beklagten für sich allein schon genüge, um die obenerwähnte billige Sorge zu rechtfertigen, — daß es sonach, um gegen einen Ausländer im Inlande Arrest zu erwirken, keiner weiteren Bescheinigung besonderer Schwierigkeit der Rechtsverfolgung vor dem ordentlichen Gerichte des Beklagten bedürfe.

***) Dieser Artikel lautet: „In allen Handelssachen, sie mögen zur Komin angebrachter Art abgewiesen worden, weil hieburch in Handelssachen die Ausländer auch in Bezug auf den Arrestschlag den Inländern gleichgestellt und anderweite Umstände, welche eine Verlustgefahr begründeten, in dem gestellten Antrage nicht behauptet seien. Dieses Urtheil wurde in II. Instanz am 15. Mai 1863 aus nachfolgenden Gründen bestätigt:

Prüft man den Art. 76 des Einf.-G. nach seiner Wortfassung, so ergibt sich, daß die im Abs. 1 getroffene Bestimmung allgemein und unbeschränkt ist. „Zwischen bayerischen Staatsangehörigen und den Angehörigen anderer deutscher Bundesstaaten, in benen das allgemeine deutsche Handelsgesetzbuch gilt, findet in Handelssachen ein Unterschied nicht statt." Mit diesem an die Spitze des Artikels gestellten Satze ist die rechtliche Gleichstellung der Angehörigen jener deutschen Bundesstaaten, in benen das allgemeine deutsche Handelsgesetzbuch gilt, mit den bayerischen Staatsangehörigen in allen jenen Rechtsverhältnissen und rechtlichen Beziehungen, welche nach Art. 63 des Einf.-G. als Handelssachen erklärt sind, im Gebiete des Königreiches Bayern ausgesprochen.

Zwischen den genannten Staatsangehörigen soll fortan in der bezeichneten Richtung ein Unterschied nicht mehr bestehen; soweit der Kreis der Handelssachen reicht, sind mithin alle Vorrechte, die seither dem Bayern gegenüber dem Nichtbayern zustanden, alle Ausnahmen, benen der Nichtbayer unterworfen war, — gleichviel ob diese Vorzüge bezw. Ausnahmen privatrechlicher oder prozeßrechtlicher Natur waren, aufgehoben.

Daß behufs der Beschränkung des Umfanges jener Gleichstellung eine solche Unterscheidung nicht gemacht werden darf, daß namentlich diese Gleichstellung auch auf dem Gebiete des Prozeßrechtes wirkt, folgt

---

petenz der Handelsgerichte oder der gewöhnlichen Gerichte gehören, findet zwischen bayerischen Staatsangehörigen und den Angehörigen anderer deutschen Bundesstaaten, in benen das allgemeine deutsche Handelsgesetzbuch gilt, ein Unterschied nicht statt.

Insbesondere ist die einem solchen Bundesstaate angehörende Partei zur Bestellung einer Kaution im Prozesse nur insoweit verbunden, als bayerische Staatsangehörige unter gleichen Verhältnissen hiezu verpflichtet wären.

Alle entgegenstehenden Gesetze und Verordnungen treten außer Wirksamkeit. Nur in Folge der Retorsion kann deren fernere Anwendung im Ganzen oder in einzelnen Theilen oder Fällen angeordnet werden."

aus der allgemeinen Fassung des Art. 76 Abf. 1 und findet sich be=
stätigt in dem Absatze 2, in welchem ausbrücklich als eine Konsequenz
des vorangestellten allgemeinen Grundsatzes ausgesprochen ist, daß die
einem solchen deutschen Bundesstaate angehörende Partei zur Be=
stellung einer Kaution im Prozesse nur insoweit verbunden
ist, als bayerische Staatsangehörige unter gleichen Verhältnissen hiezu
verpflichtet sind.

Nachdem ferner im Absatze 3 des Art. 76 angeordnet ist, daß alle
der ausgesprochenen Gleichstellung entgegenstehenden Gesetze und Ver=
ordnungen außer Wirksamkeit treten und nur das Recht der Retorsion
vorbehalten wurde, so ergibt sich als der wesentliche Inhalt des Art. 76
die Bestimmung, daß, gleichwie in Wechselsachen nach Art. 7 des
Einf.=G. zur a. d. WO. unter der Benennung Ausland nur jene Län=
der zu verstehen sind, in welchen die a. d. WO. nicht als Gesetz ein=
geführt ist, so auch in Handelsfachen der Angehörige eines deut=
schen Bundesstaates, in welchem das a. d. HGB. Geltung hat, ab=
gesehen von den Fällen der Retorsion, nicht als Ausländer betrachtet
werden soll.

Nimmt man die Motive des Gesetzentwurfes zur Hand, so könnte
es freilich scheinen, daß die vorbezeichnete unbeschränkte Gleichstell=
ung nicht in der Absicht des Gesetzes gelegen, daß vielmehr die er=
folgte Gleichstellung nur auf die in Gemäßheit der noch in Geltung
befindlichen Prozeßordnungen bestehenden Unterschiede zwischen
Inländern und Ausländern zu beziehen sei und auch von diesen wieder
zunächst nur jene Ausnahmen beseitigt werden wollten, welche den Aus=
länder treffen, wenn er einen Inländer gerichtlich belangen will.

Jene Motive sprechen sich nämlich ausbrücklich dahin aus, daß die
letzterwähnten Ausnahmen längst als ungerechtfertigt erkannt wurden,
die völlige Beseitigung derselben ein dringendes Bedürfniß für den Han=
del sei und es demnach geboten erscheine, die Gelegenheit zur Beseitig=
ung derselben, soweit sie das Einführungsgesetz gewähre, nicht unbe=
nützt vorüber gehen zu lassen.

Allein demungeachtet hat sich das Gesetz selbst nach seiner klaren
und bestimmten Fassung nicht auf die Beseitigung jener speziellen Aus=
nahmen beschränkt, sondern im Abf. 1 des Art. 76 ganz allgemein
angeordnet, daß in Handelsfachen zwischen den dort an=
geführten Staatsangehörigen ein Unterschied nicht statt=
finde.

Es muß somit angenommen werden, daß unter den bezeichneten
Personen im Gebiete der Handelsfachen jeder Unterschied aufgehoben

fei, — um so mehr, als im Abf. 2 der ausnahmsweisen Kautionspflicht, welche den Ausländer trifft, wenn er einen Inländer gerichtlich belangen will, besonders gedacht ist und diese Ausnahme in Anwendung des vorausgestellten allgemeinen Grundsatzes speziell aufgehoben wurde; sonach, wenn man annehmen wollte, daß das Gesetz nur diese Ausnahme aufzuheben beabsichtigt habe, nicht wohl abzusehen wäre, welche Bedeutung dem Abf. 1 des Art. 76 beizumessen sein sollte. Eine Auslegung, nach welcher eine Bestimmung des Gesetzes jede Bedeutung verlieren würde, widerspricht aber den Grundsätzen der logischen Interpretation.

Vielmehr muß, nachdem einmal das Gesetz in seiner allgemeinen und unbeschränkten Fassung von den Kammern angenommen wurde, ohne daß diese Gesetzgebungsfaktoren sich für eine beschränkende Auslegung desselben ausdrücklich ausgesprochen haben, auch dessen Anwendung durch den Richter eine allgemeine und unbeschränkte sein.

Diese Auffassung entspricht auch vollkommen den Bedürfnissen des Handels und den übrigen in den Motiven des Gesetzentwurfes niedergelegten Anschauungen.

Durch die Adoptirung des allgemeinen deutschen Handelsgesetzbuches wurde in den deutschen Bundesstaaten, in welchen sich dasselbe in Geltung befindet, eine Rechtsgemeinschaft und hiemit die Sicherheit begründet, daß der Inländer im Auslande nach ebendenselben Grundsätzen beurtheilt werde, wie der Ausländer.

Innerhalb dieses gemeinsamen Rechtsgebietes sollen daher auch alle Schranken fallen, welche bisher den Ausländer vom Inländer trennten.

Mit der in Handelssachen bestehenden Gemeinschaft des Rechtes ist es unverträglich, den Angehörigen desselben Rechtsgebietes noch fortan als Fremden zu betrachten und zu behandeln, in seiner Staatsangehörigkeit einen Grund zur billigen Sorge zu finden, „daß man vor dessen ordentlichem Richter ohne sonderbare Beschwerniß das Seinige nicht erlangen werde".

Im Interesse des Handelsverkehrs aber liegt die Aufhebung aller partikularstaatlichen Einrichtungen, welche, wenn sie auch dem Angehörigen des einzelnen Staates hie und da einen Vortheil zu gewähren vermögen, doch der Gemeinschaft der durch dasselbe Recht Verbundenen nur zum Nachtheile gereichen, weil sie bei der fortbestehenden Verschiedenheit der Befugnisse der Angehörigen einzelner Staaten gegenüber den Angehörigen anderer Staaten und bei dem naheliegenden Mißbrauche derselben zur Chikane den Kredit gefährden und was durch die gemeinsame Handelsgesetzgebung auf der einen Seite errungen worden, auf der anderen Seite wieder illusorisch machen.

Wo in der That die Gesetzgebung oder Rechtsprechung des einen Staates an der erzeptionellen Behandlung der Angehörigen eines anderen Staates festhält, da vermag auf dem durch das Gesetz selbst vorbehaltenen Wege der Retorsion dem Angehörigen des einheimischen Staates der gebührende Schutz gewährt zu werden; wo in Fällen der hier fraglichen Art nicht auf die Staatsangehörigkeit für sich allein, sondern zugleich auf besondere in Mitte liegende thatsächliche Verhältnisse die billige Sorge gegründet wird, daß der Kläger vor ordentlicher Obrigkeit das Seinige nicht ohne Beschwerniß erlangen werde, da kann auch dermalen noch die Bestimmung der GO. Kap. 1 §. 8 ihre Anwendung finden.

Solche thatsächliche Verhältnisse hat aber Kläger in seiner Arrestimploration nicht angeführt; dieselbe ist lediglich auf die Eigenschaft des Beklagten als Angehörigen des Königreiches Sachsen, eines deutschen Bundesstaates, in welchem das allg. d. HGBuch in Geltung ist, gestützt.

Auch im Retorsionswege ist, wenigstens dermalen, die Anwendung der angeführten Bestimmung der GO. nicht gerechtfertigt.

Der Art. 76 des Einf.-Ges. zum a. d. HGBuche behält nur die Anordnung der ferneren Anwendung der bisherigen, durch dieses Gesetz aber aufgehobenen Gesetze und Verordnungen in Folge der Retorsion vor. Soll demnach in einem gegebenen Falle eine solche Anwendung ausnahmsweise stattfinden, so muß dieselbe besonders angeordnet sein; hiezu ist aber nach §. 18 der 1. Beilage zur BU. die besondere k. Genehmigung erforderlich, welche zur Zeit nicht vorliegt. Es ist auch für den Richter keine Veranlassung gegeben, die Frage, ob im Königreiche Sachsen Gegenseitigkeit bestehe, zum Gegenstande einer amtlichen Untersuchung zu machen, weil Implorant seinen Antrag auf Arrestanlegung nirgends auf die Behauptung des Mangels der Gegenseitigkeit gestützt hat.

Dieses war aber nothwendig, wenn die Anwendung der Bestimmung der GO. Kap. 1 §. 8 im Wege der Retorsion eintreten soll. Denn nachdem durch den Art. 76, wie oben gezeigt, in Handelsjachen der Unterschied zwischen dem Inländer und dem Angehörigen eines deutschen Bundesstaates, in welchem das deutsche Handelsgesetzbuch Geltung hat, aufgehoben ist, und alle entgegenstehenden Gesetze und Verordnungen außer Wirksamkeit getreten sind, so bildet die Behauptung des Mangels der Gegenseitigkeit eine wesentliche Voraussetzung des

Anspruches auf Arrestanlegung im Sinne des Kap. 1 §. 8 a. a. O., soferne sich dieser lediglich auf die Eigenschaft als Ausländer gründet.

Kläger mußte daher jene Thatsachen anführen, welche den Richter veranlassen konnten, eine nähere Untersuchung darüber eintreten zu lassen, ob die Voraussetzungen zur Anordnung einer Retorsion gegeben seien oder nicht; so lange diese Angabe mangelt, entbehrt auch das Arrestgesuch der entprechenden thatsächlichen Begründung.

(Im Weiteren wurde ausgeführt, daß eine Handelsforderung vorliege.)

(Hof Reg.=Nr. 3.)


## LXXXVIII.

Verurtheilung zu Leistungen, welche zur Zeit der Klage= stellung noch nicht verfallen waren.

Am 18. Dezember 1862 klagte der Großhändler A. A. angeblich bereits verfallene Waarenkaufschillinge ein; im Laufe des Prozesses stellte sich heraus, daß dieselben erst im Monate März und April 1863 zu bezahlen seien[*], weßhalb das k. Handelsgericht Passau durch Erkenntniß vom 7. April 1863 die Beklagte zur Zeit von der Klage entband, unter Verurtheilung des Klägers in die Kosten.

---

[*] Es war von beiden Theilen übereinstimmend angegeben, daß über die Zahlung Nichts ausdrücklich bedungen worden sei; der Kläger folgerte hieraus sein Recht, sofortige Bezahlung zu verlangen, — die Beklagte, daß es bei der für Schnittwaarengeschäfte üblichen Kreditzeit sein Verbleiben haben müsse. Die Gerichte beider Instanzen traten der letzteren Ansicht bei; in dem Erkenntnisse II. Instanz kommt Folgendes vor: Nach Art. 326 des a. b. HGB., welcher in Art. 342 Abs. 2 für Kaufgeschäfte speziell wiederholt ist, muß der Kaufpreis nur dann sofort entrichtet werden, wenn nicht ein Anderes durch die Natur des Geschäftes bedingt oder durch Vertrag oder Handelsgebrauch bestimmt ist. Nun wurde vom Kläger nicht bestritten und konnte nach dem von ihm vorgelegten Buchauszuge nicht wohl bestritten werden, daß er mit der Beklagten in längerer Geschäftsverbindung gestanden sei und ihr zu verschiedenen Zeiten Waarenlieferungen gemacht habe.

Steht aber der Großhändler mit dem Detaillisten in einer solchen Verbindung, dann wird in der Regel nicht auf baar gehandelt; gewöhnlich, wenn nicht wegen besonderer Beschaffenheit der Waare oder des Geschäftes eine Ausnahme besteht, ist hiebei stillschweigend von den

Hiegegen ergriff letzterer die Berufung, welcher auch durch handels=appellationsgerichtliches Erkenntniß vom 15. Mai 1863 stattgegeben wurde. In den Gründen heißt es:

Nach dem eigenen Zugeständnisse der Beklagten waren die einzelnen eingeklagten Posten am 1., 10., 13., 20. März und 11. April l/J. fällig geworden, sie wurden aber, wie aus der Nebenverantwortung hervorgeht, bisher noch nicht bezahlt. Nun unterliegt es keinem Zweifel, daß die Forderungen des Klägers zur Zeit der Klagestellung bereits bestanden, von ihm vollständig erworben waren und nur ihrer Realisirbarkeit noch ein Hinderungsgrund entgegenstand, welcher jetzt vollständig beseitigt ist. Es ist aber ein allgemeiner Rechtsgrundsatz und von der Praxis der deutschen Gerichtshöfe stets anerkannt, daß solche faktische Verhältnisse, welche weder zum eigentlichen Klaggrunde gehören, noch für die Entstehung des Rechtes selbst als wesentliche Bedingung anzusehen, welche vielmehr nur zur Realisirung des Rechtes erforderlich sind und sonach blos für die Wirksamkeit der Klage eine Nebenvoraussetzung auf Seite des Beklagten bilden, nicht nothwendig schon zur Zeit der Klagestellung vorhanden zu sein brauchen, sondern eine Verurtheilung auch dann eintreten könne, wenn sie nur wenigstens zur Zeit des Urtheiles nicht mehr fehlen. (Vgl. die Ausführ. in Seuffert's Archiv Bd. III Nr. 204 u. 290.)

Diese Anschauung steht mit den Bestimmungen des Cod. jud., welche auch hier in Ermangelung besonderer Vorschriften des Wechsel- und Merkantilprozesses Anwendung zu finden haben, nicht in Widerspruch (vgl. GO. Kap. IV §. 13 und Anmerkungen hiezu lit. a; Kap. XIV §. 7 und Anmerkungen hiezu lit. b), und hat die Praxis der bayerischen Gerichte gleichfalls für sich. (Vgl. Seuffert's Kommentar Bd. II S. 188, Bd. III S. 454 Note 2. Bl. f. RA. Bd. I S. 413, Bd. IV S. 80, Bd. XI S. 341, Bd. XIX S. 414.)

Es sprechen für sie auch Gründe der Zweckmäßigkeit, weil dadurch ein nochmaliger Prozeß, der Hauptsache nach mit demselben Inhalte wie der bereits verhandelte, vermieden wird, und endlich kann aus dieser Aufrechthaltung einer anfänglich verfrühten Klage dem Beklagten

---

Kontrahenten beabsichtigt, daß der Detaillist die einzelnen Sendungen auf Kredit und zwar je nach der Waarensparte auf längere oder kürzere Frist zu beziehen habe. Das Gegentheil würde eine bestimmte Verabredung voraussetzen und hätte eine solche vom Kläger behauptet werden müssen. Vgl. übrigens Centralorgan 1863 S. 11.

eine Unbilligkeit nicht zugehen. Denn es versteht sich von selbst, daß wenn derselbe in einem solchen Falle zu der während des Prozesses eintretenden Verfallzeit sofort bezahlt, das Urtheil zu seinen Gunsten ausfallen und der Kläger in alle Kosten verurtheilt werden muß.

Nachdem nun aber, wie bereits erwähnt, in vorliegendem Falle die Beklagte auch an den von ihm selbst zugestandenen Verfalltagen nicht bezahlt hat und sonach zur Zeit nicht nur der klägerische Anspruch liquid, sondern auch die Beklagte von jenen Verfalltagen an hinsichtlich der verfallenen Leistungen im Verzuge ist, hatte in Haupt= und Nebensache verurtheilendes Erkenntniß zu erfolgen [*]).

(Passau Reg.=Nr. 23.)

## LXXXIX.

Einfluß eines bei dem ordentlichen Gerichte anhängigen Fristen= und Nachlaßverfahrens auf das Exekutionsverfahren in den bei dem Handelsgerichte anhängigen Sachen.

B. W.= und HGO. Kap. X §. 1 u. 9. Kap. XI §. 1.
GO. Kap. XVIII §. 8, 9 u. 13.
Proz. Nov. v. 17. Nov. 1837 §. 70.

Das k. HG. München l/J. hatte den Antrag eines Wechselgläubigers auf Erlassung eines Zahlungsbefehles gegen den der Wechselschuld geständigen Verklagten, welcher der Klage lediglich den Einwand, daß er gantmäßig sei und ein Fristen= und Nachlaßgesuch bei dem ordentlichen Richter eingereicht habe, entgegengesetzt hatte, aus dem Grunde verworfen, weil es bei dem vollkommenen Zugeständnisse des Verklagten eines Schuldausspruches nicht bedürfe, ein Zahlungsbefehl mit Exekutionsandrohung aber nicht zulässig sei, da nach einer von dem ordentlichen Gerichte, BG. München l/J., zu den HGAkten gelangten Note laut des vom Verklagten vorgelegten Inventars eine erhebliche Ueberschuldung desselben — 55,212 fl. 25 kr. Passiva gegenüber 13,000 fl. — kr. Aktiven — bestehe, auch dessen Fristen= und Nachlaßgesuch zur Verhandlung gezogen und bereits von 47 Gläubigern mit einem Forderungsbetrage von 46,333 fl. der Beitritt hiezu erklärt

---

[*]) Die Kosten wurden kompensirt, weil ursprünglich die Beklagte gerechten Grund zum Streite hatte, dieser aber von dem Verfalltage an hinwegfiel.

worden sei, wonach eine Majorisirung der übrigen Gläubiger mit Be=
stimmtheit zu erwarten stehe.

Auf Beschwerde des Klägers änderte das k. HAG. durch Urtheil
vom 15. Mai 1863 diese Entscheidung ab und erließ den beantragten
Zahlungsbefehl unter Androhung der Sperre gegen den Verklagten.
In den Gründen kommt vor:

Was die angebliche Gantmäßigkeit des Schuldners betrifft, so
vermöchte dieselbe, wenn sie auch bestünde, nach Kap. X §. 9 der b.
W.= u. MGO. jedenfalls die Erekution gegen die Person desselben
und die Erlassung eines Zahlungsbefehles behufs Einleitung dieser
Erekutionsart nicht zu hindern *). Uebrigens gründet sich die An=
nahme der Gantmäßigkeit lediglich auf den Inhalt der von dem or=
dentlichen Gerichte an das HG. gelangten Note, welche ihrerseits, wie
die Worte: „laut des von R. (Schuldner) vorgelegten Inventars"
ergeben, auf den einseitigen Angaben des Gesuchstellers beruht. Solch'
einseitige Angaben eines von seinen Wechselgläubigern verfolgten
Schuldners, welcher augenscheinlich seine Insolvenzanzeige nur zu dem
Zwecke, um sich hiedurch der Gläubiger zu erwehren, benützt, sind aber
nicht geeignet, als solche thatsächliche Feststellung zu gelten, wie sie
nach Kap. XI §. 1 a. a. O., woselbst wirkliche Gantmäßigkeit des
Schuldners verlangt wird, zur Sistirung der handelsgerichtlichen Ere=
kution und Thätigkeit überhaupt erforderlich ist.

Aber auch der Stand des laut fraglicher Note anhängigen Fristen=
und Nachlaßverfahrens vermag diese Wirkung auf das handelsgericht=
liche Verfahren nicht zu äußern **).

---

*) Denn, wie in einem früheren Erkenntnisse (s. diese Zeitschrift Bd. X
S. 200) des Näheren erörtert ist, enthält „der Zahlungsbefehl bei Ver=
meidung der Sperre" den ersten Schritt zur Erekution überhaupt, da=
her er noch keineswegs eine bestimmte Beziehung auf die Vermögens=
erekution hat. Gegen diesen Zahlungsbefehl hat daher der Schuldner
gar kein Recht Einreden vorzuschützen, welche nur die Vermögensere=
kution betreffen, und die Gerichte werden eine wesentliche Quelle von
Verzögerungen abschneiden, wenn sie in diesem Stadium solche Einre=
ben sofort zurückweisen. Beantragt in der Folge der Gläubiger die
Sperre an Vermögensobjekten, dann hat der Schuldner erst Anlaß,
seine Einreden vorzubringen und die Sistirung, bezw. Wiederaufhebung
der Sperre zu begehen.
**) Der Gerichtshof hat die folgenden Grundsätze schon in den in dieser
Zeitschrift Bd. X S. 215 veröffentlichten Präjudizien ausgesprochen und

Denn

a) Fristen und Nachläße gehören zu denjenigen Schutzmitteln, mit welchen nach GO. Kap. XVIII §. 8 und 9 solchen Schuldnern beizustehen gestattet ist, welche durch unverschuldete Umstände in das Abwesen gerathen und auf diesem Wege in den Stand gesetzt sind, sich bei häuslichen Ehren zu erhalten.

Dieses Schutzmittel ist, wie diesseitiger Gerichtshof schon mehrfach auszuführen veranlaßt war, in die Kategorie der in der Erekutionsinstanz vorgebrachten und, weil die Erekutionsart betreffend, nach Kap. X §. 11 der W.- u. MGO. auch im Wechselprozesse zugelassenen Einreden zu zählen.

b) Sollen aber einer liquiden Wechselschuld gegenüber Einreden von rechtlichem Erfolge begleitet sein, so müssen für die Thatsachen, welche den Klaganspruch zerstören, bezw. die Erekution hemmen sollen, Angesichts des §. 4 Kap. III a. a. O. dem Handelsrichter klare, also solche Urkunden vorgelegt werden, durch welche die zur Begründung einer Einrede, bezw. eines Fristen- und Nachlaßgesuches vom Gesetze als wesentlich geforderten Thatumstände sämmtlich nachgewiesen sind.

c) Im gegenwärtigen Falle — wo noch gar nicht feststehen kann, welche Gläubiger dem bei Gericht gestellten Gesuche beitreten und welche demselben ihre Zustimmung versagen werden, geschweige, daß von einem wohlbegründeten Antrage auf Zwangsbeitrittserklärung in der Richtung gegen den gegenwärtigen Wechselkläger zur Zeit die Rede wäre, — hatte also, wenn die Erekution nicht eingeleitet, vielmehr das Verfahren bis auf Weiteres wegen des in Mitte liegenden Fristengesuches eingestellt werden sollte, das Handelsgericht auf der Erbringung urkundlichen Nachweises über diejenigen Thatsachen zu bestehen, welche zur Begründung des in Kap. XVIII §. 9 mit 13 der GO. aufgestellten und in §. 70 der Prozeßnovelle modifizirten, bezw. näher präzisirten Schutzmittels gegen die Erekution gefordert werden, also insbesondere neben dem Beweise über das Unvermögen und die vorläufige Zustimmung der Mehrheit der Gläubiger darüber, daß der Schuldner durch unversehene Zufälle in Vermögensverfall gera-

_____

die meisten Handelsgerichte haben dieser Ansicht durch ihre Praxis seither zugestimmt. Doch findet noch hie und da ein ungleichförmiges Verfahren statt, weßhalb hier nochmals eine ausführliche Motivirung der handelsappellationsgerichtlichen Rechtsanschauung für nothwendig erachtet wurde.

then sei und daß er durch die Bewilligung des Gesuches bei häus=
lichen Ehren erhalten werde; denn nur bei dem Vorliegen aller
dieser Momente ist mit gutem Grunde zu erwarten, daß der treffende
Richter das Gesuch instructa causa bestätigen und seiner Zeit allenfalls
dissentirenden Gläubigern gegenüber den Zwangsbeitritt aussprechen
werde.

Der Umstand aber, daß die Kompetenz solcher Bestätigung und
solchen Ausspruches auf Zwangsbeitritt dem persönlichen Richter zu=
steht, kann den mit Prüfung der im Wechselprozesse erhobenen Ein=
reden kompetenzmäßig befaßten Handelsrichter nicht abhalten, das vor
ihm geltend gemachte einer Einrede gleich zu achtende Schutzmittel der
Befristung nach allen seinen wesentlichen Bestandtheilen einer selbstständ=
gen Würdigung zu unterstellen, wie umgekehrt auch dem ordentlichen
Richter das Recht zusteht, die im Wechsel= oder Handelsgerichtsprozesse
als unbegründet erachteten Exzeptionen oder Repliken, wenn die Sache
vor ihn gebracht und in separato ausgetragen wird, seinerseits der
richterlichen Prüfung zu unterstellen und nach freiem Ermessen an der
Hand der Gesetze hierüber zu urtheilen.

d) Inhaltlich der bezirksgerichtlichen Note vom 27. März l. Js.,
auf welche ausschließend der handelsgerichtliche Sistirungsbeschluß sich
gründet, ist zur Zeit nur der erste einleitende Schritt zur Verhand=
lung über das K.'sche Gesuch durch Ansetzung eines Termines erfolgt,
es ist daher, wenn auch $^2/_3$ der Gläubiger, wie die bezirksgerichtliche
Note konstatirt, ihre Zustimmung außergerichtlich ertheilt haben, den
übrigen Gläubigern noch die Möglichkeit eröffnet, das Vorhandensein
sämmtlicher gesetzlicher Erfordernisse und zwar mit Erfolg zu bestreiten,
wie denn auch der klägerische Vertreter in der Berufungsschrift bereits
eine Andeutung in diesem Sinne gegeben hat.

Aus diesem Allen geht hervor, daß ein vollgenügender gesetzlicher
Grund nicht aktenmäßig gegeben war oder zur Zeit für den Handels=
richter gegeben ist, um die Einstellung des weiteren Verfahrens, das
nun allerdings durch Erlassung eines Zahlungsbefehles mit Sperran=
drohung in das Exekutionsstadium übergeht, in vorwürfiger Sache zu
beschließen. (München l/J. Reg.=Nr. 106.)

## XC.

## Acceptation eines Wechsels vor Beisetzung der Unterschrift des Ausstellers.

### Art. 4 Nr 5 Art. 21, 7 der a. b. WO.

N. N. hatte der Klage des X. aus einem von diesem an eigene Ordre auf ihn gezogenen und von ihm auch acceptirten Wechsel die Einrede der Rechtsunwirksamkeit des letzteren entgegengesetzt, weil dem Wechsel zur Zeit der Acceptation die Unterschrift des Ausstellers, mithin ein wesentliches Erforderniß gefehlt habe. Dieser Einwand wurde von dem kgl. Handelsgerichte Aschaffenburg verworfen und dessen Urtheil von dem k. Handelsappellationsgerichte aus folgenden Gründen am 11. Mai 1863 bestätigt:

Der eingeklagte Wechsel trägt alle in Art. 4 der a. b. WO. vorgeschriebenen Erfordernisse eines gezogenen Wechsels an sich, und es kann demselben gegenüber der Einwand des Verklagten, daß bei der durch ihn unbestritten erfolgten Acceptation ein Aussteller in solchem noch nicht benannt gewesen, vielmehr ein Blanko-Wechsel von ihm acceptirt worden sei, eine rechtliche Wirkung nicht beigelegt werden.

Verhielte sich nämlich die Sache wirklich in der Weise, wie Verklagter behauptet, so könnte nicht anders angenommen werden, als daß der Acceptant sich wechselmäßig verpflichten und die Ausstellung des Formulars dem Wechselnehmer, sei es nach seinem eigenen Ermessen oder nach Maßgabe einer zwischen ihnen getroffenen besonderen Verabredung, überlassen wollte.

War nun, um aus der mit dem Accepte versehenen Urkunde einen wechselmäßigen Anspruch zu erlangen, die Ergänzung der Urkunde rücksichtlich der noch fehlenden wesentlichen Bestandtheile nothwendig, so war deren rechtliche Gültigkeit eine bedingte, so lange jene Ergänzung noch nicht stattgefunden hatte; wurde dieselbe aber in der Folge vervollständigt und mit allen Erfordernissen versehen, welche Art. 4 der a. b. WO. vorschreibt, so ist die bedingt gültige Wechselverpflichtung zu einer unbedingt gültigen geworden; die Voraussetzungen der Rechtswirksamkeit des Wechsels sind eingetreten.

Dieser Folge hat sich offenbar der Beklagte unterworfen, indem er ein mit der Unterschrift des Ausstellers noch nicht versehenes Wechselformular acceptirte und einer anderen Person, dem Wechselnehmer, aushändigte.

Er kann sich daher zur Entkräftung des Wechsels auf diese That-

ſache allein, ſei es nun dem Ausſteller oder einem ſonſtigen Beſitzer
deſſelben gegenüber, ebenſowenig berufen, wie der Unterzeichner einer
ſonſtigen Urkunde auf die einfache Thatſache, daß dieſelbe ein Blanquet
geweſen.

(Vergl. Ger.-Orbg. Kap. XI §. 8 Nr. 5.)

Nur die Behauptung, daß ein Mißbrauch mit der Unterſchrift
getrieben worden, vermöchte, wenn ſie thatſächlich gehörig ſubſtanzirt
wäre, eine freilich nicht aus dem Wechſelrechte ſelbſt hervorgehende
und daher auch nur unter der weiteren Vorausſetzung des Art. 82
der WO. zuläſſige Einrede zu begründen.

Allein eine ſolche Behauptung hat Beklagter gar nicht aufgeſtellt,
geſchweige näher in thatſächlicher Beziehung erörtert. Dieß mußte er
aber, wenn er ſeinem Einwande eine rechtliche Wirkung beigelegt wiſſen wollte, um ſo ſicherer thun, als ihm doch jedenfalls bekannt iſt,
wem er das nicht vollſtändig ausgefüllte acceptirte Wechſelformular
ausgehändigt hat und unter welchen Modalitäten dieß geſchehen iſt.
Beklagter glaubt freilich, daß es der Berufung auf einen ſtattge-
fundenen Mißbrauch um deßwillen nicht bedürfe, weil eine Wechſelurkunde, bei deren Errichtung der Schuldner die Wechſelverpflichtung
durch ſein Accept übernommen habe, bevor noch der Ausſteller ſelbſt
im Wechſel benannt geweſen, kein gültiger Wechſel im Sinne des
Art. 4 der a. b. WO. ſei.

Allein die a. b. WO. ſchreibt im Art. 4 nicht vor, wie die Wechſelurkunde beſchaffen ſein müſſe, wenn ihr der Traſſat ſein Accept beiſetzt,
ſondern ſie ſetzt daſelbſt lediglich feſt, was die Wechſelurkunde enthalten
müſſe, wenn wechſelmäßige Rechte und Verpflichtungen aus ihr ent-
ſpringen ſollen.

Nirgends iſt die Beobachtung einer gewiſſen Reihenfolge in der
Unterzeichnung durch Ausſteller und Acceptanten in der a. b. WO.
als Bedingung der Gültigkeit eines Wechſes aufgeſtellt. (Vgl. Art. 21.)
Es kann eine ſolche Vorſchrift auch nicht aus dem Schlußſatze des
Art. 7 der WO:

„Auch haben die auf eine ſolche Schrift geſetzten Erklärungen
(Indoſſament, Accept, Aval) keine Wechſelkraft“,

gefolgert werden; denn dieſer Art. hat nicht den Zweck feſtzuſetzen, wie
die einzelnen in einer Wechſelurkunde bekundeten Vorgänge chronologiſch auf
einander folgen müſſen, wenn der Wechſel rechtliche Gültigkeit haben ſoll,
ſondern ſpricht lediglich aus, daß ein Wechſel, aus welchem nicht die
im Art. 4 bezeichneten weſentlichen Erforderniſſe erſichtlich ſind, keine
wechſelmäßige Verbindlichkeit erzeugt; er ſetzt alſo bei ſeiner Schluß-

bestimmung voraus, daß der in einem speziellen Falle zur Beurtheilung kommende Wechsel den Mangel eines der wesentlichen Erfordernisse ersehen lasse; die auf eine solche d. h. ersichtlich mangelhafte Schrift gesetzten Erklärungen haben keine Wechselkraft.

Der hier fragliche Wechsel ist aber, wie schon oben erwähnt wurde, in keiner Beziehung mangelhaft, sondern entspricht vollkommen der Vorschrift des Art. 4.

Da nun Beklagter, wie gleichfalls bereits angeführt wurde, nicht behauptet hat, daß bei der Entstehung des Wechsels in seiner jetzigen Form ein Betrug unterlaufen sei, in Folge dessen dem Kläger die Unwirksamkeit der Wechselverpflichtung entgegengehalten werden könnte, vielmehr nach seiner Erklärung in der Berufungsschrift eine solche Behauptung aufzustellen gar nicht gewillt war, so zeigt sich die erhobene Berufung als unbegründet *).

(Aschaffenburg Nr. 12.)

## XCI.

### Wechselklausel „ohne Protest.“
#### (Art. 42 der a. b. WO.)

Der Privatier A. A. klagte einen verfallenen Wechsel zugleich gegen den Acceptanten und gegen den Aussteller ein, ohne Protest vorzulegen oder in der Klage zu erwähnen, daß ihm die Protesterhebung von dem Aussteller erlassen worden sei; der Wechsel trug jedoch oben links am Rande die Worte: „ohne Protest“. Der beklagte Aussteller berief sich in den von ihm schriftlich abgegebenen Erinnerungen lediglich darauf, daß die Protesterhebung unterblieben, sonach nach Art. 41 der a. b. WO. die Regreßklage unsubstanzirt sei, und

---

*) Diese Ansicht ist für Oesterreich durch eine Ministerialverordnung vom 6. Oktober 1853 (abgedruckt im Archiv für deutsch. Wechselrecht Bd. IV S. 113) und für Preußen durch die konstante Praxis des Obertribunales zu Berlin (Borchardt S. 190) sanktionirt und auch von vielen anderen deutschen Obergerichten getheilt; dagegen sind einige der Ansicht, daß die Einrede, es sei ein Blanquet acceptirt worden, wenigstens dem unmittelbaren Kontrahenten gegenüber zulässig sei. (Seuffert's Archiv III. 199; VII. 350, 351), während ein Aufsatz in der allg. österreichischen Gerichtszeitg. v. 1853 Nr. 88 dieselbe sogar Demjenigen entgegensetzen läßt, der den schon vollständig ausgefertigten Wechsel an sich gebracht hat. Vergl. auch Renaud S. 46 Note 2.

15

bemerkte, als in der Gegenerinnerung Kläger auf die dem Wechsel bei=
gesetzten Worte „ohne Protest" hinwies, in der Schlußerinnerung,
daß diese Worte nicht von ihm herrührten, und daß diese Klausel
doch in irgend einem Zusammenhange mit der Unterschrift Desjenigen
stehen müßte, für den sie als verbindlich erachtet werden wolle.  Unter
Umständen könne auch der Acceptant den Protest erlassen; von Mehre=
ren, welche den Wechsel unterzeichnen, könne nur einer den Erlaß
gewollt und die Klausel auf dem Wechsel vorgemerkt haben; da
Wechsel auch auf der Vorderseite indossirt werden dürften, könnten
die Worte „ohne Protest" möglicher Weise auch von einem Indossan=
ten herrühren; kurz aus dem Umstande allein, daß irgendwo auf der
Vorderseite des Wechsels die Worte „ohne Protest" stünden, folge
noch nicht, daß dieselben von dem Aussteller herrührten und ihn ver=
pflichteten.

Die Gerichte beider Instanzen verwarfen diese Einwendungen.
In dem handelsappellationsgerichtlichen Erkenntnisse vom 18. Mai 1863
heißt es hierüber:

Der Art. 42 der a. d. WO. bestimmt, daß der Wechselver=
pflichtete die Protesterhebung erlassen könne, und daß die Aufforderung
keinen Protest erheben zu lassen, auch durch die bloßen Worte „ohne
Protest" „ohne Kosten" rechtsförmlich geschehen könne.

Weiter enthält dieser Artikel über die Form des Protesterlasses
keine Vorschrift; er läßt es frei, denselben auf dem Wechsel selbst
oder in einer eigenen Urkunde zu geben; ja es ist unter Umständen
sogar ein mündlicher Erlaß von Wirksamkeit.  Um so weniger besteht
daher eine gesetzliche Bestimmung darüber, an welcher Stelle des
Wechsels die Worte: „ohne Protest" geschrieben werden müssen, und
es ist weder nach dem Gesetze noch nach dem kaufmännischen Gebrauche
begründet, daß — wie Appellant vorbringt — die fraglichen Worte
in einem sichtlichen Zusammenhange mit der Fertigung des Ausstellers
stehen müßten.  Vielmehr lehrt die tägliche Erfahrung im Wechselver=
kehre, daß die Worte „ohne Protest" „ohne Kosten" im Konterte des
Wechsels gar nie, vielmehr ebenso oft oben auf dem Wechselformulare,
wie unten vor oder nach der Unterschrift beigesetzt werden.  Ja es ist
unbezweifelte Wechselusance, daß wenn die Worte „ohne Protest"
„ohne Kosten" oben auf dem Wechselformulare stehen, dieselben stets
auf den Aussteller bezogen und als von ihm herrührend angesehen
werden, indem die Indossanten die Klausel immer ihrem Indossamente,
der Acceptant (wo von diesem, wie beim domizilirten Wechsel ein Er=
laß des Protestes vorkommt) dieselbe seinem Accepte beifügt.

Im gegebenen Falle ist ohnehin die fragliche Klausel auf niemand Anderen zu beziehen möglich, als auf den Aussteller, und es bedurfte daher von Seite des Klägers, der sich in seiner Klage ausdrücklich auf den Inhalt des Wechsels bezog, um so weniger einer speziellen Behauptung, daß ihm die Protesterhebung von Seite des Ausstellers erlassen worden sei, als diese Behauptung schon in dem Umstande gelegen war, daß er, ohne Protest vorzulegen, die Regreßklage gegen ihn anstellte. Es hätte daher der Beklagte die Wirksamkeit der in Frage stehenden Worte „ohne Protest", welche unzweifelhaft einen Bestandtheil des gegen ihn eingeklagten Wechsels bilden, in Gemäßheit der W. und MGO. von 1785 Kap. III S. 2 nur durch die eidliche Betheuerung abwenden können, daß er diese Worte weder selbst geschrieben habe, noch daß sie mit seinem Wissen oder seiner Zustimmung auf den Wechsel gesetzt worden seien. Er hat aber hiezu sich nicht erboten und nicht einmal in der Schlußerinnerung sich zur Ableistung des Diffessionseides bereit erklärt, obgleich er in den Gegenerinnerungen des Klägers genügenden Anlaß hiezu hätte finden müssen.

(München r. d. J. Reg.-Nr. 23.)

## XCII.

**Bedeutung der Klausel „zahlbar hier und aller Orten."**
### (Art. 93 und 97 der a. d. WO.)

Hierüber spricht ein Erkenntniß des k. Handelsappellationsgerichtes zu Nürnberg vom 4. Mai 1863 folgendermaßen sich aus:

Die dem bestimmt genannten Zahlungsorte im eigenen Wechsel häufig beigefügten Worte „und aller Orten", welche übrigens nach der Handelsusance stets den stillschweigenden Beisatz „wo ich anzutreffen bin" in sich schließen, haben allerdings nicht die Bedeutung, daß der Wechsel als an jedem beliebigen Ort domizilirt angesehen würde und dem Wechselinhaber etwa auf Grund des Art. 93 der a. d. WO. nach Eintritt der Verfallzeit die Pflicht obläge, den Wechsel an dem Orte, wo sich der Schuldner gerade aufhält, zu präsentiren und protestiren zu lassen; vielmehr gilt immer nur der bestimmt genannte Zahlungsort, und wenn die Klausel ohne einen solchen nur auf „zahlbar aller Orten" lautet, der Ausstellungsort als wechselmäßiger Zahlungsort. Allein ohne alle Bedeutung, blos eine leere Form, wie Beklagte behaupten, ist dieser Beisatz nicht. Nach allgemeinem Handelsgebrauche (vgl. Renaud, Lehrbuch S. 111;

**15 ***

H o f f m a n n , Erläuterung S. 658; W ä c h t e r , Wechsellehre S. 768; dann die Entscheidungen der Gerichtshöfe von Berlin, Dresden, Hamburg und Stuttgart bei B o r c h a r d t , Wechselordnung S. 278), welcher bei Berathung der a. d. WO. anerkannt wurde (vgl. Leipziger Protokolle S. 167), berechtigt der fragliche Zusatz den Wechselgläubiger überall, wo er nach dem Verfalle des Wechsels den Schuldner trifft, sich wechselrechtlich an denselben zu halten und von ihm die Erfüllung seiner Verbindlichkeit gerichtlich zu erzwingen.

Wenn demnach der Wechsel zur Verfallzeit an dem bestimmten Zahlungsorte oder wo ein solcher nicht angegeben ist, am Ausstellungsorte nicht eingelöst wird, bzw. der Schuldner sich dort nicht treffen läßt, so kann der Gläubiger jedes Gericht angehen, in dessen Sprengel sich gerade der Schuldner aufhält, und dieser kann gegen die Zuständigkeit dieses Gerichtes eine Einwendung nicht erheben *).

(Fürth Reg.-Nr. 10.)

---

*) Man kann die Zuständigkeit des Gerichtes des jeweiligen Aufenthaltsortes des Schuldners vom Gesichtspunkte eines forum solutionis auffassen. Wo die Zahlung des Wechsels, die Erfüllung des Wechselkontraktes gefordert werden kann, da kann der Schuldner gerichtlich belangt werden, soferne die nach den anzuwendenden Prozeßgesetzen (z. B. der bayrischen und preußischen Gerichtsordnung) zur Begründung des Gerichtsstandes des Vertrages etwa noch geforderte Voraussetzung, daß der Beklagte zur Zeit der Klagestellung sich am Erfüllungsorte aufhält, vorhanden ist. Wäre also z. B. ein Wechsel in Augsburg ausgestellt „zahlbar in München" und der Schuldner hält sich nach Verfall in München auf, so kann er dort belangt werden; würde er lauten „zahlbar in Nürnberg", so würde er, da zu Nürnberg die Nürnberger Handelsgerichtsordnung und subsidiär das gemeine Recht gilt, in diesem aber die Anwesenheit des Schuldners am Erfüllungsorte zur Begründung des forum contractus nicht erfordert wird (vgl. B a y e r Vorträge S. 130), unter allen Umständen in Nürnberg eingeklagt werden können.

Lautet nun der Wechsel „zahlbar aller Orten" (d. i. „aller Orten wo ich anzutreffen bin"), so muß überall, wo der Schuldner nach Verfall getroffen wird, Zahlung erfolgen, folglich ist überall, wo der Schuldner nach Verfall getroffen wird das forum contractus bezw. solutionis begründet. — In der Regel betrachtet man aber das Gericht des Aufenthaltsortes als forum prorogatum, indem man annimmt, der Schuldner habe sich durch jene Klausel von vorneherein jedem Gerichte, wo er nach Verfall getroffen wird, unterworfen.

## XCIII.

Berechtigung zur Auflösung des zwischen Prinzipal und Handlungsgehilfen bestehenden Dienstverhältnisses. — Benützung des Inhaltes von Untersuchungsakten.

### Art. 62 u. 64 Abf. 1 des allg. d. HGB.

N. N., welcher bei der Handlung M. zu München als Magazinier gegen ein jährliches Salair von 800 fl. in Diensten stund, war von seinem Chef am 21. September 1862 wegen verübter Unredlichkeiten sofort aus dem Dienste entlassen und auf Denunziation desselben vom Untersuchungsrichter am k. Bezirksgerichte München in Untersuchung genommen worden. Nachdem das k. Bezirksgericht München I/J. diese Untersuchung durch Beschluß vom 6. Dezember 1862 an das Stadtgericht München, Abthl. f. Straffachen, verwiesen und dieses am 9. Januar 1863 ein freisprechendes Urtheil erlassen hatte, erhob N. N. am 14. Januar 1863 gegen die Handlung M. wegen nicht rechtzeitig erfolgter Aufkündung auf Bezahlung des für die Zeit vom 21. bis 30. September 1862 und von da bis 31. Dezember 1862 angefallenen Salairs bei dem k. Handelsgerichte München I/J. Klage. Die verklagte Handlung bestritt diesen Anspruch, weil sie in Folge der dem Kläger zur Last fallenden Untreue zur sofortigen Auflösung des Dienstverhältnisses berechtigt gewesen sei, wogegen Kläger auf das ihn freisprechende stadtgerichtliche Urtheil sich berief. Das k. Handelsgericht München I/J. verurtheilte die Verklagte zur Bezahlung des einvierteljährigen Salairbetrages von 200 fl., indem es die Behauptung derselben, daß Kläger sich habe Veruntreuungen zu Schulden kommen lassen, als nicht genügend substanzirt keiner Berücksichtigung würdigte. Das k. HAG. entband die Verklagte auf eingelegte Berufung, in welcher sich dieselbe zur näheren Begründung jener Behauptung auf die adhibirten Untersuchungsakten berief, durch Urtheil vom 11. Mai 1863 von der Klage. In den Gründen kommt vor:

Nach Art. 62 Abf. 1 des allg. d. HGB. kann die Auflösung des Dienstverhältnisses schon vor der bestimmten Zeit aus wichtigen Gründen verlangt werden; die Beurtheilung der Wichtigkeit der Gründe bleibt nach Abf. 2 a. a. O. dem Ermessen des Richters überlassen. Nach Art. 64 Ziff. 1 kann gegen den Handlungsgehilfen insbesondere die Auflösung des Dienstverhältnisses u. A. auch dann ausgesprochen werden, wenn derselbe untreu ist oder das Vertrauen mißbraucht.

Nachdem beide Parteien auf die vorliegenden Voruntersuchungs= akten über die dem Kläger zur Last gelegten Veruntreuungen sich be= zogen haben und deren Adhibirung auch erfolgt ist, so steht dem Richter ungeachtet des mangelhaften Vorbringens der Streittheile die sicherste Erkenntnißquelle für Schöpfung seines Urtheiles zu Gebote.

Aus den genannten Untersuchungsakten und den eigenen Zuge= ständnissen des Klägers geht hervor, daß er mehrfache Handlungen vornahm, die den gegen ihn gefaßten Verdacht der Veruntreuung als einen begründeten erscheinen lassen.

Kläger gibt selbst zu, daß er 6 Dutzend Knöpfe an Schneider= meister H. verkauft und das Geld nicht sofort abgeliefert, sondern in seinem Pulte aufbewahrt und es erst, als darnach gefragt worden, abgegeben habe. Der Zeuge J. bekundet, Kläger habe, wegen des Fehlens der Knöpfe von ihm zur Rede gestellt, zugestanden, die Knöpfe wegen Geldverlegenheit verkauft und schon früher eine Jacke, Unterhose und andere Kleinigkeiten an sich genommen zu haben. Eine weitere Zeugin bestätigt, daß Kläger einmal ein paar Gummihosen= träger und 2 Stück Portbourse, sowie späterhin 2 oder 3 Reißkämme eingewickelt und zu sich gesteckt habe, und wieder eine andere Zeugin gibt an, daß Kläger ihr verschiedene Kleinigkeiten verkauft und auch einer Bekannten dergleichen besorgt habe, wogegen Kläger diese Ge= genstände theils nur für den Reisenden zurückgelegt, theils mit Wissen seines Prinzipales vertauscht, theils diese Geschäfte verrechnet haben will.

Der Polizeirichter hat nun zwar diese Zeugenaussagen zu einer Verurtheilung des N. N. wegen Entwendung nicht für genügend be= funden; allein, wenn die vorliegenden Thatsachen auch zu einem Schuldausspruche nicht genügten, so müssen dieselben doch als aus= reichend erachtet werden, um darauf hin das bestandene Dienstverhält= niß zu lösen. Das billige Ermessen des Richters, das in einem der= artigen Falle den Ausschlag zu geben hat, ist an die Formen des strengen Beweises nicht gebunden, sondern hat den Verhältnissen des Lebens Rechnung zu tragen und insbesondere das bei allen Handels= geschäften unbedingt nothwendige Vertrauen des Prinzipals zu seinen Bediensteten und dieser unter einander in's Auge zu fassen. Dieses Vertrauen kann aber auch durch ein Benehmen oder Handlungen er= schüttert werden, die zwar vom Strafrichter nicht geahndet werden können, gleichwohl aber ein ferneres Zusammenwirken unmöglich ma= chen. Kläger behauptet selbst, es sei ihm die Aufsicht über das übrige im Geschäfte verwendete Personal übertragen gewesen, eine Stellung, zu deren erfolgreichen Bekleidung vor Allem erforderlich gewesen wäre,

—

daß deren Inhaber bei dem untergebenen Personale in Achtung und daher insbesondere außer jedem Verdachte einer Untreue stund. Diese Achtung und Unbescholtenheit hat Kläger durch die von den Zeugen bekundeten Handlungen bei den M.'schen Bediensteten durch seine eigene Schuld verloren, und es ist daher das Recht des Prinzipals anzuerkennen, ihn unter diesen Umständen sofort des Dienstes zu entlassen, womit der Anspruch des Klägers auf ein weiteres Salair von selbst zusammenfällt. (München I/J. Nr. 100.)

## XCIV.

**Vertragsabschluß für Rechnung einer Handelsgesellschaft. — Wirkung für den einzelnen Gesellschafter in Bezug auf dessen Verhältniß zu Dritten.**

Art. 99, 86 Ziff. 4, 102, 112 des a. b. HGB.

Der Pferdehändler W. hatte unter der Behauptung, daß er mit dem Handelsmann R. eine Uebereinkunft s. g. Kippe, geschlossen habe, wornach letzterer zwei der Wittwe P. gehörige Pferde gegen zwei ihm, dem R., gehörige Ochsen, welche zu ihrem Ankaufspreise der Gesellschaft angerechnet werden sollten, eintauschen, die Pferde sodann weiter veräußern und der aus dem Geschäfte erzielte Gewinn zur gleichheitlichen Vertheilung kommen sollte, und daß R. die fraglichen Pferde hierauf auch eingetauscht und weiter veräußert habe, gegen letzteren auf Rechnungslegung und Herauszahlung des ihn treffenden Gewinnantheiles bei dem k. HG. Würzburg Klage erhoben. Nachdem Verklagter in der Vernehmlassung jenes gesammte Vorbringen mit Widerspruch belegt und insbesondere behauptet hatte, daß nicht er, sondern der Viehhändler S. es gewesen sei, welcher fragliche Pferde von der Wittwe P. eingetauscht und wiederverkauft habe, replizirte Kläger, daß S. mit R. in einer offenen Handelsgesellschaft zum gemeinsamen Betriebe des Viehhandels stehe und, wenn er den Tausch abgeschlossen, dieses in seiner Eigenschaft als Theilhaber der gedachten Gesellschaft gethan habe.

Das k. HG. Würzburg legte dem Kläger den Beweis über den faktischen Klagegrund und unter Anderem darüber auf, daß R. die beiden in Rede stehenden Pferde eingetauscht habe, indem es dem vom Verklagten widersprochenen Replikvorbringen, als eine unstatthafte Klageänderung enthaltend, keine Berücksichtigung schenkte. Hiegegen appellirte Kläger, weil der erwähnte Beweissatz nicht dahin gefaßt worden, „daß Verklagter oder dessen Gesellschafter S. die in Rede stehenden Pferde eingetauscht habe." Das k. HAG. erweiterte durch Urtheil vom 7. Mai 1863 jenen Beweissatz dahin, „daß der Verklagte oder S. als dessen Gesellschafter nach jenem Uebereinkommen (zwischen Kläger und Verklagten) die beiden fraglichen Pferde eingetauscht habe." In den Gründen kommt vor:

Wie Kläger behauptet und auch sowohl durch den von dem Untergerichte von Amtswegen zu den Akten gebrachten Auszuge aus dem Handelsregister als durch die Bekanntmachung dieses Gerichtes in der bayerischen Zeitung bestätigt wird, besteht zwischen dem Verklagten R. und Viehhändler S. schon seit mehreren Jahren eine Societät zum gemeinsamen Betriebe des Viehhandels unter der Firma R. und S. — Von einem Ausschlusse des einen oder anderen dieser Gesellschafter, die Firma zu vertreten, ist weder in dem fraglichen Extrakte eine Bemerkung enthalten, noch ist von der einen oder anderen Partei behauptet, daß ein solcher Ausschluß stattgefunden habe, — weßhalb die Annahme begründet ist, daß jeder derselben für sich allein Rechtsgeschäfte für die Gesellschaft habe vornehmen können. Art. 99, 86 Ziff. 4, 102 des a. d. HGB.

Nur im Falle Einer der genannten beiden Gesellschafter gegen die Handlungen des Anderen Widerspruch erhoben haben würde, wäre dieser nach Art. 102 Abs. 2 a. a. O. verbunden gewesen, jene Handlungen zu unterlassen; die Behauptung und der Nachweis, daß ein solcher Widerspruch stattgefunden, wäre aber Sache Dessen gewesen, der hieraus einen Angriffs- oder Vertheidigungsgrund entnommen hätte.

Demgemäß wäre Verklagter R. berechtigt gewesen, selbst ohne besondere Ermächtigung des S. — soferne dieser nur nicht widersprach — einen Vertrag des in Rede stehenden Inhaltes Namens oder doch für Rechnung der genannten Firma mit dem Kläger abzuschließen, und er würde für seine Person aus einem solchen Vertrage nach Art. 112 a. a. O. dem Kläger ebenso solidarisch haften, wie dieses unter der Voraussetzung, daß er in eigenem Namen und für eigene Rechnung handelnd aufgetreten wäre, der Fall sein würde. Ebenso war andererseits S. berechtigt, selbst ohne besonderen Auftrag oder besondere Ermächtigung Seitens des Verklagten, — nur nicht gegen dessen Widerspruch, — den fraglichen Tausch für Rechnung der Societät R. und S. mit der Wittwe P. abzuschließen, und Verklagter erlangte aus einem so abgeschlossenen Tausche dieselben Rechte, wie wenn er selbst als Gesellschafter genannter Firma denselben vollzogen hätte.

Für den klägerischen Anspruch ist es nun aber der Wirkung nach gleichgiltig, ob der Eintausch der Pferde, wie solcher im Vertrage mit dem Kläger beredet wurde, und der Weiterverkauf derselben durch den Verklagten in Person oder durch S. für Rechnung der Gesellschaft R. und S. erfolgte. In dem einen wie in dem anderen Falle hat, vorausgesetzt daß der Erwerb durch S. nicht außer aller Beziehung zu dem Vertrage des Klägers mit dem Verklagten stund, der Verklagte die Pferde erworben, ist der Weiterverkauf auf seine Rechnung erfolgt, da ja dasjenige, was die Gesellschaft erwarb, auch von dem Verklagten als Mitglied derselben erworben wurde, — somit, wenn auch der Wiederverkauf Namens der Gesellschaft oder für Rechnung derselben stattfand, alle Voraussetzungen vorhanden sind, unter welchen nach dem Vertrage des Klägers mit dem Verklagten Ersterer von Letzterem Rechnungsstellung verlangen kann. Selbstverständlich ist hiebei für den klägerischen Anspruch ohne Belang, ob Verklagter seinen Gewinn mit einem Mitgesellschafter theilen muß oder nicht, wie dieser Umstand auch in dem Falle ohne Einfluß in fraglicher Richtung wäre, wenn Verklagter Namens der Firma mit dem Kläger kontrahirt hätte.

Ergibt sich hieraus einerseits, daß der Klaganspruch auch dann begründet ist, wenn der in der Replik angegebene Sachverhalt der richtige ist, so folgt andererseits auch, daß das Replikvorbringen keine unstatthafte Klagänderung, sondern nur eine nähere thatsächliche Wiederholung des Klagvorbringens enthält.

Den Klagegrund bildet lediglich der von dem Kläger angeblich mit dem Verklagten abgeschlossene Vertrag und hienächst der Umstand, daß dieser Vertrag von Seite des Verklagten soweit zur Ausführung gebracht worden, daß letzterer durch den verabredeten Tausch in den Besitz der in Rede stehenden beiden Pferde gelangte und deren Weiterveräußerung bewirkte. Außerwesentlich, wenn auch für den Kläger hinsichtlich seiner Beweisführung nicht gleichgiltig, ist aber, ob er den Tauschvertrag mit Wittwe P. in eigener Person oder durch eine Mittelsperson, ob er denselben für eigene Rechnung oder für Rechnung der Firma R. u. S. vornahm oder vornehmen ließ, da unter allen Umständen er dem Kläger für Erfüllung der eingegangenen Verpflichtung haftete und die Voraussetzung des tauschweisen Erwerbes der fraglichen Pferde von seiner Seite als gegeben erscheint, mag dieser Erwerb für seine alleinige Rechnung oder für Rechnung der Firma R. und S. und letzteren Falles wieder durch ihn selbst oder seinen Gesellschafter erfolgt sein. Hat S. den Tausch mit Wittwe P. in seiner Eigenschaft als Gesellschafter der Firma R. und S. abgeschlossen, so zerfällt hiemit die Folgering, die Verklagter zur Motivirung ſeines Klagwiderſpruches in fraglichem Punkte aus dem Thatumſtande ableitet, daß S. (für eigene Rechnung) das Tauſchgeſchäft mit Wittwe P. abgeſchloſſen und die Pferde weiter veräußert habe, m. a. W. es bewahrheitet ſich gerade die Klagbehauptung, daß nach der Uebereinkunft zwiſchen Kläger und Verklagten letzterer in der That durch den verabredeten Tauſch die Pferde erworben und deren Wiederveräußerung bewerkſtelligt habe.

(Würzburg Reg.-Nr. 11.)

## XCV.

### Nach welchem Zeitpunkte iſt zu beurtheilen, ob eine Sache Handelsſache ſei?

(Art. 271 ff. des a. d. HG.)
(Art. 63 des Einf.-Geſ. hiezu.)

Die Firma N. N. zu Hersbruck hatte am 7. November 1859 dem Krämer A. A. zu Engelthal einen Schuldſchein über 2400 fl. ausgeſtellt, deren Zahlung dieſer im November 1862 vor dem k. Handelsgerichte Nürnberg einklagte. Die beklagte Firma ſchützte die gerichtsablehnende Einrede vor, weil das Rechtsverhältniß der Parteien nach den im November 1859 gegolten habenden Geſetzen beurtheilt werden müſſe, vor Erſcheinen des a. d. HG. aber Forderungen aus Schuldſcheinen niemals Handelsſachen geweſen ſeien.

Das k. Handelsgericht Nürnberg verwarf durch Erkenntniß vom 26. Februar 1863 die Einrede und das k. Handelsappellationsgericht zu Nürnberg beſtätigte unter dem 4. Mai 1863 dieſen Ausſpruch aus folgenden Gründen:

Nach Art. 62 des Einf.-Geſ. zum a. d. HG. erſtreckt ſich die Zuſtändigkeit der Handelsgerichte (ſoferne nicht wegen der Perſon des Beklagten eine im vorliegenden Falle, wo die beklagte Partei eine Handelsfirma iſt, nicht zutreffende Ausnahme gemacht wird), auf alle Handelsſachen. Was als Handelsſache anzuſehen ſei, darüber gibt der Art. 63 des Einf.-Geſ., der mit dem 1. Juli 1862 in Wirkſamkeit getreten iſt, Maß und es müſſen daher ſeit jenem Zeitpunkte als Handelsſachen alle in dieſem Art. 63 aufgeführten Rechtsverhältniſſe angeſehen werden, ohne Rückſicht darauf, ob deren Entſtehung in die Zeit vor Promulgation des a. d. HG. fällt. Denn wenn auch die materielle Beurtheilung der vorher abgeſchloſſenen Geſchäfte ſich nicht nach dem ſpäter eingeführten Geſetzbuche richten kann, ſo muß doch die Frage, welche formelle Qualifikation einem Geſchäfte heute beizulegen sei, lediglich nach den heute geltenden gesetzlichen Bestimmungen entschieden werden.

Ein Geschäft, welches unter die in Art. 271—277 des a. b. HGB. aufgeführten Kategorien fällt, ist seit dem 1. Juli 1862 ein Handelsgeschäft, wenn es auch vor diesem Zeitpunkte eingegangen wurde, — wie eine Person, welche unter die im Art. 4 des a. b. HG. gegebene Begriffsbestimmung fällt, seit dem 1. Juli 1862 ein Kaufmann ist, wenn gleich sie ihr Gewerbe schon vor diesem Zeitpunkte zu betreiben begonnen hatte.

Es unterliegt nun keinem Zweifel, daß der in Frage stehende Schuldschein nach Art. 274 des a. b. HG. als im Betriebe des Handelsgewerbes der beklagten Firma gezeichnet sich darstellt und daher die darauf gestützte Klage aus einem Rechtsverhältnisse herrührt, welches als aus einem Handelsgeschäfte zwischen den Betheiligten entstanden, nach Art. 63 des Einf.-Ges. den Handelssachen zuzuzählen ist.

Deßhalb erscheint zur Verhandlung der Klage das Handelsgericht als zuständig, und es bedarf keiner Erörterung der Frage, ob die Rechtsverhältnisse aus einem von einer Firma gezeichneten Schuldscheine schon nach dem früheren Rechte zu den Handelssachen gehört hätten, um so weniger, als nach den am Wohnorte des Beklagten geltenden Gesetzen vor dem 1. Juli 1862 beim Nichtvorhandensein besonderer Handelsgerichte der Begriff von Handelssachen ohnehin kein legislativ ausgeprägter gewesen ist.     (Nürnberg Reg.-Nr. 52.)

## XCVI.

### Rechtliche Bedeutung einer zwischen Kaufmann und Geschäftskunden längere Zeit bestandenen Uebung.

#### Art. 1, 278 u. 279 des a. b. HGB.

Das Kupferhammer- und Walzwerk N. sel. Erben war nebst den Geschäftsaktiven und Passiven durch Vertrag in andere Hände übergegangen, wobei der bisherige Besitzer sich verpflichtet hatte, für Bonität und Liquidität der Ausstände zu haften. Nach einiger Zeit machte nun der neue Erwerber diese Haftung geltend und eine Entschädigungsklage gegen den Geschäftsvorfahrer anhängig, weil es in der übernommenen Fabrik hergebrachter Usus gewesen sei, daß die Kunden ihre Schuld zum Theil in altem Kupfer abtragen durften, und daß ihnen dieses alte Kupfer theils um 3 kr., theils um 4 kr. per Pfund höher, als der laufende Preis für altes Kupfer sonst im Verkehr gestanden, berechnet wurde; diesen Usus habe er als Uebernehmer der Firma zu respektiren gehabt und er hätte hiezu sogar gerichtlich gezwungen werden können, weil ein solcher Geschäftsgebrauch nach Art. 1 des a. d. HG. vollkommen verbindliche Kraft habe.

Verklagter wurde jedoch in beiden Instanzen von der Klage entbunden. In den Gründen des handelsappellationsgerichtlichen Urtheils vom 28. Mai 1863 kommt über die rechtliche Bedeutung der Eingangs erwähnten Geschäftsübung vor:

Was in der Berufungsschrift darüber gesagt wird, daß der fragliche Geschäftsgebrauch in Folge der Bestimmung des Art. 1 des a. d. HG., welcher die Handelsgebräuche als die thatsächliche Grundlage der Rechtsgeschäfte erkläre, vom Richter und den Parteien anerkannt werden müsse, beruht auf einer prinzipiellen Verwechslung. Die Handelsgebräuche, von denen Art. 1 des a. d. HG. spricht, fallen unter das Bereich des Rechtes im objektiven Sinne; sie sind Quellen des Rechtes, es wird ihnen die Kraft einer Entscheidungsnorm in subsidiärer Weise beigelegt, sie werden unter Umständen den Gesetzen gleichgestellt.

Nun beruft sich aber Kläger keineswegs auf einen Handelsgebrauch in diesem Sinne; er hat nicht behauptet und behaupten können, daß die fragliche Zahlungsart eine Handelsusance sei, daß in allen Metallfabriken die Kunden die bezogenen Waaren nicht baar, sondern theilweise mit altem Metalle zu demselben Preise, wie das Metall im Fabrikate berechnet ist, bezahlen. Vielmehr sollen nach dem eigenen Vorbringen des Klägers die Geschäftskunden auf die fragliche Zahlungsmodalität einen Anspruch haben, nicht deßhalb, weil dieselbe allgemein im Verkehre zwischen Metallfabrikanten und Kunden Usance sei, sondern weil die Firma N. sel. Erben ihren Kunden stets dieselbe bewilligt habe. Hiemit ist aber der fragliche Geschäftsgebrauch aus der Kategorie der Handelsgebräuche herabgerückt; er gehört nicht zu den Quellen des Rechtes, sondern wird als Quelle von Rechten und Verbindlichkeiten im subjektiven Sinne erklärt; er stellt sich nicht als der Ersatz eines Gesetzes, sondern als der Stellvertreter eines Vertrages dar; es könnte daher eine diesem Gebrauche Gültigkeit verleihende gesetzliche Bestimmung nicht in Art. 1, sondern in Art. 278 und 279 des a. d. HG. gesucht werden.

Hier ist nun zu bemerken, daß nach dem übereinstimmenden Ausspruche der bei der Prüfung der Berufung mitwirkenden Beisitzer aus dem Kaufmannsstande (Art. 72 des Einf.-G z. a. d. HG.) zwar sehr häufig von Metallfabrikanten ihren Abnehmern, namentlich mit bedeutenderem Geschäfte und bei solider Kundschaft gestattet wird, theilweise anstatt Baarzahlung altes Metall einzuliefern und daß bei Berechnung des Preises hiefür unter Umständen mehr oder minder coulant verfahren wird, daß aber aus solchen von den Fabrikanten gewährten Begünstigungen niemals ein Recht der Kunden abgeleitet werde und abgeleitet werden könne, endlich daß der fragliche Geschäftsgebrauch schon nach den eigenen Angaben des Klägers sich als ein nicht gleichförmiger und als ein nicht auf einem gleichmäßig beobachteten Herkommen beruhender darstellt, da die einzelnen Kunden zugestandenermaßen verschiedene Preise bewilligt erhielten.

Da nun Kläger zugeben muß, daß die Firma ihren Kunden ausdrücklich einen Nachlaß nie zugesichert habe, und er auch nicht die Behauptung aufgestellt hat, es sei den einzelnen Schuldnern etwa bei Eingehung der Geschäftsverbindung im Allgemeinen eine Zusicherung in jener Richtung gemacht worden; nachdem ferner, wie bisher erörtert, die faktischen vom Kläger und Appellanten vorgetragenen Umstände, aus welchen eine Verbindlichkeit zum Forderungsnachlasse vermöge Herkommens hervorgehen soll, eine solche nicht als bestehend erscheinen lassen, so fehlt es der Klage von vorneherein an einem Haupterfordernisse ihrer Substanzirung.

(München I/J. Nr. 105.)

## XCVII.

Unstatthaftigkeit der Berufung in Wechselsachen nach dem für Nürnberg geltenden Wechselprozesse *).

Nürnb. AGO. §. 17 lit. f.

Nach §. 17 lit. f. der Nürnb. AGOrdnung vom 19. Juli 1802

---

*) Das in der Stadt Nürnberg für Wechselsachen geltende Verfahren, welches nach dem Gesetze vom 1. Juli 1856, die Ausdehnung der Zuständigkeit der Handelsgerichte zu Nürnberg betr., auch für die aus dem Burgfrieden anfallenden Wechselstreitigkeiten anzuwenden ist, hat sich durch den Gerichtsgebrauch gebildet; soweit dieser keine Bestimmung getroffen hat, kommen die Vorschriften der Nürnb. HGO. v. J. 1804 und der HAGOrdnung vom Jahre 1802 und subeventuell der gemeine Wechselprozeß in Betracht.

sind unter Anderem nicht appellabel: „Wechselsachen, insoferne der Wechsel seine Kraft noch nicht verloren hat." *)   Ungeachtet dieser Vorschrift wurde in solchen Wechselsachen von dem vorm. HAGerichte für die Stadt Nürnberg die Berufung in der Regel zugelassen, und zwar auf Grund einer in dem Nachtrage zu jenem Gesetze vom 4. Juni 1803 enthaltenen Bemerkung **), welche dahin gedeutet wurde, daß die Gewährung der Appellation dem Ermessen des Richters anheim gegeben sei.   Das k. HAGericht zu Nürnberg schlug indessen in einem vorgekommenen Falle dieser Art, in welchem auch der Unterrichter die Ertheilung der Abschiedsbriefe verweigert hatte, durch Entschließung vom 1. Juni 1863 die Appellation ab und zwar in der Erwägung:

1) daß nach der Nürnb. AGO. vom 19. Juli 1802 §. 29 ***), das Appellationsgericht befugt, wie verpflichtet ist, soferne sich nach Einführung der Appellation ergibt, daß die Sache ihrer Eigenschaft nach nicht appellabel ist, die Appellation sogleich abzuschlagen:

2) daß nach §. 17 lit f. der angef. AGO. Wechselsachen nicht appellabel sind, insoferne der Wechsel seine Kraft noch nicht verloren hat,

---

*) Diese Worte lassen eine verschiedene Auslegung zu; dem Wortlaute nach müssen dieselben wohl dahin interpretirt werden, daß der eigentliche Wechselprozeß damit gemeint sei, und als Gegensatz die Fälle anzusehen seien, in denen nur auf Grund des im Wechsel enthaltenen Schuldversprechens im gewöhnlichen Verfahren geklagt wird; jedoch hat das Handelsappellationsgericht (Beschluß vom 30. Juni 1863, Nürnberg Reg.=Nr. 62) auch eine Berufung von Seite des Klägers in einem Falle zugelassen, in welchem der Erstrichter dem Wechsel die Kraft abgesprochen hatte.

**) Diese Bemerkung lautet:
   Ueberhaupt aber bemerkt commissio subdelegata bei den in diesem §. enthaltenen Verordnungen, daß sowie fast keine Regel ohne Ausnahme ist, also auch hiebei, wie fast allenthalben und besonders in Ansehung der zu erlassenden Inhibitorialien und andern Verfügungen, welche ohne Abbruch des Rechts und der Gesetze geschehen können, sehr viel auf das billige und vernünftige Ermessen des Oberrichters ankomme, welches man um so weniger über die Gebühr zu beschränken gemeint ist, als der Richter ohnehin in dubio eher für die Abwendung eines Rechtsnachtheiles, als für dessen Zufügung zu erkennen verpflichtet ist.

***) Vgl. über das Verfahren die Zusammenstellung der treffenden Vorschriften in dieser Sammlung Bd. I S. 18 Note *).

3) daß inhaltlich des Erkenntnisses des k. Handelsgerichtes Nürnberg vom 30. April l. Js. der Beklagte im vorliegenden Falle auf Grund des eingeklagten Wechsels zur Zahlung der restigen Wechselschuld verurtheilt wurde und unter Anerkennung der rechtlichen Wirksamkeit des Wechsels, sowie seiner Verpflichtung zur Zahlung desselben die Berufung lediglich darauf erstreckt hat, daß die vorläufige gerichtliche Deponirung der Wechselsumme hätte angeordnet und die Kosten hätten kompensirt werden sollen;

4) daß sonach die Voraussetzungen des §. 17 lit. f. loc. cit. hier gegeben sind, und der Unterrichter die Ertheilung der Abschiedsbriefe mit Recht verweigert hat,

5) daß hiemit auch die gegen diese Verweigerung ergriffene Berufung, welche übrigens schon deßhalb unstatthaft ist, weil der Unterrichter hiemit nicht eine die Berufung abweisende Entscheidung getroffen, sondern nur seine Ansicht über die Zulässigkeit der Appellation ausgesprochen hat, ihre Erledigung findet.

(Nürnberg Reg.-Nr. 58.)

## XCVIII.

**Die Abhäsion ist auch nach der bayer. W.- u. HGO. als zulässig zu erachten*).**

W.- u. HGO. Kap. IX §. 1.

Landtagsabschied vom 1. Juli 1856, Abschn. III C. §. 27.

Zur Begründung obigen Satzes kommt in den Motiven eines unter'm 17. Juni erlassenen handelsappellationsgerichtlichen Urtheiles vor:

Die W.- und HGO. von 1785 enthält über das Recht des Appellaten, der Berufung zu abhäriren, nichts. Aus diesem Schweigen würde sich aber die Unzulässigkeit der Abhäsion nur dann folgern lassen, wenn jenes Prozeßgesetz ein selbständiges, in sich abgeschlosse-

---

*) In der früheren Praxis machte sich die entgegengesetzte Anschauung geltend. Vgl. Blätter f. RA. Bd. XVIII S. 356. — Zeitschrift Bd VI S. 118.

nes, von den übrigen in bürgerlichen Rechtssachen geltenden Prozeß-
geseßen ganz unabhängiges Verfahren für Wechsel- und Merkantil-
sachen aufstellen würde. Dieß ist aber nicht der Fall. Die W.- u.
MGO. hat nicht den Charakter einer erschöpfenden Gesetzgebung für
das Verfahren in Wechsel- und Merkantilsachen. Von dem aus der
Natur des Handelsverkehres entspringenden Bedürfnisse einer raschen
Entscheidung der sich ergebenden Streitigkeiten, einer sicheren, stracken
Exekution der erlassenen Urtheile ausgehend, enthält dieselbe, der in
der allg. bayer. GO. eingehaltenen Anordnung folgend, lediglich eine
Reihe von Bestimmungen, welche auf Herbeiführung eines beschleu-
nigten summarischen Verfahrens für Wechsel- und Handelssachen gerichtet sind.

Während sie sich im Allgemeinen an die bayer. GO. anschließt,
gibt sie im Einzelnen die zur Erreichung des vorangedeuteten Zweckes
erforderlichen besonderen Vorschriften. Diese besonderen Vorschriften,
sowie die ihnen zu Grunde liegenden, dem Wesen eines summarischen
Verfahrens entsprechenden allgemeinen Rechtssätze sind es, welche im
W.- u. MProzesse zunächst zur Anwendung zu kommen haben.

Fehlt es aber an solchen besonderen Bestimmungen in der W.-
und MGO., so bilden die allg. bürgerlichen Prozeßgesetze auch für
Wechsel- und Handelssachen das subsidiär geltende Prozeßrecht.

Daß nun die Zulassung einer Abhäsionsbeschwerde, welche im
gewöhnlichen Prozeßverfahren nach GO. Kap. XV §. 9 Nr. 3 unzweifelhaft gestattet ist, von welcher aber die W.- u. MGO. nicht
spricht, mit anderen in letzterer enthaltenen Bestimmungen oder überhaupt mit den Prinzipien eines summarischen Verfahrens im Widerspruche stehe, läßt sich mit Grund nicht behaupten.

Aus dem §. 1 des Kap. IX der W.- u. MGO. läßt sich die
Unzulässigkeit der Abhäsion nicht folgern; denn seine Wortfassung
deutet überall nicht auf die Absicht einer Beschränkung des Be-
schwerderechtes. Wenn der Gesetzgeber die Appellation erlaubt, so
hat er hiermit die Abhäsion, welche eine Folge der Appellation ist,
sicher nicht ausgeschlossen; hiezu hätte es vielmehr einer ausdrücklichen
Vorschrift bedurft.

Daß mit der Abhäsion einer Partei gestattet wäre, ihre Beschwerde auch noch nach Ablauf der 8 tägigen Berufungsfrist einzu-
bringen, steht ihrer Zulässigkeit deßhalb nicht entgegen, weil ja gerade
in dieser Hinsicht die einmal rechtmäßig eingewendete Appellation dem
appellatischen Theile zu Gute kommen soll und entgegengesetzten Falles

die Abhäsion auch im orbentlichen Prozesse ausgeschlossen sein müßte. Auch aus Kap. VIII §. 5 läßt sich nichts gegen die Zuläsfigkeit der Abhäsion ableiten, denn wenn hier angeordnet ist, daß die Parteien im Beschwerungsfalle sub poena desertionis sogleich die Appellation anmelden sollen, so folgt hieraus nur, daß im Unterlassungsfalle die Appellation desert ist, nicht aber, daß der eine Theil der rechtzeitig angemeldeten Beschwerde des anderen Theiles nicht abhäriren, daß eine Beschwerde nur im Appellationswege geltend gemacht werden könne.

Endlich kann jene Folge aber auch nicht daraus abgeleitet werden, daß das Gesetz vom 11. September 1825 über Abkürzung der Nothfristen bei Berufungen an das k. WAGericht Augsburg nur der Berufung als ordentlichen Rechtsmittels erwähnt und sofortiges Einsenden der Akten an die II. Instanz nach Einlangen der Nebenverantwortung anordnet. Denn die Abhäsion ist ja nicht ein selbstständiges ordentliches Rechtsmittel, sondern setzt immer eine rechtzeitig eingewandte Berufung voraus und steht nur in Folge dieser dem Gegentheile zu; sodann bedurfte es in jenem Gesetze, welches zunächst nur von den Fristen im Berufungsprozesse handelt, keiner besonderen Erwähnung der Abhäsion, weil dieselbe schon nach den damals bestandenen allgemeinen Prozeßgesetzen in derselben Frist wie die Nebenverantwortung einzureichen ist und die Abgabe der Abhäsionsnebenverantwortung dem Appellanten auch nach Einsendung der Akten immer noch frei steht, so daß durch Zulassung der Abhäsion eine Verzögerung im Berufungsprozesse nicht hervorgerufen wird.

Anlangend aber das materielle Recht, so spricht dieses zweifellos für die Zuläsfigkeit der Abhäsion, da es im Geiste einer möglichst nach Wahrheit strebenden Rechtspflege liegt, daß nach einmal eingelegter Appellation die oberrichterliche Prüfung auf alles mit der Berufung Zusammenhängende sich erstrecke *), was von Wechsel- und Handelssachen so gut, wie von bürgerlichen Rechtssachen i. e. S. gilt.

(München I/J. Reg.-Nr. 115.)

---

*) Von selbst versteht sich, daß die Zuläsfigkeit der Abhäsion auch im b. W.- u. MP. durch Konnerität mit der Berufung und die sonstigen Voraussetzungen derselben im gewöhnlichen Verfahren bedingt ist.

## IC.

### Zuständigkeit bei der Nachforderung wegen eingetretenen besseren Glückes des Gantirers.

(GO. Kap. XVIII §. 20 Nr. 3.)

Der Großhändler A. A. zu München hat von den Handelsleuten N. N. in Oettingen für im Jahre 1856 und 1857 gelieferte Schnittwaaren die Summe von 377 fl. 41 kr. zu fordern, welche Forderung mit 377 fl. 17 kr. ꝛc. bei der im Jahre 1857 über die Gebrüder N. N. ausgebrochenen Gant durch das Prioritätsurtheil vom 24. Mai 1859 in V. Klasse lozirt wurde, aber bei Ausschüttung der Masse nicht zum Zuge kam.

Unter Behauptung, die Schuldner seien nunmehr zu besserem Glücke gelangt, machte A. A. seine Forderung unter dem 22/29. September, dann 22. Oktober/4. November 1862 vor dem kgl. Handelsgerichte Augsburg geltend, wurde aber von diesem Gerichte unter dem 27. April l. Jrs. wegen Unzuständigkeit abgewiesen.

Auf ergriffene Berufung änderte das k. Handelsappellationsgericht zu Nürnberg dieses Erkenntniß durch Urtheil vom 20. Juni 1863 aus folgenden Gründen ab:

Es handelt sich im gegebenen Falle nicht um eine Fortsetzung des früheren Konkursverfahrens *). Das Konkursverfahren hat zum Zwecke die Feststellung des Befriedigungsrechtes mehrerer konkurrirender Gläubiger und deren Befriedigung nach Maaßgabe dieser Feststellung aus der hergestellten Aktivmasse. Von diesem Gesichtspunkte aus ergibt sich die Nothwendigkeit, die sämmtlichen Ansprüche gemeinsam unausgeschieden zu behandeln, und darauf gründet sich die vis attractiva des forum concursus. Sobald nun die Masse unter die Gläubiger ausgeschüttet ist, ist der oben erwähnte Zweck erfüllt und damit hat auch das Konkursverfahren sein Ende gefunden. Ist dieß aber der Fall, dann hat selbstverständlich das forum consursus

---

*) In einem Falle, wo ein Vergleich in Mitte lag und in diesem die Nachforderung im Falle besseren Glückes vorbehalten worden war, hat der oberste Gerichtshof als Kompetenzkonfliktensenat für die Zuständigkeit des Konkursgerichtes entschieden, weil es sich nur um den Vollzug des Vergleiches handle. (Vgl. Bayer. Zeitung von 1862 Nr. 308.)

gleichfalls aufgehört. Denn dieses Forum ergreift nicht die einzelnen Rechtssachen als solche (wie sich schon daraus ergibt, daß unter Umständen die gegen den Kridar erhobenen Ansprüche vom Konkursgerichte nicht festgestellt werden, der gesonderten Austragung vorbehalten bleiben) sondern die Zuständigkeit des Gantgerichtes bezieht sich lediglich auf das in der Gant begriffene Vermögen des Schuldners.

Die Richtigkeit dieser Ansicht erhellt am deutlichsten aus Kap. XIX §. 20 Nr. 3 der GO. von 1753. Denn wenn auf das von dem Schuldner nach geendigter Gant erworbene Vermögen selbst diejenigen Ansprüche haben, welche sich im Konkurse gar nicht gemeldet haben, folgt daraus nothwendig, daß dieser Anspruch ein selbständiger, nicht vor das Konkursgericht gehöriger ist; denn das Konkursgericht müßte diejenigen, welche von der Gant wegen Nichtanmeldung ausgeschlossen sind, stets sofort zurückweisen, und es hätte also das Gesetz diese Gläubiger ein für allemal ausschließen müssen, wenn es den Zugriff auf das neu erworbene Vermögen dem Gantgerichte hätte zuweisen wollen.

Dieß ist aber nicht der Fall, jeder in der Gant nicht liquidirt habende Gläubiger kann vor dem zuständigen Gerichte das neu erworbene Vermögen des ehemaligen Kridars angreifen, und da kein Grund denkbar ist, weßhalb verschiedene Gerichte mit der Erekution in jenes Vermögen betraut sein sollten, so ist anzunehmen, daß auch diejenigen Gläubiger, welche im Konkurse liquidirten, bei dem ordentlichen Gerichte sich zu melden haben, sonst hätte sie die GO. an der citirten Stelle nicht neben einander genannt. Auch ein legislativer Grund, weßhalb das forum concursus für einen Fall, in welchem es sich nur um eine Forderung, nicht aber um eine Konkurrenz von Gläubigern handelt, beizubehalten wäre, ist nicht denkbar; denn sicherlich sind die Handelsgerichte ebenso im Stande, die Frage über den Eintritt des besseren Glückes des Schuldners zu lösen, als das Konkursgericht, und im Uebrigen unterscheidet sich der jetzige Anspruch aus dem zwischen A. und N. abgeschlossenen Lieferungsgeschäfte in Nichts von jedem anderen zur handelsgerichtlichen Zuständigkeit gehörigen Geschäfte.

Der Umstand, daß die erhobene Klage als Anrufen auf Vollzug des im Prioritätserkenntnisse enthaltenen Ausspruches eingebracht wurde, ändert hieran Nichts, da sich dieses Erkenntniß nur als eine das Rechtsverhältniß der streitenden Parteien feststellende gerichtliche Urkunde darstellt, und wenn es auch im Allgemeinen richtig ist, daß

16 *

die Erekution eines Urtheiles nur demjenigen Gerichte zusteht, welches das Urtheil gefällt hat, so kann dieser Grundsatz doch im vorliegenden Falle keinen Einfluß äußern, da die dem Gantgerichte ausschließend obliegende Erekution, die Vertheilung der Gantmasse, schon längst vollzogen ist, und nunmehr ein anderweitiges Recht des Gläubigers, das Recht, aus dem nachträglich erworbenen Vermögen des Schuldners Befriedigung zu fordern, in Wirksamkeit gesetzt werden soll, was dem Gantgerichte ebensowenig mehr zukommt, als der Vollzug der Personalhaft, wenn gleich die W. = oder MForderung, wegen welcher die Erekution beantragt wird, im Prioritätserkenntnisse festgestellt wurde.

(Augsburg Reg.=Nr. 18.)


### C.

Die Bestimmung der Zahlungszeit eines eigenen Wechsels mit den Worten: „Drei Wochen, nachdem es verlangt wird" ist zulässig.

Art. 96 Nr. 4, Art. 4 Nr. 4 der a. b. WO.

N. N. hatte der Klage aus einem von ihm ausgestellten eigenen Wechsel, in welchem die Zahlungszeit in vorstehender Weise bestimmt war, den Einwand der Ungiltigkeit entgegengesetzt, weil derselbe keine wechselordnungsmäßige Bezeichnung der Zahlungszeit enthalte, vielmehr als ein s. g. Kündigungswechsel und daher als rechtsunwirksam sich darstelle*). Dieser Einwand wurde in beiden Instanzen für unbegründet erachtet, und in den Gründen des handelsappellationsgerichtlichen Erkenntnisses vom 15. Juni hierüber bemerkt:

Daß die in dem vorliegenden Wechsel enthaltene Festsetzung der Zahlungszeit der Wortfassung nach unter keine der vom Gesetze (a. b. WO. Art. 96 Nr. 4, Art. 4 Nr. 4 ausdrücklich bezeichneten Zahlungsbestimmungen fällt, bedarf keiner Ausführung. Dieser Umstand für sich allein würde aber jene Bestimmung der Zahlungszeit noch keineswegs als eine ungiltige erscheinen lassen und die Wechselkraft

---

*) Die rechtzeitige vorschriftsgemäße Präsentation des Wechsels war erfolgt.

der eingeklagten Urkunde alteriren. Denn in Art. 4 Nr. 4 wollte das Gesetz nur dem Wesen nach die vier verschiedenen Arten der Bestimmung der Zahlungszeit festsetzen, nicht aber eine ausschließliche Form der Bezeichnung der Zahlungszeit schaffen und die anderweitig üblichen Formen als unzulässig bezeichnen, vielmehr jeden anderen dem Wesen nach gleichbedeutenden und unzweideutigen Ausdruck zulassen. Es ergiebt sich dieß aus den an fraglicher Gesetzesstelle in Parenthese beigesetzten Worten, welche anderweite übliche Ausdrücke für die im Gesetze selbst gewählten Bezeichnungsarten enthalten, und ist bezüglich der Sichtwechsel ausdrücklich im IV. Konf.=Prot. vom 25. Oktober 1847. S. 13. u. 14 ausgesprochen.

Dagegen läßt der in Frage stehende Wechsel nach der Bedeutung der in demselben gewählten Zahlungsbestimmung sich ohne Anstand als ein Wechsel auf eine bestimte Zeit nach Sicht auffassen. Die Bedeutung eines Sichtwechsels ist nämlich die, daß er zur Zahlung verfallen ist, nachdem er von dem Inhaber dem Wechselschuldner zu diesem Zwecke vorgezeigt worden, sei es nun, daß die Zahlung sofort mit dieser Vorzeigung erfolgen soll (Wechsel auf Sicht, nach Sicht), oder eine bestimmte Zeit nachher (Wechsel auf eine bestimmte Zeit nach Sicht). Die Bestimmung der Zahlungszeit eines Wechsels durch die Worte „auf Verlangen" oder „nachdem (sobald) es verlangt worden", ist nun allerdings auf den ersten Anblick eine weitere, indem sie auch solche Fälle in sich zu schließen scheint, in welchen die Zahlungs=Aufforderung, sei es auf welche Art immer, daher auch ohne Präsentation des Wechsels erfolgt. Allein von demjenigen, welcher eine Wechselurkunde ausstellt, ist in Ermangelung anderweiter Anhaltspunkte für das Gegentheil anzunehmen, daß einerseits seine Erklärungen in dem Sinne abgegeben seien, wie sie nach den Bestimmungen der Wechselordnung aufzufassen sind und am besten bestehen können — andererseits, daß er sich nicht zu etwas Anderem habe verpflichten wollen, als wozu er nach dem gedachten Gesetze durch die Wechselausstellung verpflichtet wäre. Nun ist aber der Wechselschuldner nicht verbunden, dem Wechselgläubiger die Zahlung in's Haus zu bringen, sondern der letztere hat unter Vorzeigung des Wechsels die Zahlung beim Schuldner in dessen Geschäftslokal oder Wohnung zu begehren. Wer daher einen eigenen Wechsel ausstellt, zahlbar, nachdem es verlangt worden, von dem ist anzunehmen, daß er nur unter der Bedingung und dann zur Zahlung sich habe verpflichten wollen, wenn die Zahlung in wechselordnungsmäßiger Weise d. i. unter Vorzeigung des Wechsels, gefordert worden, nicht aber auf jedes beliebige Verlangen hin, da ein solches im Wechselrechte überhaupt keine Bedeutung hat. Hiernach ist aber im Wesentlichen zwischen einem eigenen Wechsel mit solcher Zeitbestimmung und einem Wechsel auf bestimmte Zeit nach Sicht kein Unterschied, und es können demgemäß auch die von letzterem geltenden Grundsätze unbedenklich auf ersten angewendet werden.

Mit einem s. g. Kündigungswechsel kann der eingeklagte Wechsel nicht auf gleiche Stufe gestellt werden. Denn insoferne man unter letzterem einen Wechsel versteht, welcher auf bloße Interpellation — ohne gleichzeitige Vorzeigung — sei es nach einer erst bei der Anforderung oder bereits im Wechsel selbst bestimmten Zeit, zu zahlen ist, so kann der vorliegende Wechsel als ein solcher nicht betrachtet werden, weil er, wie anzunehmen, erst auf vorgängiges Präsentiren zu zahlen war; insoferne aber ein Kündigungswechsel derart gestellt wäre, daß er nach vorgängiger Vorzeigung in einer bestimmten im Wechsel selbst bemerkten Frist zu zahlen wäre, würde er eben mit einem Wechsel auf bestimmte Zeit nach Sicht zusammenfallen und als solcher giltig sein *).

Nach den Protokollen der Konferenz (vgl. Prot. IV. S. 13 unten) hat es allerdings den Anschein, als müßten Wechsel der vorliegenden Art als ungültig erachtet werden, indem es dortselbst heißt, daß es bei Bestimmung der Nr. 4 Art. 4 darum zu thun gewesen sei, das Formelle des Wechsels in Bestimmung der Zahlungszeit hervorzuheben und damit Bestimmungen wie a uso, a piacere aus=

---

*) Die Sichtwechsel haben zwar mit den s. g. Kündigungswechseln das gemein, daß bei beiden die Zahlungszeit gar nicht oder doch nicht allein aus dem Wechsel festgestellt werden kann, vielmehr durch anderweite Urkunden ausschließlich oder in Verbindung mit dem Inhalte des Wechsels dargethan werden muß. Der Unterschied zwischen beiden und damit der Grund, aus welchem die Stellung der Wechsel auf „Kündung" ausgeschlossen wurde, liegt aber in dem Wesen der Kündung, welche nur eine von dem Forderungsberechtigten ausgehende Bestimmung des Zeitpunktes, zu welchem oder von welchem an innerhalb bestimmter Frist der Schuldner zu zahlen habe, enthält, während die Zahlungspflicht des Wechselschuldners der Natur der Wechselobligation gemäß in allen Fällen auch noch dadurch bedingt ist, daß die Zahlung unter Vorzeigung des Wechsels beim Schuldner verlangt worden. Die Zulassung einer „Kündung" beim Wechsel würde daher mit dessen formaler, von dem unterliegenden Rechtsverhältnisse abgelösten Natur im Widerspruche stehen.

zuschließen. Unter dieser letzteren Benennung wollte die Konferenz aber jedenfalls nur solche Wechsel bezeichnet haben, welche die Zahlungs= zeit ganz in das Belieben des Gläubigers stellen, so daß es an jedem objektiven Anhaltspunkte für deren Bestimmungen mangelt, während im vorliegenden Falle der Zahlungstermin wie bei einem Sichtwechsel festgestellt erscheint *).

(Nürnberg Nr. 59.)

## CI.

**Formel des Diffeffionseides nach dem b. W.= u. M.=Prozeffe.**
**B. W.= u. MGO. Kap. III. §. 2. BGO. Kap. XI §. 8 Nr. 6.**

In einer nach der b. W.= u. MGO. zu instruirenden Wechsel= sache war dem Verklagten der Diffeffionseid dahin auferlegt worden, daß er den eingeklagten Wechsel weder selbst geschrieben noch unterschrie= ben oder unterzeichnet habe, solches auch nicht durch einen Dritten wissentlich habe thun lassen. Durch diese Fassung erachtete sich der Klä= ger, welcher eine mehrmalige außergerichtliche Anerkennung des Wechsels Seitens des Verklagten behauptete, für beschwert, weil der Eidesformel nicht nach GO. Kap. XI §. 8 Nr. 6 der Beisatz beigefügt worden: „mithin den Wechsel für den seinigen weder anerkenne, noch jemals an= erkannt habe." Diese Beschwerde wurde durch Urtheil des k. Handels= appellationsgerichtes vom 15. Juni 1863 als unbegründet verworfen, und in den Motiven hierüber bemerkt:

---

*) Die allg. b. Wechselordnung hat der Wechsel „a piacere" nicht erwähnt; denkt man hiebei an solche Wechsel, wornach die Zahlung in das Be= lieben des Traffaten gestellt ist, so ist gegen deren Ausschluß Nichts einzuwenden. Versteht man aber darunter den Wechsel, dessen Form schon Scaccia (1619) tract. §. 1 gibt „pagate al Signor N. ad ogni suo pia- cere", so ist das a piacere nur ein anderer Ausdruck für a vista und Oester= reich hat daher auch in Art. 4. Nr. 4. hinter den Worten a vista die Worte a piacere eingeschaltet; es hat auch der oberste Gerichtshof zu Wien in einem Urtheile vom 2. Mai 1857 (Archiv für deutsch. Wechselrecht B. VI S. 424) ausgesprochen, daß die Zeitbestimmung „auf Verlangen" nur ein anderer Ausdruck sei, für „auf Sicht".

Appellant hätte allerdings den Wortlaut der GO. von 1753 (Kap. XI §. 8. Nr. 6.) für sich, allein dieses Gesetz hat nicht zur Anwendung zu kommen. Die b. W.- u. MGO. von 1785 hat in §. 2 des Kap. III blos die Worte „eiblich biffitiren" in den Gesetzestext aufgenommen, ohne eine besondere Formel des Diffessionseides für Wechselsachen auf-zustellen. In dem bayer. Wechselpatente 1785 welches am näm-lichen Tage mit der W.- u. MGO. von 1785 publizirt wurde und in Gültigkeit trat (Moritz, Handbuch S. 2), ist am Schlusse unter der Ueberschrift „subsidiarisches Recht in Wechselsachen" verordnet, daß „wenn in diesem Wechselpatente und in der Ordnung nichts an-gemerkt sei, hauptsächlich die Augsburger Wechselordnung von 1778 zur Richtschnur zu dienen habe". Hiemit ist also letztere als die nächste Gesetzesquelle bezeichnet, auf welche bei der Frage zurückzugehen ist, wie der in der b. W.- u. MGO. nicht speziell formulirte Diffessi-onseid zu fassen sei. Der in Kap. X § 3 der Augsburger WO. vorgeschriebene Diffessionseid lautet aber lediglich dahin: „daß er (Beklagter) den Wechsel, weder selbst geschrieben, noch unterschrieben, noch durch Andere in seinem Namen habe schreiben oder unterschrei-ben lassen."

Da nun in der hier aufgestellten und in concreto allein maßge-benden Formel des Diffessionseides die Worte nicht vorkommen, deren Aussetzung zum Schwure — mit Hinblick auf die hier nicht anzuwen-bende Bestimmung in Kap. XI §. 8. der b. GO. — Appellant be-antragt hat, so kann auch seinem hierauf gestellten Berufungsantrage nicht stattgegeben werden *).

(Regensburg Nr. 23.)

---

*) Ebenso entschieden von dem ehemaligen W.- u. MG. II. Instanz zu München in Posset, Sammlung S. 220, jedoch auffallender Weise unter Berufung auf die GO. von 1753. Die Worte „daß der Be-klagte das Dokument für das seinige jemals anerkannt habe" könnten in dem Wechselprozeß leicht zu Mentalreservationen führen, da hier eine nachträgliche Genehmigung der ohne Recht von einem Dritten vorge-nommenen Ausstellung eines Wechsels nicht die Kraft haben könnte, den streng formalen Wechselkontrakt zu erzeugen.

## CII.

## Einrede des Wirthes, „schlechtes" Bier empfangen zu haben*).

Ein auf Zahlung einer Restschuld für geliefertes Bier von dem Bräuer belangter Wirth hatte der Klage Einrede und widerklagsweise eine Gegenforderung auf Entschädigung entgegengesetzt, indem er behauptete, daß der Kläger vom Mai bis September 1862 Bier von schlechter Qualität geliefert, in Folge dessen er durchschnittlich im Monat 45 Eimer weniger, als unter normalen Verhältnissen ausgeschenkt habe. Diese Gegenforderung wurde in beiden Instanzen als nicht genügend substanziirt erachtet. Die Motive des handelsappellationsgerichtlichen Urtheiles vom 18. Juni 1863 enthalten über diesen Punkt:

Die Behauptung, das Bier sei schlecht gewesen, ist eine so allgemeine und unbestimmte, daß sie zur Begründung eines Ersatzanspruches nicht genügt; denn als schlecht wird ein Bier bezeichnet, nicht blos wenn es nicht tarifmäßig eingesotten worden, sondern auch wenn es einen nicht zusagenden Biergeschmack hat, wenn es schaal und abgestanden ist, wenn es sauer oder trübe geworden, verdorben ist und dgl. — Um nun aber die Verpflichtung des Bräuers zum Ersatze eines Schadens zu begründen, ist es nothwendig, bestimmt anzugeben, an welchem Mangel das Bier, bezw. jede einzelne Sendung gelitten habe, weil es nur bei solcher thatsächlicher Grundlage dem angeblich Ersatzpflichtigen möglich ist, sich entsprechend zu vertheidigen, und weil es Sache des Richters ist, aus diesen Substraten den Schluß zu ziehen, ob das Bier und welche Lieferungen „schlecht" und somit von vertragswidriger Eigenschaft gewesen seien.

Hiezu kommt noch die vom Beklagten und Widerkläger selbst eingeräumte Thatsache, daß er mehrmals einzelne Fässer wegen kontraktwidriger Beschaffenheit an den Bräuer zurückgesendet, die übrigen dagegen behalten und ausgeschenkt hat. Es würde aber gegen Treue und Glauben, die Grundpfeiler des Verkehrs in Handelsgeschäften, auf's gröblichste verstoßen, wenn dem einen Kontrahenten gestattet wäre, eine Waare, von der er weiß, daß sie fehlerhaft ist und daß er durch deren Verwerthung in Schaden kommt, anzunehmen, und ohne nur

---

*) Bei der Häufigkeit dieser Einrede schien es zweckmäßig, die Ansicht des k. Handelsappellationsgerichtes zu veröffentlichen, obgleich eine handelsrechtliche Prinzipienfrage nicht in Frage steht.

Reklamation erhoben zu haben, weiter zu veräußern, hinterher aber für den entstandenen Schaden oder entgangenen Gewinn von dem anderen Kontrahenten Schadloshaltung zu begehren; vielmehr steht einem solchen Anspruche der Umstand entgegen, daß der Gewinnentgang wissentlich oder doch durch grobe Nachlässigkeit hervorgerufen wurde und wäre er schon deßhalb rechtlich unstatthaft \*).

(München I/J. Reg.-Nr. 116.)

## CIII.

### Zuständigkeit der Handelsgerichte.
### Art. 9 und 271 des a. b. HGB.
### Art. 62 ff. des Einf.-Ges. zum a. b. HG.

Ein Getreidhändler belangte einen Bäckermeister auf Uebernahme und Bezahlung von 17 Schäffeln Weizen, deren Lieferung er bestellt hatte, welche Klage das k. Handelsgericht Regensburg unter dem 20. Juli 1863 wegen mangelnder Zuständigkeit abwies. Das k. Handelsappellationsgericht zu Nürnberg ließ abändernd jenen Beschluß durch Erkenntniß vom 30. Juli 1863 die Klage vor den Handelsgerichten zu, und zwar aus folgenden Gründen:

---

\*) In einer anderen eine Bierschuld betreffenden Streitsache, in welcher der verklagte Wirth einen ähnlichen Einwand entgegengesetzt hatte, wurde in den Motiven des zweitrichterlichen Urtheils vom 15. Mai 1863 hierüber weiter bemerkt:

„Um ermessen zu können, ob dem Verklagten ein Gewinn entgangen sei und in welchem Betrage, wäre vor Allem eine genaue Darlegung der Faktoren, auf welche Verklagter seine Berechnung stützt, erforderlich gewesen, er hätte angeben müssen, wie viel er früher täglich an Bier verschenkte und welchen Gewinn er daraus zog, ferner wie sein Bierverbrauch später bei Abnahme seiner Gäste sich herausstellte und um wie viel seine Einnahme sich hieburch verringerte. Eine nachträgliche Angabe dieser Thatumstände im Beweisverfahren wäre aber unzulässig, weil der Richter nur die für seine Entscheidung erheblichen Thatumstände, nicht aber Schlußfolgerungen zum Beweise aussetzen kann, indem es außerdem dem Beweisführer überlassen wäre, welche Thatumstände er zur Begründung seiner Schlußfolgerung erweisen wollte, und hieburch der Gegentheil mit seinen Einreden ausgeschlossen wäre, deren Nachbringung im Wege der Restitution der Umstand entgegenstünde, daß sie nicht erst neu aufgefunden wurden.“

(München I/J. Nr. 103.)

Der Betrieb des Bäckergewerbes besteht wesentlich in dem Einkaufe von Getreide oder Mehl, in der Verarbeitung desselben zu Brod verschiedener Beschaffenheit, und Veräußerung des also bereiteten Brodes in größeren oder kleineren Quantitäten. Das Bäckergewerbe ist daher nach der klaren Bestimmung der Art. 9 und 271 Nr. 1 des a. d. HG. ein Handelsgewerbe, und der Bäcker, gleichviel in welchem Umfange er sein Gewerbe betreibt, ein Kaufmann im Sinne des HGB. Geht dieser Umfang nicht über jenen des Handwerksbetriebes hinaus, wie dies bei Bäckern gewöhnlich ist, so ist der Bäcker zwar nicht verpflichtet, Handelsbücher zu führen, oder eine Firma in das Handelsregister eintragen zu lassen, er ist nicht ermächtigt, einen Prokuristen im Sinne des Handelsgesetzbuches aufzustellen; allein in allen übrigen Beziehungen ist und bleibt er Kaufmann, und auf ihn ist alles anwendbar, was das Gesetz sonst noch von Kaufleuten verordnet. Dies gilt insbesondere von der Bestimmung in Art. 273 Abs. 1, daß alle einzelnen Geschäfte eines Kaufmannes, welche zum Betriebe seines Handelsgewerbes gehören, als Handelsgeschäfte anzusehen sind. Offenbar gehört aber der Einkauf von Weizen zum Gewerbsbetriebe des Bäckers, und zwar ohne Rücksicht darauf, wie groß die Quantität der eingekauften Frucht sein möge; es ist daher, weil der Bäcker ein Kaufmann, jener Einkauf ein Handelsgeschäft.

Bestünde hierüber noch der geringste Zweifel, so würde er durch Art. 274 des HGB. gelöst, wonach die von einem Kaufmanne geschlossenen Verträge im Zweifel als zum Betriebe des Handelsgewerbes gehörig gelten, und daher eine gesetzliche Vermuthung dafür besteht, daß der Vertrag, aus welchem hier geklagt wird, ein Handelsgeschäft im Sinne des Handelsgesetzbuches sei, nachdem, wie oben gezeigt wurde, über die Eigenschaft des Verklagten, als eines Kaufmannes, wenigstens nach dermaliger Aktenlage, durchaus kein Zweifel obwalten kann.

Der Erstrichter war somit gar nicht in der Lage, nach weiteren Momenten und Anhaltspunkten für die Charakterisirung des der Klage zu Grunde gelegten Vertrages als eines Handelsgeschäftes zu suchen, sondern er mußte sich sofort auf dem Grunde klarer Gesetze, insbesondere auch der Art. 62 und 63 des Einf.=Ges. für zuständig erklären und die sonst gehörig substanzirte Klage zur Verhandlung ziehen.

Würde aber auch der Fall anders gelegen, Beklagter nicht wie hier evident zu den Kaufleuten zu zählen sein, so wäre doch die Abweisung der Klage in der angebrachten Art nicht zu rechtfertigen gewesen. Allerdings würde dann die Absicht des Beklagten, die gekaufte Frucht weiter zu veräußern, das entscheidende Moment für das Vorhandenfein eines absoluten Handelsgeschäftes, und gemäß Art. 64 des Einf. = Ges. für die Zuständigkeit der Handelsgerichte gewesen sein. Allein diese Absicht, als dem subjektiven Belieben des Käufers anheim gegeben, läßt sich, wenn derselbe kein Kaufmann ist, nur sehr selten durch bestimmte Thatsachen begründen, sondern muß aus den Umständen erkannt werden. Diese Umstände, welche sich zunächst aus der Beschaffenheit des Geschäftes selbst darbieten, sind von dem Richter bei Würdigung der Klage von Amtswegen in's Auge zu fassen, und soferne sie einer solchen Absicht nicht widersprechen, für genügend zu erachten, um die Klage zur Verhandlung zu ziehen.

Im vorliegenden Falle handelt es sich um die immerhin bedeutende Quantität von 17 Schäffeln Weizen, eine Quantität, welche ein Privatmann nur sehr selten zu seinem und der Seinigen Haus bedarf oder selbst zum Betriebe einer sehr großen Landwirthschaft gebrauchen, in diesem Falle gewiß nicht auf einmal einkaufen wird. Es war daher in solchem, wie in ähnlichen Fällen Grund genug zur vorläufigen Annahme eines Handelsgeschäftes gegeben, und war es dem Beklagten zu überlassen, diese Eigenschaft, wenn er es vermochte, zu bestreiten. (Regensburg Reg.=Nr. 30.)

## CIV.

### Kompetenz der Handelsgerichte gegen die Erben eines Kaufmannes.

Kompetenz in Sachen von nicht über 150 fl.
Konkurrenz mehrerer Gerichte.

A. A. klagte eine Waarenschuld von 87 fl. 45 kr. gegen die theils zu München, theils in einem zum Landgerichte Regensburg gehörigen Dorfe, theils im Landgerichte Wöhrd wohnenden Erben des Bierbräuers N. N. bei dem k. HG. Regensburg ein, welches ihn aber durch Verfügung vom 24. Juni 1863 abwies, weil die Verklagten keine Kaufleute seien, die Forderung nicht über 150 fl. betrage und die Schuldner nicht in Regensburg wohnhaft seien.

A. A. ergriff Berufung und formulirte die Berufungsbitte dahin, „dem k. Handelsgerichte Regensburg die Instruktion und Bescheidung vorliegender Sache aufzutragen."

Das hierauf ergangene Erkenntniß des k. HAG. zu Nürnberg vom 16. Juli 1863 besagt in den Entscheidungsgründen Folgendes:

Nach Art. 70 Abs. 4 des Einf.=Ges. zum ADHGB. ist die Berufung gegen handelsgerichtliche Erkenntnisse an das Vorhandensein einer Berufungssumme von 150 fl. gebunden. Diese Bestimmung bezieht sich, wie aus der unbeschränkten Fassung derselben zu entnehmen ist, auch auf jene Erkenntnisse, welche ein Handelsgericht ausnahmsweise in Sachen im Betrage von nicht über 150 fl. fällt und beruht, wie bereits von dem k. HAG. mehrfach ausgeführt wurde (vgl. diese Sammlung Bd. I S. 61 und 65), auf dem von der neueren bayerischen Gesetzgebung adoptirten Prinzipe, daß die Urtheilsfällung in Senaten genügende Garantie darbiete, um sich bei Sachen nicht über 150 fl. mit einer Instanz begnügen zu können[*]).

Da nun die vorliegende Klage nur einen Betrag von 87 fl. 45 kr. betrifft, so erscheint die Berufung gegen das auf dieselbe ergangene handelsgerichtliche Erkenntniß als unzuläßig. Es frägt sich jedoch, ob die Bitte des Klägers, „dem k. HG. Regensburg die Instruktion und Bescheidung vorliegender Sache aufzutragen", nicht im Hinblicke auf Art. 59 des Gerichtsverfassungsgesetzes vom 10. November 1861, durch welchen die Bestimmung der GO. von 1753 Kap. I §. 10, auf welche Appellant sich bezieht, geändert wurde[**]), und welcher als eine Bestimmung der Landesgesetze in Betreff des Gerichtsstandes nach Art. 69 des Einf. = Ges. zum ADHGB. auch in Handelssachen zur Anwendung kommt, Berücksichtigung finden könne.

In dieser Hinsicht kommt Nachstehendes zu erwägen:

1) Nach der Klage hat der verklagte Bierbräuer von einem Hopfenhändler Hopfen gekauft, demnach bei der offenbaren Absicht, diesen Hopfen mit anderen Ingredienzen zu Bier verarbeitet wieder zu veräußern, nach Art. 271 Nr. 1 ein Geschäft eingegangen, das auf Seite des Beklagten ein Handelsgeschäft war. Die jetzt in Anspruch genommenen Universalsuccessoren sind nun zwar in die persönliche Eigenschaft ihres Erblassers als eines Kaufmanns (Fabrikanten) nicht eingetreten; allein sie müssen, soferne ihre im Prozeßverfahren nachzuweisende Eigenschaft als Universalsuccessoren in Wahrheit besteht, die Geschäfte ihres Erblassers als solche übernehmen, und dessen Rechte und Verbindlichkeiten gehen in der Qualität auf sie über, welche den-

---

[*]) Deshalb liegt darin keine Abnormität, daß in diesen Sachen, wenn an dem Orte, wo sie anfallen, zufällig kein Handelsgericht sich befindet, die Berufungssumme nur 50 fl. beträgt, weil dann eben erst in der zweiten Instanz die kollegiale Behandlung eintritt.

[**]) Vgl. Rehm, Kommentar zum Gerichtsverfassungsgesetze S. 234.

selben nach deren Ursprung innewohnt. Ein Geschäft, welches auf Seite des Erblassers ein Handelsgeschäft war, müssen seine Erben auch als solches vertreten, eine Handelsschuld des Erblassers ist eine Handelsschuld auch der Erben. Da nun nach Art. 64 des Einf.= Ges. zum ADHGB. auch Nichtkaufleute, wenn das Geschäft, aus welchem geklagt wird, auf ihrer Seite ein Handelsgeschäft ist, der Kompetenz der Handelsgerichte unterliegen, so kann der Umstand allein, daß die eingeklagten Erben als Nichtkaufleute bezeichnet sind, der vorliegenden Sache ihre Eigenschaft als Handelssache nicht entziehen.

Daß diese Ansicht dem Gesetze gemäß sei, ergibt sich unzweifelhaft aus dem Umstande, daß der Entwurf des Einführungsgesetzes, welcher die Kompetenz der Handelsgerichte nach der persönlichen Qualität des Beklagten allein regelte, in Art. 64 Ziff. 1 diese Zuständigkeit gegen die Erben eines Kaufmannes aus Geschäften ihres Erblassers ausdrücklich statuirte, und daß diese Bestimmung in dem Gesetze deshalb weggeblieben ist, weil nach der jetzigen Fassung des Art. 64 Abs. 1 der Fall, wenn die Erben desjenigen, auf dessen Seite das Geschäft ein Handelsgeschäft war, belangt werden, selbstverständlich unter der Bestimmung dieses Artikels begriffen erscheint. (Verh. b. GGA. u. K. 1861 Bd. II S. 136.)

2) Aber auch der Umstand, daß die Klage einen Betrag von unter 150 fl. betrifft, rechtfertigt an und für sich nicht die Abweisung von den Handelsgerichten; denn diese geringeren Sachen sollen nach der Vorschrift des Einführungsgesetzes (Art. 64 Abs. 2) nur dann vor den Stadt= und Landgerichten verhandelt werden, wenn sich am Sitze des betreffenden Gerichtes nicht zugleich das Handelsgericht befindet *). Dies ist im vorliegenden Falle nicht nur bei dem in München lebenden Erben, sondern auch bei den drei im Bezirke des k. Land-

---

*) Im Art. 64 Abs. 2 des Einf.=Ges. sind zwar nur die Art. 62 und 63 in Bezug genommen, so daß man behaupten könnte, diese Bestimmung beziehe sich nur auf die dort, nicht auch auf die in Art. 64 Abs. 1 normirte Kompetenz, d. h. Nichtkaufleute müßten, wenn die Klage der Hauptsache nach nicht über 150 fl. betrüge, immer vor den Stadt= und Landgerichten belangt werden. Allein diese Interpretation wäre irrig, denn Art. 64 Abs. 1 enthält keine eigene Kompetenzbestimmung, sondern nur eine Beschränkung der in Art. 62 gegebenen; in dem Citate des Art. 62 ist also die Citirung des Art. 64 Abs. 1 schon mitenthalten. Mit Recht hat daher der Lutz'sche Kommentar S. 184 das Citat in dieser Weise erweitert aufgeführt.

gerichtes Regensburg wohnenden Erben zutreffend, da dieses Gericht seinen Sitz in der Stadt Regensburg hat und daher sowohl nach dem Wortlaute als nach dem Grunde und Zwecke der fraglichen Gesetzesbestimmung kein Anlaß vorhanden ist, die Zuständigkeit des Handelsgerichtes Regensburg für sie als ausgeschlossen zu erachten*).

3) Hienach werden mit der unter dem 3. Juni l. Js. gestellten Klage Personen belangt, welche theils dem Handelsgerichte München l/J., theils dem Handelsgerichte Regensburg, theils dem Landgerichte Wöhrd unterworfen sind. Dieses letztere Gericht kann aber nicht, wie Appellant meint, in dieser Hinsicht als „Handelsgericht" betrachtet werden, denn es hat weder nach dem Handelsprozesse zu verfahren, noch steht es unter dem Handelsappellationsgerichte; daher kann auch dieses Gericht keine Delegation vornehmen**). Es ist vielmehr der Fall gegeben, daß mehrere, verschiedenen Gerichten, für welche ein gemeinsames Obergericht fehlt, unterworfene Beklagte mit einer und der nämlichen Klage belangt werden, und in diesem Falle steht weder, wie Appellant glaubt, den Klägern ein Wahlrecht unter den verschiedenen Gerichten zu, noch soll die Klage theilweise abgewiesen, theilweise zugelassen werden***), sondern es ist nach Art. 59 Abs. 3 des Gerichtsverfassungsgesetzes vom 10. November 1861 die Klage bei dem k. Oberappellationsgerichte einzureichen, welches sodann die Sache an eines der verschiedenen Gerichte zur Verhandlung und Entscheidung verweist †).                    (Regensburg Reg.-Nr. 25.)

---

*) Vgl. das Erkenntniß des obersten Gerichtshofes vom 21. Februar 1863 in Sachen: „Schön gegen Frhrn. v. Beck". (Bayerische Zeitung Nr. 65.)

**) Die ratio legis des Art. 64 Abs. 2 ist, die Leute wegen kleiner Schulden nicht zu Gängen an möglicherweise weit entfernte Handelsgerichte zu zwingen. Diese ratio legis trifft allerdings dann nicht zu, wenn, wie im gegebenen Falle, auf Grund der Connexität eines von mehreren Gerichten ausgewählt werden muß; allein der Satz cessante legis ratione lex cessat ipsa kann bekanntlich nicht in solcher Weise angewendet werden, daß man z. B. in vorliegender Sache die Bestimmung des Art. 64 Abs. 2 als außer Wirksamkeit gesetzt und das Handelsgericht Regensburg, in dessen Bezirk Wöhrd liegt, ipso facto auch für den dortselbst lebenden Erben kompetent erachten könnte.

***) Appellant hatte sich nemlich darauf gestützt: jedenfalls könne die Klage nur gegen die einen oder anderen der gemeinsamen Erben abgewiesen werden.

†) Daher kann auch nicht, wie z. B. Rehm im Kommentar S. 235 meint, diesem Absatze des Art. 59 nur eine Wirksamkeit pro futuro eingeräumt werden.

## CV.

**Kompetenz der Handelsgerichte bei Klagen gegen den angeblich zu besserem Glücke gelangten Kridar.**

GO. Kap XIX §. 20 Nr. 3.

Der Webermeister N. N. zu Augsburg schuldete dem Großhändler A. A. 1362 fl. 13 kr. auf Wechsel; er gerieth in Gant, am ersten Ediktstage offerirte er 20% und am 23. Dezbr. 1862 erklärte A. A. schriftlich: „er nehme das Offert an, jedoch unter Vorbehalt der Nachforderung des Restes." Da auch die übrigen Gläubiger zugestimmt hatten, wurde durch Beschluß des k. Bezirksgerichtes Augsburg, vom 27. Februar 1863 das Arrangement als vollständig genehmigt erklärt und die Masse freigegeben.

Am 23. Mai 1863 stellte nun A. A. Wechselklage gegen N. N., vorbringend, der Schuldner werde in Bälde Geld als Antheil aus dem Verkaufe des Augsburger Weberinnungshauses erhalten und sei überhaupt zu besserem Glücke gelangt. Nach verhandelter Sache erkannte das k. Handelsgericht Augsburg unter dem 9. Juni 1863, N. N. sei schuldig, die eingeklagte Wechselsumme bei Meidung der Wechselsperre binnen 24 Stunden zu bezahlen; auf ergriffene Berufung aber sprach das k. HAG. zu Nürnberg durch Urtheil vom 13. Juli 1863 aus: „es sei die Klage wegen mangelnder Zuständigkeit von den Handelsgerichten abzuweisen."

Dieses Urtheil enthält unter Anderem folgende Entscheidungsgründe:

Das Handelsgericht Augsburg hat in den Entscheidungsgründen seines Urtheils bemerkt, daß die Bestimmung der GO. von 1753 Kap. 19 §. 20 Ziff. 3 im vorliegenden Falle deshalb nicht zur Anwendung kommen könne, weil der Konkurs nicht durch Prioritätsurtheil und Distribution der Masse, sondern durch Arrangement geendet wurde, und diesen Ausspruch sucht Appellant vor Allem anzufechten, jedoch mit Unrecht.

Es lassen sich nämlich drei verschiedene Fällen denken:

a) Hat der klagende Gläubiger in der Gant nicht liquidirt und also dem Arrangement sich nicht angeschlossen, so steht er auf gleicher Stufe mit demjenigen, welcher nachträglich mit dem Gläubiger kontrahirt hat.

Nachdem die ausschließliche Haftung des Vermögens des Kridars für die in der Gant liquidirenden Gläubiger mit der in Folge Been-

digung des Konkursverfahrens durch das Arrangement geschehenen Frei=
gebung der Masse hinweggefallen ist, steht nichts im Wege, daß ein
solcher Gläubiger, (sofern er nicht etwa nach §. 70 der Prozeßnovelle
zum Beitritte zum Arrangement gezwungen werden konnte und ge=
zwungen worden ist), ohne jede Beschränkung seine Forderung gegen
den Schuldner verfolgt; er bedarf des in Kap. 19 §. 20 Nr. 3 der
GO. aufgeführten Rechtes nicht. Denn, wie das k. HAG. schon
früher näher ausgeführt hat (in dieser Sammlung Bd. I S. 118),
findet weder der Wortlaut noch die ratio der citirten Gesetzes=
stelle Anwendung auf den Schuldner, der seinen Gläubigern nicht
sein ganzes Hab und Gut zur Befriedigung und Theilung überlassen,
sondern im Wege des Arrangements sein Vermögen ganz oder theil=
weise behalten hat.

b) Hat sich dagegen der Gläubiger dem Arrangement einfach an=
geschlossen, so kann entweder nur Nachsicht und fristenweise Tilgung
der ganzen Forderung stipulirt oder, was die Regel bildet, eine Ab=
findung nach Prozenten bedungen sein. Bei der ersten Modalität
kommt ohnehin die nachträgliche Ausklagung des Schuldners im Falle
besseren Glückes nicht in Frage; aber auch bei der zweiten Modalität
kann sich der Gläubiger des Rechtes des Kap. 19 §. 20 Nr. 3 der
GO. nicht bedienen, und zwar um deßwillen nicht, weil er durch den
Vergleich mit dem Kridar sein Recht auf die ganze Forderung ver=
wirkt und solche auf die geringere Abfindungssumme reduzirt hat.

c) Hat sich endlich, wie im vorliegenden Falle, der Gläubiger
dem Arrangement angeschlossen, hiebei aber sich die Nachklage des
nicht gedeckten Restes ausdrücklich vorbehalten, so kommt abermals
nicht die Vorschrift des Kap. 19 §. 20 Nr. 3 der GO. in Anwend=
ung, sondern eine spätere Nachklage hat sich auf den im Vergleiche ent=
haltenen Vorbehalt*) zu stützen; der Gläubiger ist vertragsmäßig,

---

*) Erstrichter nahm übrigens an, daß es auf die Frage des besseren Glü=
ckes gar nicht ankomme, da sich der Gläubiger die Nachforderung nicht
auf diesen Fall, sondern ganz allgemein vorbehalten habe; allein das
k. HAG. trat dieser Ansicht nicht bei, da dieser Vorbehalt, wie der Inhalt
der Klage und der Replik darthue, von A. A. selbst nicht anders, als
auf die Voraussetzung des besseren Glückes verstanden worden sei und
auch nicht anders verstanden werden könne, da es völlig der Natur
eines Vergleiches widersprechen würde, wenn man 20% Abfindung
acceptiren, aber zugleich bedingen wollte, jederzeit den Rest einklagen
zu können; ein solches Arrangement würde wohl der Kridar niemals ein=
gegangen sein.

17

nicht gesetzlich berechtigt, denn wenn der Vertrag nicht in Mitte läge, so würde ein Verzicht vorhanden sein.

Der Erstrichter hat daher vollkommen Recht, wenn er seiner Entscheidung die Ansicht zu Grunde gelegt hat, daß es im gegebenen Falle sich nicht um Anwendung der GO. Kap. 19 §. 20 Nr. 3, sondern um Geltendmachung des vom Gläubiger bei Eingehung des die Gant beendigenden Arrangements vorbehaltenen Rechtes handle.

Nun unterliegt es zwar keinem Zweifel, daß die nachträgliche Einklagung des zu besserem Glücke gelangten Kridars, wenn die Gant durch Prioritätsurtheil und Ausschüttung der Masse beendet wurde, nicht zur Zuständigkeit des Gantgerichtes, sondern zur Kompetenz desjenigen Gerichtes gehöre, welches nach den allgemeinen Prozeßgrundsätzen in der Sache zuständig ist. Desgleichen wird auch außer diesem Falle, und wenn die Gant durch ein Arrangement beendet wurde, unter Umständen dem Gläubiger die Liquidstellung seiner Forderungen vor dem an sich zuständigen Gerichte nicht versagt werden können. (Vgl. diese Sammlung Bd. I S. 114 und 118.)

Allein im vorliegendem Falle handelt es sich nicht um eine solche Liquidstellung, da der Schuldner, Zeuge der Gantakten, die sämmtlichen Wechselforderungen nach Qualität und Quantität unbedingt und vorbehaltlos anerkannt hat, und es daher einer Austragung der Frage des Schuldigseins im Prozeßwege gar nicht mehr bedarf.

Die Klage vom 23. Mai 1863 erscheint sonach nur als ein Anrufen auf exekutive Beitreibung der gerichtlich einbekannten Schuld, und nachdem der Gläubiger inhaltlich der Akten die persönliche Haftung des Schuldners aus der Wechselverbindlichkeit nirgends in Anspruch genommen hat, fragt es sich, welches Gericht zur Vornahme der Exekution in das angeblich neu erworbene Vermögen des Kridars zuständig ist.

Wie bereits erwähnt, ist der Gläubiger nicht auf Grund der GO. Kap. 19 §. 20 Ziff. 3 zur Nachforderung des Schuldrestes berechtigt, sondern auf Grund des von ihm bei der Vergleichsannahme vorbehaltenen Rechtes. Es erscheint daher dessen Antrag auf Nachzahlung des bisher unberichtigt gebliebenen Betrages auf Grund des Eintrittes der im Arrangement aufgestellten Bedingung als ein Antrag auf Vollzug des von dem Gantgerichte unter'm 27. Februar 1863 genehmigten Vergleiches.

Ein solcher vor dem Gantgerichte zur Abschneidung der vollständigen Durchführung des Konkursverfahrens vereinbarter Vergleich stellt sich aber, da in Folge des Kap. X §. 8 der Augsburger WO. von

1778 durch die gesetzliche Ganterkennung die Jubikatur auch hinsicht=
lich der Wechselforderungen (in vermögensrechtlicher Hinsicht) dem
Gantrichter anheimfällt, als vor dem ordentlichen Prozeßgerichte abge=
schlossen bar, und nachdem zum Vollzuge eines Vergleiches nur das=
jenige Gericht zuständig ist, vor welchem der Vergleich geschlossen
wurde, so erscheint zur weiteren Vermögensexekution gegen den Be=
klagten und beziehungsweise zur Würdigung und Bescheidung der An=
träge, welche den Vollzug des unter dem 27. Februar l. Jrs. geneh=
migten Arrangements bezielen, lediglich das Gantgericht zuständig *).
(Augsburg Reg.=Nr. 20.)

## CVl.

### Begründung von Fristverlängerungsgesuchen im b. W.= u. M.=Proz.

#### Bayer. W.= u. MGO. Kap. V §§. 5 und 7.

In einer nach der W.= u. MGO. von 1785 zu instruirenden
Handelssache hatte der Anwalt X. am vorletzten Tage der den Ver=
klagten zur Klagsbeantwortung vorgestreckten 14tägigen Frist Namens
der Letzteren ein Fristverlängerungsgesuch eingereicht und solches mit
dem Bemerken zu motiviren gesucht, daß er erst Tags vorher gelegen=
heitlich einer von ihm abgehaltenen Tagsfahrt von den Verklagten
mit ihrer Vertretung beauftragt worden sei. Nach Ablauf der Frist
verwarf das Untergericht dieses Gesuch und erkannte zugleich in der
Sache selbst **), welches Urtheil auf Beschwerde der Verklagten am
27. Juli 1863 zweitrichterlich bestätigt wurde. Die Gründe enthalten
Folgendes:

Ueber Fristverlängerungsgesuche in Handelssachen, in welchen
nach Kap. V §. 5 der bayer. W.= u. MGO. das Mandats=

---

*) Diese Ansicht hat auch der oberste Gerichtshof als Kompetenzkonflikt=
senat ausgesprochen.

**) Da nach Kap. V §. 7 a. a. O. alle Termine in Wechsel= und Mer=
kantilsachen ohne Ausnahme clausulam peremtoriam dergestalt in sich
enthalten, daß Verklagter nach fruchtlosem Ablaufe mit seiner Exzeption
nicht mehr gehört wird und daß gleich nach bescheinigter Lieferung —
daher ohne klägerischen Kontumazialantrag  die Citation die Wirk=
ung des Einredeausschlusses und Klagszugeständnisses hat, konnte sofort
in der Hauptsache das Urtheil erlassen werden, was zum Ueberflusse
auch in einem klägerischen Kontumazialantrage beantragt war.

17 *

verfahren eingeleitet ist\*), findet sich in diesem Gesetze keine ausdrückliche Bestimmung und es muß daher auf die allgemeinen Prozeßvorschriften zurückgegangen werden. Bei Anwendung dieser Vorschriften ist jedoch der summarischen Natur des Merkantilprozesses entsprechende Rechnung zu tragen und insbesondere zu beachten, daß schon die erste Frist eine peremtorische und daher der Verklagte gehalten ist, innerhalb derselben bei Vermeidung der Annahme des Klags= zugeständnisses und des Einredenausschlusses seine Verantwortung abzu= geben. Mit Rücksicht hierauf kann es nicht, wie bei dem bedächtigen Gange des gewöhnlichen Verfahrens, als genügend erachtet werden, eine Hinderungsursache blos glaubwürdig darzulegen, um die erste Fristerstreckung zu erlangen, sondern der gebotene rasche Gang des Verfahrens bringt es mit sich, daß schon dem ersten Fristerstreckungs= gesuche nicht ohne genügende Bescheinigung einer wahren Hinder= ungsursache stattgegeben werden darf, wie dies im gewöhnlichen Ver= fahren bezüglich eines zweiten Gesuches dieser Art vorgeschrieben ist.

Im vorliegenden Falle ist aber eine Thatsache, welche die Ver= klagten gehindert hätte, dem Mandate durch rechtzeitige Verantwortung nachzukommen, gar nicht einmal dargelegt worden. In dem Vor= bringen der Verklagten, sie hätten erst einige Tage vor Ablauf der Frist einen Anwalt, den sie, wie es scheint, ganz zufällig in M. ge= troffen, mit Vertretung ihrer Angelegenheiten betraut, liegt vielmehr das Zugeständniß, daß sie dem Mandate weder in der einen noch anderen Richtung nachkommen, d. h. daß sie weder den Kläger befrie= digen noch dessen Forderung mit gutem Grunde bestreiten konnten, da sie außerdem angesichts des ihnen angedrohten Präjudizes noth= wendigerweise in der einen oder anderen Richtung rechtzeitig Vorkehr= ung hätten treffen müssen, wozu ihnen durch die eröffnete 14tägige Frist in ausreichendem Maße Gelegenheit gegeben war.

(München r/J. Nr. 28.)

---

\*) Ueber Fristverlängerungen in Sachen, welche in dem Exekutivprozesse des Kap. III der W. = u. MGO von 1785 behandelt werden, siehe diese Sammlung Bd. I S. 194.

## CVII.

## Restitution im Berufungsstadium bei Wechsel- und Handelssachen.

(W.- u. MGO von 1785. Kap. IX §. 3 Nr. 5.)

Das k. Handelsappellationsgericht zu Nürnberg sprach durch Er-kenntniß vom 30. Juli 1863 aus:

„daß die Restitutionsgesuche gegen den Ablauf des Fatale für Handlungen in der Berufungsinstanz im Gebiete der W.-u. MGO. von 1785 nicht an die Frist des §. 38 Abs. 2 der Prozeßnovelle von 1837 *), sondern an die im Gesetze vom 11. Sept. 1825 für die betreffende Handlung gebotene Frist gebunden sind" und zwar in der Erwägung:

a) daß die Restitutionsfrist ihrer Natur nach eine unerstreckliche Nothfrist gerade wie das Berufungsfatale ist,

b) daß in der Novelle von 1837 das kürzeste Berufungsfatale auf 14 Tage festgesetzt ist (§. 64 Abs. 4) und daß in demselben Gesetze das Fatale für Restitutionsgesuche dem Berufungsfatale in münd-lichen Verhörs- und Exekutionssachen, also in denjenigen Sachen ganz gleichgestellt ist, für welche mit Rücksicht auf den Zweck größerer Be-schleunigung das Berufungsfatale ein möglichst abgekürztes ist,

c) daß in dem Landtagsabschiede vom 17. November 1837, mit welchem obige Prozeßnovelle publizirt wurde, gleichzeitig mit Gesetzes-kraft verordnet worden ist, daß das Berufungsfatale von 8 Tagen bei allen Wechsel- und Merkantilgerichten, mit Ausnahme des ehe-mals nürnbergischen und preußischen Gebietes in den Wechselsachen maß-gebend sein solle; daß somit die für das beschleunigte Verfahren gege-bene kürzeste Frist für Wechselsachen fast noch um die Hälfte her-abgesetzt wurde,

d) daß kein Grund aufzufinden ist, welcher dafür spräche, für Restitutionsgesuche eine längere Frist zu gewähren, als für die Be-

---

*) Hiedurch ist natürlich nicht ausgeschlossen, daß die materielle Seite des Restitutionsgesuches nach der Prozeßnovelle von 1837 beschieden und daß auch hinsichtlich der Fristen, wo nicht wie für die Appellation die Wechsel- und MGO. von 1785 spezielle Bestimmungen enthält, nach Analogie des §. 38 der Proz.-Novelle von 1837 verfahren werde. (Vgl. das Erk. in dieser Sammlung Bd. I S. 83.)

rufungsschriften, und daß selbst bei 30 tägigem Berufungsfatale im ordentlichen Prozesse die Restitution binnen 14 Tagen nachzusuchen ist,

e) daß schon nach Kap. IX §. 3 der W.= u. MGO. nur eine achttägige Frist für die Berufungssachen gegönnt und sub Nr. 5 verordnet ist, daß für die Restitution gegen Versäumniß der Berufungsfatalien allemal inner so viel Zeit gesucht werden müsse, als man re adhuc integra gehabt hätte,

f) daß sonach im Hinblicke auf die Regulirung der Fristen im Gesetze vom 11. Septbr. 1825, die Abkürzung der Nothfristen betreffend, bei Versäumung des Berufungsfatale innerhalb acht Tagen nach Hebung des Hindernisses bez. nach Bekanntwerden des Versäumnisses, bei Versäumung der Frist zur Abgabe der Nebenverantwortung innerhalb sechs Tagen von jenem Zeitpunkte an das Restitutionsgesuch beim Obergerichte eingelaufen sein muß, außerdem aber als verspätet erscheint.

(München I/J. Reg.=Nr. 126.)

## CVIII.

### Einfluß der Intervention auf die Exekution.
#### Bayer. GO. Kap. VIII §. 4 Nr. 4.

In der Streitsache A. A. gegen N. N. wegen Waarenforderung war auf Antrag des Klägers zum Vollzuge des rechtskräftigen Erkenntnisses durch das k. Handelsgericht München I/J. am 16. März 1863 an dem Mobiliar des Beklagten auf den Betrag von 188 fl. 10 kr. die Sperre, Einschaffung und Versteigerung verfügt worden. Bei dem am 31. März 1863 erfolgenden Vollzuge wurden Mobilien im obigen Betrage aufgeschrieben und an den Schuldner Veräußerungsverbot erlassen; die Einschaffung und Versteigerung erfolgte aber ohngeachtet wiederholter Anrufen des Gläubigers nicht, und am 21. Mai 1863 meldete der Schwiegervater des Schuldners unter Vorlage der Abschrift eines angeblich am 31. Dezember 1862 geschlossenen Vertrages Intervention an, wobei er gegen den Fortgang der Exekution, gegen Einschaffung und Versteigerung der gepfändeten Objekte protestirte.

Das k. Handelsgericht München I/J. gab dieser Protestation nur hinsichtlich einiger Mobilien statt, welche in jener Vertragsabschrift als Eigenthum des Intervenienten speziell benannt waren, verwarf aber im Uebrigen den Antrag auf Siftirung der Erekution und die hiegegen erfolgte Berufung. Das handelsappellationsgerichtliche Erkenntniß vom 18. Juni 1863 besagt:

Vor Allem ist die Behauptung des Appellanten, daß durch die Interventionsanmeldung bezüglich gesperrter Mobilien die Kompetenz des Handelsgerichtes zur Instruktion und Verbescheidung der Intervention aufgehoben werde und lediglich der Gegner zur Erklärung über Anerkennung der angemeldeten Rechte aufgefordert werden könne, gänzlich falsch. Allerdings gehört der in Folge einer Intervention über das Eigenthum sich erhebende Streit zwischen dem Intervenienten und einer der bisherigen Parteien, gewöhnlich dem Kläger, vor das ordentliche, für jene Eigenthumsklage zuständige Gericht. Allein welche Wirkung einer solchen Eigenthumsklage auf den bisherigen Rechtsstreit unter den früheren Parteien zukomme, darüber hat lediglich der für diesen Rechtsstreit zuständige Richter zu entscheiden.

Die Grundsätze, von denen er hiebei auszugehen hat, ergeben sich aus der Bestimmung der W.- u. MGO. von 1785 Kap. X §. 2, wonach die Erekution zu vollziehen ist, „ohne Anhang oder Verstattung eines weiteren Umtriebes"; es kann daher kein Vorbringen, das nicht sofort liquid ist und wodurch die Fortsetzung der Erekution nicht offenbar ungerechtfertigt erscheint, irgendwie Beachtung finden. Hieraus folgt, daß die Einschaffung von gesperrten Mobilien in gerichtlichen Gewahrsam an und für sich durch eine Intervention niemals gehindert werden kann; es ist diese Einschaffung im Gesetze nirgends als ein weiterer Erekutionsgrad bezeichnet, sondern bei sachgemäßer Vollziehung der Erekution geschieht dieselbe sofort bei Vornahme der Sperre, wie denn diese nach der klaren Vorschrift des Kap. X §. 3 der W.- u. MGO. nicht in einer bloßen „Beschreibung" der Habseligkeiten des Schuldners bestehen soll, sondern die Objekte „mit der gerichtlichen Obsignation belegt" werden müssen, die nach allgemeinen Prozeßgrundsätzen (vgl. §. 76 der Novelle v. 1837) stets entweder in der Hinwegnahme zu Gerichtshanden oder doch in sorgfältiger Versiegelung, welche dem Schuldner jede Verfügung oder Benützung unmöglich macht, besteht *). Die Einschaffung in gerichtlichen Ver-

---

*) In einer nach Nürnberger Prozeß zu behandelnden Sache (Nürnberg Reg.-Nr. 56) wurde über diese Frage in dem handelsappellationsgerichtlichen Erkenntnisse vom 1. Juni 1863 ausgesprochen: Nach den Bestimmungen der Nürnberger Reform in Titl. XI Ges. 1 Abs. 2, 3 u. 6 sowohl, als nach gemeinem Prozeßrechte (vgl. von Bayer's Vor-

wahr kann aber von Seite eines Intervenienten dann, wenn die einzuschaffenden Objekte sich nicht in seinem, sondern im Besitze des Schuldners befinden, schon deßhalb nicht gehindert werden, weil dieselbe an sich seinem Eigenthume nicht präjudizirt und weil die Besitzentziehung nicht ihn, sondern den Schuldner trifft, also ihm in keiner Weise diese Erekutionsmaßregel zum Schaden gereicht *).

---

lesungen S. 696) wird die Erekution an Mobilien unter allen Umständen durch Hinwegnahme und Verbringung der letzteren zu gerichtlichem Gewahr, (welcher eine anderweitige gerichtliche dem Schuldner die Verfügung und Benützung unmöglich machende Verwahrung etwa durch Versperrung und Versiegelung gleichsteht) vorgenommen, und ist jede andere Vollzugsart, welche den Schuldner im Besitze der Pfandobjekte läßt, keine vollständige Erekution. Es ergibt sich dieses auch aus der Natur der Sache, weil nur dann, wenn dem Schuldner nicht blos die Befugniß, sondern auch die Möglichkeit der Einwirkung auf die Erekutionsobjekte entzogen wird, der Zweck der Erekution, Deckung des Gläubigers für seine Forderung, erreicht wird, während selbstverständlich dem Gläubiger durch Anwendung des Art. 330 des StGB. gegen den Schuldner kein Ersatz für die allenfalls verschleppten Objekte verschafft werden kann.

*) Hierüber spricht sich das in voriger Note erwähnte Erkenntniß folgendermaßen aus:

„Die eingereichte Interventionsklage kann selbstverständlich keinen anderen Einfluß auf das zwischen Gläubiger und Schuldner laufende Erekutionsverfahren äußern, als daß jeder Eingriff vermieden werden muß, der die Eigenthumsrechte des Dritten seinerzeit beeinträchtigen könnte. Nun ist nicht zu ersehen, wie ferne die Verwahrung der Objekte in einem passenden Lokale die Realisirung des zur Zeit bestrittenen Rechtes des Intervenienten, falls er im Prozesse Obsieger bleibt, irgendwie behindern könnte; im Gegentheile ist es ganz richtig, was Kläger in seinem Antrage vom 27. April 1863 bemerkt, daß eine solche Sicherung der strittigen Gegenstände gegen Verschleppung und Verschlechterung ebenso das Interesse des Gläubigers, wie des Intervenienten wahrt. Der freien Benützung seines angeblichen Eigenthumes hatte sich Intervenient jedenfalls schon längst selbst begeben, denn solches befand sich ja, wie der Augenschein zeigt, in den Händen des Schuldners; diesem aber darf und muß diese Benützung entzogen werden, da dieses im Begriffe der Erekution liegt. Ueberdieß lehrt die Erfahrung, daß gerade die Absicht der Fortbenützung der Mobilien den Anlaß bildet zu den tagtäglich sich wiederholenden Versuchen, die Gläubiger dadurch zu benachtheiligen, daß im Stadium der Erekution ein Vertrag zum Vorscheine kommt, worin alle fahrende Habe einem Dritten, jedoch

Insoweit daher der Antrag des Intervenienten lediglich die Sistirung der Einschaffung der bei seinem Schwiegersohne gesperrten
Effekten bezwecken sollte, ist er zu einer Berücksichtigung überhaupt
nicht geeignet.

Es liegt aber in dem Antrage vom 21. pr. 23. Mai l. Js. auch
die Erhebung eines Einspruches gegen die Exekution an den fraglichen
Mobilien überhaupt und deshalb bedarf derselbe noch einer näheren
Prüfung. Daß die Exekution gegen den verurtheilten Schuldner nur
an dem Eigenthume dieses Verurtheilten, nicht aber an dem Eigenthume eines Dritten, gegen welchen das ergangene Urtheil keine
Rechtskraft hat, vollstreckt werden könne, ist selbstverständlich. Nachdem aber bei Mobilien deren Besitz, als die äußerlich erkennbare Art
der Ausübung des Eigenthumes, die Vermuthung für das Eigenthum
des Besitzenden gewährt, ist der Gläubiger vollkommen berechtigt,
seine Befriedigung aus den im Besitze seines Schuldners befindlichen
Objekten zu suchen und bedarf es von seiner Seite nicht erst eines
Beweises, oder einer Bescheinigung, daß die im Besitze seines Schuldners befindlichen Gegenstände auch dessen Eigenthum seien *).

Eine solche Vermuthung, wie sie aus der Thatsache des Besitzes
hervorgeht, kann durch eine bloße Behauptung des Gegentheiles, mag
diese vom Schuldner selbst oder von einem Dritten ausgehen, nicht
sofort entkräftet werden; vielmehr bedarf es hiezu anderer, rechtser-
heblicher Thatsachen. Die GO. Kap. VIII §. 4 Nr. 4 verlangt denn
auch als Voraussetzung der Hemmung einer Exekution in Folge einer
stattgefundenen Intervention, soferne nicht durch den Fortgang der
Exekution dem Intervenienten ein unwiederbringlicher Schaden unfehlbar droht, was nur bei der Versteigerung und auch bei dieser nur
unter Umständen der Fall zu sein pflegt, daß das Interventionsrecht
gleich auf der Stelle durch klare briefliche Urkunden oder sonst ohne
weitläufige Probe genugsam dargethan sei.

Daraus folgt, daß weder die einfache Interventionsanmeldung,
noch auch der Nachweis, Klage bei dem ordentlichen Gerichte gestellt
zu haben, zu einer solchen Darlegung des Interventionsrechtes genügen könne, sondern eine Begründung des Rechtes von Seite des drit-

---

unter Vorbehalt der Detention und Benützung Seitens des Schuldners auf unbestimmte Zeit, veräußert oder verpfändet ist, Manipula-
tionen, denen mit aller Strenge entgegengetreten werden muß."
*) Eben deshalb kann, wo nicht der Schuldner im Besitze ist, diese Strenge
nicht obwalten. Vgl das unter Nr. CIX mitgetheilte Erkenntniß.

ten Intervenienten durch klare Urkunden oder wenigstens durch sofort liquid zu stellende sonstige Probemittel unumgänglich nothwendig ist.

Im vorliegenden Falle hat nun Intervenient seiner Interventions= anmeldung lediglich die einfache unbeglaubigte Abschrift eines angeb= lich zwischen ihm und dem Schuldner geschlossenen Vertrages beigelegt und hätte schon deshalb dieser Anmeldung alle und jede Wirkung ver= sagt werden sollen.

(München I/J. Reg.=Nr. 123.)

## CIX.
### Einfluß der Intervention auf die Exekution.
#### BGO. Kap. VIII §. 4 Nr. 4.

Gegen einen im älterlichen Hause wohnhaften Haussohn war von dem k. Handelsgerichte München wegen einer Wechselschuld die Mobiliarsperre verfügt, und durch Beschlagnahme mehrerer in dessen Wohnzimmer befindlichen Gegenstände vollzogen worden. Gegen die hierauf verfügte Hinwegschaffung der Pfandobjekte protestirten die El= tern des Wechselschuldners, das Eigenthum jener Objekte in Anspruch nehmend, jedoch ohne Erfolg, indem das k. Handelsgericht München I/J. aussprach, daß der Sistirung der Exekution wegen Mangels einer Bescheinigung der Interventionsansprüche nicht stattgegeben wer= den könne. Auf die hiegegen von den Intervenienten erhobene Be= rufung *), erkannte das k. Handelsappellationsgericht durch Urtheil

---

*) Ueber die formelle Zulässigkeit der Berufung wurde u. A. bemerkt:

Die Verfügung der Einschaffung der gesperrten Gegenstände kann allerdings nicht unter die Kategorie jener Beschlüsse gereiht werden, gegen welche nach dem Landtagsabschiede vom 1. Juli 1856 Abschn. III C. S. 27 selbständige Berufung zulässig ist, soferne es sich lediglich um das Verhältniß zwischen Gläubiger und Schuldner handelt. Denn die= selbe betrifft nicht sowohl die Art der Exekution, als vielmehr die in der Pflicht des Richters gelegene sichere Verwahrung eines unbeanstan= det mit Sperre belegten Vermögensbestandtheiles des Schuldners. An= ders verhält es sich, wenn ein Dritter das Eigenthum der Sperrob= jekte in Anspruch nimmt und gegen deren Wegschaffung Einspruch er= hebt. Hier handelt es sich allerdings insoferne um die Art der Exeku= tion, als der Antrag des Dritten darauf gerichtet ist, daß die Exeku= tion in der Art wie sie begonnen wurde, nicht weiter fortgesetzt, son= dern eingestellt werde. Aber selbst abgesehen hievon wird die Abweis= ung eines Antrages, mit welchem ein Dritter ein Recht der Einmisch=

vom 11. Juni 1863, daß der Antrag auf Sistirung der Exekution nicht abzuweisen, sondern zur summarischen Verhandlung zu ziehen und sodann weiterer Beschluß hierüber zu fassen sei. In den Gründen kommt vor:

Wenn die GO. in Kap. VIII §. 4 Nr. 4 als Voraussetzung der Hemmung der Exekution in Folge einer stattgefundenen Intervention verlangt, daß das Interventionsrecht gleich auf der Stelle durch klare briefliche Urkunden, oder sonst ohne weitläufige Probe genugsam dargethan oder wenigstens, daß durch die Exekution ein unwiederbringlicher Schaden unfehlbar zugehe, sattsam bewiesen werde, so geht dieselbe ohne Zweifel davon aus, daß der Anspruch des Gläubigers in der Hauptsache auf die Sache oder Leistung, welche nun auch den Gegenstand der Intervention bildet, in faktischer und rechtlicher Beziehung begründet sei, daß also, wenn, wie hier, der Gläubiger ein Objekt als Exekutionsmittel in Anspruch nimmt, dieses Objekt auch wenigstens äußerlich sich als einen Bestandtheil des Vermögens seines Schuldners darstellte; denn nur aus dem Vermögen seines Schuldners, nicht aus dem Vermögen eines Dritten ist er berechtigt, seine Befriedigung zu verlangen. Jenes ist nun allerdings dann der Fall, wenn die ausgepfändete Sache sich im Besitze des Schuldners befindet, seiner Disposition faktisch unterworfen ist; kann aber sofort dargethan werden, daß der Schuldner die Sache nicht für sich, sondern für einen Anderen besitzt, daß mithin dieselbe nicht einen Bestandtheil seines Vermögens, sondern des Vermögens eines Dritten bildet, so zerfällt hiemit das Recht des Gläubigers auf Beschlagnahme derselben zum Zwecke seiner Befriedigung.

Im gegebenen Falle hat nun die Beschwerdeführerin zur Begründung ihres Antrages auf Einstellung der Exekution behauptet, daß der Schuldner Haussohn sei und daß die mit Sperre belegten Mobilien sich in der elterlichen Wohnung befinden.

Verhält sich dieses in Richtigkeit, so wird die aus dem Umstande, daß der Sohn sich etwa in deren faktischem Besitze befindet, abgeleitete Vermuthung für sein Eigenthum an denselben beseitigt, und es begründet sich vielmehr die gegentheilige Vermuthung, daß solche Eigenthum der Eltern bezw. der Beschwerdeführerin seien, zu deren

---

ung in ein eingeleitetes Exekutionsverfahren behufs dessen Sistirung geltend macht, als appellabel angesehen werden müssen, weil sich dieselbe als Abweisung der Intervention von der Gerichtsschwelle nach der bezeichneten Richtung hin darstellt.

Antrag der Ehegatte zugestimmt hat; unter dieser Voraussetzung wäre aber der Antrag auf Einstellung des Exekutionsverfahrens in der begonnenen Richtung vollkommen gerechtfertigt.

Da nun die GO. in Kap. VIII §. 4 Nr. 4 eine Hemmung der Exekution auch dann eintreten läßt, wenn nur das Interventionsrecht ohne weitläufige Probe dargethan werden kann, obige Thatsachen aber, soweit sie nicht schon bei der Konsignirung der Mobilien festgestellt werden konnten oder gerichtsnotorisch sind, voraussichtlich sich leicht werden konstatiren lassen, so hätte der Antrag bezüglich der Wegschaffung der Mobilien nicht sofort zurückgewiesen, sondern erst nach vorgängiger summarischer Verhandlung mit dem Gläubiger und resp. dem Schuldner, wobei es jeder Partei unbenommen blieb, etwaige Beweisbehelfe zu übergeben, Beschluß über denselben gefaßt werden sollen.

(München I/J. Nr. 92.)

## CX.

## Die Bezeichnung des Zahlungsjahres in einem Wechsel ist wesentliches Erforderniß desselben.
### ADWO. Art. 96 Nr. 4 Art. 4. Nr. 4.

N. N. hatte der Klage aus einem von ihm am 10. März 1863 ausgestellten, „am 10. April" zahlbaren eigenen Wechsel den Einwand der Ungiltigkeit des letzteren entgegengesetzt, weil es bei mangelnder Angabe des Zahlungsjahres auch an einem bestimmten Zahlungstage fehle. Das Handelsgericht erster Instanz verwarf den Einwand, weil nach dem gewöhnlichen Sprachgebrauche unzweifelhaft der 10. April des laufenden Jahres (1863) als gemeint zu betrachten sei [*]. Auf klägerische Beschwerde entband aber das k. HAG. durch Urtheil vom 20. Juli den Verklagten von der Klage [**]. In den Gründen kommt vor:

---

[*] Ebenso Volkmar u. Löwy S. 32. Pöschmann im Archiv für DWR. Bd. II S. 198. Hoffmann, DWO. S. 192, Renaud, Wechselrecht S. 42. Blaschke, Wechselrecht S. 70, ferner die oberstrichterlichen Entscheidungen im Arch. für DWR. Bd. IV S. 188, Bd. V S. 351, Bd. VI S. 203, 428, Seuffert's Archiv Bd. VII Nr. 230, Bd. IX Nr. 59, Bd. XI Nr. 276.

[**] Ebenso wurde erkannt vom Obertribunal zu Stuttgart; vgl. Seuffert's Archiv Bd. XII Nr. 61 u. 181.

Darüber, was der Gesetzgeber unter dem bestimmten Zahlungstage (Art. 4, Nr. 4) habe verstanden wissen wollen, geben die Konferenzprotokolle nur insoferne einigen, wenn auch ungenügenden Aufschluß, als nach demselben (S. 14) Zeitbestimmungen durch christliche Feste, welche mehr als einen Tag umfassen, oder ortsübliche Termine ausgeschlossen sein sollten, was wenigstens einige Strenge in der Aufassung des Gesetzes bezüglich der Zahlungszeit rechtfertigen dürfte. Dagegen gibt das Gesetz, Art. 4 Ziff. 6 und Art. 96 Ziff. 6, ganz klaren Aufschluß darüber, was es unter dem Ausstellungstage verstanden haben wolle. Ohne Zweifel wollte das Gesetz, daß der Tag der Ausstellung des Wechsels ein völlig bestimmter sei, und hat nun, um dieses auszudrücken, verordnet, daß der Wechsel den Monatstag und das Jahr der Ausstellung enthalten müsse. Da nun offenbar der Gesetzgeber nicht wollen konnte, daß der mindestens ebenso wichtige Zahlungstag weniger genau bestimmt werde, als der Ausstellungstag, so zwingen die Regeln der Interpretation zu der Annahme, daß die für die Bezeichnung des letzteren gegebenen gesetzlichen Bestimmungen auch auf den ersteren zu beziehen seien, und dieses um so mehr, als es sich um Gegenstände handelt, welche in dem Konterte eines und desselben Artikels vereinigt sind. Auch war eine nähere Präzisirung des Ausdruckes „bestimmter Tag" bei der für die Ziff. 4 des Art. 4 gewählten Fassung nicht wohl thunlich, während sich erst in der Ziff. 6 hiezu eine günstige Gelegenheit bot.

Daß die dem Ausstellungstage beigefügte Jahreszahl auch auf den Zahlungstag zu beziehen sei, oder daß für eine solche Bezugnahme die gesetzliche Vermuthung spreche, ist im Gesetze nirgends anerkannt oder zugelassen, obschon in Art. 4 Ziff. 8 eine ähnliche Vermuthung, bezw. Fiktion bezüglich des Wohnortes des Bezogenen ausgesprochen, dem Gesetze also weder hier, noch an anderen Orten z. B. Art. 20, 21 fremd ist.

Ebensowenig kann die mangelnde Bestimmtheit des Zahlungstages im vorliegenden Falle ersetzt werden durch die Wahrscheinlichkeit, daß kein anderer Zahlungstag als der 10. April 1863 gemeint sei und durch die Hinweisung auf den vermuthlichen Willen der Parteien, beides begründet durch den Umstand, daß ein anderer Zahlungstag auch von dem Beklagten nicht behauptet worden sei.

Denn der Wechsel ist ein Formalakt, er besteht nur in und durch sich selbst und, abgesehen von Fehlern seiner Entstehung unabhängig von dem id, quod actum est, inter partes. Nicht darauf, was der Wechselaussteller beabsichtigte, kommt es an, sondern darauf, was in dem Wechsel steht. Er kann nur aus sich selbst und aus dem Gesetze interpretirt werden; was erst von außen her hineingelegt werden müßte, existirt nicht für ihn.

Soll der Zahlungstag mit dem Tage der Ausstellung in Verbindung gebracht werden, so muß dieses wenigstens ausdrücklich und im Wechsel durch den Beisatz: z. B. „10. April heurigen Jahres", „anni currentis", „obigen Jahres", „dieses Jahres" 2c. geschehen sein. Eine sehr rigorose Festhaltung am Begriffe des Formalaktes wird auch hier noch Anstände finden; allein die ausdrückliche Bezugnahme auf die im Datum des Wechsels vorkommende Jahreszahl beseitigt jede Unbestimmtheit; fehlt aber diese Bezugnahme, so bleibt alles ungewiß.

Den zur Rechtfertigung der gegentheiligen Entscheidungen angeführten Gründen vermag nicht beigepflichtet zu werden:

a) Der Umstand, daß im Art. 4 Num. 4 der Jahreszahl keine Erwähnung geschieht, läßt deren Angabe nicht als überflüssig erscheinen, sondern berechtigt nur zu dem Schlusse, daß es der Jahreszahl bei dem Zahlungstage dann nicht bedürfe, wenn letzterer auch ohne dieselbe an sich vollkommen bestimmt ist, z. B. wenn ein vom 1. März 1863 datirter Wechsel lautet, „Ende April heurigen Jahres zahle ich 2c."

Daß aber aus dem Mangel einer beßfallsigen Bestimmung über die Jahreszahl bei Art. 4 Ziff. 4 im Gegenhalte zu Art. 4 Ziff. 6 kein argum. e contrario abgeleitet werden könne, daß sich vielmehr nach einer näher liegenden Interpretationsregel beide Bestimmungen ergänzen, wurde bereits gezeigt.

b) Daß im gewöhnlichen Verkehre die Angabe der Jahreszahl nicht als erforderlich erachtet werde, weil nach allgemein verständlichem Sprachgebrauche unter dem in einer Urkunde als Verfalltag stehenden Monatstage der auf den Ausstellungstag zunächst folgende treffende Monatstag gemeint werde, ist zuzugeben; ob dieses aber auch im Wechselverkehre und unter sorgfältigen Kaufleuten und Geschäftsmännern der Fall sei, muß bezweifelt werden. Schon die gedruckten Wechselformulare, welche allenthalben Raum für die Jahreszahl neben dem Verfalltage offen lassen, scheinen das Gegentheil zu beweisen; was unvorsichtige Wechselaussteller oder Wechselnehmer zu thun oder zu lassen pflegen, kann nicht als Interpretationsnorm für den Wechsel dienen, welcher die strengste Einhaltung der Form erfordert. Eine

Entscheidung der Frage nach den Umständen des konkreten Falles *) würde aber ein Zurückgehen auf das id, quod actum est, nothwendig machen und zu Distinktionen führen, welche mit der Theorie des Formalaktes im Widerspruche stünden und nur die Folge hätten, die scharfen bestimmten Merkmale des Wechsels und somit die ganze Lehre des Wechselrechtes zu zersetzen und zu verflüchtigen.

c) Die mehrfach in Bezug genommene l. 41 pr. D. de verb. obl. **) entscheidet allerdings den Fall in terminis und ist um so mehr zu beachten, als sie von den dem Wechselformalakte noch am ehesten zu vergleichenden Verbalobligationen handelt. Allein dieses Gesetz spräche, wenn es überhaupt angewendet werden dürfte ***) sogar für die strengere Ansicht, indem es den Begriff eines fest und zweifellos bestimmten Tages übereinstimmend mit obiger Ausführung aufstellt und anerkennt, daß ein Mangel hieran zunächst aus dem Willen der Paziszenten zu ergänzen sei, was aber, wie gezeigt beim Wechsel unstatthaft ist.

d) Wenn in anderen Fällen nicht strenge an der vom Gesetze gebrauchten Ausdrucksweise festgehalten wird, z. B. bei Zulassung der Formel „nach Sicht" für „auf Sicht", so handelt es sich hiebei nicht darum, etwas Fehlendes hinzuzusetzen, sondern einen wirklich gebrauchten Ausdruck nach seiner geschäftssprachlichen Bedeutung aufzufassen, während im vorliegenden und in ähnlichen Fällen das Wesentliche gar nicht oder nicht vollständig ausgedrückt ist und erst durch Schlußfolgerungen ergänzt werden soll. Sodann hat auch das Gesetz solche Ausdrücke nicht als Formel unumwunden fixirt, sondern auch, wie der in der Parenthese sich befindende Beisatz „:c." andeutet, andere Aus=

---

*) Vgl. Kletke, Präjudizien, Bd. I S. 165.

**) Diese Stelle lautet: Eum, qui Calendis Januariis stipulatur, si adjiciat, primis vel proximis, nullam habere dubitationem, palam est. — Si autem non addat, quibus Januariis, facti quaestionem inducere, quid forte senserit: hoc est, quid inter eos acti sit. — Si autem non appareat, dicendum est, quod Sabinus, primas Calendas Januarias spectandas.

***) Ueber die Unanwendbarkeit desselben bemerkt aber mit Recht eine Entscheidung des Obertribunals zu Stuttgart: „Jene Gesetzesstelle, welcher die Rücksicht zu Grunde liegt, den Vertrag aufrecht zu erhalten und ihn im Sinne der Parteien auszulegen, ist für das in bestimmt vorgeschriebenen Formen sich bewegende Wechselrecht nicht maaßgebend, indem eine Abweichung von den wechselrechtlichen Vorschriften dem Wechsel die Kraft entzieht. (Vgl. Seuffert's Archiv Bd. XII S. 240.)

drucksweisen zugelassen, soferne hiedurch nur die Sache selbst klar und deutlich ausgedrückt wird.

e) Daß endlich allenfallsige Gründe der Billigkeit oder die Für- sorge für Erhaltung des materiellen Rechtes hier nicht in Berücksich- tigung gezogen werden können, bedarf um so weniger einer weiteren Ausführung, als im Wechselrechte das formelle Recht von dem ma- teriellen nicht zu trennen ist.

(München I/J. Nr. 134.)

## CXI.

**Novation einer Schuld durch Wechselausstellung. — Zu- ständigkeit der Handelsgerichte bei Bereicherungsklagen nach Art. 83 der ADWO.**

ADWO. Art. 43 u. 83.
Einf.-Ges. zum ADHGB. Art. 63.

Die Handlung A. zu L. hatte zu ihrer Deckung wegen einer Kaufschillingsrestforderung für gelieferte Waaren im Betrage von 250 fl. an den Kaufmann N. N. zu Waldsassen einen über den ge- nannten Betrag verlautenden, bei X in U. domizilirten Wechsel auf A. gezogen, welchen dieser auch acceptirte. Nach eingetretener Verfall- zeit erfolgte durch den Domiziliaten keine Zahlung; die Erhebung eines Protestes hierüber wurde aber unterlassen und es erhob die Handlung A. A. auf Grund des dem Wechsel zu Grunde liegenden Geschäftes gegen N. N. auf Bezahlung des Kaufschillingsrestes bei dem k. Handelsgerichte Amberg Klage. Durch Beschluß vom 6. Juli 1862 wies dieses Gericht die Klage wegen mangelnder Zuständigkeit der Handelsgerichte ab, weil das ursprüngliche Schuldverhältniß durch Ziehung und bezw. Acceptation des in Frage stehenden Wechsels auf- gehoben, der dem Handlungshause A. A. wegen etwaiger Bereicher- ung des N. N. gegen diesen zustehende Anspruch aber vor den ge- wöhnlichen Gerichten geltend zu machen sei. Auf Beschwerde des Klägers erkannte aber das k. HAG. am 27. Juli 1863, „daß die Klage wegen mangelnder Zuständigkeit der Handelsgerichte nicht abzuweisen; sondern weiter rechtlicher Ordnung gemäß darauf zu verfügen sei." In den Gründen wurde (vgl. oben Bd. I S. 44) vorerst ausgeführt, daß die Ansicht des Appellanten, durch Ausstellung und Annahme der fraglichen Tratte sei das ursprüngliche Geschäft, welches unzweifelhaft ein Handelsgeschäft ist, in Folge pri- vativer Novation erloschen, theoretisch unrichtig sei und den im Han-

—

belsverkehre geltenden Gewohnheiten und Gebräuchen widerstrebe, da die Ziehung der Tratte im gegebenen Falle weiter nichts als der im gewöhnlichen kaufmännischen Wege öfter vorkommende Versuch des Gläubigers, zur Zahlung seines Guthabens zu gelangen, gewesen. Gelinge ein solcher Versuch, so sei die Obligation durch Zahlung, nicht aber durch Novation getilgt, gelinge er nicht, so stehe nichts im Wege, daß der Gläubiger seine Rechte aus dem ursprünglichen Ge=schäfte anderweitig geltend mache *).

Von dieser Anschauung werde auch stets im Handelsverkehre aus=gegangen und daher eine Forderung, wofür Wechsel gegeben sind, in den kaufmännischen Büchern insolange nicht als erloschen oder getilgt notirt, als der Wechsel nicht bezahlt und jede Gefahr des Regresses beseitigt sei **).

Hierauf fahren die Entscheidungsgründe fort:

Wollte man aber auch mit dem Erstrichter annehmen, es werde nicht auf Erfüllung eines Handelsgeschäftes geklagt, sondern es sei der nächste Klagegrund in einem anderweitigen rein civilrechtlichen Ver=hältnisse zu suchen, so ist doch die Kompetenz des angegangenen Han=belsgerichtes nichts desto weniger begründet. Denn nicht blos Strei=tigkeiten, Klagen aus Handelsgeschäften sind es, welche das Einf.=Ges. Art. 63 Ziff. 1 zu den Handelssachen zählt, sondern alle Rechtsver=hältnisse, welche aus Handelsgeschäften zwischen den Betheiligten ent=stehen. Daß ein solches Verhältniß vorliege, ist klar; und sollte es sich auch hier nur um eine Bereicherungsklage handeln, so erscheint die Annahme, daß dieselbe allein schon wegen dieser Eigenschaft der handelsgerichtlichen Kompetenz entzogen sei, ganz willkürlich und halt=los. Allerdings würde diese Kompetenz hinwegfallen, wenn sie lediglich durch die Dazwischenkunft des präjudizirten Wechsels nach Art. 67 des Einf.=Ges. hätte begründet werden wollen; denn die Bereicherungs=klage aus einem präjudizirten Wechsel ist an sich keine Wechselsache.

---

*) Ganz ähnlich, wie wenn eine Zahlung durch eine Assignation oder durch Cession einer Forderung mit Garantie für deren Richtigkeit und Güte versucht würde.

**) Ebenso Volkmar und Löwy, OWO. S. 316 u. 317; die übrige Literatur bei Renaud S. 230; einigermaßen anders stellt sich die Frage bei der Deckung durch Accepte Dritter, z. B. A. nimmt von B. zur Ausgleichung des Salbo eine acceptirte Tratte des D. auf F. an. Vgl. auch Centralorgan für den deutschen Handelsstand Bd. II Nr. 30.

18

Allein die Frage, ob ein Kaufmann aus einem Handelsgeschäfte zum Schaden eines anderen Kaufmannes bereichert sei, berührt ein Rechts=verhältniß, welches aus jenem Handelsgeschäfte entsteht und nur unter Würdigung der hiebei sich darbietenden handelsrechtlichen Momente entschieden werden kann. Der Umstand, daß in dem HGB. nichts Näheres über Bereicherungsklagen bestimmt ist, entscheidet nicht gegen die Zuständigkeit der Handelsgerichte. Denn wenn auch bei der Be=stimmung des Begriffes von Handelssachen die Ausdehnung, welche dieser Gattung von Rechtsverhältnissen durch das HGB. gegeben wurde, im Allgemeinen zu Grunde gelegt worden ist, so zeigt doch schon ein oberflächlicher Blick auf das HGB. und namentlich auf das vierte Buch desselben, daß es nicht in der Aufgabe desselben lag, alle jene Rechtsverhältnisse erschöpfend zu behandeln. Vielmehr weist der Art. 1 ausdrücklich auf das allg. bürgerl. Recht, als subsidiäre Rechtsquelle hin, und der Mangel entsprechender Bestimmungen läßt sich daher in keiner Beziehung als haltbares Argument gegen die Eigenschaft eines Rechtsverhältnisses als Handelssache aufstellen. Könnte die Bereicherungsklage nicht als Handelssache betrachtet wer=den, so müßte dasselbe von der Entschädigungsklage, von der actio de dolo und anderen durch Handelsgeschäfte begründeten Klagen und Einreden gelten, und nur Klagen auf Erfüllung eines Handels=geschäftes würden vor die Handelsgerichte gehören.

Diesem Schlusse steht aber nicht nur der deutliche Buchstabe des Einf.=Ges. Art. 63, sondern auch Art. 282, 283, 284 und noch eine Reihe anderer entgegen, durch welche Entschädigungsansprüche und Schadensersatzklagen aller Art in das Bereich des Handelsrechtes ge=zogen und somit zu Rechtsverhältnissen gestempelt worden sind, welche unter den Begriff der Handelssachen fallen.

(Amberg Reg.=Nr. 11.)

## CXII.

Einträge in das Handelsregister im Allgemeinen. — Sind die Geranten und sonstigen Beamten der Aktien=gesellschaften einzutragen?

### Art. 12, 207 ff. des ADHG.

Aus Veranlassung einer von den Vorständen mehrerer Aktienge=sellschaften zu Augsburg eingereichten Vorstellung in Betreff der Ein=tragung des s. g. Geranten in das Handelsregister hat das k. HAG.

von Oberaufsichtswegen nach Prüfung der in Frage stehenden Einträge unter dem 6. Juli 1863 nachstehende Entscheidung getroffen und eine beßfallsige Entschließung an das kgl. Handelsgericht Augsburg erlassen:

1) In das Handelsregister sind nur jene Einträge aufzunehmen, welche in dem ADHGB. ausdrücklich angeordnet sind. (ADHGB. Art. 12.) Denn nachdem Alle Einträge bei Strafe und zum Theile bei Meidung schwerer Rechtsfolgen geboten sind, von blos gestatteten Einträgen aber nirgends die Rede ist, müssen andere als die gebotenen Einträge ausgeschlossen sein, weil sich auf sie die öffentliche Autorität des Handelsregisters nicht erstreckt, und eine Vermischung beider Unsicherheit und Verwirrung erzeugen würde, während gerade das Handelsregister dem Handelsverkehre die höchst mögliche Sicherheit gewähren soll. Dieser Satz wurde anerkannt im Protokolle der XI. Konferenzsitzung vom 5. Februar 1857 S. 88, wonach auf Anregung der Frage, ob auch die Eintragung aller Vollmachten, welche nicht Prokuren sind, in ein hiefür bestimmtes Repertorium bei den Handelsgerichten verlangt oder doch freigelassen werden solle, einstimmig beschlossen wurde, daß eine Verpflichtung zur Eintragung solcher Vollmachten nicht auszusprechen, und mit 14 gegen 1 Stimme, daß auch für freiwillige Einträge Register nicht zu eröffnen seien.

Auch die Motive zu Art. 8 und 9 des Einf.-Ges. (S. 44 der amtlichen Ausg.) unterstützen diese Auffassung, und die Instruktion vom 30. April 1862 (Reg.-Bl. 1862 St. 17, die Führung der Handelsregister betr.) bestätigt dieselbe, indem sie in S. 30 den Handelsgerichten zur Pflicht macht, bei Erlassung der auf die Anmeldung zum Register folgenden Verfügungen insbesondere zu prüfen, ob die beantragte Eintragung nach den Bestimmungen des HGB. als nothwendig, bezw. als zulässig sich darstelle.

Hienach bildet allein das HGB., und zwar, da Analogieen hier ohnehin ausgeschlossen sind und niemals die hier unumgänglich nothwendige sichere Grenze darbieten würden, der klare deutliche Buchstabe desselben die alleinige Richtschnur für die Zulässigkeit von Einträgen in das Handelsregister und deren Veröffentlichung.

2) Aus dem soeben Bemerkten, sowie aus den Art. 45, 135, 172, 228, 233 und 244 ergibt sich nun, daß von allen jenen Personen, welche nicht in ihrem eigenen Namen oder in dem ihrer eigenen Firma, sondern im Namen eines Prinzipals, einer Gesellschaft, überhaupt in Vertretung einer anderen ihrer als eigenen Firma Handels-

18 *

geschäfte abschließen und Rechtshandlungen vornehmen, ohne hiedurch sich selbst zu verpflichten, nur die Prokuristen, die Vorstände der Aktiengesellschaften und die Liquidatoren aller Handelsgesellschaften zur Eintragung in das Handelsregister geeignet sind, dagegen aber die Handlungsbevollmächtigten aller Art (Art. 47), und namentlich die zum Betriebe von Geschäften der Gesellschaft, sowie zur Vertretung der Gesellschaft in Bezug auf diese Geschäftsführung bestellten Bevollmächtigten oder Beamten einer Aktiengesellschaft (Art. 234) keinen Anspruch auf Eintragung in und Veröffentlichung d u r ch das Handelsregister haben.    Letzteres erhellt insbesondere aus dem Protokolle über die 129. Konferenzsitzung vom 11. Nov. 1857 S. 1063, 1064, wonach bei Berathung des Art. 213 (nun 234) der von einem Mitgliede gestellte Antrag, auch den Aktiengesellschaften die Bestellung von Prokuristen freizulassen, mit 13 gegen 2 Stimmen abgelehnt wurde, weil Aktiengesellschaften erfahrungsgemäß nie Prokuristen bestellten, und diese Bestellung überhaupt nur Attribut eines Prinzipals von unbeschränkter Willensfähigkeit sein könne, während sich die Thätigkeit von Instituten wie die Aktiengesellschaften nur auf einem autonomisch beschränkten Boden bewege.

Hieraus sowie aus dem Umstande, daß der Art. 213 (nun 234) hierauf mit 13 gegen 2 Stimmen mit einem hier nicht alterirenden Zusatze angenommen wurde, und in 3. Lesung ohne weitere Aenderung in das HGB. überging, muß gefolgert werden, daß keinerlei Beamte und Bevollmächtigte einer Aktiengesellschaft, wie ausgedehnt auch ihre Vollmacht und Vertretungsbefugniß sei, in das Handelsregister einzutragen sind, und daß es auch nicht angeht, diese Eintragung dadurch zu ermöglichen, daß man Beamten oder Bevollmächtigten Prokura ertheilt, sowie daß der Vorstand im Sinne des HGB. das einzige die Aktiengesellschaft vertretende Organ sei, dessen Eintragung gesetzlich geboten und deßhalb auch nur allein gesetzlich zulässig ist\*).

3) Was nun den Begriff eines Geranten insbesondere betrifft, so ist derselbe gesetzlich nicht geregelt, ebensowenig der Umfang seiner Befugniß für die Gesellschaft zu handeln und Rechtsgeschäfte abzuschließen, vielmehr hängt diese Befugniß von dem Inhalt und Umfang seiner Vollmacht in concreto ab und ist für jede einzelne Gesellschaft besonders zu prüfen.    Insoweit nun die Summe der Befugnisse eines Geranten und seine ganze Stellung sowohl innerhalb der Aktiengesell=

---

\*) Ueber Bestellung von Prokuristen durch Aktiengesellschaften vgl. Busch Heft 3 S. 272.

schaft als in Bezug auf deren Vertretung nach außen, nicht vollkommen oder doch wesentlich identisch ist mit jener, welche das deutsche Handelsgesetzbuch dem Vorstande der Aktiengesellschaft beilegt, wird er immerhin nur als eine Person zu betrachten sein, welche von der Gesellschaft zum Betriebe eines ganzen Handelsgewerbes oder zu einer bestimmten Art von Geschäften in dem Handelsgewerbe der Gesellschaft bestellt ist, das heißt, er wird als Handlungsbevollmächtigter im Sinne des Art. 47 des ADHGB. aufzufassen sein und es wird nach den oben erörterten Grundsätzen durch die Handelsregister zu unterbleiben haben.

(S. Rep.-Nr. 36).

## CXIII.

**Abzug am Kaufpreise einer, wenn auch als vertrags=
widrig beanstandeten Waare ist unstatthaft.**

### Art. 338, 346, 347 des ADHGB.

Der Käsehändler N. zu K. hatte in Folge einer am 13. Mai 1862 bei dem Oekonomen X. zu O. gemachten Bestellung von 50 halben Kisten Sommer=Limburger=Käse Primaqualität haltbarer Waare am 16. Juli 1862 die erste Sendung mit 10 Kisten erhalten und solche, obwohl er sie angeblich am 26. Juli dem persönlich bei ihm eingetroffenen Verkäufer wegen nicht vertragsmäßiger Beschaffenheit zur Verfügung gestellt und die Bezahlung des fakturirten Preises verweigert hatte, alsbald darauf weiter loszuschlagen versucht und auch als Waare von Sekundaqualität zu einem geringeren Preise zum Verkaufe gebracht.

Von dem Lieferanten, welcher bei nicht erfolgender Zahlung der ersten Lieferung mit den weiteren Sendungen innegehalten hatte, auf Zahlung des fakturirten Preises belangt, bestritt N. seine Verpflichtung hiezu, behauptend, daß er nur den Preis, welchen Sekundaqualität gehabt, zu zahlen verbunden sei, und machte überdies im Wege der Kompensation eine Entschädigungsforderung geltend, welche er darauf gründete, daß Kläger die Weiterlieferungen unterlassen habe und ihm hiedurch in Anbetracht dessen, daß er seinerseits von verschiedenen Häusern Bestellungen zu höheren Preisen zu effektuiren gehabt habe, ein erheblicher Gewinn, welcher nun näher berechnet wurde, entgangen sei.

Diese Einreden wurden in beiden Instanzen verworfen und in den Gründen des handelsappellationsgerichtlichen Urtheiles vom 2. Juli hierüber bemerkt:

Im Art. 347 Abs. 1 des ADHGB.*) ist bestimmt, daß, wenn die Waare von einem anderen Orte übersendet sei, der Käufer ohne Verzug nach der Ablieferung, soweit dieses nach dem ordnungsmäßigen Geschäftsgange thunlich sei, die Waare zu untersuchen, und, wenn sich dieselbe nicht als vertrags- oder gesetzmäßig ergebe, dem Verkäufer sofort davon Anzeige zu machen habe, widrigenfalls die Waare als genehmigt gelte, soweit es sich nicht um Mängel handle, welche bei der sofortigen Untersuchung nach ordnungsmäßigem Geschäftsgange nicht erkennbar waren. Das Gleiche und unter dem gleichen Präjudize ist im Abs. 3 daselbst für den Fall vorgeschrieben, wenn sich später solche Mängel ergeben sollten. Was zu geschehen habe, wenn die vorgeschriebene Anzeige rechtzeitig erfolgt ist und die Beanstandung der Waare als begründet sich darstellt, ob nämlich in diesem Falle der Käufer, wie im gemeinen Civilrechte bei dem Spezieskaufe, nach seiner Wahl die Waare nicht blos zurückschlagen, sondern auch behalten und nur einen entsprechenden Abzug am Preise machen dürfe, ist eine vom HGB. nicht besonders und ausdrücklich entschiedene Frage; aus dem Art. 346 daselbst, welcher den Käufer zur Annahme einer vertragsmäßig beschaffenen Waare für verpflichtet erklärt, ergibt sich nur soviel, daß in dem so eben vorausgesetzten Falle der Käufer zur Uebernahme der Waare überhaupt oder zu dem bedungenen Preise nicht verpflichtet, nicht aber, daß er zur Uebernahme derselben zu einem geringeren Preise berechtigt sei. Eine derartige Berechtigung kann weder aus der allgemeinen rechtlichen Natur des Liefervertrages abgeleitet werden, noch würde sie der ratio, welche den Vorschriften über Dispositionsstellung zu Grunde liegt, entsprechen. Wer in Folge vorausgegangener Bestellung eine der Gattung nach bestimmte Waare einem Anderen zu einem gewissen Preise käuflich liefert, will durch Uebersendung der von ihm ausgewählten Waare seiner vertragsmäßigen Verbindlichkeit Genüge leisten; es ist von ihm anzunehmen,

---

*) In Betreff der in Anwendung zu bringenden Gesetze wurde angenommen, daß zwar die Rechtsgiltigkeit des Kaufsabschlusses, sowie die daraus für beide Theile entstandenen Rechte und Verpflichtungen nach dem vor dem 1. Juli in Geltung gewesenen Rechte, alle Rechtshandlungen der Parteien dagegen, welche nach jenem Zeitpunkte in Bezug auf das fragliche Geschäft vorgenommen wurden, sowie deren rechtliche Folgen, insbesondere daher auch die des Verhaltens des Verklagten bei und nach Empfang der Waare nach den Vorschriften des ADHGB. zu bemessen seien.

daß er einerseits eine vertragsmäßige Waare liefern wolle, anderseits aber nur **gegen Zahlung des vertragsmäßigen Preises.** Der Käufer kann aber seine Erklärung über Annahme oder Nichtannahme jener Waare nur darnach bemessen, in welcher Eigenschaft und unter welchen Bedingungen ihm die Waare vom Verkäufer geliefert wurde; will er sie nicht als das annehmen, als was sie ihm geliefert werden sollte und wurde, und zu dem bedungenen Preise, so besteht eben unter den Kontrahenten eine Einigung über den Vollzug des Liefervertrages nicht, und da keiner von ihnen einseitig die Vertragsbedingungen ändern kann, so kann der Käufer auch nicht ohne Weiteres für berechtigt erachtet werden, über die Waare als Eigenthümer zu verfügen, sondern hat vielmehr seine etwaigen Anstände dem Verkäufer bekannt zu geben und dessen weitere Verfügung zu gewärtigen\*).

Diese Auffassung entspricht auch allein dem Zwecke, zu welchem die Pflicht des Käufers zur alsbaldigen Anzeige etwaiger Mängel der Waare statuirt ist, nämlich einestheils dem Verkäufer die Möglichkeit zu gewähren, den Zustand der Waare feststellen zu lassen, sodann aber auch **anderweitige, seinem Interesse entsprechende Verfügung über dieselbe zu treffen.** Wollte man nämlich dem Käufer, wenn er vermeintliche Mängel der Waare dem Verkäufer angezeigt hat, das Recht einräumen, gleichwohl die Waare zu behalten und beliebig darüber zu verfügen, nachher aber von dem Verkäufer Prästation des Interesse wegen nicht vertragsmäßiger Lieferung und damit Preisminderung zu begehren, so würde jene Möglichkeit dem Verkäufer entzogen und derselbe hiedurch in seinen Interessen empfindlich beeinträchtigt.

Unter diesen Umständen müßte das Gesetz eine ausdrückliche desfallsige Bestimmung enthalten, wenn jenes Recht des Käufers angenommen werden sollte, wie es eine solche für den Fall getroffen hat, daß der Verkäufer mit der Uebergabe der Waare, der noch nicht im Besitze der Waare befindliche Käufer mit Zahlung des Kaufpreises im Verzuge ist. Aus dem Mangel einer solchen Vorschrift ist aber das Gegentheil anzunehmen, und zwar um so mehr, als das Gesetz den Fall eines Verkaufes der Waare durch den Käufer allerdings auch in Berücksichtigung gezogen, denselben jedoch nur in dem Falle genehmigt hat, wenn

---

\*) Eine Analogie bietet Art. 322 des ADHG. „eine Annahme unter Bedingungen oder Einschränkungen (also auch unter Reduzirung des Preises) gilt als Ablehnung des Antrages verbunden mit einem neuen Antrage."

die Waare dem Verderben ausgesetzt und Gefahr im Verzug ist, woraus per argum. e contrario zu schließen ist, daß das Gesetz, abgesehen von diesem Falle, eine Berechtigung des die Waare beanstandenden Käufers zum Verkaufe nicht kenne*).

Sollte daher auch Verklagter die Waare nicht schon, wie Kläger behauptet, vor dem 26. Juli und mithin vor der Anzeige ihrer Mängel veräußert haben, in welchem Falle auf seine Erinnerungen gegen die Waare ohnehin keine Rücksicht mehr genommen werden könnte, sondern diese Veräußerung erst nachher geschehen sein, so würde doch Verklagter, angenommen auch, seine angebliche Anzeige wäre rechtzeitig erfolgt, nicht berechtigt gewesen sein, ohne Einwilligung des Klägers die 10 Kisten weiter zu veräußern und diesem den angeblichen Minderwerth derselben in Abzug zu bringen. Unter keinen Umständen wäre demselben die Befugniß zugestanden, nachdem er einmal erklärt, daß er die Waare zurückschlage, d. h. gar nicht annehme, diese seine Willenserklärung nachträglich einseitig zu ändern und zu erklären, daß er die Waare behalten und nur einen entsprechend geringeren Preis dafür bezahlen wolle, vielmehr hätte er sich dieses Rechtes, wenn es ihm auch zugestanden, jedenfalls dadurch wieder verlustig gemacht, daß er über die Waare eigenmächtig verfügte**).

(Kempten Reg.-Nr. 8.)

---

*) Das Gleiche müßte wohl auch nach dem zufolge Art. 1 des ADHGB subsidiär in Betracht kommenden Handelsgebrauche angenommen werden. Vgl. hierüber Brinkmann, Handelsrecht S. 304. Dagegen kommt Thöl (4. Auflage) Bd. I S. 492, wenn er auch (S. 491) beim Genuskauf prinzipiell die actio quanti minoris ausschließt, doch auf einem Umwege auch bei diesem Geschäfte auf das angebliche Recht des Käufers als sein Interesse an der nicht vertragsmäßigen Leistung einen Dekort am Kaufpreise zu verlangen.

**) Zwar wird von Thöl (vgl. die dortselbst §. 83 Note 15 citirte Abhandlung) behauptet, selbst durch Verfügung über die Waare werde das Recht des Käufers, nachträglich das Interesse wegen des Minderwerthes zu fordern, nicht aufgehoben. Hiegegen bemerkt ein HAGG v. 26. Juni 1863 (Nürnberg R.-Nr. 61): Wenn der Käufer erklärt, die übersandte Waare sei schlecht gewesen, er habe sie dem Verkäufer zur Disposition gestellt und da er dieselbe nicht abgeholt, so habe er sie um die Hälfte des Preises weiter verkauft, so widerspricht in diesem Vorbringen der Schlußsatz dem Vordersatz; hatte der Beklagte einmal die Waare als schlecht zur Disposition gestellt, so war er zu einer Weiterveräußerung nicht mehr berechtigt. Hat er über dieselbe durch Weiterveräußerung

# CXIV.

## Dispositionsstellung bei nicht vollständig erfolgter Lieferung.

### ADHGB. Art. 347, 359.

Der Rauchwaarenhändler N. hatte auf vorgängige Bestellung hin von dem Wirthe A. eine Partie Häute (von s. g. Kalben) und Kalbsfelle zu dem Preise von 9 fl. für ein Stück der ersteren und von 3 fl. für ein Stück der letzteren käuflich geliefert erhalten, solche jedoch nach seiner Behauptung alsbald nach Empfang dem N. zur Verfügung gestellt und zwar unter Anderem aus dem Grunde, weil N. vertragsgemäß die Häute und Felle von allen in seinem Geschäfte geschlachteten Stücken Rindvieh zu liefern gehabt, gleichwohl aber gerade die werthvolleren, von ausgewachsenen Stücken gewonnenen, Häute zurückbehalten und entweder für sich verwendet oder an Dritte veräußert habe.

In der von N. gegen A. wegen Bezahlung des Kaufschillings anhängig gemachten Streitsache erkannte das Untergericht für den Verklagten auf Beweis der vom Kläger widersprochenen Dispositionsstellung und des eben bezeichneten Grundes derselben, welche Beweisauflage auf Beschwerde des Klägers durch Urtheil des k. HAG. vom 23. Juli 1863 bestätigt wurde. In den Gründen kommt in dieser Beziehung vor:

Bewahrheitet sich die Behauptung des Verklagten, daß Kläger einen Theil d r in der Bestellung begriffenen Häute, und zwar gerade die werthvolleren, für sich verwendet oder an Dritte veräußert habe, so kann kein Zweifel darüber bestehen, daß die Lieferung keine vollständige und insoferne eine nicht vertragsmäßige war.

Die Beantwortung der Frage, welche Rechte dem Verklagten aus

---

einseitig verfügt, so hat er damit die Dispositionsstellung wieder aufgegeben; denn über fremdes Eigenthum gewinnt Niemand deshalb eine Berechtigung, weil der Eigenthümer auf die Androhung, man werde darüber so oder so verfügen, geschwiegen hat; indem derselbe schweigt, ertheilt er eben seine Zustimmung nicht, und eine Pflicht, sich zu erklären, ist für Fälle, wie der vorliegende, im Gesetze nirgends ausgesprochen. (Daß die Ausnahme des Art. 348 Abf. 5 des ADHGB. gegeben gewesen wäre, war nicht behauptet, und jedenfalls wurden die Bestimmungen des Art. 343 Abf. 2 u. 3 des ADHGB. nicht beobachtet.)

ber nicht vollständigen Vertragserfüllung Seitens des Klägers erwuch=
sen, ist aber davon abhängig, ob die Leistung des Klägers als ein
nicht zu trennendes Ganzes oder als eine theilbare zu erachten sei.
Nur im letzteren Falle würde die nicht vollständige Erfüllung des Ver=
trages Seitens des Klägers für sich allein, auf die Rechte des Ver=
klagten bezüglich des erfüllten Theiles ohne Einfluß gewesen sein
(Art. 359 des ADHGB.), während im ersteren Falle eine nicht voll=
ständige Erfüllung als eine vertragswidrige Beschaffenheit der Liefer=
ung überhaupt, als Ganzes betrachtet, sich darstellt, und demgemäß die
rechtlichen Folgen zu beurtheilen sind.

Im gegebenen Falle ist nun nach den Umständen anzunehmen,
daß die Intention der Kontrahenten nicht auf Theilbarkeit der Leistung,
sondern vielmehr auf Lieferung eines untrennbaren Ganzen gerichtet
gewesen sei. Denn der Kaufpreis war im Voraus für jedes anfallende
Stück ein für alle Mal bedungen, und nicht nach dem höheren oder ge=
ringeren Werthe jedes einzelnen Stückes bemessen, Käufer hatte sich
verpflichtet, für jede Haut unausgeschieden und ohne Rücksicht auf
den jeweiligen Werth des einzelnen Stückes 9 fl. als Kaufpreis zu be=
zahlen, und Verkäufer hat dieses ihm zustehende Recht auf Geltend=
machung des verabredeten Durchschnittspreises auch in der erhobenen
Klage verfolgt.

Diesem Rechte steht aber auch die Verpflichtung des Verkäufers
gegenüber, die in seiner Wirthschaft anfallenden Felle und Häute ohne
Ausnahme an den Käufer abzuliefern, und es steht dem Verkäufer
nicht zu, hievon einzelne Stücke nach seiner Auswahl für sich zurückzu=
behalten oder an Dritte zu veräußern, weil der Preis der Waare in
seiner Gesammtheit nach der Stückzahl offenbar mit Berücksichtigung der
in der Natur der Sache liegenden Verbindung geringerer und
besserer Stücke bestimmt worden ist. Die Preise der Felle sind zwar
verschieden von denjenigen für die Häute bestimmt; allein es kommt
im Handel vielfach vor, daß bei Bestimmung des Preises für die eine
Art von Waaren auch darauf, daß eine andere Art von demselben
Käufer zugleich — wenn auch um einen anderen Preis — mit käuf=
lich übernommen wird, wesentliches Gewicht gelegt wird, so daß bei
der Natur der Kaufabrede im gegenwärtigen Falle dem Käufer nicht
zugemuthet werden kann, wenigstens die Kalbsfelle zu zahlen, insolange
ihm die gleichzeitig erkauften Häute nicht vollständig geliefert sind.
Hiernach sind aber die Voraussetzungen gegeben, wonach der Besteller
unter Anwendung des Art. 347 des ADHGB. zur Uebernahme einer
Waare, welche nicht die vertrags= oder gesetzmäßigen Eigenschaften an sich

trägt, nicht verbunden iſt, ſondern ſolche dem Abſender zur Verfügung ſtellen kann und da Verklagter den fraglichen Mangel behauptet und denſelben auch alsbald nach Empfang der Waare geltend gemacht und beßhalb letztere zur Verfügung geſtellt haben will, ſo wäre derſelbe, falls ihm der Nachweis deſſen gelänge, zur Uebernahme und Bezahlung der gelieferten Häute und Felle nicht verbunden und ſtellt ſich demnach die unterrichterliche Beweisauflage als gerechtfertigt dar*).

(München I/J. Nr. 136).

## CXV.

### Entſchädigungsanſpruch des Käufers wegen Lieferungsverſäumniß des Verkäufers.
### Art. 354—356 des ADHG.

N N. hatte ſich im Mai 1862 angeblich verpflichtet, „im Sommer laufenden Jahres" 200 Kiſten Pech um 14½ fl. per Zentner abzugeben, und dann im Juli 1862 verſprochen, „Ende des Spätherbſtes" 240 Kiſten um 15 fl. per Ztr. an A. A. zu liefern, jedoch im Ganzen nur 57 Kiſten wirklich geliefert. Im Dezember überſandte ihm A. A. eine Differenznote, in welcher der Marktpreis für den verfloſſenen Sommer auf 21 fl. per Ztr., für Ende Spätherbſt auf 27 fl. angeſetzt und demnach eine Entſchädigung von 9523 fl. 45 kr. gefordert wurde.

Das k. Handelsgericht München I/J. entband den Beklagten von dieſer Klage durch Erkenntniß vom 8. Juni 1863, und auf ergriffene Berufung beſtätigte das k. HAG. zu Nürnberg unter dem 23. Juli 1863 dieſen Ausſpruch aus folgenden Gründen**):

---

*) Es verſteht ſich von ſelbſt, daß die Dispoſitionſtellung auf Grund des Art. 347 nur inſoweit von Einfluß iſt, als der Empfänger, falls ſie eine gegründete war, nicht zur Zahlung des Kaufpreiſes für die zur Dispoſition geſtellte Waare verpflichtet iſt; keineswegs iſt damit auch der Vertrag als ſolcher aufgelöſt. Ob der Verkäufer noch eine andere entſprechende Waare nachliefern könne, bezw. müſſe, und welche Rechte der Käufer in einem ſolchen Falle habe, iſt nach den Art. 355 und ff. zu bemeſſen.

**) Nach den gleichen Grundſätzen wurde erkannt unter dem 2. Juli 1863 (Kempten Reg.-Nr. 8); in beiden Fällen ward, obgleich die Geſchäfte vor dem 1. Juli 1862 geſchloſſen worden waren, das ADHG. hinſichlich der Folgen der Verſäumniß zur Anwendung gebracht, weil „die Verſäumniß erſt nach Eintritt der geſetzlichen Kraft des ADHG. erfolgte; dieſe Thatſache aber, der Verzug, nicht der Abſchluß des Ver-

Es handelt sich bei Entscheidung des vorliegenden Falles vor Allem um die Frage, ob das im Streit begriffene Liefergeschäft ein sogenanntes Firgeschäft war oder ein gewöhnlicher Lieferungskauf; nur im ersteren Falle würde der Käufer berechtigt gewesen sein, die bestimmte Lieferzeit ablaufen zu lassen und dann ohne Weiteres als Schadenersatz wegen Nichterfüllung die Differenz des bedungenen Kaufpreises und des Marktpreises zur Zeit und am Orte der geschuldeten Lieferung zu fordern. Es kann aber weder die Zeitbestimmung „heurigen Sommer" noch die „im Spätherbste" als eine solche angesehen werden, welche die bedungene Lieferung zu einem sogenannten Firgeschäfte macht.

Nach Art. 357 des ADHG. ist ein solches Geschäft nur dann vorhanden, wenn bedungen ist, daß die Waare genau zu einer festbestimmten Zeit oder binnen festbestimmter Frist geliefert werden solle; bei den Verhandlungen der Handelsgesetzgeb.-Conferenz über diesen Artikel wurde erläutert, daß unter obigem Ausdrucke eine ganz präzise, fire Zeitbestimmung verstanden werde (Protokolle Bd. III S. 1411), und betrachtet man die Vorschriften des preußischen Entwurfes Art. 273 fl. über die Art, den Säumigen in Verzug zu setzen, (Aufforderung zur bestimmten Zeit und Feststellung der Saumsal durch Protest), welche wenigstens theilweise in Art. 358 des ADHG. Platz gefunden hat, so ist es wohl gerechtfertigt anzunehmen, daß die besfallsigen Bestimmungen in ähnlich strenger Weise interpretirt werden müssen, als die Vorschriften der a. d. WO. über die Angabe der Zahlungszeit im Wechsel.

Danach aber unterliegt es keinem Zweifel, daß Zeitbestimmungen wie „Sommer", „Spätherbst" und dergl. keine firen, präzisen sind, und daß daher bei Entscheidung der Frage, welche Berechtigung dem Kläger zustehe, nicht Art. 357, sondern Art. 355 und 356 des ADHG. zur Anwendung zu kommen haben.

Dieß ergiebt sich auch schon aus der Art und Weise, wie Art. 357

---

trages als solcher sei es, woraus Kläger Rechte ableiten wolle, und welche Rechte Jemandem aus einer nach dem 1. Juli 1862 in Bezug auf Handelsgeschäfte eingetretenen Thatsache zustehen, könne lediglich nach dem ADHG. bemessen werden, wie denn auch die Praxis schon bisher keinen Anstand genommen habe, beim Verzuge einer aus vor dem 1. Juli 1862 abgeschlossenen Handelsgeschäften herrührenden Zahlung vom 1. Juli 1862 an auf Grund des Art. 287 des ADHG. sechsprozentige Verzugszinsen zuzusprechen."

des ADHG. den Schadenserſatz beſtimmt wiſſen will, denn es fällt in die Augen, daß ein Markt = oder Börſenpreis vom „Sommer heurigen Jahres" oder vom „Spätherbſt laufenden Jahres" gar nicht exiſtirt, dieſer Preis vielmehr während dieſer Zeiträume ein höchſt verſchiedener geweſen ſein kann; man müßte deshalb einen Durchſchnittspreis erſt ſuchen, und dieſe Manipulation würde dem Zwecke und der Bedeutung des Art. 357 offenbar widerſprechen.

Endlich erhellt auch noch aus der Vorſchrift des Art. 327 des a. d. HG., wonach die Bedeutung der Zeitbeſtimmung: Frühjahr, Herbſt u. ſ. w. nach dem jeden Ortes beſtehenden Handelsgebrauche zu ermitteln iſt, daß dieſe Zeitbeſtimmungen nicht als genau präziſirte, fixe angeſehen werden können.

Iſt nun ſolches der Fall, ſo mangelt dem vom Kläger erhobenen Anſpruche die geſetzliche Vorausſetzung.

Der Zweck des Handels, welcher auf Bereicherung gerichtet iſt, geſtattet zwar jedem Kaufmanne bei Eingehung ſeiner Verträge ohne Rückſicht auf den Gegentheil ſein eigenes Intereſſe im Auge zu haben und die Konjunkturen und Chancen in ſeinem Vortheile zu benützen; allein immerhin muß hiebei gegenſeitig Treue und Glauben beobachtet werden, ohne welche der Handel nicht beſtehen könnte. Es läßt aber die Rückſicht auf Treue und Glauben nicht zu, daß der eine Kontrahent aus der Erfüllung oder Nichterfüllung eines eingegangenen Vertrages eine Spekulation auf den Schaden des anderen Kontrahenten mache.

Dieſer Grundſatz iſt bei Berathung des Art. 357 des ADHG. (Protokolle S. 1412 Abſ. 2) ausdrücklich hervorgehoben, und deßhalb für dieſe Fälle demjenigen, welcher auf Erfüllung beſtehen will, die Pflicht unverzüglicher Anzeige auferlegt, damit nicht der Verkäufer im Unklaren bleibe, welches Recht der Käufer zu üben gedenke, „damit nicht letzterer auf unbeſtimmte Zeit hinaus auf Koſten des Erſteren ſpekuliren könne."

Von dieſen Grundſätzen geht auch und zwar nach der Beſchaffenheit der betreffenden Geſchäfte in entgegengeſetzter Richtung der Art. 356 aus. Hier iſt allerdings jedem Kontrahenten außer dem im Vertrage liegenden Rechte auf Erfüllung noch eine doppelte Befugniß eingeräumt, entweder die fernere Erfüllung abzulehnen und ſein Intereſſe zu liquidiren oder auch den Vertrag als aufgelöſt zu betrachten und das Gegebene zurückzufordern. Allein dieſe ausnahmsweiſen Befugniſſe kann der Kontrahent nicht beliebig und ohne den Gegentheil in Kenntniß zu ſetzen, in Anſpruch nehmen, vielmehr bedarf es hiezu einer ausdrücklichen

Erklärung und Anzeige; nebstdem aber hat nach dieser Anzeige der andere Kontrahent, falls dies nicht durch die Natur des Geschäftes ausgeschlossen ist, was im vorliegenden Falle von dem Kläger nirgends behauptet wurde, die Wahl, ob er sich den angedrohten Nachtheilen unterwerfen oder noch alsbald die Erfüllung bethätigen will.

Hieraus ergibt sich die Unhaltbarkeit der von der Appellationsschrift versuchten Aufstellung, daß die Differenz unter allen Umständen auch ohne erfolgte Mahnung gefordert werden könne, zur Genüge.

Von einer Rechtlosstellung des Kontrahenten durch Unterlassung der Mahnung, von einem Verluste seiner Ansprüche ist selbstverständlich keine Rede, da das Recht aus dem Vertrage Erfüllung und Schadenersatz wegen verspäteter Erfüllung zu fordern, unberührt bleibt. Daß Kläger dem Beklagten eine Anzeige, er werde statt der Erfüllung Schadenersatz fordern oder vom Vertrage abgehen, wenn er nicht alsbald liefern werde, habe zukommen lassen, hat er selbst nicht behauptet; daß aber dieser Pflicht nicht durch die Klage und die richterlich darauf ertheilte Frist Genüge geschehen, wie Appellant behaupten will, bedarf wohl keiner Erörterung.

(München I./J. Reg.-Nr. 132.)

### CXVI.

Abschluß von Frachtverträgen durch Stellvertreter. — Bedeutung des Frachtbriefes. — Haftung des Frachtführers bei Diebstahl.

ADHGB. Art. 391, 392, 395.

Der Kaufmann X. zu Straubing hatte eine angeblich mit Seidenwaaren gefüllte, nach F. bestimmte Kiste dem Hausknechte des Wirthes U. zu Passau, bei dem der F.'sche Bote einstellte, zur Abgabe an letzteren behufs der Weiterbeförderung übergeben und hierauf dem Knechte des F.'schen Boten, nachdem dieser auf sein Befragen die Abgabe der Waaren auf die Versicherung des U.'schen Hausknechtes hin anerkannt hatte, eine von ihm geschriebene Adresse für die Kiste behändigt. Die aufgegebene Kiste wurde jedoch noch vor ihrer Verladung aus dem verschlossenen Hofraume des Z., den der Wirth U. zur Aufbewahrung der Wägen und Güter seiner Gäste gemiethet und woselbst er fragliche Kiste untergebracht hatte, mittelst Einbruch entwendet, weßhalb X. gegen den F.'schen Boten auf Ersatz der fraglichen Waare Klage erhob. Letzterer bestritt seine Haftbarkeit, weil er die Waare nicht in Empfang genommen habe, von dem Inhalte der Kiste nicht in Kenntniß gesetzt worden sei und jedenfalls der Diebstahl als von ihm nicht zu vertretende höhere Gewalt sich darstelle.

Das k. HG. Passau legte unter Verwerfung dieser Einreden dem Kläger lediglich über den widersprochenen Inhalt der fraglichen Kiste und dessen Werth Beweis auf, welches Urtheil auf Beschwerde des Verklagten am ·30. Juli 1863 zweitrichterlich bestätigt wurde. Die Gründe des handelsappellationsgerichtlichen Urtheiles enthalten Folgendes:

Wenn auch die vom Kläger dem Knechte des Verklagten behändigte Schrift (Adresse) als Frachtbrief nicht erachtet werden kann, weil mehrere der im Art. 392 ff. des ADHGB. aufgezählten wesentlichen Erfordernisse eines solchen theils gänzlich darin fehlen, theils unvollständig ausgedrückt sind, so steht dieser Umstand doch der Annahme eines rechtsbeständigen Frachtvertrages nicht entgegen, weil der Frachtbrief nach Art. 391 nur als Beweis über den Vertrag zwischen Frachtführer und Absender dient, für den Frachtvertrag nicht wesentlich und nur auf Verlangen des Frachtführers auszustellen ist, während im gegebenen Falle ein solches Verlangen vom Verklagten gar nicht behauptet wurde.

Die Eingehung des Frachtvertrages lag nun hier unzweifelhaft in der Bejahung der von dem Kläger bezüglich der Abgabe der Kisten gestellten Frage und der Annahme der fraglichen Adresse von Seite des Knechtes des Verklagten, da eine Uebergabe nicht blos von Hand zu Hand, sondern auch durch Vermittelung von Stellvertretern oder durch Anerkennung der von diesen vorgenommenen Handlungen geschehen kann und die Handlungsweise des Knechtes keine andere Deutung zuläßt, als daß er die Uebernahme der Waare zur Verfrachtung habe anerkennen wollen, während er einen nochmaligen besonderen Uebergabsakt der Waare an ihn ausdrücklich hätte verlangen sollen, wenn er solche für erforderlich erachtet hätte.

Der Umstand, daß dem Verklagten der Inhalt der Kiste nicht bekannt gegeben wurde, schließt dessen Haftbarkeit nicht aus, indem weder Art. 392 die Werthsangabe als wesentlichen Bestandtheil des Frachtbriefes noch Art. 395 Abs. 1 solche als Voraussetzung der Haftbarkeit erklärt, letzteres vielmehr nach Abs. 2 daselbst nur bei Kostbarkeiten, Geldern und Werthpapieren der Fall ist. Daß aber die hier in Frage stehenden Stoffe nicht den Kostbarkeiten beizuzählen seien, kann keinem Zweifel unterliegen, da gegen eine solche Annahme schon der gewöhnliche Sprachgebrauch und insbesondere die Verhandlungen der HGKommission (Prot. S. 4717) deutlich sprechen.

Gegenüber der Ausführung des Appellanten, daß unter die im Art. 395 erwähnte „höhere Gewalt" auch Diebstahl zu rechnen sei, ist zuzugeben, daß die meisten Rechtslehrer des gemeinen Rechtes die a. de recepto auf Frachtführer nicht für anwendbar erachten, vielmehr das Verhältniß des letzteren aus dem Gesichtspunkte der loc. cond. operis betrachten, weil bei dem Landtransporte die Verhältnisse bei weitem anders lägen, als beim Seetransporte, und es für den Frachtführer schwieriger sei, Verlust oder Beschädigung zu vermeiden. Allein wie die Verhandlungen der HGKommission (Prot. S. 4692 — 97) ergeben, hat es zwar nicht an Vertheidigern jener milderen Auffassung gefehlt, welche insbesondere den Frachtführer wegen des unbestimmten Begriffes der vis major nur für einen durch die Sorgfalt eines ordentlichen Kaufmannes nicht abzuwendenden Schaden für haftbar erklärt wissen wollten, es wurden jedoch alle auf Abänderung des Art. 395 in diesem Sinne gerichteten Anträge mit bedeutender Stimmenmehrheit verworfen, so daß nicht zweifelhaft sein kann, daß der Diebstahl unter den Begriff der höheren Gewalt nicht zu rechnen sei*).

(Passau R.-Nr. 26.)

---

*) Daß die Haftbarkeit des Frachtführers nicht überhaupt in denjenigen Fällen ausgeschlossen sei, in welchen ein entstandener Schade durch Anwendung der Sorgfalt eines ordentlichen Frachtführers nicht hatte abgewendet werden können, ergibt sich auch aus der speziellen Bestimmung des Art. 397, welcher sich zu der des Art. 395 wie die Ausnahme zur Regel verhält, da es völlig überflüssig gewesen wäre, den Art. 397 aufzustellen, wenn sich schon im Allgemeinen die Haftbarkeit des Frachtführers nicht weiter als dort bestimmt erstreckte; ebenso daraus, daß den Eisenbahnverwaltungen in Art. 425 Ziff. 1 eine derartige Beschränkung der Haftung für das Reisegepäck speziell gestattet würde.

Raub würde wohl unter den Begriff „höhere Gewalt" zu subsumiren sein; dagegen macht der Einbruch allein den Diebstahl nicht zu einem solchen, daß eine Vermeidung desselben physisch unthunlich wäre, und gerade dieses erscheint als das charakteristische Merkmal der vis major. Daß übrigens selbst wenn ein Schade durch „höhere Gewalt" eintrat, der Frachtführer dennoch haftet, wenn diesem casus durch Anwendung ordentlicher Sorgfalt zu entgehen gewesen wäre, ist selbstverständlich; ein interessantes Beispiel findet sich in dieser Beziehung in einem Erkenntnisse des Königsberger Admiralitätskollegium, in welchem ein Schade dadurch entstand, daß die Kette des Krahnens beim Aufwinden eines Fasses brach, und die Haftung angenommen wurde, weil dieser Zufall hätte verhindert werden können, wenn man 2 Ketten u. s. w. genommen hätte.

## CXVII.

## Kompetenz der Handelsgerichte bei Klagenkumulation.

### (Art. 64 Abs. 2 des Einf.=Gef. zum a. d. HGB.)

Ueber diese Frage besagt ein Erkenntniß des k. Handelsappellations-gerichtes zu Nürnberg vom 27 August 1863:

Der Artikel 64 Abs. 3 des Einf.=Gef. zum allg. d. HGB. be-stimmt nur, daß Klagen, welche in der Hauptsache an Geld oder Geldeswerth nicht über 150 fl. betragen, bei dem einschlägigen Stadt-oder Landgerichte anzubringen sind, soferne sich an dem Sitze dieses Gerichts nicht zugleich ein Handelsgericht befindet, ohne daß hiebei unter-schieden wird, ob die in der Klage begehrte Summe aus einem einzigen Rechtsgeschäfte oder aus einer Vereinigung von verschiedenen Klagan-sprüchen herrührt.

Das Gerichtsorganisationsgesetz vom 10. November 1861 hat im Art. 73 die Verhandlung und Entscheidung der Handels=und Wechsel-streitigkeiten vor besondere Gerichte, die Handelsgerichte, verwiesen; diese sind nach Art. 56 u. ff. des Einführungsgesetzes zum ADHGB. als Kollegialgerichte und zwar mit technischen Beisitzern konstituirt und ihnen sind alle im Art. 63 des ebengenannten Einführungsgesetzes bezeich-neten Handelssachen überwiesen. Wenn nun auch im Art. 64 Abs. 2 ausnahmsweise Klagen in Handelssachen, die nicht über 150 fl. betra-gen, den Stadt und Landgerichten dann zugewiesen sind, soferne sich nicht am Sitze dieser Gerichte ein Handelsgericht befindet, so bildet doch die Zuständigkeit der Handelsgerichte die Regel.

Der Art. 64 verordnet ganz allgemein, daß bei der ausnahms-weisen Zuständigkeit der Stadt= oder Landgerichte der Betrag der Klage Ziel und Maaß geben soll, ohne des Art. 11 des Gerichtsver-fassungsgesetzes zu erwähnen. Dieser Artikel, welcher eine spezielle Er-läuterung des Art. 8 Ziff. 15 des Gerichtsorganisationsgesetzes enthält, sollte den Vortheil einer schleunigeren und einfacheren Erledigung der geringeren Streitsachen auch für den Fall sichern, daß mehrere derartige Forderungen, welche zusammen mehr als 150 fl. betragen, in einem Libell kumulirt werden. Dieser Grund schlägt aber im Allgemeinen bei den Sachen, welche zu den Handelsgerichten verwiesen sind, nicht an, weil das Verfahren bei den Handelsgerichten schon im Allgemeinen ein beschleunigtes und da, wo eigene Handelsgerichtsordnungen gelten, ohnehin ein abgekürztes ist und überdieß der Art. 11 des Gerichtsor=

19

ganisationsgesetzes eine spezielle Anwendung des Art. 8 Ziff. 15 a. a. O. enthält, die eine weitere Ausdehnung auf andere, hiebei nicht ausdrücklich vom Gesetze benannte Fälle nicht zuläßt \*). Hätte der Gesetzgeber den Art. 11 des GOG. auch für die Fälle des Art. 64 Abf. 2 des Einf.=Gef. anwendbar erklären wollen, so hätte dieß in irgend einer Weise ange= beutet werden müssen \*\*). Da dieses nicht geschehen, darf die nur als Ausnahme festgestellte Zuständigkeit der ordentlichen Gerichte in Han= delssachen nicht ausdehnend interpretirt, sondern es muß bei dem strengen Wortlaute des Gesetzes stehen geblieben werden \*\*\*).

(Augsburg Reg.=Nr. 26.)

## CXVIII.
### Gerichtsablehnende Einrede im Wechsel= und Merkan= tilprozeß.

Das k. Handelsappellationsgericht sprach durch Erkenntniß vom 27. Juli 1860 aus, daß im Wechsel= und Merkantilprozeße mit der gerichtsablehnenden Einrede bei Vermeidung der entsprechenden Rechts= folgen eventuell die übrigen Einreden und bez. die Streiteinlassung verbunden werden müssen, aus folgenden Gründen:

---

\*) Zwar stimmte auch die bisher übliche Praxis (vgl. Bl. f. RA. Bd. v S. 203, Seuffert's Kommentar Bd. II S. 27) mit der Vor= schrift obigen Artikels überein; allein es war dieses eben auch eine Aus= nahme von der Regel. Die Regel bleibt wohl, „daß mehrere kumulirte Forderungen prozessualisch als eine einzige zu betrachten seien". (Vgl. Prozeßnovelle von 1837 S. 62.)

\*\*) Das Hauptmotiv für die Ausnahme des Art. 64 Abf. 2 des Einf.=Gef. (vgl. Verh. des gesetzgeb. Ausschusses über das a. b. HG. Bd. I S. 74) war abgesehen von der schon im Texte erwähnten Rücksicht auf Beschleu= nigung die Erwägung, daß Sachen von geringerem Betrage den grö= ßeren Kostenaufwand nicht vertragen würden, welcher mit der Einklag= ung an den entfernter liegenden Handelsgerichten verbunden zu sein pflegt. Dieses Motiv greift aber ebensowenig Platz, wenn der erhobene Anspruch des Klägers deshalb kein unbedeutender (nicht über 150 fl.) ist, weil er verschiedene Forderungen in einem höheren Gesammtbetrage geltend macht, als wenn dieser Betrag an und für sich höher sich beläuft; in beiden Fällen verträgt der eingeklagte Betrag einen gewissen Kostenauf= wand und ist daher zu einer Entziehung der Handelssachen von ihrem naturgemäßen Forum, dem Handelsgerichte, kein Grund mehr vorhanden.

\*\*\*) Ebenso entscheiden Bl. f. RA. Bd. XXVII S. 373 u. Lutz, Kommen= tar S. 185.

Nimmt man als Grundlage einer jeden vernünftigen Prozeßführung den Satz an, daß, ebenso wie die Klage alle zu ihrer Begründung wesentlichen Momente enthalten muß, auch die Vertheidigung eine vollständige sein und alle dem Beklagten zu Gebote stehenden Vertheidigungsmittel in der Art umfassen müsse, daß alle innerhalb der vorgesetzten Frist nicht geltend gemachten keine weitere Berücksichtigung finden, — ein Satz, welcher unter der Benennung „Eventualmarime" im deutschen gemeinen Prozesse Anerkennung gefunden hat, — so liegt durchaus kein hinreichender innerer Grund vor, warum die foridellinatorische Einrede nicht auch mit der Klagebeantwortung und den übrigen Einreden sollte verbunden werden müssen *).

Wenn nun aber eine Befreiung von der Einlassung neben der gerichtsablehnenden Einrede, sobald einmal der Eventualmarime gehuldiget wird, weder durch die Natur der Sache noch durch andere Fundamentalsätze des Prozesses noch durch Opportunitäts-Gründe geboten erscheint, so folgt, daß solche als Ausnahme von der Regel nur dann anzuerkennen ist, wenn positive Gesetzesvorschriften und wo dieselben sie anerkennen und festsetzen.

Was nun die hierüber in der neueren Bayerischen Prozeßgesetzgebung bestehenden gesetzlichen Normen betrifft **), so gilt die hierüber maßgebende Bestimmung der Prozeßnovelle von 1837 §. 24 ff. 2c. nur für das gewöhnliche Verfahren, welches im II. Kapitel der angef. Novelle vermöge deren Ueberschrift behandelt wird, und welches von §. 16. anfangend auch die §§. 24—28. umfaßt. Für das beschleunigte Verfahren ist in §. 10. daf. in dieser Beziehung etwas Anderes verordnet und vorgeschrieben, daß der Richter die einer wirksamen Verhandlung entgegenstehenden Hindernisse von Amtswegen zu beseitigen und hiewegen das Nöthige sofort zu verfügen, gleichwohl aber nach Befund der Sache sogleich, oder nach Erfüllung der zu machenden Auflagen weiter verhandeln zu lassen habe. Da bei diesem Verfahren die Parteien nicht successive in abgegränzten Schriften oder Sätzen verhandeln, so kann ohnehin von der hier in Frage stehenden Wirkung der gerichtsablehnenden Einrede auf die Einlassung nicht die Rede sein. Der Richter würde im gegebenen Falle dem Beklagten einfach zu eröffnen haben,

---

*) Es wurden nun in dem Urtheile die Einwände „Befürchtung einer Nichtigkeit", „Vermeidung überflüssiger Verhandlungen" im Einzelnen beleuchtet und widerlegt.

**) Vorausging eine historische Darstellung der Grundsätze des deutschen Reichs- und älteren Bayerischen Prozesses.

19 *

daß seine Einrede unbegründet sei, und er bei Meidung der Strafen des §. 18. auf die Klage zu antworten habe. Hieraus schon ergibt sich, daß die höchst wichtigen Vorschriften der §§. 24—28 der Novelle von 1837 für das beschleunigte Verfahren nicht zur Anwendung kommen sollen und können, und daher nur·auf das gewöhnliche Verfahren beschränkt sind *).

Da aber auf der andern Seite die Ger.=Ordg. Kap. VI §. 3 durch §. 24—28 der Novelle aufgehoben ist, auch nicht gedacht werden kann, daß der Gesetzgeber Bestimmungen, welche selbst für den gewöhnlichen Prozeß als zu Weiterungen und Verzögerungen führend als ungeeignet und allzu schleppend befunden und abgethan worden sind, für die übrigen summarischen auf möglichste Beschleunigung berechneten Prozeßarten habe fortbestehen lassen wollen, so ergibt sich, daß für diese summarischen Prozeßarten weder die GO. noch die Novelle an den angeführten Orten, also überhaupt gar keine gesetzliche Bestimmung in Kraft besteht, welche dem Beklagten gestattet, die nach der Natur jeder Prozeßart gebotene Antwort resp. Erklärung auf die Klage zu verweigern, wenn er gerichtsablehnende Einreden vorzubringen gesonnen ist.

Wie oben gezeigt, ergibt sich aber aus allgemeinen Grundsätzen die entgegengesetzte Verpflichtung. —

Was bezüglich der hier vorliegenden Frage für die summarischen Prozeßarten der bayer. HG. nachgewiesen wurde, gilt in gleichem und noch höherem Maaße für den Wechsel= und Merkantilprozeß. Denn

a) dieser Prozeß gehört zu den summarischen Prozeßarten und erscheint bald als Erekutivprozeß Kap. III §. 1 §. 2, 3 und 4, Kap. IV. §. 3. Kap. VII der b. W. u. MGO., dann Kap. X §. 2—6 der Augsb. WGO., welche diesen Prozeß ausdrücklich zu den summarischen Sachen zählt, bald als Mandatsprozeß Kap. V §. 5 der b. W. u. MGO. Er bezweckt die möglichste Beschleunigung der Wechsel und Merkantilsachen (Kap. I §. 1 §. 7 eod., Kap. I §. 1 und 2 der AWGO). Hiemit wäre es aber ganz unverträglich, wollte man dem Beklagten gestatten, unter dem Vorwand gerichtsablehnender Einreden die Antwort auf die Klage zu verweigern.

b) Der b. Wechs. und Merk.=Prozeß ist darauf berechnet, daß die Klage durch solche Urkunden belegt sei, welche, ihre Aechtheit vorausgesetzt, die klägerischen Ansprüche sofort liquid zu stellen geeignet

---

*) Im Erkenntnisse wurde nun dargelegt, was unter dem „gewöhnlichen Verfahren" zu verstehen sei.

sind. Unter dieser Voraussetzung, welche bei Wechseln immer zutrifft, und bei anderen Merkantilforderungen größtentheils zutreffen würde, wenn die Anwälte es sich angelegen sein ließen, ihren Klagen die er= forderlichen Buchauszüge in beglaubigter Form, Briefe und andere Doku= mente im Originale beizulegen, sind nach Kap. III §. 4, 6 der b. WGO. und Kap. X §. 4 und 5 der Augsb. WGO alle Einreden bis auf wenige ausgeschlossen, und auch diese nur unter der Bedingung sofor= tiger Liquidität und Liquidirbarkeit zugelassen. Unter den letzteren sind zwar die gerichtsablehnenden nicht genannt, aber wohl nur deßhalb, weil der Richter nach Kap. IV §. 5 der b. WO. schon von Amts= wegen seine Kompetenz zu prüfen, und Klagen, für welche er nicht zuständig ist, ohne weiteres und auch ohne eine Einrede zu erwarten, abzuweisen, ingleichen in jedem Stadium des Prozesses das zur Fest= stellung seiner Kompetenz Erforderliche anzuordnen verpflichtet ist.

Jedenfalls kommt nirgends eine Andeutung davon vor, daß dem Beklagten gestattet sei, gerichtsablehnende Einreden zu Aufzüglichkeiten zu benützen, oder unter Vorwand derselben die Erklärung auf die vor= gelegten Urkunden oder auf den thatsächlichen Inhalt der Klage zu verweigern.

c) Zwar trifft die unter lit. b bezeichnete Voraussetzung nur noch in wenigen Merkantilsachen zu, und es ist der Oberflächlichkeit und Bequemlichkeit der klagenden Parteien und ihrer Vertreter unter gänzlicher Mißkennung ihres eigenen Interesses und unter sachdiensamer Annahme Seitens der beklagten Parteien gelungen, den bayerischen Merkantilprozeß aller seiner Vorzüge zu entkleiden, so daß von seinem summarischen Charakter wenig mehr übrig bleibt, als das Präjudiz der affirmativen Litiskontestation und die Kürze der Fristen.

Allein der beklagenswerthe Umstand, daß die Parteien selbst die ihnen vom Gesetze gebotenen Vortheile zurückstoßen, vermag die Natur des Merkantilprozesses, wie ihn der Gesetzgeber gedacht und das Ge= setz in immerhin erkennbaren Umrissen ausgeführt hat, und deren noth= wendige Konsequenzen in keiner Weise zu alteriren.

Sache des Richters ist es, dieselben jeder Zeit zur Geltung zu bringen, Grundsätze ferne zu halten, welche diesem Prozesse stets fremd waren, und durch strenges Festhalten an seinen Grundprinzipien wieder in die richtige Bahn einzulenken *).

(München I/J. Reg.=Nr. 137.)

---

*) Nach der b. W. u. WGO. von 1785 kommt im Prozesse in Handels= sachen das Vorverfahren in drei verschiedenen Formen vor.

# CXIX.
## Fristverlängerungen im Wechselprozesse.
### (Vgl. Zeitschrift Bd. X S. 514.)

Auf eine Wechselklage war der Beklagten Mandat ertheilt worden, binnen 14 Tagen zu bezahlen oder Einwendungen vorzubringen; vor

---

Hat über den geltend gemachten Anspruch seiner Natur nach eine Beurkundung nicht stattgefunden, so ist über denselben in summarischer Weise zu verhandeln und zwar entweder, wenn die Sache einfach und ihre Erledigung in einer Tagfahrt zu erwarten ist, zu Protokoll, — oder andernfalls durch Schriftenwechsel mit abgekürzten Fristen (14 oder 8 Tage, letzteres namentlich für Replik und Duplik; vgl. Sammlung handelsger. Entscheid. Bd. I S. 54). In der Regel aber hat bei Handelsgeschäften einige Beurkundung stattgefunden; daher als die „gewöhnlichste Art den Klaglibell zu kommuniziren", das bedingte Mandat erscheint. Diese Bestimmung des Kap. V §. 5 der W. u. MGO., welche implicite anordnet, daß, so oft möglich, in dieser Weise auch wirklich vorgegangen werde, — legt dem Handelsrichter die Pflicht auf, so oft anzunehmen, daß eine Klage urkundlich belegt werden kann, solches vom Kläger zu verlangen. (Vgl. Sammlung handelsger. Entscheid. Bd. I S. 155.)

Nachdem übrigens ein Mandat selbstverständlich wegen des immerhin damit verbundenen Präjudizes nicht allzuleicht erlassen werden soll, sind die Gerichte auch berechtigt und verpflichtet, sich nicht mit einfachen Abschriften der Urkunden zu begnügen, sondern sie sollen die sofortige Vorlage der Originalien und, soweit dieß nicht thunlich oder etwa der Besitzer die Originalien aus besonderen Gründen nicht gerne aus der Hand gibt, die Beibringung beglaubigter Abschriften begehren; es würde wesentlich zur Abkürzung des Verfahrens und zur Abschneidung frivoler „Nicht-Anerkennungen" beitragen, wenn die Gerichte in diesem Punkte mit möglichster Strenge verfahren, wobei es ganz im Geiste des möglichst auf Ermittelung der objektiven Wahrheit gerichteten Handelsprozesses liegt, in solchem Falle nicht etwa die Klage „angebrachter Massen" abzuweisen, sondern die Beibringung des Fehlenden speziell anzubefehlen, wie es auch unter Umständen (namentlich bei Nichtanerkennung von Buchauszügen, worin im Grunde stets ein Antrag auf Vorlegung der Handelsbücher gefunden werden kann, Art. 37 b. ADHG). zweckmäßig erscheint, schon im Vorverfahren die Vorlage der Bücher anzuordnen, — was häufig das Beweisinterlokut ersparen oder doch wenigstens zu einem sofortigen Interloquiren auf den Bucheid führen würde und wobei die Kosten unter allen Umständen Demjenigen überbürdet werden sollten, dessen ungerechtfertigte Nichtanerkennung die Produktionstagfahrt veranlaßt hat.

Hiebei kann die Bemerkung nicht unterdrückt werden, daß, soferne

Ablauf der Frist war der Anwalt der Schuldnerin mit einem Frist=
verlängerungsgesuche eingekommen und als dieses durch das k. Handels=
gericht München I/J. unter dem 18. Juli 1863 zurückgewiesen wurde,
legte derselbe Berufung ein, in welcher er die Zulässigkeit eines sol=
chen Gesuches im Allgemeinen, eventuell aber behauptete, es hätte
seiner Mandantin wenigstens ein weiterer 24 stündiger Termin ad ex=
cipiendum bewilligt werden müssen.

---

sich die Fränkischen Gerichte nicht der von dem Handelsappellationsge=
richte (vgl. Sammlung handelsger. Entscheid. Bd. I S. 191) festgehal=
tenen Auffassung des Mandatsprozesses als eines selbständigen eigenthüm=
lichen Verfahrens anschließen, die Erlassung von Mandaten anstatt zur
Abkürzung lediglich zu Verzögerungen führen muß.

Beruht aber endlich der handelsrechtliche Anspruch dergestalt auf
Urkunden, daß durch diese die Forderung nach Quantität und Qua=
lität nebst Person des Schuldners und des Gläubigers genugsam klar
und sonach die Vorbedingung des Exekutivprozesses gegeben erscheint,
so richtet sich auch der Handelsprozeß mit Grund vollständig nach den
Vorschriften in Kap. III der W. u. MGO. Es ist überall kein Grund
abzusehen, weshalb z. B. ein anerkannter Conto-Corrent, eine schriftlich
genehmigte Abrechnung, eine kaufmännische Schuldverschreibung u. dgl.
nicht ebenfalls exekutivisch sollte eingeklagt werden können. Nun hat
aber die W. u. MGO. von 1785 den Exekutivprozeß nicht besonders
offen gelassen; der Grund hievon ist offenbar nur, weil der ganze Prozeß
nach Kap. III dieser Ger.=Ordg. überhaupt nichts Anderes ist, als eben
der Exekutivprozeß mit einigen eigenthümlichen Modifikationen; es ist daher
auch in solchen Fällen, die sich nach ihrer Beschaffenheit schon im gewöhn=
lichen Verfahren zum Exekutivprozeß eignen würden, auch in Handels=
sachen der Beklagte anzuhalten, sofort mit der ihm aufgegebenen Klags=
beantwortung oder beim ersten Termine die mit der Klage oder bei der
Verhandlungstagsfahrt produzirten Urkunden eidlich zu diffitiren, falls
er sie nicht anerkennen will; es sind ihm nur solche Einreden zu gestat=
ten, welche sofort in der Kap. III §. 4 der W. u. MGO. eigenthümlich
normirten Weise liquid gestellt werden können, alle übrigen Einwände
aber zur gesonderten Austragung zu verweisen; deßgleichen ist eine Wider=
klage nur dann zuzulassen, wenn sie die in Kap. III §. 6 b. W. u.
MGO. vorgezeichneten Gränzen nicht überschreitet, wie denn im Allge=
meinen im Exekutivprozesse eine Widerklage nur dann angebracht wer=
den kann, wenn sie sich selbst zum Exekutivprozesse eignet. (Vgl. Seuf=
fert's Kommentar Bd. 2 S. 69.) Hiebei versteht sich von selbst, daß
wie im gewöhnlichen Exekutivprozesse so auch hier diese wichtigen und
weitgreifenden Rechtsnachtheile dem Beklagten vorher angedroht werden
sollten.

Das k. Handelsappellationsgericht zu Nürnberg gab dieser Berufung nicht statt, und in den Gründen des beßfallsigen Erkenntnisses vom 12. August 1863 kommt Nachstehendes vor:

Nach Wechsel- und Merkantilgerichtsordg. Kap. III §. 1 muß bei Anstellung einer Wechselklage der Wechselbrief von dem Kläger in orginali beigebracht und dem Beklagten zur Rekognition vorgelegt und, wenn dieses nicht alsbald geschieht oder geschehen kann, demselben ein kurzer peremtorischer Termin von 24 Stunden ad recognoscendum gesetzt und keine Verlängerung mehr gestattet werden.

An diesem ad recognoscendum gesetzten Termine muß der Beklagte auch alle ihm zu Gebote stehenden Einreden bei Vermeidung des Ausschlusses vorbringen, wie sich deutlich aus §. 3, 4 a. a. O. ergibt. Denn nach §. 3 soll, wenn der Wechsel einmal rekognoszirt ist, der Schuldner (soferne nämlich Einreden nicht vorgebracht werden) alsbald zur Zahlung kondemnirt werden, und nach §. 4 ist derselbe mit Anbringung der im Wechselprozesse zulässigen Einreden ausdrücklich auf den Rekognitions- oder längstens den folgenden Tag beschränkt. Es ist demnach unzulässig, neben dem zur Rekognition bestimmten Termine bez. der hiezu gewährten Frist dem Beklagten noch eine besondere Frist zur Vorbringung von Einreden zu bewilligen.

Glaubt der Beklagte Einwendungen gegen den Wechsel erheben zu können, so liegt es ihm ob, für die Möglichkeit ihrer Geltendmachung am Rekognitionstermine auf den Fall der klageweisen Verfolgung des Wechsels rechtzeitig Sorge zu tragen.

In dem gegebenen Falle kann es sich hienach nur noch um die Frage handeln, ob der Beklagten außer der zur Erklärung über den Wechsel und Vorbringung von Einreden vorgesetzten 14 tägigen Frist auf ihren eventuellen Antrag noch die Kap. III §. 1 erwähnte 24 stündige Frist ad recognoscendum et excipiendum hätte bewilligt werden sollen.

Auch diese Frage ist aber zu verneinen.

Diese angeführte Stelle der W.- und MGO. setzt voraus, daß von dem Richter ein Termin zur Rekognoszirung des Wechseloriginales anberaumt wurde, vor welchem von dem Wechsel Einsicht zu nehmen der Schuldner nicht verbunden ist, da ihm ja zu diesem Zwecke derselbe erst an der Tagfahrt vorgelegt werden soll.

Stellen sich nun auf die erst an der Tagfahrt erfolgte Einsichtsnahme der sofortigen Rekognition Hindernisse entgegen, so gewährt mit Rücksicht hierauf das Gesetz dem Schuldner noch eine weitere 24 stündige Frist.

Diese Voraussetzung tritt aber nicht ein, wenn, — was durch das Gesetz Kap. V §. 5 gestattet und hier geschehen ist, — nicht eine besondere Tagfahrt zur Rekognition anberaumt, sondern unter Mittheilung der Klage und Vorsetzung einer 14 tägigen Frist zur Einsichtnahme des bei Gericht im Originale befindlichen Wechsels und Abgabe etwaiger Erinnerungen bei Vermeidung der Annahme der Anerkennung und des Einredeausschlusses dem Beklagten ein Zahlungsauftrag ertheilt wurde. In diesem Falle ist von der Insinuation des klagmittheilenden Dekretes bis zu dem Ablaufe der vorgesetzten Einredefrist dem Beklagten Gelegenheit gegeben, von dem Wechsel Einsicht zu nehmen und seine Erinnerungen und Einreden geltend zu machen; er ist nicht genöthigt, sich sofort auf den vorgelegten Wechsel zu erklären, wie Kap. III §. 1 für den Rekognitionstermin anordnet, sondern erhält unter der besonderen Aufforderung zur Einsicht des Wechsels bei Gericht eine längere Frist zur Abgabe seiner Erinnerungen.

Hier ist daher auch überall kein Grund gegeben, noch eine Fristenverlängerung von 24 Stunden zu gestatten. So wenig aber kraft des Gesetzes selbst dem Beklagten in diesem Falle eine solche Fristenverlängerung gestattet werden kann, ebensowenig sind von der gegenwärtigen Beklagten besondere Umstände dargethan, welche, wie z. B. die physische Unmöglichkeit einer Erklärung, eine richterliche Fristverlängerung zu rechtfertigen vermöchten.

Die Beklagte, welche wissen mußte, daß am 1. Juni l. Jrs. ein von ihr acceptirter Wechsel fällig werden würde, hätte sich auch rechtzeitig mit den zur Entkräftung dieser Forderung nöthigen Beweismitteln versehen sollen. — Wollte man endlich selbst annehmen, daß die Beklagte eine Verlängerung der Frist um 24 Stunden anzusprechen befugt wäre, so hätte sie, da im Wechsel- und Merkantilprozesse alle Fristen peremtorisch sind (Kap. V §. 7), und im Hinblicke auf Kap. III §. 1 die 24 stündige Frist nothwendig sich an die erst bewilligte Frist unmittelbar anschließen müßte, unverzüglich innerhalb derselben ihre etwaigen Einwendungen nachbringen müssen.

Da dieses aber nicht geschah, so ist sie nunmehr von selbst hiemit ausgeschlossen und selbst eine nachträgliche Bewilligung der Frist würde für sie nutzlos sein.

(München I/J. Reg.-Nr. 144.)

## CXX.
### Litisbenunciation im Wechselprozesse.
#### (Art. 80 Abs. 2, Art. 98 Ziff. 10 der a. b. WO.)

Der verklagte Indossant hatte dem Wechselaussteller den Streit verkündet und gebeten, den Litisbenunciaten hievon in Kenntniß zu setzen, ihn zur Erklärung aufzufordern, ob er den Streit auf sich nehmen oder Beistand leisten wolle, bis zur Erledigung dieses Inzidentpunktes aber das Verfahren in der Hauptsache zu sistiren.

Das kgl. Handelsgericht München l/J. theilte zwar die Streitverkündung dem Wechselaussteller mit, gab aber den übrigen Petiten nicht statt, wogegen der Indossant bei der Berufung gegen seine sofort erfolgte definitive Verurtheilung in der Hauptsache Beschwerde ergriff.

Das k. Handelsappellationsgericht zu Nürnberg wies durch Erkenntniß vom 10. August 1863 die Berufung als unbegründet zurück.

In den Entscheidungsgründen heißt es:

Allerdings muß zugegeben werden, daß nach Art. 80 Abs. 2, Art. 98 Ziff. 10 der a. b. WO. in Wechselsachen eine Streitverkündigung stattfindet, weil ihrer die Wechselordnung speziell erwähnt und ihr sogar die Wirkung einer insinuirten Klage beilegt. Mit Recht hat aber das kgl. Handelsgericht auf diese Streitverkündung die in der h. GO. Kap. 8 §. 2 der prozessualen Streitverkündung beigelegten Folgen und das ganze beßfallsige Verfahren für nicht anwendbar erklärt; denn die Streitverkündung der Wechselordnung ist nicht dazu bestimmt, die Vertretung des Litisbenuncianten durch den Litisbenunciaten oder die Sicherung der Gewährschaft zu bewirken, sondern bezweckt lediglich die Unterbrechung der kurzen Verjährungsfrist des Regreßanspruches gegen die Vormänner und den Wechselaussteller, wobei die Regreßpflicht schon gesetzlich feststeht und nicht erst durch die Streitverkündung zu sichern ist. Bei dem Entwurf und der Berathung der a. b. WO. wurden grundsätzlich alle prozessualen Bestimmungen ausgeschlossen und sind auch ausgeschlossen geblieben, und es muß daher die erwähnte Bestimmung des Art. 80 lediglich auf die civilrechtliche, die Klageverjährung unterbrechende Wirkung der Streitverkündung beschränkt werden. Es könnte auch die Ausdehnung der Vorschriften des Kap. 8 §. 2 der GO. auf die Streitverkündung der allg. b. WO. schon aus dem Grunde nicht stattfinden, weil eine solche prozessuale Streitverkündung nur gegen den unmittelbaren Vormann gerichtet werden kann, während die Wechselordnung dieselbe nicht in dieser Art beschränkt hat, sondern

ihr allgemein auch bei mehreren Vormännern selbst gegen den Aussteller
allein diese die Klageverjährung unterbrechende Wirkung beimißt. Es
kann hiegegen mit Grund nicht geltend gemacht werden, daß ja
der Streitverkündung ungeachtet der Verklagte dem Kläger verhaftet
bleibt; denn der Kläger ist nach der Wechselordnung nicht gehalten, sich
an seinen unmittelbaren Vormann wegen seiner Befriedigung zu halten,
sondern er kann unter seinen Vormännern und dem Aussteller beliebig
den herauswählen, welchen er, wenn er vom Aussteller des Sola=
wechsels Zahlung nicht erlangt hat, wegen seiner Befriedigung in An=
spruch nehmen will; er braucht sich aber auch nicht einen anderen Gegner
durch die Streitverkündung aufdrängen und ebensowenig sich Ein=
reden entgegensetzen zu lassen, die nicht aus dem Wechselrechte hervor=
gehen oder dem Verklagten unmittelbar gegen ihn zustehen. — Schon
hieraus ergibt sich, daß eine Streitverkündung im Sinne der GO.
im Wechselrechte nicht stattfinden kann, da nach dieser der Litisdenun=
ciat befugt ist, in den Streit ganz und gar einzutreten, und die ihm
und dem Litisdenuncianten zustehenden Einreden gegen die Klage
vorzubringen. Es bedarf aber im Wechselrechte auch einer Streitver=
kündung, wie solche das ordentliche Verfahren kennt, nicht, weil hier
der Vormann und Aussteller nicht bedingungsweise, sondern unbedingt
aus dem Wechsel für Hauptsache, Zinsen, Rückwechsel und Provision
haftbar ist.

(München I/J. Reg.= Nr. 139.)

## CXXI.

### Erlassung von Steckbriefen gegen flüchtige Schuldner.
#### (W.= u. WGO. Kap. X §. 9. GO. Kap. XVIII §. 3 Nr. 7.)

Zum Vollzuge eines gegen den Handelsmann N. N. von L. er=
gangenen rechtskräftigen Erkenntnisses auf Bezahlung einer Wechsel=
schuld hatte der Kläger Verhängung des Wechselarrestes beantragt
und hiebei gebeten, den Vollzug dieses Arrestes, nachdem der Schuld=
ner flüchtig gegangen sei, durch Requisition der auswärtigen Behörden
auf telegraphischem Wege und mittelst öffentlicher Ausschreibung zu be=
thätigen. Gegen den Bescheid des kgl. Handelsgerichtes Landshut,
welcher zwar den Arrest verhängte, auch dem Kläger eine gerichtliche
Ausfertigung des Arrestbeschlusses zu Handen stellte *), dagegen aber

---

*) Die Ertheilung solcher Arrestbeschlußausfertigungen ist namentlich auch

die ſteckbriefliche Verfolgung des Schuldners als dem Wechſelprozeſſe fremd ablehnte, ergriff Kläger die Berufung, welcher aber von dem kgl. Handelsappellationsgerichte nicht ſtattgegeben wurde.

Das beßfallſige Erkenntniß vom 24. Auguſt 1863 beſagt:

Allerdings ſoll ein flüchtiger Schuldner, gegen welchen der Perſonalarreſt erkannt iſt, nach Vorſchrift der GO. von 1753 Kap. VIII § 3 Nr. 7 auf Betreten aller Orten angehalten und der zuſtändigen Obrigkeit ausgeliefert werden; auch beſtimmt die W.- u. MGO. von 1785 Kap. X § 9 Nr. 2, daß der Schuldner mit Arreſt angegriffen werden ſolle ohne Unterſchied, unter welches forum er gehört. Allein hieraus folgt nur, daß kein Gericht ſich weigern könne, einer Requiſition des zuſtändigen Prozeßgerichtes auf Arreſtvollzug zu genügen, und daß das zuſtändige Prozeßgericht verpflichtet iſt, ſobald ihm der Aufenthaltsort des Schuldners bekannt gegeben und darauf Antrag geſtellt wird, beßfallſige Requiſition zu erlaſſen.

Dagegen iſt im Geſetze nirgends ausgeſprochen, daß das Prozeßgericht verbunden ſei, den flüchtig gegangenen Schuldner aufzuſuchen oder aufſuchen zu laſſen, daß wie im Falle ſtrafrechtlicher Unterſuchung ſo auch in Civilſachen ein öffentlicher Verhaftsbefehl (Steckbrief) ergehen ſolle, und endlich daß ein jedes Gericht ohne ſpezielle Requiſition Nachforſchungen anzuſtellen habe, ob ſich nicht in ſeinem Bezirke Perſonen aufhalten, gegen welche der Wechſelarreſt erkannt iſt, um ſolche anzuhalten und dem zuſtändigen Gerichte auszuliefern.

Ein derartiges Vorgehen würde der im Civilprozeſſe maßgebenden Verhandlungsmarime widerſtreiten, bei den zur Zeit den Gerichten für die civilprozeſſuale Erekution zu Gebote ſtehenden Vollzugsorganen faktiſch unmöglich ſein und endlich hinſichtlich der erwachſenden Koſten und dergl. zu unlösbaren Schwierigkeiten führen.

Angeſichts dieſer Erwägungen kann der von dem Appellanten angegebene Zweck ſolcher öffentlicher Ausſchreibungen, den Schuldner und ſeine Angehörigen der Schande preiszugeben, nicht als maßgebend erſcheinen, auch abgeſehen davon, daß die civilprozeſſuale Erekution derartige Zwecke nicht zu verfolgen hat.

---

bei Realarreſten ſehr zweckmäßig, damit der Gläubiger auf Gegenſtände, welche unter anderem, insbeſondere auswärtigem Gerichtszwange liegen, greifen kann. Der Form nach wird eine ſolche Ausfertigung am zweckmäßigſten den Beſchluß nebſt dem Beifügen enthalten: „daß alle Gerichts- und Polizeibehörden erſucht werden, dem Vorzeiger dieſer Ausfertigung zum Vollzuge des Beſchluſſes Beihülfe zu leiſten."

Wie das k. Handelsappellationsgericht bereits in einem früheren Falle auszusprechen veranlaßt war (Zeitschrift X S. 74. Sammlung handelsgerichtlicher Entscheidungen S. 67), müssen zwar im Allgemeinen dem Kläger, soferne sein Recht auf Verhaftung des Schuldners nicht in manchen Fällen illusorisch werden soll, alle Mittel zur Erreichung dieses Zweckes eingeräumt werden; allein dieß ist im vorliegenden Falle durch die am 19. I. Mts. erfolgte Ertheilung eines Wechselhaftbeschlusses bereits geschehen, da hieburch dem Gläubiger die Möglichkeit gegeben ist, den Schuldner aller Orten, wo er betreten wird, anhalten und festsetzen zu lassen, und dabei überdieß die sämmtlichen Gerichte und Vollzugsorgane zur Realisirung der Verhaftung requirirt sind. Auch versteht es sich von selbst, daß das Prozeßgericht (nach genügendem Kostenvorschusse) verpflichtet ist, falls der Kläger solches speziell beantragt, das Gericht des von demselben bezeichneten momentanen Aufenthaltsortes des Schuldners telegraphisch oder wie immer noch besonders um den Vollzug des Arrestes zu requiriren, wobei dem Kläger keine Bescheinigung, sondern nur die Angabe eines bestimmten Aufenthaltsortes des Beklagten zugemuthet werden kann.

Eine steckbriefliche Verfolgung des Schuldners würde aber eine ausdrückliche gesetzliche Vorschrift, wie solche in Kriminalsachen durch das StGB. von 1813 Thl. II Art. 414 gegeben ist, voraussetzen, welche, wie bereits erwähnt, für den Civilprozeß zur Zeit mangelt.

(Landshut Reg.-Nr. 28.)

CXXII.

Maßstab für Festsetzung der Arrestkosten.

Zwischen dem Gläubiger und Schuldner bestanden Differenzen über die Höhe und den Umfang der von ersterem vorzuschießenden Arrestkosten; der Gläubiger wollte insbesondere die Gebühr von 6 kr. täglich für ein Bett, den Haarschneiderlohn, die Kosten für Wäschereinigung nicht vorzuschießen schuldig sein, weil dieß keine „Atzungskosten" seien; der Schuldner begehrte bessere Kost, weil er zu den gebildeten Ständen gehöre und die Verpflegung im Schuldarreste eine standesmäßige sein müsse.

Ueber die hierin maßgebenden Gesichtspunkte spricht sich ein Erkenntniß des kgl. Handelsappellationsgerichts zu Nürnberg vom 31. August 1863, welches die beiderseitigen Beanstandungen zurückwies, folgendermaßen aus:

Dem Gläubiger, auf dessen Antrag eine Person in Schuldhaft genommen wurde, kann keine weitergehende Verpflichtung beigemessen werden, als die vorschußweise Entrichtung der für den noth wen digen Lebensunterhalt des Schuldners erforderlichen Kosten.

Wollte man den standesgemäßen Lebensunterhalt zum Maßstabe für die Festsetzung der Verpflegungskosten annehmen, so würde in vielen Fällen die Schuldhaft nicht ein Uebel für den Betroffenen sein, sondern nur dazu dienen, demselben auf Kosten des Gläubigers ein gemächliches Leben zu verschaffen.

Selbstverständlich ist übrigens bei Festsetzung der für den noth wendigen Lebensunterhalt erforderlichen Summe die Rücksichtnahme auf den Stand des Verhafteten nicht gänzlich ausgeschlossen, weil die durch diesen bedingte Art und Weise zu leben zugleich mitbestimmend wirkt für das Bedürfniß, letzteres somit immer nur relativ aufgefaßt werden kann.

Da ferner der in Schuldhaft Befindliche nicht Strafgefangener ist, sondern sich im Civilarreste befindet, so ist derselbe nicht verbunden, sich rücksichtlich der Schlafstätte mit den gewöhnlichen Gefängniß fournituren zu begnügen, zur Verpflegung im Arreste gehört auch die Verabreichung eines Bettes; es bildet dieses Reichniß einen Bestandtheil des nothwendigen Lebensunterhaltes. Endlich kann auch nicht bezweifelt werden, daß der im Arreste befindliche Schuldner den Anspruch auf Gewährung jener Mittel hat, welche dem unumgänglichen Zwecke der Reinlichkeit dienen; denn auch sie bilden einen Bestandtheil der nothwendigen Verpflegung und Ansätze für derartige Ausgaben, soferne sie nur nicht übertrieben sind, müssen genehmigt werden.

(Würzburg Reg.-Nr. 19.)

## CXXIII.

### Feststellung des Thatbestandes durch Sachverständige. Rechtsmittel gegen deren richterliche Anordnung.
#### (Art. 407 des a. b. HG.)

Auf Antrag der Schifffahrtsassekuranzgesellschaft zu M., welche gegen den Schiffer N. N. zu Bamberg wegen Beschädigung einer in Nürnberg lagernden Sendung Kaffee Ersatzansprüche zu haben glaubte, waren durch das k. Handelsgericht Bamberg auf Grund des Art. 407 des a. b. HG. zum Zwecke der Feststellung der gegenwärtigen Beschaffenheit des Kaffee Sachverständige ernannt worden.

Gegen diese Verfügung hatte N. N. eine Nichtigkeits- und Extrajudizialbeschwerde erhoben, in welcher auszuführen versucht wurde, daß das k. Handelsgericht Bamberg zur Aufstellung von Sachverständigen gar nicht kompetent, eventuell, daß die Voraussetzungen des Art. 407 nicht gegeben seien, überhaupt der Gesellschaft Entschädigungsansprüche gegen ihn nicht zuständen, daher der Antrag werthlos sei.

Das k. Handelsappellationsgericht zu Nürnberg sprach jedoch durch Erkenntniß vom 12. August 1863 aus:

> daß dem N. N. ein Beschwerderecht gegen den beßfallsigen richterlichen Ausspruch nicht zustehe,

und zwar aus folgenden Gründen:

Die Ausübung des im Art. 407 des HGB. dem Betheiligten eingeräumten Rechtes, den Zustand des Gutes durch Sachverständige festtstellen zu lassen, welche auf Ansuchen desselben das Handelsgericht oder in dessen Ermangelung der Richter des Ortes ernennt, trägt in mehrfacher Beziehung die Natur eines Antrages auf Vernehmung von Sachverständigen zum ewigen Gedächtnisse an sich.

Daß das durch die Bestimmung des erwähnten Art. 407, welche sich auch im Art. 348 findet, veranlaßte Verfahren ein prozessualisches sei, ist bei den Berathungen der Handelskonferenz (Prot.-Bd. II S. 654, 655; Bd. III S. 1238, 1385) mehrfach anerkannt worden; ebensowenig konnte bei seiner Richtung auf die Feststellung des Beweises für einen künftigen Prozeß dessen Aehnlichkeit mit der Vernehmung von Zeugen, resp. Sachverständigen zum ewigen Gedächtnisse verkannt werden.

Aber gerade weil man die in den verschiedenen Partikularprozeßgesetzgebungen sich findenden Vorschriften über Zeugenvernehmung zum ewigen Gedächtnisse für das im Handelsverkehre sich geltend machende Bedürfniß nicht ausreichend erachtete; weil man zudem besorgte, daß je nach den in den verschiedenen Staaten bestehenden Gesetzen manche Gerichte sich weigern würden, einfachen Anträgen auf Benennung von Sachverständigen behufs Feststellung des Zustandes von Waaren als außerhalb ihrer Zuständigkeit gelegen, stattzugeben, — entschloß man sich zur Aufnahme der obenerwähnten Bestimmungen in das Handelsgesetzbuch.

Der Zweck dieser Bestimmungen ist demnach, den betreffenden Betheiligten ein von den speziellen Voraussetzungen der Beweisführung zum ewigen Gedächtniß unabhängiges und daher auch rascher zur Geltung zu bringendes und gleichmäßiges Recht auf Feststellung des

Zustandes einer Waare durch vom Gerichte benannte Sachverständige zu gewähren.

Ueber das hiebei zu beobachtende Verfahren enthält das Handels= gesetzbuch ebensowenig ausführliche Vorschriften wie über die Beweis= kraft der erfolgten Feststellung in dem künftigen Prozesse.

Nur soviel läßt sich aus der Bestimmung, daß die Sachverstän= digen vom Handelsgericht oder in dessen Ermangelung vom Richter des Ortes ernannt werden, ferner daß über das Ansuchen die Gegen= partei gehört wird, wenn sie am Orte anwesend ist, entnehmen, daß zunächst das Gericht des Ortes, an welchem sich die zu untersuchende Waare befindet, zur Aufstellung von Sachverständigen auf Antrag eines Betheiligten verpflichtet, und das Gehör der Gegenpartei nicht unumgänglich erforderlich ist.

Es müssen daher im Uebrigen die in dem betreffenden Gebiete geltenden sonstigen prozessualen Vorschriften, insbesondere aber bei der unverkennbaren gegenseitigen Aehnlichkeit der über das Verfahren bei der Beweisführung zum ewigen Gedächtnisse gegebenen Regeln, so= weit solche nicht mit dem obenangeführten Zwecke des in Frage stehenden Rechtes in Widerstreit gerathen, zur analogen Anwendung kommen.

Eine solche Vorschrift enthält nun das im Bezirke des Handels= gerichtes Bamberg auch für Handelssachen geltende allgemeine bürger= liche Prozeßgesetz rücksichtlich des Berufungsrechtes in der Novelle vom 17. November 1837 (§. 51 und 52 Nr. 8) wonach wegen ein= facher Dekrete und Zwischenbescheide keine Appellation stattfindet und speziell bezüglich der Aufnahme des Beweises zum ewigen Gedächtniß nur jene Bescheide ausnahmsweise für appellabel erklärt sind, durch welche der gestellte Antrag als unstatthaft erklärt wurde.

Sind hienach alle jene Bescheide, durch welche dem Antrage auf Aufnahme des Beweises zum ewigen Gedächtnisse stattgeben wird, als nicht appellabel zu erachten, so muß bei der Gleichheit des Grundes der gesetzlichen Bestimmung dieß auch in dem durch den Art. 407 des HGB. konstituirten ähnlichen Falle gelten, wenn das Gericht einem Antrage auf Benennung von Sachverständigen behufs der Feststellung des Zustandes einer Waare entspricht.

Dem Gegentheile soll es nicht gestattet sein, durch Ergreifung einer Berufung die nach der Natur der Sache ein schleuniges Vor= gehen erfordernde Erhebung der Beweise, welche die Partei bei län= gerem Zuwarten zu verlieren in Gefahr ist, zu verzögern und resp. ganz unmöglich zu machen.

Dagegen aber bleibt demſelben vorbehalten, ſeine etwaigen Rechte ohne Beſchränkung dann geltend zu machen, wenn der vorſorglich er= hobene Beweis in der That gegen ihn benützt werden will.

Derſelbe Grund tritt auch in dem Falle des Art. 407 des HGB. ein.

Auch hier würde die Geſtattung eines Beſchwerderechtes nur eine gefahrdrohende Verzögerung in der Ausübung des Rechtes des An= tragſtellers herbeiführen.

Auch hier bleibt im Uebrigen der Gegenpartei unbenommen, in dem ſpäteren Prozeſſe alle ihre Einwendungen hinſichtlich der rechtlichen Wirkung der gepflogenen Feſtſtellung noch geltend zu machen.

Hieraus ergibt ſich, daß die von N. N. erhobene Beſchwerde als unſtatthaft zurückgewieſen werden mußte, ohne daß es auf eine weitere Prüfung der Fragen anzukommen hat, ob das kgl. Handelsgericht Bamberg oder das kgl. Handelsgericht Nürnberg zur Aufſtellung der Sachverſtändigen zunächſt berufen war, ob überhaupt die Vorausſetz= ungen eines Antrages im Sinne des Art. 407 des HGB. vorliegen und ob dem Antragſteller in der That ein Anſpruch auf Entſchädig= ung gegen den Schiffer N. N. zuſteht oder nicht, und daher im letz= teren Falle die beantragte Feſtſtellung zwecklos wird.

Zwar hat N. N. ſeine Beſchwerde nicht Berufung, ſondern Nich= tigkeits = und Extrajudizialbeſchwerde genannt.

Allein von einer Extrajudizialbeſchwerde kann hier keine Rede ſein, weil, wie ſchon oben ausgeführt, das in Frage ſtehende Verfahren prozeſſualiſcher Natur iſt.

Aber auch angenommen, es handle ſich von einer einfachen Kon= ſtatirung ohne alle prozeſſualiſche Beziehung oder es ſei zur Benen= nung von Sachverſtändigen im Sinne des Art. 407 das Handelsge= richt Bamberg nicht berufen geweſen, wiewohl in dem erwähnten Ar= tikel vorzugsweiſe die Verpflichtung des Gerichtes des Ortes, die erbetene Aufſtellung von Sachverſtändigen zu bethätigen, ausgeſprochen werden wollte, ſo kann N. N. weder zu einer Extrajudizial =, noch zu einer Nichtigkeitsbeſchwerde als befugt erachtet werden, weil das Eingehen des genannten Gerichtes auf den an ſolches geſtellten An= trag zur Zeit kein Recht des Beſchwerdeführers verletzt, rückſichtlich der Wirkung der gepflogenen Erhebung im Falle künftiger Beweis= führung aber demſelben ſeine Einwendungen vorbehalten bleiben.

(Bamberg Reg.=Nr. 11.)

## CXXIV.
### Zahlungszeit des Wechsels.
#### (Art. 4 Nr. 6 der a. b. WO.)

Ein am 10. Dezember 1862 ausgestellter Wechsel enthielt als Zahlungszeit das Datum „1. August b. Js."

Das k. Handelsgericht Bamberg hatte die Klage aus dem Grunde abgewiesen, weil aus der Angabe der Zahlungszeit „am 1. August b. Js." (1862) sich nicht ersehen lasse, wann der Wechsel zu bezahlen sei, da bei Ausstellung des Wechsels am 10. Dezember 1862 der 1. August dess. Jahres bereits verstrichen war. Kläger hatte gegen diese Abweisung Berufung ergriffen, indem er behauptete, mit dem Beisatze „b. Js." habe nichts Anderes ausgedrückt werden wollen, als auch unter den Kontrahenten verabredet war, nämlich daß der Wechsel am nächstkommenden August habe bezahlt werden sollen.

Das k. HAG. zu Nürnberg bestätigte unter dem 31. August 1863 den erstrichterlichen Ausspruch aus folgenden Gründen:

Wenn es auch, wie das Untergericht als höchst wahrscheinlich bezeichnet hat, Absicht des Wechselausstellers gewesen sein sollte, die Zahlungszeit auf den 1. Aug. 1863 zu bestimmen, so steht dem doch die im Wechsel angeführte Zahlungszeit geradezu entgegen, und da bei dem Wechsel die ganze Verpflichtung einzig und allein auf der Urkunde, abgelöst von allen demselben unterliegenden faktischen Verhältnissen, beruht, so kann auch einzig und allein nur der Wortlaut der Urkunde entscheiden; dieser lautet aber ganz unzweifelhaft auf den 1. August b. Js., was nach allgemeiner Schreibweise nur als „dieses Jahres" zu verstehen ist. Nun ist aber nach Art. 4 Ziff. 4 der allg. b. WO. ein wesentliches Erforderniß jedes Wechses die Angabe der Zeit, zu welcher gezahlt werden soll, und es entsteht nach Art. 7 a. a. O. aus einer Schrift, welcher eines der wesentlichen Erfordernisse eines Wechsels fehlt, keine wechselmäßige Verbindlichkeit. Es ist demnach, da die Zahlungszeit des hier in Frage kommenden Wechsels auf den 1. August 1862 bestimmt ist, der bei Ausstellung des Wechsels am 10. Dezember 1862 längst verstrichen war, zwar eine Zahlungszeit, aber eine solche stipulirt, die nicht eintreten kann, eine unmögliche Zahlungszeit ist aber keine Zahlungszeit und der Wechsel daher unwirksam. Wollte man aber annehmen, die Zahlungszeit sollte auf einen erst kommenden 1. August bestimmt werden, so mangelt es an der nothwendigen Feststellung dieses Tages durch die Angabe

des Jahres, so daß also keine wechselmäßige Verpflichtung besteht*). (Bamberg Reg.-Nr. 14.)

## CXXV.
### Domizilwechsel.
#### (U. b. WO. Art. 4 Nr. 8, Art. 24, 43.)

Ein gewisser N. N., zu Abersfeld wohnhaft, hatte folgenden
Wechsel ausgestellt:

„Schweinfurt den 30. März 1863. Pr. fl. 4000 — in 24 fl.
Fuß. Am dreizehnten April zahle ich gegen diesen meinen Solawechsel an die Ordre Herrn A. A. von Abersfeld Viertausend Gulden
in 24 fl. Fuß.

Den Werth habe ich baar und richtig empfangen und leiste zur
Verfallzeit pünktliche Zahlung nach unterzogenem Wechselrechte.
                Sola
hier auf mich selbst und in allen Orten zahlbar**) zahlbar bei X. in
Schweinfurt N. N."

Am Verfalltage wurde der Wechsel dem X. nicht präsentirt und
gegen ihn kein Protest erhoben, worauf in der Berufungsinstanz die
Unzulässigkeit der Wechselklage gestützt werden wollte.

Das Erkenntniß des kgl. Handelsappellationsgerichts zu Nürnberg vom 31. August 1863 besagt hierüber:

Der eingeklagte Wechsel ist kein domizilirter Wechsel.

Jeder Domizilwechsel setzt voraus, daß neben dem in demselben enthaltenen Wohnorte des Bezogenen bezw. Ausstellers
ein von diesem Wohnorte verschiedener Zahlungsort angegeben sei.

Die Verschiedenheit des Zahlungsortes von dem Wohnorte muß
aus dem Wechsel selbst ersichtlich sein.

Der Ort der Ausstellung des vorliegenden Wechsels ist „Schweinfurt"; ein von dem Orte der Ausstellung verschiedener Zahlungs-

---

*) Ebenso hat das Obertribunal in Berlin entschieden. Vgl. Seuffert's
Archiv Bd. XIII Nr. 163.
**) Die Worte „Sola, hier auf mich selbst und in allen Orten zahlbar"
waren lithographirt und zwar in der abgedruckten eigenthümlichen
Reihenfolge; die Worte „zahlbar bei X. in Schweinfurt" dagegen wa-
ren geschrieben.

20 *

ort ist in dem Wechsel nicht enthalten, vielmehr ist in einem Beisatze „Schweinfurt" ausdrücklich auch als Zahlungsort bezeichnet.

Die Worte „in allen Orten zahlbar" haben keine wechselrecht= liche, sondern nur eine prozessuale Bedeutung.

Ist in dem Wechsel nicht ein besonderer Zahlungsort ange= geben, so gilt nach Art. 97 der WO. der Ort der Ausstellung als Zahlungsort und zugleich als Wohnort des Ausstellers. Wohnort des Ausstellers und Zahlungsort sind also nach Maßgabe des vorliegenden Wechsels gleich.

Hieburch ist der Begriff eines domizilirten Wechsels ausgeschlos= sen. (Vgl. Art. 4 Nr. 8, Art. 24 der WO.)

Liegt aber ein Domizilwechsel nicht vor, so kann auch von einer Anwendung der Vorschrift des Art. 99, welche einen eigenen domi= zilirten Wechsel voraussetzt, nicht die Rede sein *).

(Schweinfurt Nr. 11.)

## CXXVI.
### Form des Wechselprotestes. Ort der Präsentation des Wechsels und der Protesterhebung.
#### (Art. 91 der a. d. WO.)

N. N. hatte unter dem Datum: Augsburg, den 18. Mai 1862, an die Ordre des X. einen Eigenwechsel auf 22000 fl. — „zahlbar ein Jahr a dato, in Augsburg und aller Orten" ausgestellt, welcher von X. in bianco indossirt wurde und schließlich in die Hände des A. A. gelangte. Am Verfalltage wurde zu Augsburg Protest erhoben und zwar in der Form, daß der Inhaber A. A. in das Bureau des Notars kam, diesem den Wechsel vorlegte, und der Notar nach dem üblichen Eingange beurkundete, daß stadtbekannt Hr. N. N. vor mehr= eren Wochen nach seinem neuen Bestimmungsorte Y. abgereist sei, und wegen Mangels Zahlung Protest erhoben werde u. s. w.

Der in erster Instanz zur Zahlung verurtheilte Indossant X. legte

---

*) Die Ansicht, daß Wechsel, wie der obige, wenn nur ein von dem Wohn= orte verschiedener Zahlungsort an einem und demselben Platze darin benannt sei, domizilirte seien, wird vertheidigt von Pöschmann im Archiv für d. WR. Bd. II S. 195, gründlich jedoch widerlegt von Fick der trassirt eigene Wechsel S. 30, welch' letzterer Anschauung so ziemlich Literatur und Praxis beitritt. Vgl. Renaub § 17 Nr. 5.

Berufung ein und zwar insbesondere beßhalb, weil der Protest zu Y. hätte erhoben werden sollen (was als ganz haltlos verworfen wurde), eventuell weil der Protest ungehörig levirt sei. Dieser Beschwerde stattgebend entband das k. Handelsappellationsgericht zu Nürnberg durch Erkenntniß vom 10. August 1863 den Beklagten von der Wechselklage aus folgenden Gründen:

Der fragliche Wechsel mußte, nachdem Augsburg als Zahlungsort ausdrücklich benannt ist, und selbst wenn dieß nicht der Fall wäre nach Art. 97 der a. b. WO. — weil diese Stadt der Ausstellungsort ist — als Zahlungsort angenommen werden müßte, jedenfalls zu Augsburg präsentirt und protestirt werden, mochte nun der Schuldner seinen civilrechtlichen Wohnort am Verfalltage zu Augsburg haben oder nicht *).

Es mußte aber ferner nach Art. 91 der a. b. WO. die Präsentation zur Zahlung sowohl als die Protesterhebung in dem Geschäftslokale des Schuldners, und da derselbe vermöge seines Standes ein solches nicht haben konnte und durfte **), in seiner Wohnung vorgenommen werden. Wenn nun auch die Thatsache, daß der Wechselschuldner vor der Verfallzeit des Wechsels von Augsburg bereits wegversetzt war, als wahr angenommen werden muß, auch vom Beklagten nicht widersprochen wurde, so geht hieraus doch noch keineswegs hervor, daß der Schuldner damals in Augsburg auch keine Wohnung mehr besaß, wie denn aus einem vom Beklagten beigebrachten Zeugnisse des Stadtmagistrates zu ersehen ist, daß derselbe die frühere Wohnung, in welcher seine Familie bis zum 26. Mai 1863 sich aufhielt, damals noch inne hatte ***).

---

*) Hätte der Aussteller schon zur Zeit der Ausstellung in Y. gewohnt und dieses auf dem Wechsel ausgedrückt, so mußte gemäß Art. 43 der a. b. WO. doch der Wechsel in Augsburg präsentirt und protestirt werden, umsomehr also wenn der Aussteller erst später seinen Aufenthalt wechselte.

**) Nach Ansicht des Berliner Kammergerichtes soll die sofortige Präsentation in der Wohnung jedesmal zulässig sein, wenn sich nicht aus dem Inhalt des Wechsels eine Vermuthung für die Existenz eines Geschäftslokales ergebe. (Borchardt S. 263 Anmerk. 364. Vgl. dagegen Volkmar und Löwy S. 345.)

***) Selbst wenn der Protestat keine Wohnung gehabt hätte, hätte nach Art. 91 Abs. 2. der Notar dieß durch Nachfrage bei der Ortspolizeibehörde konstatiren und in der Protesturkunde bemerken müssen. Zwar befolgt das Berl. Obertribunal (Archiv f. b. WR. Bd. VIII S. 432) eine mildere Ansicht, allein nach den umfassenden Erörterungen bei Volkmar und Löwy S. 346 mit Unrecht.

Es ist nun zwar wahrscheinlich, daß von dem Schuldner für Einlösung des Wechsels keine Vorsorge getroffen war, und dieser auch bei Präsentation in der Wohnung nicht honorirt worden wäre; allein dadurch wird der Mangel eines in gesetzlicher Form errichteten Protestes nicht gehoben. Denn bei dem Wesen des Wechsels als eines Formalaktes muß auch bei allen in Bezug auf denselben vorzunehmenden Handlungen die vorgeschriebene Form genau beobachtet werden, da ohne sie die Handlung als nicht geschehen gilt *).

Nachdem nun zu Folge Art. 41 d. a. b. WO. der Regreß gegen den Indossanten dadurch bedingt ist, daß über die Präsentation und Nicht-Erlangung der Zahlung ein rechtzeitig aufgenommener Protest vorliege, im gegebenen Falle aber kein rechtsförmlicher Protest erhoben wurde, so mußte der Anspruch gegen den Indossanten als unbegründet zurückgewiesen werden.

(München l. b. J. Reg.- Nr. 139.)

### CXXVII.
#### Wechsel mit Kreuzen anstatt der Unterschrift.
#### (Art. 94 der ADWO.)

A. A. klagte einen Solawechsel gegen die N. N.'schen Eheleute ein, auf welchem anstatt der Unterschrift zweimal drei Kreuze, denen von einer Privatperson die Bemerkung „Handzeichen des Simon N." „Handzeichen der Gertraud N." beigefügt war, sich befanden. Der Handelsrichter schloß die Klage den Beklagten mit bedingtem Mandate zu; der Advokat derselben brachte verschiedene Einwendungen vor, erklärte aber, „daß sich die Beklagten zu ihrer Unterschrift bekennen."

Durch Urtheil des k. Handelsgerichts Regensburg vom 22. Juli 1863 wurden die Beklagten von der Wechselklage entbunden und dieses Erkenntniß auf ergriffene klägerische Berufung durch das k. Hän-

---

*) Diesen Grundsatz, daß der Protest ebenso wie der Wechsel selbst als ein strenger Formalakt aufzufassen ist, führt ein Erkenntniß des Berliner Obertribunals (Archiv Bd. XII S. 37) schlagend aus und können die von Wächter (Archiv f. b. WR. Bd VII S. 255) gemachten Einwendungen nicht als genügend erachtet werden, wie sich denn auch die Praxis der meisten deutschen Gerichte in obigem Sinne gebildet hat. Vgl. auch Volkmar und Löwy S. 169.

belsappellationsgericht zu Nürnberg unter dem 31. August 1863 be=
stätigt aus folgenden Gründen:

Art. 94 der ADWO. bestimmt: Wechselerklärungen, welche statt
des Namens mit Kreuzen vollzogen wurden, haben nur dann, wenn
diese Zeichen gerichtlich oder notariell beglaubigt sind, Wechselkraft. Ap=
pellant glaubt zwar, daß diese Bestimmung im vorliegenden Falle keine
Anwendung finden könne, weil der Anwalt der Beklagten in der Ver=
nehmlassnng zugegeben habe, daß sich die N.'schen Eheleute zu ihrer
Unterschrift auf dem Wechsel bekennen, hieburch also der ursprüngliche
Mangel geheilt sei.

Allein diese Argumentation ist ganz irrig; eine Skriptur, welche
wegen irgend eines wesentlichen Mangels keine Wechselkraft besitzt,
kann auch durch Anerkennung Seitens des Schuldners keine Wechsel=
kraft erlangen. Wenn in der Urkunde die Bezeichnung Wechsel fehlt,
so mag immerhin der beklagte Schuldner vor Gericht erklären, er wolle
die Urkunde gegen sich als Wechsel anerkennen, dieselbe wird hieburch
doch kein Wechsel und das Gericht kann nicht darauf hin nach Wechsel=
recht erkennen. Ebenso verhält es sich mit einer Urkunde, welcher das
wesentliche Moment der Namensunterzeichnung fehlt; da diese an und
für sich durch Unterkreuzung der Urkunde überhaupt nicht ersetzt wer=
den könnte *), und sonach die Bestimmung des Art. 94 der ADWO.
als ausnahmsweise Zulassung der Unterzeichnung in anderer als der
in Art. 4 Nr. 5 der ADWO. normirten Weise sich darstellt, so muß
an den in jenem Art. 94 aufgestellten Erfordernissen mit aller Strenge
festgehalten werden, und wenn mit Recht nicht einmal eine vom Ge=
richte oder dem Notare in einer selbständigen Urkunde aufgenommene
Beglaubigung genügend erachtet werden kann, sondern diese Beglaubig=
ung auf dem Wechsel selbst stehen muß **), so kann um so weniger
eine nur in einer Prozeßschrift abgegebene Erklärung der Schuldner
oder ihres Abvokaten die Beglaubigung ersetzen ***).

(Regensburg Nr. 32.)

---

*) Vgl. Entwurf der WO. §. 85.
**) Vgl. die Ausführungen im Archiv f. d. WR. Bd. VII S. 109.
***) Ebenso spricht sich aus Wächter in seiner Wechsellehre S. 593.

## CXXVIII.

### Giltigkeit der b. W.= u. MGO. von 1785.

Das k. Handelsappellationsgericht zu Nürnberg hat in einem Er= kenntnisse vom 30. September 1862 wiederholt den Grundsatz*) aus= gesprochen, daß auch in denjenigen ehemals altbayerischen Bezirken, welche, wie die Landgerichte Friedberg, Rain u. s. w., später zu an= deren Kreisen geschlagen wurden, die bayerische Wechsel= und Merkan= tilgerichtsordnung von 1785 Geltung habe, weil dieselbe niemals für jene Gebiete aufgehoben worden sei, und insbesondere bei der mit ah. Verordnung vom 20. Februar 1817 (Reg.=Bl. von 1817, Seite 115) geschehenen Zutheilung der Landgerichte Friedberg u. s. w. zum Oberdonaukreise eine Aenderung der rechtlichen Zustände in keiner Weise ausgesprochen oder beabsichtigt wurde.

(München I/J. Reg.=Nr. 161.)

## CXXIX.

### Ladung des Klägers zur Vornahme der Sperre.
#### (W.= u. MGO. von 1785 Kap. X §. 3 Nr. 1.)

Auf Antrag des Wechselklägers, „die Sperre ungesäumt vornehmen zu lassen", wurde dieselbe durch Gerichtsbeschluß verfügt und der Se= kretär mit dem Vollzuge beauftragt, hievon der Kläger vernachrichtet. Dieser, welcher den Antrag auf Versteigerung (Landtagsabschied von 1856) und das Gesuch um Ueberschätzung (W.= u. MGO. Kap. X §. 3 Nr. 3) versäumt hatte, wollte nachträglich die Sperre als nichtig an= fechten, weil er nicht dazu geladen gewesen sei. Das k. Handelsappella= tionsgericht zu Nürnberg verwarf diese Beschwerde durch Erkenntniß vom 24. September 1863 aus folgenden Gründen**).

Richtig ist, daß nach Kap. X §. 3 Nr. 1 der W.= und MGO. die Sperre unter Ladung der Parteien stattzufinden habe. Allein wie

---

*) Vgl. das in Bd. I S. 187 dieser Sammlung abgedruckte Erkenntniß bezüglich Neuburg's.

**) Daß die Ladung des Beklagten durch bloße Zustellung des Sperr= dekretes erfolgen könne, ohne daß die Zeit der Sperrvornahme aus= drücklich vorher kundzugeben wäre, hat ein Erkenntniß des vormaligen W.= u. WG II. Instanz zu Freising vom 6 November 1843 (Klette Supplement S. 8) näher ausgeführt.

die Akten nachweisen, wurden beide Parteien von der Vornahme der Sperre auch rechtzeitig in Kenntniß gesetzt; wollte Kläger derselben persönlich beiwohnen, so stund ihm dieses frei, und konnte er, wenn er solches wollte, sich von dem Tage, an welchem dieser gerichtliche Akt geschehen werde, Kenntniß erbitten, da selbstverständlich der Zweck der fraglichen Maßregel es unthunlich macht, die Zeit ihrer Vornahme vorher kund zu geben und so dem Schuldner die Möglichkeit zu gewähren, dieselbe jederzeit illusorisch zu machen, überdieß auch eine derartige Ladung bei dem jetzigen großen Umfange der handelsgerichtlichen Bezirke in der Regel eine ganz ungehörige Verzögerung der Sache hervorrufen würde.

Es geht auch die W.- u. MGO. offenbar von der Auffassung aus, daß mit der in Kap. X §. 3 Nr. 1 genannten Ladung der Parteien nur die Kundgabe der Sperrvornahme an dieselben, nicht aber die förmliche Anberaumung einer Gerichtsverhandlung zu diesem Behufe und Ladung der Parteien hiezu gemeint sei, da außerdem nicht erst in Nr. 3 desf. Paragraphen noch ausdrücklich die Kundgabe des Sperreresultates an die Parteien hätte verordnet werden können.

Die Praxis der Handelsgerichte hat denn auch allgemein sich in der vom Erstrichter für das erkennende Gericht speziell bestätigten Weise ausgebildet, und kann in derselben ein nichtiges Verfahren nicht erblickt werden *).    (Bamberg Reg.-Nr. 16.)

## CXXX.

### Einreden im Wechselprozeß.

(Art. 82 der a. d. WO. — Kap. III §. 4 der W.- u. MGO. von 1785.)

Der unter dem 31. Juli 1863 auf Zahlung eines am 25. April 1862 fällig gewesenen Wechsels von 200 fl. belangte Erbe des Ausstellers entgegnete, daß sein Erblasser dem Gläubiger am 5. Dezember

---

*) Im vorliegenden Falle kam noch dazu, daß die fragliche Sperre eine wiederholte und die erstmalige dem Kläger in derselben Weise bekannt gegeben worden war, ohne daß er reklamirt oder die spezielle Bezeichnung des Tages verlangt hatte; daß er ferner weder gegen die Verfügung selbst eine Erinnerung gemacht, noch auch, als ihm das Sperrresultat eröffnet wurde, über die Art und Weise des Vollzuges oder über die Schätzung selbst einen Anstand erhoben, sondern lediglich die Versteigerung begehrt hatte.

1862 einen neuen Wechsel auf 540 fl. ausgestellt habe, in welchem die nun eingeklagte Wechselsumme von 200 fl. inbegriffen gewesen sei, und dieser neue Wechsel sei auch am 2. Februar 1863 gezahlt worden. Hierüber wurde dem Kläger der Haupteid deferirt.

Das k. Handelsgericht Memmingen ertheilte daraufhin mit Dekret v. 4. Sept. 1863 dem Beklagten Zahlungsauftrag bei Sperrvermeidung, indem, — abgesehen davon, daß hier nach der Geschichtserzählung von einer Zahlung des eingeklagten Wechsels nicht gesprochen werden könne, Beklagter auch zweifelhaft lasse, wie es komme, daß Kläger den Wechsel noch in Händen habe, und Eideszuschiebung nach der bayer. W.- u. MGO. Kap. III §. 4 A nur bei der Einrede der Baarzahlung *) zulässig wäre, — der Einwand des Beklagten auch deshalb als rechtsunwirksam sich darstelle, weil im Wechselprozesse Einreden, welche aus der Person eines früheren Wechselverpflichteten abgeleitet werden, nach Art. 82 der a. d. WO. nicht zu beachten seien.

Auf Berufung des Beklagten änderte das k. Handelsappellationsgericht zu Nürnberg unter dem 30. September 1863 diesen Ausspruch ab. Die Gründe besagen:

Erstrichter geht davon aus, daß im Wechselprozesse Einreden aus der Person eines früheren Wechselverpflichteten nach Art. 82 der a. d. WO. nicht zu beachten seien; allein wie Appellant mit Grund ausführt, findet dieser an sich richtige Satz auf die Erben des Wechselgläubigers und des Wechselschuldners keine Anwendung. Denn der Erbe, auf welchen das Recht oder die Pflicht aus dem Wechsel übergegangen ist, muß in seinen rechtlichen Beziehungen als eine Person mit dem Erblasser angesehen werden; er ist ja nur deshalb Wechselgläubiger oder Wechselschuldner, weil er in die juristische Persönlichkeit des ursprünglichen Gläubigers oder des ursprünglichen Schuldners eingetreten ist, und es ergibt sich hieraus von selbst, daß auch alle Einreden, welche dem ursprünglichen Schuldner zugestanden oder gegen den ursprünglichen Gläubiger begründet gewesen wären, dem Erben zustehen oder gegen den Erben zulässig sind.

Wenn nun demgemäß an sich die Einrede der Tilgung des Wech-

---

*) Ebenso besagt ein in Kletke S. 37 abgedrucktes Erkenntniß des vormaligen Wechselappellationsgerichtes Bamberg vom 22. Januar 1852, daß unter Zahlung an der angeführten Stelle Tilgung der Forderung durch Geld verstanden werden müsse.

sels durch den Aussteller von Seite des Erben und jetzigen Beklagten als eine unmittelbar ihm zustehende erscheint, so muß sie andererseits auch als faktisch vollkommen genügend substanzirt erachtet werden, da der thatsächliche Vorgang genau angegeben wurde und in demselben, wenn er wahr ist, allerdings eine Tilgung der Wechselverbindlichkeit gelegen sein würde, wobei ohne Einfluß wäre, daß der Wechsel in der Hand des Gläubigers blieb, da die Zurückgabe der Wechselurkunde zwar von dem Schuldner gefordert werden kann, aber das Gesetz das Erlöschen der Wechselverbindlichkeit nicht hieran geknüpft hatte [*]).

Was weiter die behauptete Art der Tilgung der Wechselschuld betrifft, so ist richtig, daß der Wechselgläubiger baare Zahlung verlangen kann und sich Zahlung durch Skontro, Anweisung oder andere Wechsel nicht gefallen zu lassen braucht [**]). Allein hiemit ist natürlich nicht gesagt, daß, wenn er sich diese Zahlungsart gefallen läßt, die Wechselverbindlichkeit doch bestehen bleibe; vielmehr erlischt dieselbe in solchem Falle ebenso, wie wenn der Wechsel baar bezahlt worden wäre, und ist die Deckung des Wechsels in der Art geschehen, daß der Schuldner mit Zustimmung des Gläubigers anstatt des bisherigen Wechsels einen neuen ausstellt, so kann der Gläubiger von da an nur die Rechte aus dem neuen Wechsel geltend machen.

Abgesehen also von der Behauptung des Beklagten, die eingeklagten 200 fl. seien am 2. Februar 1863 durch Einlösung des Wechsels von 540 fl., in welchem sie inbegriffen, baar bezahlt worden, liegt in den Erinnerungen des Beklagten jedenfalls die zulässige und rechtswirksame Einrede der Tilgung der Wechselschuld durch Novation.

Zur Liquidstellung dieser Einrede ist aber auch die Eideszuschiebung genügend, da sie auf Erlöschung der Wechselverbindlichkeit gerichtet ist, sonach den eingeklagten Wechsel als unwirksam bezeichnet, da ferner die Worte des Kap. III §. 4 A der W.= u. MGO. von 1785 nicht auf „Baarzahlung", sondern nur auf „Zahlung" lauten, und nach dem Sprachgebrauche der altbayerischen Gesetzgebung (vgl. bayerisches Landrecht Thl. IV Kap. XIV §. 1) Zahlung die Entrichtung dessen bedeutet, was man schuldig ist, — sonach unter diesen Begriff auch eine Tilg=

---

[*]) Daß Demjenigen gegenüber, welcher den Wechsel, wenn auch erst nach der Tilgung, in gutem Glauben erwarb, die Einrede nicht Platz greift, ändert selbstverständlich diesen Grundsatz nicht.

[**]) Vgl. Renaud §. 60 Note 2.

ung des Wechsels in der von dem Beklagten behaupteten Weise fallen
würde.

Es waren daher die Erinnerungen des Beklagten, nachdem der=
selbe überdieß, wie bereits bemerkt, sogar eine Baarzahlung der frag=
lichen 200 fl. behauptet hat, nicht sofort aus dem Wechselprozesse zu=
weisen, sondern die Erklärung des Klägers einzuholen und sodann
weiter zu erkennen, was Rechtens.

(Memmingen Reg.=Nr. 4.)

## CXXXI.

### Gültigkeit der Wechsel=Unterschrift auf den nach dem Landesgesetze aufgeklebten Stempelmarken.

#### Art. 96 Ziff. 5 der a. b. WO.

Aus einem zu Salzburg ausgestellten, über den Betrag von
511 fl. ö. W. verlautenden eigenen Wechsel, welchem die Unterschrift
des Ausstellers auf den an der treffenden Stelle verordnungsgemäß
aufgeklebten beiden Stempelmarken zu je 30 kr. mit den vorausgehen=
den, theils auf diesen Marken, theils auf dem Wechselpapiere selbst
stehenden Worte: „angenommen'' beigesetzt war, wurde gegen den zu
München wohnhaften Aussteller bei dem k. HG. München l/J. Klage
auf Zahlung erhoben. Durch Beschluß vom 18. August wies dieses
Gericht die Klage von der Gerichtsschwelle ab, weil es dem Wechsel
an einer gehörigen Unterschrift, mithin an dem wesentlichen Erforder=
nisse der Ziff. 5 des Art. 96 der a. b. WO. gebreche, wobei auf
das handelsappellationsgerichtliche Urtheil Bd. I S. 97 ff. dieser
Sammlung Bezug genommen wurde.

Auf Beschwerde des Klägers erkannte das k. Handelsappellations=
gericht am 21. September 1863 zu Recht, daß die Klage nicht abzu=
weisen, sondern weiter rechtlicher Ordnung gemäß darauf zu verfügen
sei. Die Gründe besagen:

Da der eingeklagte Wechsel zu Salzburg ausgestellt und zahlbar
ist, so hat nach Art. 97 der a. b. WO. dieser Ort auch als wechsel=
mäßiger Wohnort der Ausstellerin zu gelten und sind nach Analogie
der in Art. 85 festgehaltenen Prinzipien diejenigen die Form des Wech=
sels betreffenden Erfordernisse, welche nicht schon in der WO. selbst
vorgeschrieben sind, nach den an jenem Orte geltenden Vorschriften zu
beurtheilen. Ueber die Art und Weise der Unterschrift des Ausstel=

lers *) hat nun die a. b. WO. keine ausdrücklichen Bestimmungen,
während notorisch die k. k. österreichischen Stempelverordnungen die
Vorschrift enthalten, daß die Unterschrift des Wechselausstellers und
des Acceptanten, soferne nicht der Wechsel von den aufgestellten besonderen Aemtern abgestempelt ist, auf die Stempelmarken gesetzt werden
soll. Demgemäß muß aber bei einem in dem Geltungsgebiete jener
Verordnungen ausgestellten Wechsel, welcher die Unterschrift des Ausstellers oder des Acceptanten auf den ihm gehörigen Ortes aufgeklebten
Stempelmarken trägt, diese Unterschrift in so lange als giltig erachtet
werden, als dieselbe nicht als gefälscht bezeichnet und dieß auch nachgewiesen ist. Im gegebenen Falle hatte das Untergericht um so weniger einen Anlaß, die Rechtsgiltigkeit des eingeklagten Wechsels aus
dem angegebenen Grunde zu beanstanden, als der obere Rand der
Stempelmarken, sowie der anstoßende Theil des Papiers des Wechsels
selbst durch den über der Unterschrift stehenden Beisatz „angenommen"
überschrieben und daher die Stempelmarken, ähnlich der vom Gesetze
selbst in Art. 11 zugelassenen Verlängerung des Wechsels (Allonge),
mit dem letzteren derart verbunden sind, daß eine Abtrennung der
Stempelmarken von dem Wechsel leicht zu entdecken sein würde.

Die von dem Untergerichte in Bezug genommene oberrichterliche
Entscheidung steht mit dieser Auffassung nicht im Widerspruche, weil
es sich dort um ein auf ein abtrennbares Papier, welches augenscheinlich dem vorher schon kassirten Wechsel aufgeklebt worden
war, geschriebenes Giro handelte, während im vorliegenden Falle ein
im Uebrigen unzweifelhaft rechtswirksamer Wechsel in Frage steht und
nur eine landesgesetzlich gegebene Vorschrift über die Verwendung des
vorgeschriebenen Stempels, bezw. die Art und Weise der Unterzeichnung des Wechsels beobachtet wurde.

(München l./J. Reg.-Nr. 155.)

---

*) Für das Indossament ist in Art. 11 der a. b. WO. ausdrücklich vor-
geschrieben, daß es auf den Wechsel selbst (eine Kopie oder Allonge)
gesetzt werden müsse; für die Wechselunterschrift versteht es sich von
selbst, daß sie nirgends anders, als auf dem Wechsel erfolgen könne,
sonst wäre sie ja keine Wechselunterschrift.

## CXXXII.

### Die Bezeichnung der Zahlungszeit durch die Worte: „Nach Verlauf von 14 Tagen" ist nicht genügend.

#### (Art. 4 Nr. 4. — Art. 96 Nr. 4 der a. b. WO.)

Die Klage aus einem das Datum „Freising den 14. August 1862" und die Zahlungsbestimmung: „Nach Verlauf von 14 Tagen zahle ich zc." tragenden eigenen Wechsel wurde in I. Instanz abgewiesen und dieses Urtheil auf klägerische Beschwerde vom 10. Septbr. 1863 aus folgenden Gründen bestätigt:

Appellant hält den von dem Untergerichte an dem eingeklagten Wechsel gerügten Mangel, daß es nämlich demselben an einer ausdrücklichen Angabe des Zeitpunktes, von welchem an die im Wechsel benannte 14tägige Zahlfrist zu laufen beginne, und hiemit an einer wechselordnungsgemäßen Bestimmung der Zahlungszeit überhaupt gebreche, dadurch für gehoben, daß nach der gewöhnlichen Schreib= und Redeweise sowohl wie nach allgemeinen civilrechtlichen Grundsätzen nicht anders angenommen werden könne, als daß in 14 Tagen nach Ausstellung des Wechsels habe gezahlt werden sollen.

Es mag dahin gestellt bleiben, ob im gewöhnlichen Verkehre das Versprechen, „nach Verlauf von 14 Tagen" Zahlung leisten zu wollen, stets dahin aufzufassen sei, daß die 14 Tage von Abgabe dieser Erklärung an zu rechnen seien, und ob diese Annahme in den vom Appellanten angezogenen gesetzlichen Bestimmungen ihre rechtliche Begründung finde.

Wäre dieses auch der Fall, so würde es doch für die vorwürfige Frage ohne Erheblichkeit sein, da es sich hier nicht um eine civilrechtliche, sondern um eine Wechsel=Obligation handelt. Denn der Wechsel ist ein Formalakt, er besteht nur in und durch sich selbst und, abgesehen von Fehlern seiner Entstehung, unabhängig von dem id quod actum est inter partes. Nicht darauf, was der Wechselaussteller beabsichtigte, kommt es an, sondern darauf, was in dem Wechsel steht; er kann nur aus sich selbst und aus dem Gesetze interpretirt werden, was erst von außen hinein interpretirt werden müßte, existirt nicht für ihn.

Von diesem Gesichtspunkte aus sind auch die in Art. 96 und Art. 4 der a. b. WO. aufgeführten Erfordernisse, deren Mangel nach Art. 7 a. a. O. die Ungiltigkeit des Wechsels selbst zur Folge hat, zu beurtheilen; Alles, was daselbst als Erforderniß eines Wechsels aufgestellt ist, muß aus dem Wechselinstrumente selbst erhellen und darf nicht anderweitig ergänzt werden. Wenn es daher unter Ziff. 4 des

Art. 4 heißt, daß die Zahlungszeit u. A. nur auf einen bestimmten Tag nach dem Tage der Ausstellung (a dato) festgestellt werden könne, so kann diese Bestimmung nur dahin aufgefaßt werden, daß in dem Wechsel selbst ausgedrückt sein müsse, es habe die Zeit, nach deren Ablaufe gezahlt werden solle, vom Tage der Ausstellung an berechnet werden wollen. Diese Annahme ist um so nothwendiger, als die Bestimmung der Zahlungszeit eines Wechsels in der Weise, daß derselbe nach Ablauf einer gewissen Frist bezahlt werden soll, nach den Vorschriften der a. d. WO. auf die doppelte Art vorkommen kann, daß als Anfangspunkt dieser Frist der Tag der Ausstellung oder der der Präsentation des Wechsels festgesetzt wird, weshalb eine ausdrückliche Angabe im Wechsel darüber geboten ist, welche dieser beiden Zahlungsarten gemeint sei.

Da nun der eingeklagte Wechsel selbst nicht entnehmen läßt, von welchem Tage an die in demselben bezeichnete 14 tägige Frist berechnet werden solle, die muthmaßliche Intention des Wechselausstellers aber nicht in Betracht kommt, so fehlt es dem fraglichen Wechsel allerdings an einem wesentlichen Erfordernisse, dessen Mangel auch nicht durch eine etwaige Anerkennung des Verklagten, daß er binnen 14 Tagen vom Tage der Ausstellung an zu zahlen beabsichtigt habe, gehoben werden könnte, weßhalb das Untergericht mit Recht die Klage a limine abgewiesen hat und sein desfallsiger Beschluß zu bestätigen ist *).

(München I/J. Reg.-Nr. 152.)

## CXXXIII.

**Zahlung des Kaufschillings, sobald der Käufer seinerseits die Waare an Dritte veräußert haben werde.**

Der auf Zahlung eines Kaufschillingsrestes belangte Handelsmann N. N. hatte der Klage den Einwand entgegengesetzt, daß er übereinkunftsgemäß den Kaufpreis erst nach dem anderweiten Verkaufe der Waare zu bezahlen, bisher aber an Zahlungsmitteln aus dem Weiterverkaufe nicht mehr, als an den Kläger bereits berichtigt, erlöst habe.

Dieser Einwand wurde in beiden Instanzen verworfen und in den Gründen des handelsappellationsgerichtlichen Urtheils v. 14. September 1863 hierüber bemerkt:

---

*) Eben diesen Grundsätzen folgt das Berliner Obertribunal (vgl. die Erkenntnisse in Borchardt S. 36, Archiv f. d. WR. Bd. VII S. 342), indem es die Zeitbestimmung „nach einem Jahre" für ungenügend erklärt. Auch Wächter, Wechsellehre S. 45, hat obige Ansicht adoptirt.

Wäre jenes angebliche Uebereinkommen, im wörtlichen Sinne genommen, rechtswirksam, so würde dadurch die Zahlung des Kaufpreises ganz in das Belieben des Empfängers der Waare gestellt, es würde Verkäufer nimmermehr zu seinem Gelde kommen und seine etwaige Klage jederzeit als verfrüht abgewiesen werden müssen, falls Käufer aus Chikane oder einem sonstigen in seiner Willkür liegenden Grunde die Weiterveräußerung ganz unterließe. Eine derartige Bedingung, wodurch die Erfüllung des von der einen Seite, dem Verkäufer, bereits erfüllten Kaufvertrages lediglich in das Belieben des anderen Verpflichteten, des Käufers, gestellt würde, könnte aber schon nach dem Civilrechte die Kaufklage nicht hindern*), und läßt sich noch weniger als der im Handelsverkehre geltenden Anschauung und Uebung entsprechend erachten. Denn hier wird, wenn nicht per comptant verkauft ist, die Kreditzeit entweder durch Handelsbrauch oder durch Uebereinkommen nach Monaten, Zielen u. dgl., jedoch immer als eine bestimmte festgesetzt, oder der Kreditkauf ist ein Kauf auf Rechnung, bei welchem gleichfalls zu bestimmten, durch Vertrag oder Gebrauch festgesetzten Zeitabschnitten Rechnung gegeben und Zahlung begehrt wird; in allen Fällen des Kreditkaufes ist demnach die Kreditfrist eine bestimmte. Sollte aber auch ausnahmsweise einem Geschäftskunden gegenüber das Handlungshaus sich darauf eingelassen haben, die Zahlung in das Belieben des Abnehmers zu stellen, so würde einer derartigen Stipulation nach kaufmännischer Auffassung doch kein anderer Sinn beizulegen sein, als daß Käufer nicht sofort baar zu bezahlen habe, vielmehr demselben eine mit Rücksicht auf die herkömmliche Kreditzeit und die Frist, innerhalb welcher im Detailverkaufe der Regel nach der Hauptverschleiß der bezogenen Waaren erfolgt ist**), zu bestimmende Zahlungsfrist habe gegönnt werden wollen***). Die Zusicherung, so lange Zahlungsfrist gewähren zu wollen, bis der Schuldner die bezogenen Waaren effektiv anderweitig werde verkauft haben, würde in ihren Konsequenzen der Erklärung, die Zahlung in das Belieben des Pflichtigen zu stellen, vollkommen gleichstehen; das Vorbringen derselben ist seinem eigenen Inhalte nach widersinnig und daher auch nur in jenem beschränkten Umfange als rechtswirksam zu erachten†).

(München I/J. Reg.-Nr. 151.)

---

*) Vgl. l. 50 D. de contr. emt. 18. 1.
**) Bei Modewaaren, bei Konsumtibilien u. s. w. läßt sich eine solche Frist leicht bestimmen.
***) Vgl. Bl. f. RA. Bd. XIII S. 160; Bd. XXV S. 112.
†) Ebenso wurde erkannt am 10. Sept. 1863. München I/J. R.-Nr. 153.

## CXXXIV.

### Folgen der Verwerfung von Fristverlängerungsgesuchen nach b. M.-Prozeß.

(B. W.- u. MGO. Kap. III §. 1. Kap. V §. 7. Proz.-Nov. v. J. 1837 §. 31 Abf. 4.)

In einer nach der b. W.- u. MGO. zu instruirenden Handelssache hatte das Untergericht das von dem Beklagten während der 14 tägigen Erinnerungsfrist gestellte Fristverlängerungsgesuch nach Ablauf jener Frist verworfen und denselben in Verwirklichung des ihm für den Ungehorsamsfall angedrohten Rechtsnachtheiles sofort zur Zahlung verurtheilt, welcher Ausspruch am 16. Oktober zweitrichterlich bestätigt wurde. Die Gründe enthalten, nachdem zunächst im Anschlusse an die in Bd. X S. 727 und 728 mitgetheilte Entscheidung dargelegt worden, daß die hiernach erforderliche Bescheinigung einer Hinderungsursache gebreche, Folgendes:

Bei dem Mangel einer Vorschrift der b. W.- u. MGO. über Fristverlängerungsgesuche in Merkantilsachen, welche im bedingten Mandatsverfahren nach Kap. V §. 5 daselbst verhandelt werden*), ist zwar im Allgemeinen auf die einschlägigen Bestimmungen der Prozeßnovelle v. J. 1819 und 1837 zurückzugehen**).

Allein wenn nach §. 31 Abf. 4 des letzterwähnten Gesetzes für den Fall der Verwerfung eines ersten Fristverlängerungsgesuches lediglich eine Geldstrafe für die Partei oder den Anwalt verhängt, und die Ungehorsamsfolge erst im wiederholten Falle ausgesprochen werden soll, so bezieht sich diese Bestimmung nur auf die Fristen und Termine im ordentlichen Verfahren, von einer Anwendbarkeit derselben auf die übrigen Prozeßarten findet sich im Gesetze keine Andeutung und insbesondere lassen dieselben eine Anwendung auf den Merkantilprozeß nicht zu. Denn im Kap. V §. 7 der b. W.- u. MGO. ist abweichend von den Bestimmungen der b. GO. von 1753 verordnet, daß alle Termine clausulam peremtoriam dergestalt in sich tragen, daß Verklagter nach fruchtlosem Ablaufe der Frist mit seiner Exzeption oder seinem respektiven Gegenschlusse nicht mehr gehört werde, sondern gleich

---

*) Die Bestimmung in Kap. III §. 1 bezieht sich nicht auf diese Art des Handelsprozesses.

**) Vgl. über die subsidiäre Anwendung dieser Gesetze Zeitschr. Bd. IX S. 89—92

21

nach bescheinigter Ladung, mithin ohne Ungehorsamsbeschuldigung, die Citation ihre Wirkung äußern solle. Dieses Gesetz kennt demnach keinen anderen Rechtsnachtheil für Versäumung von Fristen als einen solchen in der Sache selbst; derselbe besteht in der Annahme des Klagezugeständnisses und Einredeausschlusses, und der Zweck dieser Vorschrift ist offenbar die durch die Rücksicht auf den Kredit gebotene Beschleunigung des Prozeßganges durch Annahme sofortiger Liquidität der eingeklagten Schuld. Es liegt mithin hier eine Vorschrift vor, welche ihren Grund in der summarischen Natur der Handelssachen überhaupt hat und durch die Vorschriften des gewöhnlichen Verfahrens nur unter der Voraussetzung als modifizirt erachtet werden könnte, wenn auch letzteres von den gleichen Prinzipien in dieser Materie ausginge. Im gewöhnlichen Verfahren gelten aber nicht nur längere Fristen, sondern es ist auch die erste Frist zur Klagebeantwortung nur eine monitorische, und der Ungehorsam darf nicht unbedingt von Amtswegen ausgesprochen werden; dieses Verfahren ist mithin ein wesentlich günstigeres für den Verklagten. Hiedurch erscheint die Anwendung der in Bezug genommenen Vorschrift der Proz.-Nov. im b. W.- u. MGP. als ausgeschlossen. Denn während die Absicht dieses Gesetzes im Allgemeinen auf eine Verbesserung des bis dahin in Geltung gewesenen Verfahrens gerichtet war, würde bei einer Anwendung der fraglichen Vorschrift im b. M.-P. das hierin festgestellte Verfahren verschlechtert, da alsdann auch das frivolste erste Fristverlängerungsgesuch, nur unter gleichzeitiger Verhängung der bestimmten Geldstrafe, bewilligt werden müßte, wogegen nach der Bestimmung in Kap. V §. 7 a. a. O. den Ungehorsamen sofort der angedrohte Rechtsnachtheil zu treffen hat*). (München I/J. Nr. 163.)

## CXXXV.

### Umfang der stadt- und landgerichtlichen Zuständigkeit bei Immobiliarexekution in Handels- oder Wechselsachen.

#### (Einf.-Ges. zum ADHGB. Art. 75.)

In einer Wechselsache war von dem k. HG. Bamberg die Immobiliarexekution gegen den Schuldner erkannt und um deren Vollzug

---

*) Ebenso wurde am nämlichen Tage erkannt in den Sachen München I/J. Nr. 163 und 164.

bas k. Landgericht Stabtſteinach requirirt worden, welches dem k. Notar N. bortſelbſt bie Verſteigerung übertrug.  Dieſer beraumte auf ben 16. September Verſteigerungstermin an unb benachrichtigte hie= von bas k. Landgericht Stabtſteinach, welches ſeinerſeits bas HG.Bamberg zur Verſtändigung ber Parteien hievon in Kenntniß ſetzte *). Der von bem klägeriſchen Anwalte aufgeſtellte Inſinuations=Manbatar, Abv. K. zu Bamberg, erhielt jedoch bie treffenbe Notifikation erſt am 16. Sept. zugeſtellt., weßhalb Kläger nicht mehr rechtzeitig von bem Verſteiger= ungstermine in Kenntniß geſetzt werben und ber Verſteigerung ſelbſt beiwohnen konnte.  Aus dieſem Grunde beantragte nun ber Anwalt bes Klägers am 18./22. September bei bem k. HG. Bamberg, bie Verſteigerung aufzuheben unb eine neue anzuordnen, eventuell ihm das verſteigerte Gut um bas Meiſtgebot heimzuſchlagen.  Dieſer Antrag wurbe burch Beſchluß vom 25. Septbr. / 1. Oktbr. abgewieſen und zugleich bas k. Landgericht Stabtſteinach requirirt, Abjubikationsbe= ſcheib zu erlaſſen, was auch am 5. Oktober geſchah.  Am 10. Oktbr. kam ber klägeriſche Anwalt mit einer Remonſtration nebſt eventueller Berufung unb Richtigkeitsbeſchwerde ein, worin er ſeinen abgewieſenen Antrag in ber primären Richtung wieberholte unb als weiteren Grund geltenb machte, baß bie vorgeſchriebene Bekanntmachungsfriſt nicht ein= gehalten ſei.  Das in Folge ber Abweiſung ber Remonſtration mit ber Sache befaßte k. HAG. verwarf burch Urtheil vom 26. Oktober 1863 bie Berufung als unſtatthaft **), hob aber bie Verfügungen vom 25. September unb 16. Oktober wegen Mangels ber handels= gerichtlichen Zuſtändigkeit als nichtig auf, indem es zugleich ben Antrag vom 18./22. September aus „gleichem Grunde abwies. In letzterer Beziehung enthalten bie Gründe, was folgt:

---

*) Ohne Zweifel wäre bas k. Lbg. Stabtſteinach befugt geweſen, bie Par= teien unmittelbar von ben getroffenen Verfügungen in Kenntniß zu ſetzen, woburch eine Beſchleunigung erzielt unb vielleicht auch bie Veranlaſſung zu ber erhobenen Richtigkeitsbeſchwerde beſeitigt worben wäre.

**) Die Berufung wurde theils als beſert, weil nicht binnen 8tägiger Friſt eingereicht, theils als gegen inappellable Dekrete gerichtet verworfen.  In= ſoweit bie Richtigkeitsbeſchwerde gegen bie Verfügung vom 25. Septbr. unb 16. Oktbr. gerichtet war, wurde bieſelbe in ben Motiven als un= begründet bezeichnet, weil dieſe Verfügungen ja auf Antrag bes Klägers erlaſſen unb berſelbe baher hierüber gehört worben ſei.

Nach Art. 75 des Einf.-Geſ. zum ADHG. erfolgt die Vollſtreckung handelsgerichtlicher Erkenntniſſe an unbeweglichen Sachen in den Landestheilen dieſſ. des Rheins auf Requiſition des
Handelsgerichtes durch das Stadt- oder Landgericht, in deſſen Bezirke die Sache liegt. Mit dieſer Beſtimmung iſt von
der Regel, daß dem erkennenden Gerichte auch die Vollſtreckung des
rechtskräftigen Erkenntniſſes zuſteht, für die Erkenntniſſe der Handelsgerichte im Falle einer Immobiliarexekution eine Ausnahme
gemacht. Die Vollſtreckung handelsgerichtlicher Erkenntniſſe an unbeweglichen Sachen ſteht demnach dem betreffenden Stadt- oder Landgerichte auf erfolgte Requiſition des Handelsgerichtes ſelbſtändig
und in eigener Kompetenz zu; die bei dieſem Exekutionsverfahren
ſich ergebenden Streitpunkte hat das erſtere Gericht, bezw. das demſelben vorgeſetzte Bezirksgericht ſelbſtändig und in eigener Kompetenz
zu entſcheiden; die Adjudikation des verkauften Gutes hat von erſterem
Gerichte auszugehen; dieſes Gericht hat den Adjudikationsbeſcheid zu
erlaſſen, und etwaige bei dieſem Verfahren vorkommende Berufungen
oder Beſchwerden gehören nicht zu den Handelsgerichten, ſondern zu
den gewöhnlichen Gerichten, denen die Realjurisdiktion zuſteht.

Das HAG. iſt daher, ganz abgeſehen von der Frage, ob überhaupt eine Nichtigkeitsbeſchwerde wegen mangelnder Citation gegen
die Abhaltung des Strichtermines und nicht vielmehr erſt gegen das
erlaſſene Adjudikationsurtheil erhoben werden könnte, nicht berechtigt,
den Verſteigerungstermin vom 16. Septbr. als nichtig aufzuheben, und
die in dieſer Beziehung an dasſelbe gerichtete Bitte muß wegen
mangelnder Zuſtändigkeit zurückgewieſen werden. Eine gleiche Zurück-
weiſung hätte aber auch ſofort der Antrag vom 11./22. Septbr. von
Seite des Unterrichters erfahren ſollen, um ſo mehr, als ſich derſelbe
in ſeinem Dekrete vom 25. September ſelbſt auf den Art. 75 des citirten Einf.-Geſ. berufen hat. Nachdem nun in Folge der erhobenen
Nichtigkeitsbeſchwerde zur Kognition des Oberrichters gekommen iſt,
daß das Handelsgericht Bamberg in einer nicht zu ſeiner Kompetenz
gehörigen Sache einen Antrag materiell verbeſchieden hat, ſo war auch
dieſe Verfügung von Amtswegen aufzuheben und der Antrag vom
11./22. Septbr. wegen mangelnder Zuſtändigkeit des Handelsgerichtes
gleichfalls zurückzuweiſen *).

(Bamberg Reg.-Nr. 17.)

---

*) Für die Richtigkeit vorſtehender Anſicht ſpricht insbeſondere auch der
Umſtand, daß in dem Entwurfe des Einf.-Geſ. das gewöhnliche Gericht,

## CXXXVI.

Die Eibeszuschiebung über die Einrede der Kompensation
ist nach dem Augsburger Wechselprozesse unzulässig.

(Augsb. WO. Kap. X §. 4 u. 5 Abs. 1.) *)

Vorstehender Satz wurde in einem handelsappellationsgerichtlichen
Urtheile vom 22. Oktober 1863 ausgesprochen und wie folgt motivirt:

Für die Annahme, daß das in der allegirten Gesetzesstelle erwähnte Beweismittel der Eibesdelation auch in dem Falle Platz greife,
wenn dem eingeklagten Wechsel eine Gegenforderung gegenüber gestellt
und mit solcher die Wechselforderung kompensirt werden will, scheint allerdings die Satzverbindung im §. 5 a. a. O. Nr. 1 zu sprechen; hienach wäre nämlich der erste Satz gleichmäßig auf die beiden nachfolgenden Alternativen zu beziehen: „Eine Ausnahme findet statt, wenn
der Beklagte zu erweisen vermöchte, entweder daß der Wechsel gezahlt rc. rc. sei oder daß er eine offenbare, liquide rc. rc. Gegenforderung habe.“ In Folge hievon würde aber sodann auch eine gleiche
Beziehung der im ersten Satze näher bezeichneten Art und Weise, wie

---

in dessen Bezirke die als Erekutionsobjekt bezeichnete unbewegliche Sache
liegt, als dasjenige bezeichnet wurde, durch welches die Vollstreckung
der Immobiliarexekution erfolgen solle, während im Einf.=Ges. selbst
das treffende Stadt= oder Landgericht substituirt wurde.

*) Diese Gesetzesstellen lauten:

§. 4. Wann der Schuldner den Wechsel rekognoszirt hat, und
dieser also für richtig erkannt wird, soll der Schuldner sofort zur Zahlung verurtheilt und angehalten, also ordentlicher Weise weder dilatorische, noch peremtorische Einwendungen zugelassen, sondern solche ad
separatum und zur Rekonvention verwiesen werden.

§. 5. Nur folgende Fälle machen hier eine Ausnahme:

1) Wenn der Beklagte im Rekognitionstermine sogleich oder längstens einen Tag hernach vermittelst klarer Dokumente und des
Gegners eigenes Bekenntniß oder durch Eibesdelation zu erweisen vermöchte, daß der Wechsel bezahlt, getilgt oder sonst unwirksam sei, oder
daß er eine offenbar liquide und wirklich verfallene Gegenforderung
habe;

2) wenn noch zu Fundirung des Wechselprozesses der Kläger seine
Legitimation beizubringen hat und sonsten die exceptiones so beschaffen sind, daß sie aus dem Wechsel und dem Wechselrecht selbst fließen.

der Beweis zu erbringen sei, — vermittelst klarer Dokumente, des Geg=
ners eigenes Bekenntniß, der Eidesdelation, — auf die beiden folgen=
den alternativen Sätze stattfinden müssen. Unterzieht man indessen den
Inhalt der fraglichen Gesetzesbestimmung und die vom Gesetzgeber
hiebei gebrauchten Ausdrücke einer näheren Prüfung, so gelangt man
zu dem entgegengesetzten Ergebnisse.

Zunächst ergibt sich nämlich, daß im §. 5 unter Nr. 1 in der
That zwei Ausnahmen von dem im §. 4 als Regel ausgesprochenen
Ausschlusse von bilatorischen oder peremtorischen Einreden aufgeführt
sind, oder mit anderen Worten, daß hier zweierlei Einreden aus=
nahmsweise zugelassen werden, einmal die Einrede, daß der Wechsel
bezahlt, getilgt oder sonst unwirksam sei, sodann die Einrede der
Kompensation mit einer Gegenforderung. Beiderlei Einreden, ihrer
Natur nach unter sich verschieden, sind nun auch vom Gesetze hinsicht=
lich ihrer Zulässigkeit an verschiedene Voraussetzungen geknüpft. Die
Gegenforderung, mit welcher kompensirt werden will, muß, wie das
Gesetz ausdrücklich besagt, eine offenbar liquide und schon wirklich
verfallene sein. Unter einer offenbar liquiden Gegenforderung kann
aber wohl nur eine solche verstanden werden, deren Rechtsbestand dem
Richter klar vor Augen gelegt ist, die mit ihrer Geltendmachung auch
sofort erwiesen wird, so daß dem anerkannten Wechsel gegenüber auch
sofort eine Kompensation eintreten kann. Eine offenbar liquide For=
derung ist insbesondere eine dergestalt urkundlich belegte Forde=
rung, daß alle zur Einleitung des Exekutivprozesses vorgeschriebenen
Voraussetzungen gegeben, alle zur Begründung derselben erforderlichen
Momente aus Urkunden, vorbehaltlich der Feststellung ihrer Aechtheit,
dem Richter klar ersichtlich sind; hieraus ergibt sich, daß zu den offen=
bar liquiden Forderungen jene nicht gerechnet werden können, die sich
einzig und allein auf die Behauptung des angeblichen Gläubigers
stützend erst mittelst der Eidesdelation an den Gegner liquid gestellt
werden sollen. Was seinem rechtlichen Bestande nach von der Leistung
oder Nichtleistung eines Eides abhängig ist, das ist sicherlich nicht offen=
bar liquid. Ist nun nach dem Gesetze, wie bereits erwähnt, die Zu=
lässigkeit der Geltendmachung einer Gegenforderung im Wechsel=
prozesse dadurch bedingt, daß letztere offenbar liquid sei, so ist
hiemit die Liquidstellung durch Eidesdelation ausgeschlossen; es
kann also der erste Satz in Nr. 1 des §. 5 nicht auf die zweite der
beiden folgenden Alternativen bezogen, sondern muß auf die erste der=
selben beschränkt werden. Hienach ist der Sinn der angeführten Be=
stimmung folgender: „Eine Ausnahme findet statt, wenn der Beklagte

in dem Rekognitionstermine sogleich oder längstens einen Tag hernach
entweder vermittelst klarer Dokumente, des Gegners eigenes Be=
kenntniß oder durch Eibesdelation zu erweisen vermöchte, daß der
Wechsel bezahlt, getilgt, oder sonst unwirksam sei, oder darthut, daß
er eine offenbar liquide und schon wirklich verfallene Gegenforderung
habe." Gegenüber der für die Zulässigkeit der Geltendmachung einer
Gegenforderung im Wechselprozesse deutlich und bestimmt aufgestellten
Voraussetzung, daß dieselbe offenbar liquid sei, kann die für eine an=
dere Interpretation scheinbar sprechende Satzstellung um so weniger
entscheidend sein, als bekanntlich zu der Zeit, zu welcher die Augs=
burger Wechselordnung entstanden ist, auf die Gesetzesredaktion keines=
wegs jene Sorgfalt und Aufmerksamkeit verwendet wurde, durch welche
ein sicherer Schluß aus derselben auf den Willen des Gesetzgebers für
den Richter bedingt ist. Einen Beleg hiefür gibt der mehrerwähnte §. 5
selbst in zwei anderen Beziehungen, indem nämlich einmal nach seiner
ziffermäßigen Abtheilung nur 2 Ausnahmsfälle genannt werden, wäh=
rend in der That der fragliche Paragraph 4 Ausnahmen enthält, die
Einrede der Zahlung, Tilgung und sonstigen Unwirksamkeit, die Ein=
rede der Kompensation, die Einrede der mangelnden Aktivlegitimation
und die aus dem Wechsel und Wechselrecht fließenden Einreden; indem
sodann der Beweis mittelst klarer Dokumente mit dem Beweise durch
des Gegners eigenes Bekenntniß kopulativ verbunden wird, während
doch zweifellos beide in einem alternativen Verhältnisse stehen. Es
spricht aber zudem für die vorbezeichnete Gesetzesauslegung auch noch ein
innerer Grund; die Einrede der Zahlung, Tilgung oder sonstigen Un=
wirksamkeit des Wechsels beruht auf Thatsachen, welche ihrer Natur
nach in einer rechtlichen Beziehung zu der Wechselforderung stehen, die
durch deren Existenz erloschen sein oder ihre rechtliche Wirkung ver=
loren haben soll; mit der Eibesleistung über die Existenz dieser That=
sachen wird einestheils die Frage über die Rechtswirksamkeit des Wech=
sels ihrer Erledigung entgegengeführt, ohne daß eine bedeutende Ver=
zögerung im Verfahren eintritt, anderntheils liegt eben wegen des in=
neren Zusammenhanges der Einrede mit der Wechselforderung in der
Zulassung der Eibesdelation an den Kläger, obwohl dieser seinen An=
spruch urkundlich dargethan hat, keine besondere Beschwerde. Dieser
innere Zusammenhang der Einrede mit der Klageforderung mangelt
aber, wenn dem wechselmäßigen Anspruch eine von ihm ganz unab=
hängige, auf selbständigen Thatsachen beruhende Gegenforderung im
Wege der Kompensation entgegengesetzt wird; in diesem Falle mag es
wohl, ganz abgesehen davon, daß die Eibeszuschiebung auch über die

hiegegen vorgebrachten Einreden und die diesen etwa entgegengestell-
ten Repliken zugelassen werden müßte, gerechtfertigt sein, die Kompensation zu gestatten, wenn die Gegenforderung sofort urkundlich dargethan wird, wenn sie offenbar liquid ist; allein gewiß kann dem Kläger, dessen Forderung durch den anerkannten Wechselbrief unzweifelhaft feststeht, mit rechtlichem Grunde nicht zugemuthet werden, um
sein klares Recht zu erringen, vorerst noch einen Eid über die Nichtexistenz einer mit letzterem in keiner inneren Verbindung stehenden Gegenforderung abzuleisten*).　　　　　(Augsburg Reg.-Nr. 28.)

## CXXXVII.
### Berufungszulässigkeit nach Preußischem Wechselprozesse.
#### (APrGO. Thl. I Tit. 27 §§. 45, 46, 49, 50, Tit. 14 §. 3 Nr. 5.)

Der im Jahre 1858 in Konkurs gerathene Kaufmann N. N.
von Selb**) war noch vor dessen Beendigung wegen zweier im Jahre
1862 und 1863 ausgestellter Wechsel von dem Gläubiger zu dem ausdrücklich ausgesprochenen Zwecke, um das Exekutionsmittel der Personalhaft zu erlangen, vor dem Handelsgerichte Hof belangt, und nachdem er der am 19. August unter Androhung „wechselmäßiger" Verurtheilung an ihn ergangenen Ladung zu dem Produktionstermine
keine Folge geleistet, am 29. desselben Mts. nach Klagantrag wechselmäßig verurtheilt worden. Gegen dieses am 31. August publizirte
Urtheil legte Verklagter, insoferne ihm hiedurch die Personalhaft angedroht war, am 10. September Berufung ein, deren formelle Zulässigkeit vom Kläger bestritten wurde, weil die Statthaftigkeit der Personalhaft bereits durch die vom Verklagten nicht angefochtene und daher
rechtskräftig gewordene Verfügung vom 19. August anerkannt
worden sei, überdieß aber auch keiner der Fälle vorliege, in welchen
nach der PrGO. Berufung zugelassen werde. Das k. HAG. ließ in

---

*) Eine Bestätigung findet diese Auslegung in der Bestimmung des
　Kap. III §. 4 der nach dem Muster der Augsb. WO. verfaßten b.
　W.-u. MGO. vom J. 1785, woselbst diese Bestimmung dem vor-
　stehend erörterten Sinne gemäß gefaßt wurde.

**) Selb gehört zu denjenigen ehemals preußischen Besitzungen des vorm.
　Mainkreises, in welchen vermöge der Verordnung vom 29. Nov. 1810
　u. dem Ges. v. 11. Septbr. 1825 für Wechselsachen noch der in der
　preußischen GO. befindliche Wechselprozeß gilt.

ſeinem Urtheile vom 16. Oktober die Berufung zu *) und bemerkte in den Gründen:

* Nach den Beſtimmungen des preuß. LR. Thl. II Tit. 8 Abſchn. 8 §. 713 bildet die Unterwerfung unter den perſönlichen Arreſt im Falle nicht erfolgter Zahlung einen weſentlichen Beſtandtheil des Wechſels. Die Wechſelfähigkeit und die Wechſelarreſtfähigkeit fällt nach dieſem Landrechte zuſammen. Wer wechſelfähig iſt, iſt auch wechſel a r r e ſt = fähig; wer nicht wechſelarreſtfähig iſt, iſt überhaupt nicht wechſel= fähig. Daher mußte auch die Einrede der mangelnden Arreſtfähigkeit, weil identiſch mit der Einrede der mangelnden Wechſelfähigkeit, ſofort gegen die Klage geltend gemacht und bei der Prüfung der Klage der richterlichen Würdigung unterzogen werden; es enthält die wech= ſelmäßige Kondemnation zur Zahlung im Sinne der §. 11, §. 17 Tit. 27 der preuß. GO. zugleich den Ausſpruch, daß der Verurtheilte, im Falle er dem Urtheile nicht nachkommen ſollte, der ſofortigen Per= ſonalhaft unterliege (§. 45 a. a. O.), und der Beklagte kann ſich gegen die Wechſelerekution nur durch baare Einzahlung der er= kannten Summe nebſt Zinſen und Koſten in das gerichtliche Depoſi= tum ſchützen (§. 51 a. a. O.), auch wird durch die eingelegte Be= rufung der Vollzug des wechſelmäßigen Erkenntniſſes nach keiner Richt= ung hin gehemmt (§. 33 a. a. O.).

Durch die Einführung der a. d. WO., welche an die Stelle der wechſelrechtlichen Beſtimmungen des preuß. LR. getreten iſt, hat in= deſſen rückſichtlich der mit dem Wechſel verknüpften Perſonalhaft eine namhafte Veränderung ſtattgefunden. Die Unterwerfung unter den Perſonalarreſt bildet nun nicht mehr einen weſentlichen Beſtandtheil des Wechſels. Die Wechſelfähigkeit iſt von der Wechſelarreſtfähig= keit getrennt; nicht jeder, der wechſelfähig iſt, iſt nunmehr auch wech= ſelarreſtfähig. Während der Art. 1 der a. d. WO. Jeden als wech= ſelfähig erkennt, hat zwar der Art. 2 die Haftung des Wechſelſchuld= ners für die Erfüllung der übernommenen Wechſelverbindlichkeit mit ſeiner Perſon gleichfalls als Regel ausgeſprochen, allein von die= ſer Regel gewiſſe Ausnahmen aufgeſtellt, in welchen wohl die Wechſel= fähigkeit gegeben, der Wechſelarreſt aber ausgeſchloſſen iſt; noch wei=

---

*) Die Berufungsſumme war nicht gegeben; es wurde aber, wie ſchon früher, wiederholt anerkannt, daß von ſolcher abzuſehen ſei, weil Ver= klagter um Erhaltung ſeiner in Geld nicht ſchätzbaren perſönlichen Freiheit ſtreite.

ter aber wurden diese Ausnahmen in den Partikularrechten ausgedehnt, und insbesondere hat das bayerische Einf.=Ges. zur allg. b. WO. im Art. 2 bestimmt, daß Personen, gegen welche der Wechselarrest in Gemäßheit der in den einzelnen Landestheilen dermalen bestehenden Vorschriften über Wechselfähigkeit und Wechselarrest nicht Platz greifen würde, auch nach Einführung der a. b. WO. dem Wechselarreste nicht unterworfen werden können.

Hienach sind also diejenigen Personen, welche nach dem preuß. Landrecht nicht wechselfähig waren, wenn sie auch jetzt die Wechselfähigkeit erlangt haben, dennoch nicht wechselarrestfähig. Demgemäß müssen aber auch die mit den nicht mehr bestehenden wechselrechtlichen Bestimmungen des preuß. Landrechtes im Zusammenhange stehenden Vorschriften der preuß. GO. einer entsprechenden Modifikation unterliegen; insbesondere kann die wechselmäßige Kondemnation der preuß. GO. nicht mehr in dem Sinne aufgefaßt werden, daß hiemit auch nun über die Zulässigkeit des Wechselarrestes entschieden sei; vielmehr muß der Nachweis oder aber die Bestreitung der Wechselarrestfähigkeit dem Exekutionsverfahren vorbehalten bleiben, soferne nicht etwa schon mit der Klage der Antrag auf Verhängung b. h. Androhung der Personalhaft verbunden und hiemit dem Beklagten Veranlassung gegeben wurde, seine Erinnerungen hiegegen mit der Klagbeantwortung geltend zu machen.

Von diesem Gesichtspunkte aus betrachtet, enthält das Erkenntniß des k. HG. Hof vom 29/31. August l. Js. lediglich eine Anerkennung der wechselmäßigen Verbindlichkeit des Beklagten und dessen Verurtheilung zur Zahlung der eingeklagten Wechsel.

In dem gegebenen Falle liegen indessen verschiedene Momente vor, welche unzweifelhaft entnehmen lassen, daß mit der wechselmäßigen Kondemnation im Erkenntnisse vom 29/31. August nicht blos die Liquidität der eingeklagten Wechselforderungen und die Zahlungsverbindlichkeit des Beklagten, sondern zugleich auch die Zulässigkeit der Personalhaft und der sofortige Eintritt derselben auf Antrag des Klägers ausgesprochen werden wollte.

Kläger hat nämlich selbst in seiner Klage bemerkt, daß das gegen den Beklagten bereits im Jahre 1858 eingeleitete Konkursverfahren zur Zeit noch im Laufe sei und er deßhalb unter wechselmäßiger Exekution den Wechselarrest, welchem Beklagter als Kaufmann ohne Zweifel unterworfen sei, verstanden wissen wolle.

Demgemäß hat auch das k. Handelsgericht Hof in dem Dekrete vom 19. August 1863 den Beklagten unter dem Androhen geladen, daß im Falle Ungehorsams in contumaciam wider ihn verfahren und er zur Bezahlung der eingeklagten Summe wechselmäßig würde verurtheilt werden (§. 11 Tit. 27 der preuß. GO.), und es hat in seinem Erkenntnisse vom 29/31. August l. J. ausdrücklich bemerkt, daß die Klage um deßwillen zugelassen worden sei, weil kein Gesetz bestehe, welches einem Kridar die Wechselfähigkeit abspreche und die Einklagung eines Wechsels gegen denselben selbst in dem Falle, wenn der Kläger (wie hier) erklärt, sich nicht an die Konkursmasse, sondern an die Person seines Wechselschuldners halten zu wollen, verbiete.

Gegen die Zulässigkeit der Berufung kann auch nicht geltend gemacht werden, daß keiner der im §. 32 der preuß. GO. aufgeführten drei Fälle, in denen allein die Appellation statthaft sein soll, hier vorliege, weil diese Bestimmung mit dem wechselrechtlichen Satze des preuß. LR., wonach die Anerkennung der Wechselkraft des eingeklagten Instrumentes zugleich den Ausspruch der Zulässigkeit der Personalhaft in sich schließt, innig zusammenhängt und hienach in der Gestattung der Berufung gegen die Beilegung der Wechselkraft in der That auch die Berufung gegen die Zulassung der Personalhaft gestattet ist.

Ebensowenig ist, um die Unzulässigkeit der Berufung darzuthun, eine Bezugnahme auf die Rechtskraft der Verfügung vom 19. August l. Js. begründet, weil diese Verfügung keine selbständig appellable ist, sondern eine Beschwerde gegen dieselbe immer noch mit der Berufung gegen das Urtheil in der Hauptsache verbunden werden kann *). (Preuß. GO. Tit. IV §. 3 Nr. 5).          (Hof Reg.-Nr. 5.)


## CXXXVIII.

### Auch gegen den Acceptanten eines Wechsels kann auf Sicherheitsleistung geklagt werden.
#### (Art. 29 der a. d. WO.)

Obiger Satz wurde wiederholt **) anerkannt in einem Erkenntnisse des k. HAG. zu Nürnberg vom 5. Oktober 1863, und in den Grün-

---

*) In materieller Hinsicht wurde die Beschwerde unter Hinweisung auf Art. 2 des Einf.-Ges. zur allg. d. WO., §. 718 Tit. VIII Thl. II des Pr. LR. und §§. 45, 46, 49 u. 50 Tit. 27 der Preuß. GO. verworfen.

**) Vgl. Bd. IX S. 589.

den zur Widerlegung der vom Untergerichte angenommenen gegentheiligen Ansicht *) bemerkt:

Der Artikel 29 der a. d. WO. handelt zwar zunächst von dem Regresse auf Sicherstellung, nicht minder aber ergibt sich aus der Fassung dieses Artikels im Zusammenhalte mit seiner Entstehungsgeschichte, sowie in Berücksichtigung der wechselrechtlichen Stellung des Acceptanten zu dem Aussteller und dem Indossanten, daß auch der Acceptant als zur Sicherstellung wechselmäßig verpflichtet angesehen werden muß. Im Abs. 1 des genannten Artikels sind vor Allem die thatsächlichen Voraussetzungen angeführt, unter welchen allein im Betreffe der acceptirten Wechselsumme Sicherheit verlangt werden kann. Der Abs. 2 stellt sodann als spezielle Voraussetzung des Sicherheitsregresses das Erforderniß auf, daß die Sicherheit von dem Acceptanten nicht geleistet und dieserhalb Protest gegen denselben erhoben wurde. Im Abs. 3 endlich wird ausgesprochen, daß der bloße Besitz des Wechsels die Stelle einer Vollmacht vertrete, in den Nr. 1 und 2 genannten Fällen von dem Acceptanten Sicherheitsstellung zu fordern, und wenn solche nicht zu erhalten ist, Protest erheben zu lassen. Zu der Annahme, daß dem hier gebrauchten Ausdrucke „fordern" die weniger häufig vorkommende Bedeutung von „auffordern" beizulegen sei, mängelt es an genügenden Gründen; der gleichmäßige Gebrauch des Wortes „fordern" in dem Art. 26 und Art. 29 Abs. 2, wo demselben unzweifelhaft die Bedeutung von „rechtlich verlangen" zukommt, spricht vielmehr dafür, daß auch hier auf ein klageweise verfolgbares Recht, auf eine rechtliche Verpflichtung des Acceptanten zur Sicherheitsbestellung hingedeutet werden wollte. Hiefür spricht auch der Umstand, daß der den Berathungen über die a. d. WO. zu Grunde gelegte preuß. Entwurf, wie die Motive zu dem §. 29 ergeben, von der Voraussetzung ausging, daß in gewissen Fällen der

---

*) Das Untergericht hatte seinen Ausspruch damit motivirt, daß der Art. 29 unter dem vom Regresse auf Sicherstellung handelnden Abschnitt VI sich finde, auch eine Verpflichtung des Acceptanten zur Sicherheitsleistung nicht ausdrücklich festsetze, gegen eine solche Verpflichtung vielmehr die Analogie des Art. 25 spreche, indem laut der Verhandlungen der Wechselkonferenz beide Fälle gleich behandelt werden wollten, und endlich aus der Regreßpflicht der Vormänner deßhalb nicht auf die des Acceptanten geschlossen werden könne, weil es an einer allgemeinen Vorschrift, daß jeder wechselmäßig Verpflichtete zur Sicherheitsleistung verbunden sei, fehle.

Wechselinhaber das Recht habe, vom Acceptanten Sicherstellung zu fordern, und in Folge hievon, wenn von dem Acceptanten die Sicherstellung nicht zu erlangen wäre, Ersterem den Rückgriff an die Vormänner und den Aussteller gestatten zu müssen glaubte; das dem §. 29 des Entwurfes zu Grunde liegende Prinzip wurde aber bei den Leipziger Konferenzverhandlungen von der Mehrheit angenommen. — Vgl. Prot. (Leipzig bei Hirschfeld) S. 63. — Der sicherste Beweis dafür, daß in dem Art. 29 das Recht des Wechselinhabers, auch von dem Acceptanten Sicherstellung zu verlangen, anerkannt wurde, muß aber darin gefunden werden, daß in der That der Regreß auf Sicherheitsleistung wegen Unsicherheit des Acceptanten davon abhängig gemacht wurde, daß die Sicherheit von dem Acceptanten nicht geleistet und dieserhalb Protest gegen denselben erhoben wird. Hätte wirklich die gesetzliche Sanktionirung des Regresses auf Sicherstellung wegen Unsicherheit des Acceptanten ihren Grund in der vollkommenen Analogie zwischen der Verweigerung der Annahme und dem einbrechenden Zahlungsunvermögen des Acceptanten, so wäre nicht abzusehen, weßhalb derselbe von dem Eintritte obiger Thatsachen abhängig gemacht wurde. Wie die nicht erfolgte Annahme des Wechsels zum Regresse auf Sicherstellung berechtigt, so müßte vielmehr auch die durch das eingetretene Zahlungsunvermögen herbeigeführte Unsicherheit des Acceptanten für sich allein ohne ein weiteres hinzutretendes Moment den Anspruch auf Sicherstellung gegen Aussteller und Indossanten begründen. Ist das Vertrauen auf sichere Zahlung des Wechsels durch die nicht erfolgte Annahme und die eingetretene Unsicherheit des Acceptanten gleichmäßig erschüttert und dieses der Grund der Gestattung des Regresses in beiden Fällen, so müssen auch diese Momente für sich allein zur Begründung des Regreßanspruches genügen.

Demungeachtet setzt aber nach Art. 29 der Regreß wegen Unsicherheit des Acceptanten voraus, daß von dem Acceptanten nicht Sicherheit geleistet und dieserhalb Protest erhoben wurde.

Hieraus geht hervor, daß letzterer Regreß nicht allein auf der Unsicherheit des Acceptanten, sondern zugleich auch darauf beruht, daß der Acceptant einer mit dem Accepte übernommenen Verbindlichkeit, nämlich der Verbindlichkeit, im Falle eintretender Unsicherheit den Inhaber des Wechsels sicher zu stellen, nicht nachgekommen ist. Indem als eine Voraussetzung des Regresses die Verweigerung der Sicherheitsleistung auf Seite des Acceptanten aufgestellt wird, ist hiemit auch dessen rechtliche Verbindlichkeit zur Sicherheitsleistung anerkannt. Wie die Verbindlichkeit des Ausstellers und der Indossanten zur Zahlung keine größere ist, als die des Acceptanten und eigentlichen Wechselschuldners, so besteht auch bezüglich der Sicherheitsleistung für die ersteren keine höhere Verpflichtung, als für die letzteren. Aus dem Umstande, daß, wenn Regreß wegen nicht erhaltener Annahme genommen werden will, der Bezogene zur Annahme aufzufordern und bei deren Verweigerung Protest zu erheben ist, kann allerdings nicht gefolgert werden, daß der Bezogene auf Annahme klagbar belangt werden könnte; denn die nicht erfolgte Annahme bildet ja die Voraussetzung des Regresses auf Sicherstellung; das Vorhandensein dieser Voraussetzung kann aber nur dadurch festgestellt werden, daß der Bezogene vorher zur Annahme aufgefordert wird. Anders verhält es sich aber bei dem Regresse wegen Unsicherheit des Acceptanten; gerade weil hier nicht die eingetretene Zahlungsunfähigkeit für sich allein, wie die nicht erfolgte Annahme für sich allein, zum Regresse berechtigt, sondern n e b e n j e n e r, — was an sich kein Gebot innerer Nothwendigkeit ist, — noch die nicht erfolgte Sicherheitsleistung auf Seite des Acceptanten erforderlich ist, findet auch eine andere Schlußfolgerung rücksichtlich der Verbindlichkeit des Bezogenen, resp. Acceptanten ihre volle Rechtfertigung*).

(Würzburg Reg.-Nr. 23.)

## CXXXIX.

### Rechte und Pflichten des Ehrenzahlers.
#### (Art. 50, 52 u. 62—64 der a. d. WO.)

Eine von dem Kaufmann A. A. an die Ordre der Herren S. und Comp. zu Nürnberg auf N. N. zu Augsburg gezogene Anweisung, welcher im Verlaufe ihrer Cirkulation 3 Nothadressen, und zwar die erste von den Remittenten und ersten Indossanten S. u. Comp. beigefügt worden waren, war schließlich an den letzten Nothadressaten gelangt, welcher, nachdem der Assignat nach Verfall keine Zahlung geleistet hatte und hierüber Protest erhoben worden war, ohne daß jedoch vorher die weiteren Nothadressen um Zahlung angegangen worden

---

*) Vgl. auch H o f f m a n n, Erläuterung der a. d. WO. S. 343. — B o l c k m a r und L ö w y S. 135. — B o r c h a r d t, WO. S. 31, 32. — Archiv für deutsches Wechselrecht, Bd. III S. 343, Bd. VI S. 310. — Zeitschrift f. d. gesammte Handelsrecht Bd. II S. 129.

wären, zu Ehren des Giro der Herren W. u. Comp. (Zwischenindossanten) unter Protest Zahlung leistete. Die von demselben hierauf gegen die Remittenten und ersten Indossanten G. u. Comp. erhobene Regreßklage wurde von dem Handelsgerichte Nürnberg als unbegründet abgewiesen *) und dieses Urtheil am 8. Oktober 1863 zweitrichterlich bestätigt **). Die Gründe enthalten Folgendes ***).

Allerdings erwirbt der Ehrenzahler durch die Ehrenzahlung selbständig wechselmäßige Rechte, es ist dieses ein Satz des Wechselrechts, der auch im Art. 63 der d. WO. Ausdruck gefunden hat. Diese Rechte sind demnach nicht von dem Inhaber in dem Sinne abgeleitet, wie der Indossatar nach bereits erfolgtem Proteste Mangels Zahlung in Gemäßheit des Art. 16 Abs. 2 seine Rechte von dem Indossanten ableitet †); der Ehrenzahler wird vielmehr kraft der Ehrenzahlung selbst

---

*) Deßhalb, weil die Zahlung nicht von der Nothadresse der Verklagten verlangt wurde und somit nach Art. 62 der Inhaber den Regreß gegen den Adressanten oder Honoraten und deren Vormänner verloren habe, der Ehrenzahler aber nur in die Rechte des Inhabers eintrete, somit kein Regreßrecht haben könne, wenn ein solches dem Inhaber nicht zustehe.

**) Ueber die formelle Zulässigkeit der Berufung bemerken die Entscheidungsgründe, daß zwar kaufmännische Anweisungen gesetzlich den Bestimmungen über gezogene Wechsel unterworfen seien, was auch vom gerichtlichen Verfahren gelte, und daß nach §. 17 lit. f der RCGO. v. J. 1802 Wechselsachen nicht zu den appelabeln gehörten, insoferne der Wechsel seine Kraft noch nicht verloren habe, — daß jedoch diese letztere Voraussetzung hier deßhalb nicht gegeben sei, weil es sich darum handle, ob die Anweisung als präjudizirt erscheine, also dem Verklagten gegenüber ihre Kraft verloren habe. Mit diesem Ausspruche, welcher in ähnlichen Fällen schon zu wiederholten Malen erlassen wurde, steht das in Bd. X S. 706 mitgetheilte Erkenntniß nicht im Widerspruche, da dort ein vollkommen rechtsgiltiger Wechsel, auf Grund dessen der Verklagte zur Zahlung verurtheilt worden war, in Frage stund.

***) Appellant hatte auszuführen gesucht, daß die Rechte des Ehrenzahlers selbständig und von der Existenz und dem Fortbestande der Rechte anderer Wechselberechtigter, daher auch von dem Rechte des Wechselinhabers unabhängig seien, daß ferner der Ehrenzahler seine Regreßrechte gegen diejenigen, welche durch die Ehrenzahlung anderer Intervenienten befreit worden wären, nur in dem Falle verliere, wenn aus dem Wechsel oder Protest ersichtlich war, daß ein Anderer, dem er hienach nachstehen müßte, den Wechsel einzulösen bereit war.

†) Von dieser Annahme scheint der Unterrichter ausgegangen zu sein.

Wechseleigenthümer und Wechselgläubiger; er erwirbt gegen den Honoraten, dessen Vormänner und den Acceptanten selbstständig die im
Art. 50 u. 52 der WO. bezeichneten Inhaberrechte. Allein der Erwerb dieser
Rechte ist an gewisse Voraussetzungen geknüpft, an die Voraussetzungen
nämlich, welche sich aus den Art. 62 u. 64 d. WO. ergeben. Wie die Protesterhebung Mangels Zahlung gegen den Bezogenen, so bildet hienach auch die
Vorlage des Wechsels an sämmtliche Nothabressaten und die Aufnahme
der von Letzteren erfolgten Erklärungen in den Protest eine Vorbedingung des Regresses überhaupt, mag dieser Regreß nun von dem Wechselinhaber oder von demjenigen erhoben werden, der kraft der geleisteten
Ehrenzahlung die Rechte des Wechseleigenthümers und Wechselgläubigers
erworben hat. Wie der Ehrenzahler nicht zahlen darf, bevor der Protest erhoben wurde, so darf er auch nicht zahlen, bevor der Wechsel
sämmtlichen Nothabressen zur Zahlung vorgelegt und dieß
im Proteste festgestellt wurde. Thut er dieses dennoch, so mangelt es
an einer Vorbedingung des Regresses gegen diejenigen, deren Nothabresse nicht in vorgeschriebener Weise befragt wurde, sowie gegen deren
Nachmänner. Ist der Protest, ist die Vorlage an die Nothabresse versäumt, so ist auch der Regreß verloren, — sei es nun des Inhabers,
wenn eine Ehrenzahlung nicht erfolgte, oder des Ehrenzahlers, wenn
dieser trotz jenes Versäumnisses gezahlt hat. Liegt nun aber ein solches
Versäumniß vor, so kommt es auf die Bestimmungen des Art. 64 gar
nicht weiter an. Dieser Artikel setzt offenbar voraus, daß den Vorschriften des Art. 62 Genüge geleistet worden, daß der Wechsel sämmtlichen Nothabressen zur Zahlung vorgelegt und dieses sammt dem Ergebnisse im Protest bemerkt wurde. War dieses der Fall, ist sonach
ersichtlich, — und dieß muß sich im Hinblicke auf Art. 88 Nr. 5 aus
dem Proteste ergeben, — wem der Vorzug in der Ehrenzahlung ge-
bührt, so ist das Regreßrecht des Ehrenzahlers an die weitere Vorbe-
bingung geknüpft, daß aus dem Wechsel bezw. Proteste nicht hervorgeht, daß ein Anderer, dem der klagende Ehrenzahler nach dem voran-
geführten Grundsatze hätte nachstehen müssen, den Wechsel einzulösen
bereit war. Geht dieses aus dem Wechsel bezw. Proteste hervor, so
ist das Regreßrecht desjenigen, der sich trotz dieses Umstandes zur
Ehrenzahlung vorgedrängt hat, verloren, wenn auch die Vorschriften
des Art. 62 sämmtlich befolgt worden sein sollten. Dieser Fall liegt
aber hier gar nicht vor, weil die in Frage stehende Anweisung, welche
nach Art. 1 des Ges. vom 29. Juni 1851, die kaufmännischen Anweisungen betr., den gesetzlichen Bestimmungen über gezogene Wechsel
unterworfen ist, nicht sämmtlichen Nothabressen, die sich auf solcher

befinden, zur Zahlung vorgelegt wurde, sondern sofort von dem letzten Inhaber, welcher zugleich Nothadreſſat iſt, in dieſer ſeiner letzteren Eigenſchaft zu Ehren der Indoſſanten W. u. Comp. gezahlt wurde, mithin die übrigen Nothadreſſen gar nicht in die Lage gebracht wurden, ſich zur Ehrenzahlung zu erbieten, zur Einlöſung des Wechſels bereit zu erklären, was doch die Vorausſetzung der Anwendbarkeit des Art. 64 iſt. Um das Präjudiz des Art. 62 verwirkt zu erklären, iſt es aber genügend, wenn ſich auf dem vom Bezogenen nicht eingelöſten Wechſel oder der Kopie mehrere Nothadreſſen befinden, und nicht ſämmt= lichen Nothadreſſen der Wechſel zur Zahlung vorgelegt wurde *).

(Nürnberg Reg.=Nr. 71.)

### CXL.

Begründung der Schadenersatzklage, wenn der Verkäufer die Waare für Rechnung des ſäumigen Käufers ver= kauft. — Verkauf durch einen Pfuschmäkler.

(Art. 343, 354 des a. d. HGB.)

Hopfenhändler N. N. hatte von A. A. zu Hersbruck eine Partie Hopfen auf Beſicht erkauft und, nachdem er am 7. Oktober den Hopfen beſichtigt und mit A. A. über den Preis ſich geeinigt hatte, verſprochen, den Hopfen am nächſten Montag (13. Oktober) abholen zu laſſen. Als der Hopfen an dieſem Tage nicht abgeholt wurde, N. N. vielmehr erklärte, er nehme denſelben nicht, ließ A. A. angeblich den Käufer zunächſt durch einen Boten und ſodann brieflich, das letzte Mal unter Androhung des Verkaufes des Hopfens und Einklagung der Differenz, zur Uebernahme auffordern, und nachdem auch dieß ohne Erfolg ge= blieben war, am 25. November den Hopfen unter Mitwirkung des Hopfeneinkäufers X. an den Bierbrauer Y. verkaufen. Bei dieſem Ver= kaufe ergab ſich gegenüber dem ſtipulirten Preiſe ein Mindererlös, auf deſſen Erſatz nebſt Erſtattung der ſonſtigen Auslagen A. A. gegen den Käufer bei dem k. Handelsgerichte Nürnberg Klage erhob. Nach durchverhandelter Sache wies dieſes Gericht die Klage ab, weil der Verkäufer nach ſeinen eigenen Angaben die Vorſchrift des Art. 343

---

*) Die Wechſelnotare werden daher, wenn ſie Regreßanſprüche vermeiden wollen, die Präſentation bei ſämmtlichen Nothadreſſen nicht verſäumen dürfen.

des HGB. nicht eingehalten habe, welches Urtheil am 22. Oktober 1863 zweitrichterlich bestätigt wurde. In den Gründen des letzteren kommt vor:

Die Rechte, welche dem Verkäufer gegenüber dem säumigen und noch nicht im Besitze der Waare befindlichen Käufer zustehen, sind im Art. 354 des a. d. HGB. festgestellt und bestehen darin, daß derselbe die Wahl hat zwischen dem Rechte auf Erfüllung des Vertrages nebst Schadenersatz wegen verspäteter Erfüllung, dem Rechte auf Verkauf der Waare für Rechnung des Käufers nebst Anspruch auf Schadensersatz, und endlich dem Rechte auf gänzlichen Rücktritt vom Vertrage, gleich als ob derselbe nicht geschlossen wäre. Wer jedoch den zweiten dieser Wege einschlagen will, ist gesetzlich verbunden, beim anderweiten Verkaufe — nach vorausgegangener nochmaliger Aufforderung zur Vertragserfüllung Art. 356 — das in Art. 343 des a. d. HGB. vorgeschriebene Verfahren zu beobachten*). Hienach hat der Verkauf im Wege des öffentlichen Aufstriches und jedenfalls unter öffentlicher Autorität zu erfolgen. Die in Art. 343 getroffene Anordnung hat ihren guten Grund in dem Interesse, welches nicht nur der Verkäufer sondern auch der ursprüngliche Käufer bei dem weiteren Verkaufe der Waare hat. Denn dieser Verkauf erfolgt ja auf Wag und Gefahr oder, wie das Gesetz sich ausdrückt, auf Rechnung des säumigen Kontrahenten, und der hiebei erzielte Erlös bildet, wenn der bedungene Kaufpreis nicht erreicht worden, die Grundlage der Schadensberechnung, für deren Ergebniß er dem anderen Theile haftbar ist, während andererseits im Falle der Erzielung eines höheren Erlöses dem ursprünglichen Käufer sein Anspruch auf Herausvergütung des allenfallsigen Mehrbetrages nicht abgesprochen werden kann. Zur Vermeidung und Abschneidung von Weiterungen, die aus einem Privatverkaufe sich regelmäßig ergeben würden, muß daher das im Art. 343 vorgeschriebene Verfahren um so mehr auch in dem Falle des Art. 354, wenn der dritte der obenbezeichneten Wege vom Verkäufer eingeschlagen werden will, eingehalten worden sein, als in letzterer Gesetzesstelle die vorgängige Beobachtung der Bestimmungen des Art. 343 speziell und ganz bestimmt vorgeschrieben ist. Es fehlt somit der Schadenersatzklage an dem gesetzlich vorgeschriebenen Requisite der unter öffentlicher Autorität erfolgten Weiterveräußerung und des lediglich auf diesem

---

*) Ein sofortiger Verkauf nach dem 13. Oktober war nicht nöthig, da ein Fixgeschäft im Sinne des Art. 357 nicht vorlag.

Wege zu gewinnenden einen Faktors, welcher für Herstellung der Schadensberechnung absolut nothwendig ist.

Zwar bemüht sich die Berufungsschrift (unter Bezugnahme auf den Lutz'schen Kommentar) darzuthun, daß die durch einen Pfuschmäkler vermittelten Geschäfte keineswegs nichtig seien, weil einem solchen Mäkler nur die fides publica fehle. Es handelt sich aber im gegenwärtigen Prozesse nicht um die Frage, ob das von dem Kläger durch Vermittlung des Hopfeneinkäufers X mit dem Bierbräuer Y. abgeschlossene Privatkaufgeschäft zu Recht bestehe oder ob es absolut nichtig oder blos anfechtbar sei, sondern darum handelt es sich, ob bei diesem behufs der Darstellung der Schadensgröße veranstalteten Weiterverkaufe diejenige Person, welche den Verkauf leitete, ein Handelsmäkler im Sinne des HGB. Art. 343 mit 66, somit eine mit fides publica durch amtliche Bestellung als Sensal bekleidete Person gewesen sei oder nicht. Diese fides publica hat Appellant für den Hopfeneinkäufer X. selbst nicht angesprochen, indem er ihn ausdrücklich als „Pfuschmäkler" (mit Bezug auf den Kommentar von Lutz) bezeichnet. Es ist deshalb die besfallsige Beschwerdeausführung hieher ohne allen Belang *).

(Nürnberg Reg.-Nr. 76.)

## CXLI.

## Rechte und Pflichten des Verkäufers bei Saumsal des Käufers.

### (Art. 354—359 des a. b. HGB.)

Der Handelsmann A. A. hatte nach seiner Behauptung am 25. August 1862 100 Malter Korn, das Malter zu 10 fl. 10 kr., an den Müller N. N. verkauft und als dieser, entgegen der angeblichen Vertragsbestimmung, wonach das Korn im April 1863 bei ihm, dem Verkäufer, abgeholt werden sollte, dasselbe nicht abholte, unter dem Vorgeben, daß der Kornpreis im Monate April und Anfang Mai 1863 nur 8 fl. 20 kr. betragen habe, unter'm 7. Mai 1863 gegen N. N. auf Entrichtung einer Entschädigungssumme von 1 fl. 50 kr. pr. Malter, mithin von 183 fl. 20 kr. im Ganzen bei dem HG. Aschaffenburg Klage erhoben.

---

*) Kläger hatte als Grund gegen seine Abweisung auch noch den geltend gemacht, daß die Klage bereits zur Verhandlung zugelassen sei, welcher Grund jedoch selbstverständlich keine Berücksichtigung fand.

22 *

Der die Klage abweisende erstrichterliche Beschluß wurde am 8. Oktober 1863 zweitrichterlich bestätigt aus folgenden Gründen:

Der Art. 354 des a. d. HGB. gewährt dem Verkäufer drei verschiebene Wege zur Geltendmachung seines Interesse, im Falle der Käufer mit der Zahlung des Kaufpreises im Verzuge und die Waare noch nicht übergeben ist. Durch diese Bestimmung ist der Verkäufer, welcher sein durch den Verzug des Käufers begründetes rechtliches Interesse geltend machen will, auf die Wahl eines dieser drei Wege beschränkt. Denn das Gesetz beabsichtigte, in den Art. 354—359 die rechtlichen Wirkungen des Verzuges bei dem Kaufgeschäfte festzustellen; wenn dasselbe daher im Art. 354 dem durch den Verzug des Käufers in seinen Rechten beeinträchtigten Verkäufer nur dreierlei Wege bezeichnet, um sich schadlos zu halten, unter diesen drei Wegen aber dem Verkäufer die Wahl frei läßt, so gibt es hiemit zu erkennen, daß die Wahl eines anderen Weges ausgeschlossen sei. Wollte man dem Verkäufer gestatten, sein Interesse auch noch in anderer, als in der im Gesetze bezeichneten Weise geltend zu machen, so würde demselben die Wahl nicht unter drei, sondern unter mehr als drei Wegen zustehen; eine solche Folge widerspricht aber offenbar dem Wortlaute des Gesetzes, nach welchem der Verkäufer eben nur unter den dort benannten drei Wegen die Wahl hat. Der Sinn des Art. 354 ist nicht der, daß dem Verkäufer überhaupt die Wahl freigelassen werden wollte, in welcher Weise er seine Schadloshaltung bewirken wolle, — in diesem Falle wäre es überflüssig gewesen, den einen oder anderen Weg speziell zu bezeichnen; — durch den Art. 354 sollte vielmehr ausgesprochen werden, daß dem Verkäufer außer der civilrechtlichen Klage auf Vertragserfüllung auch noch andere, jedoch genau und bestimmt bezeichnete Mittel, um zur Schadloshaltung zu gelangen, zu Gebote stehen, und daß unter diesen ihm die Wahl freigelassen ist. Hieraus ergibt sich aber, daß von einer Anwendung des Art. 1 des HGB. hier keine Rede sein kann. Sollten auch nach den vor der Einführung des HGB. bestandenen handelsrechtlichen Grundsätzen und Gewohnheiten dem Verkäufer noch andere Wege freigestanden sein, um zur Schadloshaltung gegen den säumigen Käufer zu gelangen, so können dieselben dermalen doch nur insoweit zur Anwendung kommen, als das Handelsgesetzbuch keine besonderen Bestimmungen enthält. Kläger verlangt nun weder Erfüllung des Vertrages nebst Schadensersatz wegen verspäteter Erfüllung, noch will derselbe ganz vom Vertrage abgehen; dagegen fordert er statt der Erfüllung Schadensersatz und gründet diesen auf die Differenz zwischen dem Kaufpreise und dem

Marktpreise der von ihm wieder zu übernehmenden Waare zur Zeit des eingetretenen Verzuges. Eine solche Schadensberechnung gegenüber dem säumigen Käufer kennt aber das HGB. nicht. Die zweite Alternative des Art. 354 gibt zwar dem Verkäufer das Recht, statt der Erfüllung Schadensersatz zu fordern, sie stellt aber zugleich als Voraussetzung der Berechnung des Schadens in diesem Falle auf, daß der Verkäufer die Waare unter Beobachtung des Art. 343 für Rechnung des Käufers verkaufe, will also der Berechnung des Schadens den Erlös aus dem für Rechnung des Käufers geschehenen Verkaufe zu Grund gelegt wissen. Kläger hat aber nach seiner eigenen Angabe die Waare nicht verkauft, sondern will sie nach Ablauf der Zeit der Lieferung bezw. der Empfangnahme selbst um den damaligen Marktpreis übernommen haben. Appellant macht nun wohl auch in dieser Beziehung geltend, daß der in der zweiten Alternative des Art. 354 angeführte Verkauf auf Rechnung des Käufers nicht als unerläßliche Vorbedingung dieser Art der Schadensersatzforderung betrachtet und nicht abgesehen werden könne, weßhalb dem Verkäufer nicht gestattet sein solle, die Waare, statt sie um den Marktpreis zu verkaufen, um diesen Preis selbst zu behalten, was sogar im Interesse des säumigen Käufers liege, weil die Schadensersatzforderung sich wenigstens um die Kosten des Verkaufes mindere. Allein es muß auch hiegegen wieder bemerkt werden, daß der Art. 354 dem Verkäufer, wenn er nicht auf Vertragserfüllung bestehen und Schadensersatz wegen verspäteter Erfüllung verlangen oder vom Vertrage ganz abgehen will, keine andere Wahl läßt, als für Rechnung des Käufers zu verkaufen, und hinsichtlich der Art der Vornahme des Verkaufes auf die Beobachtung der Bestimmungen des Art. 343 hinweist. Nach diesen Bestimmungen muß der Verkauf öffentlich, oder, wenn die Waare einen Marktpreis hat, wenigstens durch einen Handelsmäkler oder in Ermangelung eines solchen durch einen zu Versteigerungen befugten Beamten geschehen; hiemit ist aber offenbar die einfache Zurücknahme der Waare um den Marktpreis durch den Verkäufer ausgeschlossen. Durch diese Vorschrift wollte das Gesetz den Käufer gegen etwaige Benachtheiligungen sicher stellen, denen er möglicher Weise ausgesetzt sein könnte, wenn dem Verkäufer ohne die durch den Verkauf unter der Autorität einer öffentlichen Person gebotene Garantie jene Zurücknahme gestattet wäre, sowie einer Ausdehnung der Differenzgeschäfte möglichst entgegentreten. Will der Verkäufer die Waare zurücknehmen, so bleibt ihm nach der Fassung des Gesetzes nur die dritte Alternative. Wollte man aber selbst annehmen, was sich indessen nach dem Vorgesagten nicht rechtfertigen ließe, daß der Verkäufer berechtigt wäre, statt des Verkaufes die Waare um den zur Zeit des eingetretenen Verzuges bestandenen Marktpreis selbst zu übernehmen, so könnte sich im gegebenen Falle Kläger immerhin durch die erfolgte Abweisung seiner Klage nicht für beschwert erachten, — weil, wenn auch, wie derselbe selbst anführt, die Waare innerhalb einer festbestimmten Frist in Empfang genommen werden sollte, und daher nach Art. 357 eine vorgängige Androhung der Zurücknahme um den Marktpreis nicht erforderlich gewesen wäre, doch jedenfalls die Uebernahme unverzüglich nach Ablauf der Frist hätte geschehen und dem Käufer ungesäumt hievon hätte Anzeige erstattet werden müssen. Davon, daß dieses Gebot des Art. 357 beobachtet wurde, enthält aber die Klage nicht die mindeste Erwähnung.

(Aschaffenburg Reg.=Nr. 15.)


## CXLII.

**Die Amortisation eines abhanden gekommenen Wechsels ist bei dem Handelsgerichte des Zahlungsortes nachzusuchen.**

Verordnung vom 10. Oktober 1810, die Ausfertigung der Amortisationsedikte betreffend. Ziffer I. — Art. 73, 98 Ziff. 9 der a. d. WO.

Obiger Satz wurde in einem am 26. November 1863 erlassenen Urtheile des kgl. Handelsappellationsgerichtes angenommen und hiebei von folgenden Erwägungen ausgegangen:

Durch Ziff. I der ah. Verordnung vom 10. Oktober 1810, die Ausfertigung der Amortisationsedikte betreffend *), wurde zur Einleitung des Amortisationsverfahrens bezüglich verlorener oder vermißter Urkunden das Gericht des Imploranten als das zuständige erklärt und es ist keinem Zweifel unterworfen, daß hierunter zunächst und der Regel gemäß das ordentliche Civilgericht verstanden wurde. Hiedurch erscheint indessen bezüglich der Amortisation von Wechseln, wie sich schon aus dem von jener Verordnung festgestellten Amortisationsverfahren ergibt, die Zuständigkeit der Wechselgerichte keines-

---

*) Reg.=Bl. von 1810 S. 935 ff.

weges als ausgeschlossen. Es ist nämlich dieses Verfahren ein kontentiöses, gegen den unbekannten Inhaber der Urkunde gerichtetes, wodurch dieser zur Vorlage der zu Verlust gegangenen Urkunde binnen bestimmter Frist aufgefordert und ihm für den Fall des Ungehorsams der Rechtsnachtheil der Ungiltigkeitserklärung der Urkunde angedroht wird; diese Ungiltigkeitserklärung betrachtet das Geseß selbst als ein Kontumazialurtheil und hat hiegegen die gegen solche Urtheile nach den in den einzelnen Gebietstheilen des Königreiches bestandenen Prozeßordnungen zulässigen Rechtsmittel eingeräumt. Der Zweck jenes Verfahrens ist mithin Erwirkung einer gerichtlichen Entscheidung darüber, ob eine Urkunde und also auch ein Wechsel noch ferner rechtliche Geltung haben solle, es stellt sich demnach dasselbe als eine unter den Betheiligten auszutragende Civilstreitsache oder Wechselsache dar.

Wenn nun auch zur Zeit der Erlassung jener Verordnung nicht in allen damaligen Gebietstheilen des Königreiches für Wechselsachen die Wechselgerichte ausschließliche Zuständigkeit hatten, so waren doch da, wo dieses der Fall war, dem oben Bemerkten gemäß für Amortifation von Wechseln die Wechselgerichte allein zuständig und es paßt daher der Ausdruck der erwähnten Verordnung: „das Gericht des Imploranten" ebensogut bei Wechseln auf die Wechselgerichte, wie bei sonstigen Urkunden auf die gewöhnlichen Gerichte.

Könnte hierüber vom Standpunkte der mehrerwähnten Verordnung noch ein Zweifel als bestehend erachtet werden, so würde derselbe jedenfalls durch die Bestimmungen der a. b. WO. beseitigt sein, da diese im Art. 73 eigene Bestimmungen über das Amortifationsverfahren und dessen Folgen aufgestellt und hiedurch den engen Zusammenhang dieses Verfahrens bezüglich eines Wechsels mit den übrigen Bestimmungen des Wechselrechts, sowie die Eigenschaft eines solchen Verfahrens als einer Wechselsache ausdrücklich anerkannt hat.

Nachdem nun Art. 67 des Einf.-Ges. zum a. b. HGB. die Zuständigkeit der Handelsgerichte auch auf alle Wechselsachen erstreckt hat, hiezu aber jedenfalls ein Verfahren der mehrerwähnten Art zu rechnen ist, so ergibt sich, daß nunmehr für das Verfahren wegen Amortifation eines Wechsels ausschließlich die Handelsgerichte zuständig sind. Die Frage endlich, an welches Handelsgericht ein Antrag der mehrerwähnten Art zu stellen sei, findet durch die Bestimmung des angef. Art. 73 ihre Erledigung, welcher das Gericht des Zahlungsortes hiefür als zuständig erklärt. Durch diese Bestimmung, als die neuere und speziellere, erscheint nämlich die entgegenstehende Vorschrift der Ziff. I der besprochenen Verordnung als modifizirt, und es ist daher nunmehr das Amortisationsverfahren von demjenigen Handelsgerichte einzuleiten, in dessen Sprengel der Zahlungsort des Wechsels liegt.

(Augsburg Reg.=Nr. 34.)

## CXLIII.

Umfang des Berufungsrechts im Amortisationsverfahren bezüglich eines abhanden gekommenen Wechsels. — Passivlegitimation in diesem Verfahren.

Ah. VO. vom 10. Oktober 1810, die Ausfertigung der Amortisationsedikte betr. — A. b. WO. Art. 73.

Der Remittent eines von A. A. auf N. N. zu Augsburg über die Summe von 5000 fl. — gezogenen und von letzterem auch acceptirten, Ende September zu Augsburg zahlbaren Wechsels hatte am 27. Oktober unter dem Vorgeben, daß dieser Wechsel zu Verlust gegangen sei, bei dem k. Handelsgerichte Augsburg auf Einleitung des Amortisationsverfahrens angetragen, welchem Antrage entsprechend das angegangene Gericht den unbekannten Inhaber fraglichen Wechsels zur Vorlage desselben binnen 6 Monaten unter dem gesetzlichen Präjudize öffentlich aufforderte. Gegen diese Verfügung legte der Acceptant des Wechsels Remonstration nebst eventueller Berufung ein, worin er um Abweisung der Imploration bat, wurde jedoch mit seinem Antrage in I. Instanz abgewiesen, und die für diesen Fall ergriffene Berufung durch handelsappellationsgerichtliches Urtheil vom 26. Novbr. 1863 als unstatthaft verworfen. In den Gründen des letzteren kommt vor.

In §. VII der ah. VO. vom 10. Oktober 1810, die Ausfertigung der Amortisationsedikte betr., wird bezüglich der Zulässigkeit von Rechtsmitteln gegen Amortisationsurtheile auf die in den einzelnen Gebietstheilen des Königreiches geltenden Prozeßordnungen verwiesen. Zu Augsburg gilt für Wechselsachen in allen denjenigen Fällen, wofür die Augsburger WO. keine Bestimmungen enthält, wie dieß bei dem Amortisationsverfahren, das in jenem Gesetze nicht geregelt ist, stattfindet, subsidiär die b. GO. v. J. 1753 nebst den hiezu gehörigen Novellen; hienach sind Berufungen gegen solche prozeßleitende Dekrete, wodurch keinem Theile etwas zu= oder abgesprochen wird, unstatthaft und daher sofort zu verwerfen.

Durch die erwähnte Verfügung wird nun über die Amortisation eines Wechsels noch gar nichts entschieden, vielmehr die Entscheidung

hierüber lediglich vorbereitet, indem der unbekannte Inhaber des verlorenen Wechsels zu dessen Vorzeigung aufgefordert wird; es erscheint
daher dieselbe nur als ein prozeßleitendes Dekret, gegen welches selbst-
ständige Berufung unzulässig ist.

Abgesehen aber auch hievon, so fehlt es insoferne an der Voraussetzung zur Appellation, als nach dermaliger Sachlage in keinem
Falle Appellant derjenige wäre, welcher durch fragliche Verfügung
beeinträchtigt ist. Bei dem Amortisationsverfahren ist überhaupt nur
der Inhaber des Wechsels als Betheiligter aufzutreten veranlaßt,
da nur gegen ihn das Verfahren gerichtet ist; daß aber Appellant
Besitzer des fraglichen Wechsels sei, hat er selbst nirgends behauptet,
sondern im Gegentheil nach den vorliegenden Bescheinigungen das
Recht des Wechselinhabers anerkannt. Appellant ist vielmehr nach
vorliegender Urkunde Acceptant des verlorenen Wechsels, was er auch
in seiner Beschwerde nicht bestreitet; er beanstandet lediglich, das
Recht des Imploranten zur Stellung des vorliegenden Gesuches deßhalb, weil derselbe nicht den Wechsel besessen und verloren, während
das Gericht ihn gleichwohl als Remittenten und deßhalb als Eigenthümer erachte. Allein durch das Amortisationsedikt wird über die
Befugniß, den fraglichen Wechsel als Eigenthümer geltend zu machen,
noch nicht erkannt, und es ist noch ungewiß, ob überhaupt Implorant seiner Zeit nach erlangtem Amortisationsurtheil gegen den Appellanten auf Zahlung des Wechsels klagbar auftreten könne, vielmehr
ist dieß einem weiteren Verfahren vorbehalten, in welchem dem
Appellanten freisteht, seine allenfallsigen Einwände geltend zu machen.

Erscheint aber hiernach Beschwerdeführer bei dem Amortisationsverfahren nicht unmittelbar als betheiligt, so stehen ihm auch keine
Einwendungen gegen die Begründung jenes Gesuches und folgeweise
kein Beschwerderecht zu.

(Augsburg Reg.-Nr. 34.)

## CXLIV.

Zuständigkeit in einer Wechselsache, wenn bezüglich des
eingeklagten Wechsels das Amortisationsverfahren eingeleitet ist.

A. b. WO. Art. 73, 98 Ziff. 9. — B. W. u. MGO. Kap. III §. 3. —
Einf.-Ges. zum a. b. HGBuche Art. 67.

Der Inhaber eines von dem N. N. zu Mittersendling ausgestellten eigenen Wechsels, welcher nach eingetretener Verfallzeit von dem

k. Notare N. zu München dem Schuldner zur Zahlung präsentirt werden sollte, aber bei dieser Gelegenheit auf eine noch unaufgeklärte Weise zu Verlust ging, hatte bei dem k. Bezirksgerichte München r/J. die Einleitung des Amortisationsverfahrens beantragt und, nachdem von diesem Gerichte an den unbekannten Inhaber des Wechsels die vorgeschriebene Aufforderung erlassen worden war, unter Vorlage der von dem treffenden Notare über jenen Vorgang aufgenommenen Urkunde, welche jedoch eine Abschrift des Wechsels nicht enthielt, gegen den Aussteller selbst bei dem k. Handelsgerichte München r/J. auf Deposition der Wechselsumme Klage erhoben.

Diese Klage wurde in I. Instanz wegen mangelnder Kompetenz abgewiesen, weil der Wechsel selbst nicht mit vorgelegt sei, ohne diesen aber ein Wechselprozeß nicht eingeleitet werden könne und daher eine Wechselsache nicht vorliege. Durch Urtheil des k. Handelsappellationsgerichts vom 24. Dezember 1863 wurde die Klage als vor die Handelsgerichte gehörig anerkannt, jedoch in angebrachter Art abgewiesen und in den Gründen hierüber bemerkt:

Richtig ist, daß nach Kap. III §. 3 der b. W. u. MGO. bei Anstellung einer Wechselklage der Wechselbrief von dem Kläger im Original beigebracht werden muß. Hieraus in Verbindung mit dem weiteren Umstande, daß zufolge der Ueberschrift des §. 1 in dieser Gesetzesstelle die Prozeßform in Wechselsachen vorgeschrieben ist, ergibt sich der Schluß, daß beim Mangel des Originalwechsels nach bayer. Prozeßrechte der Wechselprozeß nicht statthaft ist. Gleichwohl ist an der Spitze desselben Prozeßgesetzes — Kap. I §. 1 —, wo die Zuständigkeitsfrage geregelt wird, verordnet, daß vor das Wechselgericht alle diejenigen Streitigkeiten gehören, welche die ausgestellten Wechselbriefe oder mit dem Wechselgeschäft eine Konnexion habende Sachen betreffen.

Aus dieser Gesetzesstelle ergibt sich, daß schon bei Einführung der W. u. MGO. bezw. bei Erlaß der Bestimmungen über den Wechselprozeß die Kompetenzfrage lediglich nach dem materiellen Rechtsverhältnisse, nicht nach der einen oder anderen Prozeßart zu bemessen war.

Dieses Ergebniß ist um so zuversichtlicher als das allein richtige festzuhalten, als mit der W. u. MGO. gleichzeitig die erneuerte Wechselordnung von 1785 für die Spezialgerichte in das Leben trat, welche in §. 15 bestimmte:

„Acceptirte Wechselbriefe, wenn sie verloren gehen, verbinden den Schuldner, der die Acceptation einbekennt, zur Zahlung, jedoch gegen

—

hinlängliche Versicherung; die geleugnete Acceptation aber hat der
Eigenthümer des Wechselbriefes oder deffen Mandatarius zu beweisen.''
Nach dem Stande des älteren Rechtes wurden also Streitigkeiten aus
Wechseln, es mochten die Wechselbriefe produzibel oder verloren ge=
gangen fein, zu den Wechselfachen gerechnet, wenn gleich nur die=
jenigen als Wechselprozeßfachen behandelt werden konnten, wo
der Wechselbrief im Original vorgelegt werden konnte, während der
Wechselrichter bei abhanden gekommenen Wechselbriefen den Beklagten
zunächst darüber zu hören hatte, ob er das vom Kläger behauptete
Accept leugne, während es fodann im Nichtanerkennungsfalle darauf
anzukommen hatte, daß Kläger die abgeleugnete Acceptation beweise.

Das prozessuale Verfahren hatte fich in folchen Fällen — bei
der Unanwendbarkeit des Wechselprozesses — lediglich nach den fonst
anwendbaren Bestimmungen der W. u. MGO., eventuell nach denen
der b. GO. und deren Novellen zu richten.

Diese Grundfätze haben auch weder durch die a. d. WO. und das
Einf.=Gef. hiezu, noch durch das Einf.=Gef. zum a. d. HGB. Aender=
ungen erfahren; insbefondere läßt der Umstand, daß in letzterem Ge=
fetze die Frage nach der Zuständigkeit von der über die einzuleitende
Prozeßart getrennt ist, — vgl. Art. 62. 63. 70. 71. 67. 7, — deutlich ent=
nehmen, daß auch nach dem letzteren Gesetze die Kompetenzfrage einzig
und allein nach dem dem Rechtsstreite zu Grunde gelegten materiellen
Rechtsverhältnisse zu beurtheilen ist *).

Das durch Ausstellung eines eigenen Wechfels oder Accept einer
Tratte entstandene Verhältniß ist aber unzweifelhaft eine Wechfelsache
und verliert diese Eigenschaft auch nicht durch Abhandenkommen des
Wechfels. Gerade diefe Fortdauer bildet den Grund, weßhalb der
Eigenthümer gegen den Acceptanten der Tratte oder gegen den Aus=
steller eines eigenen Wechfels Zahlung oder Deposition derjenigen

---

*) Wollte man von dem einzuleitenden Verfahren auf die Kompetenz
schließen, fo käme man zu dem irrigen Resultate, daß von denjenigen
Handelsgerichten, für welche ein eigentlicher Handelsprozeß gefetzlich
nicht existirt, fondern welche nach denfelben Normen wie der ordentliche
Richter zu verfahren haben, alle Handelsfachen aus dem Grunde wegen
Unzuständigkeit abgewiesen werden müßten, weil bei dem angegangenen
Handelsgerichte ein eigener Handelsprozeß nicht besteht. Von felbst
versteht fich, daß auch der Mangel an speziellen Vorschriften über
das bei verloren gegangenen Wechfeln einzuhaltende Verfahren keinen
Einfluß auf die Beantwortung der Frage nach der Kompetenz zu üben
vermag.

Summe zu fordern berechtigt ist, zu welcher dieser durch die Wechsel=
verschreibung sich verpflichtet hat. Die Anordnung der Kautionsleistung
oder Deposition, sowie die der vorgängigen Einleitung des Amorti=
sationsverfahrens sind lediglich zum Zwecke der Sicherung des Wechsel=
schuldners gegen etwaige Ansprüche Dritter getroffen worden; diese
Anordnungen alteriren somit das der Klage auf Deposition zu Grunde
liegende materielle Rechtsverhältniß keinesweges; dem Wechsel ist durch
das Abhandenkommen an sich noch nicht präjubizirt, er besteht viel=
mehr vollständig in Kraft, denn er soll ja erst in Folge des Morti=
fikationsverfahrens nach Umfluß einer längeren Frist für kraftlos, und
zwar nur gegenüber britten etwaigen Inhabern, erklärt werden.

Die Frage, welchen Einfluß das Abhandenkommen einer Wechsel=
urkunde auf die Pflicht zur Zahlung der Schuld oder zur Deposition
äußere, ist auch in der a. b. WO. georbnet, daher nach Wechselrecht
und nicht nach den Grundsätzen über verloren gegangene Urkunden
privatrechtlichen Inhalts zu beurtheilen.

Obwohl nun aber hiernach die Zuständigkeit der Handelsgerichte,
welche sich nach Art. 67 des Einf.=Ges. auch auf alle Wechselsachen
erstreckt, auch für Einleitung des Amortisationsverfahrens außer Zweifel
ist *), kann die Klage bennoch, wenigstens wie angebracht, nicht zur
Verhandlung zugelassen werden, — und zwar beßhalb, weil es derselben
an der gesetzlichen Vorbedingung gebricht, daß das Amortisationsver=
fahren vom zuständigen Gerichte bereits eingeleitet sei, ba das
k. Bezirksgericht München r/J., welches nach vorliegender Be=
scheinigung das Amortisationsverfahren eingeleitet hat, gesetzlich nicht
hiezu berufen war, das zuständige Handelsgericht München r/J. aber
zur Zeit um Einleitung des Amortisationsverfahrens noch gar nicht
angegangen worden ist. (München r/J. Nr. 40.)

## CXLV.

### Handelsgerichtliche Kompetenz bei Darlehensklagen gegen Kaufleute.

#### A. b. HGB. Art. 273, 274, 292.

Kaufmann N. N. hatte einer wider ihn bei dem k. Handelsge=

---

*) Die nähere Ausführung hierüber wurde hier weggelassen, ba ein diese
Frage besonders entscheidendes Urtheil des Gerichtshofes vom 26. Nov.
1863 unter CXLIII veröffentlicht wurde und die Gründe in beiden im
Wesentlichen dieselben sind.

richte München l/J. am 4. Juli 1863 erhobenen Darlehensklage, in welcher die Zeit der Darlehenshingabe nicht näher bezeichnet war, den Einwand der Inkompetenz bei mangelnder Substanzirung entgegengesetzt, weil Darlehen, wenn auch einem Kaufmann gegeben, in keinem Falle oder doch nur unter der Voraussetzung den Handelsgeschäften beizuzählen seien, daß der Kaufmann als solcher das Darlehen empfangen habe, — weßhalb im gegebenen Falle die Zeit der Darlehenshingabe um so mehr näher hätte bezeichnet werden sollen, als er, Verklagter, erst im J. 1863 durch eine Detailhandelskonzession Kaufmann geworden sei, früher aber nur ein Salzstößlergewerbe betrieben habe. Das k. Handelsgericht München l/J. entband den Verklagten aus dem zuletzt geltend gemachten Grunde von der Klage in der angebrachten Art, welches Urtheil auf die von beiden Theilen erhobene Berufung *) am 12. November zweitrichterlich bestätigt wurde.  In den Gründen des zweitrichterlichen Urtheils kommt vor:

1) Der Art. 273 Abs. 1 des a. b. HGBuches ist nicht, wie Verklagter in seiner Berufung auszuführen sucht, dahin zu verstehen, daß nur solche von einem Kaufmann geschlossene Geschäfte Handelsgeschäfte seien, welche einen Bestandtheil seines Handelsgewerbes bilden.  Dieser Absatz bezieht sich vielmehr, wie es in den Berathungsprotokollen S. 1297 (Sitz. 155) heißt, auf diejenigen Geschäfte, welche zwar nicht, wie die in den beiden vorhergehenden Artikeln aufgeführten, den Anhaltspunkt für den juristischen Begriff eines Handlungsgewerbes darböten, aber doch aus irgend einem Grunde mit dem Betriebe eines einzelnen Handlungsgewerbes konner seien; er enthält hienach, wie der ganze Art. 273 überhaupt, eine ergänzende Klausel zu den einzelnen Aufzählungen des Art. 272. Der Artikel 211 des preuß. Entwurfes eines HGB. ist bei den Berathungen der Gesetzgebungskommission wesentlich verändert worden. Während nämlich dieser von dem Begriffe eines Kaufmannes ausgeht, um durch diesen zu dem Begriffe eines Handelsgeschäftes zu gelangen, statuirt das HGBuch selbstständig den Begriff eines Handelsgeschäftes, um sodann nach diesem den Begriff des Kaufmannes zu bestimmen. Nachdem nun im Art. 272 jene Geschäfte aufgeführt sind, welche, gewerbemäßig betrieben, als Handelsgeschäfte aufgefaßt werden sollen, und hierauf im Art. 273

---

*) Verklagter hatte appellirt, weil er nicht definitiv von der Klage entbunden wurde, — Kläger, weil die Klage in angebrachter Art abgewiesen und nicht vielmehr nach der Aktenlage auf Beweis erkannt wurde.

Abs. 1 bestimmt wird, daß auch alle einzelnen Geschäfte eines Kaufmannes, welche zum Betriebe seines Handelsgewerbes gehören, als Handelsgeschäfte anzusehen seien, so können unter letzteren nicht diejenigen Geschäfte, in welchen sein Gewerbe besteht, sondern nur solche Geschäfte verstanden werden, die mit seinem Handelsgewerbe, mit den nach Maßgabe des Art. 272 sein Handelsgewerbe bildenden Geschäften in einer wesentlichen Beziehung, in einem gewissen Zusammenhange stehen. Dies gilt, wie der Abs. 2 des Art. 273 sagt, insbesondere für die gewerbliche Weiterveräußerung der zu diesem Zwecke angeschafften Waaren, beweglichen Sachen und Werthpapiere, sowie für die Anschaffung von Geräthen, Material und anderen beweglichen Sachen, welche bei dem Betriebe des Gewerbes unmittelbar benützt oder verbraucht werden sollen; dieses gilt folgeweise auch für Darlehen, welche der Kaufmann zum Betriebe seines Handelsgewerbes aufgenommen hat. Es ist demnach unrichtig, wenn Verklagter behauptet, daß Darlehensaufnahmen wohl bei einem Banquier und Geldwechsler, zweifellos aber nie bei einem Spezereiwaarenhandlungsinhaber zum Betriebe seines Handlungsgewerbes gehören, Handelsgeschäfte desselben bilden können. Wenn Verklagter hiebei auf die in Abs. 2 des Art. 273 hervorgehobene Unmittelbarkeit der Benützung und Verwendung hinweist, so ist hiegegen zu bemerken, daß dieses Erforderniß auf jene Anschaffungen beschränkt werden muß, bei welchen dasselbe speziell vom Gesetze als Bedingung ihrer Auffassung als Handelsgeschäfte ausgesprochen worden ist*).

Auch auf den Art. 292 Abs. 2 kann sich Appellant nicht mit Erfolg berufen. Denn die Darlehen eines Kaufmannes wurden hier nicht aus dem Grunde neben den Handelsgeschäftsschulden erwähnt, weil der Gesetzgeber sie unter allen Umständen nicht als Handelsgeschäfte betrachtete, — sondern weil er bei ihnen, wenn sie einem Kauf-

---

*) Verklagter hatte daraus, daß im angef. Abs. 2 Darlehensschulden eines Kaufmannes von dessen Schulden aus seinem Handelsgeschäfte unterschieden worden seien, gefolgert, daß erstere nicht den Handelsschulden beigezählt worden seien. Allein die Ausdrucksweise des Gesetzes dürfte sich, abgesehen von dem im Texte Bemerkten daraus erklären, daß der Ausdruck „Handelsgeschäfte" hier in einem engeren Sinne, nämlich von solchen Geschäften gebraucht sei, welche ihrer rechtlichen Natur nach Handelsgeschäfte sind, im Gegensatze von solchen Geschäften, welche, obwohl an sich nicht als Handelsgeschäfte sich darstellend, gleichwohl wie solche behandelt werden sollen.

manne gegeben wurden, unter allen Umständen, also auch wenn sie
nicht Handelsgeschäfte sein sollten, die höhere Verzinsung gestatten
wollte (Prot. S. 424) *).

Steht nun hienach fest, daß auch Darlehen, wenn sie zum Be=
triebe des Handelsgewerbes gegeben wurden, nach Art. 273 als Han=
delsgeschäfte anzusehen sind, so folgt aus Art. 274 weiter, daß ei=
nem Kaufmanne gegenüber der Zweck des gegebenen Darlehens
nicht einmal eines Beweises auf Seite des Gläubigers bedarf, weil
alle von einem Kaufmanne geschlossenen Verträge, somit auch Dar=
lehensverträge, im Zweifel, d. h. so lange das Gegentheil nicht dar=
gethan ist, als zum Betriebe des Gewerbes gehörig gelten (vgl. Mo=
tive zum preuß. Entwurfe S. 102, welcher in diesem Punkte eine
Abänderung nicht erlitten hat). Im gegebenen Falle ist zur Zeit
überall nicht nachgewiesen, daß das eingeklagte Darlehen dem Beklag=
ten zu einem anderen Zwecke als zum Betriebe seines Handelsge=
schäftes gegeben wurde; es kann daher auch, vorausgesetzt, daß Be=
klagter das Darlehen als Kaufmann erhielt, wovon noch weiter
die Rede sein wird, von einer Entbindung desselben von der Klage
wegen Unzuständigkeit der Handelsgerichte keine Rede sein.

2) Aber auch die klägerische Beschwerde ist unbegründet. Die
Kompetenz des angegangenen Handelsgerichtes ist nämlich nur dann
begründet, wenn der besagte Darlehensvertrag als ein Handelsgeschäft
zu gelten hat, wenn also Beklagter zur Zeit der Aufnahme des=
selben Kaufmann im Sinne des a. d. HGBuches war. Kläger
mußte hienach, um seine Klagestellung vor dem Handelsgerichte
zu rechtfertigen, einestheils angeben, zu welcher Zeit das Dar=
lehen aufgenommen wurde, anderentheils behaupten, daß zu dieser
Zeit Beklagter Kaufmann in dem oben angeführten Sinne gewesen
sei. Weder das Eine, noch das Andere hat Kläger mit Bestimmtheit
gethan, obwohl ihm durch die Erinnerungen des Beklagten genügende
Veranlassung hiezu gegeben war. Wenn sich Kläger in seiner Beruf=
ung darauf bezieht, daß Beklagter bemerkt habe, er sei erst in neue=
rer Zeit Kaufmann geworden und vorher Salzstößler gewesen, und
hieran die Behauptung anknüpft, daß ein Salzstößler im Sinne des
HGBuches gleichfalls Kaufmann sei, so ist hiemit doch immer wieder

---

*) Der Grund dieser Bestimmung liegt offenbar in der Annahme, daß
jedes Darlehen, welches ein Kaufmann, wenn auch zu anderem Zwecke
als für sein Geschäft, aufnehme, wenigstens mittelbar dem letzteren
zu Gute komme.

nicht die weitere wesentliche Behauptung aufgestellt, daß Beklagter auch bereits zur Zeit der Empfangnahme des Darlehens Salzstößler gewesen sei; ein Zugeständniß in dieser Beziehung auf Seite des Beklagten kann aber um beswillen nicht angenommen werden, weil ja Kläger die Zeit der Darlehenshingabe gar nicht angegeben hat. Somit ist weder der Richter in der Lage, sich über die Zuständigkeit auszusprechen, noch dem Beklagten die Möglichkeit gegeben, sich gehörig vertheidigen zu können, und mit Recht wurde der Kläger, welcher sich auch in seiner Replick nicht zu einer näheren Aufklärung herbeiließ, vom Unterrichter mit seiner Klage in angebrachter Art abgewiesen.

(München I/J. Reg.-Nr. 173.)

## CXLVI.

### Handelsgerichtliche Zuständigkeit bei Streitigkeiten aus Gesellschaftsverhältnissen.

Einf.-Ges. zum a. b. HGBuche Art. 63 Ziff. 5.

Die Kaufleute A. und B. hatten zu Nürnberg in offener Gesellschaft ein Tabakgeschäft betrieben und bei dessen Auflösung u. A. das Uebereinkommen getroffen, daß das einen Bestandtheil des Gesellschaftsvermögens bildende Haus dem Mitgesellschafter B. um einen bestimmten Anschlag zugetheilt werden solle. In dieses Haus hatte A. noch während des Bestandes der Gesellschaft aus eigenen Mitteln den Betrag von 1600 fl. für Baureparaturen verwendet, welcher jedoch aus Versehen in den bei Abschluß des Auflösungsvertrages am 3. Oktober 1859 hergestellten status activorum et passivorum nicht aufgenommen worden war. Im J. 1862 erhob A. gegen B. auf Erstattung der Hälfte jener Baarauslagen mit 800 fl. bei dem k. Handelsgerichte Nürnberg Klage, zu deren Begründung er weiter anführte, daß wegen Erstattung dieser Kosten und Zuschreibung des Hauses bereits Differenzen sich ergeben hätten, diese aber dadurch ausgeglichen worden seien, daß Verklagter zu dem Ersatze der Hälfte jener Baukosten, er, Kläger, aber dazu sich verpflichtet habe, das Haus dem Verklagten in's Alleineigenthum zuschreiben zu lassen, was auch in der That geschehen war.

Verklagter bestritt vor Allem die handelsgerichtliche Zuständigkeit, weil die Klage auf eine von ihm erst nach Auflösung der Societät übernommene Verpflichtung sich gründe, diese Verpflichtung jedenfalls eine Novation des durch den Auflösungsvertrag begründeten Rechtsverhältnisses in sich schließen würde und überdies eine Verwendung in ein Immobile in Frage stehe. Dieser Einwand wurde jedoch in beiden Instanzen verworfen und in den Gründen des zweitrichterlichen Urtheiles hierüber bemerkt:

Es ist nach der gegenwärtigen Sachlage völlig unerheblich, ob der Beklagte sich vor oder nach der Societätsauflösung zur Zahlung der Hälfte der Baukosten, welche den Gegenstand des Streites bilden, verpflichtet habe, ja ob er sich überhaupt hiezu verpflichtet habe oder nicht.

Aus dem Klagsvorbringen ergibt sich, daß der klägerische Anspruch in dem aus dem Gesellschaftsvertrage entspringenden Rechtsverhältnisse der beiden streitenden Theile seinen Grund hat. In Folge des bestandenen Gesellschaftsverhältnisses ist der Mitgesellschafter B. verbunden, dem Mitgesellschafter A. die von diesem zum Besten der Gesellschaft gemachten Verwendungen zu vergüten (fr. 67 §. 2 pro socio (17, 2)) — Als solche stellen sich die von dem Kläger in Bezug auf das gemeinschaftliche, einen Bestandtheil des Gesellschaftsvermögens bildende Haus bestrittenen Reparaturkosten dar. Kläger hat behufs der Geltendmachung jenes Anspruches die Klage aus dem Gesellschaftsvertrage. Ist bei der Auflösung und Auseinandersetzung der Gesellschaft diese Forderung des einen Gesellschafters an den anderen nicht in Ansatz und Berechnung gebracht worden, so steht ihm wegen derselben die Klage aus dem Gesellschaftsvertrage auch noch nach Auflösung der Gesellschaft zu (fr. 27, 38 §. 1, 43. D. pro socio. — Puchta, Pand. §. 372 a. E.). Zur Entstehung des Rechtes auf Ersatz der gemachten Verwendung bedarf es überall nicht eines besonderen Versprechens des Mitgesellschafters; es genügt die Thatsache, daß eine Gesellschaft bestanden und während ihres Bestehens von dem einen Gesellschafter auf das gemeinschaftliche Gut zum Besten der Gesellschaft Verwendungen aus eigenen Mitteln gemacht wurden. Zwar hat sich Kläger auf ein solches Versprechen in seiner Klage berufen; allein ist dasselbe in der That in der von ihm behaupteten Weise von dem Beklagten gegeben worden, so wurde hieburch nicht das bezüglich der Ersatzverbindlichkeit ursprünglich bestandene, aus dem Gesellschaftsvertrage entspringende Rechtsverhältniß aufgehoben und an dessen Stelle ein neues begründet, sondern vielmehr das erstere lediglich anerkannt und die Erfüllung einer bereits bestehenden Verbindlichkeit zugesichert.

Diese Uebereinkunft hatte also offenbar bereits bestehende, in anderer Weise begründete Rechte und Verbindlichkeiten zum Gegenstande:

das durch Verwendungen in das gemeinschaftliche Gut für den Kläger begründete Recht auf Ersatz der gehabten Auslagen gegen den Beklagten und das durch den Vertrag vom 3. Oktober 1859 für den Beklagten begründete Recht auf Ueberlassung des gemeinschaftlichen Hauses gegen den Kläger. Daß eine Novation dieser ursprünglichen Rechtsverhältnisse durch die erwähnte Uebereinkunft eingetreten sei, kann nicht angenommen werden, weil nirgends ersichtlich ist, daß die Absicht der Parteien hierauf gerichtet gewesen wäre. Ist daher auch zugleich auf die neuerliche Uebereinkunft geklagt worden, so würde es sich, — weil eben diese Uebereinkunft das Anerkenntniß einer bereits bestehenden Schuld enthält, durch dieselbe die Erfüllung einer bereits bestehenden Verpflichtung versprochen wird, — nichts destoweniger immer wieder um eine Forderung handeln, welche in dem aus dem Gesellschaftsvertrage entstandenen Rechtsverhältnisse ihren Grund hat. Da nun nach Art. 63 Nr. 5 des Einf.-Ges. zum b. HGBuche die Rechtsverhältnisse der Handelsgesellschafter aus dem Gesellschaftsvertrage sowohl während des Bestehens, als nach der Auflösung der Gesellschaft als Handelssachen bezeichnet sind und für diese nach Art. 62 die Zuständigkeit der Handelsgerichte begründet ist, so wurde die vorwürfige Klage mit Recht bei dem Handelsgerichte erhoben und die Einrede der Inkompetenz mit Recht verworfen. (Nürnberg. Reg.-Nr. 79.)

## CXLVII.

### Unzuständigkeit der Handelsgerichte in Streitsachen über Spekulationsgeschäfte mit Immobilien.

Einf.-Ges. zum a. b. HGB. Art. 62, 63. A. b. HGB. Art. 271 Ziff. 1, Art. 275.

Der Kaufmann A. hatte sich im Jahre 1855 mit den Handelsleuten Gebrüder L., dem Kaufmanne R. und mehreren Anderen zu dem Zwecke vereinigt, um das Gut E. gemeinschaftlich anzukaufen, die hiezu gehörigen Waldungen abzuforsten und seiner Zeit den Grund und Boden weiter zu veräußern. Nachdem diese Veräußerung im Jahre 1863 unter Erzielung eines bedeutenden Gewinnes bewerkstelligt worden war, erhob Kaufmann B. unter der Behauptung, Kaufmann A. habe bei Eingehung jenes Vertrages sich ihm gegenüber verpflichtet, ihn, B., an seinem Gewinnantheile zur Hälfte partizipiren zu lassen, auf Bezahlung der Hälfte des durch den Verkauf erzielten reinen Gewinnes bei dem k. Handelsgerichte Regensburg gegen A. Klage. Dieses Gericht wies jedoch die Klage wegen Inkompetenz der

Handelsgerichte ab, welches Urtheil auf Beschwerde des Klägers am 3. Dez. zweitrichtlich bestätigt wurde. In den Gründen des Urtheiles der 2. Instanz kommt vor:

Das a. b. HGB. hat den Begriff der Handelssachen, auf welche sich nach Art. 62 des Einf.-Ges. die Zuständigkeit der Handelsgerichte erstreckt, nicht festgestellt, weshalb das letzterwähnte Gesetz im Art. 63 eine Reihe von Rechtsverhältnissen, welche Handelssachen bilden sollen, aufgezählt hat, um auf diese Weise gewissermassen einen bei Beurtheilung der Zuständigkeit als Grenzlinie dienenden Rahmen aufzustellen. (Motive zu Art. 63 S. 71.)

Appellant will nun die handelsgerichtliche Kompetenz deshalb als gegeben erachtet wissen, weil beide Parteien Kaufleute seien und das streitige Rechtsverhältniß in einer Vereinigung zu einem Handelsgeschäfte für gemeinschaftliche Rechnung der Paziszenten — Art. 266 b. HGB. — bestehe, nämlich in einem zwischen beiden bestehenden Gesellschaftsverhältnisse zu dem bezeichneten Zwecke. Eine solche Vereinigung wäre faktisch recht wohl möglich und auch gesetzlich zulässig. (Bayer. Landrecht Thl. IV Kap. 8 Anm. zu §. 2 das. lit. b, Art. 198 des HGB.)

Allein nicht jede Gesellschaft, an der sich Kaufleute betheiligen, ist schon deshalb eine Handelsgesellschaft oder eine nach handelsrechtlichen Grundsätzen zu beurtheilende Vereinigung, — wie sich denn auch vielfach solche Gesellschaften zu moralischen, zu wohlthätigen und dergleichen Zwecken bilden, welche Gesellschaften aus dem einfachen Grunde nicht vor den Handelsgerichten ihr Forum haben, weil lediglich der Zweck der Vereinigung für die Zuständigkeit maßgebend ist.

Indem Kläger seine Ansprüche aus dem ihm angeblich von R. gewährten theilweisen Eintritt in dasjenige Unternehmen herleitet, zu welchem sich A. mit L. und Konsorten verbunden hatte, so ist es auch der Zweck dieser Hauptvereinigung, welcher der Beurtheilung des hier streitigen Rechtsverhältnisses zu Grunde gelegt werden muß.

Der gemeinschaftlich unternommene Kauf des Gutes E. und die Art der Ausnützung der Bodenprodukte dieses Gutes ertrug nun zwar, wie die Akten ergeben, den beabsichtigten reichlichen Gewinn; die auf dieses letzte Ziel gerichtet gewesene Absicht der Gutskäufer macht aber den Ankauf des Gutes und dessen wirthschaftlichen Betrieb, die eigentlichen und alleinigen faktischen Grundlagen des erzielten Gewinns, zu keinem Handelsgeschäfte. Nicht der günstige oder ungünstige Ausgang eines Unternehmens, sondern nur die Natur des letzteren selbst, ist für die Frage maßgebend, vor welchem

23 *

Richter die sich ergebenden Streitigkeiten auszutragen sind. Man kann daher auch nicht sagen, daß, weil nunmehr das gemeinschaftlich erworbene Immobile verkauft sei, und es sich bloß um die Theilung des Gewinnes handle, ein Handelsgeschäft vorliege. Ebenso irrig wäre die Annahme, daß der Verkauf der auf eigenem Grund und Boden erzielten Produkte, durch welchen die Gutsläufer und Kons. gerade den bedeutenden Gewinn gemacht haben, ein Handelsgeschäft sei, da diese Auffassung, — wie der Gerichtshof bereits zu wiederholten Malen ausgesprochen, — den klaren Bestimmungen des Art. 271 Nr. 1 des HGB. widerspräche. Endlich hat aber die Gesellschaft, soweit sie den **Gutskauf** selbst, also den **Hauptzweck der Ver-einbarung** betrifft, ihr Forum keinesfalls vor den Handelsgerichten. Denn wenn auch nach Art. 275 a. a. O. bei den von Kaufleuten geschlossenen Verträgen eine gesetzliche Vermuthung dafür spricht, daß solche zum Betriebe des Handelsgeschäftes gehören, so ist doch — selbst abgesehen von dem im Jahre 1855 noch in Geltung gewesenen Gesetze über Gutszertrümmerungen — in Art. 275 a. a. O. speziell ausgesprochen, daß Verträge über **unbewegliche Sachen** keine Handelsgeschäfte sind.

Nachdem die vorstehenden Erörterungen zu dem unzweifelhaften Resultate geführt haben, daß die rechtliche Entscheidung über Befugnisse oder Pflichten aus dem Kaufe des Gutes E. und dem hieburch erworbenen Miteigenthume an den Forst- und sonstigen Bodenprodukten dieses Gutes oder über den hieraus erzielten Erlösantheil eines Miteigenthümers am Gute nicht vor das Forum der Handelsgerichte gehört; so ergibt sich, wie oben bemerkt, für den vorliegenden Fall die nothwendige Folge, daß hier aus dem Grunde keine Handelssache vorliege, weil Kläger sein Klagerecht aus einem Gesellschaftsverhältnisse ableitet, dessen **Endzweck auf den gewinnreichen Erwerb eines Landgutes und auf die vortheilhafte wirthschaftliche Ausnützung dieses Gutes bezw. seine Forstprodukte durch die Gutsbesitzer,** somit auf solche Verhältnisse gerichtet war, auf welche der Begriff von Handelssachen bezw. Handelsgeschäften nicht anwendbar erscheint.

(Regensburg Reg.-Nr. 37.)

# CXLVIII.

## Wirkung der Einrede mangelnder Kaution in Bezug auf die Einlassung *).

G.O. Kap. VI §§. 2 und 3.
Proz.-Nov. vom 22. Juli 1819 §. 8.
Proz.-Nov. vom 17. Nov. 1837 §§. 24—28.

In einer Handelssache, in welcher ein preußisches Handlungshaus klagend aufgetreten war, hatte das Handelsgericht I. Instanz die von dem Verklagten der Klage entgegengesetzte Einrede mangelnder Prozeßkaution auf Grund des Art. 76 des Einf.-Ges. zum a. d. HGB. verworfen und sodann, da Verklagter mit jener Einrede die Einlassung eventuell nicht verbunden hatte, auf weiteren klägerischen Antrag sofort in der Sache selbst erkannt. Die von dem Verklagten hiegegen ergriffene Berufung wurde durch Urtheil des k. Handelsappellationsgerichtes vom 30. Dezember 1863 verworfen und in den Gründen bemerkt:

Nach der mit den Reichsgesetzen übereinstimmenden Vorschrift des Cod. jud. Kap. VI §. 2 muß der Beklagte in dem zur Klagbeantwortung bestimmten Termin Alles, was er gegen die Klage dilatorie oder peremtorie einzuwenden haben möchte, zugleich und auf einmal bei Strafe der Präklusion vorbringen. Von dieser allgemeinen Regel hatte die G.O. in Kap. VI §. 3. die gerichtsablehnenden, die prozeßhindernden und die präjubiziellen Einreden ausgenommen, so daß mit diesen die eventuelle Streiteinlassung nicht verbunden zu werden brauchte.

Das Verlangen des Beklagten, daß Kläger eine Kaution stelle, wird in den Anmerkungen zur G.O. Kap. VIII §. 5 lit. k ausdrücklich als eine Einrede des Beklagten bezeichnet, welche er vor der Kriegsbefestigung zu erheben habe, und welche als species exceptionis dilatoriae bei Ausschlußvermeidung wie alle anderen Einreden vorzubringen seien. Es wäre also diese Einrede ursprünglich zwar

---

*) In einem Erkenntnisse vom 4. Januar 1864 (München I/J. Reg.-Nr. 198) wurde entschieden, daß die mit der unterlassenen Streiteinlassung verknüpften Nachtheile sich nur auf den Fall der Verwerfung der Kautionseinrede beziehen, falls aber die vorgeschützte Prozeßkostenkautionsforderung begründet war, allerdings die Unterlassung der eventuellen Streitbefestigung dem Beklagten nicht präjubizire.

als eine Voreinrede bezeichnet, ohne jedoch den Beklagten von der eventuellen Streiteinlassung ausnahmsweise zu befreien.

In Folge der Abänderungen jedoch, welche an den kodermäßigen Bestimmungen über Kautionen durch das Prozeßgesetz vom 22. Juli 1819 getroffen wurden, ist die einem Ausländer gegenüber erhobene dilatorische Einrede der Kautionspflicht desselben den Voreinreden präjudizieller Natur, welche ausnahmsweise von der eventuellen Streiteinlassung befreien, angereiht worden, — indem in §. 8 Ziff. 1 dieser Novelle verordnet ist, daß Beklagter nicht schuldig sei, vor Leistung der Kaution auf die Klage zu antworten.

Welche Rechtsfolge aber in dem Falle einzutreten habe, wenn der Beklagte eine solche gesetzlich privilegirte Voreinrede erhob und diese sich als unbegründet oder unstatthaft erwies, darüber war im Gesetze nichts bestimmt; es war daher der Prozeßverzögerungssucht der weiteste Spielraum gegönnt, zumal auch nirgends geboten war, daß alle privilegirten Voreinreden auf einmal vorgebracht werden müßten.

Um nun dem mit diesem Privilege von den Beklagten getriebenen Mißbrauche zu steuern und zugleich die Rechtsprechung in eine sichere Bahn zu leiten, wurde in das Prozeßgesetz vom 17. Nov. 1837 der von den privilegirten Einreden handelnde Abschnitt III §§. 24—28 aufgenommen. (Motive zu §. 36 des Gesetzentwurfes.)

Es sollte durch diese neueren Bestimmungen jeder richterliche Zweifel über die Rechtsfolgen einer solchen Einrede, wenn sie sich als unbegründet erwies, beseitigt, und der verberblichen Ausbeute des den begründeten Voreinreden zustehenden Privileges von Seite chikanöser oder zahlungsflüchtiger Schuldner dadurch ein Ziel gesetzt werden, daß man auf die Prinzipien der Reichsgesetze zurückgriff und nur eine einzige Ausnahme — den Fall der Gerichtsablehnung — zuließ, welche den Beklagten der Pflicht, alle Einwendungen bei Vermeidung des Ausschlusses zugleich mit der ersten Erklärung zu verbinden, entheben sollte. Diese wohlthätige Wirkung sollte insbesondere durch den §. 24 der Novelle von 1837 erreicht werden. (Moritz, Realkommentar S. 311.)

Von diesem Standpunkt aus müssen die Bestimmungen des ganzen III. Abschnitts, muß namentlich die kategorische Erklärung des §. 24 a. a. O. aufgefaßt werden.

Insbesondere ist hiebei in Betracht zu ziehen, daß seit dem Jahre 1819 die Voreinrede der mangelnden Kaution in die Reihe der privilegirten Voreinreden aufgenommen war, und zur Zeit der Abfassung des Prozeßgesetzes von 1837 noch dazu gehörte; daß ferner, — wie auch der vorliegende Fall zeigt — diese Voreinrede erfahrungsgemäß

nicht minder, wie die anderen privilegirten, von den Beklagten viel=
fach gemißbraucht wurde, alſo auch anzunehmen iſt, daß die durch
dieſen Mißbrauch nothwendig gewordene Abhülfe auch auf die in
Frage ſtehende Voreinrede ſich erſtrecken ſollte, daß endlich dieſe Abſicht
des Geſetzgebers auch in dem Wortlaute des §. 24 ganz unzwei=
felhaft ausgeprägt iſt, indem jene Geſetzesfaſſung keine andere Deut=
ung zuläßt, als daß der Verklagte von der Pflicht der Einlaſſung auf
die Klage nur in dem einzigen Ausnahmsfall befreit ſein ſolle, wenn
er eine gerichtsablehnende Einrede vorzubringen hat.

Hiedurch iſt jeder anderen Einrede, auſſer der gerichtsablehnenden,
die Wirkung der Berechtigung zur Nichteinlaſſung auf die Klage aus=
drücklich entzogen worden, ohne daß eine Unterſcheidung zwiſchen den=
jenigen Voreinreden getroffen iſt, welche durch den Codex judiciarius und
benjenigen, welche im Wege der Novelle als privilegirt erklärt wurden.

Durch die neuere Geſetzgebung iſt daher die frühere über die Vor=
einrede der mangelnden Prozeßkaution in ſo ferne nicht unberührt ge=
blieben, als nunmehr die Klagbeantwortung in dem Falle nicht mehr
ohne Rechtsnachtheil unterlaſſen werden kann, wenn Beklagter, auf
§. 8 der Novelle von 1819 ſich ſtützend, lediglich beſagte Vorein=
rede vorgeſchützt hat und dieſelbe als unbegründet oder unzu=
läſſig befunden wurde *).

(Fürth Reg.=Nr. 14.)

CXLIX.

Beſchlagnahme einer zu hoffenden Erbſchaft.
B. W.= u. MGO. Kap. X §. 3.

In einer bei dem k. Handelsgerichte Würzburg anhängigen Wech=
ſelſache hatte am 14. Oktober 1863 der Kläger beantragt, auf den
Betrag der ihm rechtskräftig zuerkannten und erekutionsreifen Forder=
ung in Haupt= und Nebenſache den elterlichen Erbtheil des zu Bergt=

---

*) Als weiterer Grund wurde auch noch der geltend gemacht, daß man
bei der Annahme, die Vorſchrift in §. 8 der Novelle von 1819 beſtehe
noch fortwährend in Giltigkeit, zu dem Reſultate kommen würde, die
Einrede der mangelnden Kaution wäre noch privilegirter, als die fori=
beklinatoriſche Einrede, da bei letzterer für den Fall ihrer Verwerfung
mindeſtens eine Geldſtrafe eintrete, was bei erſterer nicht zuläſſig wäre,
ſo daß es in Wirklichkeit drei Gattungen privilegirter Einreden gäbe
ſtatt nur zwei.

heim wohnhaften Verklagten mit Beschlag zu belegen und demgemäß den Vater des letzteren dortselbst zu beauftragen, den liquidirten Betrag an dem künftigen Vermögenstheile seines Sohnes bei Meidung doppelter Zahlung nicht an diesen zu verabfolgen, sondern an das Gericht abzuliefern. Das Prozeßgericht wies durch Beschluß vom 19. Oktober diesen Antrag zurück, weil der mit Beschlag zu belegende Erbtheil noch nicht existire, sondern für den Verklagten nur eine Hoffnung bilde, eine Beschlagnahme auch gegenwärtig nicht vollzogen werden könne, — wogegen Kläger appellirte. In den Gründen des bestätigenden zweitrichterlichen Urtheiles vom 12. November 1863 kommt vor:

Die Frage, ob die von dem Kläger beantragte Beschlagnahme zulässig sei, ist im gegebenen Falle, da es sich um Exekution wegen einer Wechselschuld handelt, nach der b. W.- u. MGO. zu beurtheilen. Nach Kap. X §. 3 dieses Gesetzes wird die Sperre an den Mobilien dadurch vollzogen, daß der mit der Sperre beauftragte Beamte so viel von des Schuldners Habseligkeiten unter Zuziehung der Parteien und eines Schätzmannes beschreibt und mit gerichtlicher Obsignation belegt, als zur Befriedigung des Klägers in Haupt- und Nebensache erfordert wird; daß es dann den Parteien freisteht, binnen 3 Tagen eine Ueberschätzung zu begehren, und daß, wenn binnen drei Tagen die Auslösung der geschätzten Effekten nicht erfolgt, in die Einantwortung an den Kläger obrigkeitlich gewilligt wird, so daß dem Kläger die gesperrten Gegenstände an Zahlungsstatt überlassen werden. Erst der Landtagsabschied vom 1. Juli 1856 hat in Abschn. III lit. b §. 27 dem Gläubiger gestattet, wenn er die Einantwortung der gesperrten Gegenstände nicht will, den öffentlichen Verkauf der Sperrgegenstände zu beantragen, jedoch muß dieses bei Vermeidung des Ausschlusses sofort bei dem Sperrantrage erklärt werden, so daß also noch dermalen die Einantwortung der Mobilien die Regel bildet. Ganz in gleicher Weise hat nun auch die Wechsel- und Merkantilgerichtsordnung in Kap. X §. 5 und 6 die Exekution in Aktivschulden und andere Forderungen dahin bestimmt, daß diese dem Gläubiger an Zahlungsstatt eingewiesen und ihm hierüber Ausantwortungsdekrete und Ersuchschreiben an die Obrigkeit der Schuldner ausgefertigt werden, — wobei es dann dem Gläubiger überlassen ist, die schlechten Ausstände nur für den Werth zu übernehmen, um den sie ohne des Klägers Verlust und Schaden wieder verwerthet werden können; auch hier wird also die Exekution nur durch Uebertragung der Aktivausstände an Zahlungsstatt vollzogen. Daraus folgt aber mit Nothwendigkeit, daß nur solche Ausstände als Exekutionsmittel dienen können, welche bereits bestehen und gewerthet werden können, daß aber noch nicht existirende oder von verschiedenen Bedingungen noch abhängige Ansprüche, eben weil sie weder der Fälligkeit noch dem Betrage nach festgestellt sind und demnach auch eine Schätzung nicht zulassen, als Exekutionsmittel im Sinne der b. W.= u. MGO. nicht zugelassen werden dürfen.

Gegen die Richtigkeit dieser Ausführung kann auch nicht, wie vom Appellanten geschehen, die Zulässigkeit einer Gehaltsbeschlagnahme gegenüber einem Staatsbeamten geltend gemacht werden. Denn in einem solchen Falle existirt ein bestimmtes Forderungsrecht zu einem feststehenden Betrage gegen einen Dritten (Fiskus), wovon die gesetzliche Quote dem Gläubiger auf so lange, als zur Deckung des Gesammtforderungsbetrages nöthig ist, an Zahlungsstatt überlassen werden kann, — während im vorliegenden Falle ganz unmöglich ist, zu ermessen, ob der Sohn den Vater überleben, ob letzterer Vermögen hinterlassen werde und in welchem Betrage, ob daher überhaupt ein mit Beschlag zu belegendes Objekt oder von welchem Betrage vorhanden sein werde *).　　　　　　　　　　　　　　(Würzburg Nr. 29.)

### CL.
### Die Immission in Immobilien ist auch nach der b. W.= u. MGO. zulässig.

B. W.= u. MGO. Kap. X, §§. 5, 7, 8, Kap. III, §. 7.

Dieser Satz wurde in einem Urtheile des k. HAG. vom 17. Dezember 1863 ausgesprochen und zu dessen Motivirung bemerkt:

Die b. W.= u. MGO. kennt zwar keine Immission in Aktivausstände und Forderungen**) des Schuldners, sondern nach Kap. X §. 5 nur eine Einantwortung derselben; dagegen aber spricht sie sich über die Art und Weise der Exekution an Immobilien nicht näher

----

\*) Im Weiteren wurde ausgeführt, daß auch abgesehen von jener Bestimmung der b. W.= u MGO. dem klägerischen Antrage nicht stattgegeben werden könnte, weil nach dem hier zur Anwendung kommenden fränkischen Landrechte bei Lebzeiten der Eltern und so lange nicht eine Grundtheilung stattgefunden, kein Anrecht der Kinder auf einen bestimmten Theil des elterlichen Vermögens, vielmehr nur eine Hoffnung auf einen anfallenden Erbtheil bestehe, von der es ungewiß sei, ob sie überhaupt und wann sie realisirt werde.

\*\*) Vgl. diese Sammlung Bd. I S. 195.

aus. Die §§. 7 und 8 des X. Kapitels besagen in dieser Hinsicht nur, „wenn unbewegliche Güter in die Exekution zu nehmen wären", solle diese durch Requisition an das forum rei sitae erfolgen und das requirirte Gericht habe „mit den erforderlichen wirklichen Exekutionen straks dergestalt zu verfahren, daß Kläger zu dem ihm gebührenden Kapitale cum omni causa ohne geringsten Aufenthalt gelange." Hieburch ist deutlich zu erkennen gegeben, daß die Immobiliarexekution in Wechsel= und Merkantilsachen nichts Besonderes haben, sondern von dem gewöhnlich zuständigen Gerichte nach den im Allgemeinen für diese Exekutionsart gegebenen Vorschriften bethätigt werden solle. Nun hat schon die GO. von 1753 in Kap. XVIII §. 6 die Immiffion als Exekutionsart auf liegende Güter und Grundstücke aufgeführt, und es ist überall kein rechtlicher Grund gegeben, weshalb diese Art, die Befriedigung zu erlangen, dem Wechselgläubiger abgeschnitten sein sollte. Vielmehr ergibt sich daraus, daß in der in Kap. III §. 7 der W.= und MGO. von 1785 enthaltenen Aufzählung der anzuwendenden Exekutionsarten die Immiffion ausdrücklich genannt wird, mit Sicherheit, daß dieselbe auch im Wechsel- und Merkantilprozesse nicht als ausgeschlossen gedacht wurde.

(Landshut Reg.=Nr. 36.)

## CLI.

### Ableistung des Diffeffionseides in Krebulitätsform von Seite der Erben eines Wechselschuldners.

#### B. W.= u. MGO. Kap. III §. 2.

Die auf Zahlung eines angeblich von N. N. ausgestellten eigenen Wechsels belangte, zu Mertingen wohnhafte Erbin des letzteren hatte in dem Produktionstermine den eingeklagten Wechsel nicht anerkannt, jedoch, des klägerischen Begehrens ungeachtet, den Diffeffionseid abzuleisten sich geweigert, — weil sie solchen in der Wahrheitsform nicht ableisten könne, in der Glaubensform aber abzuleisten gesetzlich nicht verbunden sei. Das Untergericht verurtheilte dieselbe zur Zahlung, weil eine bloße Nichtanerkennung des Wechsels ohne eidliche Ableugnung desselben, wozu Verklagte in der Krebulitätsform verbunden gewesen, nicht genüge, der Wechsel daher als anerkannt zu gelten habe, — welches Urtheil auf Beschwerde der Verklagten am 16. Novbr. zweitrichterlich bestätigt wurde. Die Gründe enthalten Folgendes:

Die Verklagte bestreitet zunächst die subsidiäre Anwendbarkeit des Kap. XI §. 8 Nr. 6 der b. GO. von 1753 im Wechselprozesse, weil

diese Bestimmung mit den Prinzipien des Wechselprozeffes im Wider=
spruche stehe, da durch den Glaubenseid sowohl der Wechselgläubiger
als der Wechselschuldner in seinen Rechten gefährdet werde. Allein
daß der Diffeffionseid im Wechselprozeffe zuläffig sei, beruht auf ge=
setzlicher Bestimmung; ob derselbe aber in Wahrheits = oder nur in
Glaubensform abgeleistet werden könne, ist hiebei völlig gleichgiltig,
nachdem überhaupt die Krebulitätsform bei diesem Eide nicht ausge=
schloffen ist. Würde es sich darum handeln, ob der Eid überhaupt
und der Glaubenseid insbesondere als ein gesetzliches Beweismittel erst
einzuführen, beizubehalten oder abzuschaffen sei, so könnte das Beden=
ken entstehen, ob nicht der Wechselgläubiger gefährdet wäre, wenn das
ganze Recht desselben von dem Meinen oder Glauben des Erben des
Schuldners abhängig gemacht würde.

Im gegebenen Falle aber, wo lebiglich zu untersuchen ist, ob der
Krebulitätseid, wie er nach der allg. Prozeßordnung festgestellt ist, mit
der summarischen Prozeßart des Wechselverfahrens sich vereinbaren
laffe oder nicht, erlebigt sich das angeregte Bedenken durch einen Hin=
weis darauf, daß beim Wahrheitseide nicht minder wie beim Glau=
benseide schließlich Alles auf den höheren oder geringeren Grad der
Gewiffenhaftigkeit des schwörenden Theiles ankommt. Nachdem nun
aber der Gesetzgeber in Kap. III §. 2 der W.= u. MGO. ausdrücklich
die Entscheidung der Frage über die Aechtheit der Wechselurkunde und
hiemit über das „ganze Recht des Wechselgläubigers" der Gewiffen=
haftigkeit des Schuldners anheim gegeben hat, ist nicht abzusehen,
weshalb dem Rechtsnachfolger desselben nicht die gleiche Gewiffenhaf=
tigkeit zugetraut werden sollte. Es ist daher aus dem Umstande, daß
die W.= u. MGO. den Diffeffionseid in Glaubensform von Seite
der im Wechselverfahren verklagten Rechtsnachfolger nicht ausdrücklich
als unzuläffig erklärt hat, mit Sicherheit zu folgern, daß eintretenden
Falles auf die subsidiäre Bestimmung der GO. in Kap. XI §. 8
Nr. 6 zurückgegriffen werden müffe.

Ob, — wie Appellantin weiter behauptet, — der Wechselgläubiger
in der Wahl anderweiter Beweismittel durch die Forderung des Dif=
feffionseibes ungesetzlich beschränkt würde, falls dieser in Glaubensform
geleistet werden will, wäre erst dann zu untersuchen, wenn solche Be=
weismittel dem Wechselgläubiger nicht nur sofort zur Hand gewesen,
sondern auch von diesem unter Berufung auf deren Vorzugsrecht
benützt, aber vom Prozeßrichter als unzuläffig verworfen worden
wären. Dieser Fall ist jedoch hier nicht gegeben. Denn Kläger hat von
dem Seitens der Appellantin ihm vindizirten Vortheile der Benützung

anderweiter Beweismittel — aus welchem Grunde ist gleichgiltig, — keinen Gebrauch gemacht.

Eben so unstichhaltig ist das, was vom Standpunkte des Wechselverklagten gegen die Zulässigkeit fraglichen Eides vorgebracht worden; denn, wenn auch richtig ist, daß an dem eiblich zu diffitirenden Wechsel eine Fälschung vorgekommen sein könnte, so steht diesem Einwande die Erwägung entgegen, daß die Frage der angeblichen Unächtheit oder Fälschung gerade durch den Eid des Schuldners nach dessen bester Ueberzeugung erledigt werden soll, — wie dieses auch im gewöhnlichen Prozesse gesetzlicher Vorschrift gemäß durch den Wahrheits-, eventuell durch den Glaubenseid zu geschehen hat. Mit Recht hat daher Erstrichter die Beklagte für verpflichtet erachtet, den Diffessions-eid in der Krebulitätsform abzuleisten, und da dieses nach Vorschrift des Gesetzes nicht geschehen, den Wechsel für anerkannt erklärt.

(Augsburg Nr. 21.)

## CLII.

## Bedeutung des Zahlungsortes eines Wechsels für den Gerichtsstand.

### (Art. 97 der a. d. WO.)

N. N. zu Iphofen (Handelsgerichtsbezirks Fürth), auf Grund eines von ihm unter dem Datum: „Kleinlangheim den 9. Januar 1863" und zahlbar „hier und aller Orten" ausgestellten eigenen Wechsels von dem Remittenten vor dem k. Handelsgerichte Würzburg, in dessen Sprengel Kleinlangheim liegt, auf Zahlung belangt, setzte der Klage den Einwand der Inkompetenz des angegangenen Gerichtes entgegen, weil er seinen Wohnsitz zu Iphofen habe. Das k. Handelsgericht Würzburg verwarf diesen Einwand auf Grund des Art. 97 der a. d. WO., auf Beschwerde des Verklagten sprach jedoch das kgl. Handelsappellationsgericht durch Urtheil vom 7. Januar 1864 aus, daß die Klage von dem k. Handelsgerichte Würzburg wegen Inkompetenz abzuweisen sei. In den Gründen kommt vor:

Die a. d. WO. enthält wohl einzelne Bestimmungen, welche in das Prozeßrecht einschlagen (wie z. B. im Art. 46, 73, 80), diese Eigenschaft trifft aber bei der hier in Frage stehenden Bestimmung des Art. 97, wie die Verhandlungen der Leipziger Konferenz entnehmen lassen, keineswegs zu. Denn bei Berathung des die §§. 90—98 enthaltenden IV. Abschnittes des preußischen Entwurfes, welcher vom

Wechselprozesse handelte, wurde nach längerer Berathung beschlossen, auf Bestimmungen über den Gerichtsstand überhaupt nicht einzugehen, und ist deshalb auch Abs. 1 des §. 90 jenes Entwurfes, worin die im Wechselprozesse zulässigen fora aufgezählt waren, nicht in die WO. aufgenommen (vgl. Prot. S. 162—7). Es kann demgemäß, ohne den Gesetzgeber großer Inkonsequenz zu zeihen, auch der Bestimmung des Art. 97 a. a. O. nicht eine prozessuale Bedeutung beigemessen werden, um so weniger, als aus den mehrerwähnten Verhandlungen der auf das materielle Wechselrecht bezügliche Zweck und Sinn jener Vorschrift klar erhellt. In dem §. 97 des der Berathung der Wechselkonferenz unterstellten preußischen Entwurfes war nämlich, analog der im Art. 4 Nr. 8 für gezogene Wechsel gegebenen Bestimmung, die Vorschrift enthalten, daß die Bestimmung des Ortes, wo gezahlt werden solle, ein wesentliches Erforderniß eines eigenen Wechsels bilde.

Diese Ansicht fand jedoch nicht die Billigung der Konferenz, indem man davon ausging, daß der Zahlungsort gewöhnlich nicht genannt würde; dagegen wurde es für zweckmäßig erachtet (vgl. Prot. S. 157), in einem besonderen Paragraphen auszusprechen, daß, falls die Zahlung an einem anderen als dem Orte der Ausstellung geschehen solle, dieser ausdrücklich genannt werden müsse, und um dieses auszudrücken, wurde die in Frage stehende Bestimmung als Art. 99 von der Fassungskommission in den Gesetzentwurf aufgenommen und bei der Schlußredaktion als Art. 97 eingeschaltet.

Der Zweck jener Bestimmung war mithin der, für den Fall, daß ein besonderer Zahlungsort nicht benannt sei, den Ort festzustellen, an welchem die nach Wechselrecht vorzunehmenden Handlungen, Präsentation, Protesterhebung, Amortisation u. dgl. vorgenommen werden müßten, mithin ein das materielle Wechselrecht betreffender; keineswegs wollte aber damit ein eigener Gerichtsstand des Wechseldomizils geschaffen werden.

Die Annahme, daß in diesem Falle die Worte des Art. 97 „und zugleich als Wohnort des Ausstellers" überflüssig wären, da der gleiche Zweck schon durch die Worte „als Zahlungsort" erreicht würde, ist nur scheinbar eine begründete. Was nämlich zunächst die gezogenen Wechsel betrifft, so ist in den Motiven zu Art. 7 des preuß. Entwurfes, welcher die nun in Art. 4 Ziff. 8 befindliche Vorschrift enthielt, ausdrücklich bemerkt (daselbst S. XXXIII): diese Bestimmung beziehe sich darauf, daß nach §. 82 des Entwurfes die Präsentation zur Annahme bei Domizilwechseln im Wohnorte des Bezogenen

geschehen solle.   Dieser Grund würde nun allerdings nicht auf eigene
Wechsel in Anwendung gebracht werden können, da bei diesen eine
Präsentation zur Annahme nicht vorkommt.   Allein auch bei eigenen
Wechseln kann, selbst außer dem Falle der Zahlung, eine Präsentation zu anderen wechselrechtlichen Zwecken vorkommen, wenn es sich
z. B. um einen auf bestimmte Zeit nach Sicht lautenden Wechsel handelt, so daß auch hier die Worte: „und zugleich als Wohnort des
Ausstellers" keinesweges ohne materiell wechselrechtliche Bedeutung
sind *).

Ebensowenig läßt sich aber die Kompetenz des angegangenen
Gerichtes mit Rücksicht darauf, daß Kleinlangheim ausdrücklich
als Zahlungsort bezeichnet ist und abgesehen hievon auch schon
nach Art. 97 als solcher zu betrachten wäre, von dem Gesichtspunkte
des forum contractus aus rechtfertigen.   Denn nach der Bestimmung
in Kap. I §. 6 der in Bezug auf die bayer. Wechsel- und Merkantilgerichtsordnung als subsidiäre Rechtsquelle erscheinenden GO. von
1753, sollen sich Inländer dieses Gerichtsstandes überhaupt nur dann,
wenn die Zahlung vermöge ausdrücklichen Gedings an einem gewissen
Orte versprochen worden, gegen einander bedienen, und in allen
Fällen überhaupt nur dann, wenn der Verklagte am Erfüllungsorte
sich befindet.   Es wäre demgemäß im gegebenen Falle zur Begründung der Kompetenz des angegangenen Gerichtes von dem bezeichneten
Standpunkte aus erforderlich gewesen, daß Verklagter zur Zeit der
Klagstellung zu Kleinlangheim sich aufgehalten oder Vermögen besessen
hätte, was jedoch vom Kläger nicht nur nicht behauptet, sondern auch,
was den Aufenthalt betrifft, durch den bei den Akten befindlichen In-
sinuationsnachweis, wonach dem Verklagten die Klage zu Iphofen zugestellt wurde, sofort widerlegt ist **).

(Würzburg Nr. 33.)

---

*) Nach den gleichen Grundsätzen war erkannt worden am 11. Jan. 1863
in der Sache München I/J. Nr. 64.

**) Weiter wurde noch ausgeführt, daß in den Worten: „zahlbar hier"
auch nicht eine freiwillige Unterwerfung des Verklagten unter den Gerichtsstand des Zahlungsortes gefunden werden könne, da, wenn auch
im Allgemeinen eine derartige Unterwerfung als rechtswirksam erachtet
werden müsse, jene Worte unzweifelhaft eine materiell wechselrechtliche
Bedeutung hätten und es daher an einem rechtsgenügenden Grunde
gebreche, sie in anderem Sinne aufzufassen, während umgekehrt der
Beisatz „und aller Orten" nur eine prozessuale Bedeutung habe. (Vgl.
diese Sammlung Bd. I S. 221.)

## CLIII.

Die in den Text der Wechſelurkunde ſelbſt aufzuneh=
mende Bezeichnung derſelben als Wechſel iſt weſentlich;
das Verſprechen „nach Wechſelrecht zu zahlen" erſetzt
dieſelbe nicht.

A. d. WO. Art. 4 Nr. 1, Art. 96 Nr. 1.

Die Klage aus einer als Wechſel geltend gemachten Urkunde,
welche jedoch neben den ſonſtigen Erforderniſſen nicht auch die Be=
zeichnung als Wechſel, ſondern nur das Verſprechen, nach Wechſelrecht
zu zahlen, enthielt, wurde in I. Inſtanz a limine abgewieſen, und
dieſer Beſcheid am 7. Januar 1864 von dem k. Handelsappellations=
gerichte aus folgenden Gründen beſtätigt:

Die Wechſelverpflichtung beruht auf einem Formalakte. Dieſer
Formalakt, die ausgeſtellte Wechſelurkunde, muß deshalb klar und
beſtimmt entnehmen laſſen, daß eine wechſelrechtliche Verpflichtung ein=
gegangen werden wollte.

Es hat ſich daher im deutſchen Wechſelrechte der Rechtsſatz ge=
bildet, daß ſich der Wechſel ſelbſt als ſolcher bezeichnen muß, und die=
ſer Rechtsſatz iſt, — wie der den Leipziger Konferenzverhandlungen zu
Grunde gelegte preußiſche Entwurf, und die dieſem vorausgegangenen
Entwürfe einer Wechſelordnung, ſo wie jene Verhandlungen ſelbſt er=
geben, — auch in die allgemeine deutſche Wechſelordnung übergegangen,
welche demgemäß im Art. 4 Nr. 1 und Art. 96 Nr. 1 als weſent=
liches Erforderniß eines Wechſels die in den Wechſel ſelbſt aufzu=
nehmende Bezeichnung als Wechſel beſtimmt.

Dieſes Erforderniß mangelt aber der der vorwürfigen Klage zu
Grunde gelegten Urkunde, denn das in dieſer Urkunde enthaltene
Zahlungsverſprechen bezeichnet dieſelbe nirgends als einen Wechſel.

Zwar verſprechen die Unterzeichner daſelbſt zur Verfallzeit Zahlung
nach Wechſelrecht zu leiſten; allein der Beiſatz „nach Wechſelrecht",
welcher allerdings nach §. 15 des erſten preußiſchen Entwurfes die
Bezeichnung der Urkunde als Wechſel erſetzen ſollte, wurde auf Grund
eines bei der Berathung gefaßten Beſchluſſes geſtrichen, blieb auch bei

folgenden Entwürfen hinweg und fand später in der a. d. WO. eben=
falls keine Aufnahme *).

Es muß hienach angenommen werden, daß die Rechtsgültigkeit
einer Wechselverpflichtung von der wörtlichen Bezeichnung der Urkunde
als Wechsel abhängig gemacht werden wollte, und da diese Be=
zeichnung in der eingeklagten Urkunde fehlt, so wurde die erhobene
Wechselklage mit Recht abgewiesen **).

(Nürnberg Nr. 88.)

## CLIV.

### Bestimmung der Zahlungszeit eines Wechsels mit „bis"
#### A. d. WO. Art. 96 Ziff. 4; Art. 4 Ziff. 4.

Durch Urtheil des HAG. vom 23. Dezember 1863 wurde die
Klage aus einer als Wechsel bezeichneten Urkunde, in welcher der
Aussteller „bis 1. Dezember 1863" zu zahlen versprochen hatte, ab=
gewiesen ***) und in den Gründen bemerkt:

Nach Art. 96 Ziff. 4 der a. d. WO. ist die Bestimmung der
Zeit, zu welcher gezahlt werden soll, ein wesentliches Erforderniß
eines eigenen Wechsels, und nach der dortselbst in Bezug genommenen
Vorschrift des Art. 4 Nr. 4 kann die Zahlungszeit u. A. auf einen
bestimmten Tag festgesetzt werden. Die Zahlungsbestimmung „bis
1. Dezember 1863" kann aber als eine solche nicht erachtet werden,
welche jenen Vorschriften entspricht****) Der Ausdruck „bis 1. De=
zember" gibt nach richtigem Sprachgebrauche †) nur den Endtermin

---

  *) Vgl. Hoffmann, Erläuterung S. 185.
 **) Ebenso entschied das Berliner Obertribunal in seinem Erkenntnisse
      vom 6. März 1856 (Archiv für d. WR. Band VI Seite 199 und
      Borchardt (2. Auflage) S. 25).
***) Ebenso Renaub (S. 42 Note 13 a. E.), nach einem Erk. des Ber=
      liner Obertribunals im Archiv für deutsches Wechselrecht Band V
      S. 429.
****) Das Gleiche gilt auch von dem Ausdrucke „bis auf".
  †) In der gewöhnlichen Umgangssprache wird zwar mitunter der Ausdruck
      „bis" als gleichbedeutend mit dem Ausdrucke „an" genommen; wer
      z. B. am 1. Dezember irgend eine Leistung gewähren will, sagt nicht
      selten, er werde sie bis 1. Dezember bewerkstelligen. Allein auf diese
      sprachlich nicht richtige Ausdrucksweise kann bei Beurtheilung des In=
      halts eines an so strenge Formen gebundenen Rechtsgeschäftes, wie der
      Wechsel ist, keine Rücksicht genommen werden.

einer Periode an, innerhalb welcher etwas zu geschehen, hier die Zahlung zu erfolgen habe, enthält aber nicht nur über deren Anfangstermin keine besondere Bestimmung, sondern läßt auch ungewiß, an welchem einzelnen Tage die Zahlung erfolgen müsse. Ein Wechsel der fraglichen Art könnte daher an jedem Tage bis zu jenem Endtermine bezahlt werden, ohne daß der Gläubiger die Zahlung zurückzuweisen berechtigt wäre *), und es müßten selbst Ratenzahlungen zugelassen werden, da die Wechselsumme bis zu einem Termine auch dann bezahlt ist, wenn sie in einzelnen Posten abgetragen wird. Eine derartige Unbestimmtheit des Verfalltages eines Wechsels widerspricht aber den strengen Formen des Wechselrechts in solchem Maße, daß ein solcher Wechsel als den Erfordernissen des Art. 96 der a. d. WO. entsprechend nicht erachtet werden kann, vielmehr demselben die Wechselkraft abgesprochen werden muß **).

(Regensburg Reg.-Nr. 42.)

## CLV.

**Haftung einer Ehefrau aus der Mitunterschrift eines Wechsels ihres Ehemannes nach bayer. Rechte.**

A. d. WO. Art. 1 und 81. Bayer. Landrecht Thl. I Kap. III §. 2 Nr. 1, Thl. IV Kap. I §. 12. Thl. I Kap. VI §. 27, Thl. I Kap. III §. 33.

Eine im Gebiete des bayer. Landrechtes wohnhafte Ehefrau hatte der Klage aus einem von ihr mitunterschriebenen Wechsel ihres Ehemannes den Einwand der Ungiltigkeit des Wechsels entgegengesetzt, weil nach bayer. LR. Ehefrauen ohne rechtsförmliche Certioration und Renuntiation auf die weiblichen Rechtswohlthaten weder für ihre Ehemänner noch mit ihnen giltige Schuldverschreibungen eingehen könnten. Auf Grund dieses Einwandes in erster Instanz von der Klage entbunden, wurde sie durch Urtheil des kgl. Handelsappella-

---

*) Von Bedeutung kann dieses werden bezüglich der Frage, ob die offerirte Zahlung auf Gefahr und Kosten des Gläubigers deponirt werden dürfe.

**) Das Berliner-Obertribunal (vgl. Borchardt S. 33) hat den Ausdruck „zum 24. Juni" als gleichbedeutend mit „am 24. Juni" angenommen.

**24**

tionsgerichtes vom 30. Dezember 1863 zur Zahlung verurtheilt, aus nachstehenden Gründen:

Es ist zwar richtig, daß die Frage, ob die hier in Frage stehende Ehefrau sich durch Verträge verpflichten könne, und daher nach Art. 1 der a. d. WO. wechselfähig sei, nach Maßgabe des Codex Maximilianeus v. 1756 zu beurtheilen ist; allein gerade dieses Gesetzbuch erkennt die allgemeine Vertragsfähigkeit der Frauen im vollem Maße an. Nach Thl. I Kap. III §. 2 Nr. 1 hat das männliche Geschlecht vor dem weiblichen außer den in den Rechten besonders ausgedrückten Fällen keinen Vorzug, und nach Thl. IV Kap. I §. 12 kann regulariter Jeder pactiren, wovon Frauen nicht ausgenommen sind. Hinsichtlich der Ehefrauen setzt zwar Thl. I Kap. VI §. 27 gewisse Beschränkungen in der Vermögensdisposition fest; allein auch hier ist nicht die Vertragsfähigkeit der Ehefrau als solche ausgeschlossen oder gemindert, sondern nur dem Ehemanne ein zeitlich beschränktes Anfechtungsrecht gewährt. Dieses Anfechtungsrecht hat im vorliegenden Falle der Ehemann nicht geltend zu machen versucht, — ganz abgesehen davon, ob er sich bei seiner Mitunterschrift des Wechsels auf mangelnden Konsens seiner Seits berufen könnte.

Erstrichter kann deßhalb seinen Ausspruch nicht auf die bisher erwähnten Stellen des Landrechtes stützen, aber auch nicht auf Thl. I Kap. VI §. 33, in welchem Paragraphen ebenfalls von einer Beschränkung der Vertragsfähigkeit der Ehefrauen Nichts enthalten, sondern nur die Rechtswohlthat des Sct. Vellej. und der auth. si qua mulier landrechtlich geregelt ist. Es könnte daher auf Grund dieser gesetzlichen Vorschrift ein Wechsel jedenfalls nicht deßhalb, weil dem Aussteller die Wechselfähigkeit nach Art. 1 der a. d. WO. fehle, sondern nur deßhalb, weil er eine rechtlich ungültige Interzession enthalte, angefochten werden. Denn das Landrecht bestimmt an obiger Stelle nicht, daß sich Ehefrauen durch Verträge überhaupt oder wenigstens durch eine der in dieser Stelle näher bezeichneten Schuldverschreibungen nicht verpflichten können, sondern es schreibt nur vor, in welcher Form Interzessionen der Ehefrauen geschehen müssen und unter welchen Voraussetzungen solche Interzessionen als nichtig angefochten werden können. Hiebei stellt das Landrecht allerdings die Regel auf, daß eine von der Ehefrau gemeinsam mit ihrem Ehemanne ausgestellte Schuldverschreibung oder eingegangene Obligation stets als eine Interzession für ihren Ehemann angesehen und daher ihre Gültigkeit nach den Bestimmungen über Gültigkeit von Bürgschaften der Frauen für ihre Männer beurtheilt werden solle. Allein die Ausstellung eines Wechsels schließt ihrer rechtlichen Natur nach die Anwendung der Grundsätze über Interzessionen aus; dieß erkannte schon die ältere bayer. WO. dadurch an, daß sie in §. 3 die Vorschrift des §. 33 des Landrechts Thl. I Kap. VI nicht erwähnt, vielmehr gerade von beiden Eheleuten gemeinsam unterschriebene Wechsel als für die Ehefrau verbindlich erklärt. Zu demselben Resultate führt aber auch die Anwendung der Grundsätze der a. b. WO. Die von der Ehefrau dem fraglichen Wechsel gegebene Unterschrift hat sie nicht als Bürgin mit und neben ihrem Ehemanne verhaftet, sondern, wie sich aus dem Inhalte des Art. 81 der a. b. WO. ergibt, trifft sie als Unterzeichnerin des Wechsels die volle wechselmäßige Haftung und Verpflichtung als Prinzipalschuldnerin, gleich als hätte sie den Wechsel allein gezeichnet, acceptirt oder girirt; diejenigen Rechtswohlthaten, welche den Frauen und Ehefrauen von dem Gesetze für den Fall eingeräumt sind, daß sie als Bürginnen belangt werden, kann sie also im vorliegenden Falle nicht in Anspruch nehmen, eben weil sie sich nicht als Bürgin, sondern als Prinzipalschuldnerin darstellt. Sie kann sich aber auch nicht etwa deßhalb auf jene Rechtswohlthaten berufen, weil der Grund der Uebernahme der Wechselverbindlichkeit die Absicht einer Interzession für den Ehemann gewesen sei. Denn bei der streng formalen Rechtsnatur des Wechsels finden gegen das durch denselben eingegangene absolute Summenversprechen Einreden aus dem unterliegenden Rechtsverhältnisse nicht statt. Die singuläre Bestimmung des mehrerwähnten §. 33 Thl. I Kap. VI des bayer. Landrechtes verträgt sich ohnehin mit dem Wechselrechte nicht; die a. b. WO. erwähnt keiner solchen Ausnahme von der Haftung, die allgemein in Folge der Wechselunterschrift eintritt; sobald eine an sich vertragsfähige Person einen Wechsel, sei es allein oder mit einem Andern unterzeichnet hat, haftet sie, — und hätten die Ehefrauen, welche mit ihren Ehemännern Wechsel unterschreiben, hievon ausgenommen sein sollen, so hätte solches in der WO. ausdrücklich gesagt werden müssen. Da dieß nicht geschehen, die Bestimmung des §. 33 aber, wie bereits dargelegt, nicht eine Beschränkung der Vertragsfähigkeit der Ehefrauen ist, sondern ein ihnen ertheiltes Privileg, welches sich mit dem Wechselrechte nicht verträgt, so muß dasselbe gegenüber dem Grundsatze der allgemeinen Wechselfähigkeit zurücktreten, wohin sich denn auch die seitherige Praxis der Gerichte ausgesprochen hat *).

(Amberg Nr. 18.)

---

*) Vgl. auch Zeitschr. f. Gesetzgebg. u. Rechtspfl. Bd. II S. 483, Bd. IV S. 434, und diese Sammlung Bd. I S. 96.

## CLVI.

### Zulässigkeit der subsidiärer Personalhaft gegen die vom Wechselarreste nicht erimirten Personen.

Art. 2 der a. d. WO.    Art. 2 des Einf.=Ges. hiezu.    Art. 3 des Ges. vom 5. Okt. 1863, einige Bestimmungen der a. d. WO. betr., B. W. = u. MGO. Kap. X §. 9.    B. GO. K p XVIII §. 3 Nr. 7.

Gegen den Gutsbesitzer N. N. zu Heisesheim war wegen einer am 10. März 1863 eingegangenen Wechselschuld nach mehrmaligen fruchtlosen Vermögensexekutionen von dem Wechselgläubiger unter der Behauptung, daß derselbe durch eigenes Verschulden in Unvermögen gekommen sei, auf Grund der Wechsel= u. Merk.=Ger.=Ordn. Kap. X §. 9 und der b. GO. Kap. XVIII §. 3 Nr. 7 die Personalhaft be= antragt worden.

Das k. Handelsgericht Augsburg wies den Antrag unter Hin= weis auf Art. 2 des Einf.=Ges. zur d. WO. ab, das k. Handelsap= pellationsgericht sprach aber durch Urtheil vom 22. Jan. 1864 aus, daß das Untergericht den beantragten Zahlungsbefehl unter Androh= ung der Personalhaft zu erlassen habe, und bemerkte in den Grün= den *):

Da der eingeklagte Wechsel am 10. März 1863 ausgestellt ist und nach Art. 6 des Gesetzes vom 5. Okt. 1863, einige Bestimmun= gen der allg. d. WO. betr., die Bestimmungen dieses Gesetzes auf Wechsel, welche vor dem 1. Jan. 1864 ausgestellt sind, keine An= wendung finden, so würde, wenn es sich hier um die Frage der Wechselarrestfähigkeit handeln würde, der Art. 2 des Ges. v. 25. Juli 1850 über die Einf. der a. d. WO. maßgebend sein.

Allein Kläger verlangt nicht die Verfügung des Wechselarrestes auf Grund des Art. 2 der a. d. WO., sondern will die Exekution durch Verhängung der Personalhaft und zwar zunächst nach Maßgabe der GO. Kap. XVIII §. 3 Nr. 7 vollstreckt wissen, wobei derselbe übrigens auch auf Kap. X §. 9 der W. = u. MGO. Bezug nimmt und sich insbesondere in seiner Berufungsschrift auf letztere Gesetzes= stelle vorzugsweise stützt.

Das Handelsappellationsgericht hat sich nun schon zu wieder= holten Malen dafür ausgesprochen, daß auch gegen Personen, welche

---

*) Vgl. „Gesetzgebung Bayerns u. s. w. mit Erläut." Th. I Bd. V Heft 1 Seite 50.

nicht wechselarrestfähig sind, wegen Wechselschulden die Personalhaft als letztes Exekutionsmittel in Gemäßheit des Kap. X §. 9 der W.= u. MGO. zulässig sei. (Vgl. diese Sammlung Bd. I S. 31 u. 70.)

Dieser Satz findet, — das Vorhandensein der gesetzlichen Vorbedingungen für diese Personalhaft vorausgesetzt, — auch in dem gegebenen Falle seine Anwendung.

Zwar bestimmt der Art. 3 des erwähnten Gesetzes vom 5. Okt. 1863:

„Soweit nach Art. 2 Abf. 2 der a. b. WO. der Wechselarrest nicht zulässig oder nach Art. 2 des gegenwärtigen Gesetzes die Vollstreckung des Wechselarrestes ausgeschlossen ist, darf die in den bestehenden Gesetzen, insbesondere im Kap. X §. 9 der kurpfalzbayer. W.= u. MGO. v. 24. Nov. 1785, für Handelssachen angedrohte Exekution gegen die Person des Schuldners nicht vollzogen werden, gleichviel, ob die eingeklagte Forderung aus einem Wechsel, einer kaufmännischen Anweisung oder einem Handelsgeschäfte herrührt",

und es ist hienach nicht zu bezweifeln, daß gegen jene Personen, gegen welche nach Maßgabe des Art. 2 der a. b. WO. und des Art. 2 des Gef. vom 5. Okt. 1863 der Wechselarrest nicht stattfindet, von dem Handelsrichter auch die Personalhaft, sei es nun auf Grund des Kap. X §. 9 der W.= u. MGO. oder auf Grund der GO. Kap. XVIII §. 3 Nr. 7, nicht mehr verfügt werden darf.

Allein zu diesen Personen gehört der Beklagte nicht; findet gegen denselben der Wechselarrest nicht Statt, so ist dessen Ausschluß weder im Art. 2 der a. b. WO. noch im Art. 2 des Gesetzes vom 5. Okt. 1863, sondern vielmehr im Art. 2 des Einf.=Gef. v. 25. Juli 1850 zur a. b. WO. begründet; daß auch gegen Personen, welche in Gemäßheit der letzterwähnten Bestimmung dem Wechselarrest nicht unterworfen werden können, die Personalhaft ausgeschlossen sei, hat der Art. 3 des Gef. vom 5. Okt. 1863 nirgends angeordnet; die Unzulässigkeit der Personalhaft ist ausdrücklich nur insoweit ausgesprochen, als nach Art. 2 Abf. 2 der a. b. WO. der Wechselarrest nicht zulässig oder nach Art. 2 des Gef. vom 5. Okt. 1863 die Vollstreckung des Wechselarrestes ausgeschlossen ist.

Der Kreis der nach dem Einf.=Gef. vom 25. Juli 1851 wechselarrestunfähigen Personen ist unstreitig ein bei weitem größerer, als der jener Personen, gegen welche nach den letztbezeichneten Gesetzesbestimmungen der Wechselarrest unstatthaft ist.

Während im Verhältniſſe zu erſterem die wechſelarreſtfähigen Perſonen die Ausnahme bilden, geſtaltet ſich dem letzteren gegenüber das Verhältniß zur Regel.

Der Geſetzgeber mochte daher bei der gewählten Faſſung des Art. 3 ſeinen beſonderen Grund und insbeſondere das Uebergangsverhältniß von dem bisherigen Rechte zu dem neuen Rechte im Auge gehabt haben.

Jedenfalls hat der Richter keine Befugniß, dem Art. 3 eine weitere Ausdehnung zu geben, als deſſen beſtimmter Wortlaut rechtfertigt. Hienach muß alſo die Verhängung der Perſonalhaft gegen den Beklagten auch dermalen noch als zuläſſig erachtet werden *).

(Augsburg Nr. 36.)

### CLVII.

### Die Zahlungszeit eines Wechſels durch die Worte: „binnen 3 Monaten" beſtimmt.

#### (Art. 4 Ziff. 4 der a. b. WO.)

Die Klage aus einem die vorſtehende Beſtimmung der Zahlungszeit enthaltenden Wechſel wurde von dem k. HG. München I/J. aus dem Grunde abgewieſen, weil dieſe Beſtimmung der Zahlzeit nicht der Vorſchrift des Art. 4 Nr. 4 der a. b. WO. entſpreche. Durch Urtheil des HAG. vom 11. Febr. 1864 wurde dieſe Verfügung beſtätigt und in den Gründen bemerkt:

Das Beiwort „binnen" bezeichnet nach richtigem Sprachgebrauche allerdings ein Zeitverhältniß, aber nicht die Zeit, zu welcher etwas gethan oder geleiſtet werden ſoll, ſondern den Zeitabſchnitt, in welchen das Leiſten oder Thun fällt; es wird hiedurch nur der Anfangs- und Endpunkt, innerhalb welchem die Handlung oder Leiſtung zu geſchehen hat, nicht aber die Zeit der wirklichen Leiſtung feſtgeſetzt. Wäre daher dieſe Friſt überhaupt vom Tage der Wechſelausſtellung an zu berechnen, ſo würde dem Verpflichteten freiſtehen, von jenem Tage an während dreier Monate an jedem in dieſem Zeitraum fal-

---

*) Durch Erkenntniß vom 18. Jan. 1864 (München I/J. Reg.-Nr. 200) wurde derſelbe Grundſatz nach ſeiner entgegengeſetzten Richtung anerkannt, daß nämlich gegen eine Frau (die nicht Handel oder Gewerbe treibe) der ſubſidiäre Perſonalarreſt auch wegen ſolcher Wechſel, die vor dem 1. Jan. 1864 ausgeſtellt ſind, nicht verhängt werden dürfe.

lenden Tage nach Belieben ganz oder theilweise zu zahlen, und der Gläubiger könnte die Annahme der Zahlung nicht verweigern, soferne diese nur innerhalb jenes Zeitraumes erfolgte, so daß der Tag der Zahlung nur von dem Ermessen des Schuldners abhinge, mithin nicht durch den Wechsel selbst bestimmt wäre.

Unerheblich für Entscheidung der Berufung ist das überdies auch unbescheinigte Vorbringen des Appellanten, daß nach einem zu München und insbesondere unter den der Geschäfts= und Bildungsklasse der Wechselaussteller angehörigen Personen üblichen Sprachgebrauche das Wort „binnen" zur Bezeichnung eines bestimmten Zeitpunktes, nämlich des Endabschnittes des treffenden Zeitraumes gebraucht werde. Denn da der Wechselverkehr nicht auf einzelne Orte oder Gegenden beschränkt, sondern ein allgemeiner ist, so kann nicht der Sinn, welcher einem im Wechsel gebrauchten Ausdrucke nach einem unrichtigen Provinzialismus beigelegt wird, sondern nur der, welcher demselben nach seiner allgemeinen grammatikalen Bedeutung zukommt, Geltung beanspruchen.

Ebensowenig kann aber auch die etwa von dem Aussteller einem von ihm gebrauchten Ausdrucke beigelegte Bedeutung, welche dem gewöhnlichen und richtigen Sprachgebrauche widerspricht, in Betracht kommen, da die Ausstellung eines Wechsels eine formale, von dem unterliegenden Rechtsverhältnisse abgelöste, allein auf der Skriptur beruhende Verpflichtung erzeugt und daher der Wechsel nur aus den in ihm selbst gebrauchten Worten erklärt werden darf.

Wollte man übrigens auch dem von dem Appellanten behaupteten Gebrauche des Beiwortes „binnen" eine rechtliche Bedeutung einräumen, so würde doch, da im gegebenen Falle fragliches Wort gleichwohl in seiner richtigen grammatikalen Bedeutung gebraucht worden sein könnte, Zweifel darüber bestehen, in welchem Sinne dasselbe wirklich genommen sei, und eben wegen dieser Zweifelhaftigkeit würde es schon an einer genügenden Bestimmung der Zahlungszeit gebrechen[*]).

(München I/J. Reg.=Nr. 204.)

---

[*]) Vgl. die gleiche Entscheidung hinsichtlich des Wortes „bis". — Archiv für d. WR. Bd. V S. 429 und oben Nr. XIII. —

## CLVIII.

### Klage auf Zahlung eines Wechsels vor Verfall des-selben.

Art. 29, 30 der a. b. WO. B. W.= u. MGO. Kap. I §. 7 und Kap. IX §. 5 Nr. 3.

Der Inhaber mehrerer Wechsel hatte solche noch vor Verfall ge-gen den Schuldner bei dem k. Handelsgerichte München I/J. einge-klagt und zur Begründung seiner Klage unter Bezug auf die An-merkungen zu Th. IV Kap. IV §. 9 des bayerischen Landrechtes dar-zuthun gesucht, daß bei längerem Zuwarten ihm Verlustgefahr drohe.

Das k. Handelsgericht München I/J. wies jedoch die Klage zur Zeit ab, welcher Beschluß durch Urtheil des k. Handelsappellations-gerichtes vom 8. Febr. 1864 aus folgenden Gründen bestätigt wurde.

Die angeführte Stelle der Anmerkungen kann als geltende Ge-setzesvorschrift um deswillen nicht betrachtet werden, weil sie in den Text des Gesetzes nicht aufgenommen worden ist, vielmehr aus Th. IV Kap. 2 §. 3 Nr. 8, auf welche Stelle die Anmerkungen hinweisen, geschlossen werden muß, daß das Gesetz eine Klage auf Zahlung der Schuld vor Ausgang der festgesetzten Zahlungsfrist nicht gestat-ten, sondern nur, so viel das punctum cautionis auf den Fall einer zu besorgenden Verlustgefahr betrifft, einen auf Sicherung gerichteten Anspruch des Gläubigers zulassen will.

Sodann könnte aber, auch wenn es in der That gerechtfertigt wäre, aus jener Stelle der Anmerkungen das Recht des Gläubigers auf Verfolgung seiner Forderung vor der Verfallzeit abzuleiten, die betreffende Vorschrift im Wechselrechte keine Anwendung finden.

Für die a. b. WO., welche an die Stelle der früheren Wechsel-ordnungen getreten ist, hat in Beziehung auf wechselrechtliche Bestimm-ungen das bayerische Landrecht keine subsidiäre Geltung, vielmehr muß jenes Spezialgesetz, soweit nicht in ihm selbst oder in dem be-treffenden Einführungsgesetze ausdrücklich oder stillschweigend auf das Partikularrecht hingewiesen wird, aus sich selbst erklärt und erläutert werden.

Im Art. 30 der a. b. WO. ist nun festgesetzt, daß, wenn in dem Wechsel ein bestimmter Tag als Zahlungstag bezeichnet ist, die Verfallzeit an diesem Tage eintritt, während sich nirgends in der Wechselordnung eine Vorschrift des Inhaltes findet, daß unter gewissen Voraussetzungen ein Wechsel auch v o r dem als Zahlungszeit in demselben bestimmten Tage als fällig erachtet werden soll. Dagegen ist im Art. 29 der WO. in gewissen Fällen einer drohenden Verlust= gefahr dem Gläubiger ein Anspruch gegen den Acceptanten und die Vormänner a u f S i c h e r h e i t s l e i s t u n g eingeräumt, und die W. = u. MGO. ertheilt in Kap. I §. 7 und Kap. IX §. 5 Nr. 3 dem Rich= ter die Befugniß, auf Antrag des Gläubigers, wo Gefahr an der Zeit oder an der Sache selbst wegen Vertuschung oder anderweitiger nachtheiliger Veräußerung des Schuldners Vermögens und Habselig= keiten oder wohl gar dessen Flucht zu besorgen wäre, die Arretirung der Habe des Schuldners oder seiner Person zu verhängen, von wel= chem Rechte auch in vorliegendem Falle auf Verlangen des Klägers bereits Gebrauch gemacht worden ist.

Da nun, wie vorbemerkt wurde, die Wechselforderung nach der a. b. WO. erst mit dem in dem Wechsel selbst bezeichneten Zahlungs= tage fällig wird, vor der Fälligkeit einer Forderung, dem Gläubiger aber kein Recht zur Geltendmachung derselben und somit auch kein Recht zur Klagestellung zusteht, so erscheint die von dem Kläger er= griffene Berufung gegen die klagabweisende Verfügung des Handels= gerichtes München l/J. unbegründet.

(München l/J. Nr. 203.)

## CLIX.

### Ergänzung eines mangelhaften Protestes durch anber= weite Beweismittel.

(Art. 88 u. 91 der a. b. WO.)

Gegen das (in dieser Sammlung Bb. I S. 302 abgedruckte) hand.=appell.=ger. Erkenntniß v. 10. Aug. 1863 suchte der Wechselinhaber Restitution nach, weil dieses Erkenntniß darauf gebaut sei, daß eine Präsentation des Wechsels in der Wohnung des Wechselausstellers und Nichterlangung der Zahlung durch den Protest nicht dargethan sei, während Restitutionskläger nachträglich erfahren habe, daß eine solche Präsentation wirklich, wiewohl ohne Erfolg, versucht worden sei. Zum Nachweise dessen legte er ein Zeugniß des Notars vor, welcher den für mangelhaft erklärten Protest aufgenommen hatte, und welcher nunmehr „auf Amtspflicht" bestätigte, daß er allerdings am Protesttage in die ihm wohlbekannte Wohnung des Wechselausstellers behufs der Wechselpräsentation sich begeben habe, diese Wohnung je=

doch verschlossen gewesen und auf öfteres Läuten nicht geöffnet, und endlich ihm, dem Notare, beim Weggehen von einem unter der Hausthüre stehenden Bedienten auf die Frage nach dem Wechselaussteller mitgetheilt worden sei, derselbe sei ja stadtbekannt schon vor ein paar Wochen nach Y. abgereist, wohin ihm seine Gemahlin vor ein paar Tagen gefolgt sei. Dieser Vorgang habe kurz, wie im Proteste geschehen, ausgedrückt werden wollen *).

Das Restitutionsgesuch wurde aber in beiden Instanzen abgewiesen und in den Gründen des zweitrichterlichen Urtheiles v. 11. Jan. 1864 bemerkt:

Nach Art. 41 der a. d. WO. ist der Nachweis der Präsentation und Nichterlangung der Zahlung durch einen rechtzeitig darüber aufgenommenen Protest darzuthun. Der Protest ist aber ein strenger Formalakt, welcher nur aus sich selbst erklärt werden darf, und es ist daher jede anderweite Beweisführung neben demselben durch Zeugen, Urkunden oder Eide ausgeschlossen, sei es nun, daß hiedurch der Inhalt des Protestes vollständig ersetzt oder nur ergänzt werden soll. Es kann demgemäß auch im gegebenen Falle dem mit dem Restitutionsgesuche vorgelegten Zeugnisse des Notars N. irgend eine Berücksichtigung nicht zu Theil werden. Denn wenn man auch annehmen wollte, daß unbedeutende Ergänzungen bezw. Berichtigungen in Nebenpunkten einer Protesturkunde nachträglich vorgenommen werden dürften, wie z. B. die Berichtigung eines Schreibfehlers oder die Auslassung eines einzelnen Wortes, oder Unvollständigkeit eines Namens, obschon selbst dieses nach Umständen bedenklich wäre, — so kann doch eine solche Verbesserung nicht so weit ausgedehnt werden, daß im Proteste gar nicht erwähnte erhebliche Thatumstände nachträglich konstatirt werden dürften, indem dadurch der Protest wesentlich geändert würde und diese nachträglich konstatirten Thatumstände nicht recht-

---

*) Der fragliche Protest lautete im Wesentlichen, wie folgt:

„Auf Ersuchen der Herren A. A. habe ich, der unterzeichnete k. Wechselnotar in A., heute den 2c. die Urschrift des abschriftlich folgenden Solawechsels dem Herrn N. N., früher dahier, zur Zahlung präsentiren wollen, derselbe ist aber, wie stadtbekannt, vor mehreren Wochen von hier an seinen neuen Bestimmungsort nach Y. abgereist, was hier in A. stadtkundig ist, weswegen ich denn im Namen der Herren Requirenten von Notariatswegen zur Verwahrung ihrer Rechte 2c. protestirt und über diesen Akt ein öffentliches 2c. Instrument errichtet habe. (Folgen Unterschrift nebst Siegel, sowie Wechselabschrift mit Vormerk. der Ehrenzahlung.)

zeitig in den Protest aufgenommen wären. Eine solche Konstatirung neuer Thatsachen ist aber in dem fraglichen Zeugnisse enthalten, denn der Protest erwähnt nichts davon, daß der Notar vergeblich versucht habe, die Präsentation in der Wohnung des Wechselausstellers vorzunehmen, während gerade das Zeugniß diese Lücke auszufüllen sucht.

(München I/J. Reg.-Nr. 139.)

## CLX.

**Verfahren bei Veräußerung eines kaufmännischen Pfandes. — Zuständigkeit zur Einleitung dieses Verfahrens.**

**A. b. HGB. — Art. 310 ff. — Einf.-Ges. dazu Art. 52.**

In der Streitsache der Handlung A. A. zu Gießen gegen den Kaufmann N. N. zu München wegen Waarenschuld hatte Klägerin behufs Befriedigung wegen ihrer durch den Erlös der Exekutionsobjekte nicht gedeckten Restforderung den Verkauf zweier Waarenballots beantragt, welche Verklagter zu ihrer Disposition bei dem Hause X. zu München niedergelegt hatte. Das k. HG. München I/J. hatte diesen Antrag unter Bezug auf Kap. XI §. 1 der b. W.- u. MGO. und Verordn. v. 17. Dezember 1816 abgewiesen, weil nach inzwischen erfolgter Mittheilung des k. Bezirksgerichtes München I/J. die Ueberschuldung des Verklagten unzweifelhaft, wenn auch noch nicht durch die Inventur ziffermäßig festgestellt sei; das k. HAG. sprach auf Beschwerde des Klägers durch Urtheil vom 17. Dezember 1863 abändernd aus, daß der klägerische Antrag wegen mangelnder Zuständigkeit des angegangenen Gerichts abzuweisen sei.

In den Gründen ist, nachdem zunächst zur Widerlegung der unterrichterlichen Motive ausgeführt worden, daß nur die Eröffnung der Gant zur Sistirung des unterrichterlichen Verfahrens einen genügenden Grund abgegeben hätte *), Folgendes bemerkt:

Wie der Antrag des Klägers unzweifelhaft ergibt, verlangt derselbe den Verkauf der ihm als Pfand behändigten Waare nicht im

---

*) Vgl. auch diese Sammlung Bd. 1 S. 112, 130.

Wege der Exekution, sondern auf Grund eines ihm zustehenden kaufmännischen Pfandrechts in Gemäßheit des Art. 310 des a. d. HGB. Die Geltendmachung dieses Rechtes durch Veräußerung des Pfandes setzt aber keine Streitsache voraus, sondern kann ohne eine förmliche Klage lediglich auf die Bescheinigung des Pfandrechts und der Fälligkeit der Forderung hin begehrt werden. Es unterscheidet sich auch der Verkauf eines kaufmännischen Pfandes wesentlich von der Exekution wegen einer Handelsforderung. Ganz abgesehen nämlich davon, daß, wie sofort erörtert werden wird, die Zuständigkeit für beide Fälle eine andere ist, wird bei jeder Exekution der Schuldner beigezogen oder gehört, während beim Verkaufe eines kaufmännischen Pfandes ohne Gehör desselben verfahren und dem Gläubiger überlassen wird, den Schuldner hievon in Kenntniß zu setzen; es wird ferner durch die Verpfändung und Uebergabe der als Pfand dienenden Waare gegen den redlichen Pfandnehmer jedes früher begründete Eigenthum, Pfand oder sonstige dingliche Recht ausgeschlossen und nach Art. 52 des Einf.-Ges. zum a. d. HGB. ist der Gläubiger sogar befugt, gegenüber der Konkursmasse sich aus dem Pfande ebenso zu befriedigen, wie gegenüber dem Gemeinschuldner, und bleibt nur verbunden, den Mehrerlös an die Konkursmasse abzuliefern. Wenn nun dergestalt der Verkauf eines kaufmännischen Pfandes keinen prozessualen Akt, keine gerichtliche Hilfsvollstreckung, sondern vielmehr einen Akt der nicht streitigen Gerichtsbarkeit bildet, so kann auch der allgemeine Gerichtsstand des Konkurses keinen Einfluß auf denselben üben, vielmehr ist die in Art. 63 Ziff. 10 des Einf.-Ges. zum a. d. HGB. festgestellte Zuständigkeit der Handelsgerichte zu diesem Akte unbedingt und ausschließend begründet. Hiemit fällt auch die Voraussetzung für Anwendung der Bestimmung des Kap. XI §. 1 der d. W.- und MGO. oder der erläuternden Entschließung vom 17. Dez. 1816 hinweg, wofür denn auch die bereits angef. Bestimmung des Art. 52 des Einf.-Ges. zum a. d. HGB. spricht.

Gleichwohl muß aber die Abweisung des klägerischen Antrages in anderer Hinsicht wegen mangelnder Kompetenz ausgesprochen werden. Das a. d. HGB. hat die Vorschriften über die Behandlung des kaufmännischen Pfandes in den Artikeln 306—312 festgestellt und darin ausdrücklich das zuständige Handelsgericht des Gläubigers als das zur Anordnung des Verkaufes des Pfandes zuständige bezeichnet. Diese Bestimmung ist als eine alle anderen Bestimmungen über die Zuständigkeit der Gerichte abändernde und ausschließende zu betrachten, weil das kaufmännische Pfand und dessen Veräußerung erst durch das a. b. HGB. eingeführt und von den allgemeinen Bestimmungen über das Pfandrecht ausgenommen wurde. Es erscheint daher das für den Gläubiger zuständige Handelsgericht ausschließend auch zur Anordnung des Verkaufes als zuständig. Da nun im gegebenen Falle Klägerin nicht zu München, sondern zu Gießen ihren Sitz hat, so könnte der Verkauf der fraglichen Ballen keineswegs von dem k. HG. München l/J. angeordnet werden. Die Zuständigkeit dieses Gerichts ließe sich auch nicht durch den Umstand rechtfertigen, daß die fraglichen Waaren zu München in Handen der Handlung X. sich befinden. Denn die Klägerin behauptet selbst ausdrücklich, daß gedachte Handlung die Waaren für sie, die Klägerin, verwahre, mithin auf ihrer Seite ein Besitz durch Stellvertreter vorliege, welcher rechtlich dem eigenen Besitze vollkommen gleichgestellt ist; hienächst ist aber der Aufbewahrungsort des Pfandes für die Zuständigkeit zur Anordnung der Veräußerung nirgends als maßgebend erklärt, und endlich bestehen auch über die Veräußerung, welche vom Gerichte angeordnet ist, keine besonderen, eine Ausnahme von der gesetzlichen Regel bedingenden Bestimmungen, vielmehr kann dieselbe sowohl unter der Leitung des zuständigen Gerichtes selbst, als auch durch Requisition vollzogen werden *).

(München l/J. Reg.-Nr. 145.)

## CLXI.

Befugnisse der Gesellschafter in Bezug auf das gemeinschaftliche Vermögen nach eingetretener Liquidation.

### A. b. HGB. Art. 144.

Die Gebrüder Joseph und Valentin X. zu S. hatten ein Bräuereianwesen daselbst gemeinschaftlich besessen, welches Verhältniß jedoch

---

*) Dem Gläubiger ist zwar freigelassen, das ihm zustehende Pfandrecht auch nach den allgemeinen zivilrechtlichen Normen prozessualisch geltend zu machen und dessen Versteigerung zu veranlassen, indem dieß durch die Bestimmungen des HGB. nicht aufgehoben, vielmehr ein für die Handelsgeschäfte der Kaufleute privilegirtes Pfandrecht geschaffen werden wollte. Allein eine Veräußerung nach dem hiefür maßgebenden, am Wohnorte des Verklagten geltenden bayer. Landrechte war hier nicht in Frage, da Kläger ausdrücklich unter Bezugnahme auf Art. 310 des a. b. HGB. den Verkauf eines kaufmännischen Pfandes beantragt hatte.

durch den Tod des Joseph X. seine Auflösung fand. Da sich alsbald nach
diesem Todesfalle zwischen der Wittwe des Joseph X. und dem Ba=
lentin X. über die Fortbenützung des gemeinschaftlichen Anwesens Dif=
ferenzen ergaben, wurde auf Antrag der ersteren vom Gerichte ein
Liquidator bestellt. Gleichwohl ließ sich Balentin X. beigehen, die
Bräulokalitäten, Keller und Malzdörre ꝛc. zu seinen eigenen Zwecken
zu gebrauchen, was ihm jedoch auf Anzeige des Liquidators bei
50 Thaler Strafe verboten, und als er sich diesem Verbote nicht
fügte, unter Androhung der Siegelung untersagt wurde. Diese Ver=
fügungen wurden auf Beschwerde des Imploraten durch Urtheil des
HAG. vom 14. Dezember 1863 bestätigt und in den Gründen
bemerkt:

Implorat hält sein Verfahren deshalb für gerechtfertigt, weil
ihm vermöge seines Miteigenthums auf die Dauer desselben das Be=
nützungsrecht für seinen hälftigen Antheil zustehe, die Bestimmung
des Art. 144 des a. d. HGB. aber auf den gegebenen Fall nicht
anwendbar sei, da dieselbe den Fortbetrieb des gemeinschaftlichen Ge=
schäfts während der Liquidation voraussetze. Allein diese Aufstellun=
gen sind völlig haltlos. Denn der Zweck der Liquidation ist ge=
rade die schließliche Auseinandersetzung des Gesellschaftsvermögens,
Art. 142. — Die Aufgabe des Liquidators ist nicht auf Fortsetzung des
gesellschaftlichen Handelsgeschäftes, sondern im Gegentheile auf Been=
digung der laufenden Geschäfte und Versilberung der Bestandtheile
des Gesellschaftsvermögens gerichtet, Art. 137, und die näheren
Bestimmungen über das Verhältniß der Gesellschafter, bezw. deren
Rechtsnachfolger in Folge eingetretener Liquidation und während der=
selben sind in Art. 144 enthalten. Diese Bestimmungen im Zusam=
menhalte mit den daselbst ausdrücklich in Bezug genommenen des zwei=
ten und dritten Abschnittes, so wie mit den aus dem Wesen der Liquidation
sich ergebenden Sätzen lassen es aber als absolut unzulässig erscheinen,
daß einer der Theilhaber der in Liquidation befindlichen Gesellschaft die
zum Gesellschaftsvermögen gehörigen Immobilien und Mobilien nach
seinem ideellen Antheile zu dem Zwecke benütze, um den Geschäftszweig,
für dessen Betrieb die Gesellschaft bestanden hatte, nunmehr für seine
alleinige Rechnung auszuüben.

Eine derartige aus dem Miteigenthumsrechte hergeleitete Befug=
niß steht einem Theilhaber an einem gemeinschaftlichen Geschäfte eben=
sowenig nach als vor Auflösung des Gesellschaftsverhältnisses zu
denn der Liquidator vertritt sofort mit dem Augenblicke seiner Auf=
stellung die früher bestandene Gesellschaft unter entsprechender Firmen=

zeichnung als deren Repräsentant, er hat das Geschäft nach außen zu vertreten, Art. 135, ihm allein steht die Verwaltung des Gesellschaftsvermögens und die Geschäftsführung nach Art eines Sequesters zu, und zwar mit allen in Art. 137 aufgeführten Befugnissen, — zu dem Endzwecke, um die laufenden Geschäfte abzuwickeln, das Vermögen der Gesellschaft zu versilbern und die schließliche Vermögensauseinandersetzung herbeizuführen. Hienach erscheint die von einem Interessenten einseitig, ja selbst wider Willen der Uebrigen vorgenommene Benützung der zur Theilungsmasse gehörigen Vermögensbestandtheile als ein ungesetzlicher Eingriff in die Rechte des Liquidators. Dieser unbefugte Eingriff wirkt aber nicht nur störend auf den gedeihlichen Fortgang des Liquidationsgeschäftes, sondern es liegt in der einseitigen Abnützung des zur Gemeinschaft gehörigen Inventars zu Privatzwecken eines einzelnen Theilhabers auch ein Eingriff in die Vermögensrechte der Gesammtheit, welche der Liquidator gleichmäßig wahrzunehmen und zu schützen hat. Hienach war aber auch das Verfahren des Imploraten ein durchaus ungerechtfertigtes und gemäß GO. Kap. V §. 6 und 7 das richterliche Einschreiten mit einem Inhibitorium unter Androhung einer Geldstrafe und bezw. der Sperre wohl begründet.

(Schweinfurt Reg.-Nr. 7.)

## CLXII.
### Rechte des Liquidators einer Gesellschaft.
#### A. d. HG. Art. 137, 141.

Das kgl. Handelsgericht Hof hatte die von dem Liquidator eines von A. und B. in offener Gesellschaft betriebenen Fabrikgeschäftes gegen den Gesellschafter B. auf Zahlung von 18739 fl. an die Liquidationsmasse gestellte Klage zurückgewiesen, weil nicht der Liquidator, sondern nur der andere Gesellschafter A., welcher durch die zur Begründung der Forderung vorgebrachten Thatsachen benachtheiligt sei und allein an der Geltendmachung derselben ein Interesse habe, zur Einklagung des erhobenen Anspruches legitimirt erscheine.

Das k. Handelsappellationsgericht zu Nürnberg, an welches die Sache im Berufungswege gelangte, entschied sich für die entgegengesetzte Ansicht, und besagt das beßfallsige Erkenntniß vom 7. Januar 1864 im Wesentlichen Folgendes *).

---

*) Weder Thöl noch Gad, noch auch die bisher erschienenen Erläuter-

Die erhobene Klage stützt sich darauf, daß der Gesellschafter B. der Gesellschaft den Betrag von 18739 fl. schulde, indem er theils aus der Gesellschaftskasse Geld zur Bestreitung seiner Haushaltung entnommen, theils Waaren der Gesellschaft für eigene Rechnung verkauft und die Waarenerlöse nicht in die Gesellschaftskasse eingelegt, theils der Gesellschaft Ausgaben verrechnet habe, welche nicht die Gesellschaft treffen. Es werden demnach Forderungen eingeklagt, welche der Gesellschaft gegen den einen der Gesellschafter zustehen; hiedurch ist aber die Legitimation des Liquidators bereits festgestellt.

Allerdings würde strenge genommen die Gesellschaft im Momente ihrer Auflösung aufhören zu bestehen; allein es entspricht nicht nur der Ansicht des Handelsstandes, sondern bietet auch für die Liquidation die erheblichsten Vortheile, wenn dieß rechtlich bis zur thatsächlichen Beendigung der Auseinandersetzung nicht angenommen wird. Es hat deßhalb das a. d. HG., welches auf die Liquidation der im März 1863 aufgelösten Gesellschaft A. u. B. unzweifelhaft zur Anwendung zu kommen hat, bis zu jenem Zeitpunkte der thatsächlichen Beendigung der Liquidation, soweit es die Liquidation selbst betrifft, die Fortbauer der Gesellschaft fingirt. (Vgl. Motive zum Entwurfe S. 70 ff.)

Hienach bleiben die Forderungen einer Gesellschaft, auch wenn diese in Liquidation geht, Gesellschaftsforderungen und werden nicht sofort Forderungen der einzelnen Gesellschafter; sie können daher auch von denjenigen Personen beigetrieben werden, welche die Gesellschaft zu vertreten haben und dieses sind eben die Liquidatoren. Hiedurch wird die Gesellschaft noch keinesweges, wie Erstrichter annimmt, zur juristischen Person, und eben sowenig schließt der Umstand, daß durch Zulassung von Ansprüchen der Gesellschaft gegen den einzelnen Gesellschafter das Interesse des letzteren mit vertreten wird, die Geltendmachung dieser Ansprüche durch den Liquidator aus, da es gerade als das Charakteristische der Liquidation erscheint, daß sie nicht im Interesse eines Einzelnen, sondern im Interesse aller Betheiligten, insbesondere auch der Gläubigen geschieht. (Art. 137, 141 d. HGB.) Die erstrichterliche Ausführung, daß in der Sache lediglich der Mitgesellschafter A. interessirt sei, daß es von diesem allein abhänge, ob und wie weit

---

ungen des a. d. HG. sprechen sich über diese Frage bestimmt aus; Hahn scheint S. 337 ebenfalls derselben Ansicht sich anzuschließen, da die Bemerkung S. 343 „eine Klage auf Einzahlung des Passivsaldo haben weder die Liquidatoren, noch der einzelne Gesellschafter" wohl nur auf den Fall der beendigten Liquidation zu beziehen ist.

er seinen Mitgesellschafter B. in Anspruch nehmen wolle u. s. w., widerlegt sich durch die Erwägung, daß an und für sich die Liquidation durch die sämmtlichen von der Geschäftsführung nicht ausgeschlossenen Gesellschafter zu geschehen hätte, sonach allerdings der Mitgesellschafter A. der Regel nach bei der Eintreibung der Forderungen thätig sein sollte. Allein wenn besondere Liquidatoren ernannt werden, so geschieht solches gerade deßhalb, weil die Liquidstellung durch die Gesellschafter selbst nicht thunlich ist, und die bestellten Liquidatoren haben dann das Interesse der Gesellschaft zu vertreten, sie handeln als deren Bevollmächtigte.

Was nun den Umfang der Geschäfte der Liquidatoren betrifft, so sagt Art. 137 des a. d. HG. ganz allgemein, daß sie die Forderungen der Gesellschaft einzuziehen haben, und macht hiebei keinen Unterschied, ob dies Forderungen an Dritte oder an einzelne Gesellschafter sind; sie haben ferner die Verpflichtungen der aufgelösten Gesellschaft zu erfüllen, und wenn hiezu, wie im gegebenen Falle von dem Kläger behauptet wird, die Liquidationskasse nicht ausreicht, ist nach Ansicht der Rechtslehrer der Liquidator sogar berechtigt, den erforderlichen Betrag von den gewesenen Gesellschaftern nach dem Verhältnisse einzufordern, nach welchem sie innerhalb der Gesellschaft zu dem Verluste beitragen müssen *).

Wenn nun auch der diesen Satz ganz allgemein aussprechende Art. 132 des Entwurfes bei Berathung des a. d. HG. gestrichen wurde, so geschah dies, wie die Protokolle (Bd. I S. 253) ausweisen, doch nur deßhalb, weil jener Satz in solcher Allgemeinheit dem Grundsatze des jetzigen Artikels 92 widersprechen und leicht zu Chikanen Seitens der Liquidatoren führen würde.

Aus dem Grunde des Abstriches geht daher hervor, daß die Zulässigkeit der Einforderung solcher Einschüsse, welche ein Gesellschafter vermöge des Gesellschaftsvertrages hätte leisten sollen und mit denen er im Rückstande ist, durch die Liquidatoren für selbstverständlich erachtet wurde. Um so mehr muß der Liquidator zu einer derartigen Einforderung dann berechtigt sein, wenn das, was er von einem Gesellschafter fordert, ein reines Aktivum der Gesellschaft gegen den einen Gesellschafter ist, wie denn auch das Handelsrecht keinen Anstand nimmt, umgekehrt dem Liquidator die Pflicht aufzulegen, etwaige Forderungen der einzelnen Gesellschafter an die Gesellschaft zu befriedigen **). (Hof Reg.=Nr. 6.)

---

*) Vgl. Brinkmann, Handelsrecht S. 193.
**) Vgl. Brinkmann, Handelsrecht S. 196.

25

## CLXIII.

### Bedeutung der Firmenzeichnung bei einer Aktiengesellschaft.

#### A. d. HGB. Art. 229.

Die im Jahre 1855 mit allerh. Genehmigung zu Bayreuth unter der Firma „Gasfabrik zu Bayreuth" gebildete Aktiengesellschaft, welche laut ihrer Statuten von einer aus 5 Bayreuther Aktionären gebildeten und die Firma mit den Worten: „die Direktion der Gasfabrik Bayreuth", worauf die sämmtlichen 5 Unterschriften folgten, zeichnenden Direktion vertreten wurde, hatte aus Anlaß mehrfacher, von dem k. HG. Bayreuth im J. 1862 bei Gelegenheit der Eintragung in's Handelsregister erhobenen Anstände in einer Generalversammlung vom 18. Mai 1863 unter Anderem eine Aenderung ihrer Statuten dahin beschlossen,

„I. die Aktiengesellschaft führt die Firma: „Gasfabrik Bayreuth."

II. die dermaligen *) Mitglieder sind 1. N. N. 2c. (folgen die Namen der 5 Direktionsmitglieder). Die Zeichnung der Firma für alle Rechtsgeschäfte und öffentlichen Bekanntmachungen der Gesellschaft vollzieht N. N. und in dessen Verhinderung X. X. (beides Direktionsmitglieder)", —

von welchen Aenderungen durch ah. Reskript vom 27. Juli 1863 die erstere genehmigt, der zweiten aber die Bestätigung deshalb nicht ertheilt wurde, weil dieselbe nur eine transitorische Geltung haben könne und sich daher zur Aufnahme in die Statuten nicht eigne. Das k. HG. Bayreuth verweigerte auf die neuerdings erfolgte Anmeldung der Gesellschaft zum Handelsregister den Eintrag derselben, weil nach dem unter Ziff. II erwähnten Beschluß der Generalversammlung vom 18. Mai 1863 die Firma selbst **) eine unbestimmte geworden sei, die Art der Vertretung der Gesellschaft den Bestimmungen des HGB. zuwiderlaufe und, nachdem der fragliche Beschluß die staatliche Genehmigung nicht erhalten habe, in beiderlei Hinsicht es an einer gehörigen Bestimmung gebreche.

Durch Urtheil vom 7. Jänner 1864 ordnete jedoch das k. HAG. den Eintrag an und bemerkte in den Gründen:

An der Bestimmung unter Ziff. I des Beschlusses vom 18. Mai 1863

---

*) Von den früheren Mitgliedern war inzwischen eines ausgeschieden.

**) Nach Ziff. I daselbst sollte nemlich die Firma lauten: „Gasfabrik Bayreuth", während die Zeichnung derselben mit den Worten beginnen sollte: „Die Gasfabrik B. N. N. 2c."

ist durch den unter Ziff. II daselbst aufgeführten Beschluß nichts geändert worden, wie sich schon daraus ergibt, daß der Führung der
oben bezeichneten Firma nicht die allerhöchste Genehmigung hätte ertheilt werden können, wenn dieselbe durch den Beschluß unter Ziff. II
zweifelhaft und unbestimmt geworden wäre. Dieser letzterwähnte Beschluß hatte lediglich den Zweck, nachträglich zu dem Gesellschaftsvertrage festzusetzen, in welcher Form der Vorstand der Gesellschaft seine
Willenserklärungen kund zu geben und für die Gesellschaft zu zeichnen
habe. Ist nämlich im Gesellschaftsvertrage nichts hierüber bestimmt,
so ist nach Art. 329 des HGB. die Zeichnung durch sämmtliche Mitglieder des Vorstands erforderlich. Diese bei mangelnder Vertragsbestimmung kraft des Gesetzes eintretende Folge sollte durch jenen Beschluß beseitigt werden; die Zeichnung hatte hienach nicht mehr durch
sämmtliche Mitglieder des Vorstands, sondern durch ein einziges, speziell bezeichnetes Mitglied des dermaligen Vorstands zu geschehen, welches im Verhinderungsfall durch ein anderes, gleichfalls speziell bezeichnetes Mitglied des dermaligen Vorstands vertreten wird. So wenig
aber der Vorschrift des Art. 229, Abs. 1 eine materielle Bedeutung
zukommt, ebensowenig darf eine solche Bedeutung dem an deren Stelle
getretenen Gesellschaftsbeschluß beigelegt werden. Weder durch die
erstere noch durch den letzteren wird demnach die Frage berührt, wer
die Gesellschaft zu vertreten, deren Geschäfte zu führen, sie zu verpflichten berechtigt sei; diese Berechtigung steht unzweifelhaft dem sta-
tutenmäßig bestellten Vorstande, der Direktion, zu; nur die Frage
wird durch jene Gesetzes- bezw. Vertragsbestimmung entschieden, in
welcher Weise die von dem Vorstande, der Direktion, zu fassenden Beschlüsse auszufertigen, die dem Vorstande zustehenden Zeichnungen
für die Gesellschaft zu unterfertigen seien. (Cf. Prot. der Handels-
Konf. Bd. III S. 1059.)

Wenn es daher an der angeführten Stelle weiter heißt:
„Es lautet daher die Firma:

Die Gasfabrik Bayreuth

N. N.

(in dessen Verhinderung)

X. X.“

so kann hierin nicht eine Abänderung der Firma durch die Beifügung
des Wortes „die" gefunden, sondern es sollte offenbar hiemit nur ausgesprochen werden, wie nach den vorausgegangenen Festsetzungen die Firmenzeichnung durch den Vorstand lauten werde, wie die
Bekanntgebungen durch den Vorstand unterfertigt werden würden.

25 *

Würde daher die fragliche Bestimmung in der That zur rechtli=
chen Wirksamkeit gelangen können, so müßte, — da nach diesen voraus=
gegangenen Festsetzungen, ferner nach der allerh. genehmigten Feststell=
ung der Firma selbst mit „Gasfabrik Bayreuth" und im Hinblicke
auf Art. 229 Abs. 2 des d. HGB., wonach die Zeichnung in der
Weise geschieht, daß die Zeichnenden zu der Firma der Gesellschaft oder
zu der Benennung des Vorstands ihre Unterschrift hinzufügen, endlich
mit Rücksicht auf die an der bezeichneten Stelle von der Gesellschaft kund=
gegebene Wahl — der ersteren der beiden freigelassenen Arten der Zeich=
nung diese, wie auch von der Beschwerdeführerin sowohl in ihrem Ein=
spruche de pr. 4. Dezember 1863 wie in ihrer Beschwerdeschrift an=
erkannt wird, nothwendig lauten:

„Gasfabrik Bayreuth

N. N.

und im Falle der Stellvertretung:

Gasfabrik Bayreuth

Bei Verhinderung des N. N.

X. X."

Allein dem Beschlusse u. Ziff. II der Notariatsurkunde vom 18.
Mai 1863 ist in dem allerh. Reskripte vom 27. Juli 1863 die Be=
stätigung versagt worden und hiemit hat derselbe auch seine rechtliche
Existenz und Bedeutung verloren. Es mangelt nunmehr wieder, wie
früher, in dem Gesellschaftsvertrage (in den Statuten der Ge=
sellschaft) die Bestimmung einer Form, in welcher der Vorstand seine
Willenserklärungen kund gibt und für die Gesellschaft zeichnet (Art. 210,
letzter Abs.). Die Folge dieses Mangels ist aber nicht, wie der Unter=
richter annimmt, daß die Aktiengesellschaft ihre Statuten mit den Be=
stimmungen des HGB. nach Anleitung der ertheilten allerh. Entschließ=
ung in Einklang zu bringen, sodann eine vollständige Fertigung der
Statuten nach den gemachten Abänderungen und bezw. Ergänzungen
mit staatlicher Genehmigung vorzulegen habe, — sondern es tritt lediglich
die im Art. 229 des HGB. bestimmte Wirkung ein, daß die Zeichnung
durch sämmtliche Mitglieder des Vorstandes erfolgen muß. Durch
diese gesetzliche Bestimmung ist die im Gesellschaftsvertrage enthaltene
Lücke ergänzt und von einer Differenz zwischen den Statuten und den
Bestimmungen des HGB. kann keine Rede sein. Die Ansicht des Un=
terrichters, daß durch den Beschluß der Generalversammlung vom
18. Mai 1863 u. Ziff. II und die demselben versagte Bestätigung
„tabula rasa" eingetreten sei, kann nach dem Gesagten nicht als richtig
erachtet werden. Hätte selbst die Bestimmung des Gesellschaftsvertrages

über die Geschäftsführung und Vertretung der Gesellschaft durch eine aus 5 Aktionären bestehende Direktion durch den Inhalt jenes Beschlusses eine Abänderung erlitten, so würde, — weil dem Beschlusse in dieser Beziehung die Bestätigung nicht ertheilt worden ist, — diese Abänderung nicht zur rechtlichen Wirksamkeit gekommen sein und daher immerhin noch die betreffende Bestimmung des Gesellschaftsvertrages zu Recht bestehen. Ist aber derselbe durch die Versagung der Bestätigung wirkungslos geworden, so tritt der im Art. 229 Abs. 1 gesetzte Fall ein und die Zeichnung hat durch sämmtliche Mitglieder des Vorstandes zu geschehen *). 　　　　　　　　　　　　（Bayreuth Reg.=Nr. 3.）

## CLXIV.

**Geltendmachung von Entschädigungsansprüchen aus einem Bierlieferungsvertrage Seitens des Wirthes **).**

Der Gastwirth A. A. zu München erhob im Jahre 1863 gegen den Bierbrauer N. N. dortselbst auf Entrichtung einer Entschädigungssumme von 1258 fl. 4 kr. bei dem k. Handelsgerichte München I/J. Klage, zu deren Begründung er behauptete, N. N. habe ihm im Sudjahre 18⁵⁹/₆₀ seiner Zusicherung, gutes und schmackhaftes Bier zu liefern, entgegen, ungenießbares und sogar der Gesundheit schädliches Bier geliefert, — was zur Folge gehabt, nicht nur, daß er 393 Eimer 4 Maas Bier weniger als in den Vorjahren ausgeschenkt und hiedurch ein sog. Biergeld von 1 fl. pro Eimer, mithin 393 fl. 4 kr. in Summa verloren, sondern auch daß der Absatz an Speisen und die Einkehr von Fremden abgenommen habe, wodurch ihm ein weiterer Schaden von 365 fl., bzw. 500 fl. zugegangen sei, bezüglich dessen N. ihm volle Schadloshaltung zugesichert habe.

Das k. HG. München I/J. wies diese Klage ab, welcher Ausspruch in II. Instanz, soweit die Klage nicht auf das Versprechen der Ersatzleistung gerichtet war, durch Urtheil vom 14. Dezember bestätigt wurde. Die Gründe enthalten hierüber Folgendes:

---

*) Nach §. 7 der Statuten sollten die 5 Direktionsmitglieder auch berechtigt sein, ihre Befugnisse in einer besonderen Urkunde auf N. N. und X. X. zu übertragen, worüber jedoch in den Motiven bemerkt wird: daß nach jener Bestimmung der Vorstand zwar befugt ist, sich in der Ausführung seiner Beschlüsse durch einen Dritten vertreten zu lassen, hieraus aber nicht das Recht abgeleitet werden kann, einen Dritten auch zur Zeichnung für die Gesellschaft zu ermächtigen, da einer solchen Befugniß der Art. 229 Abs. 1 des HGB. entgegenstehen würde.

**) Vgl. diese Sammlung Bd. I S. 243.

Jeder Bräuer iſt ſchon in Folge des abgeſchloſſenen Bierlieferungsvertrages und abgeſehen von einer desfallſigen ausdrücklichen Zuſicherung verpflichtet, dem Wirthe gutes, tarifmäßiges und unverdorbenes Bier zu liefern. Die ihm geſetzlich obliegende Pflicht, das Bier nach beſtimmten gegebenen Vorſchriften zu brauen, die geſetzlichen Strafbeſtimmungen gegen den Bräuer im Falle der Abgabe eines nicht tarifmäßigen, verfälſchten und ſchlechten Bieres in Verbindung mit der im Geſchäftsverkehre erforderlichen Rückſicht auf Treue und Glauben haben nothwendig zur Folge, daß bei jedem Bierabnahmevertrage zwiſchen Bräuer und Wirth die Lieferung eines tarifmäßigen, guten und unverdorbenen Bieres als ſtillſchweigend verabredet, als ſelbſtverſtändliche Vertragsbedingung angeſehen werden muß. Handelt der Bräuer dieſer Bedingung zuwider, ſo hat er nicht vertragsmäßig erfüllt und muß für den aus ſeiner vertragswidrigen Handlung dem Mitkontrahenten entſtehenden Schaden einſtehen, demſelben das volle Intereſſe erſetzen. — Vgl. Bayer. Landrecht, Th. IV Kap. 1 §. 20 a. A., Kap. 3 §. 9 Ziff. 3, Kap. 3 §. 17. — Die Verbindlichkeit zum Schadenserſatze fällt jedoch in dem Falle hinweg, wenn der Beſchädigte an dem erlittenen Schaden ſelbſt eine Schuld trägt, denn nach dem angef. Kap 1. §. 20 Ziff. 4 kann derjenige, welcher an dem erfolgten Schaden oder Verluſt ſelbſt mit in culpa iſt, von dem anderen ſchuldhaften Theile derentwegen niemals eine Erſtattung begehren. Dieſer Fall liegt, abgeſehen von der Richtigkeit der klägeriſchen Behauptung, daß ihm Beklagter volle Schadloshaltung ausdrücklich zugeſichert habe, hier vor. War nämlich dem Kläger in der That während des Subjahres 18⁵⁹/₆₀ nicht tarifmäßiges, ſchlechtes oder gar der Geſundheit ſchädliches Bier geliefert worden, ſo hätte derſelbe ſogleich beim Beginne der Lieferungen, welche bekanntlich bei der Bierabgabe von Bräuern an Wirthe in einzelnen kleinen Partieen erfolgen, das gelieferte Bier, deſſen vertragswidrige Beſchaffenheit ihm ſofort bei der Verwendung in ſeinem Geſchäfte bekannt werden mußte, dem Bräuer zurückgeben und die Lieferung vertragsmäßiger Waare fordern, bezw. im Hinblick auf die Verordnung vom 25. April 1811, „die Regulirung des Bierſatzes betr.“, die amtliche Einſchreitung gegen den Bräuer veranlaſſen ſollen. Durch die Unterlaſſung dieſer Schritte gegen den vertragsbrüchigen Kontrahenten, durch die fortgeſetzte Annahme des von ihm als vertragswidrig erkannten Bieres und deſſen Verleitgebung an ſeine Gäſte gab derſelbe einestheils zu erkennen, daß er die gelieferte Waare genehmige, anderentheils führte er hiedurch ſelbſt jenen Schaden herbei, den er nach ſeiner Angabe in Folge der ſchlechten Beſchaffenheit des

von ihm im Detail abgesetzten Bieres erlitten hat. Wollte der Klä=
ger etwaige Ansprüche auf Schadenersatz a u s d e r n i c h t v e r t r a g s=
m ä ß i g e n Lieferung gegen den Bräuer geltend machen, so durfte
er nicht Handlungen vornehmen, die, wie die fortgesetzte Annahme
und Verleitgebung des Bieres, seinen Schaden fort und fort vergrö=
ßern mußten. Daß aber Kläger wirklich weder die ihm gemachten
Bierlieferungen zurückgeschlagen, noch sonst eine amtliche Einschreitung
gegen den Beklagten veranlaßt hat, ist in der Klage zugegeben. Ge=
gen den Einwand des Appellanten, es werde Niemand einen an sich
gesetzlich begründeten Entschädigungsanspruch wegen schlechter Beschaf=
fenheit einer gelieferten Waare dadurch verlieren können, daß er für
einen Theil der schlechten Waare Absatzgelegenheit gefunden habe, ist
zu bemerken, daß es sich hier nicht um eine Entschädigung für den
n i c h t abgesetzten Theil des Bieres, sondern um Ersatz jenes Schadens
handelt, welcher dem Verklagten durch die vertragswidrige schlechte
Beschaffenheit des gelieferten und in der That auch abgesetzten Bieres
zuging. Auch die Bestimmungen der Verordnung vom 25. April 1811,
„die Regulirung des Biersatzes betr.“, lassen die Klage nicht als be=
gründet erscheinen, da, — wenn auch hiernach die Wirthe in der Regel
nicht unter dem Subjahr ausstehen dürfen, — denselben doch jedenfalls
freisteht, das den gesetzlichen oder vertragsmäßigen Bestimmungen
nicht entsprechende Bier zurückzuschlagen, nöthigenfalls amtliche Ein=
schreitung gegen den Bräuer zu veranlassen und hiedurch den ihnen
drohenden Schaden abzuwenden, bezw. ihre etwaigen Entschädigungs=
ansprüche zu wahren *).

---

*) In dieser Hinsicht bemerken die Gründe noch besonders:
„Denn einestheils ist der Bräuer verpflichtet, ihm für das nicht
tarifmäßige, schlechte Bier tarifmäßiges, gutes Bier zu verabreichen,
und es würde, — soferne derselbe nicht im Stande sein sollte, ihn mit
Bier von letzterer Beschaffenheit zu versehen, — die in Art. 22 der citir=
ten Verordnung erwähnte Voraussetzung, unter welcher dem Wirthe
auch während des Subjahres gestattet ist, sich fremdes Bier einzulegen,
eintreten; anderentheils würde, wenn trotz der Veranlassung einer amt=
lichen Einschreitung gegen den Bräuer der Wirth gezwungen werden
könnte, dem Letzteren auch ein nicht tarifmäßiges Bier während der
Dauer des Subjahres, bis die dreimalige Bestrafung erfolgt ist, ab=
zunehmen, die Annahme eines solchen Bieres nicht mehr dem freien
Willen des Wirthes überlassen und der aus dessen fortgesetzter Verleit=
gebung für ihn entstehende Schaden als ein o h n e s e i n V e r s c h u l=
d e n herbeigeführter zu erachten sein, — der Anspruch auf Ersatz dessel=
ben ihm daher auch vollständig gewahrt bleiben.

Endlich ist zwar die Behauptung des Appellanten richtig, daß es auch Fehler des Bieres gebe, welche, ohne Grund zur Strafeinschreitung zu bieten, nach den allgemeinen handelsgesetzlichen Bestimmungen zur Verweigerung der Annahme und Geltendmachung von Entschädigungsansprüchen berechtigen; allein im Falle es sich um solche Fehler handelte, müßte Kläger auch den Satz gegen sich gelten lassen, daß die Waare als genehmigt gilt, wenn trotz befundener Mängel der Käufer solche dem Verkäufer nicht zur Disposition gestellt hat *).

(München I/J. Reg.-Nr. 185.)

### CLXV.

**Bestimmung des Kaufpreises. — Mangel einer ausdrücklichen Stipulation. — Rechtsfolge desselben.**
**A. b. HGBuch IV Tit. I.**

In einer Streitsache wegen Zahlung eines Waarenkaufschillings war dem Kläger von I. Instanz über die von ihm aufgestellte, vom Verklagten aber widersprochene Behauptung, die Preise seien „bedungen und auch werthentsprechend" gewesen, dahin Beweis auferlegt worden: daß die angesetzten Preise die bedungenen oder werthentsprechenden waren. Auf Beschwerde des Verklagten strich das k. HAG. durch Urtheil vom 24. Dezember die Worte „oder werthentsprechenden", und bemerkte in den Gründen:

---

*) Die genügende Substanzirung des Schadens, welcher einem Käufer aus Nichtlieferung oder nicht gehöriger Lieferung bestellter Waaren zugegangen sein soll, wird stets sehr schwierig sein; für den eigentlichen kaufmännischen Verkehr darf jedoch auch nicht zu weit gegangen werden. Ein Erkenntniß des k. Handelsappellationsgerichtes vom 23. Dezember 1863 (Würzburg Nr. 31) spricht in dieser Beziehung Folgendes aus:

Es ist richtig, daß bei Handelsgeschäften stets ein Gewinn beabsichtigt ist und daß gerade der aus höherem Verkaufe der eingekauften Waare sich ergebende Gewinn den regelmäßigen Erwerb des Handeltreibenden bildet (Motive zum Entwurfe S. 107), daß sonach im Allgemeinen diese Art des Gewinnes nicht als bloß möglicher, sondern als in der Natur des Geschäftes liegender Gewinn erscheint; und hienach ist ein Handelsmann nicht verpflichtet, zur Begründung seiner Ersatzforderung erst noch nachzuweisen, daß und an wen er die von ihm bestellten, aber ihm nicht gelieferten Waaren wirklich weiter verkauft hätte; vielmehr würde es Sache des Gegners sein, Thatsachen aufzuführen und zu beweisen, durch welche dieser Weiterverschleiß unmöglich erschiene.

Die namentlich in den Gebietstheilen des bayer. Landrechtes regelmäßig den Kausklagen einverleibten Worte, die geforderten Preise seien
bedungen und auch werthentsprechend gewesen, sind wohl auf die Lehre
der älteren Lehrer des gem. Rechtes (z. B. noch Mühlenbruch §. 391)
und die Bestimmung des Landrechtes Th. IV Kap. III §. 4 zurückzu-
führen, daß der Kauf zu seinem Wesen ein pretium verum certum
et justum erfordere, — wonach die Behauptung, „der geforderte Preis
sei bedungen und auch angemessen", „es sei um den verabredeten und
auch werthentsprechenden Preis gekauft worden u. dgl.", als zur Klage
substanzirung nothwendig erachtet wurde und deshalb hergebrachter-
maßen von den Anwälten ihren Schriften einverleibt wird. Nachdem
nun aber der Landtagsabschied von 1861, gleichwie Art. 286 des a.
b. HGBuches das Erforderniß des pretium justum beseitigt und den
Kaufvertrag auch dann als vollkommen giltig und rechtsbeständig erklärt hat, wenn der bedungene Preis dem Werth der Waare nicht
entspricht sondern im Mißverhältnisse zu demselben steht, erscheinen
derartige Vorbringen als irrelevant und sind daher auch nicht zum
Beweise auszusetzen. Erstrichter hat nun aber nicht die Behauptung
des Klägers, „die Preise seien bedungen und auch werthentsprechend",
sondern statt der Worte „und auch" das Wort „oder" zum Beweise
ausgesetzt und damit ausgesprochen, es sei die Kausklage auch dann
begründet, wenn ein Preis gar nicht verabredet war, indem in diesem
Falle der entsprechende Werth als Kaufpreis bezahlt werden müsse.

Diese Ansicht ist aber nicht als richtig anzuerkennen. Vor Allem
nämlich ist es ganz unklar, was unter dem „entsprechenden Werthe"
zu verstehen sein sollte; der Werth einer Waare ist ein anderer heute
und ein anderer morgen, ein anderer hier und ein anderer dort, ein
anderer für den Verkäufer und ein anderer für den Käufer, ein anderer für den Grossisten, ein anderer für den Detaillisten und ein anderer für den Konsumenten *). Wollte man aber auch hievon absehen

---

*) In einem Erkenntnisse vom 29. Oktober 1863 (München I/J. Reg.-
Nr. 169) kommt hierüber Folgendes vor: Der Ausdruck „werthent-
sprechender Preis" gibt keinen klaren Sinn und ist, selbst wenn er im
Vertrage gebraucht wird, nicht geeignet, eine feste Preisbestimmung zu
bewirken. Die allegirten Rechtslehrer sind alle darüber einig, daß im
Handelsverkehre von einer absoluten Werthbestimmung nicht die Rede
sein könne. Jeder Kaufmann sucht bei dem Kaufe und Verkaufe zu
gewinnen und der Werth der Waare bestimmt sich für jeden nach Maßgabe des daraus zu ziehenden Gewinnes. Der Werth der Waare ist
daher für den Käufer und Verkäufer ein ganz verschiedener. Eben-
darum läßt sich auch kein absoluter Preis einer Waare denken, sagt

und die vage Bezeichnung „werthentsprechend" dahin auslegen, daß
darunter jener Werth zu verstehen sei, welchen eine Sache gleicher
Art und Gattung zu der in Frage stehenden Zeit an dem Orte des
Empfanges unter den besonderen obwaltenden Verhältnissen nach billigem Ermessen Sachverständiger für den Empfänger hatte, so ist zwar
zuzugeben, daß unter Umständen derjenige, welcher eine ihm zuge-
kommene Waare für sich verwendet hat, dem Eigenthümer diesen
Werth ersetzen muß, allein diese Pflicht ist eine Entschädigungspflicht,
nicht die Verbindlichkeit zur Zahlung des Kaufpreises *).

Der Kaufvertrag erfordert seinem inneren Wesen nach die Festsetzung eines Preises unter den Kontrahenten, ohne bestimmten Preis
gibt es keinen perfekten Kauf, der Vertrag ist nicht vorhanden, bevor
sich Verkäufer und Käufer über die Waare und den Preis geeinigt haben.

Diese Einigung kann nun sofort auf einen der Summe nach bezeichneten Betrag gerichtet sein, sie kann aber auch den Preis durch

---

Meno Poehls a. a. O. §. 79. Kreittmayr in den Anm. zum W.
l. c. §. 8 S. 136 u. 137 erörtert umständlich, daß ein pretium justum im Handel und Wandel nicht ausgemittelt werden und deshalb
in der Regel nicht, sondern nur bei der Verletzung über die Hälfte in
Betracht kommen könne. Würde also auch auf werthentsprechenden
Preis gehandelt sein, so wäre dieses in Ermangelung eines bestimmten
Kaufpreises kein Kauf, sondern ein unbenannter Konkrakt, der aber
nur durch eine Reihe von Fiktionen und willkührlichen Annahmen aufrecht erhalten werden könnte. Im gegenwärtigen Falle ist aber ein
Kauf, keineswegs ein Handel auf unbestimmten bzw. gar nicht zu er-
mittelnden Preis behauptet; um so weniger kann auf eine Untersuchung
darüber eingegangen werden, ob die angesetzten Preise werthentsprechend
waren.

Jener sog. Werth ist aber auch eine veränderliche Größe, gestaltet
sich für jeden Ort, für jede Zeit anders. So lange also dieser Werth
nicht nach allen diesen Momenten, wie hier nicht, im Voraus fixirt ist,
bleibt er eine unbestimmte, zur Preisregulirung ungeeignete Größe.
Es ist nicht behauptet, daß der Werth durch unparteiische Schätzung
dritter Personen, daß er durch den Marktpreis eines gewissen Platzes
zu gewisser Zeit ermittelt werden sollte. Kurz es fehlt an Allem, was
dazu dienen könnte, aus dem vagen Begriffe „Werth" einen zu juristischen Operationen brauchbaren zu machen. Es geht aber nicht an,
durch willkürliche Annahmen über den vermuthlichen, aber durch nichts
bekundeten Willen der Paziszenten die Mängel ihres Vorbringens zu
ergänzen; der Richter ist daher weder verpflichtet, noch berechtigt, auf
Antrag der Parteien einen Thatumstand zum Beweise auszusetzen, den
er für unerheblich und für rechtsunwirksam halten muß.

*) Fr. 22 D. (19, 5). — Vangerow III S. 407.

Bezugnahme auf ein vergangenes oder künftiges Ereigniß (Marktpreis der vorigen Schranne, morgiger Börsenpreis) bestimmen und endlich solchen in das Ermessen eines Dritten stellen; man kann weiters zugeben, daß der moderne Handelsverkehr, abweichend von den besfallsigen Grundsätzen des Römischen Rechtes *), einen Kauf auch dann als giltig anerkennt, wenn der Preis in das billige Ermessen des Verkäufers gestellt wurde. [„Liefern Sie mir zu besten Preisen", „notiren Sie mir solche billigst" u. s. w.] **).

Es ist ferner nicht ausgeschlossen, daß unter Umständen der Preis stillschweigend unter den Vertragschließenden verstanden sein kann, daß derselbe nicht ausdrücklich erklärt wird, indem die Parteien ohne solche ausdrückliche Erklärung über den zu bezahlenden Preis einig sind ***).

Es wird insbesondere mitunter der Fall sein, daß die Parteien auf den üblichen Verkauf= oder Marktpreis gehandelt haben ****); bei

---

*) Nach c. 13. C. de contrah. emt. vendit. (4, 18). Die Digesten sprechen übrigens bloß von der Ungiltigkeit einer in das Belieben des Käufers gestellten Preisbestimmung. Vgl. fr. 35 §. 1 D. (18, 1). Gab, Handelsrecht, S 206, will eine derartige Ueberlassung des Preises an den Verkäufer auch heutzutag nicht als giltig erkennen.

**) Nach der in vielfachen Erkenntnissen (vgl. Seuffert's Archiv Bd. II Nr. 284, Bd. XI Nr. 233, Bd. XVI Nr. 41) niedergelegten Rechtsprechung des Dresdner Oberappellationsgerichtes, welche sich auf einen Aufsatz von Thon in der Zeitschrift für CivilR. u. Prozeß Bd. X S. 202 gründet, und welcher bedeutende Theoretiker folgen (z. B. Seuffert, Pandekten §. 322 Nr. 8, 370, Holzschuher, Kasuistik Bd. III S. 656, Brinkmann, Handelsrecht S. 273 [welcher übrigens S 272 eine Beschränkung der bindenden Kraft solcher Bestellungen annimmt]). ist diese Stipulation als von den Parteien beabsichtigt anzunehmen, so oft Waaren bestellt werden, ohne daß ein Preis zwischen dem Besteller und Absender besonders behandelt worden ist. Dabei ist aber ein richterliches Ermäßigungsrecht vorbehalten, indem angenommen wird, daß die Intention der Kontrahenten darauf gehe, es solle die Festsetzung auf dem der bona fides des Vertragsverhältnisses entsprechenden Wege, nämlich arbitrio boni viri erfolgen, welches arbitrium zunächst der Mitkontrahent auszuüben befugt, im Falle der Anfechtung wegen Unbilligkeit aber das richterliche Ermessen abändernd oder bestätigend einzutreten habe.

***) Eine solche stillschweigende Einigung sieht der Handelsverkehr darin, daß der Empfänger die ihm auf Bestellung übersendete Waare annimmt, ohne die beigebende Faktura zu beanstanden. — Vgl. Brinkmann, Handelsrecht, §. 79.

****) Dies wird unter Umständen anzunehmen sein bei ständigen Kunden, von denen vermuthet werden darf, daß sie, wenn Waaren ohne wei=

Fabriken beſteht z. B. für die gewöhnliche und kourante Waare regel=
mäßig ein feſter Preis, und wer dergleichen Fabrikate beſtellt, der
willigt ſtillſchweigend in die Bezahlung des gewöhnlichen Fabrikprei=
ſes \*); für manche Waaren werden zu beſtimmten Zeiten die durch=
ſchnittlich erzielten Preiſe ermittelt und bekannt gegeben und es kann
nach Lage der Sache Abſicht der Parteien geweſen ſein, dieſen Preis
als maßgebend anzunehmen. Immer aber iſt auch hier der Preis
von vornherein vereinbart und die Vereinbarung muß den Preis
auch als einen beſtimmten wirklich erkennen laſſen. Wer nun einen
ſolchen Preis einklagen will, der muß einen dieſe ſtillſchweigende Preis=
feſtſetzung enthaltenden Vorgang darlegen, er muß ſeine Forderung un=
ter Angabe des thatſächlichen Sachverhaltes genügend ſubſtanziren, da
außerdem weder eine Prüfung der rechtlichen Bedeutung des Falles,
noch weniger aber eine Beweisauflage möglich ſein würde.

Im vorliegenden Falle hat ſich Kläger darauf beſchränkt, zu be=
haupten, die Preiſe ſeien in der angegebenen Höhe bedungen worden,
was nach dem gewöhnlichen Sprachgebrauche nur ſo aufgefaßt werden
kann, daß ſolche der Summe nach in dieſer Höhe ausdrücklich be=
ſtimmt worden ſein ſollen. Eine andere Modalität des Vertragsab=
ſchluſſes iſt nicht behauptet, und es liegt insbeſondere nicht, wie bereits
oben erörtert wurde, in der Bemerkung, „der bedungene Preis ſei
dem Werthe entſprechend, d. h. nicht überſetzt geweſen“, — auch abge=
ſehen von der bereits dargelegten völligen Unbeſtimmtheit der Bezeich=
nung „werthentſprechend“, — ein thatſächliches Material, was genügend
wäre, um daraus entnehmen zu können, daß die Parteien etwa den
wahren Werth der Waare als Preis derſelben beſtimmt hätten. Eben
ſo wenig aber hat Kläger Thatſachen dargelegt, welche geeignet wä=
ren, eine Erſatzklage wegen ſeines in die Hände des Beklagten ge=
kommenen Eigenthumes zu begründen.

(München I/J. Reg.=Nr. 196.)

## CLXVI.

### Rechte der Geſellſchaft aus den von einem Geſellſchafter für eigene Rechnung gemachten Geſchäften.
### (Art. 96 des a. d. HGB.)

Moritz und Salomon F. betreiben ſeit 1. Juli 1860 unter der

---

tere Beredung entnommen werden, dieſe zu den bisherigen Preiſen ge=
kauft haben wollen.

\*) Vgl. Archiv, III 166.

Firma Moritz F. . . . . ein Großhandlungsgeschäft und hatten am 29. Juli 1862 diese Firma mit Angabe der Zeit ihres Bestandes zum Handelsregister angemeldet. Der von der Firma auf Zahlung zweier Partieen Bauholz, welche er auf vorausgängige Bestellung bei Salomon F. am 7. März und 28. August 1862 mit auf Moritz F. . . . . lautender Rechnung geliefert erhalten hatte, vor dem HG. Nürnberg belangte Zimmermeister N. N. hatte der Klage u. a. den Einwand mangelnder Aktivlegitimation der Klägerin entgegengesetzt, weil er nicht mit der Handlung Moritz F. . . ., sondern nur dem Salomon F., gegenüber welchem er sich durch Uebernahme fraglichen Holzes wegen anderweiter Forderungen habe bezahlt machen wollen, kontrahirt habe.

In den Motiven des den Verklagten unter Verwerfung dieses Einwandes zur Zahlung verurtheilenden Urtheiles I. Instanz wurde auch darauf Gewicht gelegt, daß Salomon F. von Eingehung der Gesellschaft an auf eigene Rechnung ein Geschäft der fraglichen Art gar nicht hätte vornehmen dürfen, weshalb auch nicht anzunehmen sei, daß er dies wirklich gethan *). In den Gründen des bestätigenden zweitrichterlichen Urtheiles wurde jedoch in dieser Beziehung bemerkt:

Es ist nicht zu bezweifeln, daß ein Handelsgesellschafter auch in eigenem Namen Handelsgeschäfte abschließen kann, und daß der Abschluß eines solchen Geschäftes in eigenem Namen überall anzunehmen ist, wo nicht entweder ausdrücklich auf den Namen der Gesellschaft kontrahirt wurde oder aus den Umständen zu entnehmen ist, daß das Geschäft nach dem Willen der Kontrahenten für die Gesellschaft geschlossen werden sollte (Art. 114 des d. HGB.). Es kann auch aus dem Art. 96 des HGB., nach welchem ein Gesellschafter ohne Genehmigung der anderen Gesellschafter weder in dem Handelszweige der Gesellschaft für eigene Rechnung oder für Rechnung eines Dritten Geschäfte machen, noch an einer anderen gleichartigen Handelsgesellschaft als offener Gesellschafter Theil nehmen darf, keine Vermuthung dafür abgeleitet werden, daß das von einem Gesellschafter nicht ausdrücklich im Namen der Gesellschaft mit einem Dritten gemachte Geschäft nach dem Willen der Kontrahenten für die Gesellschaft abgeschlossen werden sollte.

---

*) Außerdem war noch geltend gemacht worden, daß die Firma „M. F. . . ." am 29. Juli 1862 öffentlich bekannt gemacht worden sei, eine Firma „S. F. . . ." nicht existire und Verklagter auch die Waare, ungeachtet die mitgesandten Rechnungen von M. F. . . . ausgestellt worden, gleichwohl angenommen habe.

Denn der Art. 96 betrifft nur die innere Seite der Gesellschaft, das Rechtsverhältniß der Gesellschafter unter einander, und wenn der Art. 97 unter der oben erwähnten Voraussetzung von dem Rechte der Gesellschaft, in ein von dem Gesellschafter für eigene Rechnung gemachtes Geschäft einzutreten, spricht, so will das Gesetz hiemit der Gesellschaft keineswegs ein selbständiges Klagerecht gegen den Dritten geben, der mit derselben gar nicht kontrahirt, mit welchem der Gesellschafter das Geschäft in eigenem Namen geschlossen hat, sondern nur die rechtliche Wirkung der dem Art. 96 zuwiderlaufenden Handlungsweise des einen Gesellschafters unter den Gesellschaftern bezeichnen. Wäre hienach auch die Gesellschaft berechtigt, von dem betreffenden Gesellschafter die Abtretung der Klage gegen den Dritten zu verlangen, so würden hieburch doch die rechtlichen Folgen der Thatsache nicht berührt werden, daß zwischen dem Dritten und dem Gesellschafter in eigenem Namen kontrahirt worden, daß also die ursprüngliche Obligation nicht zwischen der Gesellschaft und dem Dritten entstanden ist; der Dritte könnte somit seine Einwendungen aus dem ursprünglichen Obligationsverhältnisse und unter diesen die Einrede der Kompensation auch der Gesellschaft entgegensetzen. Soll also die Gesellschaft aus dem Vertrage eines Gesellschafters mit einem Dritten selbständig Rechte gegen den Letzteren erwerben, so muß dieser Vertrag entweder ausdrücklich im Namen der Gesellschaft geschlossen worden sein oder es müssen Umstände vorliegen, welche die Stelle einer ausdrücklichen Verabredung im Namen der Gesellschaft vollständig zu ersetzen geeignet sind, welche deutlich erkennen lassen, daß nicht nur der Gesellschafter für die Gesellschaft handelte, sondern daß auch der Dritte mit der Gesellschaft kontrahirte *).

(Nürnberg Reg.-Nr. 85.)

---

*) In den Verhandlungen wurde diese Frage nicht berührt; es ergibt sich aber die oben entwickelte Ausnahme von der Regel des Art. 121 aus dem allgemeinen Rechtsgrundsatze, daß die Lage des Gläubigers durch einseitige Verfügungen des Schuldners oder dritter Personen nicht verschlimmert werden darf. Vergl. auch Krawel S. 151, woselbst auf die deutlichere Fassung des S. 98 der Preußischen Concursordnung aufmerksam gemacht ist. Uebrigens haben verschiedene Collisionen bereits erkennen lassen, wie wohlberechtigt die Bestimmung des Art. 17 des a. d. HG. ist und es wäre zu wünschen, daß auch die älteren dieser Vorschrift nicht entsprechenden Firmen beseitigt werden könnten.

## CLXVII.

## Handelsgerichtliche Kompetenz gegen Schäffler*).

A. b. HGB. Art. 271 Nr. 1, Art. 273 Nr. 1, 274. Einf.-Ges. hiezu, Art. 62, 63 Nr. 1.

Ein auf Zahlung des Kaufschillings für empfangene Fässer vor dem Handelsgerichte München l./J. belangter Schäffler hatte der Klage die Einrede der Inkompetenz des Handelsgerichtes entgegengesetzt. Dieser Einwand wurde in I. Instanz verworfen und der vom Verklagten hiegegen ergriffenen Berufung mit der Bitte, dem Kläger den Nachweis darüber aufzulegen, daß er, Verklagter, die fraglichen Fässer zum Zwecke der Wiederveräußerung käuflich bezogen habe, — durch Urtheil des HAG. vom 10. März 1864 nicht stattgegeben.

Die Gründe des letzteren enthalten:

Verklagter ist unbestrittenermaßen Schäfflermeister; nach dem gewöhnlichen Betriebe dieses Gewerbes setzt dessen Ausübung die Anschaffung von beweglichen Sachen (Material) voraus, welche bearbeitet oder verarbeitet und sobann von dem Anschaffenden wieder weiter veräußert werben; der Gewerbsbetrieb des Schäfflers schließt also den gewerbsmäßigen Abschluß von Geschäften in sich, welche im Art. 271 Nr. 1 des a. b. HGB. als Handelsgeschäfte bezeichnet sind.

Daß der Beklagte lediglich selbsterzeugtes Material oder nur

---

*) Die Bestimmung der Gränzen, welche dem Handelsrechte sowohl hinsichtlich der Personen als der Geschäfte einzuräumen sind, beschäftigt noch immer die Praxis und die Wissenschaft. Wer als Kaufmann anzusehen sei, barüber bildet sich eine communis opinio. Dagegen wird noch stark geschwankt, was als Handelssache anzuerkennen, und insbesondere, was vor die Handelsgerichte zu ziehen sei. Ein sorgfältiges Studium des in Busch's Archiv so reichlich gebotenen Materiales und der neuesten mit erschöpfender Gründlichkeit behandelten wissenschaftlichen Darstellung Dr. L. Goldschmidt's wird hoffentlich auch in dieser Richtung viele Zweifel lösen und damit eine leider sehr bedeutende Last von den Gerichten nehmen. Nichts widerspricht mehr dem Zwecke der Rechtsprechung, als wenn erst Zeit und Kosten verwendet werden müssen, um auszustreiten, wo zu streiten ist.

fremde bewegliche Sachen auf Bestellung verarbeite, hat derselbe überall nicht behauptet; schafft er aber das zu verarbeitende bewegliche Material an, so ist es gleichgiltig, ob er nur auf Bestellung oder zugleich auf Vorrath arbeitet.

Aus dem Gesagten folgt weiter, daß der Beklagte als Kaufmann im Sinne des HGB. angesehen werden muß, daß er ein Handelsgewerbe betreibt.

Da nun nach Art. 274 die von einem Kaufmanne geschlossenen Verträge im Zweifel als zum Betriebe des Handelsgewerbes gehörig gelten, da ferner der in Frage stehende Ankauf von Fässern seinem Gegenstande nach die Annahme, daß derselbe zum Gewerbsbetriebe vorgenommen worden sei, keineswegs ausschließt, vom Beklagten auch nirgends geltend gemacht wurde, daß diese Anschaffung zum eigenen Gebrauche erfolgt sei, so gilt auch das der Klage zu Grunde liegende Kaufgeschäft als ein Handelsgeschäft auf Seite des Beklagten nicht blos im Sinne des Art. 273 Abs. 1, sondern auch im Sinne des Art. 271 Nr. 1, und die Kompetenz der Handelsgerichte ist nach Art. 62 und 63 Nr. 1 des Einf.=Ges. zum a. d. HGB. begründet, ohne daß es eines weiteren Beweises auf Seite des Klägers bedarf. Der Umstand, daß Beklagter behauptete, den Kaufvertrag mit der klagenden Fabrik nicht in eigenem, sondern in fremdem Namen abgeschlossen zu haben, daher zur Sache passiv gar nicht legitimirt zu sein, ist für die Kompetenzfrage unerheblich. Erweist sich die gegentheilige klägerische Behauptung als richtig, so fällt der erwähnte Einwand des Beklagten zusammen, und die Kompetenz der Handelsgerichte ist nach dem Vorgesagten ohne Zweifel begründet. Ist aber nach dem Ergebnisse der Beweisführung N. N. in der That nicht als der rechte Beklagte zu erachten, dann findet auch eine weitere Beurtheilung des in Frage stehenden Kaufgeschäftes demselben gegenüber durch die Handelsgerichte nicht mehr statt. Zur Zeit muß der Richter seine Kompetenz nach dem Klagevorbringen ermessen; nach diesem ist aber dieselbe, wie gezeigt, gegeben *).

(München I/J. Reg.=Nr. 219.)

---

*) Von denselben Gesichtspunkten gehen die Erkenntnisse des HAG. aus hinsichtlich der Wirthe, Kürschner, Bäcker ꝛc.; vgl. diese Sammlung Bd. I S. 109, 125.

## CLXVIII.

### Lieferung von Ziegelsteinen aus eigenem Grund und Boden ist kein Handelsgeschäft*).

A. b. HGB. Art. 271 Abf. 1 Art. 275.

Der Bauunternehmer klagte gegen den Maurermeister N. N., welcher zugleich Besitzer einer Ziegelei ist, wegen Nichteinhaltung eines Lieferungsvertrages von 200,000 Stück Backsteinen auf Entschädigung. Beklagter schützte die Einrede der Unzuständigkeit der Handelsgerichte vor und das k. HG. München l/J. gab, nachdem zwei von Amtswegen vernommene Zeugen bestätigt hatten, daß in der Umgebung von München die Ziegelei allgemein in der Weise betrieben werde, daß der Besitzer einer solchen lediglich den aus seinem eigenen Grund und Boden gewonnenen Lehm zu Ziegeln und Backsteinen verarbeite und daß auch der Beklagte seine Ziegelei in dieser Weise betreibe, durch Erkenntniß vom 10. Februar 1864 dieser Einrede statt.

Die Gründe dieses Erkenntnisses waren folgende**):

Es könne keinem Bedenken unterliegen, daß Beklagter in seiner Eigenschaft als Maurermeister nicht als Kaufmann im gesetzlichen Sinne zu betrachten sei, da bei diesem Gewerbsbetriebe nicht die Vornahme von Handelsgeschäften sondern lediglich die Arbeit den vorherrschenden Faktor der Wertherzeugung bilde. Aber auch der Betrieb einer Ziegelei vermöge ihm jene Eigenschaft nicht zu verleihen, da er hiebei lediglich das aus eigenen Lehmgrüben gewonnene Material zu Ziegeln und Backsteinen verarbeite, bezw. verarbeiten lasse. Es bestehe somit sein Geschäftsbetrieb im Wesentlichen in einer Ausnützung des Grund und Bodens und in einer Verarbeitung

---

*) Vgl. Central=Organ nvo 1863 S. 133. — Busch, Archiv Bd. I S. 382, Bd. II S. 152.

**) Zur Begründung seiner Einrede hatte sich Beklagter lediglich darauf berufen, daß die Kompetenzfrage nach den vor Einführung des a. b. HGB. in Geltung gewesenen Gesetzen entschieden werden müsse, da der fragliche Vertrag im April 1861 geschlossen worden sei; nach diesen früheren Gesetzen sei aber unzweifelhaft die vorliegende Sache keine Merkantilsache. Diese vom Erstrichter mit Bezug auf Lutz, Kommentar S. 170, diese Sammlung Bd. I S. 30 und S. 228, dann Busch, Archiv Bd. II S. 1 widerlegte Motivirung wurde vom Kläger in II. Instanz nicht weiter angeregt.

26 *

der hieburch gewonnenen Naturprobukte. Beklagter erscheine sonach als Probuzent; seine Probuktion und ebenso seine Veräußerungsgeschäfte setzen weder einen vorgängigen Ankauf, noch eine anberweitige Anschaffung von beweglichen Sachen voraus.

Greife nun schon das charakteristische Merkmal eines jeden Handels, welches in der Vermittelung des Umsatzes zwischen Probuzenten und Konsumenten bestehe, bei der Thätigkeit eines Ziegeleibesitzers in keiner Weise Platz, so lasse sich auch aus dem Wortlaute der einschlägigen gesetzlichen Bestimmungen, sowie aus der Entstehungsgeschichte des a. b. HGB. nachweisen, daß in der Geschäftsthätigkeit von eigentlichen Probuzenten ein gewerbsmäßiger Betrieb von Handelsgeschäften nicht erblickt und eben beshalb benselben die Eigenschaft als Kaufleute nicht beigelegt werden wollte. Die Bestimmungen des a. b. HGB., welche hier in Frage kämen, seien die Art. 271 Ziff. 2 und Art. 272 Ziff. 1. Ersterer Artikel könne auf den vorliegenden Fall keine Anwendung finden, weil nach Inhalt besselben für den Begriff eines Handelsgeschäftes die Uebernahme einer Lieferung von Gegenständen erfordert würde, welche der Uebernehmer zu biesem Zwecke angeschafft habe, eine solche Anschaffung aber, wie oben erörtert, bei dem Ziegeleibesitzer nicht stattfinde.

Aber auch Art. 272 Ziff. 1 sei nicht anwendbar, indem in bemselben lediglich die gewerbsmäßige Uebernahme der Bearbeitung oder Verarbeitung beweglicher Sachen für Andere als Handelsgeschäft bezeichnet werde, wenn der Gewerbsbetrieb über ben Umfang des Handwerkes hinausgehe. Letztere Voraussetzung sei nun bei dem Ziegeleibesitzer allerdings vorhanden, nicht aber erstere; benn unter ben Geschäften, welche unter biesen Artikel subsumirt werden bürften, könnten nur solche verstanden werden, bei welchen bem Uebernehmer fremde bewegliche Sachen übergeben, welche sobann von bemselben be- oder verarbeitet und wobei schließlich dieselben Sachen, die ber Uebernehmer erhalten hat, im be- oder verarbeiteten Zustande zurückgegeben würden. Als Beispiele solchen Geschäftsbetriebes seien benn auch in ben Verhandlungen der Nürnberger Kommission (vgl. Protokolle über bie 59. Sitzung S. 530) nur Färbereien, Eisenhämmer, Spinnereien, Bleichen, Kattunbruckereien, Appreturanstalten ꝛc. aufgeführt, bei welchen sämmtlich auf Seite des Uebernehmers ein Empfang und eine Rückgabe fremder beweglicher Sachen stattfinde, was eben bei dem Ziegeleibesitzer nicht der Fall sei.

Kläger habe nun auch die Eigenschaft des Geschäftsbetriebes des Beklagten als eines kaufmännischen aus der Bestimmung des Art. 271

Ziff. 1 ableiten zu dürfen geglaubt; allein diese Ausführung beruhe offenbar auf einem Mißverständnisse des angef. Art., da unter diesem seinem Wortlaute nach nur der Kauf, d. i. Einkauf oder die anderweitige Anschaffung von Waaren oder beweglichen Sachen zum Zwecke der Wiederveräußerung, nicht aber die Produktion und die Wiederveräußerung selbst, wie solche auf Seite des Beklagten in Frage stehe, subsumirt werden könnten.

Es sei oben erwähnt worden, daß sich die Richtigkeit der aufgestellten Ansicht aus den Verhandlungen der Nürnberger Kommission nachweisen lasse, und dieses ergebe sich aus nachstehender Betrachtung:

Offenbar sei der Betrieb einer Ziegelei, wie solcher oben geschildert, ganz analog dem eines Gutsbesitzers, welcher Spiritus, den er aus selbstgezogenen Früchten gewonnen habe, weiter veräußere. Es sei nun bereits in den Motiven zum preuß. Entwurfe (S. 5) hervorgehoben worden, daß solche Veräußerungen dem Gutsbesitzer niemals die Eigenschaft eines Kaufmannes geben könnten. Gegen diese Auffassung hätten sich zwar in zweiter Lesung des HGB. (154. Sitzung Prot. S. 1291) Bedenken erhoben, insbesondere bezüglich der Rübenzuckerfabriken, welche die auf eigenen ausgedehnten Ländereien erzeugten Runkelrüben verarbeiteten; doch habe sich schließlich die Erwägung geltend gemacht, daß man, wenn man den Produzenten als Kaufmann gelten lassen würde, weit über die richtige, dem Handelsrechte gesteckte Grenze hinausgehe, indem dann jeder Oekonom und alle Produktion durch Ausnützung von Grund und Boden in das Handelsrecht gezogen würde, daß aber auf der anderen Seite eine sichere Unterscheidung zwischen großartiger und geringfügiger Produktion aufzustellen ganz unmöglich sei, und daß die Hauptfälle großartiger Produktion aus anderen Gründen unter das Handelsrecht fallen würden, weil die Produzenten, ohne zu ihren Zwecken Ankäufe zu machen, nur selten durchkommen könnten (Prot. S. 1292.)

Hieraus folge, daß, soferne von dem Produzenten nicht Anschaffungen behufs Herstellung seines Produktes gemacht würden, derselbe nicht als Kaufmann angesehen werden könne *).

---

*) Erstrichter citirte hiebei die JMC. v. 15. Febr. 1862 (Zeitschrift f. Gesetzgeb. u. Rechtspfl. Bd. IX S. 1), ein Erkenntniß des Kreisgerichtes in Thorn (Busch, Archiv Bd. I S. 193, 232 und 382), dann die Verordnung des k. sächs. Appell.-Ger. zu Dresden und Leipzig, wodurch dieselben Grundsätze in Bezug auf eine zum Abbau von Steinkohlenfeldern gegründete Aktiengesellschaft, in Bezug auf einen Handelsgärtner, und in Bezug

Aber auch als ein absolutes Handelsgeschäft könne die den Streit-gegenstand bildende Lieferung nicht angesehen werden, da die fraglichen Backsteine nicht vom Beklagten ganz oder theilweise anderwärts be-zogen, sondern nach den Erklärungen des Klägers selbst lediglich vom Beklagten fabrizirt werden sollten.

Der klägerische Anwalt ergriff gegen diesen Ausspruch Berufung und stützte dieselbe vorzüglich darauf, daß der Begriff des Handels-geschäftes im Sinne des a. d. HGB. nicht auf den Kauf von Waaren beschränkt, sondern jede Anschaffung von beweglichen Sachen zum Behufe der Weiterveräußerung hierunter zu subsu-miren sei; eine Anschaffung von beweglichen Sachen liege aber jedenfalls in der Fabrikation von Ziegeln. Uebrigens werde ja der Lehm häufig nur von gepachteten Grundstücken gewonnen und immerhin müßten die lehmführenden Grundstücke durch Kauf oder auf andere onerose Weise von den Ziegeleibesitzern erworben werden, worin nur eine indirekte Art der Erwerbung des erforderlichen Materiales gelegen sei. Ferner wurde vom Appellanten auf Grund der bereits vom Erstrichter angeführten Stelle der Konferenzprotokolle der beklagte Produzent deshalb als Kaufmann bezeichnet, weil er zu seinem Produktionszweige bedeutende Quantitäten von Holz (oder Torf, Kohlen), von Oefen, Lehmpreßmaschinen, Modeln und anderen Geräthschaften, von feinem Sande zur Ablösung der geformten Steine von ihren Modeln 2c. anschaffen müsse. Endlich bezog sich Be-schwerdeführer darauf, daß die Bierbräuer insgesammt als Kaufleute im Sinne des a. d. HGB. erklärt worden seien, obgleich sehr oft vor-kommen könne, daß ein Bräuer seinen ganzen Bedarf an Gerste und Hopfen aus eigenen Grundstücken gewinne.

Das k. Handelsappellationsgericht zu Nürnberg bestätigte unter dem 31. März 1864 das handelsgerichtliche Erkenntniß, bezog sich im All-gemeinen auf die „umfassende und gründliche" Motivirung des Erst-richters und bemerkte zur Widerlegung des in der Berufungsschrift Vorgebrachten noch Folgendes:

Die in dem vom Beschwerdeführer angezogenen Art. 271 Abf. 1 des a. d. HGB. erwähnte Anschaffung liegt nicht vor, wenn der Be-sitzer einer Ziegelei die lehmführenden Grundstücke durch Kauf

---

auf den Betrieb eines Steinbruches oder Kalkwerkes ausgesprochen wurde, endlich auf die Verordnungen des sächs. JM. hinsichtlich des Betriebes von Kohlenbergwerken (Busch, Archiv Bd. I S. 520 und 521). Anderer Ansicht ist der oberste Gerichtshof zu Wien in einem Urtheil vom 9. Febr. 1864 gewesen. (Vgl. Centralorgan Bd. III S. 85).

oder sonst erwirbt, um die aus denselben zu gewinnenden Produkte zu verarbeiten und weiter zu veräußern. Nun kann allerdings unter Umständen auch der Produzent nach der Beschaffenheit seines Produktionszweiges Handelsgeschäfte abschließen, indem er Anschaffungen von beweglichen Sachen behufs ihrer Bearbeitung oder Verarbeitung und in der Absicht der Weiterveräußerung macht, und ein solcher Produzent kann auch, wenn dieses gewerbsmäßig geschieht, sich als Kaufmann im Sinne des HGB. darstellen. Allein diese Voraussetzung liegt im gegebenen Falle nicht vor, wenn auch der Beklagte Holz, Torf oder Kohlen, Oefen, Lehmpreßmaschinen u. s. w. zum Zwecke der Ziegelfabrikation, Sand zur Ablösung der Steine von ihren Modeln anzuschaffen genöthigt sein sollte. Denn die Anschaffungen derartiger, nicht zur Weiterveräußerung, sondern zur unmittelbaren Benützung bestimmten Gegenstände gelten nach Art. 273 Abs. 2 des HGB. zwar als Handelsgeschäfte, wenn sie von einem Kaufmanne zum Betriebe seines Handelsgewerbes vorgenommen werden, allein sie machen Niemand, der nicht schon Kaufmann ist, zum Kaufmann.

Die Zuständigkeit der Handelsgerichte erscheint also nach keiner Richtung hin als gegeben.

(München I/J. Reg.-Nr. 216.)

## CLXIX.

**Das im Art. 81 des Not.-Ges. vorgeschriebene Verfahren findet auch im Gebiete der b. W.- u. MGO. auf Handelssachen Anwendung.**

Der Kaufmann A. A. hatte auf Grund einer mit der Vollziehbarkeitsklausel versehenen Notariatsurkunde, laut welcher N. N. zu München aus einem Verkaufskommissionsgeschäfte nach gepflogener Abrechnung die Summe von 425 fl. „an ihn zu schulden bekannt und solche in 4 Wochen zu zahlen versprochen hatte", gegen N. N. bei dem Handelsgerichte München I/J. Klage erhoben, und die Einleitung des im Art. 81 des Not.-Ges. vorgeschriebenen Verfahrens beantragt, welchem Antrage entsprechend das Prozeßgericht den Auftrag an den Beklagten ergehen ließ, binnen 3 Tagen bei Vermeidung der Sperre Zahlung zu leisten, — unter dem Bemerken, daß innerhalb dieser Frist auch etwaige in dem eingeleiteten Verfahren statthafte und sofort urkundlich nachweisbare Einreden geltend zu machen seien.

Am 8. Tage nach Zustellung dieser Verfügung kam eine Remonstration des Anwaltes der Beklagten ein, worin das eingeleitete Verfahren angefochten und um Zurücknahme der erlassenen Verfügung sowie Vorsetzung einer 14tägigen statt 3tägigen Frist zu dem vorbezeichneten Zwecke gebeten war, worauf jedoch das Prozeßgericht durch Beschluß vom 4. März der erlassenen Verfügung inhärirte, — welcher Beschluß, nachdem mittlerweile auf klägerischen Antrag weiter in der Sache fortgefahren worden war, auf eingelegte Berufung am 18. April 1864 zweitrichterlich bestätigt wurde. Die Gründe enthalten:

Appellant hat auszuführen gesucht, daß das im Art. 81 a. a. O. vorgezeichnete Verfahren für Handelssachen im Gebiete des b. W.= u. MPr. nicht zur Anwendung gebracht werden dürfe und daher die Klage vorerst ordnungsgemäß zu verhandeln und weiter zu erkennen sei, was Rechtens. Dieser Ausführung kann nicht beigepflichtet werden. Nach Art. 70 des Einf.=Ges. zum a. d. HGB. richtet sich das Verfahren vor den Handelsgerichten nach den hiefür bestehenden besonderen Gesetzen und greifen in deren Ermangelung die allgemeinen Bestimmungen über das Verfahren in bürgerlichen Rechtssachen Platz, wobei es nach Art 71 daselbst, insoweit Handelssachen zum Exekutiv=, Mandats= oder Arrestprozesse sich eignen, bei dem für diese Prozeßarten vorgeschriebenen Verfahren sein Verbleiben hat.

Im gegebenen Falle hat Verklagter seinen Wohnsitz zu München, und da an diesem Orte für Handelssachen eine besondere Prozeß=Ordnung in der b. W.= u. MGO. v. Jahre 1785 besteht, so wäre, von der erwähnten Bestimmung des Notariatsgesetzes abgesehen, allerdings hier zunächst diese anzuwenden gewesen, und zwar um so mehr, als in Bezug auf diese Prozeßordnung die über das Verfahren in bürgerlichen Rechtssachen überhaupt erlassenen Gesetze, insonderheit über das summarische Verfahren, theils gar nicht, theils nicht unbedingt als subsidiäre Rechtsquelle angesehen werden können.

Hieraus kann aber die Nichtanwendbarkeit der mehrerwähnten Vorschrift des Notariatsgesetzes auf den vorliegenden Fall nicht abgeleitet werden.

Der Art. 80 des Not.=Ges. beschränkt die Fähigkeit einer Urkunde, zu einer vollziehbaren umgewandelt zu werden, nicht auf eine gewisse Klasse von Urkunden, sondern läßt dieser Möglichkeit bei allen Urkunden, mögen sie Rechtsgeschäfte betreffen, welche sie wollen, Raum, und der hierauf folgende Art. 81 schreibt das Verfahren vor, welches bei allen mit der Vollziehbarkeitsklausel versehenen Urkunden ohne Unterschied auf Antrag des Berechtigten eingeleitet werden soll. Es kann daher nicht dem mindesten Zweifel unterliegen, daß auch über Handelsgeschäfte notarielle Urkunden mit der Vollziehbarkeitsklausel errichtet werden können und daß auch in Handelssachen die Einleitung des im Art. 81 a. a. O. bestimmten Verfahrens keineswegs ausgeschlossen sei.

Für solche Fälle, in denen sich das Verfahren, abgesehen von der Bestimmung des Art. 81 nach dem allg. b. Prozeßrechte zu richten haben würde, kann hierüber ohnehin kaum irgend ein begründetes Bedenken bestehen; aber auch da, wo außerdem die b. W.- u. MGO. Maß zu geben haben würde, fehlt es an genügenden Gründen, um jenes Verfahren als ausgeschlossen zu erachten.

Denn wenn es auch die Absicht der W.- u. MGO. war, für Wechsel- und Handelssachen ein schleunigeres Verfahren einzuführen, und damit für diese Gattung von Rechtssachen überhaupt das zu erreichen, was unter gewissen Voraussetzungen im bürgerlichen Prozesse mit den summarischen Prozeßarten erreicht werden will, so ist doch selbstverständlich, daß bei Erlassung der W.- u. MGO. an einen Ausschluß jener erst im Jahre 1862 in's Leben getretenen Bestimmungen gar nicht gedacht worden sein konnte; es enthalten vielmehr letztere ein erst ganz neu in das Leben getretenes Institut, welches nach der Intention des Gesetzgebers ganz allgemeine Anwendung finden soll, und schon deßhalb nicht mit anderen, schon bei Erlassung der b. W.- u. MGO. bestandenen prozessualen Instituten auf gleiche Stufe gestellt werden darf, weil es im Verhältniß zur b. W.- u. MGO. als eine lex specialis, welche nur das Verfahren bei einer gewissen Klasse von Rechtsgeschäften umfaßt, sich darstellt.

Dieses vorausgesetzt, kann aber auch die Vorsteckung einer nur dreitägigen Frist zur Zahlung oder Abgabe etwaiger hier zulässiger sonstiger Erinnerungen nicht als ungesetzlich erachtet werden.

Denn das in den §§. 1—5 des Art. 81 vorgeschriebene Verfahren bildet zwar ein für sich bestehendes Ganzes, es ist ganz genau geregelt, kann daher nicht beliebig, je nach der sonstigen Natur des Streitgegenstandes und des diesem entsprechenden Verfahrens modifizirt werden, sondern seine Vorschriften sind der willkürlichen Abänderung Seitens des Richters entzogen. Allein das Gesetz schreibt im §. 2 des Art. 81 nicht eine bestimmte Frist vor, innerhalb welcher der Verklagte seine Einreden geltend zu machen habe, sondern es sagt nur, daß die dem Verklagten im Exekutionsverfahren gesetzlich zustehende Frist zum Vorbringen von Exekutionsgegenvorschlägen ausdrücklich auch zu dem Zwecke zu eröffnen sei, damit der Verklagte seine anderweiten zulässigen Einreden geltend mache. Wenn dasselbe hiebei von einer dem Verklagten gesetzlich zustehenden 14 tägigen Frist zur Geltendmachung von Exekutionsgegenvorschlägen spricht, so hat dieses jedenfalls seinen Grund nur darin, daß dasselbe zunächst das Verfahren in bürgerlichen Streitigkeiten überhaupt vor Augen hatte, nicht aber in der Absicht, auch für solche Fälle, in welchen die Geltendmachung von Exekutionsgegenvorschlägen an eine kürzere Frist gebunden ist, für die anderweit zulässigen Einreden jene 14tägige Frist als maßgebend erklären zu wollen. Denn die Absicht des Gesetzes war, dem Gläubiger Vortheile bei Verfolgung seines Anspruches einzuräumen, nicht aber Vergünstigungen, welche ihm ohnehin zustanden, zu entziehen.

Nach den Bestimmungen der b. W.- u. MGO. ist aber die Vorsteckung einer dreitägigen Frist der Sachlage entsprechend gewesen. Das in Art. 81 des Not.-Ges. vorgeschriebene Verfahren ist nämlich, wie die Bestimmung in §. daselbst ausdrücklich besagt, ein Hilfsvollstreckungsverfahren; der erekutorischen Urkunde kommt dieselbe Kraft und Bedeutung bei, wie einem rechtskräftigen Urtheile; wie zum Vollzuge des letzteren auf Antrag des obsiegenden Klägers der Auftrag an den Verklagten ergeht, binnen bestimmter Frist bei Exekutionsvermeidung dem Urtheile Folge zu leisten, ebenso auch bei einem Anrufen auf Grund einer mit der Vollziehbarkeitsklausel versehenen Not.-Urkunde. Nun bestimmt aber die b. W.- u. MGO. in §. 1 des Kap. X, dessen Vorschriften auf Wechsel- wie auf Handelssachen gleichmäßig Anwendung finden, daß, wenn es auf den Vollzug des in rem judicatam erwachsenen Urtheiles ankomme, die erste Instanz auf Anlangen des Klägers die Exekution mit dem Auftrage, die Kontention inner drei Tagen zu machen, sonst sei in die Sperre gewilligt, — anzubrohen habe. Es ist mithin die dem Verklagten bei Beginn des Exekutionsverfahrens zum Vollzuge des rechtskräftigen Urtheiles zu eröffnende Frist in allen Fällen eine dreitägige, und da diese Frist auch diejenige ist, innerhalb deren jedenfalls die etwaigen im Exekutionsstadium zulässigen Einreden geltend zu machen sind, so ist Verklagter dadurch, daß ihm zur Geltendmachung seiner Einreden nicht noch eine weitere Frist bewilligt wurde, in keiner Weise beschwert, und folgeweise, da er innerhalb derselben anderweite Einreden in der That nicht vorbrachte, damit präkludirt.

(München I./J. Nr. 236.)

## CLXX.

**Folgen des Ungehorsams bezüglich der Abgabe der Schlußsätze nach dem Systeme der b. W.- u. MGO.**

B. W.- u. MGO. Kap. V §. 7, Kap. X §. 1.

In einer nach obiger Prozeßordnung zu instruirenden Handelssache hatte das Untergericht dem Verklagten zur Abgabe der Schlußäußerung eine 14tägige „ausschließende" Frist eröffnet und nach deren fruchtlosem Ablaufe unter Annahme des Zugeständnisses der in der Gegenäußerung enthaltenen neuen Behauptungen der Sachlage entsprechend erkannt. Verklagter ergriff hiegegen Berufung, worin er unter Anderem als Beschwerdegrund geltend machte, daß die neuen thatsächlichen Behauptungen der Gegenerinnerungen als zugestanden erachtet worden seien; es wurde jedoch dieser Beschwerde keine Folge gegeben und in den Gründen des zweitrichterlichen Urtheiles vom 28. April. 1864 bemerkt:

Die Prozeßnovellen von 1819 und 1837 können, wie der unterfertigte Gerichtshof schon mehrfach dargelegt hat (z. B. Sammlung von Bd. I S. 16), zwar auch zu der W.- u. MGO. von 1785 insoweit subsidiär in Anwendung kommen, als darin allgemeines bayer. Prozeßrecht niedergelegt ist und dieses zur Ergänzung der Lücken der W.- u. MGO. von 1785, die sich als Spezialgerichtsordnung über die allgemeinen Prozeßlehren nicht verbreitet, zu dienen hat. Wo bagegen jene GO. von 1785 besondere, für die eigenthümliche summarische Natur der Handelssachen berechnete Grundsätze aufstellt und ausdrückliche, vom gewöhnlichen Verfahren abweichende Bestimmungen trifft, können nicht ohne Weiteres jene nicht gesetzlich als berogatorisch zur W.- u. MGO. erklärten Novellen zur Geltung gelangen. Eine solche besondere, der summarischen Natur des Handelsprozesses vollkommen zusagende Bestimmung ist die in der W.- u. MGO. von 1785 Kap. V §. 7 gegebene Vorschrift, daß nur auf dasjenige, was „gerichtlich vorgekommen ist", gesprochen werden soll, sonach ein Widerspruch, der nicht innerhalb der gesetzlichen Frist vorgebracht wurde, als nicht vorhanden von dem Richter nicht zu beachten ist, — womit der in Kap. X §. 1 ausgesprochene Grundsatz übereinstimmt, daß nicht blos auf die zugestandene, sondern auch auf die durch keine rechtliche Erzeption abgelehnte Klage die Exekution zu folgen hat. Damit ist erklärt und als oberstes Prinzip hingestellt, daß im b. W.- u. M.Prozeß das Nichtvorbringen einer Antwort als Zugeständniß gilt, — mit anderen

Worten, daß in demselben das affirmative Präjudiz wirksam ist; und zwar muß dieses für die sämmtlichen Prozeßhandlungen im ersten Verfahren gelten, da die W.= u. MGO. im Kap. V §. 7 das Versäumniß der „Schlußsätze" der Nichtabgabe der Exzeption völlig gleichstellt. Appellant bringt zwar vor, es könne dieses Präjudiz deshalb gegen ihn nicht verwirklicht werden, weil es ihm vorher nicht angedroht worden sei; allein abgesehen davon, daß im W.= u. M.Prozesse jede Citation von Rechtswegen clausulam peremtoriam in sich schließt, ist auch das Präjudiz des Ausschlusses mit der treffenden Handlung dem Beklagten bei Mittheilung der klägerischen Gegenerinnerungen ausdrücklich angedroht worden. Nachdem nun eine Antwort von seiner Seite auf die Replikbehauptungen nicht vorliegt, sind diese als durch keine rechtliche Einwendung abgeläugnet zu erachten und exekutionsreif, b. h. zugestanden.

Hieraus folgt jedoch zugleich von selbst, daß dieß nur hinsichtlich derjenigen thatsächlichen Behauptungen der Gegenerinnerungen gelten kann, welche wahre Repliken in sich enthalten. Denn nur diese stehen der Klage gleich und nur auf sie bezieht sich die Wirkung des affirmativen Präjudizes.

(München I./J. Reg.=Nr. 243.)

## CLXXI.

### Begriff der Arrestkosten, welche der Gläubiger für den inhaftirten Schuldner zu entrichten hat.
#### Churpfalzbayer. W.= u. MGTarordnung von 1785.

In einer nach der b. W.= u. MGO. zu behandelnden Handelssache hatte das Untergericht den Umfang der dem Kläger obliegenden Pflicht zur Tragung der Arrestkosten nach den Vorschriften des bayer. Landrechts Thl. I Kap. 4 §. 7 bemessen und den Gläubiger zur Erlegung des durch die gesammte Verpflegung des Verklagten erwachsenen Auslagenbetrages, worunter auch Auslagen für Wein, Limonade, Zitronen, Zucker, Bäder, Schröpfköpfe, dann die Anschaffung verschiedener Kleidungsstücke und die Deserviten für ärztliche Behandlung begriffen waren, angehalten. Auf Beschwerde des Klägers sprach das HAG. unter Abänderung der erstrichterlichen Verfügungen durch Urtheil vom 8. Februar 1864 aus, daß das Untergericht die von dem Gläubiger ein für allemal vorzuschießende Tagsgebühr in bestimmter Höhe festzusetzen habe, und bemerkte in den Gründen:

Die Ansicht des Unterrichters findet im Gesetze keine Rechtfer-

tigung; denn dies erklärt nirgends den Gläubiger zur Alimentation
seines Schuldners verbunden und es kann diese Verbindlichkeit auch
aus dem Umstande nicht abgeleitet werden, daß der Gläubiger durch
die von ihm veranlaßte Haft die Erwerbsunfähigkeit des Schuldners
verursache. Der Gläubiger macht, indem er den zahlungssäumigen
Schuldner in Haft nehmen läßt, lediglich von seinem Rechte Gebrauch
und wer sein Recht gebraucht, begeht kein Unrecht. Die Erwerbs=
unfähigkeit des Arrestaten ist also keine von dem Gläubiger ver=
schuldete und für eine nicht verschuldete Erwerbsunfähigkeit hat eine
dritte, nicht in einem Verwandtschaftsverhältnisse stehende Person ge=
setzlich nicht aufzukommen.

Die gesetzliche Bestimmung, welche in vorliegender Frage allein
maßgebend ist, lautet dahin (Wechs.= u. Merk.=Ger.=Ordg. Kap. X
§. 9 Nr. 2): „daß der Arrest auf Kosten des Gläubigers zu ver=
willigen sei." Die Verpflichtung des Gläubigers erstreckt sich dem=
nach nicht weiter, als zur Bestreitung der Arrestkosten, d. h.
derjenigen Kosten, welche unmittelbar durch den Vollzug der Haft er=
wachsen. In dieser Hinsicht tritt der Gläubiger an die Stelle des
Staatsärars, welchem an und für sich der Vollzug jeder Art von
Exekution als ein Akt seiner oberhoheitlichen Thätigkeit obliegt, und
es kann daher vor Allem keinesfalls dem Gläubiger etwas Mehreres zur
Zahlung überbürdet werden, als in denjenigen Fällen, in welchen ein
Arrestvollzug auf Kosten des Aerars geschieht, diesem verrechnet werden
darf. Ferner wird als maßgebend zu erachten sein, daß auch dem
Gläubiger Nichts zur Last gelegt werden kann, was in denjenigen
Fällen, in welchen ein Gefangener nach richterlichem Urtheile die Kosten
des Arrestvollzuges selbst zu tragen hat, nicht einmal von diesem ver=
langt wird, da jedenfalls der Gläubiger nicht schlechter gestellt werden
darf, als derjenige, welchem die Arrestkosten in Folge eigenen Ver=
schuldens zur Last fallen. Unter Festhaltung der beiden bisher auf=
gestellten Grundsätze und unter Beachtung der über den Umfang der
Arrestvollzugskosten in Strafsachen ergangenen Verordnungen und In=
struktionen ist demnach zu bemessen, was der Gläubiger zu leisten hat.
Appellant glaubt nun, es könne dem Gläubiger unter keinen Um=
ständen mehr, als die in der W.= u. MGO. bezeichnete Kost nebst
Beheizung des Arrestlokales und die Gebühren des Profoßen zu tragen
obliegen, und stellt die Bitte, solches oberrichterlich auszusprechen.
Allein diese Meinung ist zur Zeit unberechtigt. Allerdings waren, so
lange die Taxordnung von 1785 gesetzliche Geltung hatte, die Kosten
des Arrestvollzuges auf 8 bezw. 4 kr. für Kost, 6 kr. für den Pro=

foßen und 4 kr. für den Steckenknecht, welche Bedienstete dafür die übrige Verpflegung des Arrestaten, z. B. Beheizung, Beleuchtung zu leisten hatten, festgesetzt, und der Gläubiger hatte daher auch nicht mehr zu entrichten, als diese Beträge. Allein diese von der Praxis längst nicht mehr angewendeten Vorschriften sind durch Art. 82 Abs. 2 des Einf.-Ges. zum a. b. HGB. wenigstens in Bezug auf die darin firirten Beträge nunmehr gesetzlich aufgehoben und können, wie der unterfertigte Gerichtshof bereits auszusprechen Veranlassung nahm (Entscheidungen Bd. I S. 27), deshalb nicht mehr als Vorschrift, sondern nur als Zeugniß der früheren Uebung und insoferne Beachtung finden, als durch dieselben der Grundsatz festgestellt ist, daß dem Schuldner nur der nothwendigste Lebensunterhalt gewährt, keineswegs aber demselben auf Kosten des Gläubigers ein gemächliches Leben verschafft werden soll. Dagegen aber kann deshalb, weil die einzelnen Ansätze der Tarordnung nunmehr ihre gesetzliche Giltigkeit verloren haben, noch keineswegs angenommen werden, daß überhaupt die Pflicht des Gläubigers in Entrichtung der Tare eine andere geworden sei; vielmehr müssen auch derzeit die Kosten des Arrestes in derselben Weise von ihm erhoben werden, wie es nach jener Tarordnung und der W.- u. MGO. von 1785 vorgeschrieben ist. Es kann daher nicht dem Eisenmeister die Verpflegung des Arrestaten überlassen, die einzelnen, von diesem und allenfalls vom Gerichte für nöthig befundenen Ausgaben aus dem erlegten Vorschusse bestritten und falls dieser hiezu nicht ausreicht, der Gläubiger zur Erlage dieser oder jener Summe in beliebiger Höhe beauftragt werden. Die Unzulässigkeit eines solchen Verfahrens ergibt sich sofort aus der Erwägung, daß der Schuldner nicht länger inhaftirt bleiben darf, als der erlegte Kostenvorschuß reicht, daß aber bei dem eben erwähnten Verfahren der Gläubiger gar nie im Stande ist, zu wissen, wie weit sein Vorschuß genügen werde, daß er noch viel weniger ermessen kann, ob sein Interesse, den Arrest vollziehen zu lassen, mit den von ihm zu bringenden Opfern im Einklange steht, da er bei der genannten Verfahrungsweise nicht abzusehen in der Lage ist, mit welchen Kosten die von ihm etwa für nöthig erachtete Arrestbauer verbunden sein werde. Wie nach der Tarordnung von 1785 der Gläubiger für den Arrestvollzug lediglich die ein für allemal festgesetzte Tare zu erlegen hatte und dagegen der Arrest so viele Tage, als die Tare von 18 kr., bezw. 14 kr. vorgeschossen war, vollzogen werden mußte, ohne daß der Gläubiger anderweite Kosten zu tragen hatte, so muß dieses auch jetzt gehalten werden, und nur die Höhe der Tare ist gesetzlich nicht mehr bestimmt, mußt vielmehr von ben Gerichten nach Maßgabe des veränderten Geldwerthes und unter Berückſichtigung der Umſtände nach billigem Ermeſſen feſtgeſetzt wer= den. Dieſe Feſtſetzung hat ſich auf die Anſchaffung der täglichen Koſt und die Vergütung an die Bedienſteten für die anderweitigen Arreſt= vollzugskoſten, z. B. Beheizung, Beleuchtung Erhaltung', der Arre= ſtaten in hausordnungsmäßiger Reinlichkeit u. ſ. w. zu erſtrecken. Da= mit iſt aber auch dasjenige erſchöpft, was der Gläubiger zu leiſten hat, und mehr kann ihm nach dem Geſetze nicht aufgebürdet werden. Was insbeſondere die Anſchaffung von Kleidern und die Bezahlung von Kurkoſten und ärztlichen Deſerviten betrifft, ſo fallen weder die einen, noch die andern unter die Kategorie von Arreſtvollzugskoſten, ſondern es ſtellen ſich beiderlei Auslagen als reine Alimentationsreich= niſſe dar, für welche der Gläubiger ſo wenig aufzukommen hat, als ſie in Fällen, in welchen der Staat die Koſten des Arreſtvollzuges beſtreitet, jemals dem Aerar verrechnet werden dürfen. Mag die An= ſchaffung von Kleidungsſtücken für den Schuldner als Humanitäts= rückſichten geboten ſein, ſo folgt doch daraus nicht, daß der Gläubiger zu dieſer wohlthätigen Handlung verpflichtet ſei; vielmehr wird es Sache des Gerichtes ſein, entweder die etwa alimentationspflichtigen Verwandten oder die Armenpflege zu den geſetzlichen Leiſtungen zu veranlaſſen. Desgleichen können, wie bereits erwähnt, Kurkoſten nicht als Koſten des Arreſtvollzuges angeſehen wurde; denn einestheils läßt ſich nie beſtimmen, ob der verhaftete Schuldner nicht ebenſo in der Freiheit erkrankt wäre, anderntheils liegt, wie oben erörtert, in der Ausübung des Rechtes auf Perſonalarreſt kein Verſchulden des Gläu= bigers; er hätte daher, ſelbſt wenn der Arreſtvollzug wirklich eine Krankheit des Schuldners verurſachen würde, dieſe nicht verſchuldet und daher für die Koſten nicht aufzukommen. Ebenſo ergibt ſich ſchon aus beo Betrachtung, das der Schuldner durch den Arreſtvollzug nicht in eine beſſere Lage kommen kann, als in welcher er ſich ohne den= ſelben befinden würde, daß dem Gläubiger nicht zugemuthet werden dürfe, falls der Schuldner eine außergewöhnliche Koſt genießen will, welche mit dem feſtgeſetzten Betrage nicht beſtritten werden kann, einen erhöhten Betrag zu entrichten. Wenn einer in Freiheit befindlichen Perſon der Genuß von Limonade, Wein u. dgl. noch ſo ſehr zuträg= lich wäre, ſie kann aber derartige Ausgaben nicht beſtreiten, ſo muß ſie eben ſolche unterlaſſen. Weshalb eine wegen Nichterfüllung ihrer Verbindlichkeiten in Haft befindliche Perſon beſſer geſtellt ſein ſollte, iſt nicht abzuſehen.

(München I./J. Reg.= Nr= 125.)

## CLXXII.

**Im Exekutionsverfahren sind die erwachsenden Kosten regelmäßig sofort vom Verklagten zu erheben.**

In einer nach der b. W.- u. MGO. verhandelten Handelssache hatte das Prozeßgericht gegen den zur Zahlung verurtheilten Verklagten auf klägerischen Antrag die Sperre verfügt, welche auch durch eine Kommission vollzogen wurde und ein zur Deckung der klägerischen Forderung mehr als ausreichendes Resultat ergab.

Obwohl nun in dem Sperrdekrete der Verklagte als taxpflichtig bezeichnet war, sollten gleichwohl die Kommissionskosten durch Postnachnahme vom klägerischen Anwalte erhoben werden, und da dieser die Ablösung des Postvorschusses verweigerte, wurde beschlossen, ihm das treffende Dekret, welches ihn von dem Ergebnisse der Sperre in Kenntniß setzte, nicht auszuhändigen. Gegen dieses Verfahren legte derselbe Beschwerde ein, in Folge deren durch Urtheil des k. Handelsappellationsgerichtes vom 14. April 1864 ausgesprochen wurde, daß jener Beschluß außer Wirksamkeit zu setzen und dem klägerischen Anwalte von dem Erfolg der Sperre Kenntniß zu geben sei. Die Gründe enthalten:

Es ist ein in der Natur der Sache liegender und im Prozeßverfahren allgemein anerkannter Grundsatz, daß zunächst diejenige Partei, welche einen Antrag bei Gericht stellt, die durch diesen Antrag entstehenden Kosten vorzuschießen hat. Liegt aber einmal eine rechtskräftige Entscheidung darüber vor, wem überhaupt die Kosten des Verfahrens zur Last fallen, oder wer die Kosten eines einzelnen Antrages zu tragen habe, so sind dieselben nicht mehr von dem Antragsteller als solchem vorzuschießen, sondern von dem zur Zahlung Verurtheilten zu erheben. Nur dann, wenn durch den Antrag baare Auslagen erwachsen sind, welche von dem hiezu Verurtheilten nicht beigetrieben werden können, könnte der Antragsteller als solcher wegen deren Berichtigung in Anspruch genommen werden, weil sie auf seine Veranlassung aufgewendet wurden.

Im gegebenen Falle ist die Verklagte rechtskräftig zur Zahlung in Haupt- und Nebensache verurtheilt, es ist gegen sie die Sperre verfügt und dieselbe in dem deßfallsigen Dekrete als taxpflichtig ausdrücklich bezeichnet, weßhalb von ihr auch die Kommissionskosten zu erheben waren. Ein Grund, weßhalb gleichwohl Kläger die Kommissionskosten vorschießen soll, liegt nicht vor, vielmehr wurde bei der Sperre an Vieh allein so viel vorgefunden, daß die Forderung des

Klägers vollſtändig gedeckt iſt, und die Konſtatirung des vorhandenen Futtervorrathes läßt entnehmen, daß die Verklagte noch weiteres Vermögen beſitzt. Unter dieſen Umſtänden war zu dem von dem Untergerichte eingeſchlagenen Verfahren um ſo weniger Anlaß gegeben, als auch nicht einmal ein Verſuch gemacht wurde, die Kommiſſionskoſten von der Verklagten zu erheben.

Der von dem Untergerichte aufgeſtellte Grundſatz, daß auch in der Exekutionsinſtanz der Antragſteller die durch ſeinen Antrag veranlaßten Koſten vorzuſchießen habe, würde zu Folgerungen führen, welche deſſen Grundloſigkeit ſchlagend darthun. Denn wäre der Kläger zum Vorſchuß dieſer Koſten verpflichtet, ſo wäre die Folge, daß er einen Antrag auf deren gerichtliche Beitreibung ſtellen, darauf ein neuerliches Sperrdekret erlaſſen, ein neuerlicher Sperrvollzug angeordnet werden und für die hiedurch entſtandenen Koſten ſich dieſelbe Prozedur ſo lange erneuern müßte, bis etwa die Verklagte ſich freiwillig zu deren Zahlung verſtände. Ein derartiges Verfahren würde aber nur eine ganz nutzloſe Vervielfältigung der Geſchäfte des Gerichts und enorme Koſtenvermehrung herbeiführen, — während, wenn das Gericht die Koſten ſofort von dem eigentlichen Debenten durch das k. Landgericht einheben läßt, daſſelbe einfach ohne weitere Koſten für die Parteien zum gedeihlichen Ziel gelangt.

Da nun der Beſchwerdeführer das fragliche Dekret ohne Zahlung der darauf haftenden Koſtennachnahme nicht ausgehändigt erhielt, ſeine Weigerung, dieſe Koſten vorzuſchießen, aber begründet erfunden wurde, ſo war das königliche Handelsgericht anzuweiſen, demſelben nachträglich von dem Erfolg des Sperrvollzuges Kenntniß zu geben.

(Regensburg Reg.-Num. 58.)

## CLXXIII.

Die in der b. GO. Kap. XVIII § 3 Nr. 7 als ſubſidiäres Exekutionsmittel zugelaſſene Perſonalhaft iſt durch **verſchuldete** Unvermögenheit des Schuldners nicht bedingt. *)

Obiger Satz wurde in einem am 10. März 1864 erlaſſenen Urtheile des kgl. Handelsappellationsgerichtes ausgeſprochen und zu beſſen Motivirung bemerkt:

---

*) Vergl. auch Bl. f. RA. Bd. I S. 367 — 69. Seuffert's Kommentar z. GO. I. Aufl. Bd. IV Seite 253, II. Aufl. Bd. IV S. 301.

27

Die Ger.-Ordg. Kap. XVIII §. 3 Nr. 2 bestimmt: man solle den verlierenden Theil erst an seiner fahrenden Habe, sodann an seinen liegenden und unbeweglichen Gütern, ferner an ausstehenden Aktiv-schulden und Forderungen, endlich aber, wenn alles dieses nicht hin-reichen will, an seiner Person selbst angreifen.

Diese Vorschrift spricht ganz allgemein aus, daß die Exekution in Ermangelung aller sonstigen Objekte an des Schuldners Person solle vollstreckt werden; eine weitere Voraussetzung ist nicht aufgestellt, und darf also auch von dem Richter nicht aufgestellt werden.

Auch in Ziff. 7 a. a. O. wird ganz allgemein festgesetzt, daß in Ermangelung hinlänglicher Zahlungsmittel die Exekution an des Schuldners Person vollstreckt werden solle.

Wenn sodann hinzugefügt wird:

„und wenn der Schuldner aus eigenem Verschulden in solche Umstände und Unvermögenheit gerathen ist, solle nicht nur mit Per-sonalarrest, sondern auch nach Beschaffenheit des bösen Vorsatzes und verursachten Schadens mit Kriminalstrafen verfahren werden", so er-gibt sich sowohl aus der kopulativen Stellung dieses Satzes mit dem Worte „und", wie auch aus den Worten „nicht nur" „sondern auch", daß die verschuldete Unvermögenheit nicht als Voraussetzung der bloßen Personalerekution, sondern der weiteren kriminellen Einschrei-tung gegen den Schuldner aufgestellt werden wollte.

Hiegegen kann man sich auch nicht auf die Anmerkungen zu dieser Stelle (lit. g) berufen; denn abgesehen davon, daß eine ab-weichende Ansicht des Verfassers derselben gegenüber dem klaren Ge-setze kein Gewicht haben könnte, ist auch dortselbst nichts Anderes ge-sagt, als daß die Personalerekution dann nicht Platz greife, wenn der Schuldner ein erbarmungswürdiger sei, da ihm dann die in Kapitel XVIII §. 9 und folg. aufgeführten Rechtswohlthaten zur Seite stehen. Hieraus folgt aber gerade, daß, um vor der letzten und allgemeinen subsidiären Erekutionsart, dem Zugriffe auf die Person, geschützt zu werden, es Sache des Schuldners ist, die Voraussetzungen darzuthun, unter welchen das Gesetz dem Gläubiger die Gewährung einer Nach-sicht gebietet und ihm die volle Strenge der Erekution versagt, und daß, solange dieses nicht geschehen ist, der Gläubiger nicht behindert werden kann, sich des letzten und äußersten Mittels zu bedienen, um zu seiner Befriedigung zu gelangen.

(Fürth Reg.-Nr. 16.)

## CLXXIV.

Berufungen der **Klag**partei gegen Beschlüsse über Per=
sonalexekution sind an das Dasein der Berufungssumme
gebunden.

Hierüber enthalten die Motive eines am 22. Februar in einer
Wechselsache ergangenen Urtheils des HAG. :

Die eingeklagte Wechselschuld, wegen welcher nun die Hilfsvoll=
streckung durch Vollzug der Personalhaft gegen den Beklagten bean=
tragt wurde, beträgt ohne Einrechnung von Zinsen und Kosten die
Summe von 100 fl. Es mangelt demnach der von den Klägern
gegen die den Antrag auf Vollzug des Personalarrestes abweisende
Verfügung des k. HG. Bamberg vom 22. Januar l. Js. ergriffenen
Berufung die gesetzliche Berufungssumme. Der Umstand, daß es sich
nach dem Zwecke des klägerischen Antrages um Entziehung der per=
sönlichen Freiheit handelt, also eines Gutes, welches einer Schätzung
in Geld nicht unterworfen werden kann, wäre wohl von Bedeutung,
wenn die Bewilligung des Arrestes dem Beklagten zu einer
Beschwerde Veranlassung gegeben hätte; für die Berufung der Kläger
aber ist derselbe ohne Bedeutung, weil, auch wenn ihre Beschwerde
wegen Verweigerung der beantragten Personalhaft begründet wäre,
der Gegenstand derselben rücksichtlich seines Betrages sich immerhin
nur nach der Größe ihrer Forderung bemißt, die durch die gravir=
liche Verfügung ihnen angeblich drohende Verletzung — der Summe nach
offenbar nicht anders beurtheilt werden kann, als eine Verletzung, die
ihnen durch eine sofortige Abweisung der eingeklagten Forderung selbst
zugegangen wäre. Diese hätte aber nur mit einem Betrage von
100 fl. in Anschlag gebracht werden können, da die Forderung in der
Hauptsache diesen Betrag nicht übersteigt. *)

(Bamberg Reg.=Nr. 22.)

---

*) Da der Gerichtshof in mehrfachen, zur Veröffentlichung gekommenen
Fällen angenommen hat, daß für Berufungen der Beklagten gegen
Beschlüsse der bezeichneten Art Berufungssumme nicht erforderlich sei,
wurde es für angemessen erachtet, obiges, auf Berufung der Klage=
theiles ergangene Urtheil bekannt zu geben.
Der Umstand, daß hiernach ein Beschluß über Personalhaft des Ver=
klagten für letzteren appellabel, für den Kläger nicht appellabel sein kann,
dürfte gegen die Richtigkeit vorstehender Ansicht kein gegründetes Be=
denken erregen. Dieser Fall kann auch anderwärts eintreten, wenn es
sich z. B. um Anwendung des §. 61 Abs. 3 der Proz.=Nov. von 1837

27 *

## CLXXV.

**Der Ankauf eines Gebäudes behufs des Abbruches und der Weiterveräußerung der Baumaterialien ist ein Handelsgeschäft.**

**(A. d. HGB. Art. 271 Abs. 1, Art. 275.)**

Der Bauakkordant N. N. zu München hatte von dem Militär-äräre mehrere dem letzteren eigenthümlich gehörige Gebäude dortselbst behufs des Abbruches erworben und sich hierauf durch Vertrag vom 10. August 1863 mit AA. zur Bewirkung dieses Abbruches auf gemeinschaftliche Rechnung verbunden, wobei letzterer das Inkassogeschäft für die aus dem Abbruche gewonnenen und veräußerten Baumaterialien besorgen sollte. Am 20. Februar 1864 erhob nun A. A. gegen N. N. auf Rechnungslegung über die von diesem veräußerten Baumaterialien und vereinnahmten Gelder, sowie die von ihm sich angeeigneten Baumaterialien bei dem k. HG. München I./J. Klage, welche jedoch durch Dekret vom 24. Februar deshalb, weil ihr ein Vertrag über ein Immobile zu Grunde liege, auf Grund des Art. 275 des a. d. HGB. wegen mangelnder Zuständigkeit der Handelsgerichte abgewiesen wurde.

Auf Beschwerde des Klägers wurde durch Urtheil des HAG. vom 14. April 1864 ausgesprochen, daß die Klage nicht wegen mangelnder handelsgerichtlicher Zuständigkeit abzuweisen, sondern weiter darauf zu verfügen sei, was Rechtens. In den Gründen kommt vor:

Die Entscheidung über die beanstandete Kompetenz hängt von Beantwortung der Vorfrage ab, ob die Erwerbung eines Gebäudes zum Abbruche als eine Handelssache im Sinne des HGB. bezw. des Einf.-G. hiezu zu betrachten ist. Denn ist diese Frage zu bejahen, so liegt unter den Streitstheilen nach Art. 266 des a. d. HGB. eine Vereinigung zu einzelnen Handelsgeschäften für gemeinschaftliche Rechnung

---

handelt; ein ganz analoges Verhältniß liegt aber in dem Falle vor, wenn in einer Streitsache, deren Gegenstand in der Hauptsache die Berufungssumme nicht erreicht, ein Gegenstand von höherem Werthbetrage abgepfändet ist, und vom Schuldner wegen der Art der Exekution Berufung ergriffen wird. Auch in diesem Falle wird angenommen, daß zwar auf Seite des Schuldners, nicht aber des Gläubigers, die Berufungssumme gegeben und daher ebenfalls nur einseitig Appellation zulässig sei.

vor, welche sich nach Art. 63, Ziff. 5 des Einf.-G. zur Zuständigkeit der Handelsgerichte eignet.

Wie nun der Klagvortrag und der abschriftlich vorgelegte Gesellschaftsvertrag vom 10. August 1863 entnehmen läßt, war es nicht die Absicht der Kontrahenten, ein Gebäude als solches zu veräußern oder zu erwerben, sondern die Absicht ging gerade auf das Gegentheil: das Gebäude zu zerstören, in seine einzelnen Bestandtheile aufzulösen und solche zu verwerthen. Wenn daher auch nicht zu verkennen ist, daß den Vertragsgegenstand nicht die Uebernahme eines Werkes, der Abbruch eines Gebäudes allein bildete, sondern, daß ebendamit auch der ganze Materialwerth des Hauses veräußert wurde, so kann gleichwohl nicht das Gebäude als Ganzes, daher als Immobile für den Vertragsgegenstand erachtet werden. Denn das Gebäude kam bei dem Vertrage nur noch insoweit in Betracht, als der Verklagte verpflichtet war, dasselbe zu zerstören, und als die daraus gewonnenen Baumaterialien Eigenthum des Unternehmers wurden. Es war schon durch den Vertrag das Bestehen des Gebäudes als solches aufgegeben. Der Akkordant hat hienach auch nicht ein Gebäude zu erwerben beabsichtigt und erworben, sondern nur die Baumaterialien, aus welchen solches bestand, — jedoch mit der Verpflichtung, diese Gegenstände aus ihrer früheren Verbindung auf seine Kosten und zwar binnen bestimmter Zeit hinwegzunehmen. Es war aber auch nach dem vorgelegten Vertrage die Absicht der Kontrahenten, die durch den übernommenen Abbruch gewonnenen Materialien anderweit zu veräußern, so daß alle nach Art. 271 Ziff. 1 des Handelsgesetzbuches zum Begriffe einer Handelssache nothwendigen Erfordernisse, nämlich der Kauf *) oder die anderweite Anschaffung einer beweglichen Sache

---

*) Bei dem von N. N. abgeschlossenen Kaufe ging offenbar die Absicht nicht auf Erwerbung eines Immobile, sondern nur auf die Erwerbung der in dem gekauften Gebäude enthaltenen Baumaterialien. Eben deshalb wurde nicht das fragliche Haus gekauft; der Grund und Boden, ohne welchen das Gebäude nicht als Immobile verkauft werden kann (nur die Konstituirung einer Superficies wäre denkbar, aber hier gar nicht in Frage), blieb dem Eigenthümer; es erfolgte keine Umschreibung im Grundbuche und die Erwerber durften sicherlich die Gebäude nicht als „Eigenthum" haben, z. B. sie bewohnen oder vermiethen, sondern nur niederreißen. (Ebenso Goldschmidt, Handelsrecht Bd. I S. 517.) Da nun nicht blos der Kauf, sondern auch jede anderweite Anschaffung beweglicher Sachen zu dem Zwecke der Weiterveräußerung als Handelssache zu betrachten ist, so läßt sich mit gutem Grunde behaup-

zum Zwecke der Weiterveräußerung vorhanden sind. Ist dieses aber schon bezüglich des von dem Verklagten mit dem Militärärar abge= schlossenen Vertrages über den Abbruch der fraglichen Gebäude der Fall, so muß es auch bezüglich des der Klage zu Grunde liegenden Verhältnisses der beiden Streitstheile zu einander gelten. Denn der Kläger trat ja durch den Vertrag vom 10. August v. Js. dem vom Verklagten mit dem Militärärare abgeschlossenen Vertrage bei und es wurde durch ersteren an dem durch letzteren begründeten Verhältnisse nichts geändert. **)

(München I./J. Reg.=Nr. 227.)

## CLXXVI.

### Handelsgerichtliche Zuständigkeit bei Streitigkeiten unter Kaufleuten über ihr Rechtsverhältniß aus einem nicht acceptirten Kaufofferte.

Einf.=Ges. zum a. b. HGB. Art. 63. — A. b. HGB. Art. 273 Abs. 1.

Der Bräuereibesitzer N. N. hatte von dem Handelsmann A. A. ohne vorausgehende Vereinbarung eine Quantität Hopfen zum Kaufe zugesendet erhalten, solchen jedoch nicht übernommen, sondern nur bis zur weitern Verfügung Seitens des Absenders auf Lager genommen und den letzteren hievon verständigt. Nach längerer Zeit begehrte A. A. den Hopfen zurück und erhob, da der ihm von N. N. zurück= gesendete Hopfen angeblich ein anderer als der zum Kaufe angebotene gewesen, unter der Behauptung, N. N. habe den letzteren Hopfen ver=

---

ten, es liege hier ein Geschäft vor, welches, wenn auch nicht den Kauf, so doch die Anschaffung von Baumaterialien zum Zwecke der Wei= terveräußerung bezweckt habe. Vgl. den davon unterschiedenen Fall in dieser Sammlung Bb. I S. 348.

**) Appellant hatte seine Beschwerde auch noch auf die Bestimmung des Art. 273 des a. b. HGB. gestützt, von der Annahme ausgehend, daß Verklagter als Bauakkordant den Kaufleuten beizuzählen sei; es wurde dieselbe jedoch in dieser Beziehung als nicht gehörig begründet erklärt, — indem ein Bauakkordant als solcher Waaren nicht anschaffe, um solche nach erfolgter Bearbeitung oder Verarbeitung einzeln weiter zu veräußern, sondern um aus denselben das verdungene Werk ohne Rück= sicht auf die dazu nöthigen Materialien und Löhne herzustellen; in wie= ferne aber etwa Verklagter vermöge der von ihm betriebenen Geschäfte sonst als Kaufmann sich darstelle, aus der Klage nicht zu ersehen sei.

braucht oder doch durch mangelhafte Sorgfalt in seiner Aufbewahrung zu Grunde gehen oder abhanden kommen lassen, auf Erstattung des Werthes desselben gegen N. N. Klage.

Das HG. Amberg wies nach gepflogener Verhandlung die Klage wegen Unzuständigkeit der Handelsgerichte ab; auf Beschwerde des Klägers erkannte aber das HAG. durch Urtheil vom 11. Mai 1864, daß die Klage nicht wegen mangelnder Zuständigkeit des HG. Amberg von dort abzuweisen, sondern nach Lage der Sache weiter zu erkennen sei, was Rechtens. In den Gründen kommt vor:

Nach Art. 273 des HGB. sind alle einzelnen Geschäfte eines Kaufmannes, welche zum Betriebe seines Handelsgewerbes gehören, als Handelsgeschäfte anzusehen. Kläger ist als Hopfenhändler Kaufmann; das Angebot einer Waare unter Uebersendung derselben und zwar einer Waare, mit welcher derselbe Handel treibt, zum Kaufe ist hienach ohne Zweifel auf Seite des Anbietenden ein Handelsgeschäft; nicht minder muß aber auch die Annahme und bezw. Aufbewahrung einer zum Kaufe übersendeten, wenn auch nicht bestellten Waare durch den Adressaten, falls dieser ein Kaufmann ist, als Handelsgeschäft auf Seite des letzteren angesehen werden; denn wenn nach Art. 274 die von einem Kaufmann geschlossenen Verträge im Zweifel als zum Betriebe des Handelsgewerbes gehörig betrachtet werden, so muß dieses wohl auch bezüglich anderer vertragsähnlicher Rechtsgeschäfte, wie die Annahme und Aufbewahrung nicht bestellter Waaren, gelten; um so mehr in dem Falle, wenn diese Waaren zweifellos behufs der Verarbeitung und Weiterveräußerung in dem Handelsgewerbe des Adressaten übersendet worden sind, und letzterer dieselben, wenn auch nicht gekauft, doch bei sich aufgenommen hat, also jedenfalls in handelsmäßiger Weise in deren Besitz gekommen ist.

Nun ist aber hier in der That nicht nur der Beklagte als Bierbrauer Kaufmann, sondern der angeblich ihm übersendete Hopfen kam auch offenbar als Handelsgut, vom Standpunkte seines Gewerbsbetriebes aus betrachtet, in dessen Besitz. Das zwischen den streitenden Theilen bestehende Rechtsverhältniß, aus welchem der klägerische Anspruch, die Forderung des Ersatzes des Werthes des übersendeten, angeblich von dem Beklagten faktisch angenommenen und in dessen Besitz gekommenen, jedoch zu Verlust gegangenen oder verbrauchten Hopfens abgeleitet wird, gründet sich sonach auf Handlungen, die auf beiden Seiten als Handelsgeschäfte sich darstellen,

iſt ſomit Handelsſache, und die Beurtheilung ſowie Entſcheidung vor=
würfiger Klagſache gehört zur Zuſtändigkeit der Handelsgerichte.

(Amberg Reg.=Nr. 21.)

CLXXVII.

**Litisdenunziationen ſind im bayeriſchen Merkantilpro=
zeſſe nicht unbedingt ausgeſchloſſen.**

In einer nach der bayer. W.= und MGO. von 1785 zu in=
ſtruirenden Handelsſache hatte der auf Zahlung eines Kaufſchillings be=
langte Verklagte dem N. N., welcher mit Zuſtimmung des Klägers
fragliche Schuld unter Entlaſtung des Verklagten zur Zahlung über=
nommen haben ſollte, den Streit verkündet.

· Das kgl. Handelsgericht Landshut verwarf durch Dekret vom
9. März 1864 dieſe Streitverkündung, da eine ſolche mit der höchſt
ſummariſchen Natur des b. Merkantilprozeſſes nicht zu vereinbaren ſei.
Auf erhobene Beſchwerde des Verklagten wurde jenes Dekret durch
Urtheil des k. Handelsappellationsgerichts vom 20. April 1864 zwar
beſtätigt, jedoch nicht deßhalb, weil die Streitverkündung im b. Mer=
kantilprozeſſe ausgeſchloſſen, ſondern die Vorausſetzung einer ſolchen
nicht gegeben ſei.

In erſterer Beziehung enthalten die Gründe Folgendes:

Die bayer. W.= und MGO. enthält nirgends eine Beſtimmung,
wodurch die Zuläſſigkeit einer Streitverkündung in dieſer Prozeßart
ausdrücklich ausgeſchloſſen wäre. Wie von dem Gerichtshofe be=
reits zu wiederholten Malen ausgeſprochen wurde, finden in Bezug auf
den fraglichen Prozeß im Allgemeinen die Beſtimmungen der b. GO.
und der hiezu erlaſſenen Novellen ſubſidiäre Anwendung, und es iſt
ſolche nur in ſoweit ausgeſchloſſen, als dieſe Beſtimmungen mit den
dem b. W.= und M.=Prozeſſe zu Grunde liegenden Prinzipien im Wi=
derſtreite ſtehen würden.

Der bayer. W.= und M.=Prozeß iſt nun allerdings eine höchſt
ſummariſche Prozeßart. Allein die Anſicht, daß derſelbe aus dieſem
Grunde durch Inzident= und Nebenpunkte, folgeweiſe auch durch eine
Streitverkündung nicht aufgehalten werden dürfe, kann mindeſtens für
den Merkantilprozeß, *) welcher hier eingeleitet iſt, nicht als richtig

---

*) Appellant hatte ſich zur Begründung ſeiner Beſchwerde auf Klette,
   Darſtellung des W.= u. M.=Prozeſſes berufen; die dort in Bezug ge=
   nommenen Erkenntniſſe des vormaligen W.= u. M.=Gerichts II. Inſtanz

anerkannt werden. Es ist nämlich das hier eingeleitete Verfahren das s. g. bedingte Mandatsverfahren, wie solches auch in den vor die ordent= lichen Gerichte gehörigen Sachen vorkommt, und wenn in letzteren eine Streitverkündung nicht als unzulässig zu erachten ist, so besteht auch für die hier eingeleitete Art des Merkantilprozesses kein Grund, einen solchen Ausschluß anzunehmen. Es würde vielmehr durch ein derar= tiges Verfahren der Zweck des Gesetzes geradezu vereitelt. Denn nach= dem durch das allg. b. HGB. das Gebiet der Handelssachen bedeu= tend gegen die früher als Merkantilsachen betrachteten Rechtsgeschäfte erweitert worden und nach dem Einf.=G. zum a. b. HGB. die bayer. W.= und MGO. nunmehr als Prozeßgesetz für alle diese Streitsachen in den vormals churfürstl. bayerischen, oberpfälzischen, neuburgischen und sulz= bachischen Landestheilen anzuwenden ist, so würde eine derartige Aus= schließung aller Inzident= und Nebenpunkte im Merkantilprozeß nicht eine Vereinfachung und Beschleunigung des Verfahrens, sondern nur eine Vermehrung und Zersplitterung der Rechtsstreite herbeiführen, die weder der Absicht des Gesetzes, noch den Interessen der Parteien ent= spräche und um so weniger sich als nothwendig darstellt, als die In= zident= und Nebenpunkte doch gleichfalls wieder vor dem Handelsgerichte ausgetragen werden müßten.

(Landshut Reg.=Nr. 46.)


## CLXXVIII.

Die Bestimmung der Zahlzeit eines Wechsels mit den Worten: „In 3½ Monaten zahle ich 2c." ist ungenügend.

A. b. WO. Art. 4 Nr. 4 Art. 96 Nr. 4.

Die Klage aus einem Wechsel, welcher die vorstehende Bestim= mung der Zahlzeit enthielt, wurde von dem Gerichte I. Instanz a limine abgewiesen, weil hierin keine genügende Bestimmung der Zahl= zeit liege, und dieses Dekret ist durch Urtheil vom 25. April 1864 zweit= richterlich bestätigt aus nachstehenden Gründen:

---

Freysing beziehen sich indessen auf den Wechselprozeß, in welchem al= lerdings derartige Inzidentstreitigkeiten der Natur der Sache nach aus= geschlossen sein müssen. Vgl. diese Samml. Bd. I S. 292.

Nach Art. 96 Ziff. 4 und Art. 4 Ziff. 4 a. a. O. kann die Zahlungszeit festgesetzt werden auf einen bestimmten Tag, auf Sicht, auf eine bestimmte Zeit nach Sicht, auf einen bestimmten Tag nach der Ausstellung oder auf eine Messe.

Keine von diesen Arten der Festsetzung der Zahlungszeit enthält aber der hier gebrauchte Ausdruck „in drei ein halb Monat." Denn es wird damit kein bestimmter Tag bezeichnet, weil nicht angegeben ist, von wann an die drei ein halb Monat gerechnet werden sollen. Diese Unbestimmtheit wird auch nicht durch Beziehung auf Art. 32 der a. d. WO. verbessert; denn dort ist zwar vorgezeichnet, wann bei den mit Ablauf einer bestimmten Frist nach Sicht oder Dato zahlbaren Wechseln die Verfallzeit eintritt, wenn diese nach Wochen, Monaten oder einem mehrere Monate umfassenden Zeitraum bestimmt ist, der vorliegende Wechsel aber ist weder nach Sicht noch nach Dato ausgestellt und daher die vorerwähnte Bestimmung darauf nicht anwendbar. Appellant erachtet zwar die Bezeichnung „in drei ein halb Monat a dato" und „in drei ein halb Monat" für gleichbedeutend. Allein er vermochte hiefür weder einen genügenden Grund oder eine gesetzliche Bestimmung anzuführen, noch gibt es eine gesetzliche oder auch nur menschliche Vermuthung, daß ein Wechsel im Zweifel als a dato ausgestellt zu erklären ist; vielmehr muß, da es dem Wechselaussteller freisteht, die Zahlungszeit nach Sicht oder Dato oder in anderer Weise festzusetzen, die genaue Bezeichnung dieser Frist, von wann an die bezeichnete Zeit zu rechnen ist, gefordert werden und ein Wechsel, der hierin unvollständig ist, ermangelt deßhalb eines wesentlichen Erfordernisses.

Ueberdieß ist aber der Ausdruck „in drei und ein halb Monat" auch in soferne ein unbestimmter, als das Vorwort „in" in zeitlicher Beziehung genommen, einen doppelten Sinn haben kann. Es kann nämlich damit das Eintreten eines Vorgangs nach Ablauf des benannten Zeitraums bezeichnet werden, ebenso aber auch ein innerhalb des benannten Zeitraums fallender Zeitpunkt, und kann daher der gebrauchte Ausdruck die Zahlung nach Ablauf der drei und ein halb Monate, oder auch innerhalb dieses Zeitraumes bedeuten. *) Eine solche Bestimmung ist aber eine im Wechselverkehr durchaus unzulässige, da, wie erwähnt, die Zahlungszeit auf einen bestimmten jedem Wechselinhaber erkennbaren Tag festgesetzt und jeder Zweifel aus-

---

*) Vgl. diese Sammlung Bd. 1 S. 362, 368.

geschlossen sein muß, indem die Interpretation des Wechsels nur aus dem Wortlaut der Urkunden geschehen darf.**)

(Fürth Nr. 20.)

## CLXXIX.
### Wechselausstellung von Seite minderjähriger Gewerbs=Leute.

**Art. 1 der allg. d. WO. — Art. 7 des Einf.=Ges. zum a. d. HGB.**

Der am 20. September 1843 geborene vormalige Bäckergeselle N. N. hatte am 27. Juli 1863 zu Landshut eine reale Bäckereigerechtigkeit erkauft, dieses Geschäft sofort im Monate August in Betrieb gesetzt und nach erstandener Prüfung auch Ende dieses Monats die Konzession zur Ausübung des erworbenen Realrechtes erhalten. Eine oberkuratorische Einwilligung hiezu war nicht geboten, da der Vater des N. N. noch am Leben sich befand und dieser faktisch durch Gewährung der erforderlichen Mittel zum Ankaufe der Gerechtsame, zur vorgängigen Ersatzmannsstellung u. s. w. seine Zustimmung zur selbstständigen Etablirung seines Sohnes ertheilt hatte.

Auf Grund eines während seiner Minderjährigkeit, aber nach seiner selbstständigen Etablirung ausgestellten Wechsels von dem Wechselgläubiger belangt, setzte N. N. auf Grund seiner Minderjährigkeit der Klage die Einrede der Rechtsunwirksamkeit des Wechsels entgegen. Das k. HG. Landshut entband auf Grund dieses Einwandes den Verklagten von der Klage; auf Beschwerde des Klägers wurde der Verklagte durch Urtheil vom 7. April 1864 nach Klagantrag verurtheilt. In den Gründen des letzteren kommt vor:

Da die Bäcker Getraide und Mehl gewerbsmäßig anschaffen, um dasselbe in verbackenem Zustande weiter zu veräußern, mithin gewerbsmäßig Handelsgeschäfte treiben, so sind sie zu den Kaufleuten zu rechnen (Art. 271, Ziff. 1 und Art. 4 des HGB.), und es finden auf die Beurtheilung ihrer Rechtsverhältnisse, soweit diese nicht dem Betriebe des Handelsgewerbes in jeder Beziehung fremd sind, die Bestimmungen des a. d. HGBuches Anwendung. Nach Vorschrift des Art. 274 a. a. O. gelten alle von einem Kaufmann gezeichneten Schuldscheine als im Betriebe des Handelsgewerbes gezeichnet, soferne sich

---

**) In gleicher Weise war am 31. April 1864 auf die Klage bezüglich zweier Wechsel erkannt worden, welche die Zahlzeiten: „In einem Monat zahle ich" und „in zwei Monaten zahle ich" trugen.

nicht aus denselben das Gegentheil ergibt; es würde also, selbst wenn nur ein einfacher Schuldschein vorläge, um so gewisser eine Handelsschuld angenommen werden müssen, als nach Abs. 1 dieses Artikels die von einem Kaufmanne geschlossenen Verträge im Zweifel als zum Betriebe des Handelsgewerbes gehörig gelten. Um so mehr findet dieß auf einen von dem Verklagten ausgestellten Wechsel Anwendung.

Ueber den Einfluß der Minderjährigkeit eines als Kaufmann geltenden Geschäftsmannes auf dessen Rechtsverhältnisse enthält das a. d. HG. keine Bestimmungen, und bezüglich des Verhältnisses dieses Gesetzbuches gegenüber der a. d. WO. ist in Art. 4 verordnet, daß durch ersteres an letzterer nichts geändert werde. Auch war in dem Einf.=Gesetze zur a. d. WO. für den Fall keine Bestimmung getroffen, daß Minderjährige als Handelsleute sich etablirt und in dieser Eigenschaft Wechselverbindlichkeiten eingegangen hätten, ohne vorher eine Großjährigkeitserklärung erwirkt zu haben.

Weil nun in Art. 1 der a. d. WO. nur derjenige als wechselfähig erklärt ist, welcher sich durch Verträge selbständig verpflichten kann, in welche Kategorie die Minderjährigen an sich offenbar nicht gehören, während andererseits nicht zu leugnen ist, daß bei einer Anwendung jenes Grundsatzes auf bereits rite etablirte minderjährige Kaufleute es nicht nur an der für den Handelsverkehr absolut nothwendigen Sicherheit fehlen, sondern auch der minderjährige Geschäftsmann selbst außer Stand sein würde, sein Handelsgewerbe mit Erfolg zu betreiben, so haben sich Theorie und Praxis dem Art. 1 a. a. O. gegenüber dahin festgestellt, daß in den Fällen, wo das einschlägige Civilgesetz nichts über diese Frage enthält, eine beschränkte Ertheilung der Rechte Großjähriger darin zu sehen sei, daß ein Minderjähriger die nach dem bürgerlichen Rechte erforderliche Autorisation zum Betriebe eines Gewerbes erhält.

Diese Ansicht ist nun mit der Einführung des a. d. HGBuches zur vollen gesetzlichen Geltung gelangt. Der Mangel einer beßfallsigen Bestimmung in dem b. LR. Thl. I Kap. 7 §. 30 insbesondere machte es — wie die Motive zu Art. 7 des Einf.=Ges. vom 10. November 1861 entnehmen lassen — nothwendig, den Grundsatz als einen allgemeinen, für das ganze Königreich giltigen Rechtssatz auszusprechen, daß ein Minderjähriger, welcher nach den Bestimmungen des bürgerlichen Rechts die Befugniß zum Betriebe eines Handelsgewerbes erlangt hat, auch rücksichtlich aller hierauf bezüglichen Geschäfte und Rechtshandlungen für großjährig erachtet werden müsse.

Da nun der Verklagte mit Zustimmung seines Vaters das in

Frage stehende Realrecht erworben hat und ausübt, so erscheint er als nach den bürgerlichen Gesetzen hiezu befugt und ist auch die als in Ausübung seines Gewerbes erfolgt anzusehende Wechselausstellung aus dem Grunde, daß Verklagter zur Zeit derselben noch minderjährig war, nicht anzufechten, weßhalb bei der Liquidität der Schuld im Uebrigen sofort nach dem Klageantrage zu erkennen war.

(Landshut Reg.-Nr. 47.)

## CLXXX.

Die Bemerkung, daß der Protestat nicht anzutreffen gewesen, ist nur dann in den Protest aufzunehmen, wenn sich überhaupt Niemand, der eine Erklärung hätte abgeben können, vorfand, oder eine Wohnung bezw. ein Geschäftslokal nicht ermittelt wurde.

A. d. WO. Art. 88 Nr. 3.

Ein am 25. September 1863 von Franz H. an eigne Ordre auf M. zu Y., zahlbar 3 Monate a dato bei Ernst B. in Hamburg, gezogener Wechsel war nach eingetretener Verfallzeit, am 28. Dezember, auf Requisition des letzten Indossatars von dem Notare Sch. zu Hamburg bei dem Domiziliaten zur Zahlung präsentirt und, da diese nicht erfolgte, protestirt worden, worauf der Wechsel zurückging. In dem Proteste war konstatirt, daß der Notar den fraglichen Wechsel auf Requisition des letzten Indossatars in dem Komptoir des Domiziliaten B. zur Zahlung vorgezeigt, jedoch von einem Kommis daselbst die Erklärung erhalten habe, daß der Wechsel wegen Mangelhaftigkeit eines darauf befindlichen Indossamentes nicht bezahlt werden könne, weßhalb er Protest Mangels Zahlung erhoben habe. Ein von seinem Nachmanne im Regreßwege in Anspruch genommener Indossant beanstandete diesen Protest und verweigerte die Zahlung der Regreßsumme, was Klagestellung gegen ihn Seitens des ersteren zur Folge hatte. Das k. Handelsgericht Augsburg wies die Klage von der Gerichtsschwelle definitiv ab, weil der Protest keines der im Art. 88 Ziff. 3 der a. d. WO. vorgeschriebenen Erfordernisse, — insbesondere nicht, ob der fragliche Kommis etwa Prokurist oder sonst zur Abgabe gedachter Erklärung ermächtigt gewesen sei, entnehmen lasse, mithin rechtsunwirksam und daher als nicht vorhanden zu betrachten sei. Auf Beschwerde des Klägers sprach das Handelsappellationsgericht durch Urtheil vom 29. Februar 1864 aus, daß die

Klage nicht abzuweisen, sondern zur Verhandlung zu ziehen sei. Die Gründe enthalten:

Nach Art. 88 Nr. 3 der a. d. WO. soll der Protest das an die Person, gegen welche protestirt wird, gestellte Begehren, deren Antwort oder die Bemerkung, daß sie keine gegeben habe, enthalten, und es ist daher der Inhalt der erlassenen Aufforderung und deren Erfolg, welcher nach Nr. 3 a. a. O. aus dem Proteste ersichtlich sein soll. Daß zufolge dieser Nr. die Aufforderung an eine Person gerichtet werden muß, während nach Nr. 2 daselbst zur Feststellung der That=sache, für oder gegen welche Person protestirt wird, die Angabe der Firma genügt, hat seinen Grund darin, daß eine Erklärung, wie sie hier in Frage steht, überhaupt nur von einer physischen Person abge=geben werden kann.

Hieraus kann jedoch keineswegs der Schluß gezogen werden, daß unter allen Umständen jene Aufforderung nur an die Person zu richten sei, welche nach Inhalt des Wechsels bezw. nach Maßgabe der in solchem bezeichneten Firma zu einer Erklärung zu veranlassen ist, — daß demnach, soferne diese Person nicht anwesend ist, immer in den Protest die ausdrückliche Bemerkung aufgenommen werden müsse, daß die bezeichnete Person nicht anzutreffen gewesen sei; vielmehr ist der Vorschrift des Art. 88 Nr. 3 auch in dem Falle Genüge geleistet, wenn eine zur Vertretung dieser Person geeignete andere Persönlichkeit an ihrer Stelle die betreffende Erklärung abgegeben hat. In diesem Falle muß nämlich, wenn nicht anderweite besondere Momente entgegen=stehen, gerade wegen des letzteren Umstandes angenommen werden, daß der Protestat selbst nicht anwesend gewesen sei, ohne daß es der ausdrücklichen Konstatirung, daß derselbe nicht anzutreffen ge=wesen, bedarf. Hiefür spricht vor Allem der Inhalt der Leipziger Konferenzverhandlungen. (Vergl. Protokolle, Leipzig bei Hirschfeld, S. 149.) Die Vorschrift des preuß. Gesetzentwurfes in §. 79 Nr. 4 „der Protest muß enthalten die Angabe der Umstände, weßhalb die von dem Verpflichteten zu leistende Handlung nicht zu erzielen war" veranlaßte bei der Berathung die Bemerkung, daß dem Notare aufzu=geben sein dürfte, anzuführen, gegen welche Personen er sich seines Auftrages entledigt habe, — in Folge welcher Bemerkung man sich dahin verständigte, daß es nicht Absicht sein könne, daß der Notar jedesmal den Namen derselben anführe, da er diesen nicht immer wissen und erfahren könne; daß es dagegen erforderlich sei, daß der Protest eine allgemeine Bezeichnung dieser Person enthalte, daß namentlich bemerkt werde, ob der Protestat selbst anwesend gewesen oder ein Kommis,

Diener oder wer ſonſt auf ſeinen Antrag geantwortet habe. Offenbar ging man hiebei von der Anſicht aus, daß, wenn überhaupt auf die geſtellte Anforderung hin eine Antwort erfolgt ſei, dieſe von dem Proteſtaten ſelbſt oder in ſeiner Abweſenheit von einer anderen ihn vertretenden Perſon ausgegangen ſein könne. Es ſind alſo hier die beiden Fälle einander gegenüber geſtellt, daß der Proteſtat ſelbſt anweſend iſt und ſeine Erklärung abgibt, oder daß derſelbe abweſend iſt und eine andere Perſon für ihn Antwort gibt. Im erſteren Falle bedarf es ſelbſtverſtändlich nicht der Konſtatirung, daß der Proteſtat anweſend geweſen ſei, da ja deſſen eigne Erklärung in den Proteſt aufgenommen wird; daß aber im anderen Falle die Abweſenheit des Proteſtaten konſtatirt werden müſſe, wurde nicht geltend gemacht, vielmehr nur die Aufnahme der Erklärung jener Perſon verlangt, welche für ihn Antwort gegeben hat, — hiemit aber zugleich ſtillſchweigend ausgeſprochen, daß, wenn der Proteſt die Antwort einer anderen zur Vertretung geeigneten Perſönlichkeit enthalte, angenommen werden müſſe, daß Proteſtat ſelbſt nicht anweſend geweſen ſei; ſoferne nicht etwa einer ſolchen Annahme beſondere Bedenken im konkreten Falle entgegenſtehen. Verſchieden hievon iſt der Fall, wenn in dem Geſchäftslokale oder in der Wohnung des Proteſtaten Niemand angetroffen oder ein Geſchäftslokal bezw. eine Wohnung des Proteſtaten gar nicht ermittelt wurde. In dieſem Falle iſt ohne Zweifel die ausdrückliche Konſtatirung, daß Proteſtat nicht anzutreffen geweſen ſei, erforderlich.

Nach erfolgter Berathung des §. 79 des Entwurfes wurde nun ſchließlich der Redaktions-Kommiſſion überlaſſen, die hiebei vorgekommenen Erwägungen und Beſchlüſſe bei der Faſſung des §. 79 zu berückſichtigen. Hiedurch trat an die Stelle des §. 79 des preuß. Entwurfes der §. 90 des Entwurfes der Faſſungskommiſſion und letzterer §. wurde unverändert als Art. 88 in die a. d. WO. aufgenommen.

Die Geſchichte der Entſtehung des Art. 88 berechtigt ſonach vollkommen zu der Annahme, daß die in dieſem Art. unter Nr. 3 vorgeſchriebene ausdrückliche Konſtatirung, daß Proteſtat nicht anzutreffen geweſen ſei, zunächſt nur den Fall im Auge gehabt habe, daß entweder kein Geſchäftslokal bezw. keine Wohnung oder doch in dieſen Lokalitäten keine Perſon ermittelt werden konnte, an welche die Aufforderung hätte gerichtet werden können, daß aber, abgeſehen von dieſer Vorausſetzung, ein weſentlicher Mangel des Proteſtes nicht in dem Umſtande gefunden werden kann, daß ohne ausdrückliche Bemerkung der Abweſenheit des Proteſtaten die Erklärung einer zu deſſen Vertretung geeigneten Perſönlichkeit in den Proteſt aufgenommen wurde.

(Vergleiche auch die Instruktion über die Protestaufnahme vom 3. Juli 1856 §. 9.)

Diese Auslegung des Art. 88 der allg. d. Wechs.-Ordn. findet sodann aber auch ihre Rechtfertigung in der aus dem Bedürfnisse des Handelsverkehres entspringenden, durch eine positive Bestimmung der a. d. WO. nirgends ausgeschlossenen Anschauung, daß der Protest, wenn auch seiner Natur nach eine wechselrechtliche Solennität und das einzige Beweismittel über die Erfüllung der gesetzlichen Vorbedingungen des wechselmäßigen Regresses, doch nicht als ein Formalakt in der striktesten Bedeutung dieses Wortes aufgefaßt werden dürfe, daß vielmehr die in dem Gesetze vorgeschriebenen formellen Erfordernisse des Protestes immerhin das richterliche Ermessen nicht ausschließen, ob ein nach dem strengen Wortlaute des Gesetzes etwa vorhandener Mangel als ein wesentlicher zu betrachten sei oder nicht.

Prüft man nach vorstehender Feststellung der Bedeutung des Art. 88 den mit der vorwürfigen Klage vorgelegten Protest, so kann derselbe als mit einem wesentlichen Mangel behaftet und sonach als rechtsungiltig nicht angesehen und die sofortige Abweisung der Klage nicht als begründet erachtet werden. Denn ist in demselben auch nicht enthalten, daß der Domiziliat selbst zur Zahlung aufgefordert worden oder nicht anzutreffen gewesen sei, so muß doch in Folge der Beziehung, in welche der im Proteste erwähnte Kommis zu dem Domiziliaten B. und dessen Geschäftslokale gebracht ist, angenommen werden, daß derselbe ein Kommis des gedachten Domiziliaten war, und ebenso kann ein erheblicher Zweifel darüber nicht bestehen, daß jene Erklärung von ihm in Abwesenheit seines Prinzipals abgegeben wurde.

Als das Untergericht nach gepflogener Verhandlung der Sache am 29. März 1864 wiederholt und zwar aus denselben Gründen die Entbindung des Verklagten von der Klage *) ausgesprochen hatte,

---

*) Die Gründe sind im Wesentlichen folgende:

1) Nach dem klaren Wortlaute des Art. 88 Ziff. 3 a. a. O. habe sich der Wechselinhaber an den Protestaten (oder dessen Stellvertreter) mit dem Zahlungsbegehren zu wenden, oder die Abwesenheit des Protestaten zu konstatiren.

2) Der vorliegende Protest konstatire nicht, weder daß der Domiziliat B. um Zahlung angegangen worden, noch daß der Kommis X. Prokurist des B. oder sonst zur Abgabe einer Erklärung für letzteren ermächtigt, noch daß der Protestat B. selbst nicht anzutreffen gewesen sei.

3) Der §. 79 Ziff. 4 des preußischen Entwurfs einer Wechselordnung, wonach Angabe der Umstände, weßhalb Zahlung nicht zu erlangen gewesen, geboten wurde, beweise nichts gegen diese Auffassung.

verurtheilte das k. Handelsappellationsgericht durch Urtheil vom 11. Mai 1864 den Verklagten nach dem Antrage des appellirenden Klägers zur Zahlung und bemerkte in seinen Gründen:

Bleibt man bei dem Wortlaute stehen, auf welchen sowohl von Seite des Beklagten wie von Seite des Erstrichters ein so bedeutendes Gewicht gelegt wird, so läßt sich die Vorschrift des Art. 88 Ziff. 3 nicht anders auffassen, als dahin, daß einmal in dem Protest das an die Person, gegen welche protestirt wird, gestellte Begehren aufgenommen werde, nebstdem aber noch die eine oder die andere der vorgenannten 3 Alternativen aus demselben ersichtlich sein soll. Eine solche Auffassung nach dem Wortlaute wäre aber offenbar eine widersinnige; denn es leuchtet ein, daß die letzte der bezeichneten Alternativen: „die Bemerkung, daß sie nicht anzutreffen gewesen sei" — mit der Aufnahme des an die Person, gegen welche protestirt werden soll, gestellten Begehrens geradezu unvereinbar ist.

Es muß also nothwendig der Ziff. 2 eine andere Deutung gegeben werden. Jeder deßfallsige Versuch wird aber wieder nothwendig zu dem Resultate führen, daß die Alternative „oder nicht anzutreffen gewesen sei" als dem gesammten vorausgehenden Inhalte der Ziff. 3 gegenüber gestellt zu erachten ist.

Die betreffende Gesetzesvorschrift unterscheidet demnach 2 Hauptfälle: den Fall, daß der Protestat angetroffen, und den Fall, daß derselbe nicht angetroffen wird. Wird derselbe nicht angetroffen, so ist

---

da zu solchen Umständen auch die Abwesenheit des Verpflichteten zu rechnen sei.

4) Wenn ferner die Wechselkonferenz bei Berathung über diesen §. des Entwurfs sich dahin geeinigt habe, daß der Notar im Proteste zu bemerken habe, ob der Protestat selbst anzutreffen gewesen sei oder ein Kommis ꝛc. auf seinen Antrag geantwortet habe, so könne doch bei Konstatirung des Umstandes, ob eine Person anwesend gewesen, wenn dieß nicht der Fall war, ihre Abwesenheit nicht unerwähnt bleiben, und von diesem Gedanken ausgehend sei auch im Art. 88 nur die Konstatirung der Abwesenheit verlangt worden, während bei der Anwesenheit des Protestaten diese sich schon regelmäßig aus dem anderweiten Inhalte des Protestes ergebe. Auch habe mit jener Bemerkung nur gesagt werden wollen, daß die Angabe des Namens des Dritten nicht erforderlich sei.

5) Sei aber der Wortlaut eines Gesetzes klar, so dürfe von der grammatischen Auslegung nur dann abgewichen werden, wenn es gewiß sei, daß der Gesetzgeber eine engere oder weitere Bedeutung damit verbunden habe.

28

dieß im Protokolle zu konstatiren, und die Konstatirung dieses Umstandes genügt vorbehaltlich der Bestimmung des Art. 91. Wird derselbe angetroffen, so muß der Protest nicht nur das an ihn gestellte Begehren, sondern auch weiter seine hierauf abgegebene Antwort oder die Bemerkung, daß er keine gegeben habe, enthalten.

Dieß ist der Sinn des Art. 88 Ziff. 3.

Die Frage der Stellvertretung des Protestaten durch eine andere Persönlichkeit ist in der bezeichneten Stelle nicht näher berührt. Daß eine Stellvertretung überhaupt statthaft sei, wird vom Erstrichter selbst zugegeben und wird auch nicht bezweifelt werden können. Ist dieß der Fall, so stellt sich, wenn ein Repräsentant angetroffen wird, die Sache gerade so, wie wenn der Protestat selbst betroffen worden wäre; es ist also an ihn das Begehren zu richten und dessen Antwort oder die Bemerkung aufzunehmen, daß er keine gegeben.

Einer Konstatirung der Abwesenheit des Protestaten bedarf es hier sicherlich nicht. Hieraus folgt, daß die Bemerkung, es sei die Person, gegen welche protestirt wird, nicht anzutreffen gewesen, nicht in allen Fällen, in welchen Protestat nicht persönlich anwesend ist, in den Protest aufgenommen werden muß, sondern eben nur in jenen Fällen, in welchen sich Niemand vorfand, der eine Erklärung hätte abgeben können, oder ein Geschäftslokal bezw. eine Wohnung des Protestaten gar nicht ermittelt wurde.

Ob nun in einem gegebenen Falle eine Stellvertretung stattgefunden hat, dieß bei Prüfung der Rechtsgültigkeit der Protesturkunde nach Lage der Sache zu beurtheilen, wird dem Richter nicht versagt werden können.

Im vorliegenden Falle wurde von dem Notare der mehrerwähnte Kommis als zur Abgabe der bezeichneten Erklärung legitimirt angesehen, indem sich derselbe sonst nicht auf die Aufnahme dieser Erklärung beschränkt haben würde, und es ist auch um so weniger zu bezweifeln, daß der gedachte Kommis zur Abgabe jener Erklärung befugt gewesen sei, als bei wiederholter Vorzeigung des Wechsels der Prinzipal selbst die Zahlung verweigert hat.

Hienach muß der Fall einer Stellvertretung als gegeben angenommen werden, in welchem es, wie gezeigt, der Konstatirung der Abwesenheit des Protestaten nicht bedarf, und kann insbesondere die Aufnahme eines förmlichen Legitimationsausweises in den Protest nicht verlangt werden, da ja inhaltlich der Konferenzverhandlungen nicht einmal die Nennung des Namens solcher stellvertretender Personen für erforderlich erachtet wurde. *)

(Augsburg Reg.=Nr. 49.)

## CLXXXI.

**Einrede des Ausstellers eines eigenenen Wechsels, dem letzteren habe es zur Zeit der Unterzeichnung noch an der Angabe der Summe gefehlt.**

### Allg. d. WO. Art. 4.

Vorstehender Einwand wurde von dem Aussteller eines eigenen Wechsels dem klagenden Judossatare entgegengesetzt und auf Grund dessen die Unwirksamkeit der eingeklagten Wechselurkunde behauptet. Derselbe wurde aber in beiden Instanzen verworfen und in den Grün= den des handelsappellationsgerichtlichen Urtheils vom 9. Mai 1864 bemerkt:

Nach Art. 4 Ziff. 2 und Art. 96 Ziff. 2 der a. d. WO. gehört allerdings die Angabe der zu zahlenden Geldsumme zu den wesent= lichen Erfordernissen eines Wechsels, in deren Ermangelung nach Art. 7 a. a. O. keine wechselmäßige Verbindlichkeit entsteht.

Allein der eingeklagte Wechsel, wie er vorliegt, enthält auch alle wesentlichen Merkmale eines Wechsels und läßt insbesondere die zu zahlende Summe klar ersehen. **)

---

*) Sowohl die Wissenschaft wie die Praxis ist in dieser Frage bekanntlich sehr getheilter Ansicht. Die Meinung des Erstrichters wird vertreten von den Oberappell. Ger. zu Darmstadt (Archiv für praktische Rechts= wissenschaft Bd. IV S. 349) und zu Rostock, beßgleichen von Voll= mar und Loewy S. 337, dann von Hoffmann S. 621).

Dagegen hat das Obertribunal zu Berlin in verschiedenen Erkennt= nissen bei Borchardt die auch von Bluntschli, Brauer und Kheil getheilte Ansicht der Appellinstanz ausgesprochen.

**) Bei der s. g. Blanquet=Einrede müssen zwei Fragen unterschieden werden; die erste ist „ob ein Wechsel deßhalb ungiltig sei, weil die Un= terschrift des Schuldners auf denselben gesetzt wurde, bevor die übrigen in Art. 4, Nr. 1 — 4 und 6 — 8 der a. d. WO. bezeichneten Erfor= dernisse auf demselben stunden." Diese Frage muß verneint werden.

Zwar wurde der §. 95 des preuß. Entwurfes, welcher gelautet hat: Ein Verklagter, gegen welchen die Richtigkeit seiner Unterschrift unter der Wechselerklärung feststeht, wird im Wechselprozesse mit dem Einwand

Wäre nun wirklich diese Zahl erst nach Unterzeichnung des Wechsels eingesetzt worden, so könnte nicht anders angenommen werden, als daß sich A. A. wechselmäßig verpflichten und daß er die Ausfüllung des Wechselformulars an der für Einsetzung der Wechselsumme offen gelassenen Stelle der Wechselnehmerin, sei es nach deren freiem Ermessen oder nach Maßgabe eines besonderen Uebereinkommens, überlassen wollte.

Hienach war die Wechselnehmerin vollkommen berechtigt, die besagte Lücke auszufüllen, sobald ihr vom Aussteller die unterzeichnete Urkunde ausgeantwortet war. Mit dem Akte der Ergänzung des noch abgängig gewesenen Erfordernisses von Seite der zu deren Vornahme berechtigten Interessentin ging die bis dahin nur bedingt gültig gewesene Wechselverpflichtung in eine unbedingt gültige über, und es sind

---

nicht gehört, daß die über der Unterschrift befindliche Erklärung ohne seine Genehmigung geschrieben worden, — von der Konferenz gestrichen worden; aber nach Inhalt der Verhandlungen nur deßhalb, weil man keine prozessualen Bestimmungen in der WO. haben wollte, und diesen Paragraphen (wenn auch, wie Gelpke's Zeitschr. Heft 2 S. 170 mit Recht bemerkt, irrthümlich) für eine prozessuale Bestimmung hielt. Diesem Abstriche lag daher keineswegs die Absicht zu Grunde, den Einwand zuzulassen.

Wenn nun aber die obige Frage nach den allgemeinen Grundsätzen des Wechselrechtes beurtheilt wird, so muß (wie auch hinsichtlich der Einrede, das Accept sei auf ein Blanquet gesetzt worden. entschieden wurde, vgl. diese Samml. Bd. I S. 217) ein Wechsel, soferne er in seiner dem Richter vorliegenden Gestalt mit den wesentlichen Erfordernissen des Art. 4 versehen ist, als gültiger Wechsel anerkannt werden. Die Reihenfolge, wie derselbe mit diesen Erfordernissen nach und nach bedeckt wurde, kann nicht mehr nachträglich untersucht werden, sie stellt sich als solche aus der Urkunde nicht dar und ist daher irrelevant. Der Art. 4 hat auch in seinen einzelnen Ziffern keine bestimmte Reihenfolge vorschreiben wollen, sonst könnte offenbar die Unterschrift nicht als Ziff. 5 aufgeführt, sondern müßte an das Ende gestellt worden sein.

Wer ein nichtausgefülltes Wechselformular unterzeichnet, unterzeichnet eben den Wechsel, wie solcher später hergestellt wird; er gibt durch seine Unterschrift den Verpflichtungswillen kund und es ist seine Sache, wenn er die Feststellung der näheren Modalitäten der Willkür eines anderen überläßt.

Die andere Frage ist, welche Wirkung ein bei Ausfüllung des Blanquets gespielter Dolus habe. Diese war im gegebenen Falle nicht zu erörtern.

hiemit alle Voraussetzungen der Rechtswirksamkeit des Wechsels ein= getreten.

Dieser Folge hat sich der Beklagte offenbar durch die Unterzeich= nung und Hingabe der Urkunde an die Wechselnehmerin unterworfen, weßhalb ihn der erhobene bezw. in der Berufungsinstanz weiter ver= folgte Einwand von der wechselmäßigen Verpflichtung, welche nun gegen ihn geltend gemacht wurde, um so weniger befreien kann, als der Wechsel weiter begeben wurde und die offenbar nicht aus dem Wechselrechte selbst hervorgehende Einrede in Gemäßheit des Art. 82 der a. d. WO. gegen den gegenwärtigen Wechselkläger als britten In= haber nicht zulässig erscheint.

(Landshut Reg.=Nr. 51.)

## CLXXXII.

### Rechtsverhältniß zwischen Aussteller und Indossatar bei Wechseln an eigene Ordre.
#### Art. 6 Abs. 1 der a. d. WO.

A. A. hatte einen an eigene Ordre zahlbaren Wechsel auf N. N. gezogen und solchen nach Acceptation durch N. N. an B. weiter be= geben, welcher denselben seinerseits an X. girirte. X. ließ den Wechsel zur Verfallzeit dem Bezogenen und Acceptanten zur Zahlung vorlegen und nahm, als diese nicht erfolgte, seinen Regreß gegen A. A., wel= cher auch die Regreßsumme bezahlte. Gleichwohl begehrte A. A. nach= her die bezahlte Regreßsumme von X. ersetzt, weil das erste Indossa= ment auf B. gefälscht sei, X. daher auch keine wechselrechtlichen An= sprüche erlangt und folgeweise jene Summe sine causa in Händen habe. Die von ihm deßhalb gegen X. erhobene Klage wurde jedoch in beiden Instanzen verworfen und in den Gründen des zweitrichter= lichen Urtheils vom 2. Mai 1864 bemerkt:

Daß dem A. A. gegen X. keine wechselrechtlichen Ansprüche zustehen, ist klar; nach der WO. Art. 81 sind aus dem Wechsel ver= pflichtet der Aussteller, der Acceptant, die Indossanten, sowie alle, welche den Wechsel mitunterzeichnet haben; wie aber für den Indossa= tar, der nicht wieder Indossant geworden ist, eine Wechselverbindlich= keit entstehen sollte, ist nicht wohl abzusehen und hat Appellant auch in dieser Richtung Nichts vorzubringen gewußt.

Besteht gegen eine Person aus dem Wechsel keine Wechselverbind= lichkeit, so kann sie aus demselben allerdings wegen unrechtmäßiger

Bereicherung haftbar sein; allein auch in dieser Richtung besteht nach Art. 83 der a. d. WO. unter allen Umständen nur ein Anspruch gegen Aussteller und Acceptanten, und hätte daher Kläger auch behauptet, X. sei durch die Einlösung des fraglichen Wechsels Seitens des A. A. mit dessen Schaden b e r e i c h e r t worden, so würde doch auf Grund des W e c h s e l r e c h t e s kein Anspruch gegen denselben zu erheben sein, weil er eben weder Aussteller noch Acceptant des betreffenden Wechsels gewesen ist. Allein Kläger hat überdieß eine solche Bereicherung des X. nicht dargelegt; er hat nicht behauptet, daß der Wechsel, welcher seiner äußeren Erscheinung zufolge durch ein als gefälscht nicht bezeichnetes zweites Indossament auf X. überging, ohne Gegenwerth von dem Beklagten in Besitz genommen wurde.

Insoweit Kläger seinen Anspruch aber auf eine angebliche Fälschung seines Indossaments gründet, ist bereits vom Erstrichter dargelegt worden, daß, — selbst die Wahrheit des klägerischen Vorbringens, das erste Indossament auf den Namen des Ausstellers sei gefälscht, vorausgesetzt, — dennoch nach Art. 76 der a. d. WO. dieser Umstand auf die Haftung des Ausstellers ohne Einfluß bleibe. Wenn hiegegen Appellant sich auf die Natur des in Frage stehenden Wechsels als eines Wechsels an eigene Ordre beruft und vorbringt, ein solcher Wechsel werde erst durch das hinzukommende Indossament des Ausstellers vollständig, erst hiedurch trete ein Remittent ein, so ist diese Argumentation widerlegt durch den Wortlaut des Art. 6 Abs. 1 der a. d. WO., welcher Artikel (vgl. die Preuß. Motive S. 17 u. 18) gerade den Zweck hatte, der Ansicht entgegen zu treten, als gelangten Wechsel an eigene Ordre erst durch ein hinzutretendes Giro zur Perfektion. Denn wenn es hier heißt, „der Aussteller kann sich selbst als Remittenten bezeichnen," so wird eben hiemit ganz bestimmt und deutlich gesagt, daß ein solcher Wechsel, sobald er an eigene Ordre ausgestellt ist, auch bereits einen Remittenten nennt, und daß nicht erst durch das Indossament ein solcher geschaffen wird. Das hiegegen vorgebrachte Argument, daß Niemand sein eigener Schuldner sein könne, würde zuviel beweisen; denn da, was einmal rechtlich unmöglich ist, durch das Hinzutreten einer neuen Thatsache nicht giltig werden kann, so würde ein solcher Wechsel überhaupt nicht giltig sein, und es auch durch das Hinzukommen eines Indossamentes um so weniger werden können, als das Verhältniß des Indossatars zum Aussteller immer nur das auf den ersteren übertragene Verhältniß des Remittenten zum Aussteller ist.

Es verstößt aber eben die Argumentation des Appellanten gegen das Wesen der Wechselverpflichtung als einer formellen Verbindlichkeit, bei welcher die Wechselurkunde nicht blos Beweis, sondern Trägerin der Obligation ist. Diese Eigenthümlichkeit bewirkt, daß sich die Personen des Remittenten und Ausstellers zuvörderst nicht als Schuldner und Gläubiger, sondern als Schuldner und Wechselinhaber gegenüberstehen. Wenn daher bei dem Wechsel an eigene Ordre vor dem Indossament diese beiden Eigenschaften in derselben Person vereinigt sind, wenn der Aussteller, so lange er den Wechsel noch in Handen hat, zugleich Schuldner und Inhaber des Wechsels ist, so folgt zwar hieraus, daß die Gläubigerschaft des Wechsels gegen den im Besitz des Wechsels Befindlichen nicht zur Geltung kommen kann, keineswegs aber, daß die Wechselverbindlichkeit überhaupt durch Konfusion erlösche, — sowenig als dieses der Fall ist, wenn eine gewöhnliche Tratte im Umlaufe einmal auf den Acceptanten oder Aussteller indossirt wird. Da also eine wechselrechtliche Verbindlichkeit des Klägers gegenüber dem Beklagten an und für sich bestand und durch das Gefälschtsein des ersten Indossamentes, dessen Aechtheit der Erwerber zu prüfen nicht verpflichtet ist, nicht aufgehoben wurde, so ist die Klage, so wie sie gestellt, haltlos. — Ob und in wie weit A. A. eine Schadenersatzklage gegen X. durch die Behauptung und bezw. den Rachweis begründen könnte, daß dieser die Fälschung selbst vorgenommen, veranlaßt oder von ihr Kenntniß gehabt habe, ist hier nicht zu untersuchen, da die Klage eine solche thatsächliche Fundirung nicht enthält, übrigens ein solcher Anspruch auch nicht vor den Handelsgerichten ausgetragen werden könnte. (München l/J. Reg.-Nr. 250.)

## CLXXXIII.

## Rothwendigkeit vollständiger Wechselabschrift in dem Proteste.

### A. d. WO. Art. 88.

R. R. war auf Grund eines von ihm auf X. gezogenen und an die Ordre des David E. girirten Wechsels, welcher nach eingetretener Verfallzeit von David E. bei X. zur Zahlung präsentirt und Mangels derselben protestirt worden war, mit der Regreßklage belangt worden. Auf dem eingeklagten Wechsel befanden sich außer dem Giro des Ausstellers auf David E. ein Giro von Simon Daniel E. Sohn auf Justizrath F., welches durchstrichen war, und sodann ein undurchstrichenes Blankogiro von Simon Daniel E. Sohn. In die im Wechselproteste enthaltene Abschrift des Wechsels war das durchstrichene Indossament auf F. nicht aufgenommen; die Klage ging jedoch auch auf Zahlung von 40 fl. Provision für F. Das Untergericht wies die Regreßklage ab, weil der Protest nicht eine Abschrift sämmtlicher Indossamente des Wechsels enthalte, welcher Ausspruch auf Beschwerde des Klägers durch Urtheil des HAG. vom 12. Mai 1864 bestätigt wurde. Die Gründe enthalten:

Nach Art. 88 Ziff. 1 der a. b. WO. soll der Protest eine wörtliche Abschrift des Wechsels sowie aller darauf befindlichen Indossamente und Bemerkungen enthalten. Zweck dieser Vorschrift ist Herstellung der Identität des protestirten mit dem der Klage zu Grunde liegenden Wechsel. Soll dieser Zweck aber erreicht werden, so muß die Abschrift nicht blos die noch rechtswirksamen Indossamente, sondern auch die ausgestrichenen und noch leserlichen enthalten oder es muß mindestens in demselben bemerkt sein, daß auf dem Wechsel ein ausgestrichenes Indossament sich finde*). Ist dieses der Fall nicht, so bleibt die Identität immer eine zweifelhafte und ist daher der Protest nicht geeignet, den erforderlichen Nachweis der Identität zu liefern. Dieses gilt von dem mit vorwürfiger Klage vorgelegten Proteste, indem demselben ein auf dem Wechsel stehendes durchstrichenes Indossament, lautend:

„für mich an die Ordre des Herrn Justizrathes F. in E. Werth in Rechnung.

Nürnberg den 8. Februar 1864.
Simon Dan. E. Sohn."

— und dann ferner ein Blankogiro mit derselben Unterschrift abgeht, ohne daß auch nur bemerkt wäre, daß solche Indossamente sich auf dem Wechsel befunden haben. Kann man nun auch den Protest im Allgemeinen nicht als einen Formalakt in dem Sinne auffassen, daß gleich dem Wechsel seine Wirksamkeit durch das geringste Versehen beeinträchtigt wird, vielmehr demselben nur die Bedeutung einer solennen Beweisurkunde beilegen, so fehlt es demselben im gegebenen Falle doch an einem wesentlichen Erfordernisse seiner Giltigkeit, nämlich einer

---

*) Volkmar und Loewy (S. 335) und Hoffmann (S. 617) halten letzteres nicht für genügend; jedenfalls wird ein sorgfältig aufgenommener Protest in diesem Falle die Angabe, wie viel Zeilen die ausgestrichenen Indossamente ausfüllen, oder eine andere nähere Kennzeichnung derselben enthalten. (Vgl. Seuffert's Archiv VII Nr. 233. — Archiv für WR. Bd. V S. 339.)

vollständigen Abschrift des Wechsels und seiner Indossamente, und mithin der erhobenen Regreßklage an einer der im Art. 41 a. a. O. festgestellten Voraussetzungen.

Der Umstand, daß der Wechsel dermalen in der Hand des ersten Indossatars David E. sich findet und in dessen Namen auch Protest erhoben wurde, vermag an dem Sachverhältnisse nichts zu ändern. Denn wie sich aus dem Umstande, daß auch 40 fl. Provision für F. eingeklagt sind, ergibt, bestund zur Zeit des Verfalls des Wechsels das Indossament auf Justizrath F. noch in Wirksamkeit, da dieser eine Provision doch nur dann in Anspruch nehmen kann, wenn der Mangels Zahlung protestirte Wechsel sich in seinen Händen befand oder von ihm im Wege des Regresses eingelöst werden mußte; unter dieser Voraussetzung durfte aber dasselbe bei der klaren Bestimmung des Art. 88 Ziff. 1 der a. d. WO. aus der Abschrift nicht weggelassen werden. Aber auch wenn das fragliche Indossament zur Zeit des Verfalles des Wechsels und der Protesterhebung bereits ausgestrichen gewesen wäre, durfte dasselbe in der dem Proteste beigefügten Abschrift nicht fehlen. Denn nach Art. 55 der a. d. WO. ist zwar jeder Indossant, der einen seiner Nachmänner befriedigt hat, berechtigt, sein und seiner Nachmänner Indossament auszustreichen, und nach Art. 36 Abs. 2 a. a. O. werden bei Prüfung der Legitimation ausgestrichene Indossamente als nicht geschrieben angesehen. Allein daß ausgestrichene Indossamente auch nach erfolgter Einlösung des Wechsels von Seite eines Indossanten für die vor ihm stehenden Indossanten und den Aussteller nicht ohne allen Belang sind, bedarf keiner weiteren Ausführung, ergibt sich vielmehr aus den Bestimmungen des Art. 51 a. a. O. über die Regreßansprüche des Indossanten, welcher den Wechsel eingelöst oder als Rimesse erhalten hat, weßhalb auch deren Aufnahme in den Protest nicht als etwas Unwesentliches betrachtet werden kann.                 (Augsburg Reg.-Nr. 64.)


## CLXXXIV.

## Wechselausstellung von Seite eines procurator omnium bonorum.

Friederike N. N. hatte am 30. Juni 1862 ihren Bruder G. B. zur Verwaltung ihres Vermögens bevollmächtigt und ihm hiebei insbesondere die Befugniß zum Abschlusse von Darlehens-, Pacht-, Kauf-, Tausch- und Ablösungsverträgen, zur Kapitalaufnahme, Geldempfangnahme und Quittungsleistung und zur Vornahme und bezw. Abgabe aller sonstigen auf ihr Vermögen bezüglichen gerichtlichen und außergerichtlichen Erklärungen und Handlungen ertheilt. Auf Grund dieser Vollmacht hatte G. B. einen von ihm an die Ordre von A. A. über den Betrag von 10,000 fl. ausgestellten eigenen Wechsel zugleich Namens und als Bevollmächtigter seiner Schwester Friederike N. N. unterzeichnet, welchen der Inhaber nach Verfall gegen letztere klagbar geltend machte. Diese Klage wurde jedoch durch Beschluß des k. Handelsgerichts I. Instanz a limine abgewiesen und dieser Beschluß am 18. Mai 1864 zweitrichterlich bestätigt. Die Gründe enthalten:

Kläger hat die Einleitung des Wechselprozesses beantragt. Zur Begründung dieses Antrages ist nächst der Vorlage des Originalwechsels[*) der urkundliche Beweisantritt bezüglich aller derjenigen Thatsachen erforderlich, welche zur Begründung des erhobenen Anspruches dienen, soweit sich dieselben nicht schon aus dem Wechsel selbst ergeben. Dieses Requisit berechtigt den Richter nicht nur zur vorläufigen Prüfung der vorgelegten Beweisdokumente, sondern auch zur sofortigen Zurückweisung der Klage, wenn sich hiebei ergibt, daß jene Dokumente die Ansprüche des Klägers überhaupt oder gegen den Verklagten insbesondere zu begründen nicht im Stande sind. (Kap. IV §. 5 der W.= u. MGD. v. 1785.)

Der im vorliegenden Falle eingeklagte eigene Wechsel ist nun nicht von der Verklagten selbst, sondern im Namen und aus angeblichem Auftrage derselben von G. B., welcher zugleich in eigenem Namen unterschrieben hat, ausgestellt, wobei im Konterte bezüglich der Schuldner in der Mehrzahl gesprochen wird. Es kann also aus diesem Wechsel nur dann gegen Friederike N. N. geklagt werden, wenn zugleich nachgewiesen wird, daß G. B. zur Mitunterzeichnung des Wechsels für Friederike N. N. ermächtigt war, — ein Beweis, der dem Kläger um so mehr zu erbringen obliegt, als aus dem Wechsel eine solche Ermächtigung nicht zu entnehmen ist, und aus der gleichfalls vorgelegten Protestabschrift sich ergibt, daß Friederike N. N., weit entfernt, den Wechsel als für sich verbindlich anzuerkennen, sich an

---

*) Der Klage war nicht der Originalwechsel, sondern nur eine beglaubigte Abschrift beigelegen und das zweitrichterliche Urtheil bemerkte, daß nach Kap. III §. 1, Kap. IV §. 3 und Kap. VII, in welch' letzter Stelle der Zwischensatz „in Abschrift beigelegt rc." offenbar nicht auf den Wechselbrief selbst, sondern auf die dort erwähnten anderweiten Dokumente zu beziehen sei, schon wegen dieses Mangels die Klage in angebrachter Art zurückzuweisen gewesen wäre.

denselben nicht zu kehren erklärt hat. (Vgl. Treitschke, Enzyklopädie der Wechselrechte Thl. 2 S. 615, Art. 95 b. WO. Völkmar und Loewy, Kommentar S. 353.)

Die von dem Kläger zum Nachweise dessen vorgelegte Vollmacht erwähnt aber der Ausstellung von Wechseln nicht, beweist also nicht direkt die Befugniß des Bevollmächtigten, Wechsel für die Mandantin zu zeichnen. Sie erwähnt zwar seiner Befugniß, Darlehensverträge abzuschließen und, wenn auch in einer sehr auffallenden Redewendung, Kapitalien aufzunehmen; allein hier ist von keinem Darlehen, von keiner Kapitalaufnahme, sondern von einem einfachen, unbedingten, wechselmäßigen Zahlungsversprechen die Rede, wobei der Schuldgrund weder angegeben noch zu untersuchen ist, wobei alle Einreden aus demselben und namentlich alle Einwendungen aus der Ueberschreitung der Vollmacht im Voraus abgeschnitten sind.

Zur Eingehung einer solchen Verpflichtung, welche rechtlich außer allem Zusammenhange mit einer Kapitalsaufnahme steht, ermächtigt die Vollmacht den G. B. nicht ausdrücklich, und es muß daher angenommen werden, daß die ohnehin sehr weit gehende, jedoch keineswegs unbeschränkte Vollmacht diese Ermächtigung ausdrücklich würde ertheilt haben, wäre sie dem Willen der Mandantin nicht entgegen gewesen.

Ferner berechtigt zwar die Vollmacht den Mandatar zu allen auf das Vermögen der Mandantin bezüglichen Erklärungen und Handlungen; allein die Zeichnung des Wechsels, wenn sie auch das Vermögen der Vollmachtgeberin mit einer Schuld belastet und somit im weitesten Sinne Bezug auf dasselbe hat, gibt doch nirgends zu erkennen, daß sie wegen des Vermögens der Friederike R. R. geschehen, daß sie sich auf dessen Verwaltung, Veräußerung und Flüssigmachung ꝛc. beziehe, oder ob sie nicht vielmehr im Interesse eines anderen Vermögens erfolgt sei. Die bloße Zeichnung im Namen und aus Vollmacht der Beklagten gestattet keinen Schluß auf das Erste, und die Mitunterzeichnung des G. B. läßt eher auf eine vorzugsweise Betheiligung seines Vermögens schließen.

Jeder Rechtsakt, insbesondere aber eine Vollmacht, muß vernünftig ausgelegt werden. Einer solchen Auslegung würde es aber nicht entsprechen, wollte man den Worten: „der Bevollmächtigte (als Verwalter des Vermögens) dürfe alle hierauf bezüglichen Handlungen vornehmen", — den Sinn unterstellen, als habe die Vollmachtgeberin irgend Jemand ermächtigen wollen, über ihr Vermögen unbedingt zu verfügen, dasselbe weit über seinen Bestand hinaus zu belasten, d. h. dasselbe zu vergeuden und zu Grunde zu richten. Dieß aber und nichts Anderes würde im vorliegenden Falle die Befugniß zur Ausstellung eigener Wechsel bedeuten, da solche zu einer gewöhnlichen Vermögensadministration, wie hier in Frage, gar nicht erforderlich sind, eben so gut Akte der Liberalität enthalten können als onerose Geschäfte, und im Allgemeinen die ganze juristische Persönlichkeit des Ausstellers, nicht blos das hievon getrennt gedachte Vermögen allein, ergreifen und unbedingt belasten.

Wenn sonach aus der Vollmacht selbst keine ausdrückliche Ermächtigung des G. B. zur Wechselzeichnung Namens der Beklagten zu entnehmen ist, so ist nun zu untersuchen, ob eine solche nach gesetzlicher Vorschrift stillschweigend darin enthalten sei. Die Vollmacht charakterisirt sich nach dem hier zur Anwendung kommenden gemeinen Rechte als eine universelle, insoferne sie dem Bevollmächtigten (procurator omnium bonorum) die Besorgung aller sich auf das Vermögen des Mandanten beziehenden Geschäfte überträgt. Auch eine solche Vollmacht berechtigt nicht zu Handlungen und Unternehmungen, welche dem vermuthlichen Willen des Gewaltgebers nicht gemäß sind. In frag. 60 §. 4 mand. überträgt C. Titius seinem Neffen die volle Verwaltung aller seiner Güter mit der weitest gehenden Vollmacht, und doch wird dieselbe nur insoweit für verpflichtend erachtet, daß die verpflichtenden Akte des Mandatars Geltung haben „si administrandi causa (actum) et quatenus res ex fide agenda esset."

Indem das Gesetz eine Untersuchung hierüber stets vorbehält, eine solche Untersuchung aber bei Wechseln und im Wechselprozesse stets ausgeschlossen ist, so ergibt sich der Schluß, daß nach gemeinem Rechte die Befugniß zur Wechselzeichnung in dem universellen Mandate niemals enthalten ist, sondern stets einer hierauf gerichteten Spezialvollmacht bedarf. Eben so ergeben die anderen von der universellen Vollmacht handelnden Gesetzesstellen — fr. 63, 58, 59 de procur.; fr. 11, 12 de pactis; fr. 17 §. 2, 3. de jure jurando; fr. 1117, fr. 12 de pignor. act.; fr. 20 §. 1 de novat.; fr. 87 de sol. etc., — daß dieselbe keine unbedingte Macht und Gewalt verleiht, sondern mancherlei Beschränkungen zuläßt, deren Untersuchung, weil aus der Intention des Mandatars, der Natur des Auftrags und der vorgenommenen Handlungen hergenommen, im Wechselprozesse ausgeschlossen ist, und welche daher auch die Ausdehnung des universellen Mandats auf Wechselverpflichtungen ausschließen müssen. Die Eingehung von Wechselverpflichtungen involvirt einen theilweisen Verzicht auf Einreden; zu solchen Verzichten ist aber kein Universalmandatar

ermächtigt.    Auch die moderne Jurisprudenz, welche das Wechselinsti=
tut in dem weitesten Umfange, wie es den Römern ·nicht bekannt
war, in Betracht zieht, dehnt das universelle, resp. generelle Mandat
nur in dem Falle auf Eingehung von Wechselverpflichtungen aus,
wenn dieß die Natur des übertragenen Geschäfts erfordert, z. B. bei
Uebertragung größerer Handlungsgeschäfte, — wie auch schon nach rö=
mischem Rechte fr. 20 de inst. act. der institor eines Wechselgeschäftes
zur Ausstellung wechselähnlicher Verpflichtungsscheine berechtigt war.
(Treitschke a. a. O. S. 616).

Außerdem wird, abgesehen von der Prokura; zur Eingehung von
Wechselverpflichtungen der speziellste Auftrag erfordert und ermächtigt
selbst die Uebertragung eines Bankiergeschäftes nicht zur Ausstellung
von e i g e n e n Wechseln.    Die unbeschränkteste Vollmacht, die des
Prokuristen und des Handlungsgesellschafters, ermächtigen zwar zur
Zeichnung von Wechseln, kommen aber nur in Handelsbeziehungen
vor; die vorgelegte Vollmacht ist aber weder eine Prokura=Ertheilung,
noch kommt vor, daß Friederike N. N. Handelsfrau und S. B. ihr
Gesellschafter sei.

Bloßen Handlungsbevollmächtigten hat übrigens das deutsche
HGB. in Art. 47, auch wenn sie ein ganzes Handelsgewerbe ver=
walten und in so ferne procuratores omnium bonorum sind, die
Befugniß, Wechselverbindlichkeiten einzugehen, entzogen; und wenn
sonach die Ansicht, daß abgesehen von der Prokura, hiezu stets Spe=
zialvollmacht erforderlich sei, selbst im Handelsrechte als durchgreifen=
der Grundsatz anerkannt ist, so muß dieselbe um so mehr auch für
das gewöhnliche, wenn auch universelle, Mandat als übereinstimmen=
des Ergebniß der Theorie und Legislation angesehen werden *).

(Schweinfurt Reg.=Nr. 24.)


## CLXXXV.

A u s s t e l l u n g  v o n  Z e u g n i s s e n  ü b e r  d a s  Nichtbestehen ge=
w i s s e r  Einträge im Handelsregister.
Art. 12 des a. b. HGB.

N. N. hatte von dem k. Handelsgerichte Bamberg die Ausstellung
eines Zeugnisses darüber begehrt, daß eine Firma J. F. u. Comp.
zu X. im Handelsregister ·nicht eingetragen sei.

---

*) Diese Klagabweisung steht selbstverständlich einer Erneuerung der Klage

Das k. Handelsgericht Bamberg wies die beßfallsige Bitte zurück, welcher Bescheid auf eingelegte Beschwerde durch Urtheil des k. Handelsappellationsgerichts vom 19. Mai 1864 aus nachstehenden Gründen bestätigt wurde:

Das Handelsregister ist öffentlich, die Einsicht desselben Jedermann gestattet und die Befugniß des Publikums hiezu bezieht sich nicht blos auf die Einträge selbst, sondern auch auf deren Unterlagen und Belege. Auch kann von den Eintragungen beglaubigte Abschrift gefordert werden. (Art. 12 des HGB. und Prot. S. 918.)

Diese Berechtigung des Publikums ist in keiner Weise durch das Gesetz beschränkt und darf daher auch durch die Gerichte den gesetzlichen Intentionen entgegen nicht beschränkt werden. Insbesondere ist dem Abs. 2 des Art. 12 nicht etwa der Sinn unterzulegen, daß nur ein Kaufmann und zwar nur bezüglich des ihn selbst betreffenden Eintrages einen beglaubigten Auszug begehren könne.

Der im Interesse des Verkehrs, der Rechtssicherheit und der Abschneidung chikanöser Weiterungen vom Gesetze Jedermann eingeräumten Befugniß, von der Publizität des Handelsregisters den erforderlichen Gebrauch zu machen, entspricht andererseits die Verpflichtung der mit Führung und Verwahrung der Handelsregister betrauten Handelsgerichte, zur Erreichung des vorgesetzten Zweckes das Ihrige durch Einsichtgestattung und Gewährung der geforderten Auszüge beizutragen.

Weiter kann aber diese Verpflichtung einestheils mit Rücksicht auf die übrige Geschäftsaufgabe der Handelsgerichte, anderntheils mit Rücksicht auf die aus der Ausstellung von Zeugnissen entspringende Haftpflicht nicht ausgedehnt werden. Insbesondere kann den Handelsgerichten nicht zugemuthet werden, sogar darüber, was etwa nicht in das Handelsregister eingetragen ist, oder wenigstens über die Nichtexistenz eines Eintrages förmliche gerichtliche Zeugnisse auszustellen, — und zwar um so weniger, als selbst darüber, wie ein wirklicher Eintrag lautet, im Falle des Bedürfens zu anderweitem Gebrauche keine handelsgerichtlichen Zeugnisse auszustellen sind, vielmehr für derartige Konstatirungen lediglich die Form der Ertheilung von beglaubigten Auszügen gesetzlich vorgeschrieben ist. Eine Gefährdung des Publikums kann durch diese Auslegung der gesetzlichen Bestim-

---

für den Fall, daß die Befugniß des G. B. zur Ausstellung von Wechseln für die Verklagte nachgewiesen werden kann, nicht entgegen.

mungen nicht herbeigeführt werden. Ein schriftlich eingereichtes Gesuch um Ertheilung eines Handelsregisterauszuges über eine nach Namen und Ort der Niederlassung genau bezeichnete Firma wird in der Regel die erbetene Ertheilung des Auszuges oder eine handelsrichterliche Verfügung dahin, daß die Firma nicht eingetragen sei, zur Folge haben. Tritt diese Folge nicht ein, oder genügt eine einfache Verfügung der bezeichneten Art nicht, so bleibt dem Gesuchsteller immer noch offen, sich auf die Vollständigkeit der Sammlung von Bekanntmachungen der Registereinträge in den hiefür bestimmten öffentlichen Blättern (Allgemeiner Anzeiger der Bayer. Zeitung) zu berufen, oder aber das Handelsregister durch einen Notar einsehen und die Nichtexistenz eines Eintrages auf diesem Wege konstatiren zu lassen.

(Bamberg Reg.-Nr. 27.)

## CLXXXVI.
### Beweiskraft kaufmännischer Bücher, insbesondere s. g. Kommissionsbücher.
#### (A. b. HGB. Art. 34 und 35.)

In einer Streitsache wegen Zahlung eines Hopfenkaufschillings war dem Kläger der Beweis der Bestellung des fraglichen Hopfens auferlegt worden. Er trat diesen u. A. durch seine Geschäftsbücher, namentlich sein Kommissionsbuch an, das Untergericht erachtete jedoch den Beweis hiedurch als in keiner Weise geliefert und erkannte deßhalb auf den Haupteib für den Verklagten. Dieses Urtheil wurde in zweiter Instanz unter dem 20. April 1864 bestätigt, und in den Gründen bezüglich der Beweisführung durch die Geschäftsbücher bemerkt:

Der legislative Grund des für die Beweiskraft der Handelsbücher bestehenden Privilegiums fußt allerdings auch auf der Erwägung, daß der ganze Handelsverkehr auf Treue und Glauben beruht, daß man daher auch Denjenigen, welche den Handel betreiben, ein gewisses Zutrauen nicht versagen dürfe*), und daß es um so mehr gerechtfertigt erscheint, anzunehmen, ein Kaufmann werde nur Wahres in seine Bücher eintragen, als die im Geschäftsverkehre sehr schnell offenbar werdende Unregelmäßigkeit der Buchführung den Kredit des Buchführenden gefährden würde**). Allein nicht das Vertrauen in

---

*) Pöhls, Handelsrecht S. 351.
**) Hahn, Kommentar S. 81.

die persönliche Wahrheitsliebe des Kaufmannsstandes allein hat die erwähnte gesetzliche Begünstigung geschaffen, und bei dem gegenwärtigen Stande der Gesetzgebung, wonach der Kaufmannsstand nicht mehr ein streng geschlossener, auf verhältnißmäßig wenig zahlreiche und sich wechselseitig im Geschäfts= und Privatleben genau kennende und kontrolirende Personen beschränkter Stand ist, sondern ohne Konzession, obrigkeitliche Ermächtigung oder eine Prüfung der Geschäftskunde, persönlichen Tüchtigkeit und des Leumundes Jeder sich als Kaufmann im Sinne des Gesetzes geriren kann und darf, würde eine solche Vermuthung, daß jeder, der kaufmännische Geschäfte betreibt und ein Buch führt, auch ein redlicher und wahrheitsliebender Mann sei, nicht begründet sein.

Das Hauptmotiv, weshalb den Einträgen in den Handelsbüchern eine bevorzugtere Glaubwürdigkeit beigemessen wird, liegt vielmehr darin, daß die kaufmännische Buchführung, wenn sie ordnungsgemäß und nach den Regeln der Handlungswissenschaft vorgenommen wird, in sich selbst die Garantie der Wahrheit enthält, daß ein Kaufmann, wenn er in seinen Büchern falsche Einträge machen würde, nicht nur alsbald die nöthige Uebersicht seines Geschäftsbetriebes verlieren, sondern daß auch derartige Unrichtigkeiten leicht aus den Büchern selbst sich entdecken lassen würden *). Hiezu kommt, daß nach der ursprünglichen Idee des Privilegiums, wonach sich dasselbe nur auf handelsrechtliche Beziehungen des einen Kaufmannes zum anderen Kaufmanne erstreckte, die hauptsächlichste Garantie in der wechselseitigen Kontrole der von beiden Theilen geführten Bücher gelegen war **). Wenn nun auch dieser letztere Umstand nach dem gegenwärtigen Stande der Gesetzgebung nicht mehr von entscheidendem Einflusse sein kann, weil die Beweiskraft den Büchern an und für sich und ohne Rücksicht auf die Geschäftsführung des Gegentheiles zugesprochen ist, so muß doch bei Prüfung der Frage, welche Bücher als ordnungsgemäße Handels= bücher angesehen werden können, immerhin darauf Rücksicht genommen und es dürfen nur solche Einträge als beweiskräftig angesehen werden, welche durch sich selbst wenigstens einige Sicherheit dafür bieten, daß sie nicht willkürlich und etwa erst nachträglich, eben um sich einen Beweis zu schaffen, gemacht wurden. Man hat daher von jeher das mehrerwähnte gesetzliche Privilegium nicht einem jeden von einem

---

*) Pöhls, Handelsrecht a. a. O. — Hahn, Kommentar a. a. O.
**) Motive zum Preuß. Entw. S. 24.

Kaufmanne geführten Buche*) und nicht für Alles, was etwa darin verzeichnet ist, beigelegt, und wenn auch das a. d. HGB. nicht (wie andere Gesetzgebungen thun) das Privilegium auf gewisse namentlich bezeichnete Bücher beschränkt, sondern (vgl. Prot. S. 49) davon aus= geht, daß, was das Gesetz über die Beweiskraft der Handelsbücher bestimme, von allen Büchern gelten solle, welche zum ordentlichen Betriebe eines Handelsgeschäftes gehören, so ist doch eben durch die nähere Bezeichnung, daß die Bücher zum o r d e n t l i c h e n Betriebe des Geschäftes gehören müssen, ausgesprochen, es könne nicht jede Auf= schreibung eines Kaufmannes in einem Buche Anspruch auf Glauben machen, sondern es werde die u r k u n d l i c h e D a r l e g u n g des Ge= schäftes nach k a u f m ä n n i s c h e r o r d n u n g s g e m ä ß e r B u c h= f ü h r u n g verlangt. Es ist hienach zwar zweifellos, daß an und für sich ein s. g. Kommissionsbuch von der Wohlthat des Art. 34 des a. d. HG. ebensowenig, wie das als Beispiel eines beweiskräftigen Neben= buches bei den Kommissionsberathungen speziell erwähnte Briefkopier= buch ausgeschlossen ist, es fragt sich aber demnächst, was durch ein solches Buch von dem kaufmännischen Geschäftsbetriebe ordnungsgemäß dargelegt wird. Unter der Bezeichnung „Kommissionsbuch" kann ein mehrfaches begriffen werden; es wird unter diesem Namen hie und da das Aufschreibebuch des Reisenden verstanden, in welchem derselbe die ihm ertheilten Aufträge und Bestellungen der Reihenfolge nach notirt, um solche daraus seinem Hause brieflich einzusenden oder nach Um= ständen dieselben bei Rückkunft vorzutragen. Ob ein solches von einem Handlungsbevollmächtigten geführtes Aufschreibbuch unter die Bestim= mung des Art. 34 des a. d. HGB. fällt, kann hier unerörtert bleiben, weil es keinem Zweifel unterliegt, daß der hier in Frage stehende Kommissionsbuchsauszug nicht aus einem solchen Notizbuche, sondern aus einem von dem Handlungshause selbst im Etablissement geführten Buche entnommen ist. In ein Kommissionsbuch der letzteren Art werden nun bei ordnungsgemäßer Buchführung alle zu bewerkstelli= genden Versande vorgemerkt, und es bedeutet demnach ein solcher Ein= trag, daß an die bezeichnete Person zu der bezeichneten Zeit die be= zeichnete Waare abzugehen hat. Auf welchem Rechtsgeschäfte diese Sendung beruhe, darüber gibt ein solches Kommissionsbuch nach dem

---

*) Bei der einfachen Buchführung wollte man (vgl. P ö h l s , Handelsrecht S. 353) solches nur von dem aus Memorial und Kassabuch gebildeten Hauptbuche, bei der doppelten Buchhaltung (vgl. S e u f f e r t , Archiv Bd. 11 Nr. 194) von dem Hauptbuche und dem Journale gelten lassen.

ordnungsgemäßen Gang des Geschäftes keinen Aufschluß und kann einen solchen nach seiner Anlage nicht geben. In concreto sind die in Frage stehenden Einträge in dem Kommissionsbuche ordnungsgemäß gebucht, sei es, daß eine feste Bestellung des Verklagten vorlag, oder derselbe die Waare zur Einsicht verlangte, oder ihm der Hopfen in Kommission gegeben wurde, oder auch nach gegebener Notiz des Reisenden oder sonstiger Kalkulation zur bemerkten Zeit durch Zusendung des bemerkten Hopfens ein Geschäft versucht werden sollte. Eben deshalb aber beweist der Eintrag nichts für das Vorhandensein einer Bestellung. Wäre aber auch das sog. Kommissionsbuch ein Bestellbuch im Sinne des Appellanten, d. h. ein Buch, in welchem angeblich nur feste Bestellungen eingetragen werden, so würde doch nach der Natur des Geschäftsganges der desfallsige Eintrag nichts Anderes darlegen, als daß dem Hause von seinem Reisenden die betreffende Bestellung aufgegeben wurde, womit aber nicht bewiesen wäre, daß die Bestellung auch Seitens der Partei bei dem Handlungsbevollmächtigten wirklich erfolgt war; denn würde der Reisende eidlich bekräftigen, daß der Beklagte bei ihm die Bestellung gemacht, so wäre dieses kaum ein halber Beweis, und es läßt sich kein vernünftiger Grund denken, weßhalb die nicht eidliche Angabe des Reisenden an sein Haus eine höhere Kraft erhalten sollte, wenn sie im Komptoir des Hauses, woselbst eine Kontrole über Wahrheit oder Unwahrheit dieser Angabe unmöglich stattfinden kann, verbucht worden ist.

Es unterliegen indessen die Einträge des Kommissionsbuches im gegebenen Falle noch besonderen Beanstandungen. Wie ein ordentliches Briefkopirbuch die Briefe in fortlaufender Reihe, gehörig datirt und dem ganzen oder doch dem wesentlichen Inhalte nach enthalten muß, so erfordert ein ordentliches Bestellbuch, daß darin die Bestellungen in fortlaufender Reihe gehörig datirt, und dem ganzen oder doch dem wesentlichen Inhalte nach enthalten sein müssen. Denn darin eben liegt die Garantie für die Glaubwürdigkeit der Handelsbücher, daß darin der Eintrag einer gewissen Thatsache bei ordnungsgemäßer Führung unmittelbar nach deren Eintritt und nicht erst mit Rücksicht auf die später hierüber sich etwa ergebenden Differenzen zu geschehen hat und geschehen kann. Mit anderen Worten, es wäre offenbar nicht abzusehen, warum man, wenn in einem von einem Kaufmanne mit dem Titel „Kommissionsbuch" überschriebenen Buche eingetragen ist, es sei diese oder jene Sendung bestellt, dieses sofort als wahr annehmen sollte. Nur wenn aus einem Buche hervorgeht, daß eine Thatsache, die an sich und zur Zeit des Eintrages ohne wesentliche Bedeutung gewesen ist und von der man bei der Eintragung noch gar nicht wissen konnte, ob je darüber ein Streit entstehen werde, unter einer Reihe anderer unbestrittener Thatsachen eingeschrieben wurde, kann man den Schluß ziehen, auf welchem die Glaubwürdigkeit der Bücher beruht, daß nämlich dieser Eintrag geschah, weil sich damals die Thatsache wirklich ereignete, indem unter den oben erörterten Umständen ein anderer Grund des Eintrages nicht denkbar ist.

Prüft man nun nach diesen Gesichtspunkten die Einträge im Kommissionsbuche des Klägers, so können dieselben nicht als solche angesehen werden, denen die Begünstigung des Art. 34 des a. d. HG. beizulegen wäre. Diese Einträge sind nämlich ohne jede genauere Bezeichnung des Sachverhaltes, der erstere derselben sogar ohne Datum; sie lassen, wie Erstrichter bereits ausgeführt hat, die Identität des hier eingetragenen Hopfens mit demjenigen, um welchen sich der vorliegende Prozeß dreht, nicht mit voller Bestimmtheit erkennen, und endlich zeigt der Augenschein und wird vom Kläger selbst zugegeben, daß an den fraglichen Einträgen nachträglich Veränderungen, z. B. durch Einsetzen einer späteren Lieferzeit, gemacht wurden. Schon dadurch aber würde genügender Grund gegeben sein, diesen Einträgen keinen erheblichen Glauben zu schenken. — Faßt man das bisher Erörterte zusammen, so kann sich, gestützt auf Art. 34 Abs. 2 des a. d. HGB., das richterliche Ermessen nur dahin entscheiden, daß der dem Kläger obliegende Beweis durch den Inhalt der von ihm geführten Bücher weder ganz noch theilweise als erbracht angesehen werden kann, und da auch der Inhalt der übrigen Beweismittel als unbehelflich sich darstellt, so war das erstrichterliche Urtheil lediglich zu bestätigen *).

(Passau Reg.-Nr. 33.)

---

*) Von Seite des Untergerichtes war gegen die Erheblichkeit der Beweisführung auch noch geltend gemacht worden, daß kein Schlußzettel vorgelegt worden und auch nicht zu ersehen sei, wie die Bestellung gemacht worden sei, ob brieflich oder bei dem Reisenden des Klägers oder bei letzterem selbst. Diese Bemängelungen wurden jedoch nicht als begründet erkannt, da nirgends vorgeschrieben sei, daß Geschäfte der in Frage stehenden Art in einer bestimmten Form, insbesondere durch Schlußzettel abgemacht werden müßten, folglich auch eine bestimmte Art des Nachweises der Bestellung nicht verlangt werden könne, und zwar um so weniger, als auch das Beweisinterlokut in dieser Beziehung besondere Vorschriften nicht enthalte.

## CLXXXVII.

**Befugnisse der sog. Agenten. Nichtberechtigung derselben zur Geldempfangnahme für ihre Vollmachtgeber.**
Art. 47. 49, 52, 55 des a. d. HGB.

N. N. hatte von der Handlung A. A. durch Vermittelung des Agenten der letzteren Waaren käuflich bezogen und mit denselben zugleich Faktura erhalten, worin bemerkt war, „den Betrag bitten bei Verfall an die Herren X. X. dort für unsere Rechnung zu bezahlen."

Auf Zahlung des Kaufschillings belangt, wendete N. N. ein, er habe bereits, wie er auch in früheren Fällen unter stillschweigender Zustimmung der Kläger gethan, an den Agenten B. Zahlung geleistet, welcher Einwand jedoch in beiden Instanzen als unerheblich erachtet wurde.

Die Gründe des handelsappellationsgerichtlichen Urtheiles vom 4. Mai 1864 enthalten hierüber:

Das a. d. HGB., davon ausgehend, daß mit der Bezeichnung „Agent" ein bestimmter, genau begrenzter Begriff nicht ausgedrückt werde und daß die Rechte und Verpflichtungen eines Agenten nach der jeweiligen ihm ertheilten Vollmacht zu bemessen seien, hat über die kaufmännischen Agenten keine besonderen Bestimmungen getroffen. (Vgl. Berath.-Prot. S. 103 u. ff.)

Dieselben stellen sich in der Regel als einfach bevollmächtigte Personen dar, auf welche zwar in Gemäßheit des Art. 298 die Bestimmungen der Art. 52 und 55 des HGB. Anwendung finden, denen aber nicht, wie den Handlungsbevollmächtigten im Sinne des Art. 47, eine Präsumtivvollmacht zur Seite steht, und auf welche insbesondere nicht die Bestimmung des Art. 49 ausgedehnt werden darf, nach welcher die von dem Prinzipale als Handlungsreisende zu Geschäften an auswärtigen Orten verwendeten Handlungsbevollmächtigten für ermächtigt gelten, den Kaufpreis aus den von ihnen abgeschlossenen Verkäufen einzuziehen oder dafür Zahlungsfristen zu bewilligen.

Aus der Eigenschaft des mehrgenannten B. als Agenten des klägerischen Handlungshauses und aus seiner die Bestellung des Beklagten bei der Klägerin, sowie die Ueberlieferung der bestellten Waare an den Besteller vermittelnden Thätigkeit kann demnach die Befugniß desselben zur Empfangnahme der Zahlung für den Verkäufer nicht abgeleitet werden. Einzig und allein der Inhalt der ihm ertheilten Vollmacht, oder, soferne im gegebenen Falle der Gebrauch der Bezeichnung

„Agent" in dem Verhältnisse zwischen dem Hause A. A. und B. die Eigenschaft des Letzteren als eines wahren Handlungsbevollmächtigten ausbrücken sollte, die Art und Weise seiner Bestellung im klägerischen Handelsgewerbe (Art. 47 des HGB.) ist entscheidend für dessen Rechte und Verbindlichkeiten.

Unbegründet ist namentlich auch die Behauptung des Beklagten, daß, weil die Waare von dem Verkäufer an B. behufs der Ueberlieferung an den Käufer gesendet, demselben somit in dieser Beziehung Vertrauen geschenkt worden sei, gleiches auch rücksichtlich des Kaufpreises angenommen werden müsse, weil das eine aus dem anderen keineswegs mit Nothwendigkeit folgt, — sowie denn auch der Art. 51 des HGB. ausbrücklich bestimmt, daß derjenige, welcher die Waare mit einer unquittirten Rechnung überbringt, noch nicht ermächtigt gilt, die Zahlung zu empfangen.

Beklagter beruft sich ferner dafür, daß der Agent als solcher zum Geldempfang ermächtigt sei, auf eine kaufmännische Usance und auf die Bestimmungen der Partikularrechte, sowohl des preußischen wie des bayerischen Landrechtes über stillschweigend ertheilte Vollmachten. Allein von einer allgemeinen kaufmännischen Usance kann schon um deßwillen keine Rede sein, weil der Ausbruck „Agent" zur Bezeichnung von Personen von sehr verschiedenem rechtlichen Charakter gebraucht wird; zudem widersprechen die oben zitirten Verhandlungen der Handelskonferenz und die der Bestimmung des Art. 51 zu Grunde liegende Anschauung geradezu der Annahme einer solchen Usance.

Was aber die in Bezug genommenen Vorschriften der Partikularrechte anbelangt, so sprechen dieselben, mag man nun das preußische oder das bayerische Landrecht für anwendbar erachten, ebensowenig zu Gunsten des Beklagten; vielmehr ist auch nach diesen zur Empfangnahme von Zahlungen für den Vollmachtgeber ein Spezialmandat erforderlich *).

Daß aber der Agent B. zur Annahme von Zahlungen speziell bevollmächtigt gewesen sei, wurde vom Beklagten, wenigstens mit Bestimmtheit, nicht behauptet, vielmehr wird namentlich in den Ausführungen der Berufungsschrift die Befugniß desselben zur Annahme von Zahlungen lediglich aus seiner Eigenschaft als Agent des klägerischen

---

*) Bezugnahme auf Thl. I Tit. 13 §. 99 und 105 des Allg. Landr. für die preuß. Staaten und Pars IV Cap. 14 §. 4 Num. 3 und 4 des Cod. **Max. Bav. civ.**

Hanblungshaufes unb aus feiner vermittelnben Thätigkeit bei Lieferung ber Waare abgeleitet. Hienach ift es auch ganz unerheblich, wenn bei mehreren früheren Sendungen die an benselben erfolgte Zahlung von Seite bes klagenben Theiles keine Beanstandung gefunden haben follte; benn bie Anerkennung einer folchen Zahlung ftanb, wenn eine Spezialvollmacht nicht vorlag, in bem freien Willen ber Kläger, be= fchränkte fich auf ben jebesmaligen einzelnen Fall unb konnte ihnen für bie Folge nicht präjubiziren.

Die Eingehung ber Verpflichtung, auch alle künftigen Zahl= ungen an B. als richtig geleiftet anzuerkennen, läßt fich aus jenen einzelnen Vorgängen, bie nur eine jeweilige faktische Genehmigung be= kunden, nicht folgern; noch weniger kann geltenb gemacht werben, baß fich auf folche Weife unter ben ftreitenben Theilen ein Herkommen über bie rechtliche Wirkfamkeit ber bezeichneten Art ber Zahlung gebilbet habe, ba hier alle Vorausfetzungen für bie Bilbung eines Herkommens mangeln. Könnte man aber auch annehmen, bie Vertheidigung bes Beklagten enthalte bie beftimmte Behauptung, baß ber Agent B. zur Empfangnahme ber Zahlung fpeziell ermächtigt gewefen fei, fo würde boch biefe Behauptung fofort in bem Umftanbe ihre Widerlegung finben, baß ber bem letzteren überfenbeten unb von ihm auch ange= nommenen Faktura bie Bemerkung beigefetzt war:

„ben Betrag bitten bei Verfall an bie Herren X. X. unb Komp. bort für unfere Rechnung zu zahlen."

Durch biefen Beifatz haben bie Abfenber beutlich zu erkennen ge= geben, baß fie, obwohl inhaltlich ber nämlichen Faktura bie Waare burch Vermittelung ihres Agenten B. geliefert wurbe, bie Zahlung bes Kaufpreifes nicht an benfelben geleiftet wiffen wollten; indem fie zur Empfangnahme ber Zahlung bas Haus X. X. unb Komp. in München ausbrücklich bezeichneten, find fie ber auf Seite bes Be= klagten etwa möglichen Annahme entgegengetreten, als fei ber bie Waaren abliefernbe Agent auch zur Gelbannahme befugt; wäre eine folche Ermächtigung bem Agenten B. ertheilt gewefen, fo würbe jener Beifatz auf ber Faktura gewiß nicht auf bas Haus X. X. unb Komp. befchränkt worben fein; indem biefes bennoch gefchah, liegt hierin zu= gleich bie Erklärung, baß B. zum Gelbempfange nicht ermächtigt fei, unb es ift fomit bas Gegentheil obiger Behauptung bes Beklagten liquib. Daß aber erft in ber Folge bis zum Verfalltage ber Forder= ung bem Agenten unter Abänberung ber in ber Faktura ertheilten Anweifung eine befonbere Ermächtigung zur Zahlungsannahme ertheilt worben fei, wurbe von Seite bes Beklagten überall nicht behauptet.

Beklagter beruft sich indessen hier noch auf den Umstand, daß der erwähnte Beisatz in der Faktura auch schon bei früheren Sendungen von den Verkäufern gemacht und dennoch die hiefür gleichfalls an B. geleistete Zahlung von ihnen als rechtsgültig anerkannt worden sei.

Allein aus der Anerkennung solcher früherer Zahlungen kann schon um deßwillen kein Schluß auf die Bedeutungslosigkeit des Fakturabeisatzes gezogen werden, weil Beklagter selbst einräumt, daß B. mit dem Hause X. X. und Komp. in fortwährender Abrechnung stand, daher das klagende Handlungshaus die betreffenden Zahlungen des Beklagten durch X. X. und Komp. erhalten haben konnte, ohne zugleich erfahren zu haben, daß Beklagter an B. Zahlung leistete und erst durch letzteren die Gelder an X. X. abgeliefert worden waren. Sodann gilt aber auch hier, was bereits oben bemerkt wurde, daß nämlich die Anerkennung früherer Zahlungen an B. nicht die Verpflichtung zur Anerkennung späterer Zahlungen an denselben nach sich zieht, soferne nicht der Genannte zu deren Annahme speziell ermächtigt war.

Ja gerade in der Wiederholung jenes Beisatzes in der Faktura mußte Beklagter eine wiederholte Aufforderung erblicken, nur an diejenige Person Zahlung zu leisten, die ihm speziell als zum Geldempfang ermächtigt bezeichnet war.

(München I/J. Reg.=Nr. 244.)

## CLXXXVIII.

### Umfang und Art der Rechnungslegung unter Handels-Gesellschaftern.

#### A. d. HGB. Art. 105.

N. N. hatte mit der Wittwe A. A. auf Grund eines Gesellschaftsvertrages vom Oktober 1849, welcher im Jahre 1858 auf 10 Jahre verlängert worden, in der Zeit vom Oktober 1849 — November 1862 zu X. ein Schnittwaarengeschäft in offener Handelsgesellschaft betrieben, während dieser Zeit auch die Buch= und Geschäftsführung besorgt, jedoch von dem letztgenannten Zeitpunkte an die Fortsetzung der Gesellschaft verweigert und ein eigenes Geschäft etablirt. Von der Wittwe A. A. im Jahre 1863 auf Rechnungslegung über seine Geschäftsführung während jener Zeit in dem gemeinschaftlichen Geschäfte belangt, bestritt er seine Verpflichtung hiezu, weil statt derselben die Buchführung und Bilanzziehung vollkommen genügen müsse und durch Vorlage der Handelsbücher unter allen Umständen dem Gesellschafter dieselbe Möglichkeit der Einsicht in den Geschäftsbetrieb gewährt werde, wie durch Stellung einer Rechnung. Eventuell machte Verklagter geltend, daß er nach Ablauf der im Gesellschaftsvertrage vom Oktober 1849 vereinbarten 5 Gesellschaftsjahre die Bilanz gezogen und Klägerin ihm unter Anerkennung der von ihm mit ihr selbst hergestellten Abrechnung Decharge ertheilt habe; ferner, daß er im November 1862 ein Inventar und im Dezember 1862 eine Schlußrechnung hergestellt, welche Klägerin eingesehen und als richtig anerkannt habe. Das HG. I. Instanz verwarf beide Einwände und verurtheilte den Verklagten zur Rechnungslegung; auf Beschwerde des Beklagten wurde indessen demselben durch Urtheil des HAG. vom 21. April 1864 der Nachweis darüber freigelassen, daß er für die Zeit vom Oktober 1849 bis November 1862 oder doch für welchen Abschnitt dieses Zeitraumes zc. zc. der Klägerin bereits Rechnung gestellt habe.

Die Gründe enthalten:

1. Wenn auch im Art. 105 des a. b. HGB. bestimmt ist, daß sich jeder Gesellschafter persönlich von dem Gange der Gesellschaftsangelegenheiten unterrichten, jeder Zeit in das Geschäftslokal kommen, die Handelsbücher und Papiere der Gesellschaft einsehen und auf ihrer Grundlage eine Bilanz zu seiner Uebersicht ziehen kann, so wollte doch, wie die Verhandlungen der Konferenz ergeben (s. Prot. S. 196), die gemeinrechtlich feststehende Pflicht des Gesellschafters, über die Namens der Gesellschaft vorgenommenen Geschäfte den übrigen Gesellschaftern Rechnung zu stellen, (Seuffert, Pand. S. 349) hiedurch keineswegs beseitigt werden. Es kann sich daher der eine Gesellschafter durch die Hinweisung des anderen auf sein Recht zur Einsicht der vorhandenen Geschäftsbücher von seiner Verpflichtung zur Rechnungsstellung ebensowenig unbedingt befreien, als andererseits die Annahme, von welcher der Erstrichter nach den betreffenden Gründen seines Erkenntnisses ausgegangen zu sein scheint, — daß nämlich die von dem Gesellschafter zu stellende Rechnung unter allen Umständen die in sonstigen, nicht in einer kaufmännischen Geschäftsführung begründeten Rechnungsverhältnissen übliche Form an sich ragen müsse, — als richtig erachtet zu werden vermag. Die kaufmännische Buchführung nebst Inventarserrichtung und Ziehung der Bilanz ist es vielmehr, welche die gewöhnliche und regelmäßige Art der Rechnungsstellung des Kaufmanns über seine Geschäftsführung bildet; durch die Vorlage der Geschäftsbücher und Mittheilung des auf Grund derselben gefertigten Abschlusses an seinen Mitgesellschafter hat aber der geschäftsführende Gesellschafter seiner Pflicht zur Rechnungslegung nur unter der Voraussetzung Genüge geleistet, daß

dieselben ordnungsgemäß geführt sind, seine Geschäftsführung erschö=
pfend darlegen und einen klaren Einblick in den Gang derselben ge=
währen; mangelt diese Voraussetzung, so ist derselbe, wie in jedem an=
dern Falle einer unförmlichen oder unvollständigen Rechnungslegung,
verbunden, sich durch Vorlage e i n e r g e o r d n e t e n u n d v o l l s t ä n =
d i g e n R e ch n u n g seinem Mitgesellschafter gegenüber auf dessen Ver=
langen über seine Geschäftsführung auszuweisen. Hieraus folgt, daß
durch den Ausspruch: „Beklagter sei schuldig, über den gemeinschaft=
lichen Betrieb seit 23. Oktober 1849 bis Anfangs November 1862
Rechnung zu legen," lediglich über die von demselben bestrittene Ver=
bindlichkeit zur Rechnungslegung überhaupt, nicht aber ü b e r d i e A r t
u n d W e i s e , ü b e r d i e F o r m entschieden ist, in welcher derselbe
jene Verbindlichkeit zu erfüllen habe, daß vielmehr über die Frage, ob
durch die seinerzeitige Rechnungsablage des Beklagten in Rücksicht auf
Form und Vollständigkeit dem erlassenen Urtheile Genüge geleistet sei,
im Falle dieselbe unter den Parteien strittig werden sollte, weitere rich=
terliche Entscheidung vorbehalten bleibe.

2. Es kann jedoch nicht bezweifelt werden, daß der Beklagte, wenn
er der Klägerin, — sei es für die ganze Zeitdauer ihres gemeinschaft=
lichen Geschäftsbetriebes oder für einen Theil derselben — bereits Rech=
nung gestellt hat, seiner Pflicht zur Rechnungsablage dem Mitgesell=
schafter gegenüber bereits so nachgekommen ist, der besfallsige Anspruch
der Klägerin entweder für den ganzen Zeitraum oder für den ent=
sprechenden Abschnitt, weil durch Erfüllung erloschen, abgewiesen, resp.
Beklagter von der Klage in der bezeichneten Richtung entbunden wer=
den muß. Nicht minder zweifellos ist es, daß im gedachten Falle für
die Erlöschung des klägerischen Ausspruches a u f R e ch n u n g s s t e l =
l u n g die Frage, ob Klägerin die gestellte Rechnung auch anerkannt
und dem Rechnungssteller Decharge ertheilt habe, ganz ohne Bedeu=
tung ist; denn Gegenstand des Streites unter den Parteien ist nicht
d i e R i ch t i g k e i t der gestellten Rechnung, sondern die Pflicht zur
Stellung einer Rechnung. Hienach erscheint die Berufung des Beklag=
ten allerdings in soferne begründet, als mit derselben zugleich eine Be=
weisauflage über die vorgebrachte, aber von der Klägerin widerspro=
chene Einrede der bereits erfolgten Rechnungsstellung erstrebt wird.
Zur Begründung dieser Einrede reicht auch die Behauptung, daß die
verlangte Rechnung der Klägerin bereits gestellt worden sei, vollkom=
men hin; denn hiemit ist, wie bei der Einrede der Zahlung, dem
Klaganspruche die ganz bestimmte Thatsache entgegengesetzt, daß Klä=
gerin dasjenige, was sie fordert, von dem Schuldner bereits erhalten

habe. Es mußte demnach, der Berufung in diesem Punkte stattgebend, darüber Beklagter, wie geschehen, zum Beweise belassen werden.
Da nach dem Gesagten durch diesen Beweis dargethan werden soll,
daß Klägerin rücksichtlich ihres Anspruches auf Rechnungslegung von
dem Beklagten befriedigt, die dem letzteren obliegende Verbindlichkeit erfüllt wurde, die Verbindlichkeit des Rechnungspflichtigen aber
in der Vorlage einer ordnungsgemäß geführten, formell
vollständigen Rechnung besteht, so folgt, daß der zu führende Beweis auch dieses Moment umfassen muß, — sei es nun, daß das wirkliche Vorhandensein der bezeichneten formellen Beschaffenheit der Rechnung oder die Anerkennung des vorgelegten Rechnungswerkes als Erfüllung der obligationsmäßigen Rechnungspflicht des Beklagten
auf Seite der Klägerin dargethan wird.

(Schweinfurt Reg.-Nr. 5.)

## CLXXXIX.

Das Aufführen ganzer Häuser im Akkord oder Errichten
eigener Gebäude auf Spekulation macht einen Maurermeister noch nicht zum Kaufmann.

A. d. HGB. Art. 271, 272, 275.

In einer gegen einen Maurermeister vor dem treffenden Handelsgerichte erhobenen Klage war zur Darlegung der Kompetenz des angegangenen Gerichtes behauptet worden, daß die der Klage zu Grunde
liegenden Rechtsgeschäfte auf den Geschäftsbetrieb des Verklagten Bezug hätten, dieser Geschäftsbetrieb den eines gewöhnlichen Maurermei-
sters übersteige und als kaufmännischer sich darstelle, weil Verklagter
die Aufführung ganzer Häuser in Akkord nehmen und auch eigene
Gebäude auf Spekulation errichte.

Diese Klage wurde jedoch in beiden Instanzen wegen Inkompetenz der Handelsgerichte abgewiesen und in den Gründen des handelsappellationsgerichtlichen Urtheiles vom 3. Juni 1864 bemerkt:

Angenommen auch, der Verklagte betreibe jene Art von Geschäften gewerbemäßig, so würde er doch hiedurch noch nicht ein Kaufmann, weil solche Geschäfte keine Handelsgeschäfte im Sinne des
a. d. HGB. sind. Durch Eingehung eines Bauakkordes übernimmt der
Baumeister die Herstellung eines unbeweglichen Werkes auf fremdem Grund und Boden; lediglich die Herstellung dieses Immobile ist der Gegenstand des eingegangenen Geschäftes, und es ist hie-

durch die Anwendbarkeit des Art. 272 Ziff. 1 a. a. O. ausgeschlossen, welcher ausdrücklich voraussetzt, daß die zur Herstellung übernommene Sache eine bewegliche sei.

Führt aber ein Baumeister auf seinem eigenen Grund und Boden Gebäude auf, so steht er bei Ausführung solcher Bauten nicht Dritten gegenüber; er ist Baumeister und Bauherr in Einer Person, und es ist daher klar, daß die Bauten, die Jemand auf seinem eigenen Grundstücke unternimmt, als solche keine Handelsgeschäfte sind noch sein können.

Wer gewerbemäßig Grundstücke erwirbt, in der Absicht, solche, sei es nachdem er zuvor Gebäude darauf errichtet oder nicht, weiter zu veräußern und hieburch Gewinn zu erzielen, führt ersterenfalls allerdings Spekulationsbauten und letzterenfalls einen förmlichen Handel mit liegenden Gütern; allein Kauf und Verkauf von liegenden Gütern sind niemals Handelsgeschäfte im Sinne des Art. 271 ff. des a. b. HGB., da Art. 275 a. a. O. ausdrücklich Verträge über Immobilien von dem Begriffe der Handelsgeschäfte ausnimmt.

Hierin vermag auch der Umstand nichts zu ändern, wenn der Eigenthümer eines Grundstückes zu dem beschlossenen Spekulationsbau die Baumaterialien von einem Dritten bezieht. Denn bei dieser Erwerbung hat er offenbar nicht die Absicht, diese Gegenstände, nachdem sie bearbeitet, behauen und zugerichtet sind, wieder an Andere zu veräußern; seine Absicht ging vielmehr schon bei der Erwerbung der zur Ausführung des beschlossenen Spekulationsbaues nothwendigen Gegenstände darauf, dieselben auch in der That auf seinen eigenen Grund und Boden zu verwenden, die erworbenen und bearbeiteten Gegenstände unter sich und mit dem Grundstücke in eine untrennbare Verbindung zu bringen, sie zu einem integrirenden Bestandtheile des Immobile zu machen. Eine Absicht, jene beweglichen Gegenstände als solche, wenn auch nach erfolgter Bearbeitung, anderweit zu veräußern, ist aber durch die ihr gegenüberstehende Absicht der Verwendung in dem eigenen Grundbesitz geradezu ausgeschlossen. Ist aber das von einem Dritten zu einem Spekulationsbau erworbene Material mit dem Immobile in dauernde Verbindung gebracht und geht es so als ein Ganzes an einen Anderen über, so ist der Verkauf kein Handelsgeschäft. Denn Immobilien und deren Pertinenzien können als solche nicht Gegenstand des kaufmännischen Verkehrs sein, auf sie findet der Begriff der Handelswaare nach Maßgabe des Art. 271 Ziff. 1 a. a. O. keine Anwendung.

Das Gleiche gilt von dem Falle, wenn ein Bauunternehmer bei

bem Akkorde eines Baues auf fremdem Grund und Boden die erforberlichen Materialien von einem Dritten bezieht.

Bei Feststellung der Erfordernisse eines Handelsgeschäftes nach Art. 271 Ziff. 1 wurde — zeuge der Konferenzverhandlungen — stets daran festgehalten, daß es auf die Intention des Käufers, aus welcher er den vorwürfigen Kauf unternehme, anzukommen habe, und daß zur Annahme eines Handelsgeschäftes dessen Absicht dahin gerichtet sein müsse, die Waare, bewegliche Sache ꝛc. wieder zu verkaufen und auf solche Weise durch Waarenumsatz einen Gewinn zu erzielen, wie dieses bei Kaufleuten im engeren Sinne die Regel ihrer geschäftlichen Thätigkeit bildet. (Sitzungsprot. S. 513 ꝛc., dann 1263, 1267, 1283 und 1288.)

Da nun der Akkordant eines ganzen Baues die zur Verwendung in den Bau bestimmten beweglichen Gegenstände nicht zu dem Zwecke erwirbt, um sie wie Handelswaare oder Kaufmannsgut unverändert, oder aber, wie dieses bei der Fabrikwaare der Fall ist, in bearbeitetem oder verarbeitetem Zustande wieder zu verkaufen; da dessen Absicht bei der Anschaffung vielmehr lediglich auf die Herstellung des in Akkord übernommenen unbeweglichen Werkes gerichtet ist, die locatio conductio operis immobilis nur ein einzelnes Privatrechtsgeschäft und keinesfalls ein Handelsgeschäft ist — Art. 275, — so stellt sich auch die Anschaffung der zur Aufführung des Werkes nöthigen Materialien nicht als ein Handelsgeschäft im Sinne des Art. 271 Ziff. 1 des HGB. dar.

(Hof Reg.-Nr. 12.)

## CXC.

In Bezug auf unbestellt zugesendete Waaren ist die Unterlassung alsbaldiger Untersuchung derselben und Anzeige über den Befund für den Empfänger unnachtheilig. — Die bloße Rücksendung einer auf Bestellung gelieferten Waare vertritt nicht die Stelle einer Dispositionsstellung.

Art. 319 und 347 des a. d. HGB.

Nach Behauptung der Handlung A. A. hatte der Schneidermeister N. N. zu Y. am 6. August 1863 auf der Münchener Jakobidult bei dem Mittheilhaber jener Handlung, X., eine Quantität Waaren bestellt, solche auch am 10. August v. Js. geliefert erhalten, jedoch sofort am Tage nach dem Empfange wieder an die Verkäufer zurückgesandt. Von jener Handlung auf Zahlung des angeblich bedungenen Kaufschillings belangt, gab N. N. eine Bestellung von Waaren im Allg e m e i n e n zu, widerſprach aber die überſendeten Waaren beſtellt zu haben, und erklärte, er habe ſie beßhalb nicht angenommen, weil ſie der Beſtellung in qualitativer und quantitativer Hinſicht nicht entſprochen hätten. Das Untergericht legte der Klägerin den Nachweis über die vertragsmäßige Beſchaffenheit der Waaren auf, wobei es einestheils von der Annahme, daß eine Beſtellung der Waaren zur Begründung esb Klaganspruches nicht weſentlich, anderentheils in der Rückſendung derſelben eine genügende Dispoſitionsſtellung enthalten ſei, ausgıng. Auf Beſchwerde beider Theile *) legte das k. Handelsappellationsgericht durch Urtheil vom 25. April 1864 dem Kläger den Nachweis über die Beſtellung der Waaren und das Bedungenſein der Preiſe auf, während es die unterrichterliche Beweisauflage ſtrich. In den Gründen kommt vor:

1) Wurden die überſendeten Waaren vom Beklagten nicht beſtellt, ſo war derſelbe auch nicht zu deren Annahme verbunden; denn in dieſem Falle liegt überhaupt ein Kaufvertrag nicht vor.

Das Kaufgeſchäft, auf welches die klagende Firma ihr Verlangen ſtützt, iſt nach ihrer eigenen Angabe dadurch zu Stande gekommen, daß Beklagter die Waaren bei X. beſtellte und dieſer die Beſtellung annahm, bezw. das Handlungshaus A. A. auf ſolche hin die Waaren überſendete. Eine andere Art des Kaufsabſchluſſes wurde überall nicht behauptet. Beſtellung und Annahme derſelben iſt demnach die Form, in welcher die Kontrahenten ihre auf einen Kaufsabſchluß gerichteten Willenserklärungen kundgegeben haben. Indem Beklagter die erfolgte Beſtellung in Abrede ſtellte, hat er den Abſchluß des von der Klägerin behaupteten Kaufgeſchäftes geläugnet; es liegt daher der Letzteren der Beweis der Beſtellung ob; mißlingt dieſer, ſo iſt der Beweis des behaupteten Kaufgeſchäftes mißlungen.

In dieſem Falle kann auch die Unterlaſſung der Dispoſitionsſtellung dem Verklagten nicht präjudiziren und in derſelben für ſich allein nicht eine Annahme des ihm durch die Waarenſendung gemachten Angebotes erblickt werden. (Art. 319 des a. b. HGB.)

2) Wird dagegen die Beſtellung erwieſen, ſo fragt es ſich, ob Verklagter der ihm alsdann nach Art. 347 des a. b. HGB. obliegenben Pflicht durch einfache Rückſendung der Waaren genügt habe. Dieſe Frage iſt aber zu verneinen **).

---

*) Verklagter hatte appellirt, weil nicht dem Kläger der Beweis der Beſtellung auferlegt, Kläger, weil nicht Verklagter ſofort nach Klagantrag verurtheilt wurde.

**) Nach den gleichen Grundſätzen war am 10. Dezember 1863 erkannt worden, in der Sache Paſſau Reg.=Nr. 33.

Der Art. 347 bestimmt, daß wenn die Waare von einem anderen Orte übersendet ist, der Käufer ohne Verzug nach der Ablieferung, soweit dieses nach dem ordnungsmäßigen Geschäftsgange thunlich ist, dieselbe zu untersuchen, und, wenn sich solche nicht als vertrags- oder gesetzmäßig ergibt, dem Verkäufer sofort davon Anzeige zu machen hat; ferner daß, wenn er dieses versäumt, die Waare als genehmigt gilt.

Dieser Artikel schließt einerseits den früher bestrittenen Grundsatz in sich, daß die Annahme einer auf Bestellung zugesandt erhaltenen Waare und das Schweigen über dieselbe der Empfangnahme gleichsteht, die Genehmigung derselben enthält; andererseits schreibt er dem Käufer die Vornahme gewisser Handlungen vor, deren Unterlassung als ein Schweigen im Sinne des Gesetzes, als eine stillschweigende Genehmigung angesehen werden soll. Er legt demgemäß demselben die Verpflichtung auf, die Waare ohne Verzug nach der Ablieferung zu untersuchen, und soferne sich hiebei Mängel derselben ergeben, dem Verkäufer sofort Anzeige hievon zu machen.

Wegen Mängel der Sache, welche sich bei einer nach dem ordnungsmäßigen Geschäftsgange thunlichen, ohne Verzug nach der Ablieferung vorgenommenen Untersuchung hätten herausstellen müssen, kann Käufer in der Folge Ansprüche gegen den Verkäufer nicht mehr erheben, die Erfüllung seiner Verbindlichkeiten aus dem Kaufvertrage nicht mehr verweigern, wenn er jene Untersuchung bezw. die sofortige Anzeige ihres Ergebnisses an den Verkäufer unterlassen hat.

Der Käufer soll die Waare ohne Verzug untersuchen und die bei dieser Untersuchung entdeckten Mängel dem Verkäufer sofort kundgeben; thut er dieses nicht, so gilt die Waare als genehmigt; thut er dieses nicht vollständig, so gilt die Waare insoweit als genehmigt, als die vorgeschriebene Anzeige an den Verkäufer unterblieb.

Daß unter den in Abs. 1 des Art. 347 gebrauchten Worten „davon Anzeige zu machen" die Anzeige der bei der Untersuchung vorgefundenen Mängel zu verstehen sei, ergeben die Motive zu dem Art. 264 des preuß. Entwurfes *), sowie die Berathungen der Han-

---

*) Daselbst heißt es: Ein ordentlicher Kaufmann wird auch nie unterlassen, die ihm gelieferte Waare sofort zu untersuchen, um sich von der vertragsmäßigen Beschaffenheit derselben zu überzeugen, und er wird von den vorgefundenen Mängeln ebenso ungesäumt dem Verkäufer Nachricht geben. Es kann daher nicht bedenklich sein, die fragliche Verpflichtung des Käufers gesetzlich anzuerkennen.

belskonferenz, nach deren Inhalt jenen Motiven beigetreten wurde. (Prot. S. 643 u. ff.).

Es folgt dieses aber auch aus der ausdrücklich ausgesprochenen Verpflichtung des Käufers zur Untersuchung der Waare, wie aus dem Zwecke der Bestimmungen des Art. 347 und aus der denselben zu Grunde liegenden kaufmännischen Anschauung über die Dispositions=stellung.

Das Gesetz beschränkt die Verbindlichkeit des Käufers, welcher die Waare beanstanden will, nicht auf die ohne Verzug nach der Ablie=ferung zu erstattende Anzeige, daß ihm die Waare nicht entspreche, daher zur Disposition gestellt werde; sondern legt ihm die spezielle Verpflichtung auf, die Waare zu untersuchen und nach vorgenommener Untersuchung, wenn sich dieselbe nicht als vertrags= oder gesetzmäßig ergibt, dem Verkäufer davon Anzeige zu machen. Hieraus geht aber unzweifelhaft hervor, daß durch die zu erstattende Anzeige dem Ver=käufer auch das Ergebniß der Untersuchung, der Grund, aus welchem die Annahme beanstandet wird, mitgetheilt werden soll. Nur eine solche Mittheilung entspricht dem Zwecke der gesetzlichen Be=stimmung und der Natur der kaufmännischen Dispositionsstellung, durch welche der Verkäufer zugleich in den Stand gesetzt werden soll, den Grund der Annahmsverweigerung zu würdigen und hienach seine weiteren Maßregeln zu ergreifen. Nun liegt zwar in der Zurück=sendung der Waare an den Verkäufer die thatsächliche Erklärung, daß Käufer dieselbe nicht behalten, bezw. nicht empfangen wolle. Allein so wenig der Zurücksendung eine rechtliche Wirkung beigelegt werden könnte, wenn dieselbe nicht ohne Verzug nach der Ablieferung er=folgt sein würde, eben so wenig vermag auch die ohne Verzug erfolgte Zurücksendung für sich allein die Verwirkung des gesetzlichen Prä=judizes der stillschweigenden Genehmigung zu verhüten. Denn abgesehen davon, daß die im Handelsverkehre gegenseitig zu beobachtende Diligenz eine sofortige Zurücksendung der wenn auch nicht empfangbaren Waare als nicht gerechtfertigt erscheinen läßt, und ein Zuwiderhandeln gegen jene Verpflichtung den Käufer für die dem Verkäufer hiedurch zugehenden Nachtheile jedenfalls verantwortlich machen würde, so kann in der ein=fachen Zurücksendung der Waare eine Erfüllung der im Art. 347 dem Käufer auferlegten Verpflichtung nicht gefunden werden, weil ihr die vorgeschriebene Anzeige der bei der Untersuchung vorgefundenen Mängel an den Verkäufer abgeht. Die in der Zurücksendung thatsächlich lie=gende Anzeige der Annahmsverweigerung entspricht der gesetzlichen Vorschrift nicht, sie ist keine gehörige Anzeige; hat sich demnach

Käufer innerhalb der ihm zur Erfüllung der durch Art. 347 auf=
erlegten Verpflichtung zu Gebote stehenden Frist auf die einfache
Zurücksendung beschränkt, so hat er die vorgeschriebene Anzeige
versäumt und die Waare gilt als genehmigt im Sinne des Gesetzes.

Dieser Fall liegt hier vor, — da die am Schlusse der Vernehmlassung
vom Beklagten gemachte Bemerkung, daß er übrigens auch noch brief=
lich den Kläger von der Nichtannahme der Waare rechtzeitig verständigt
habe, um deßwillen eine Berücksichtigung nicht finden kann, weil eines=
theils jede nähere Zeitangabe mangelt, um die Rechtzeitigkeit dieser
Mittheilung beurtheilen zu können, anderentheils auch hier nicht be=
hauptet wurde, daß dem Verkäufer zugleich der Grund der Annahme=
verweigerung mitgetheilt worden sei.

Hieraus folgt, daß, wenn nun Kläger die behauptete Bestellung
der übersendeten Waaren beweist, es eines weiteren Beweises über die
vertrags= oder gesetzmäßige Beschaffenheit derselben nicht mehr be=
darf, und da in der weiter gehenden Bitte auf sofortige Verurtheilung
des Verklagten auch die geringere auf Befreiung von einem auferlegten
Beweise enthalten ist, zu Gunsten des appellirenden Klägers die des=
fallsige Beweisauflage unter Ziff. I, 1 des erstrichterlichen Erkenntnisses
gestrichen werden mußte *).

(München r/J. Reg.=Nr. 63.)

———————————

*) Verklagter hatte zwar auch noch behauptet, es sei ausdrücklich bedungen
worden, daß er die Waare solle zurückschicken dürfen, wenn sie ihm
nicht tauge. Diesem Einwande wurde jedoch keine Beachtung geschenkt
und in den Gründen hierüber bemerkt:

Es kann nicht angenommen werden, daß mit jener angeblichen
Vereinbarung Klägerin unter Verzicht auf das ihr im Art. 347
des HGB. eingeräumte Recht dem Beklagten die sofortige
Zurücksendung der Waaren im Falle ihrer Musterwidrigkeit gestattet
habe, weil Verzichte bestimmt und deutlich ausgesprochen werden müssen
und daher das Zugeständniß, Beklagter dürfe die Waare zurücksenden,
wenn sie ihm nicht tauge, d. h. wenn sie nicht mustermäßig sei, nur
als eine zur Erregung oder Erhöhung der Kauflust beigefügte, den
stillschweigenden Vorbehalt: „wenn er seinerseits den ihm gesetzlich ob=
liegenden Verpflichtungen nachgekommen sein sollte" in sich schließende
Zusicherung der Zurücknahme der Waare für den gedachten Fall auf=
zufassen ist. Es konnte demnach in obiger Behauptung eine zur Be=
weisauflage sich eignende Einrede der ausdrücklichen Befreiung von der
gesetzlichen Pflicht der Dispositionsstellung nicht gefunden werden.

## CXCI.

Zahlung des Kaufpreises bei ratenweiser Lieferung
einer gekauften Quantität fungibler Sachen.
A. b. HGB. Art. 342 Abf. 3, Art. 355, 356, 359.

A. A. und Konforten hatten nach Vertrag vom November 1862
dem N. N. 15,000 Stück Hopfenstangen zu dem Preise von 19 fl.
per 104 Stück in wöchentlichen Sendungen von 1000 Stück zu liefern,
und lieferten auch in zwei Sendungen 2393 Stück zu dem Preise von
437 fl. an N. N. ab; die weitere Lieferung stellten dieselben aber ein,
weil N. N. an dem Preise für die gelieferten Stangen nur 218 fl.
bezahlte. Auf Bezahlung des Restes mit 219 fl. von A. A. und
Konforten belangt, wendete N. N. ein, daß er zu sofortiger Bezahlung
jeder einzelnen Lieferung nicht verpflichtet, die Lieferungseinstellung der
Kläger daher eine unberechtigte gewesen und ihm hiedurch ein auf
722 fl. 28 kr. berechneter Schaden zugegangen sei, den er im Wege
der Kompensation bezw. Widerklage geltend machte.

Durch Urtheil der ersten Instanz vom 7. Januar 1864 wurde
Verklagter nach dem Klageantrag zur Zahlung verurtheilt und Kläger
von der Widerklage entbunden, welches Urtheil auf Beschwerde des
Verklagten am 25. April 1864 zweitrichterlich bestätigt wurde.

In den Gründen kommt vor:

Verklagter folgert daraus, daß im Vertrage keine bestimmte Zah=
lungszeit festgesetzt worden sei, er habe nicht eher zu zahlen, als bis
die Gesammtzahl der Stücke der nach und nach zu liefernden Stangen
wirklich abgeliefert sei. Diese Ansicht ist jedoch nicht richtig.

Der Preis war nicht für die Gesammtsumme der 15,000 Stück
Hopfenstangen als ein Ganzes in Bausch und Bogen festgesetzt, sondern
zu 19 fl. für das Hundert (bezw. 104 Stück), und ergab sich daher
der Preis für jede Lieferung, welche 1000 Stück zu enthalten hatte,
durch einfache arithmetische Manipulation.

Da nun nach gemeinem Rechte sowohl als nach Handelsrecht
sowie Handelsbrauch in Ermangelung entgegenstehender Vereinbarung
die Bezahlung des Kaufpreises bei Uebergabe der Waare, die Erfüllung
also Zug um Zug zu geschehen hat (Thöl, Handelsrecht S. 68, 69;
Brinkmann, Handelsrecht S. 75; b. HGB. Art. 342 Abf. 3), soferne
nicht durch die Natur des Geschäftes ein Anderes bedingt ist, so waren
die Verkäufer, welche nicht auf einmal, sondern in einzelnen Abtheil=
ungen zu liefern hatten, vollkommen berechtigt, die Zahlung für jede

30

gelieferte und angenommene Abtheilung sofort zu verlangen, ohne daß ihnen die Einrede des nicht erfüllten Vertrages wegen anderer Partieen, deren Lieferzeit überdieß auch gar nicht eingetreten war, mit Grund entgegengesetzt werden konnte. Kläger haben in der That vom Beklagten, wie dieser selbst zugestehen muß, nur die Bezahlung der bereits gelieferten und angenommenen Partieen Hopfenstangen begehrt und es war der Beklagte daher auch verbunden, seinerseits jedesmal nach Empfang derselben und somit längstens nach Empfang der letzten Lieferung den noch bestehenden Kaufschillingsrest zu 219 fl. unweigerlich zu zahlen.

Etwas Anderes ist auch durch die Natur des in Frage stehenden Geschäftes nicht bedingt, vielmehr geht aus der vom Verklagten bereits während des Lieferungsgeschäftes geleisteten Abschlagszahlung, welche fast der Hälfte der empfangenen Waare entspricht, jedenfalls soviel hervor, daß es überhaupt nicht in der Absicht der Kontrahenten lag, die Zahlung von der vollständigen Erfüllung des Vertrages abhängig zu machen, so daß Beklagter offenbar dolose handelt, wenn er nunmehr die Zahlung der geständigermaßen geliefert erhaltenen Waare unter dem Vorwande des nicht vollständig erfüllten Vertrages bis zu erfolgter Ablieferung von 15,000 Stück Hopfenstangen verweigert.

Hieraus folgt von selbst, daß Verklagter, da er vor erfolgter Lieferung sämmtlicher Hopfenstangen jede weitere Zahlung verweigert, es ist, welcher mit Erfüllung seiner vertragsmäßigen Verpflichtungen gegenüber den Klägern sich im Verzuge befindet, und daß letztere berechtigt waren, mit den weiteren Lieferungen inne zu halten und bei der fortgesetzten Weigerung des Verklagten, seiner Verbindlichkeit nachzukommen, von dem Vertrage, soweit sie ihn nicht erfüllt haben, ganz abzugehen *) (Art. 354 und 356 des a. b. HGB.). Ist dieses aber der Fall, so fehlt es der erhobenen Kompensationseinrede bezw. Widerklage an der erforderlichen Voraussetzung, welche darin besteht, daß Kläger mit Erfüllung ihrer Verpflichtung sich im Verzuge befinden, zur Abbrechung ihrer Lieferungen berechtigt gewesen seien, und es hat bei der unzweifelhaft bestehenden Pflicht des Verklagten, das wirklich Empfangene auch zu bezahlen, sein Verbleiben.

(Nürnberg Reg.-Nr. 106.)

---

*) Daß die Verkäufer nicht verpflichtet waren, den ganzen Vertrag aufzulösen, d. h. auch das Gelieferte zurückzunehmen und den erhaltenen Kaufpreis zurückzugeben, folgt aus Art. 359 des allg. b. HGB. Vgl. auch Brinkmann, Handelsrecht §. 32 und §. 100 Note 6 u. 7.

## CXCII.

## Begründung von Entschädigungsansprüchen auf dem Grund der Nichterfüllung von Lieferverträgen.
### A. d. HGB. Art. 355, 283.

N. N. hatte nach Vertrag vom 25. Februar 1862 an A. A. 2000 Stück Bretter, und zwar die erste Hälfte bis 15. Mai, die 2. Hälfte bis 1. September 1862 \*) zu liefern. Da er seiner Lieferpflicht verschiedener Mahnungen ungeachtet nicht nachkam, erhob A. A.

---

\*) Auf diesen Umstand hatte Verklagter den Einwand gegründet, es stehe hier ein Fixgeschäft im Sinne des Art. 357 des a. d. HGB. in Frage, Verklagter hätte demgemäß sofort nach Umfluß jener Termine seinen Willen, auf der Erfüllung zu bestehen, erklären sollen und sei, nachdem er dieses unterlassen, seines Rechtes auf Erfüllung und damit auch auf Entschädigung verlustig gegangen.   In Würdigung dieses Einwandes bemerken die Gründe:

Der Art. 357 a. a. O. hat solche Liefergeschäfte im Sinne, bei welchen genau zu einer festbestimmten Zeit oder binnen einer festbestimmten Frist geliefert werden soll, bei welchen es daher nicht blos auf eine Lieferung überhaupt, sondern wesentlich auch darauf abgesehen ist, daß diese zu einer bestimmten Zeit oder binnen einer bestimmten Frist erfolge, — indem eine spätere Lieferung für den Empfänger der letzteren überhaupt von keinem Interesse mehr ist oder derselbe doch bei dem Vertragsabschlusse hierüber in Zweifel war und daher für den Fall nicht rechtzeitiger Lieferung nicht unbedingt an den Vertrag mehr gebunden sein wollte.   Wenn nun auch im gegebenen Falle durch den Vertrag vom 23. Februar 1862 bestimmt wurde, daß die Hälfte der Bretter am 15. Mai, die andere Hälfte am 1. September geliefert werden solle, so ist diese Bestimmung doch nicht dahin aufzufassen, daß die genaue Einhaltung jener Frist als ein wesentlicher Theil der Verpflichtung des Verklagten betrachtet werden solle, so daß es gemäß Art. 357 nach fruchtlosem Ablaufe derselben einer sofortigen besonderen Erklärung bedurft hätte, wenn Kläger noch auf der Erfüllung bestehen wollte.   Es ergibt sich dieses nicht nur aus dem Inhalte des Vertragsinstrumentes selbst, indem in dessen Nachtrage dem Verklagten für den Fall eintretenden Wassermangels ausdrücklich eine längere und zwar unbegrenzte Lieferfrist gestattet wurde, sondern auch aus der unter den Streittheilen gepflogenen Korrespondenz, wonach beiderseits jene im Vertrage ursprünglich bestimmten Liefertermine nicht so angesehen wurden, als sei Kläger nach Ablauf derselben zur Annahme der Lieferung nicht mehr berechtigt, bezw. verpflichtet.

30 \*

im August 1863 Klage gegen ihn auf Entschädigung, wobei er für
jedes zu liefernde Stück 5 kr., im Ganzen daher 166 fl. 40 kr. Entschädigung in Anspruch nahm, ohne jedoch diese Ansätze näher zu begründen.  Das Untergericht wies diese Klage in der angebrachten Art
ab, welches Urtheil am 27. April 1864 zweitrichterlich bestätigt wurde.
Die Gründe enthalten:

Dem klägerischen Anspruche gebricht es in Ansehung der Höhe
der begehrten Entschädigung an der erforderlichen Substanzirung.  In
der Klage ist in dieser Beziehung nichts weiter angeführt, als daß eine
Entschädigung in dem „nur geringen Anschlage von 5 kr. per Stück"
begehrt werde, ohne daß weiter angegeben wäre, ob dieser Betrag als
Schaden im engeren Sinne, etwa als Differenz zwischen den stipulirten
und anderweiten Anschaffungspreisen, oder als entgangener Gewinn, allenfalls als Differenz zwischen den An= und Verkaufspreisen, sich darstelle.  In der Replik scheint die Ungewißheit über letzteren Punkt gehoben und jener Betrag als der dem Kläger durch Nichtlieferung
während der in der Klage bestimmten Frist zugegangene positive Nach-
theil bezeichnet zu sein, jedoch auch hier ist eine nähere Darlegung,
wie dieser Schaden sich entziffere, unterlassen.  Mit diesem Vorbringen
ist den Erfordernissen einer Klage nicht genügt. Gewinn und Schaden
sind die Ergebnisse gewisser faktischer Verhältnisse und lassen sich in
einem gegebenen Falle nur dann mit Sicherheit bemessen, wenn alle
auf Bestimmung derselben Einfluß habenden Verhältnisse genau bekannt
sind; diese Verhältnisse aber sind so verschiedenartig oder können doch
so verschiedenartig sein, als einzelne Fälle des Gewinnes und Verlustes
überhaupt vorkommen können.  Nach bekannten prozessualen Grundsätzen genügt es aber nicht, einen Anspruch nur zu erheben und dessen
nähere Begründung etwa für das Beweisverfahren sich vorzubehalten,
sondern es müssen schon in der Klage die thatsächlichen Momente
angegeben werden, aus welchen der erhobene Rechtsanspruch abgeleitet
werden kann, damit einestheils der Richter sofort zu prüfen im Stande
sei, ob der erhobene Anspruch in der That auch erhoben werden könne,
anderntheils dem Verklagten die Möglichkeit gegeben wird, mit etwaigen
Einwänden hervorzutreten und die Schlußfolgerung des Gegners zu
zerstören.  Was Kläger in seiner Berufung vorbringt, zeigt gerade
recht schlagend, wie mangelhaft die Klage in fraglicher Hinsicht begründet sei.  Denn eben wenn der stipulirte Verkaufspreis der Bretter
nicht als allgemeiner Marktpreis betrachtet werden kann, wenn ferner
der Preis von dergleichen Waaren ein in jeder Gegend mit Rücksicht
auf dortiges Bedürfniß und je nach Beschaffenheit und Kräftigkeit des

Holzes ein verschiedener ist, wäre es um so nöthiger gewesen, die Momente, aus welchen sich der berechnete Schaden von 5 kr. per Stück ergibt, nach Zeit, Ort, Beschaffenheit des Vertragsobjektes u. s. w. näher darzulegen. Bei dem Mangel aller Anhaltspunkte hierüber stellt sich die erstrichterlich ausgesprochene Abweisung der Klage in angebrachter Art als wohlbegründet und die hiegegen ergriffene Beschwerde als grundlos dar*).

(München r|J. Reg.=Nr. 65.)

## CXCIII.

### Beweislast des Spediteurs gegenüber Ansprüchen aus angeblichen Pflichtverletzungen desselben.

#### Vgl. a. d. HGB. Art. 382 Abf. 2.

Der Spediteur N. N. zu Nürnberg hatte am 2. Juni 1858 von dem Kaufmanne A. A. zu S. eine verpackte Kiste mit Nachtlichtern und Cigarren zur Versendung nach Bremen übergeben erhalten und auch die Weiterbeförderung bewirkt. Der die Waare begleitende Frachtbrief war unter Zustimmung des Versenders von Spediteur N. N. ausgestellt und hierin der Inhalt des Kollo, angeblich auf Grund der eigenen Mittheilungen des Versenders, als „Kurzwaaren" bezeichnet worden. Wegen dieser unrichtigen Deklaration des Inhalts als „kurze Waaren" und der hiedurch begangenen Uebertretung der Zollvorschriften wurde jedoch die Waare durch Beschluß des k. sächsischen Hauptsteueramtes Plauen vom 26. August 1858 konfiszirt und N. N. auch in eine Zollstrafe genommen. Nun trat aber der Versender A. A., welcher dem Spediteur N. N. den Inhalt des Kollo richtig bezeichnet zu haben behauptet, gegen letzteren mit einer Entschädigungsklage auf, indem er den Ersatz des ihm durch die Konfiskation angeblich zugegangenen Schadens mit 222 fl. 45 kr. begehrte. Das kgl. Handelsgericht Nürnberg entband den Verklagten von der Klage, von der Ansicht ausgehend, Kläger hätte darthun sollen, daß Verklagter gegen erhaltene Instruktion oder wider besseres Wissen und gegen Wissen und

---

*) Hätte Kläger nicht die Angabe aller und jeder Anhaltspunkte zur Bemessung des Schadens unterlassen, so würde, da im Uebrigen der Schadensersatzanspruch vollkommen liquid war, nach Art. 72 des Einf. Ges. zum a. d. HGB. auf Grund der Sachkunde der technischen Beisitzer sofort definitiv auf eine entsprechende Entschädigung für den Kläger haben erkannt werden können.

Willen des Klägers die versendeten Waaren als kurze Waaren bezeichnet habe, ein Beweis hiefür sei jedoch nicht von ihm erbracht. *) Auf Beschwerde des Klägers erkannte das kgl. Handelsappellationsgericht am 2. Mai 1864 auf Ableistung des Erfüllungseides für den Verklagten darüber, „daß ihm Kläger bei Ertheilung des fraglichen Speditionsauftrages den Inhalt des zu versendenden Kollo als „kurze Waaren" bezeichnet habe."

In den Gründen kommt vor:

Der Spediteur als Mandatar des Versenders ist verbunden, den übernommenen Auftrag in der von dem Mandanten bezeichneten Art und mit steter Rücksicht auf dessen Vortheil und Willensmeinung wie auf die Natur des aufgetragenen Geschäftes zu vollführen; er haftet seinem Mandanten, auch wenn ihm nur ein geringes Verschulden zur Last fällt c. 11. 13. 21 C. mand. vel contra [4, 35]; (Seuffert, Pand.-R. Bd. 1 S. 336). Hat derselbe die Ausstellung des Frachtbriefes besonders übernommen, so liegt ihm hienach auch ob, hiebei mit aller Vorsicht und Sorgfalt zu Werke zu gehen und insbesondere, wenn es sich um die Versendung zollpflichtiger Waaren handelt, die Deklaration der Waare im Frachtbrief den bestehenden Zollvorschriften entsprechend vorzunehmen. Hieraus folgt zweifellos, daß er für eine unrichtige Deklaration und den hiedurch herbeigeführten Verlust der Waare seinem Mandanten haften muß.

Da nun in dem vorliegenden Falle der Spediteur den Inhalt der ihm zur Versendung übergebenen 4 Kisten unrichtig als „kurze Waaren" deklarirt und hiedurch die Konfiskation derselben herbeigeführt hat, so ist er auch verpflichtet, die seinem Mandanten hieraus erwachsenen Kosten zu ersetzen, wenn er nicht darzuthun vermag, daß trotz der von ihm geschehenen unrichtigen Deklaration ihm ein Verschulden nicht zur Last fällt, daß er jede ihm nach der eingegangenen Verpflichtung obliegende Vorsicht und Sorgfalt angewendet hat. (Weber, über die Verbindlk. zur Beweisführung S. 21; Borst, über die Beweislast S. 81; vgl. auch Seuffert, Kommentar zur GO. Bd. III. S. 58, woselbst nicht eine spezielle Vorschrift der hier nicht in Anwendung kommenden bayer. GO., sondern die gemeinrechtliche Lehre erörtert ist.)

Richtig ist allerdings, daß der Beklagte für den Verlust haften muß, wenn ihm nachgewiesen werden kann, daß ihm als Inhalt der

---

*) Nach den Bestimmungen der im gegebenen Falle anwendbaren Nürnberger Handelsgerichtsordnung v. J. 1804 ist mit Klage, Exzeption u. s. w. sofort der erforderliche Beweis zu verbinden.

Kisten Cigarren und Nachtlichter angegeben oder daß er sogar beauf=
tragt wurde, die genannten Waaren als Inhalt der Kisten zu defla=
riren, und derselbe bemungeachtet in dem Frachtbrief die Bezeichnung
„kurze Waaren" aufgenommen hat.

Allein dessen Haftbarkeit ist nicht auf diesen Fall beschränkt, nicht
durch die Angabe bezw. die Kenntniß des wahren Inhaltes der Kisten
bedingt.

Auch wenn Kläger es unterlassen haben sollte, ihm zu erklären,
daß die Kisten Cigarren und Nachtlichter enthalten, auch wenn Be=
flagter nicht in anderer Weise von dem wahren Inhalte Kenntniß er=
halten haben sollte, ist er in Folge seiner unrichtigen Deklaration für
den hieraus entstandenen Schaden ersatzpflichtig, weil er, nachdem er
das ihm übertragene Mandat, die Ausstellung des Frachtbriefes und
die Spedition der Güter nach Bremen, übernommen hatte, verpflichtet
war, auch für die richtige Deklaration Sorge zu tragen und
daher, im Falle ihm der Inhalt der Kisten nicht bekannt gegeben
wurde oder nicht sonst bekannt war, hierüber bei dem Kläger nähere
Erkundigung einzuziehen; weil er nicht als sorgfältiger Spediteur und
in Beobachtung des Interesses seines Mandanten, wozu er sich doch
durch die Eingehung des Mandatsvertrages verbindlich gemacht hatte,
handelte, wenn er die Güter als kurze Waaren deklarirte und versen=
dete, ohne sich vorher über den Inhalt der Kisten bei dem Versender
befragt zu haben. Die Klage ist mithin auch ohne das Assert der
richtigen Waarenangabe, welches mit Recht nicht in der Klagschrift,
sondern erst in der Replik als Entgegnung auf die Einrede des Be=
flagten aufgestellt wurde, begründet, und Sache des letzteren ist es,
nachzuweisen, daß er die ihm als Spediteur obliegende Sorgfalt ange=
wendet habe.

Zu diesem Zwecke wurde vom Beklagten behauptet, daß ihm
Kläger bei Uebertragung der Spedition der in Frage stehenden Waa=
ren ausdrücklich bemerkt habe, die Kisten enthielten nur s. g. Kurz=
waaren; verhält sich diese Behauptung in Richtigkeit, so ist Beklagter
von jedem Verschulden an der erfolgten Konfiskation und an dem hie=
durch dem Kläger zugegangenen Schaden frei; denn war ihm der In=
halt der ihm geschlossen übergebenen Kisten von dem Versender in
jener Weise angegeben worden, so war er auch berechtigt, die Waare
im Frachtbriefe nach der ihm gemachten Angabe zu deklariren, und eine
Verbindlichkeit, sich vorerst durch Oeffnen der Kisten und Untersuchen
ihres Inhaltes selbst von der Richtigkeit jener Angabe zu überzeugen,

lag ihm nicht weiter ob. Die Schuld des Verlustes trifft in diesem Falle den Versender.*)

(Nürnberg Reg.=Nr. 94.)

### CXCIV.

**Bedeutung der Beweisauflage, daß Kaufpreise „be= bungen oder üblich" seien. — Beweiskraft einer Faktura gegen den Verkäufer.**

(Vgl. diese Sammlung Bd. I S. 386, S. 184.)

In einer Streitsache wegen Zahlung eines Waarenkaufschillings hatte der klagende Verkäufer behauptet, die von ihm angegebenen Preise seien bedungen und üblich gewesen. Der Verklagte hatte bei= des widersprochen und überdieß behauptet, es seien niedrigere Preise, als die vom Kläger angegebenen, bedungen worden, wobei er diese niedrigeren Preise speziell angab. Das HG. I. Instanz legte durch Urtheil vom 27. April 1863 dem Kläger Beweis darüber auf, daß die von ihm angegebenen Preise bedungen oder üblich gewesen seien, und bemerkte in den Gründen, daß dem Verklagten vorbehalten bleibe, die Wahrheit seiner Angabe im direkten Gegenbeweise darzuthun. Kläger trat über beide Alternativen Beweis an, ebenso Verklagter über die Stipulation der von ihm behaupteten geringeren Preise, und zwar durch die ihm vom Kläger übersendete und von ihm auch unbe= anstandet angenommene Faktura. Nach Vernehmung der über die Ueblichkeit der Preise vorgeschlagenen Zeugen erklärte Kläger, daß er auf Erhebung der Beweismittel über das Bedungensein der Preise verzichte und folgeweise auch von Erhebung der Gegenbeweismittel des Verklagten Umgang zu nehmen bitte. Das Untergericht gab diesem Antrage nicht statt, erkannte vielmehr nach Erhebung der Gegenbe= weismittel in der Sache selbst, — wobei es annahm, daß zwar der klä= gerische Beweis über die Ueblichkeit der Preise erbracht sei, daß der= selbe jedoch nicht in Betracht komme, nachdem auch der primär in Betracht kommende Gegenbeweis des Verklagten über die Stipulation geringerer Preise gelungen sei. Gegen diesen Ausspruch legte Kläger Berufung ein, worin er auszuführen suchte, primär: daß dem Ver= klagten der Beweis über die Stipulation geringerer Preise als direk= ter Gegenbeweis nur gegenüber der ersten klägerischen Beweisalternative freigelassen sei, daher bei Wegfall des klägerischen Beweises hierüber nicht mehr in Betracht komme; eventuell: daß der Gegenbeweis des Verklagten mißlungen sei. Durch Urtheil des HAG. vom 1. Juni

---

*) Im Weitern ist ausgeführt, daß nach den Umständen des vorliegenden Falles jene Behauptung als soweit glaubhaft nachgewiesen zu erachten sei, daß Beklagter nach den Bestimmungen der Nürnberger Reforma= tion zum Erfüllungseide hinsichtlich seiner Einrede belassen werden könne.

1864 wurde indessen der Ausspruch I. Instanz bestätigt und in den Gründen in fraglicher Beziehung bemerkt:

Durch die in den Motiven des erstrichterlichen Urtheiles enthaltene Bemerkung, daß dem Verklagten vorbehalten bleibe, die Wahrheit seiner Angaben im direkten Gegenbeweise darzuthun, ist die Behauptung des Verklagten, daß bestimmte geringere Preise bedungen worden seien, und zwar ohne zu unterscheiden, ob Kläger die erfolgte Verabredung des Preises in der geforderten Höhe oder dessen Ueblichkeit darthun würde, ganz allgemein in den Bereich des direkten Gegenbeweises verwiesen worden. Wäre dieses nicht die Absicht des erkennenden Richters gewesen, so hätte er in nothwendiger Konsequenz dem Beweise der Preisüblichkeit gegenüber dem Verklagten den Beweis der Verabredung eines geringeren Preises noch nachträglich auferlegen müssen.

Gegen die in den Gründen des Erkenntnisses vom 27. April 1863 ausgesprochene Verweisung der letzterwähnten Thatsache zum direkten Gegenbeweis wurde auch von keiner Seite eine Erinnerung erhoben; es muß also hiebei sein Bewenden haben. Dem Verklagten kann unter diesen Umständen nicht versagt werden, auch wenn Kläger, vom Beweise der behaupteten Preisverabredung ganz absehend, lediglich den Beweis über die Ueblichkeit des geforderten Preises geführt hat, dieser Beweisführung gegenüber den Nachweis der Verabredung eines geringeren Preises zu versuchen, und die Erbringung dieses Beweises muß nothwendig auch den auf die Ueblichkeit gegründeten klägerischen Anspruch vermindern, weil dasjenige zunächst den Ausschlag gibt, was die Kontrahenten unter sich verabredet haben, und im Falle die Verabredung eines geringeren Preises erwiesen wird, der vom Kläger geforderte höhere Preis in der That dem Verklagten gegenüber nicht als der angemessene sich darstellt.

Hiezu kommt noch, daß, nachdem einmal über das Bedungensein des Preises in der geforderten Höhe dem Kläger nicht nur Beweis auferlegt worden war, sondern derselbe sogar diesen Beweis angetreten hat, dem Verklagten das Recht des Gegenbeweises durch einen einseitigen Verzicht des Klägers auf jenen Beweis nicht mehr entzogen werden konnte.

Das Verhältniß des Beweises der Ueblichkeit zu dem Beweise der Verabredung des geforderten Preises ist allerdings ein eventuelles, weil beide Theile nicht über die Thatsache der Preisverabredung, sondern nur über die Höhe des geforderten Preises stritten, daher auf die Ueblichkeit nur dann zurückgegangen werden kann, wenn von keiner Seite ein bestimmter Preis als verabredet dargethan wird.

Das behauptete Uebereinkommen über einen geringeren, als den vom Kläger geforderten Preis geht nun aber auch in der That aus der vom Verklagten zum Nachweise seiner Behauptung vorgelegten und vom Kläger als von ihm herrührend anerkannten, so betitelten Zusammenstellung der von ihm an den Verklagten vom 8. Febr. 1861 bis 14. Januar 1862 abgelieferten Ziegelsteine ꝛc. ꝛc. hervor. In dieser Zusammenstellung sind nämlich die Preise in jenem Betrage vom Kläger selbst angesetzt, welcher vom Verklagten als bedungen behauptet wurde.

Durch die Hinausgabe derselben an den Beklagten hat Kläger, und, durch die Annahme der bezeichneten Preisberechnung ohne Erinnerung, Beklagter sein Einverständniß mit den daselbst aufgeführten Preisen erklärt; es liegt also die beiderseitige Willensübereinstimmung in diesem Punkte thatsächlich vor; die betreffenden Preise sind als vereinbarte anzusehen, ohne daß es weiter darauf anzukommen hat, ob auch schon vor der Lieferung der Fabrikate eine Preisverabredung stattgefunden hat oder nicht.

Wollte Kläger diese Folge von sich abwenden, so wäre es seine Sache gewesen, der in Frage stehenden, vom Beklagten produzirten Zusammenstellung gegenüber nachzuweisen, daß letzterer die gemachten Preisansätze zurückgewiesen, Erinnerungen gegen dieselben erhoben habe; dieses hat aber Kläger unterlassen, die Preisansätze müssen demnach als vom Beklagten acceptirt gelten und es ist ein einseitiges Zurückgehen von denselben nicht mehr zulässig \*).

(München I/J. Reg.=Nr. 115.)

---

\*) Die Auflage eines Beweises über „Angemessenheit, Ueblichkeit, Werthentsprechendheit u. s. w." des Preises führt zu solchen Inkonvenienzen, daß eine Beseitigung der desfalls eingerissenen Praxis sehr wünschenswerth wäre. Sollte hieburch der Verkäufer hie und da in eine ungünstige Lage versetzt werden, so ist die mangelhafte thatsächliche Begründung der gestellten Klage daran Schuld und bei strengerer Praxis der Gerichte wird auch bald eine sorgfältigere Bearbeitung der Kaufklagen erfolgen. Ein Erkenntniß des f. HAG. v. 22. Juli 1864 (München I/J. Reg.=Nr. 296) bemerkt auf die Berufung des klägerischen Anwaltes darüber, daß ihm vom Erstrichter nur die Vereinbarung der Preise zu erproben freigelassen worden sei, Folgendes: „Dem appellirenden Anwalte scheint der Gedanke vorgeschwebt zu haben, daß, wenn Kläger beweisen könnte, Beklagter habe die fraglichen Waaren gekauft, ohne daß ihm der Beweis gelingen würde, es seien die geforderten Preise bedungen gewesen, der Beklagte doch wenigstens die werthentsprechenden Preise bezahlen müßte. Dagegen aber ist darauf hinzuweisen, daß, nachdem die Preisfestsetzung zur Perfektion des Kaufes gehört, der Beweis des Kaufabschlusses, ohne daß die Thatsache einer Preisstipulation bewiesen ist, schwer denkbar erscheint. Nun hat überdieß Beklagter behauptet, nicht die vom Kläger behaupteten Einzelpreise, sondern eine Pauschalsumme sei als Preis vereinbart worden; es könnte also offenbar dem Kläger nichts nützen, wenn er beweisen würde, daß die von ihm geforderten Beträge für derlei Waaren zu jener Zeit damals entsprechend waren, da hieburch noch nicht bewiesen ist, daß er dieselben nicht um einen geringeren Preis, z. B. den vom Beklagten behaupteten Pauschalpreis, verkauft habe."

„Es würde ein Anderes sein, wenn Kläger behauptet hätte, bei dem Verkaufe sei ausdrücklich bedungen gewesen, daß der Käufer den laufenden Marktpreis oder den damals üblichen oder einen angemessenen Preis, (dessen nähere Bestimmungsart übrigens gleichfalls verabredet gewesen sein müßte) zu zahlen habe. Mit einer solchen Behauptung würde aber selbstverständlich die Behauptung bestimmter ziffernmäßiger vereinbarter Preise, wie sie die Klage enthält, in einem unvereinbaren Widerspruche stehen, beides nebeneinander kann also nie berücksichtigt werden."

## CXCV.

### Fristverlängerungen im Nürnberger Handelsprozeß.
#### Nürnberger H. G. O. §. 20.

Das Handelsappellationsgericht sprach in einem Erkenntnisse vom 22. August 1864 aus, daß nach Nürnberger Recht nur auf Grund vorgelegter Bescheinigung einer Hinderungsursache und nur auf sieben Tage die Frist zur Klagbeantwortung verlängert werden dürfe, und wurde insbesondere gegenüber der Berufung auf eine den §. 20 der Nürnberger HGO. abändernde Praxis bemerkt: davon, daß der Mißbrauch der angeblich „glaubhaft dargelegten Hinderungs= ursache", wie er sich seit Einführung der Prozeßnovelle allerwärts gel= tend zu machen suchte, sich seit einigen Jahren auch in die Nürnber= ger Handelsprozeßsachen eingeschlichen haben soll, ist dem Gerichts= hofe nichts bekannt; jedenfalls würde der in der Berufung behaup= teten „constanten Praxis, jedes erste Gesuch auf 14 Tage zu verlängern, wenn Gründe glaubhaft dargelegt sind", als einem vom Geiste des Gesetzes so wie von dem Wortlaute desselben völlig ab= weichenden, daher ungesetzlichen Verfahren mit aller Entschiedenheit entgegengetreten werden müssen, um die wohlthätigen Folgen der Gesetzes= vorschrift in §. 20 der Nbgr HGO. wieder zur Geltung zu bringen.

(Nürnberg Nro. 119.)

## CXCVI.

### Handelsgerichtliche Zuständigkeit bei Streitigkeiten über Ausübung und Umfang vertragsmäßig festgestellter Gewerbsrechte.

N. N. hatte sich in einem am 8. April 1862 mit seinem Vater abgeschlossenen Vertrage, wodurch letzterer einen Theil seines zu K. betriebenen Geschäftes an ihn abtrat, verpflichtet, nicht mit Spezerei=

waaren Handel zu treiben.  Da er dieser Verpflichtung entgegenhan=
delte, wurde er von seinem Vater vor dem Handelsgerichte N. darauf
belangt, daß er sich des Handels mit Spezereiwaaren und des Auf=
suchens von Geschäftskunden zu diesem Zwecke zu enthalten habe.
Verklagter hatte die Kompetenz der Gerichte bestritten und seine Be=
rechtigung zum Handel mit Spezereiwaaren aus den Bestimmungen
der Gewerbsinstruktion vom 21. April 1862 abgeleitet, wornach ein
konzessionirter Kaufmann mit den verschiedensten Waarengattungen
Handel treiben darf.  Das Untergericht hatte seine Kompetenz aner=
kannt, übrigens bezüglich der Frage, welche Waaren als zum Spe=
zereihandel gehörig zu erachten seien, angenommen, daß diese Frage
von den Administrativbehörden zu entscheiden sei.  In den Gründen
des zweitrichterlichen Urtheiles vom 11. Juli 1864 ist enthalten:

Im gegenwärtigen Falle hat es nicht darauf anzukommen, ob
die Gewerbspolizeibehörde künftig einem Schnittwaarenhändler auch
den Betrieb des Handels mit Spezereiwaaren gestatten oder aber ver=
bieten wird, sondern hier handelt es sich lediglich um dasjenige Ver=
bietungsrecht, welches in Folge eines rechtsgültigen Privatvertrages
dem Kläger gegen den Beklagten zusteht.  Hier gibt lediglich dieses
privatrechtliche Vertragsverhältniß Maß und Ziel über die gegensei=
tigen Rechte und Verbindlichkeiten, und deßhalb ist auch zum Schutze
gegen etwaigen Vertragsbruch der Richter, nicht aber, wie Appellant
meint, die Gewerbspolizeibehörde, anzurufen.

Nach dem Inhalte des Privatvertrages und der Zeit seines Ab=
schlusses ist aber auch der Umfang des Verbietungsrechtes zu bemessen,
welches Kläger in Folge des unter'm 8. April 1862 vom Beklagten
abgegebenen Verzichtes erworben hat.  Hieraus folgt, daß der ohne=
dieß im strengsten Sinne auszulegende Verzicht des N. jun. auf den
Handel mit Spezereiwaaren nur in dem Sinne und Umfange ver=
standen werden kann, daß der Verzichtende sich auf die Lebensdauer
seines Vaters des Handelns mit solchen Waaren habe begeben wollen,
welche zur Zeit des Vertragsabschlusses im Geschäfte des N.
geführt wurden, und welche gemeinhin als Spezereiwaaren bezeichnet
werden oder wenigstens damals im Polizeibezirke des Ortes K. als
solche angesehen wurden.

Die rechtliche Behandlung und Entscheidung der Frage über den
Umfang des Verzichtes und in Folge hievon über das Vor=
handensein der thatsächlichen Momente nach den eben bezeichneten Richt=
ungen hin ist aber nicht Sache der Administrativbehörden, sondern sie

hat den Gegenstand eines civilprozessualen Beweisverfahrens zu bilden, soferne das zuständige Handelsgericht nicht in der Lage sein sollte, von der in Art. 72 des Einf.-Ges. zum allg. b. HGB. ihm eingeräumten Befugniß Gebrauch zu machen.

(Bamberg Nr. 31.)

## CXCVII.

**Geltung der b. W.- u. MGO. für Handelssachen in den zum vormaligen Herzogthume Neuburg gehörigen Gebietstheilen.**

Der bereits in einem Urtheile vom 27. April 1863 (vergl. diese Sammlung S. 187) von dem k. Handelsappellationsgerichte erlassene Ausspruch, daß in Handelssachen aus den zum vormaligen Herzogthume Neuburg gehörigen Gebietstheilen nach der b. W.- u. MGO. zu verfahren sei, wurde in einem Urtheile vom 10. Oktober 1864 wiederholt, und hiebei zur Widerlegung des von dem Untergerichte gegen jenen Ausspruch u. A. aus den Motiven zum Art. 70 des Entwurfes des Einf.-Ges. zum allg. b. HGBuche *) abgeleiteten Argumentes bemerkt:

Die in den angezogenen Motiven enthaltene Bemerkung, das k. Handelsgericht Augsburg werde in Handelssachen nach der b. GO. und Novellen zu verfahren haben, bezog sich auf die Fassung des Art. 70

---

*) Vgl. Verhandlungen der Gesetzgebungsausschüsse und Kammern der Reichsräthe und Abgeordneten über die Einführung des allg. b. HGB. Bd. 1 S. 78. Dortselbst heißt es nämlich: „Was insbesondere das Handelsgericht Augsburg betrifft, so werden nach Kap. II §. 1 der Augsburger Wechselordnung v. J. 1778 gewisse Handelssachen von dem Wechselgerichte in Augsburg nach dem dort geltenden Wechselgerichtsverfahren verhandelt und entschieden. Es schien jedoch nicht angemessen, dieses summarische Verfahren auf alle, wenn auch noch so bedeutenden, Handelssachen auszudehnen, noch kann es für räthlich erachtet werden, für die verschiedenen Arten von Handelssachen an einem und

31 *

des Entwurfes zum Einführungsgesetze, wonach das Verfahren bei den Handelsgerichten sich nach den hiefür bei den einzelnen Gerichten bestehenden besonderen Gesetzen und in deren Ermangelung nach den für die bürgerlichen Rechtssachen allgemein geltenden Vorschriften der b. GO. und der hiezu erlassenen Novellen richten sollte. Es wurde dies bezüglich des Handelsgerichtes Augsburg deshalb besonders erwähnt, weil nach Kap. II §. 1 der Augsburger Wechselordnung gewisse Handelssachen von dem Wechselgerichte dortselbst nach dem Wechselverfahren verhandelt und entschieden wurden, und man nicht dieses Verfahren auf alle Handelssachen ausdehnen wollte. Nun wurden aber bei der Berathung des Art. 70 in dem Gesetzgebungsausschusse der Kammer der Abgeordneten aus Abs. 1 des Art. 70 die Worte: „hiefür bei den einzelnen Gerichten" gestrichen, und es haben daher nicht mehr die an dem Sitze des Handelsgerichtes geltenden besonderen Gesetze für diesen Gerichtssprengel Anwendung zu finden, sondern die für das Verfahren bei den Handelsgerichten in dem gedachten Bezirke bestehenden Gesetze *). Demnach fragt es sich bei der Feststellung der anzuwendenden Prozeßgesetze nicht mehr um die am Sitze des Handelsgerichtes, sondern um die in den einzelnen Theilen des Bezirkes desselben geltenden besonderen Gesetze, und es muß in dieser Beziehung, soferne im Bezirke des Gerichtes verschiedene derartige Gesetze bestehen, der Wohnort des Verklagten Ziel und Maß geben. Durch diese Aenderung des ursprünglichen Entwurfes des Art. 70 des Einf.-Ges. haben aber nothwendig auch die nur hierauf bezüglichen Motive die Bedeutung verloren, welche das Untergericht ungeachtet der geänderten Verhältnisse derselben beilegen zu müssen glaubte.

(Augsburg Nr. 88.)

---

demselben Gerichte und für eine und dieselbe Stadt verschiedene Verfahren bestehen zu lassen. Es wurde deshalb von einem Vorbehalte des wechselgerichtlichen Verfahrens für die betreffenden Handelssachen Umgang genommen, so daß auch das neu zu errichtende Handelsgericht in Augsburg, bei welchem noch kein besonderes Handelsgerichtsverfahren besteht, in Gemäßheit der Vorschriften des Art. 70 nach der bayer. Ger.-Ordb. und den Novellen hiezu zu verfahren haben wird.
*) Vgl. die erwähnten Verhandlungen Bd. II S. 99—138 ff.

## CXCVIII.

**Handelsgerichtliche Zuständigkeit für Streitigkeiten zwischen Wirthen und ihrem Geschäftspersonale.**

A. d. HGB. Art. 4, 10, 65, 271 Ziff. 1, 273 Abf. 3; Einf.-Gef. Art. 63, Ziff. 4.

A. A., Pächter der Eisenbahnrestauration zu X., hatte nach seiner Behauptung die ledige Magdalena N. N. von dort seit 26. Juni 1863 als Kellnerin in der bezeichneten Restauration aufgestellt und ihr den Verkauf der Getränke, Speisen, Cigarren und überhaupt alles Dessen, was in einer Restauration verschleißt wird, für seine Rechnung über= tragen, wogegen dieselbe verpflichtet war, den Erlös nach den zwischen Beiden festgesetzten Preisen jeden Monat an den Kläger A. A. abzu= liefern. Am 10. Mai 1864 soll auf Grund eines über die an Mahl. N. N. abgegebenen Waaren geführten Aufschreibbuches eine Be = und Abrechnung stattgefunden und Letztere die Summe von 498 fl. 10 kr. als von ihr noch abzuliefernden Schuldbetrag anerkannt haben, auf welches Anerkenntniß hin nunmehr von A. A. gegen die Genannte Klage auf Zahlung jener Summe nebst 6%, event. 5% Zinsen vom 10. Mai l. Js. an erhoben wurde. Das k. Handelsgericht Augsburg hatte die Klage wegen mangelnder Kompetenz der Handelsgerichte ab= gewiesen *). Auf klägerische Beschwerde sprach aber das HAG. durch Urtheil vom 12. September 1864 aus, daß die Klage nicht wegen mangelnder Zuständigkeit der Handelsgerichte abzuweisen, sondern wei= tere Verfügung darauf zu erlassen sei, und zwar aus nachstehenden Gründen:

1) Nach Art. 63 Ziff. 4 des cit. Einführungsgesetzes sind Han= delssachen und daher in Gemäßheit des Art. 62 zur Zuständigkeit

---

*) Zur Rechtfertigung der Abweisung machte Erstrichter zwei Gründe geltend:

a) Der Art. 63 Ziff. 4 des Einf.=Gef. zum a. d. HGB. erfasse le= diglich die Rechtsverhältnisse zwischen den Vollkaufleuten und den im Tit. V u. VI Buch I des HGB. aufgeführten Personen; Wirthe seien aber nicht zu den Vollkaufleuten zu zählen;

b) als Kaufleute kämen die Wirthe nur bezüglich ihrer Einkaufs=, nicht bezüglich ihrer Verkaufsgeschäfte in Betracht; die Bediensteten derselben seien daher, selbst wenn sie beim Verkaufe mitwirken, keine Handlungsgehilfen im Sinne des Tit. VI Buch I des HGBuches. —

der Handelsgerichte gehörig: die Rechtsverhältnisse zwischen den Kaufleuten und ihren Prokuristen, Handlungsbevollmächtigten und Handlungsgehilfen, so wie den in ihren Gewerben angestellten Beamten und
sonstigen Bediensteten. Daß unter den Kaufleuten hier nur die s. g.
Vollkaufleute zu verstehen seien, ist im Gesetze nirgends ausgesprochen; es darf daher auch der Richter willkürlich eine Unterscheidung
nicht machen. Als Kaufmann ist nach Art. 4 des HGB. anzusehen,
wer gewerbmäßig Handelsgeschäfte treibt. Nach dieser Begriffsbestimmung gehören Wirthe, welche gewerbsmäßig bewegliche Sachen
anschaffen in der Absicht, sie wieder zu veräußern (Art. 271 Ziff. 1
des HGB.), zu den Kaufleuten. Auf dieselben finden daher die bezüglich der Kaufleute gegebenen Bestimmungen sowohl des HGB.
wie des Einf.-Ges. hiezu gleichmäßig Anwendung, so weit nicht ausdrücklich besondere Ausnahmen gemacht sind. Solche Ausnahmen enthält nun zwar der Art. 10 des HGB.; allein dieselben betreffen lediglich die Bestimmungen über die Firmen, Handelsbücher und die
Prokura. Es ist demnach die Aufstellung, daß die Vorschriften des
HGB. über Handlungsbevollmächtigte und Handlungsgehilfen auf den
Gewerbsbetrieb der Wirthe keine Anwendung finden, unrichtig. Ist
aber deren Anwendbarkeit in dieser Richtung durch das Handelsgesetzbuch nicht ausgeschlossen, so ist auch kein Grund gegeben, die
Bestimmung des Art. 63 Ziff. 4 des Einf.-Ges., welche die Rechtsverhältnisse zwischen Kaufleuten überhaupt ohne irgend eine
Einschränkung und ihren Handlungsbevollmächtigten ıc. ıc. als
Handelssachen erklärt, lediglich auf jene Kaufleute zu beziehen, welche
der Beschränkung des Art. 10 des HGB. nicht unterliegen, auf die
s. g. Vollkaufleute.

2) Die Eigenschaft eines Kaufmannes ist untheilbar; wer in Folge
der Beschaffenheit seines Gewerbebetriebes nach der einen Richtung hin sich als Kaufmann darstellt, ist auch Kaufmann nach einer
anderen Seite seines Gewerbebetriebes hin, welche ihm für sich allein
die Eigenschaft eines Kaufmannes nicht verleihen würde. Der Wirth
bleibt demnach Kaufmann, er mag einkaufen oder verkaufen; an dieser
seiner Eigenschaft wird dadurch nichts geändert, daß nach Art. 273
Abs. 3 die Weiterveräußerungen der Handwerker, insoweit dieselben
nur in Ausübung ihres Handwerksbetriebes geschehen, als Handelsgeschäfte nicht zu betrachten sind. Hieraus folgt, daß derjenige, den
er in seinem Handelsgewerbe als Gehilfen, sei es auch nur zum Verkaufe, aufgestellt hat, ein kaufmännischer Gehilfe, — derjenige, den
er in seinem Handelsgewerbe zu seiner Vertretung nach außen, sei es

auch nur innerhalb eines gewissen Kreises von Geschäften, ermächtigt hat, Handlungsbevollmächtigter ist.

3) Ist nun anzunehmen, daß der Beklagten die eine oder die andere dieser Eigenschaften zukommt, so kann kein Zweifel bestehen, daß die Voraussetzungen der Anwendbarkeit des Art. 63 Ziff. 4 des Einf.-Ges. gegeben, daß die Handelsgerichte zuständig sind; ja selbst bei dem Mangel dieser Eigenschaften könnte es sich fragen, ob nicht die Zuständigkeit der Handelsgerichte in dem Falle begründet sei, wenn die Beklagte in dem Handelsgewerbe des Klägers bedienstet war, weil die angeführte Gesetzesstelle auch die Rechtsverhältnisse zwischen den Kaufleuten und den in ihren Gewerben angestellten Beamten und sonstigen Bediensteten als Handelssachen erklärt.

Nach dem Klagevorbringen befand sich Beklagte im Dienste des Klägers; sie war von ihm aufgestellt zum Verkaufe der Getränke, Speisen, Cigarren und überhaupt alles Dessen, was in einer Restauration verschleißt wird, und mußte den Erlös nach den festgesetzten Preisen monatlich abliefern. Es mag dahin gestellt bleiben, welcher Art das eingegangene Dienstverhältniß war; jedenfalls ergibt sich aus vorstehenden Asserten so viel, daß die Beklagte zur Vertretung ihres Dienstherrn in seinem Handelsgewerbe, nämlich zum Einzelverkaufe und zur Geldeinnahme, ermächtigt war; dieses genügt aber vollständig, um ihr die Eigenschaft einer Handlungsbevollmächtigten zu verleihen; die auf diese Weise geleisteten Dienste sind keine Gesindedienste im Sinne des Art. 65 des HGB., sondern kaufmännische Dienstleistungen. Das aus jener Aufstellung entspringende Rechtsverhältniß, vermöge dessen die Beklagte verpflichtet war, sich mit dem Kläger über den Erlös aus den verkauften Waaren monatlich zu berechnen, und anderseits, — wie die Klagbeilage durch Bezugnahme auf übernommene Ausstände andeutet, — neben dem Verkaufe sogar zur Kreditirung des Kaufpreises befugt gewesen zu sein scheint, so wie der auf Grund jenes Rechtsverhältnisses abgeschlossene Abrechnungsvertrag sind offenbar nach Handelsrecht zu beurtheilen. Da nun Rechtsverhältnisse der bezeichneten Art im Art. 63 Ziff. 4 des Einf.-Ges. als Handelssachen aufgeführt sind, so muß, — vorausgesetzt, daß die in der Klage behaupteten Thatsachen sich in Richtigkeit verhalten, nach Art. 62 a. a. O. die Zuständigkeit der Handelsgerichte im vorliegenden Falle als gegeben erachtet werden, — wiewohl hiemit keineswegs ausgesprochen sein soll, daß Kellnerinnen unter allen Umständen als Handlungsbevollmächtigte anzusehen seien. Ob diese Kompetenz übrigens, wie schon oben angedeutet wurde, selbst abgesehen von dem

Vorerörterten, nicht auch dann begründet sei, wenn sich nur herausstellen sollte, daß Beklagte, ohne Handlungsbevollmächtigte oder Handlungsgehilfin zu sein, ohne also nach Handelsrecht beurtheilt werden zu müssen, in dem Handelsgeschäfte des Klägers als Bedienstete angestellt war, mag zur Zeit unentschieden bleiben. —

(Augsburg Reg.-Nr. 83.)

## CXCIX.

### Zuständigkeit der Handelsgerichte hinsichtlich des Betriebes einer Lohmühle durch Gerber.
#### A. b. HGB. Art. 271—273; Einf.-Gef. Art. 62 ff.

Das „Gerberhandwerk" zu Bayreuth hatte zum Betriebe einer gemeinsamen Lohmühle eine Maschine bestellt; da über deren Bezahlung Differenzen entstanden, so klagte der Fabrikant bei dem Handelsgerichte. Dieses erachtete sich jedoch nicht für zuständig, weil keiner der Beklagten ein Kaufmann sei; hiegegen Berufung, in welcher ausgeführt war, daß, wenn auch die Beklagten einzeln keine Kaufleute seien, doch dieselben eine Gesellschaft oder wenigstens, da der Betrieb einer Lohmühle ein Handelsgeschäft sei, eine Vereinigung zu einem gemeinsamen Handelsbetriebe bildeten, — Klagen gegen solche aber zu den Handelsgerichten gehörten.

Das Erkenntniß des k. HAG. vom 1. September 1864 besagt:

Die Berufung des Klägers ist begründet. Zwar nicht aus den von demselben vorgetragenen Gründen; denn der Umstand, daß die beklagten Personen ein Konsortium bilden, ist für Ermittelung der Kompetenz ganz einerlei. Nicht alle Klagen aus Gesellschaftsverhältnissen oder gegen Gesellschaften gehören nach Art. 63 Nr. 5 des Einf.-Gef. zum a. b. HGB. zu den Handelssachen, sondern es kommt hier darauf an, ob der Zweck der Vereinigung ein Handelsgeschäft war oder nicht. Demnach ist es irrelevant, ob ein Lohgerbermeister oder mehrere gemeinsam oder alle Meister von Bayreuth zusammen die fragliche Maschine gekauft haben; wäre die handelsgerichtliche Kompetenz gegen den Einen nicht begründet, so wird dieselbe auch dadurch nicht hervorgerufen, daß sich zum Ankaufe der Maschine eine Vereinigung gebildet hat. Desgleichen ist es irrig, wenn Appellant meint, der Betrieb einer Lohmühle sei unter allen Umständen ein Handelsgeschäft; sind die beklagten Gerber lediglich Handwerker, so fällt die Zubereitung der für ihren Gewerbebetrieb dienlichen Lohe, auch wenn sie mittelst einer Maschine geschieht, da in diesem Falle nicht für Andere gearbeitet wird, nicht unter Art. 272 Nr. 1 des a. d. HGB.; es kommt daher allerdings darauf an, ob die Verklagten Kaufleute sind oder nicht.

Nun ist aber der Ansicht des Erstrichters, daß keiner der verklagten Meister als Kaufmann im Sinne des a. d. HGBuches in Betracht komme, nicht beizutreten. Was insonderheit den hiebei citirten Art. 10 des a. d. HGB. betrifft, so kommt dieser hier gar nicht in Frage, da es sich nicht darum handelt, ob die Lohgerbermeister zu Bayreuth in das Handelsregister einzutragen sind, Prokuristen ernennen können und Handelsbücher zu führen haben.

Das Gerberhandwerk besteht darin, daß die rohen Felle mittelst der Lohe zubereitet und zu Leder umgestaltet werden. Der Betrieb findet aber in der Weise Statt, daß die rohen Felle vom Gerber käuflich bezogen und das zubereitete Leder weiter verschleißt wird. Hienach sind die Gerber auf Grund der Art. 271 Nr. 1 und Art. 4 des a. d. HGB. gleich den Schreinern, Schustern, Schäfflern, Bäckern u. s. w. als Kaufleute anzusehen.

Würden aber auch die Bayreuther Gerbermeister ihr Geschäft nicht in obiger Weise betreiben, sondern nur die ihnen von Lederhändlern anvertrauten Felle gegen Lohn verarbeiten, so würde bei der Thatsache, daß sie dabei Maschinen verwenden und sonach der Gewerbebetrieb fabrikmäßig vor sich geht, der Art. 272 Nr. 1 des a. d. HGB. gleichfalls ihre Eigenschaft als Kaufleute begründen.

Müssen aber die Beklagten als Kaufleute erachtet werden, dann ist auch die Anschaffung der fraglichen Maschine nach Art. 273 Abs. 2 des a. d. HGBuches ein Handelsgeschäft und die Klage daraus eine Handelssache. (Bayreuth Reg.=Nr. 7.)

## CC.

Umfang der Anwendbarkeit des gewöhnlichen Verfahrens in Wechselsachen im Gebiete der b. W.= u. MGO. *).
B. W.= u. MGO. Kap. III §. 1, Kap. IV §. 3, Kap. VII; Einf.=Ges. zum a. d. HGB. Art. 67 und 70 Abs. 1.

Gegen die Erbin des Ausstellers eines eigenen auf Sicht gestellten Wechsels, welche ihren Erbschaftsantritt lediglich durch faktische

---

*) Vgl. diese Sammlung S. 339.

Uebernahme und Verwendung der Erbschaftsmasse zu erkennen gegeben hatte, war auf Zahlung jenes Wechsels vor dem Handelsgerichte Bamberg Klage erhoben und hierin, da Kläger für den Erbschaftsantritt Seitens der Verklagten sofortigen urkundlichen Nachweis nicht beizubringen vermochte, um Einleitung des schriftlichen Verfahrens gebeten worden. Das HG. Bamberg wies die Klage in angebrachter Art ab, weil es an einem urkundlichen Nachweise über die erfolgte Präsentation des Wechsels zur Zahlung, so wie über die Erbenqualität der Verklagten mangle, — welcher Bescheid durch Urtheil des HAG. vom 13. Oktbr. 1864 bestätigt wurde, jedoch nur beshalb, weil die erfolgte Präsentation des Wechsels nicht einmal behauptet sei, während ein sofortiger Nachweis hierüber so wie über die Erbenqualität nach Lage der Sache nicht für erforderlich gehalten wurde. In letzterer Beziehung kommt in den Gründen vor:

Der Mangel urkundlichen Beweisantrittes über die bezeichneten Thatsachen würde genügenden Grund zur Abweisung der Klage, wie angebracht, bilden, wenn Kläger um Einleitung des eigentlichen dem Exekutivprozesse nachgebildeten Wechselprozesses nach Maßgabe der W.- u. MGO. von 1785 gebeten hätte; denn in diesem Verfahren muß nach Kap. III §. 1, Kap. IV §. 3 und Kap. VII der W.- u. MGO. bei Anstellung einer Wechselklage nicht nur der Wechselbrief vom Kläger im Original beigebracht, sondern es müssen auch die übrigen (zur Begründung des Anspruches) allenfalls nöthigen Aktenstücke sofort beigelegt, die Klagbehauptungen demnach urkundlich dargethan werden. Allein, wie bereits erwähnt, wurde vom Kläger die Verhandlung der Sache im schriftlichen Verfahren beantragt, und gebeten, nach durchgeführtem schriftlichen Verfahren zu erkennen, daß die Beklagte schuldig sei, den eingeklagten Betrag zu 716 fl. nebst 5% Verzugszinsen vom Tage der Klagmittheilung an zu bezahlen und sämmtliche Kosten zu tragen. Im schriftlichen Verfahren ist aber der sofortige urkundliche Nachweis der die Klage begründenden Thatsachen nicht erforderlich. Hienächst kann es sich nur noch um die Frage handeln, ob in jenen Gebietstheilen, in welchen die b. W.- u. MGO. Geltung hat, was im Sprengel des Handelsgerichtes Bamberg bezüglich der Wechselgerichtsbarkeit der Fall ist, in Wechselsachen das schriftliche Verfahren oder überhaupt ein anderes Prozeßverfahren, als das in der W.- u. MGO. festgestellte, dem Exekutivprozesse nachgebildete Wechselprozeßverfahren im engeren Sinne statthaft erscheint. Nach Art. 67 des Einf.-Ges. zum HGB. wurden durch die Erstreckung der Zuständigkeit der Handelsgerichte auf alle Wechselsachen und durch die Vereinigung der in den Landestheilen diesf. d. Rheins bestandenen Wechselgerichte mit den Handelsgerichten die Gesetze, welche das Verfahren in Wechselsachen bestimmen, nicht berührt. Nach Art. 70 a. a. O. richtet sich das Verfahren vor den Handelsgerichten nach den hiefür bestehenden besonderen Gesetzen; in deren Ermangelung kommen die allgemeinen Bestimmungen über das Verfahren in bürgerlichen Rechtssachen in Anwendung. Hieraus folgt, daß sich das Verfahren in Wechselsachen bei jenen Handelsgerichten, für welche die bayer. W.- u. MGO. Geltung hat, nach den Vorschriften dieser GO. bestimmt, daß mithin von einer Anwendung der allgemeinen Bestimmungen über das Verfahren in bürgerlichen Rechtssachen hier nur insoferne, als diese allgemeinen Bestimmungen zugleich das subsidiäre Recht für die W.- u. MGO. bilden, die Rede sein kann, da die Voraussetzung des Art. 70 Abs. 2 hier zunächst nicht eintrifft.

Hiemit ergibt sich die weitere Folge, daß es dem Kläger keineswegs ohne Weiteres überlassen ist, ob er vor dem Handelsgerichte eine Wechselklage in dem nach den Bestimmungen des allgemeinen bürgerlichen Prozesses unter den konkreten Verhältnissen etwa begründeten Verfahren oder in einem auf die Vorschriften der W.- u. MGO. sich stützenden Verfahren zur Verhandlung gezogen wissen will; daß vielmehr eine an das Handelsgericht gebrachte Klage aus einem Wechsel oder aus einem mit dem Wechselgeschäfte in Verbindung stehenden Rechtsverhältnisse auch in einem den Bestimmungen der W.- u. MGO. entsprechenden Verfahren verhandelt werden muß, falls nicht ein solches Verfahren sich als unzureichend erweisen und daher das subsidiäre Recht zur Anwendung zu bringen sein sollte.

Die W.- u. MGO. beschränkt sich nun keineswegs auf die Normirung eines dem Exekutivprozesse nachgebildeten Verfahrens für Wechselklagen, auf die gesetzliche Regelung des Wechselprozesses im engeren Sinne, sondern sie stellt zugleich die Grundzüge eines allgemeinen summarischen Verfahrens auf, dessen charakteristische Merkmale die abgekürzten Termine und das affirmative Präjudiz sind, und welches bald mit der Erlassung eines Mandats eröffnet wird, wenn die hiezu erforderliche Bescheinigung des Klagfundamentes vorliegt, — bald, wenn eine solche Bescheinigung nicht beigebracht werden kann, entweder in der Anberaumung einer Tagfahrt zur summarischen Verhandlung oder im Schriftenwechsel in abgekürzten Terminen seine Verwirklichung findet, übrigens seiner Natur nach weder die Zulassung eines Interlolutes ausschließt, noch hinsichtlich der Beweismittel den Parteien eine Beschränkung auferlegt.

Auf diesen Grundlagen hat sich der Merkantilprozeß in jenen Gebietstheilen, in denen die W.= u. WGO. auch für Handels= sachen zur Anwendung zu kommen hat, herausgebildet, so weit nicht auch für die Handelsklage die Voraussetzungen zur Einleitung des Wechselexekutivprozesses vorliegen; auf diese Grundlagen muß auch in Wechselsachen der Handelsrichter das von ihm einzuleitende Ver= fahren in jenen Fällen bauen, in welchen der eigentliche Wechselprozeß nicht zur Anwendung gelangen kann, weil der Kläger nicht im Stande ist, die Bedingungen seiner Anwendbarkeit, wie z. B. die urkundliche Nachweisung aller die Klage begründenden Thatumstände, zu erfüllen.

Kann daher auch von einem schriftlichen Verfahren im Sinne der GO. vor dem Handelsrichter in vorliegender Wechselsache nicht die Rede sein, so war derselbe doch nach den hervorgehobenen Prinzipien der W.= u. WGO. eben so berechtigt wie verpflichtet, die erhobene Klage durch Einholung schriftlicher Parteierklärungen summarisch zu verhandeln und nach dem Ergebnisse dieser Verhandlung weiter in der Sache zu erkennen; in keinem Falle aber konnte die Abweisung der Klage durch die Aufstellung gerechtfertigt werden, daß die Verhand= lung der Klage aus einem Wechsel vor dem Handelsrichter stets durch Einleitung des Wechselprozesses im engeren Sinne bedingt sei.

(Bamberg Reg.=Nr. 50.)

## CCI.

**Umfang der Editionspflicht in Bezug auf Handelsbücher. Beweisdienlichkeit kaufmännischer Bücher für den Nicht= abschluß eines Geschäftes.**

**A. b. HGB. Art. 37.**

Gegen die Klage auf Zahlung des Kaufpreises für angeblich übernommene 5000 fl. österr. Bankaktien hatte der Verklagte einge= wendet, es sei dieses Geschäft seinerseits nur unter einer Voraussetzung, welche sich aber später als nicht existent ergeben, abgeschlossen und da= her nicht perfekt worden, und zum Nachweise dessen nach Einlangen der Rechtsdeduktionen und Abgabe der Beweisartikel *) auf die Klä=

---

*) Der Prozeß wurde nach der Nürnb. Handelsgerichtsordnung v. Jahre 1804 instruirt.

gerischen Handlungsbücher sich berufen und deren Edition begehrt, indem sich aus diesen ergeben werde, daß das fragliche Geschäft darin nicht gebucht worden.

Dieses Gesuch wurde in beiden Instanzen als unbegründet verworfen und in den Gründen des zweitrichterlichen Urtheiles vom 16. Septbr. 1864, nachdem zunächst ausgeführt worden, daß das Gesuch nach §§. 10 und 19 der Nürnberger HGO. schon als verspätet nicht mehr habe berücksichtigt werden können, weiter bemerkt:

An den erwähnten Vorschriften der Nürnb. HGO. ist auch durch den Art. 37 des a. b. HGB. nichts geändert worden.

Wie die Verhandlungen der Handelskonferenz ergeben — (Protok. Bd. III S. 942, 944—947) — wollte in dem bezeichneten Artikel lediglich die Verpflichtung des Kaufmannes, der Gegenpartei im Prozesse seine Handelsbücher zu ediren, ausgesprochen werden; eine Bestimmung dahin, daß der betreffende Editionsantrag zu jeder Zeit während des anhängigen Prozesses gestellt werden könne, war überall nicht beabsichtigt.

Die Worte „im Laufe eines Rechtsstreites" können, nachdem der im preuß. Entwurfe enthaltene Beisatz: „selbst ohne Antrag einer Partei" gestrichen und unter Berücksichtigung der in vielen Prozeßordnungen bestehenden Verhandlungsmaxime die Vorlegung der Bücher von dem Parteiantrage abhängig gemacht wurde, nunmehr lediglich dahin aufgefaßt werden, daß die im Art. 37 anerkannte Editionspflicht nur die Handelsbücher der Parteien im Prozesse betrifft; der Nachdruck ist nicht auf die Worte „im Laufe", sondern auf die Worte „eines Rechtsstreites" zu legen. Es wird hiemit angedeutet, daß über die Verbindlichkeit zur Edition außer dem Prozesse eine Bestimmung nicht gegeben werden wolle.

Die Frage dagegen, ob der Parteiantrag, durch welchen die Anordnung der Vorlage der Handelsbücher nach dem Gesetze bedingt ist, rechtzeitig gestellt wurde, ist nach den Vorschriften der einschlägigen Prozeßordnungen zu beantworten, und nach dem oben Gesagten im Hinblicke auf die hier zur Anwendung kommende Nürnb. HGO. für den vorliegenden Fall zu verneinen.

Der Editionsantrag ist aber auch materiell nicht begründet. Nach Art. 37 des HGB. kann der Richter auf den Antrag einer Partei die Vorlegung der Handelsbücher der Gegenpartei verordnen. Ihm ist es demnach überlassen, zu ermessen, ob dem Antrage stattzugeben sei oder nicht.

Für sein Urtheil bestimmend muß aber zunächst die Erheb-lichkeit der Urkunden sein, deren Edition verlangt wird.

Nun ist offenbar nicht abzusehen, wie durch die unterlassene Ver-buchung des in Rede stehenden Kaufsgeschäftes in den Büchern des Klägers dargethan werden könne, daß das Geschäft nicht so, wie Kläger behauptet, bedingungslos, sondern unter einer Bedingung, und zwar unter der vom Beklagten behaupteten oben angeführten Be-dingung abgeschlossen worden sei.

Ist der Kauf überhaupt nicht in den Büchern eingetragen wor-den, so können dieselben weder das Eine noch das Andere ergeben, sie sind also ohne Erheblichkeit, und mit Recht ist der gestellte Editions-antrag auch aus diesem Grunde verworfen worden *).

(Nürnberg Reg.-Nr. 128.)

## CCII.

Die Bestellung einer zu einem gewissen Preise zu lie-fernden Sache enthält einen Antrag im Sinne des a. d. HGB. — Begriff des Auftrages. —

A. d. HGB. Art. 318 ff. u. 323.

N. N. zu Altenkundstadt hatte mit Brief vom 19. November 1863 den Landesproduktenhändler A. A. zu Nördlingen ersucht, ihm gefäl-

---

*) Im vorwürfigen Falle hatte eine Uebergabe der verkauften Aktien an den Käufer, wozu sich Kläger übrigens in der Klage erboten, noch nicht stattgefunden, weil Ersterer die Annahme verweigert hatte, es war das Geschäft mithin beiderseits noch unerfüllt. „In Fällen solcher Art (sagt obiges Erk. weiter) pflegt aber das Geschäft vor der Abgabe der Lieferob-jekte von Seite des Verkäufers nicht gebucht zu werden, und hierin hatte ohne Zweifel die unterlassene Buchung auch im vorwürfigen Falle ihren Grund. Wenn nun unter Umständen auch aus dem Nichteintrage eines Geschäftes in den Büchern eines Kaufmannes eine Vermuthung dafür abgeleitet werden kann, daß dasselbe überhaupt nicht abgeschlossen wor-den, so besteht doch im vorwürfigen Falle aus dem angegebenen Grunde eine solche Vermuthung nicht, und in jedem Falle müßten die im Texte angegebenen Gründe gegen die Abweisung des gestellten Editions-antrages entscheiden.

ligst 10 Zentner schöne Butter à 30 kr. sofort zugehen zu lassen. Dieser Brief gelangte noch am 19. November Abends in die Hände des
N. N., welcher am 20. November die Butter verpackte und angeblich
am Abende des nämlichen Tages dem Spediteur übergab, gleichzeitig
auch den die Ausführung der Bestellung notifizirenden Brief auf die
Stadtpost gab. Waare und Brief wurden aber erst am 21. November Vormittags von Nördlingen abgefertigt und gelangte letzterer am
21. November Nachmittags in die Hände des N. N. Inzwischen hatte
dieser seine Bestellung mit Brief vom 20. November widerrufen, welch'
letzterer, wie A. A. angibt, erst am 21. November Morgens nach
Uebergabe von Waare und Brief in dessen Hände gelangte, während
N. N. behauptet, daß dieß bereits am 20. November Abends der
Fall gewesen sei. Als am 24. November die Waare bei N. N. an-
langte, verweigerte dieser die Annahme, weßhalb A. A. auf Bezahlung des Kaufschillings Klage gegen ihn erhob. In dem eingeleiteten
Rechtsstreite wurde nun u. a. darüber gestritten, ob in dem Briefe
des N. N. vom 19. November ein Antrag oder ein Auftrag zu erblicken sei und demgemäß Art. 318—321 oder Art. 323 des HGB.
zur Anwendung komme, welch' letzteres Verklagter ausgeführt und das
Untergericht angenommen hatte.

Das in Folge Berufung mit der Sache befaßte HAG. entschied
sich durch Urtheil vom 27. Juni 1864 für die erstere Annahme und
bemerkte in den Gründen:

Erstrichter ist der Ansicht, es habe einer ausdrücklichen Acceptation des Offerts des Verklagten vom 19. November Seitens des Klägers nicht bedurft, da dasselbe als ein Auftrag im Sinne des Art. 323
des a. d. HGB. sich darstelle und daher selbst dann, wenn dessen
Acceptation vom Kläger nicht rechtzeitig erklärt worden, als angenommen habe betrachtet werden müssen, indem es andernfalls rechtzeitig ausdrücklich hätte abgelehnt werden müssen. Allein wenn auch
nach kaufmännischem Sprachgebrauche der Begriff „Auftrag" häufig auf
eine Bestellung von Waaren ausgedehnt wird, so unterscheidet doch
das Handelsgesetzbuch genau zwischen Anträgen und Aufträgen. Unter
einem Antrage versteht das Handelsgesetzbuch das Ansinnen einer Person an eine andere, mit ihr, dem Antragenden, einen Vertrag abzuschließen; es ergibt sich dieses nicht nur aus der Bestimmung des
Art. 318, woselbst als Zweck des Antrages die Abschließung eines Handelsgeschäftes bezeichnet ist und unter derjenigen Person,
mit welcher das Handelsgeschäft abgeschlossen werden soll, gar keine
andere, als diejenige, welcher der Antrag gemacht wird, gemeint sein

kann, sondern auch insbesondere aus den Art. 319 Abs. 2 und Art. 321, wonach von rechtzeitiger Annahme eines Antrages die Frage, ob ein Vertrag zu Stande gekommen sei, abhängig gemacht ist, — wobei an einen anderen Vertrag, als unter den Personen, von welchen und an welche der Antrag ergangen, gar nicht gedacht worden sein kann. Wenn nun das Gesetz für Fälle solcher Art in den Art. 318—322 eigene Vorschriften aufgestellt hat, sodann aber im Art. 323 für den Fall Vorsorge trifft, daß einem Kaufmanne von einem anderen, mit welchem er in Geschäftsverbindung steht, ein Auftrag gegeben wird, und für diesen Fall gerade das entgegengesetzte Prinzip, — daß nämlich ein solcher Auftrag in Ermangelung einer alsbaldigen Ablehnung als a n g e n o m m e n gelte, — aufstellt, so leuchtet ein, daß unter einem A u f t r a g e etwas Anderes zu verstehen sei, als unter einem A n t r a g e, und daß unter ersterem nicht das Ansinnen zum Abschlusse eines H a n d e l s g e s c h ä f t e s mit dem Ansinnenden gemeint sein könne. Was unter einem A u f t r a g e zu verstehen sei, hierüber finden sich in dem Handelsgesetzbuche allerdings keine besonderen Vorschriften; dieser Umstand ist aber nur ein Beleg dafür, daß das Handelsgesetzbuch von dem bestehenden rechtlichen Sprachgebrauche, wonach mit dem Worte „Auftrag" die Uebertragung eines Geschäftes f ü r d e n A u f = t r a g g e b e r bezeichnet wird, nicht habe abgehen wollen, — wie sich insbesondere auch aus der Ausdrucksweise in den Art. 41, 58 Abs. 2, 67, 69 Ziff. 3, 5 und 6, Art. 297 und 298, Art. 360 Abs. 1 und 3, Art. 361, 362, 376 — 378 ergibt. Daß aber gegenüber dieser unzweideutigen Ausdrucksweise des Gesetzes der mehr oder minder laxe kaufmännische Sprachgebrauch nicht in Betracht gezogen werden dürfe, bedarf im Hinblicke auf die Vorschrift des Art. 1 des a. d. HGB. keiner Ausführung.

Im vorliegenden Falle wurde nun unbestrittenermaßen Kläger durch den Brief des Verklagten vom 19. November v. Js. nicht dazu aufgefordert, für diesen mit einem Dritten ein Handelsgeschäft einzugehen, sondern vielmehr dazu, mit dem Verklagten ein solches Geschäft und zwar ein Liefergeschäft abzuschließen; der fragliche Brief enthielt mithin einen Antrag, nicht einen Auftrag zum Abschlusse eines Handelsgeschäftes, und das Rechtsverhältniß, welches durch jenen Antrag zwischen den Streittheilen entstand, ist nicht nach Art. 323, sondern nach Art. 319—322 des a. d. HGB. zu beurtheilen.

(Bamberg Reg.=Nr. 32.)

## CCIII.

**Rechtsverhältniß aus einem Antrage zwischen dem Antragsteller und dem anderen Theile. — Begriff der rechtzeitigen, ordnungsmäßigen Absendung der Antwort auf den Antrag. — Umfang der Zulässigkeit eines Widerrufes.**
**A. b. H.G.B. Art. 318—321.**

In der unter der vorigen Nummer aufgeführten Sache hatte der Verklagte eventuell geltend gemacht, er sei der Verbindlichkeit aus seinem Antrage vom 19. November dadurch entledigt worden, daß Kläger ihn nicht rechtzeitig von der Annahme der Bestellung in Kenntniß gesetzt habe, weßhalb er um so weniger an seinen Antrag mehr gebunden gewesen sei, als er denselben sofort am 20. November brieflich widerrufen und Kläger das besfallsige Schreiben noch vor Absendung der Waare und des deren Absendung meldenden Briefes empfangen habe.

In Würdigung dieses Einwandes besagen die Gründe des allegirten zweitrichterlichen Erkenntnisses:

a) Nach Art. 319 Abs. 1 des a. b. H.G. bleibt bei einem unter Abwesenden gestellten Antrage, wie ein solcher hier unzweifelhaft in Frage steht, der Antragende bis zu dem Zeitpunkte gebunden, zu welchem er bei ordnungsgemäßer rechtzeitiger Absendung der Antwort den Eingang der letzteren erwarten durfte. Schon durch Absendung eines Antrages erwachsen mithin dem Antragenden Verpflichtungen; er muß abwarten, bis ihm bei ordnungsmäßiger rechtzeitiger Absendung der Antwort diese selbst zugehen konnte, und darf bis zu diesem Zeitpunkte nicht von seinem Antrage abgehen, solchen widerrufen. Ist aber bis zu diesem Zeitpunkte eine Antwort nicht eingetroffen, so ist er auch sofort an seinen Antrag nicht mehr gebunden, ohne daß er, in der Regel wenigstens, dem anderen Kontrahenten von seinem Rücktritte Nachricht zu geben verpflichtet wäre [*)].

---

[*)] Eine Ausnahme von dem im Art. 319 aufgestellten Satze findet nur in dem im Abs. 2 daselbst und im Art. 320, Abs. 1 erwähnten Falle statt, wodurch aber nach bekannten Rechtsregeln jener Satz für alle nicht ausdrücklich ausgenommenen Fälle bestärkt wird. Es kann daher insbesondere der Antragende nach dem Eintreffen seines Antrages bei dem anderen Theile auch nicht einmal so lange, als der Antrag von dem letzteren noch nicht acceptirt ist, zurücktreten, muß vielmehr den im Art. 319 bezeichneten Zeitpunkt abwarten.

**32**

Indem Art. 319 a. a. O. dem Antragenden das Recht einräumt, sofort von seinem Antrage abzugehen, sobald er zu der Zeit, zu welcher er bei ordnungsmäßiger rechtzeitiger Absendung der Antwort deren Eingang erwarten durfte, eine solche nicht erhielt, legt er dadurch zugleich dem anderen Theile, falls er den Antrag annehmen und den Antragenden als definitiv gebunden erachten will, die Verpflichtung auf, seine Erklärung, sobald als es ihm bei einem ordnungsmäßigen Geschäftsgange möglich ist, abzugeben. Leistet der andere Theil dieser Pflicht Genüge, so gilt, — vorausgesetzt, daß die Annahmeerklärung auch rechtzeitig eingetroffen und nicht noch vorher oder gleichzeitig dem Antragenden ein Widerruf derselben zugegangen ist, — der Vertrag mit dem Momente als abgeschlossen, zu welchem die Annahmeerklärung abgegeben wurde, worunter nach Inhalt der Protokolle derjenige Zeitpunkt gemeint ist, zu welchem die Abgabe behufs der Absendung (z. B. Aufgabe auf die Post) erfolgte.

b) Im kaufmännischen Verkehre ist es nun allerdings nicht üblich, über die Annahme eingegangener fester Bestellungen, soferne es nicht von dem Besteller ausdrücklich begehrt worden ist, eine besondere Nachricht an den letzteren abgehen zu lassen, es wird vielmehr in der Ausführung einer bestellten Lieferung und der Absendung der dieselbe begleitenden oder ihr vorangehenden Faktura die Antwort über Annahme einer Bestellung erblickt und diese in der Regel als genügend erachtet. In Uebereinstimmung mit dieser Uebung des Handelsstandes wurde auch bei Berathung des a. d. HGB. in der 163. Sitzung von mehreren Mitgliedern die Ansicht ausgesprochen (Prot. S. 1360), daß die Verpflichtung zur Abgabe einer besonderen Annahmeerklärung doch nur auf die dem Tauschverkehre angehörenden und solche Geschäfte bezogen werden könne, bei denen eine besondere Annahmeerklärung erwartet und von deren Abgabe die Perfektion des Vertrages abhängig gedacht zu werden pflege, ohne daß übrigens über diese von anderer Seite wieder bekämpfte Auffassung abgestimmt und ein Beschluß erzielt worden wäre. Im gegebenen Falle, in welchem besondere Nachricht über Ausführung der Bestellung unbestritten nicht begehrt wurde, kann indessen unerörtert bleiben, in wie weit jene Uebung des Handelsstandes mit den Bestimmungen des HGB. noch in Einklang zu bringen sei, da, wenn auch vielleicht die Waare selbst bei dem Verklagten nicht binnen der Frist, innerhalb welcher derselbe Nachricht über Ausführung seiner Bestellung zu erwarten berechtigt war, eingetroffen sein sollte, doch jedenfalls nicht nur die Waare selbst so zeitig als möglich versendet, sondern überdies der zugleich die Faktura enthaltende Brief so bald, als es unter den Umständen des vorliegenden Falles erwartet werden konnte, zur Beförderung an den Verklagten aufgegeben und bei demselben auch eingetroffen war.

c) Was nämlich unter einer ordnungsmäßigen Absendung der Antwort zu verstehen sei, hierüber hat das Gesetz keine Bestimmung getroffen, vielmehr die Entscheidung dieser Frage in jedem einzelnen Falle dem richterlichen Ermessen anheim gegeben; aus den Protokollen ergibt sich übrigens, es habe mit jenen Worten angedeutet werden wollen, daß die Antwort so schnell, als bei ordnungsmäßigem Geschäftsgange und unter Benützung des entsprechenden Korrespondenzmittels thunlich, zu erfolgen habe. Gleiches muß man konsequent von Absendung der Waare und Faktura annehmen, wenn man in einem gegebenen Falle diese als die Stelle besonderer Nachrichtsertheilung vertretend erachten kann.

Der Bestellungsbrief des Verklagten enthielt nun allerdings das Ansinnen, die 10 Centner Butter „sofort" zu senden. Allein dieser Ausdruck wird im kaufmännischen Verkehre keineswegs dahin verstanden, daß schon mit der ersten sich darbietenden Gelegenheit die Sendung der Waare oder mindestens Nachrichtsertheilung erfolgen müsse; soll dies geschehen, so wird es stets durch einen ausdrücklich hierauf gerichteten Beisatz angedeutet; vielmehr wird unter einer sofortigen Effektuirung einer Bestellung nur eine solche verstanden, welche vorgenommen werden soll, sobald es dem Adressaten bei dem gewöhnlichen, nach Art und Umfang des Geschäftes zu bemessenden Geschäftsgange möglich ist. Es ist hiebei dem Empfänger des Antrages stets eine angemessene Frist zur Ueberlegung, ob er den Antrag mit Vortheil ausführen könne, zu gönnen und insbesondere zu berücksichtigen, daß derselbe in Abwickelung etwaiger weiterer, vielleicht gleich dringlicher Geschäfte nicht gehindert sein dürfe.

Von diesem Standpunkte aus beurtheilt kann es nicht als Pflicht des Klägers erachtet werden, daß er, wie Verklagter will, noch am 19. November oder am 20. November noch vor Abgang des um 9 Uhr 15 Minuten Vormittags durch Nördlingen passirenden Schnellzuges seine Erklärung abgegeben oder gar die Waare selbst versendet hätte. Kläger mußte seinen Annahmebrief, wenn er anders noch mit diesem Bahnzuge abgehen sollte, im Falle der Rekommandation eine Stunde, außerdem eine halbe Stunde vor Abgang desselben aufgeben, vorher mußte derselbe geschrieben und zur Expedition getragen werden, so daß Kläger bei der vorgerückten Jahreszeit, in welcher die Geschäftszeit nicht vor 8 Uhr Morgens zu beginnen pflegt, allzusehr gedrängt

32 *

gewesen wäre, hätte er die Beförderung seines Briefes mit jenem Eilzuge bewerkstelligen wollen. Zudem ist die Angabe, er habe erst seine Vorräthe prüfen müssen und insbesondere noch am 20. November BM. Lieferungen von Aufkäufern erwartet, von denen die Ausführung der Lieferung abhängig gewesen, nicht so unglaublich, daß sie nicht bei Bemessung der Erklärungsfrist in Betracht gezogen werden dürfte.

Kläger hatte vielmehr seiner Verpflichtung vollständig Genüge geleistet, wenn er die Waare so zeitig dem Spediteur zur Weiterbeförderung aufgab, daß dieselbe, wie unbestritten feststeht, am 21. November Morgens mit der Eisenbahn weiter befördert werden konnte. Ebenso war es, wenn man auch eine besondere Nachrichtertheilung über die Ausführung der Bestellung für erforderlich halten wollte, nach dem im Handelsverkehre bestehenden Brauche, — welcher gemäß Art. 279 des a. d. HGB. in dieser Beziehung zunächst in Betracht zu ziehen ist, — vollkommen rechtzeitig, wenn Kläger die jene Nachrichtertheilung enthaltende Faktura gleichzeitig mit Abgang der Waare selbst auf die Post zur Weiterbeförderung gab; daß dieses aber jedenfalls und spätestens am 21. November Morgens geschehen sei, ist gleichfalls außer allem Zweifel.

Verklagter konnte demgemäß den Eingang einer Nachricht darüber, ob seine Bestellung ausgeführt werden würde, gleichviel in welcher Weise ihm eine solche Nachricht zugehen mußte, in keinem Falle vor dem 21. November Nachmittags erwarten. Er war deshalb bis zu dieser Zeit an seinen Antrag gebunden und da zu derselben unbestrittenermaßen der Brief des Klägers vom 20. November nebst Faktura bei ihm eingetroffen war, so lag ein perfektes Kaufgeschäft vor, zu dessen Erfüllung Verklagter, nachdem er gegen die Waare selbst Ausstellungen nicht erhoben hat, unzweifelhaft verbunden ist.

d) Der vom Verklagten dem Kläger am 20. November zugesendete Widerruf würde nur dann von Erheblichkeit sein, wenn er noch vor oder doch gleichzeitig mit dem Antrage des Verklagten vom 19. November bei dem Kläger eingegangen (Art. 320 des HGB.), oder, im Falle verspäteten Eintreffens der vom Kläger rechtzeitig versendeten Waare nebst Faktura, in der Zwischenzeit (von dem Zeitpunkte der erwarteten bis zur wirklichen Ankunft) oder unmittelbar nach deren Eintreffen wiederholt worden wäre (Art. 319, Abs. 2). Allein keine dieser Voraussetzungen, — unter welchen allein das Gesetz von der Regel, daß der Antragende mit Absendung seines Antrages bis zu dem im Art. 319 Abs. 1 bezeichneten Zeitpunkte gebunden sei, eine Ausnahme gemacht, — hat Verklagter behauptet, und es stellt sich daher sein Widerruf, selbst wenn er vor Acceptation seines Antrages erfolgt wäre, als unberechtigter, weil während seines Gebundenseins erklärter dar, auf welchen Kläger zu achten nicht verbunden war.

(Bamberg Reg.-Nr. 32).

## CCIV.

### Handelsgerichtliche Zuständigkeit in Werkverdingungs-verträgen.

A. b. HG. Art. 272 Nr. 1.

Der Maurer- und Pflasterermeister N. N. zu W. schloß mit A. u. B. von K. einen Vertrag, wornach diese sich verpflichteten, im Sommer und Herbst 1863 — 65 je circa 6 — 900000 Feldbacksteine aus dem von N. N. aus seinem eigenen Grund und Boden zu gewinnenden Materiale für diesen zu fertigen, wogegen letzterer die Wohnung und sämmtliche Utensilien, so wie die Reisekosten für die von A. und B. zu sendenden Arbeiter zu beschaffen und per 1000 Stück 8 fl. zu zahlen versprach. Für denjenigen Kontrahenten, welcher den Vertragsbedingungen nicht nachkommen würde, wurde eine Konventionalstrafe von 3000 fl. bedungen. A. und B. behaupteten nun, N. N. habe den Vertrag nicht eingehalten, und erhoben gegen denselben auf Entrichtung einer Konventionalstrafe von 3000 fl., so wie Erstattung des ihnen angeblich entgangenen Gewinnes vor dem kgl. Handelsgerichte N. Klage. Das Untergericht erachtete die handelsgerichtliche Kompetenz für gegeben, das Handelsappellationsgericht sprach aber durch Urtheil vom 10. Juni 1864 aus, daß die Klage wegen mangelnder Zuständigkeit der Handelsgerichte abzuweisen sei, und bemerkte in den Gründen:

Der in Frage stehende Vertrag hat offenbar die Verdingung einer Arbeit zum Gegenstande, wobei der Verklagte als Unternehmer, die Kläger aber als Arbeiter sich darstellen. Nach Art. 272 Ziff. 1 des a. b. HGB. ist nun zwar die Uebernahme der Bearbeitung oder Verarbeitung beweglicher Sachen für Andere, wenn der Gewerbebetrieb über den Umfang des Handwerks hinausgeht, ein Handelsgeschäft, aber nur auf Seiten des Uebernehmers, nicht auf Seiten des Arbeitgebers.

Da nun im gegebenen Falle diesem letzteren die Rolle des Verklagten zukommt, derselbe als Maurermeister den Kaufleuten nicht beizuzählen ist, und Klagen gegen Nichtkaufleute nur dann, wenn das Geschäft auf i h r e r Seite ein Handelsgeschäft ist (Art. 64 des EG.), zur Zuständigkeit der Handelsgerichte gehören, so kann diese hier nicht angenommen werden.

Hieran vermöchte auch der Umstand nichts zu ändern, wenn die fraglichen Backsteine, wie Verklagter behauptet, zu dem Baue von Häusern für Andere bestimmt gewesen wären, wornach die Voraus= setzung des Art. 271 Ziff. 1 des a. d. HGB. gegeben sein soll. Denn es gebricht im gegebenen Falle zur Anwendung dieses Artikels vor Allem an dem Merkmale des Kaufes oder der anderweiten Anschaffung, da die Backsteine nicht a l s s o l c h e angeschafft, sondern als Produkt des Grund und Bodens des Verklagten aus dem von diesem geliefer= ten Materiale gewonnen werden, — eine Thätigkeit, die unter den Be= griff der Produktion fällt. Hiernächst würden aber in dem voraus= gesetzten Falle auch die Backsteine nicht a l s s o l c h e, sondern als Be= standtheile eines Immobile veräußert, während Art. 271 Abs. 1 of= fenbar voraussetzt, daß bewegliche Sachen in der Absicht angeschafft werden, um a l s s o l c h e weiter veräußert zu werden.

(Nürnberg Reg.=Nr. 108.)

CCV.

Kompetenz der Handelsgerichte für Klagen gegen Nicht=
kaufleute aus Bürgschaften für Handelsschulden.
A. d. HGB. Art. 273, 274, 281.

Der Müllermeister N. N. hatte dem Kaufmanne A. A. schriftlich erklärt, er stehe für den Waarenbezug seines Sohnes, des Kaufmannes N., auf den Betrag von 400 fl. gut. In Folge dessen lieferte A. A. dem N. jun. Waaren im Betrage von 364 fl. und erhob später auf Zahlung dieses Betrages gegen den Müllermeister N. N. bei dem k. Handelsgerichte Hof Klage. Dieses Gericht wies die Klage wegen mangelnder Zuständigkeit ab, weil der Verklagte kein Kaufmann und auch die eingegangene Bürgschaft kein Handelsgeschäft sei.

Durch Urtheil vom 11. Juli 1864 sprach jedoch das k. Handels= appellationsgericht aus, daß die Klage nicht wegen mangelnder Zu= ständigkeit von dem angegangenen Gerichte abzuweisen, sondern weiter darauf zu verfügen sei, was Rechtens, und zwar aus folgenden Gründen:

Zweifelhaft wäre schon, ob ein Müllermeister nicht an sich auf

Grund des Art. 272 Nr. 1 des a. b. HG. als Kaufmann angesehen werden müsse; ein Gewerbe, welches in der Regel mit größeren Maschinen betrieben wird, muß dem Wortlaute nach als über den Umfang des Handwerkes hinausgehend angesehen werden, wozu noch die Erwägung kommt, daß Müller in der Regel nicht blos fremdes ihnen anvertrautes Getreide zu Mehl verarbeiten, vielmehr ihr Gewerbe meistens insbesondere darin besteht, Getreide auf eigene Rechnung anzuschaffen und Mehl, Kleie u. s. w. weiter zu veräußern, — von welchem Gesichtspunkte aus der Müller nach Maßgabe des Art. 271 Ziff. 1 und Art. 4 des allg. b. HG. als Kaufmann erscheint.

Wäre aber der Beklagte als Kaufmann anzusehen, so fände nicht Art. 64 des Einf.-Ges., — nach welchem das Handelsgericht nur dann zuständig erscheint, wenn das Geschäft, aus welchem geklagt wird, auf Seite des Beklagten ein Handelsgeschäft ist, — sondern Art. 62 und 63 Ziff. 1 Anwendung. Nach diesen letzteren Bestimmungen aber erstreckt sich die Zuständigkeit der Handelsgerichte auf alle Rechtsverhältnisse, welche aus Handelsgeschäften zwischen den Betheiligten entstehen, und ist es sonach genügend, wenn das Geschäft, aus welchem geklagt wird, auch nur auf Seiten des Klägers ein Handelsgeschäft war, oder wenn die Klage zwar nicht ein Handelsgeschäft, aber ein aus einem Handelsgeschäfte entstandenes Rechtsverhältniß betrifft *).

Daß Bürgschaften, welche der Kaufmann im Handelsgewerbe lei-

---

*) Vgl. Lutz, Kommentar S. 184. — Dies ergibt sich aus der Geschichte des Einf.-Ges. Nach dem Entwurfe Art. 64 war die Zuständigkeit der Handelsgerichte überhaupt auf Klagen gegen Kaufleute beschränkt. Der Referent der Abgeordnetenkammer (Verh. Bd. II S. 97) beantragte, daß für alle Handelssachen ohne Rücksicht auf die Person des Beklagten die Entscheidung den Handelsgerichten zustehen solle. Der k. Ministerialkommissär (a. a. O. S. 134) machte auf die hierdurch erfolgende ungemeine Ausdehnung der handelsgerichtl. Kompetenz aufmerksam, worauf beschlossen wurde, die Klagen aus Verbindlichkeiten eines Nichtkaufmanns nur, wenn das Geschäft, aus welchem geklagt wurde, auf Seite des Beklagten ein Handelsgeschäft sei, vor die Handelsgerichte zu verweisen. Bei der Berathung im Plenum erhielt dann der Artikel die jetzige Fassung (a. a. O. S. 224). Hieraus erhellt, daß nur, wenn der Beklagte Nichtkaufmann ist, die Frage von Bedeutung wird: ob das Geschäft, aus welchem geklagt wird, auf Seiten des Beklagten ein Handelsgeschäft ist, während bei Klagen gegen einen Kaufmann nur die Frage, ob die Sache überhaupt Handelssache sei, die Kompetenz regelt.

stet oder welche ihm in diesem geleistet werden, Handelsgeschäfte sind, ergibt sich aus Art. 274 Abs. 1 des a. d. HGB. (Vgl. Gold= schmidt, Handbuch S. 492; Krawel, Kommentar S. 341.)

Da nun der Kläger unzweifelhaft ein Kaufmann ist und ihm gerade in seinem Geschäfte Kreditmandat ertheilt wurde, so ist auf seiner Seite jedenfalls ein Rechtsverhältniß aus einem Handelsgeschäfte in Frage und damit die Sache als Handelssache erklärt.

Aber auch, wenn Müllermeister N. N. nicht als Kaufmann an= zusehen sein sollte, würde doch die Klage vor die Handelsgerichte ge= hören, da dieselbe sich auf ein Geschäft stützt, welches auch auf Seite des Beklagten eine Handelsschuld erzeugte.

Es kann dem Erstrichter darin beigestimmt werden, daß die Form der vorliegenden Bürgschaft als eines Kreditmandates allein diese noch nicht zu einem Handelsgeschäft mache. Denn wenn auch bei den Be= rathungen des Art. 281 Abs. 2 des a. d. HG. bemerkt wurde, daß das delcredere-Stehen und das Kreditmandat die eigentlichen Formen der kaufmännischen Bürgschaft seien (Protokolle Bd. 3 S. 1208), so ist doch damit nur gesagt, daß die kaufmännische Bürgschaftsver= pflichtung häufig auf einem Kreditmandate beruhe, — nicht aber, daß jedes Kreditmandat ein Handelsgeschäft sei, was auch offenbar nicht richtig sein würde.

Ebenso läßt sich auch aus Art. 271 des allg. d. HG. für Be= antwortung der vorliegenden Frage nichts Entscheidendes entnehmen. Zwar ließe sich aus der Fassung des 2. Absatzes dieses Artikels so argumentiren: dadurch, daß die Bürgschaftsübernahme für eine Schuld aus einem Handelsgeschäfte auf Seiten des Hauptschuldners und der Fall, daß die Bürgschaft selbst ein Handelsgeschäft ist, alternativ neben einander gestellt sind, sei implicite ausgesprochen, daß die Bürg= schaft für eine Handelsschuld nicht selbst ein Handelsgeschäft sei; denn sonst hätte es ja genügt, die letzte Alternative allein zu setzen, da in ihr die erste schon enthalten wäre.

Allein diese Schlußfolgerung würde unrichtig sein; dies ergibt sich aus der Entstehungsgeschichte dieses Artikels.

In dem preußischen Entwurfe (Art. 215) so wie in dem Ent= wurfe I. Lesung lautete die erwähnte Bestimmung:

„Dasselbe gilt von dem Bürgen für eine Verpflichtung aus Han= delsgeschäften.‟

Der Grund, weshalb in II. Lesung der obenerwähnte Zusatz ge= macht wurde, bestand, wie die oben citirte Stelle der Protokolle zeigt, nur in der Erwägung, daß mit der bisherigen Fassung nicht alle

Bürgschaften, welche Handelsgeschäfte seien, getroffen würden; ob aber jede Uebernahme einer Bürgschaft für eine Verpflichtung aus einem Handelsgeschäfte ein Handelsgeschäft bilde oder nicht, diese Frage wollte der Art. 281 gar nicht entscheiden, und man kann auch die Entscheidung nicht aus diesem Artikel allein schöpfen.

Wenn nun aber auch weder in diesem Artikel noch sonst in dem Handelsgesetzbuche, wie Erstrichter richtig ausgeführt hat, diese Frage bestimmt und ausdrücklich bejaht ist, so muß doch anderseits anerkannt werden, daß die aus einer für eine Handelsschuld, wenn auch von einem Nichtkaufmanne, übernommenen Bürgschaft entstehende Verbind= lichkeit in rechtlicher Beziehung so anzusehen ist, als rührte sie selbst aus einem Handelsgeschäfte her.

Es ergibt sich der Satz: „die Bürgschaftsschuld für eine Han= delsschuld ist selbst eine Handelsschuld" aus der Natur des Bürgschafts= vertrages als eines accessorischen Vertrages.

Die Bürgschaft setzt, wie Appellant richtig ausgeführt hat, eine anderweite Obligation voraus; sie hat keine selbständige Existenz, son= dern theilt die Eigenschaft der Hauptverbindlichkeit. Der Bürge ist dazu verpflichtet, die übernommene Obligation zu erfüllen, er wird nicht so fast für sich selbst Schuldner des Gläubigers, sondern vielmehr Schuldner für den Schuldner des Gläubigers. Er nimmt die Schuld eines Anderen auf sich und schuldet eben deshalb in Wahr= heit nur die Schuld dieses Anderen. War diese Schuld eine Handels= schuld, so kann er als Bürge nichts Anderes schulden, als diese Han= delsschuld.

Das Handelsgesetzbuch erkennt dieses Verhältniß an durch die in Art. 281 Abs. 2 gegebene Bestimmung. Der Grundsatz, auf wel= chem diese beruht, ist kein anderer, als daß alle Schuldner aus Han= delsgeschäften solidarisch haften sollen; wenn vermöge Handelsrechtes Mehrere eine Verpflichtung übernehmen, so sind sie einer für alle und alle für einen verpflichtet, m. a. W.: Handelsschuldner sind Solidar= schuldner.

Wenn nun das a. d. HG. ausspricht, daß dieser Satz auch für den Bürgen eines Handelsschuldners gilt, so hat es eben damit aner= kannt, daß der Hauptschuldner einer Handelsschuld und der Bürge für eine Handelsschuld nur eine und dieselbe handelsrechtliche Verpflichtung auf sich haben, daß auch der Bürge nach Handelsrecht verhaftet ist. Denn nur in diesem Falle trifft der Grundsatz zu, welchen das Gesetz= buch aufstellen wollte.

Steht es nun fest, daß die Schuld des Bürgen für eine Han=

belsschuld selbst als eine Handelsschuld und in rechtlicher Beziehung so anzusehen ist, als rührte sie aus einem Handelsgeschäfte her, so muß die Klage aus diesem Schuldverhältnisse auch wie die Klage aus einem Geschäfte, das auf Seite des Beklagten als ein Handelsgeschäft sich darstellt, behandelt und nach Art. 64 Abs. 1 a. a. O. vor die Handelsgerichte gezogen werden.

Aber auch aus praktischen Rücksichten rechtfertigt sich diese Auffassung. Der Bürge hat, wie bereits erwähnt, die Schuld desjenigen zu erfüllen, für welchen er gebürgt hat; er kann sich aller Einreden bedienen, welche dem Hauptschuldner zustehen. Der Rechtsstreit, welcher über seine Bürgschaftsschuld erhoben wird, ergreift also nothwendiger oder mindestens höchst wahrscheinlicher Weise auch die ganze ursprüngliche Handelsschuld, und es kommen in der Entscheidung des Prozesses ebenso die Fragen des Handelsrechtes in Betracht, als wäre der eigentliche Hauptschuldner belangt.

Wenn nun der Gesetzgeber wegen der besonderen Beschaffenheit der im Handelsprozesse vorkommenden Streitfragen besondere Handelsgerichte eingerichtet hat, so wäre nicht abzusehen, weshalb diese Handelsgerichte nicht auch über Prozesse der obigen Art, in denen gerade dieselben technischen Fragen zur Entscheidung kommen, urtheilen sollten *).

                                                    (Hof Reg.-Nr. 14.)


## CCVI.

Die Anschaffung von Baumaterialien zur Ausführung eines in Accord übernommenen Baues bildet kein Handelsgeschäft. Der gewerbemäßige Betrieb solcher Anschaffungen macht nicht zum Kaufmanne.

A. d. HGB. Art. 271 Ziff. 1, Art. 272 Ziff. 1, Art. 273 Abs. 1, Art. 275.

Die X'sche Gutsverwaltung hatte gegen den Ingenieur N. N. und

---

*) Ebenso wurde entschieden am 4. August 1864 (Nürnberg Nr. 124). Nicht ganz soweit geht das Erkenntniß des k. Oberappellationsgerichtes zu München v. 17. Mai 1864. (Blätter f. RA. Jahrg. 1864 S. 232. Vgl. übrigens die trefflichen Erörterungen in Goldschmidt, Handbuch §. 57 Note 27 und die Abhandlung von Voigtel im Busch'schen Archiv Bd. III S. 192). Die Richtigkeit der obigen Ansicht zeigt sich deutlich, wenn Hauptschuldner und Bürge in derselben Klagschrift belangt werden.

Maurermeister O. O. auf Zahlung des Kaufschillings für abgelieferte Baumaterialien, welche die Verklagten zur Verwendung in einem von ihnen in Accord übernommenen Baue angeschafft hatten, bei dem Handelsgerichte A. Klage erhoben. Diese Klage wurde jedoch wegen mangelnder Zuständigkeit a limine abgewiesen; in den Gründen des bestätigenden zweitrichterlichen Urtheiles ist bemerkt:

Wer Bauten auf fremdem Grund und Boden im Accorde auf- führt, übernimmt die Herstellung eines unbeweglichen Werkes (locatio conductio operis).

Rechtsgeschäfte, welche die Herstellung von unbeweglichen Sachen zum Gegenstande haben, können aber, auch wenn dieselben gewerbsmäßig vorgenommen werden, nicht als Handelsgeschäfte betrachtet werden, weil das a. d. HGB. derlei Geschäfte nicht unter den Handelsgeschäften aufführt vielmehr im Art. 272 Ziff. 1 lediglich die Uebernahme der Bearbeitung oder Verarbeitung beweglicher Sachen für Andere, wenn der Ge- werbebetrieb des Uebernehmers über den Umfang des Handwerks hin- ausgeht, als Handelsgeschäft bezeichnet und in Art. 275 bestimmt, daß Verträge über unbewegliche Sachen keine Handelsgeschäfte sind.

Die gewerbemäßige Uebernahme der Herstellung von Bauwerken im Accorde gibt daher den Beklagten nicht die Eigenschaft von Kauf- leuten im Sinne des a. d. HGB.

Sie erhalten diese Eigenschaft aber auch nicht dadurch, daß sie sich das zur Ausführung der in Accord übernommenen Bauten zu ver- wendende bewegliche Material vorher gewerbemäßig anschaffen, — weil diese Anschaffung nicht unter die im Art. 271 Ziff. 1 erwähnten An- schaffungen subsumirt und daher gleichfalls nicht als ein Handelsge- schäft betrachtet werden kann.

Nach Art. 271 Ziff. 1 ist ein Handelsgeschäft: der Kauf oder die anderweite Anschaffung von Waaren oder anderen beweglichen Sa- chen, um dieselben zu veräußern, wobei es keinen Unterschied macht, ob die Waaren oder anderen beweglichen Sachen in Natur oder nach einer Bearbeitung oder Verarbeitung weiter veräußert wer- den sollen.

Bereits der Erstrichter hat unter ausführlicher Darlegung der Entstehungsgeschichte des Art. 271 Ziff. 1 nachgewiesen, daß bei dem hier aufgeführten Handelsgeschäfte die Absicht des Waarenerwerbers auf einen mit dem Akte der Erwerbung gleichartigen Veräußerungs- akt gerichtet sein muß, daß demnach von dem Begriffe eines Handels- geschäftes nach Art. 271 Ziff. 1 diejenigen Rechtsgeschäfte, Käufe und Anschaffungen ausgeschlossen bleiben, bei welchen die Absicht des Erwerbers nicht darauf gerichtet ist, seinerseits bezüglich dieser Waaren ein Rechtsgeschäft abzuschließen, das auf Seite des ihm bei diesem Rechtsgeschäfte gegenüber stehenden Kontrahenten selbst wieder als Kauf oder anderweite Anschaffung aufzufassen wäre.

Die Richtigkeit dieser einschränkenden Interpretation des im Gesetze gebrauchten Ausdruckes „veräußern" ergibt sich aber auch noch in einer anderen Beziehung aus der Fassung der bezeichneten Stelle.

Das Vorhandensein eines Handelsgeschäftes nach Art. 271 Ziff. 1 ist nämlich dadurch bedingt, daß der Kauf oder die anderweite Anschaffung von Waaren oder anderen beweglichen Sachen geschehen sei in der Absicht, um dieselben weiter zu veräußern.

Unter „dieselben" kann aber offenbar nichts Anderes verstanden werden, als „die Waaren oder andere bewegliche Sachen" (bezw. Aktien oder andere für den Handelsverkehr bestimmte Werthpapiere). Hieraus muß gefolgert werden, daß der Gesetzgeber die Absicht einer Veräußerung der gekauften oder angeschafften Gegenstände in ihrer Eigenschaft als bewegliche Sachen bei der Bestimmung der angeführten Geschäfte als Handelsgeschäfte vorausgesetzt habe, und zwar um so mehr, als er in dem Schlußsatze der Ziff. 1 des Art. 271 als Gegenstand der Weiterveräußerung ausdrücklich wieder „die Waaren oder anderen beweglichen Sachen" bezeichnet, — und so wie er hier beifügte, daß es keinen Unterschied mache, ob die Waaren oder anderen beweglichen Sachen in Natur oder nach einer Bearbeitung oder Verarbeitung weiter veräußert werden sollen, sicherlich noch einen weiteren entsprechenden Beisatz gemacht haben würde, wenn seine Intention dahin gegangen wäre, den Kauf oder die anderweite Anschaffung auch in dem Falle als Handelsgeschäft zu erklären, wenn bei der Erwerbung die Absicht darauf gerichtet war, die angeschaffte bewegliche Sache nach ihrer Verarbeitung in eine unbewegliche Sache, als Bestandtheil eines Immobile, zu veräußern.

Gegen eine solche Intention spricht zudem der Umstand, daß das Handelsgesetzbuch überall nur den Handelsverkehr durch Umsatz von Waaren und anderen beweglichen Sachen im Auge hat, und daß, wenn, wie oben gezeigt, die Uebernahme der Herstellung von Bauten im Accorbe nach demselben nicht als Handelsgeschäft betrachtet werden und ein hierauf gerichteter gewerbemäßiger Betrieb den Uebernehmer nicht zum Kaufmanne im Sinne dieses Gesetzes machen kann, — offenbar ein Handelsgeschäft auch nicht darin gefunden werden darf, daß der Accordant sich die beweglichen Materialien zu den aufzuführenden Bauwerken gewerbemäßig anschafft. Denn bei dieser Annahme würde derselbe in Folge der letzterwähnten gewerbmäßigen Anschaffung als Kaufmann, und hienach im Hinblicke auf Art. 273 Abs. 1 jedes einzelne Geschäft, welches zum Betriebe seines Handelsgewerbes gehört, also auch die Uebernahme der Herstellung von Bauwerken, die locatio conductio eines unbeweglichen Werkes selbst, als Handelsgeschäft anzusehen sein. Eine solche Konsequenz widerstreitet aber geradezu dem Art. 275 und der in den Art. 271 und 272 enthaltenen Aufzählung jener einzelnen Geschäfte, welche als Handelsgeschäfte zu betrachten sind und deren gewerbmäßiger Betrieb die Eigenschaft eines Kaufmannes verleiht *). (Augsburg Nr. 66.)

## CCVII.
### Dispositionsstellung an Geschäftsreisende.
### A. b. HGB. Art. 47, 49.

In einer Streitsache wegen Zahlung eines Hopfenkaufschillings war die Frage zu entscheiden, ob der verklagte Käufer den ihm gesendeten Hopfen dem Reisenden des klagenden Hauses, welcher das Liefergeschäft selbst mit ihm abgeschlossen hatte, rechtswirksam habe zur Verfügung stellen können **). Diese Frage wurde durch Urtheil des k. HAG. vom 30. September 1864 bejaht, und in den Gründen hierüber ausgeführt:

Der Geschäftsreisende ist ein zum Abschlusse von Handelsgeschäften aufgestellter Handlungsbevollmächtigter, dessen Auftrag sich jedoch nicht allein darauf erstreckt, Bestellungen bei den einzelnen Abnehmern aufzusuchen, sondern überhaupt den Handelsverkehr zwischen seinem Hause und dessen Abnehmern zu vermitteln. Demgemäß erstreckt sich seine Vollmacht nach Art. 47 des a. b. HGB. auf alle Geschäfte und Rechtshandlungen, welche die Ausführung derartiger Geschäfte mit sich bringt, und es sind dabei nur die im Abs. 2 des genannten Artikels bezeichneten Handlungen, welche eine besondere Ermächtigung erheischen, ausgeschlossen. In der Entgegennahme einer Dispositionsstellung kann nun keine Handlung gefunden werden, welche von ganz besonderem

---

*) In derselben Weise hat sich auch der oberste Gerichtshof ausgesprochen. (Erkenntniß vom 2. November 1863).

**) In derselben Sache war wiederholt anerkannt worden, daß in der bloßen Rücksendung einer Waare eine Dispositionsstellung im Sinne des Art. 347 a. a. O. nicht liege (vgl. diese Sammlung S. 454).

oder doch größerem Präjudize, als die im Abs. 2 a. a. O. aufgeführten Handlungen für den Prinzipal wäre; dieselbe stellt sich lediglich als Akt der Vermittelung zwischen Käufer und Verkäufer dar, bei welchem der Reisende dem Prinzipal nur die Erklärung des Käufers zukommen läßt, aber in keiner Weise in die Ausführung des Geschäftes selbst eingreift, und es muß daher dieselbe als in dem Wirkungskreise eines Geschäftsreisenden gelegen erachtet werden.

Dieser Anschauung steht auch der Umstand nicht entgegen, daß nach Art. 347 a. a. O. die Beanstandung der gesendeten Waare dem Verkäufer zur Anzeige zu bringen ist; denn es wollte durch diese Bestimmung nicht entschieden werden, ob die Anzeige über den Befund der Waare dem Prinzipale oder seinem Handlungsbevollmächtigten zu erstatten sei, oder doch letzterem ebenfalls rechtswirksam erstattet werden könne, — wozu an dieser, vom Kaufe handelnden, Stelle keine Veranlassung vorlag, — sondern ob überhaupt eine Anzeige zu erfolgen und welche Folgen die Unterlassung derselben habe, weshalb durch den gewählten Ausdruck eine Anzeige an einen Handlungsbevollmächtigten nicht als unwirksam ausgeschlossen wird. Ganz verschieden hievon ist allerdings die Entscheidung darüber, wer die Dispositionsstellung anzunehmen befugt sei; diese Frage ist aber dermalen nicht zu entscheiden, da von der Klägerin nicht behauptet ist, daß sie die Dispositionsstellung nicht angenommen habe *).

(Würzburg Reg.-Nr. 53.)

---

*) Die Frage, ob ein Geschäftsreisender eine Dispositionsstellung rechtswirksam für den Prinzipal annehmen könne, wurde in einem am 8. September 1864 erlassenen Urtheile des HAG. verneint. Denn in der Befugniß des Geschäftsreisenden als solchen, — wurde hierin ausgeführt, liege zwar die Eingehung von Verträgen für den Prinzipal, nicht aber auch die Auflösung abgeschlossener Rechtsgeschäfte oder die Entscheidung über die Art und Weise der Ausführung derselben. Eine Dispositionsstellung sei nun nichts Anderes, als die Erklärung des Empfängers einer Waare, daß er mit der Ausführung des von ihm abgeschlossenen Liefervertrages Seitens des Versenders nicht einverstanden sei, dieselbe als gesetz- oder vertragsmäßig nicht anerkenne; sie erheische mithin stets eine Entscheidung des Versenders darüber, ob seinerseits der Vertrag als gehörig erfüllt behandelt und demgemäß der Empfänger beschieden werden solle. Diese Entscheidung könne aber nur von dem Prinzipale selbst ausgehen, weil der Reisende, der auswärts für sein Haus Geschäfte besorgt, von der Ausführung der Bestellung, der Beschaffenheit der abgesendeten Waaren und der Zeit der Absendung keine Kenntniß haben könne oder doch in der Regel nicht haben und daher

## CCVIII.

### Schuldanerkennung als Verpflichtungsgrund.
### A. d. HGB. Art. 294.

A. A. hatte behauptet, den Gebrüdern N. auf Bestellung Hopfen geliefert zu haben; dieselben hätten solchen auch gemeinsam verbraucht, und der eine Bruder Georg N., gegen welchen Klage erhoben wurde, habe später ihm, Absender, „Bezahlung für den fraglichen Hopfen zugesichert". Erstrichter legte diese Thatsachen kopulativ dem Kläger zum Beweise auf, wogegen derselbe Berufung ergriff, und um alternative Fassung des Interlokutes bat, da es genüge, wenn die Zusicherung der Bezahlung durch Georg N. nachgewiesen sei.

Das k. Handelsappellationsgericht (Erkenntniß vom 14. September 1864) verwarf diese Beschwerde und bemerkte:

Allerdings hat die neuere Doktrin und Praxis, und zwar mit unbestrittenem Rechte, die Schuldanerkennung als einen selbständigen Verpflichtungsgrund aufgefaßt. Der Wille der vertragsfähigen Rechtssubjekte, der Personen ist der Erzeuger der Rechtsverhältnisse; der ausgesprochene Wille, zu zahlen, bindet also mit Recht den Versprechenden. Allein es wäre übel mit dem Rechte bestellt, wenn man jede hingeworfene Aeußerung, jede unklare und unbestimmte Angabe als Trägerin rechtserzeugender Akte auffassen und behandeln würde; wenn man eine verpflichtende Schuldanerkennung, ein bindendes Zahlungsversprechen in jeder Erklärung finden wollte, welche von einer Person über eine zu erfolgende Zahlung gemacht wurde.

Die Angabe der Klage, als habe Beklagter „Bezahlung der erwähnten Säcke zugesichert", enthält nichts Anderes, als eine solche unklare und werthlose Aeußerung. Denkt man sich diese Angabe in ihre thatsächlichen Momente aufgelöst, so kann dieselbe sicherlich mit voller Wahrheit aufgestellt werden, wenn z. B. Beklagter einmal zu Kläger geäußert hat: „Sie werden für den Hopfen schon bezahlt werden," oder Aehnliches; auch hierin liegt „eine Zusicherung der Bezahlung für die fraglichen Säcke".

Allein, daß in solchen Aeußerungen keine rechtserzeugende Schuldanerkennung liege, ist wohl selbstverständlich.

---

auch nicht in der Lage sich befinden würde, einer Dispositionsstellung gegenüber das Nöthige vorzukehren. (Bamberg Reg.-Nr. 34).

Hiezu kommt, daß, falls Kläger eine weitere Thatsache als die Zahlungsverpflichtung des Beklagten nicht beweist, dieses Versprechen sich als eine Schenkung darstellen würde; denn es würde in diesem Falle Kläger nothwendigerweise sich darauf stützen müssen, daß, wenn auch Beklagter den Hopfen weder bestellt noch erhalten und verbraucht habe, er denselben dennoch bezahlen müsse, weil er dieses versprochen habe. Daß aber zur Rechtskräftigkeit einer solchen Thatsache mehr gehöre, als eine hingeworfene mündliche Aeußerung, bedarf keiner Ausführung, wie denn auch in Art. 294 des a. b. HG. der Grundsatz ausgesprochen ist, daß einer Anerkennung wegen Mangels eines materiellen Verpflichtungsgrundes die rechtserzeugende Wirkung versagt sein soll *).

(Augsburg Nr. 77.)

## CCIX.

### Rechtsverhältniß aus einer Anweisung.
#### A. b. HGB. Art. 301.

Graf N. N. hatte auf seinen Amtsgehilfen K. schriftliche Anweisung abgegeben: „am 29. Januar 1864 an Ordre des Herrn A. A. die Summe von 250 fl. zu zahlen, und solche auf Rechnung zu stellen", — welche Anweisung angenommen wurde, indem der Bezogene am Rande die Worte schrieb: „Acceptirt Fr. Xaver K., Amtsgehilfe". Bei Verfall erfolgte keine Zahlung, weshalb A. A. gegen den Fr. Xaver K. Klage erhob; derselbe opponirte: die Intention bei dem fraglichen Rechtsgeschäfte sei selbstverständlich nicht gewesen, daß der Angewiesene, der weder dem Kläger noch dem Grafen N. N. je etwas geschuldet habe, auch keinerlei Vermögen besitze, in Person die Anweisung zahlen solle, sondern er sei solche Zahlung aus den von ihm verwalteten gräflichen Gutsrenten zu leisten angewiesen worden, was nicht nur die Beisetzung des Wortes „Amtsgehilfe", sondern auch die Bemerkung „stellen auf Rechnung" beweise. Dafür, daß inzwischen

---

*) Die Praxis legt auf Schuldanerkennungen oder Zahlungsversprechen, wenn sie nicht schriftlich abgegeben sind, und damit der Wille, sich zu verpflichten, in einer äußerlich genugsam ersichtlichen Form fixirt ist, wenig Gewicht. Dieses hat in dem Art. 21 des bayer. Entwurfes eines Obligationenrechtes Ausdruck gefunden, und es ist darüber die Motivirung S. 61 und insbesondere S. 62 zu vergleichen.

vom Konkursgerichte die Renten mit Beschlag belegt worden seien, habe er nicht einzustehen; Gläubiger solle sich an dieses Gericht wenden.

Beide Instanzen verwarfen diese Eingelenke, und wird in dem handelsappellationsgerichtlichen Erkenntnisse vom 5. September 1864 bemerkt:

Die auf eine schriftliche Anweisung geschriebene und unterschriebene Annahmeerklärung gilt als ein dem Assignatar geleistetes Zahlungsversprechen, und wer ein solches Zahlungsversprechen abgegeben hat, haftet für dessen Erfüllung. Es geht nicht an, eine Verbindlichkeit nicht als Person, sondern in einer bestimmten Eigenschaft zu übernehmen; denn wer sich obligirt, der macht eben sich nach seiner Persönlichkeit in ihrem vollen Umfange verbindlich. Allerdings ist es zulässig, im Namen eines Anderen und für dessen Person zu handeln und Verbindlichkeiten einzugehen; allein in diesem Falle muß die Verpflichtungshandlung für diesen Anderen ausdrücklich vorgenommen sein und lediglich dessen Person umfassen. Hätte Fr. Xaver K. im Namen der Rentenverwaltung oder für den Grafen N. N. die Anweisung acceptirt, dann könnte in Erwägung gezogen werden, in wie weit er hiezu in Folge seiner Stellung bevollmächtigt gewesen sei. Da er aber für sich selbst acceptirte, so muß er auch selbst haften, und die Beisetzung seiner dienstlichen Eigenschaft ändert hieran selbstverständlich ebensowenig, als der in dem Anweisungsformulare enthaltene Auftrag, den Betrag in Rechnung zu stellen, da hiedurch in keiner Weise die persönliche Haftung aufgehoben wird.

Sollten die sonstigen bei dem Rechtsgeschäfte betheiligten Personen sich eines Mißbrauches des Vertrauens des Appellanten schuldig gemacht haben, so bleibt es demselben anheimgestellt, die geeignete Einschreitung gegen dieselben hervorzurufen; die übernommene Verpflichtung muß, nachdem in den vorliegenden Akten deren betrügerische Ablockung nicht nachgewiesen ist, vom Richter zur Erfüllung gebracht werden.

(Regensburg Reg.=Nr. 77.)

## CCX.

**Rechtliche Bedeutung der Verabredung, der Kaufpreis solle „nach Belieben und Möglichkeit" des Käufers bezahlt werden.**

Der Einwand des auf Zahlung des Kaufschillings für gelieferte Waaren belangten Empfängers, er dürfe getroffener Verabredung ge-

33

mäß „nach Belieben und Möglichkeit" zahlen, war von dem Untergerichte im Hinblicke auf b. Landr. Thl. IV Tit. 14 §. 9 Ziff. 4 als
widersprochen zum Beweise ausgesetzt worden.

Durch Urtheil des k. Handelsappellationsgerichtes vom 5. Sept.
1864 wurde derselbe aber aus nachstehenden Erwägungen verworfen:

Wenn auch die allegirte Bestimmung des b. Landrechtes auf den
Kauf Anwendung finden sollte, — wofür allerdings der Umstand spricht,
daß das Kap. 14 a. a. O. allgemein über die Art, eine Verbindlichkeit aufzuheben, handelt, und auch in den Anmerkungen zu gedachter
Gesetzesstelle bezüglich der Art, des Ortes und der Zeit einer Zahlung
auf das 14. Kapitel verwiesen wird, — so muß doch die Anwendbarkeit
jener Bestimmung auf Handelssachen, als der Natur des Handelsverkehres widerstrebend, ausgeschlossen werden. Im Handelsverkehre ist
nämlich entweder Kauf gegen sofortige Baarzahlung oder auf Kredit
üblich und letzterer so gewöhnlich, daß für einzelne Waaren bestimmte
Kreditfristen allgemein angenommen sind, welche in Ermangelung einer
besonderen Vereinbarung über die Zahlungszeit als stillschweigend bedungen gelten, so daß, wenn vom Käufer längere Fristen in Anspruch
genommen werden wollen, hierüber ganz bestimmte Vereinbarungen
getroffen sein müssen. Ist dieses aber auch der Fall, so kann doch,
von besonderen Umständen abgesehen, selbst einer solchen Vereinbarung
nicht der Sinn beigelegt werden, daß die Zahlungszeit ohne alle Einschränkung in das Belieben des Käufers habe gestellt werden wollen,
so daß dieser nach Umständen die Zahlung erst nach dem Tode des
Käufers erhalten würde. Denn nach Art. 298 des allg. b. HGB.
hat der Richter bei Beurtheilung und Auslegung von Handelsgeschäften den Willen der Kontrahenten zu erforschen und nicht an dem
buchstäblichen Sinne des Ausdruckes zu haften. Eine Vereinbarung
der in Rede stehenden Art hat aber nach der im Handelsverkehre
bestehenden Auffassung nur den Sinn, daß der Käufer erst nach Ablauf der üblichen Kreditfrist Zahlung zu leisten habe, und daß auch
dann noch mit der Zahlung eine billige Frist zugewartet werden solle.
Dieses hat aber im gegebenen Falle die klagende Handlung auch in
genügendem Maße gewährt, da sie dem Verklagten von der letzten
Lieferung an eine mehr als ⅝ jährige Frist gegönnt hat, weshalb
zu der dem Verklagten gemachten Beweisauflage keine genügende Veranlassung vorhanden war *).

(Regensburg Reg.-Nr. 70.)

---

*) Nach den gleichen Grundsätzen wurde erkannt am 28. Oktober 1864

## CCXI.

Umfang der Haftpflicht des Spediteurs. — Beweislast bei Verlust oder Beschädigung des Gutes*).
A. b. HGB. Art. 380, 391, 403—5.

Der Spediteur N. N. zu Bayreuth hatte von dem Kaufmanne L. zu Leipzig ein Faß Lampenöl zur Weiterbeförderung an den Kaufmann A. A. zu Amberg per Bahn zugesendet erhalten, und zu diesem Zwecke angeblich mit dem Fuhrmanne V. einen Frachtvertrag abgeschlossen. Als dieser das Faß in der Güterhalle, woselbst es lagerte, abholen und verladen wollte, stürzte dasselbe aus dem Krahnen und fiel auf die Erde, in Folge dessen der Boden desselben aussprang und der größte Theil des Oeles auslief. A. A., welchen N. N. sofort hievon unter Uebersendung des Frachtbriefes in Kenntniß gesetzt hatte, belangte nun den N. N. auf Werthersatz. Das k. HG. Bayreuth entband den Verklagten von der Klage, — von der Annahme ausgehend, daß die Verpflichtung des Spediteurs auf die Auswahl eines ordentlichen Frachtführers und gehörige Uebergabe des Gutes an diesen sich beschränke, die Erfüllung dieser Pflicht Seitens des Verklagten aber nach Lage der Sache als erwiesen zu erachten sei. Hiegegen appellirte Kläger und bat um Verurtheilung des Verklagten, eventuell um Beweisauflage, wobei er namentlich auszuführen suchte, daß der Spediteur für die Versendung des vom Fuhrmanne bereits übernommenen Gutes bis zur Uebergabe des Frachtbriefes an den Empfänger, wodurch dieser mit dem Fuhrmanne in ein Kontraktverhältniß trete, hafte, und Verklagter keineswegs bei Ausführung des ihm ertheilten Auftrages die erforderliche Sorgfalt angewendet habe.

Dieser Ausführung wurde jedoch durch das zweitrichterliche, noch auf Beweis erkennende Urtheil vom 12. September 1864 nicht beigepflichtet, und in den Gründen hierüber bemerkt:

Die Auslegung, welche Appellant dem Art. 380 Abs. 1 des a. b. HGB. gibt, ist eine offenbar irrige, wie die Geschichte der Ent-

---

(Landshut Reg.-Nr. 66) und am 25. November 1864 (Nürnberg Reg.-Nr. 138). In einem anderen Falle war dem Verklagten der Einwand, es sei bedungen worden, daß er „nach Gelegenheit, wenn er möge, gleichviel, ob in 1 oder 2 Jahren" zahlen dürfe, zum Beweise freigelassen worden, indem angenommen wurde, daß hiemit eine bestimmte, nämlich äußersten Falles eine zweijährige Kreditfrist dem Verklagten habe bewilligt werden wollen. (Regensburg Reg.-Nr. 84.)

*) Vgl. diese Sammlung S. 461.

33*

stehung dieses Artikels unzweifelhaft ergibt. Der preuß. Entwurf eines Handelsgesetzbuches hatte im Art. 300, welcher dem Art. 380 des a. d. HGB. entspricht, festgesetzt: „Der Spediteur haftet für den Frachtführer und Zwischenspediteur, wenn ihm diese nicht ausdrücklich vom Absender vorgeschrieben sind, oder vertragsmäßig ein Anderes bestimmt ist". Es wurde jedoch bei der Verhandlung in der Konferenz anerkannt, daß diese strenge Haftung des Spediteurs in einem großen Theile von Deutschland bis jetzt nicht bestehe, und deshalb im Anschlusse an die bisher über das Speditionswesen bestehenden Bestimmungen eventuell die Fassung des Art. 300 dahin vorgeschlagen: „Der Spediteur haftet für jeden Schaden, welcher aus der Vernachlässigung der Sorgfalt eines ordentlichen Kaufmannes bei der Bestimmung der Zeit und Art der übernommenen Versendung der Güter und bei der Wahl der Frachtführer und Zwischenspediteure hervorgeht." Bei der Berathung wurde nun von der Kommissionsmehrheit die bisher in Deutschland übliche Haftung der Spediteure im Sinne des eventuellen Vorschlages angenommen, bei der speziellen Berathung dieses Artikels aber beanstandet, daß die Sorgfalt des Spediteurs auf die Bestimmung der Zeit und Art der Versendung beschränkt und nicht auch in anderen Beziehungen gefordert werden solle, — worauf bemerkt wurde, daß allerdings beabsichtigt sei, die Haftung des Spediteurs auch in anderen Beziehungen festzusetzen, und dieses mit dem Ausdrucke „Art der Versendung" habe bezeichnet werden wollen. Darauf wurde beschlossen, die Worte: „der Bestimmung der Zeit und Art" zu streichen, jedoch bei der schlüßlichen Redaktion des Artikels darauf Rücksicht zu nehmen, daß der Spediteur nur für die bei ihm vorkommende Vernachlässigung der Sorgfalt eines ordentlichen Kaufmannes und nicht für etwaige auf der ganzen Länge der Versendung bei sonstigen dabei betheiligten Personen vorkommende Vernachlässigungen einzustehen habe. (Protokolle Bd. 2 S. 753—759.)

Von der Redaktionskommission erhielt nun der Artikel 326 des Entwurfes der zweiten Lesung die Fassung, in welcher er später als Art. 380 in das Handelsgesetzbuch aufgenommen wurde, da diese Fassung von keiner Seite beanstandet worden war.

Diese Entstehung des fraglichen Artikels ergibt, daß die Auslegung des Appellanten, als hafte der Spediteur für die Versendung bis zur Uebergabe des Frachtbriefes an den Empfänger, eine durchaus irrige ist, wie denn auch die Verpflichtung des Frachtführers gegen den Empfänger nicht erst mit Uebergabe des Frachtbriefes entsteht, was unverkennbar aus der Bestimmung des Art. 405 des a. d. HGB. erhellt; denn hienach ist nach Ankunft des Frachtführers am Orte der Ablieferung der Empfänger berechtigt, im eigenen Namen gegen den Fuhrmann auf Herausgabe des Frachtbriefes und des Gutes zu klagen, weshalb sein Klagerecht gegen den Fuhrmann nicht erst von Uebergabe des Frachtbriefes beginnen kann, weil er außerdem auf Herausgabe des Gutes und Frachtbriefes nicht im eigenen Namen klagen könnte.

Mit Recht hat daher das Untergericht angenommen, daß, wenn gegen die Wahl des Frachtführers keine Bedenken obwalten, nach dem Abschlusse des Frachtvertrages und der Uebergabe des Frachtgutes der Spediteur eine weitere Haftung für die Versenbung der Waare nicht zu übernehmen habe.

Da nun der Kläger bestreitet, daß der Verklagte als Spediteur bei Versendung des Gutes die Sorgfalt eines ordentlichen Kaufmannes angewendet hat, so muß der Letztere nach Art. 380 Abs. 2 des Handelsgesetzbuches die Anwendung dieser Sorgfalt erweisen. Verklagter hat nun in dieser Beziehung behauptet, er habe die Verfrachtung des fraglichen Gutes nach Amberg den Leuten des Y. übertragen, welcher als Frachtführer im Sinne des HGB. Art. 390 den Transport von Gütern gewerbsmäßig besorge und, so oft Güter an den Verklagten zu übersenden waren, deren Transport besorgt habe, ohne daß irgend eine Erinnerung gegen dessen Tüchtigkeit gemacht worden, so wie, daß derselbe gewöhnlich die Güter nach Amberg transportire.

Diese Thatumstände stellen sich als erheblich dar. Denn nur dann, wenn das Frachtgut einem Frachtführer im Sinne des HGB. oder dem die Güter des Klägers besorgenden Fuhrwerke zur Versenbung übergeben wurden, hat der Spediteur der ihm obliegenden Pflicht genügt. Da nun diese Thatumstände widersprochen sind, hat Kläger vor Allem noch deren Beweis zu führen.

Appellant hat zwar in seiner Replik eine Reihe angeblicher Vernachlässigungen des Verklagten behauptet, welche dessen Haftpflicht begründen sollen, allein die desfallsigen Handlungen des Verklagten lassen einen Mangel an Sorgfalt nicht erkennen.

Zuvörderst macht Kläger geltend, daß Verklagter zugestand, das Faß Oel nicht auf sein Lager gebracht, sondern in der Güterhalle belassen zu haben; allein da eine Beschädigung des Fasses auf dem Lager gar nicht behauptet wurde, so kann in der Verladung des Gutes von der Güterhalle aus ein Mangel an Sorgfalt nicht gefunden werden.

Ebensowenig bekundet das Zugeständniß, daß ein neuer Frachtbrief zur Weiterversendung nicht ausgestellt und eine bestimmte Fracht
nicht bedungen wurde, einen Mangel an Sorgfalt. Denn nach Art. 391
des a. d. HGB. kann zwar der Frachtführer die Ausstellung eines
Frachtbriefes verlangen; aber daraus folgt noch keineswegs, daß ein
solcher ausgestellt werden muß, da nirgends dessen Ausfertigung vorgeschrieben ist. Ganz unpräjudizirlich aber ist die Unterlassung der Bedingung eines bestimmten Frachtlohnes, da dieser bei gewissen, namentlich kleineren Strecken ein herkömmlicher ist, der einer besonderen Festsetzung nicht bedarf. Endlich hat Appellant noch die Behauptung aufgestellt, daß der Verklagte seine Pflicht, die Verladung zu überwachen,
versäumt habe; allein eine solche Pflicht besteht nicht, der Spediteur
hat seiner Obliegenheit genügt, wenn er, wie eben erwähnt, einen
geeigneten Frachtführer wählt und demselben das Frachtgut ausgehändigt hat; mit dem Abschlusse des Frachtvertrages und der Uebergabe des Frachtgutes ist seine Thätigkeit beendigt.

Dem Allen gemäß war Verklagter aber keineswegs sofort zu verurtheilen, sondern vorerst auf Beweis zu erkennen.

(Bayreuth Reg.-Nr. 6.)

## CCXII.

### Die Klage aus einem verjährten Wechsel ist von Amts-
wegen abzuweisen.

#### A. d. WO. Art. 80 u. 98 Ziff. 20.

Vorstehender Satz wurde durch ein am 18. Juli 1864 erlassenes
Urtheil des HAG. ausgesprochen. Zu dessen Motivirung ist bemerkt:
Die Verjährung des Wechselrechtes unterscheidet sich in mehrfacher
Beziehung von der civilrechtlichen Klagenverjährung. Während nämlich durch letztere nur die Vermuthung begründet wird, daß die Schuld
getilgt sei und, wenigstens nach der Ansicht bedeutender Rechtslehrer,
zwar das Klagerecht des Gläubigers aufgehoben wird, das Recht selbst
dagegen immer noch einrederweise oder durch retentio soluti u. s. w.
geltend gemacht werden kann, wird durch Ablauf der Verjährungszeit
der lediglich auf dem Wechsel beruhende wechselmäßige Anspruch selbst
zerstört. Während ferner die civilrechtliche Klagenverjährung u. A.

durch Anerkennung der Schuld, so wie durch Anstellung der Klage
unterbrochen wird und eine dem Schuldner gewährte Zahlungsnachsicht
auch auf den Verfalltag und damit die Verjährungsperiode nicht ohne
Einfluß ist, wird die Wechselverjährung nur durch Behändigung
der Klage und zwar gegen den, gegen welchen sie gerichtet ist, unterbrochen, und ist eine Prolongation ohne Einfluß auf die Verjährung *).

---

*) Ebenso entschieden am 15. August 1864 (Kempten Reg.-Nr. 19), wo-
bei gegen die Ansicht, als könne die Wirkung der Verjährung möglicherweise durch den in Folge etwaigen Ungehorsams des Beklagten
zu fingirenden Verzicht beseitigt werden, Nachstehendes erinnert wurde:
    Nach dem Zwecke des Wechselinstituts und der mit der allg. d.
WO. geschaffenen einheitlichen Gesetzgebung können vertragsmäßige Abänderungen wechselrechtlicher Bestimmungen nur dann rechtliche Wirksamkeit haben, wenn sie im Gesetze selbst ausdrücklich zugelassen worden sind. Dies ist auch in den Verhandlungen der Leipziger Konferenz
deutlich anerkannt worden. (Vgl. Protok. über die XII. Sitzung der
Leipziger Konferenz vom 4. Nov. 1847; Berathungen der Handelskonferenz über die Ergänzung der a. d. WO. Kommiss.-Bericht p. XXX.)
    Rücksichtlich der im Art. 77 angeordneten Verjährung des wechsel-
mäßigen Anspruches wurde aber eine Abänderung durch Parteiwillen
nicht vorbehalten. Ueberhaupt beruht die Wechselverjährung nicht nur
auf anderen Grundlagen, als die gewöhnliche civilrechtliche Verjährung,
sondern ist auch in ihren Wirkungen von dieser verschieden. Was von
letzterer gilt, kann daher nicht unbedingt auch auf die erstere angewendet werden; wo die WO. spezielle Vorschriften über die Verjährung
gibt, haben diese ausschließende Geltung. Hiernach kann auch eine
vor der Verfallzeit des Wechsels verabredete Prolongation desselben
an dem im Art 77 festgesetzten Beginne der Verjährungszeit mit dem
im Wechsel ursprünglich bestimmten Verfalltage nichts ändern. Ebensowenig ist ein Verzicht auf die Wechselverjährung oder eine Verabredung
über eine längere Verjährungsfrist als die im Gesetze vorgeschriebene,
selbst wenn diese Rechtsakte mit Ausstellung des Wechsels oder sonst
vor eingetretenem Verfalle desselben erfolgt sein sollten, rechtlich wirksam. Hieraus folgt, daß die Voraussetzungen, durch welche die Berücksichtigung der civilrechtlichen Einrede der Verjährung durch den
Richter bedingt ist, nicht auch gleichmäßig die Berücksichtigung der
wechselrechtlichen Verjährung bedingen. Kann die Vorschrift des Art. 77
weder durch Verzicht noch durch Vereinbarung abgeändert werden, — ist
nach Ablauf von 3 Jahren vom Verfalltage des Wechsels an gerechnet
der wechselmäßige Anspruch erloschen, wenn nicht die Wechselklage dem
Beklagten vorher behändigt wurde; so ist auch der Wechselrichter berechtigt und verpflichtet, eine nach jener Zeit eingereichte Wechselklage so-

Hieraus ergibt sich, daß die Klage aus einem Wechsel, welcher nach dem in ihm enthaltenen Verfalltage als bereits verjährt sich darstellen würde, ex ipsis narratis verwerflich erscheint, und da es Pflicht des Richters ist, derartige Klagen sofort zurückzuweisen, so bedarf es auch in dem vorausgesetzten Falle zur Berücksichtigung jenes Umstandes nicht erst einer Einrede des Verklagten. Allerdings besteht in einem derartigen Falle immerhin die Möglichkeit, daß die Verjährung durch bereits erfolgte Anstellung und Behändigung einer Klage unterbrochen worden sei; allein dieser Umstand, welcher gegenüber dem Einwande der Verjährung als eigentliche Replik erscheint, wäre mit Rücksicht auf die Liquidität dieses Einwandes und darauf, daß im Wechselprozesse die Klage sofort urkundlich belegt werden muß, nur dann zur Berücksichtigung geeignet, wenn derselbe urkundlich erwiesen vorläge. Da nun diese Voraussetzung hier nicht gegeben ist, so hat das Untergericht mit Recht die erhobene Klage abgewiesen.

(Nürnberg Reg.-Nr. 117.)

## CCXIII.

### Deposition der Wechselsumme bei Gericht anstatt der Zahlung unstatthaft. — Vorbehalt der Nachklage im Wechselprozesse unnöthig. —

#### Proz.-Nov. vom 22. Juli 1819 §. 8.

Der Aussteller eines eigenen Wechsels hatte der Klage aus letzterem den Einwand entgegengesetzt, daß er auf denselben statt des Betrages von 1060 fl. nur eine österr. 4½% Metalliqueobligation zu 1000 fl. empfangen, aus deren Verkauf aber nur 594 fl. erlöst habe, weshalb er sich wegen der ihm hiedurch zugegangenen Benachtheiligung die Nachklage vorbehielt. Das Handelsgericht I. Instanz verurtheilte denselben zur Bezahlung, wogegen er Berufung ergriff, weil ihm nicht wegen der von ihm angekündigten Nachklage blos die Deposition des Wechselbetrages auferlegt und eventuell, weil ihm nicht die Nachklage ausdrücklich vorbehalten worden sei. Diese Beschwerde wurde durch Urtheil II. Instanz vom 11. Juli 1864 verworfen und in den Gründen bemerkt:

---

fort zurückzuweisen, ohne erst abwarten zu müssen, ob Beklagter die Einrede der Verjährung vorschützen oder überhaupt den Anspruch bestreiten werde oder nicht.                    (Kempten Reg.-Nr. 19.)

Der Wechsel ist ein von dem unterliegenden Rechtsverhältnisse unabhängiges Summenversprechen, für dessen Erfüllung der Wechselschuldner mit seiner Person und seinem Vermögen haftet. Dem entsprechend hat die a. d. WO. auch alle Einreden, welche nicht aus dem Wechselrechte hervorgehen oder dem Schuldner unmittelbar gegen den Wechselkläger zustehen, ausgeschlossen, und auch das Prozeßgesetz die Einreden, welche nicht sofort durch Urkunden oder Geständniß liquib gestellt werden können, zur gesonderten Austragung verwiesen. Das Vorbringen des Verklagten über die Berichtigung der Baluta ist nun aber nicht nur nicht urkundlich erwiesen, — es wurde nicht einmal ein Versuch dazu gemacht, — sondern es liegt sogar durch den anerkannten Wechsel, in welchem über den Werth quittirt ist, ein Beweis für die Entrichtung der Baluta vor.

Demgemäß kann dem Vorbringen des Verklagten im Wechselverfahren keine Beachtung geschenkt und die Berurtheilung desselben zur Zahlung nicht durch einen Ausspruch, daß die Wechselsumme zu deponiren sei, ersetzt werden. Denn der Wechselschuldner verpflichtet sich durch Ausstellung des Wechsels zur Zahlung, und Deposition kann im Allgemeinen der Zahlung keineswegs gleich gestellt werden. Nach §. 8 der Proz.-Nov. vom 22. Juli 1819 kann zwar der mit Vorbehalt der Nachklage Berurtheilte Sicherstellung wegen der letzteren verlangen und diese durch Deposition der judikatmäßigen Summe bei Gericht erfolgen. Allein angenommen auch, diese Bestimmung fände auf Wechselsachen Anwendung, so könnte doch ein Ausspruch, daß die Wechselsumme zu deponiren sei, nicht auf die Verhandlung der Sache sofort erfolgen, sondern wäre in der Erekutionsinstanz zu erlassen. Hiernächst wäre jene Frage aber vorerst in der I. Instanz zu bescheiden und könnte erst dann, wenn ein erstrichterlicher Ausspruch hierüber vorläge, eine zweitrichterliche Entscheidung erfolgen.

Durch das Vorerwähnte ist aber zugleich auch die eventuelle Beschwerde, daß dem Verklagten nicht die Nachklage ausdrücklich vorbehalten wurde, beschieden. Denn nicht nur bedarf es einer besonderen Verweisung einer im Wechselverfahren nicht zu berücksichtigenden Einrede zur gesonderten Austragung nicht, weil dieß schon im Gesetze ausgesprochen ist, sondern es kann im gegebenen Falle auch ein solcher Ausspruch gar nicht erfolgen, weil derselbe immer voraussetzt, daß die vorgebrachte Einrede wenigstens einigermaßen bescheinigt ist, die vorgebrachte Einrede aber jeder Bescheinigung entbehrt.

(Würzburg Reg.-Nr. 52.)

## CCXIV.

**Voraussetzung für die Haftung desjenigen, welcher einen Wechsel in Vollmacht eines Anderen ausgestellt hat. Beweislast hiebei.**

A. d. WO. Art. 95. — (Leipz. Konf.-Prot. Verlag von Hirschfeld, Seite 154.) —

N. N. hatte auf Grund einer am 4. Februar 1864 von den Joseph und Anna N.'schen Eheleuten ihm ertheilten notariellen Vollmacht, welche jedoch der Befugniß zur Wechselausstellung nicht erwähnte, am 5. Februar 1864 einen eigenen Wechsel als „Bevollmächtigter des Ausstellers Joseph und Anna N., Hausbesitzereheleute in Schwabing." unterschrieben. Von dem Inhaber des Wechsels auf Zahlung belangt, wurde er in beiden Instanzen verurtheilt und in den Gründen des zweitrichterlichen Urtheiles vom 27. Juni 1864 bemerkt:

1) Jeden, welcher einen Wechsel persönlich unterzeichnet oder mit seinem Wissen und Willen einen Anderen für sich unterzeichnen läßt, trifft die wechselmäßige Verpflichtung. Wer hingegen eine Wechselerklärung als Bevollmächtigter eines Anderen unterzeichnet, haftet nur dann persönlich nach Wechselrecht, wenn er aus formellen und materiellen Gründen als Bevollmächtigter des Dritten, für den er zeichnete, nicht zu erachten ist, oder wenn er die Grenzen seiner Befugnisse überschritten hat.

In so weit aber, als der Bevollmächtigte den ertheilten Auftrag vollzogen, die Grenzen seiner Befugnisse eingehalten hat, haftet nicht er, sondern nur der Dritte, für welchen gezeichnet worden, wechselrechtlich für die Bezahlung der Wechselsumme. A. d. WO. Art. 81 und 95.

In welcher Art — ob schriftlich oder mündlich, — und in welchem Umfange Befugnisse eingeräumt sein müssen, um einen Dritten durch Zeichnung als Bevollmächtigten wechselrechtlich haftbar zu machen, bemißt sich nach den Vorschriften des einschlägigen Civilrechtes.

2) Weil der einschlägige Vollmachtsvertrag nicht gleichzeitig mit der Wechselurkunde in Umlauf gesetzt zu werden pflegt, so kann der Wechselnehmer auch nicht mit Sicherheit aus dem Wechsel ersehen, ob der als Wechselschuldner bezeichnete Dritte ihm in der That wechselrechtlich hafte, d. h. ob der Unterzeichner wirklich in dem Umfange, wie der Beisatz zu seiner Unterschrift anzeigt, ermächtigt oder ob nicht vielmehr dieser Beisatz rechtlich unwirksam sei und der Unter=

zeichner selbst aus dem Grunde, weil er gezeichnet hat, auch persönlich für die Zahlung hafte. Es kann daher dem Wechselgläubiger das Recht nicht versagt werden, zunächst den angeblichen Mandatar anzugehen und diesen im Wege Rechtens anzuhalten zu zahlen, falls er nicht im Stande ist, seinen als Einrede aufzufassenden Einwand, daß ihm eine den Dritten vollkommen bindende Vollmacht zur Seite stehe, im Wechselprozesse rechtsgenügend darzuthun.

Auch die Leipziger Wechselkonferenz hat sich über §. 95 in dem Sinne ausgesprochen, daß dem Gläubiger sofort durch Vorzeigung der Vollmacht Gewißheit darüber verschafft werden müsse, daß der angebliche Stellvertreter in der That ein solcher war, und daß dem Wechselinhaber nicht zugemuthet werden könne, auf's Ungewisse hin den Aussteller, welcher den Wechsel nicht eigenhändig unterschrieben hat, anzugehen und auszuklagen; denn der Zeichner hafte ohne Weiteres durch seine Unterschrift, wofern er die Einrede, er sei in der That nur Bevollmächtigter, wie dieß der Beisatz auf dem Wechsel ankündigt, — nicht rechtsgenügend darthun könne *).

3) Nach den Bestimmungen des im gegebenen Falle maßgebenden bayer. Landrechtes Thl. IV Kap. 9 §. 8 Nr. 4 ist zur Abgabe einer Wechselerklärung Namens eines Dritten mit Rücksicht auf die außergewöhnlichen Folgen, welche eine derartige Erklärung für das Vermögen und die Person des Vertretenen hat, ohne Zweifel eine Spezialvollmacht erforderlich, — womit auch die Vorschrift in Kap. VII §. 9 der b. GO., auf welche Gesetzesstelle das Landrecht in Kap. 9 §. 1 l. c. verweist, übereinstimmt**), — und da eine solche nicht vorliegt, war der Beklagte, wie geschehen, zur Zahlung zu verurtheilen.

(München I/J. Reg.Nr. 275.)

---

*) Ebenso Volkmar u. Löwy S. 354; Hoffmann S. 199 u. 641. Ein in Borchardt 3. Aufl. S. 373 Note 470 citirtes Erkenntniß des niederösterreichischen Obergerichtes verlangt dagegen zur Begründung der Wechselklage gegen denjenigen, welcher als Bevollmächtigter unterschrieben hat, den Nachweis, daß er keine Vollmacht besessen.

**) Vgl. diese Sammlung S. 433.

## CCXV.

Ein zu Augsburg zahlbarer, zwischen den dort bestehen=
den Kassirtagen fällig gewordener Wechsel kann auch vor
dem nächsten Zahltage rechtswirksam protestirt werden.
     A. d. WO. Art. 93. — Bayer. Einf.=Ges. hiezu Art. 6.

Ein zu Augsburg zahlbarer, am 15. März 1864, einem Dien=
stage, fälliger Wechsel war von dem Inhaber am 16. März 1864
bei dem Domiziliaten zur Zahlung präsentirt und Mangels solcher
protestirt worden.   Der hierauf von dem Inhaber erhobenen Wechsel=
regreßklage wurde der Einwand entgegengesetzt, daß die Protesterhe=
bung eine verfrühte und darum rechtsunwirksam sei, — da, wenn der
Trassat bezw. Domiziliat vor dem nächsten Kassirtage, Donnerstag
den 17. März 1864, nicht verbunden gewesen sei, Zahlung zu leisten,
auch der Inhaber kein Recht gehabt habe, die Zahlung zu verlangen.
Dieser Einwand wurde in I. Instanz für begründet erachtet, durch
zweitrichterliches Urtheil vom 27. Juni 1864 jedoch für unerheblich
erkannt und in den Gründen bemerkt:

Durch den Art. 93 der WO. ist an den Bestimmungen des
Art. 41 Abf. 2 über die Erhebung des Protestes nichts geändert wor=
den, es wurde vielmehr im Abf. 2 des Art. 93 ausdrücklich ausgespro=
chen, daß die im Art. 41 für die Aufnahme des Protestes Mangels
Zahlung bestimmte Frist nicht überschritten werden dürfe. Insoweit
daher nicht die Ausübung des im Art. 93 dem Präsentaten einge=
räumten Rechtes nothwendig eine Modifikation der im Art. 41 ge=
gebenen Bestimmung zur Folge hat, muß es bei letzterer verbleiben.

Nach Art. 30 tritt, wenn in dem Wechsel ein bestimmter Tag
als Zahlungstag bezeichnet ist, die Verfallzeit an diesem Tage
ein; ist aber die Verfallzeit eingetreten, so muß dem Wechselinhaber
auch das Recht zustehen, den Wechsel zur Zahlung zu präsentiren,
die Zahlung zu fordern.   Erfolgt die Zahlung nicht, so ist nach
Art. 41 die Erhebung des Protestes am Zahlungstage zulässig; sie
muß aber spätestens am zweiten Werktage nach dem Zahlungstage
geschehen.

Das Recht, die Zahlung an dem (im Wechsel benannten) Ver=
falltage zu fordern, ist im Art. 93 auch für den Fall, daß am
Zahlungsorte allgemeine Zahltage bestehen, dem Wechselgläubiger nicht
entzogen, sondern lediglich dem Präsentaten die Befugniß eingeräumt

worden, die Zahlung eines zwischen den Zahltagen fällig gewordenen Wechsels bis zum nächsten Zahltage zu verschieben; derselbe braucht, wie sich das Gesetz ausdrückt, die Zahlung erst am nächsten Zahltage zu leisten. Will derselbe von dieser Befugniß keinen Gebrauch machen, so steht es ihm frei, sofort am Verfalltage bezw. in dem zwischen diesem und dem nächsten Zahltage liegenden Zeitraume Zahlung zu leisten. Da aber jeder Wechselzahlung die Aufforderung zur Zahlung von Seite des Wechselgläubigers vorhergehen muß, so kann dem letzteren auch nicht versagt sein, sich durch die Präsentation des Wechsels zur Zahlung nach dessen Verfall darüber Gewißheit zu verschaffen, ob der Präsentat sofort Zahlung leisten oder solche ganz verweigern oder von der ihm durch Art. 93 eingeräumten Befugniß Gebrauch machen werde.

Erklärt nun derselbe das letztere, verweist er den Gläubiger auf den nächsten Zahltag, so mag wohl zur Erhebung eines Protestes ein Grund nicht gegeben, die wiederholte Präsentation des Wechsels zur Zahlung am Zahltage vorzunehmen und, soferne nicht die Protestfrist des Art. 41 schon vorher ablaufen sollte (ein Fall, der indessen bei der in Augsburg bestehenden Einrichtung bezüglich der Zahltage nicht eintreten kann), auch an diesem Tage bei Mangel der Zahlung Protest zu erheben sein.

Erklärt aber Präsentat, daß er den ihm vorgezeigten Wechsel überhaupt nicht, weder sogleich, noch am nächsten Zahltage zahlen werde, so ist nicht abzusehen, aus welchem Grunde nicht sogleich Mangels Zahlung Protest erhoben werden könne.

Das Gesetz gestattet dem Präsentaten, der zahlen will, mit der wirklichen Zahlungsleistung bis zum Zahltage zu warten; es legt aber nicht dem Gläubiger die Pflicht auf, selbst wenn der Erstere gar nicht zahlen will, mit dem Proteste bis zum Zahltage zu warten.

Es muß daher in diesem Falle, da im Uebrigen die Vorbedingung einer jeden Protesterhebung — Eintritt der Verfallzeit des Wechsels — gegeben ist, auch der noch vor dem Zahltage erhobene Protest als gehörig und rechtswirksam erhoben erachtet werden.

Wie der vorliegende Protest darthut, hat nun auf die nach dem wechselmäßigen Verfalltage erfolgte Präsentation des eingeklagten Wechsels zur Zahlung der Domiciliat erklärt, daß dieser Wechsel nicht bezahlt werde, ohne den Präsentanten auf den Zahltag zu verweisen; er hat somit zu erkennen gegeben, daß er überhaupt nicht zahlen wolle.

Es kann demgemäß dem sofort aufgenommenen Proteste die rechtliche Wirksamkeit nicht abgesprochen und Beklagter nicht wegen zu früh erhobenen Protestes von der erhobenen Wechselklage definitiv ent= bunden werden *).                    (Augsburg Nr. 63.)

## CCXVI.
### Haftung des Wechselbürgen.
#### A. d. WO. Art. 7 und 8.

Ein Wechsel lautete folgendermaßen:

Drei Monate a dato zahle ich gegen diesen meinen Wechsel (Anton Küh unter meiner Garantie Michael Bau) an die Ordre des Herrn Stingel die Summe von 2000 fl. Diesen Betrag habe ich an Baar erhalten und leiste zur Verfallzeit prompte Zahlung nach Wechselrecht hier und aller Orten zu Inkam oder wo ich zu treffen bin

(Bleistiftlinie) ————————

Michael Bau.

Aus diesem Wechsel wurde gegen Michael Bau als Garanten geklagt, allein von beiden Instanzen die Haftung des Beklagten ver= neint, und zwar (Erkenntniß des k. Handelsappellationsgerichtes vom 5. September 1864) aus folgenden Gründen:

Nach den Grundsätzen des Wechselrechtes kann in dreifacher Weise durch Unterschrift des Wechsels eine Haftung des Unterschreiben= den begründet werden.

Als eigentlicher Wechselschuldner, als derjenige, in dessen Person das unbedingte Summenversprechen zur Existenz kommt, erscheint jeder, der eine Tratte acceptirt oder einen Eigenwechsel ausstellt; die Unter= zeichnung des Wechsels durch den Acceptanten oder Aussteller beim Eigenwechsel begründet die Wechselobligation, sie ist die Wechselunter= schrift im eigentlichen Sinne.

In zweiter Reihe fallen unter die wechselmäßige Haftung: Der Aussteller der Tratte und die Indossanten, welche sich durch ihre Unterschrift dem wechselmäßigen Regresse unterwerfen; diese Unterschrift

---

*) Präjudizien aus der Bremer Praxis (welche Stadt außer Augsburg allein noch Kassirtage hat) sind nicht gedruckt; ebenso enthalten die Kommentare über die obige Frage Nichts; nur Volkmar und Löwy S. 350 sprechen sich nicht ganz in obigem Sinne aus.

begründet aber ihrer Natur nach nicht ein Eintreten des Unterzeich=
nenden in das Zahlungsversprechen als solches; weder der Traffant
noch der Indoffant verspricht zu zahlen, wenn der eigentliche Wechsel=
schuldner nicht bezahlt, er muß kraft des Gesetzes zahlen.

Es kann aber endlich eine Person auch dadurch wechselrechtlich
verhaftet werden, daß sie zwar weder das Zahlungsversprechen als
solches abgibt, noch auch dem Regresse sich wechselmäßig unterwirft,
dagegen aber mit dem Schuldner oder dem Regreßpflichtigen unter=
zeichnet und für den Fall seines Nichtzahlens statt seiner zu zahlen
verspricht. Hiebei bringt es die Eigenthümlichkeit des Wechselrechtes
mit sich, daß durch die Mitunterschrift der Unterzeichnende sich
dem Anspruche des Gläubigers nicht blos subsidiär unterwirft, sondern
in derselben Weise, wie der Prinzipalschuldner, zu haften hat. Dieser
letztere Umstand ändert aber selbstverständlich Nichts an der Thatsache,
daß die beßfallsige Unterschrift eine Mitunterschrift bleibt; der Grund
der Haftung ist zwar das durch Unterzeichnung des Wechsels einge=
gangene unbedingte Zahlungsversprechen; aber dieses Zahlungsverspre=
chen, welches ja an sich nicht unbedingt abgegeben war, wird vom
Gesetze nur wegen der Stellung der Unterschrift fingirt, diese Stell=
ung, diese räumliche Verbindung der einen Unterschrift mit der anderen
also ist ein wesentliches Erforderniß, damit die gesetzliche Haftung
wirklich eintrete.

Wendet man diese Grundsätze auf den vorliegenden Fall an, so
kann es vor Allem keinem Zweifel unterliegen, daß Michael Bau
nicht, wie Appellant meint, als Wechselaussteller angesehen wer=
den kann, daß seine Unterschrift nicht als Wechselunterschrift er=
scheint. Die Argumentationen der Appellationsschrift wären ganz ge=
rechtfertigt, wenn die fragliche Wechselurkunde von dem Bürgschafts=
verhältnisse Nichts enthalten würde; denn nach dem Grundsatze: quod
non in cambio non in mundo, würde aus dem Umstande, daß
nach dem außerhalb des Wechsels vorhandenen wirklichen Sachverhält=
nisse derjenige, dessen Namen unter der Wechselurkunde steht, nicht als
der eigentliche Schuldner, sondern nur als dessen Garant anzusehen
sei, durchaus nicht gefolgert werden können, der Unterzeichner des
Wechsels sei nicht dessen Aussteller.

Würde also die Urkunde einfach dahin lauten: „gegen diesen
Wechsel zahle ich an die Ordre u. s. w.", und mit der Unterschrift
Michael Bau versehen sein, so könnte nicht nur der Einwand keine
Beachtung finden, daß diese Unterschrift nur unter der Voraussetzung
der vorherigen Unterschrift des Küh gegeben worden, sondern es

würde auch unter allen Umständen **Bau** als Wechselaussteller zu erachten sein.

Wie der Erstrichter bereits dargelegt hat, ist in vorliegendem
Falle nach dem allein maßgebenden Inhalte des Wechsels Michael
Bau nicht Wechselaussteller, sondern nur Garant und seine Unterschrift
bei diesem Sachverhalte nicht verbindlich, da sie keine **Mitunterschrift** ist. Denn, wie oben erörtert, bewirkt bei dieser nur die
Stellung, der locus die Haftung; eine solche Stellung liegt zwar vor,
wenn die Unterschrift als erst nachträglich auf dem Wechsel beigesetzt
behauptet wird [1]), oder wenn dieselbe ausgestrichen wurde [2]), oder
wenn die Unterschrift des Acceptanten oder Ausstellers als gefälscht
erwiesen wird [3]): in allen diesen Fällen besteht eine räumliche Verbindung zweier Unterschriften, durch welche die Unterschrift des Garanten
zur **Mitunterschrift** wird und damit den Unterzeichnenden verhaftet.

Wenn aber ein solcher locus nicht besteht, wenn der Mitacceptant
seine Mitunterschrift nicht der acceptirten Prima, sondern der Secunda
beisetzt [4]), oder wenn die Mitunterzeichnung auf der Copie des Acceptes erfolgt [5]), oder wenn, wie im vorliegenden Falle, eine Unterschrift
des Ausstellers gar nicht vorhanden ist, dann fehlt es der Unterschrift
an einem wesentlichen Erfordernisse, sie ist nicht Mitunterschrift und
sonach kann die gesetzliche Fiktion, welche den Mitunterzeichner haftbar
macht, nicht eintreten. (Vgl. Art. 7 der a. d. WO.)

Hiegegen läßt sich auch nicht einwenden, daß, wer einen Wechsel
acceptirt, verhaftet werde, auch wenn der Wechsel auf ihn nicht gezogen oder adressirt ist (vgl. Nr. 56 des I. Pr.-Entwurfes).
Denn abgesehen davon, daß in diesem Falle der Grund der Haftung
in dem durch das Wort „angenommen" erklärten Zahlungsversprechen gefunden werden könnte, ist diese Bestimmung der früheren
Entwürfe in der a. d. WO. nicht aufgenommen worden; vielmehr
geht die Ansicht der Wissenschaft und Praxis dahin, daß ein solches
Accept durchaus keine rechtliche Bedeutung habe. (Vgl. **Goldschmidt**
Zeitschrift Bd. II S. 447; **Volkmar** und **Löwy** Seite 110.)

(Passau Nr. 63.)

---

[1]) Sammlung **Borchardt** Art. 253.
[2]) Archiv für WR. Bd. VIII S. 229.
[3]) **Volkmar** S. 282.
[4]) **Striethorst** Bd. XIX S. 93.
[5]) **Volkmar** S. 282.

## CCXVII.
### Befugniß des Blankoindoſſatars in Ausfüllung des Blankogiro.
#### A. b. WO. Art. 13.

Gegen die Klage auf Zahlung der Valuta für einen verkauften Wechſel hatte der Käufer ſich darauf berufen, daß in dem Indoſſamente des Verkäufers die Quittirung des Preiſes bereits urkundlich bewieſen vorliege, da in demſelben ſtehe „Werth erhalten." Es war nicht beſtritten, daß Verkäufer in blanco indoſſirt und Käufer dieſen Beiſatz ſelbſt eingeſchaltet habe. Allein es wurde von letzterem behauptet, Verkäufer müſſe ſich, da ſein Name unter der Quittirung ſtehe, die Folge derſelben gefallen laſſen.

Die beiden Inſtanzen waren aber anderer Anſicht; das Erkenntniß des k. Handelsappellationsgerichts zu Nürnberg vom 22. Auguſt 1864 beſagt:

„Das Indoſſament in blanco unterſcheidet ſich weſentlich von der Unterſchrift eines ſonſtigen Blanquetes, insbeſondere von der Unterſchrift oder Acceptation eines noch nicht vollſtändig ausgefüllten Wechſels. Während in dieſen Fällen angenommen werden muß, derjenige, welcher ſeinen Namen unter eine noch nicht vollſtändig ausgefüllte Urkunde ſetzt, unterwerfe ſich ſtillſchweigend allem dem, was die ſpätere Ausfüllung als Inhalt der Urkunde nachweiſt, und geſtatte dieſe Ausfüllung demjenigen, welchem das Blanquet behändigt wird, entweder nach Maßgabe vorheriger Vereinbarung oder nach deſſen freiem Ermeſſen (vgl. Sammlung handelsgerichtlicher Entſcheidungen Bd. I S. 217, und Zeitſchr. Jahrg. 1864, Heft 2 S. 73); ſo tritt bei dem Blankogiro die Beſtimmung des Geſetzes ein, nach welcher (Art. 13 der a. b. WO.) der Inhaber des Wechſels nur befugt iſt, das Blankoindoſſament auszufüllen.

Hieraus folgt, daß ihm mehr nicht zuſteht, als den weggelaſſenen Namen des Indoſſatars einzuſetzen (vgl. Protokolle der Leipziger Wechſelkonferenz S. 25 und die Ausführungen in Hoffmann's Erläuterungen S. 247). Denn wie der Wortlaut des obigen Artikels zeigt, muß die Befugniß zur Ausfüllung als durch den Inhalt des regelmäßigen Indoſſamentes begränzt erachtet werden, und es kann daher die Ausfüllung — ohne beſondere Zuſtimmung und Genehmigung des Giranten — ſich nur auf diejenigen Momente erſtrecken, welche geſetzlich und nothwendig im Weſen des Indoſſamentes liegen[1]).

---

[1]) Renaud S. 134 Note. — Volkmar und Löwy S. 77. — Hoffmann S. 248. — Blaſchke S. 127. — Wächter S. 248.

34

Das Indossament hat aber nur den Zweck und die Bedeutung, die Cirkulation des Wechsels zu vermitteln; sein Wesen besteht in der Uebertragung des Forderungsrechtes auf den Erwerber des Wechsels. Das Indossament in Blanko unterscheidet sich nur darin von dem ausgefüllten Giro, daß der Name des Erwerbers freigelassen ist, — und wenn es wohl keinem Zweifel unterliegen kann, daß der Wechselin= haber einem vollständigen Indossamente nicht eigenmächtig irgend einen vom Giranten nicht besonders genehmigten Beisatz hinzufügen darf, so ergibt sich, daß dieß — vorbehaltlich der Ausfüllung der für den Namen des Erwerbers leer gelassenen Stelle — auch bei dem Blanko= indossament nicht stattfinden darf, da dieses, sobald der Raum für den Namen ausgefüllt ist, wie ein gewöhnliches Indossament angesehen werden muß.

Eben deßhalb kann sich Appellant auch nicht auf die Bestimmung der Gerichtsordnung Kap. XI §. 8 Nr. 4 berufen. Denn nachdem das Blankoindossament nur bestimmt ist, die Weiterbegebung des Wechsels anzuzeigen, ergibt sich hiedurch, daß eine jede weitere Exten= dirung des Blanquetes als wider den Willen des Indossanten ge= schehen so lange erachtet werden muß, bis derjenige, welcher die Aus= füllung vorgenommen hat, nachweist, es sei mit Willen und Geneh= migung des Indossanten dem Giro der betreffende Beisatz gemacht worden.

Hiegegen läßt sich nicht einwenden, daß die wechselmäßige Regreß= klage von dem Indossanten nicht mit der Einrede, keine Valuta em= pfangen zu haben, abgelehnt werden kann. Denn wenn der Indossant dem Indossatar, welcher den Wechsel vom Acceptanten bezw. Aussteller nicht bezahlt erhielt und dieß durch Protest nachweist, die volle Wechsel= summe zahlen muß, und im Wechselprozesse gar nicht darauf einge= gangen wird, ob er diese Summe ganz oder nur theilweise oder gar nicht erhalten hat, so folgt dieses aus der klaren Vorschrift des Art. 50 der a. d. WO.

Diese lediglich wechselrechtliche Bestimmung bezieht sich aber nicht auf das zwischen den Parteien bestehende, dem Wechselgeschäfte unter= liegende Rechtsverhältniß, — schließt daher nicht aus, daß, wer ohne materiellen Grund die Regreßsumme gezahlt hat, solche nachträglich im ordentlichen Prozesse von dem Indossatar zurückerlangt[2]).

(München Reg.=Nr. 295).

---

[2]) Ebenso entschied das Lübecker OAG., das Berliner Obertribunal und das niederösterreichische OLG. (Vgl. Borchardt 3. Auflage S. 90.)

## CCXVIII.

**Bei einem domizilirten Wechsel ohne Benennung eines Domiziliaten ist eine Protesterhebung nicht geboten, um die wechselrechtlichen Ansprüche gegen den Aussteller zu erhalten.**

Art. 43 u. 99 der a. d. WO.

Die auf Grund eines am 16. September 1863 von A. A. in Schweinfurt dem N. N. ausgestellten Solawechsels „zahlbar in 6 Monaten a dato zu Würzburg" bei dem k. Handelsgerichte Schweinfurt erhobene Klage wurde mit Dekret vom 19. Mai 1864 abgewiesen, weil der vorliegende Wechsel ein eigener domizilirter Wechsel sei und daher dem Aussteller an demjenigen Orte, wohin der Wechsel domizilirt ist, zur Zahlung zu präsentiren und wenn die Zahlung unterbleibt, dort zu protestiren gewesen, und im Falle die rechtzeitige Protesterhebung versäumt werde, hiedurch der wechselmäßige Anspruch nach Art. 99 der allg. d. WO. und Gesetz vom 5. Oktober 1863, einige Bestimmungen der allg. d. WO., Zusätze und Abänderungen betr. Ziff. 8, gegen den Aussteller verloren gehe.

Der von Seite des Klägers ergriffenen Berufung wurde mit Erkenntniß des k. Handelsappellationsgerichtes Nürnberg vom 22. Juni 1864 stattgegeben und enthalten die Entscheidungsgründe Folgendes:

Richtig ist, daß der vorliegende Eigenwechsel in die Reihe der s. g. Domizilwechsel gehört, weil der Wechsel einen vom Ausstellungsorte verschiedenen Zahlungsort bezeichnet.

Das Gesetz unterscheidet jedoch bezüglich der vorzunehmenden Rechtsakte und der hiemit verbundenen Präjudizien zweierlei Arten von Domizilwechsel, mögen diese Tratten oder Eigenwechsel sein.

Domizilwechsel mit besonders benannten Domiziliaten erfordern rechtzeitige Protesterhebung bei diesen; außerdem geht der wechselmäßige Anspruch verloren und zwar nicht nur gegenüber den Indossanten und dem Trassanten, sondern sogar gegenüber dem Aussteller des Eigenwechsels und dem Acceptanten einer Tratte (allg. d. WO. Art. 43 Abs. 2 und Art. 99 Satz 2).

Der Abs. 1 der Art. 43 u. 49 bestimmt lediglich, an welchem Orte und welcher Person gegenüber die wechselrechtlichen Handlungen des Präsentirens und Protestirens mit rechtlicher Wirksamkeit vorzunehmen sind. Die eintretenden Rechtsnachtheile sind in Abs. 2 der treffenden Artikel aufgestellt.

Domizilwechsel ohne besonders benannte Domiziliaten

34 *

erfordern rechtzeitige Präsentation am Wechseldomizil gegenüber dem Bezogenen beziehungsweise dem Aussteller des Eigenwechsels; außerdem geht gleichfalls der wechselmäßige Anspruch verloren, jedoch nur insoweit, als dieser Anspruch die Natur einer Regreßforderung hat, also gegenüber dem Trassanten und den Indossanten.

Denn gegenüber dem Acceptanten einer Tratte bedarf es zur Erhaltung des Wechselrechtes nach Art. 44 mit 43 und 23 — den einzigen Fall eines Wechsels mit besonders benannten Domiziliaten ausgenommen — weder der Präsentation am Zahlungstage, noch der Erhebung eines Protestes.

Der Eigenwechsel nähert sich nur in dem Falle, wenn ein vom Aussteller verschiedener Domiziliat als Zahler bezeichnet ist, der eigentlichen Tratte; es liegt daher auch nur in solchem Falle ein hinreichender Grund dafür vor, die Wechselforderung dem Aussteller eines Eigenwechsels gegenüber in ähnlicher Weise als Regreßforderung zu behandeln, wie dies bei dem Acceptanten einer präjudizirten Tratte mit besonders benannten Domiziliaten der Fall ist.

Daher ist erklärlich, daß das Gesetz nur in dem einen Falle den wechselmäßigen Anspruch an den Aussteller eines Eigenwechsels als verwirkt erklärt, wenn ein besonderer Domiziliat benannt ist, von welchem angenommen werden muß, daß der ursprüngliche Schuldner ihn rechtzeitig mit Deckung versehen wollte beziehungsweise noch vor dem Verfalle wirklich versehen habe.

Wo aber das Gesetz nicht einen Rechtsnachtheil, zumal von der Tragweite des Verlustes jeglichen Anspruches, ausdrücklich angedroht hat, kann auch von einer Verwirkung solchen Anspruches nicht die Rede sein.

Da nun der vorliegende Wechsel keinen Zweifel darüber aufkommen läßt, daß er nur ein einfacher Domizilwechsel ist, da ferner dieser Wechsel ein eigener ist und gegen den Aussteller geltend gemacht wird, sonach von einer Regreßforderung nicht die Rede sein kann, da endlich nur im Falle des Versäumnisses rechtzeitiger Protesterhebung beim Domiziliaten der wechselmäßige Anspruch verloren geht, während beim einfachen Domizilwechsel ebenso wie bei den nicht domizilirten eigenen Wechseln — Gesetz vom 5. Oktober 1863 zu Art. 99 — zur Erhaltung des Wechselrechtes gegen den Aussteller es weder der Präsentation am Zahlungstage noch der Erhebung eines Protestes bedarf, so durfte die vorwürfige Klage nicht wegen Mangels einer Protesturkunde zurückgewiesen werden.

(Schweinfurt Reg.=Nr. 124.)

## CCXIX.

# Der allgemeine Widerspruch gegnerischer Behauptungen ist unwirksam.

Proz.-Nov. v. 17. Nov. 1837 §. 19.
Vergl. oben S. 161.

Eine auf Zahlung eines Waarenkaufschillings belangte Handels= frau widersprach, die in der Klage aufgeführten Waaren zu den an= gegebenen Zeiten und Preisen erhalten zu haben, gab übrigens den Empfang von Waaren und das Bestehen einer Schuld im Allgemeinen zu. Das Untergericht nahm demgemäß die eingeklagte Schuld als zugestanden an und verurtheilte die Verklagte, welcher Ausspruch auch durch Urtheil des HAG. vom 30. November 1864 aus nachstehenden Gründen bestätigt wurde:

Verklagte mußte zugeben, Waaren von dem Kläger erhalten zu haben und hiefür noch Schuldnerin desselben zu sein; nur die Größe des Schuldbetrages bezeichnete dieselbe als noch in der Schwebe be= findlich. Da indessen nach der thatsächlichen Begründung der Klage über die Größe der Schuld nicht der mindeste Zweifel besteht, so war es ihre Sache, die Gründe speziell zu bezeichnen, aus welchen der klägerische Anspruch nur in einem geringeren Betrage bestehen soll. Durch jenes Zugeständniß hat der Widerspruch, die in der Klags=Beilage aufge= führten Waaren zu den dort angegebenen Zeiten und Preisen erhalten zu haben, seine Bedeutung verloren; denn es steht nunmehr fest, daß Verklagte wenigstens einen Theil jener Waaren empfangen hat; es mangelt aber bezüglich des angeblich nicht erhaltenen Theiles der vom Gesetze verlangte bestimmte und deutliche Widerspruch *). Es muß sonach das ganze Klagvorbringen als zugestanden erachtet werden, und zwar mit um so größerem Rechte, als die Unterlassung einer speziellen Be= zeichnung der angeblich nicht erhaltenen Waaren den vorausgegangenen Widerspruch sofort als einen nicht ernstlich gemeinten, chikanösen er=

---

*) Das Prinzip des „speziellen Widerspruches" liegt nicht blos darin, daß Alles widersprochen werden muß, was nicht zugestanden werden will, sondern daß, was widersprochen wird, so widersprochen wird, daß der Richter über den Umfang und die Ernstlichkeit des Widerspruches nicht im Zweifel bleibt; hieraus folgt, daß, wenn Etwas geschehen sein muß, nicht genügen kann, die Erzählung des Gegners lediglich zu verneinen, sondern das anzugeben ist, was wirklich geschehen sein soll.

kennen läßt, welchem der Richter eine Beachtung zu schenken nicht verpflichtet sein kann.    (München I. b. J. Reg.-Nr. 331.)

## CCXX.

## Zulässigkeit des Exekutivprozesses nach Nürnberger Recht.

Die k. Bank zu Nürnberg hat auf Grund eines anerkannten Conto-Correntes gegen den Kaufmann N. N. Klage auf Zahlung eines Saldo von 16905 fl. 9 kr. nebst Zinsen seit 1. Juli l. J. gestellt, um Einleitung des Exekutivprozesses gebeten, und gegen die von dem k. Handelsgerichte Nürnberg unter'm 19. Oktober l. J. ausgesprochene Abweisung der Klage in angebrachter Art Berufung ergriffen:

Dieser Beschwerde wurde auch stattgegeben, und spricht das Erkenntniß des k. Handelsappellationsgerichtes vom 7. November 1864 Folgendes aus:

Es kann zwar die von der Appellantin aufgestellte Ansicht bezüglich einer Geltung der bayer. GO. v. 1753 im Nürnberger Burgfrieden nicht getheilt werden.

Unzweifelhaft ist es nämlich der leitende Grundsatz des Einf.-Gesetzes zum a. d. HG., an den bestehenden Prozeßgesetzen keine Aenderung zu treffen, und findet sich dieser Grundsatz ausdrücklich und ganz allgemein in den Motiven ausgesprochen. (Verhandlungen des GG.-Ausschusses, Bd. I S. 77.)

Hieran ändert Nichts, daß (wie in der Berufungsschrift ausdrücklich ausgeführt wurde) allerdings das Einf.-Gesetz auch in prozessualer Hinsicht einige Neuerungen enthält; denn soweit sich diese auf die bestehenden besonderen Handels- und Wechselprozeßordnungen erstrecken, betreffen sie nur die Organisation und den Geschäftsgang der Gerichte, nicht aber das materielle Prozeßrecht.

Was nun insbesondere den Art. 71 des Einf.-Ges. anlangt, so lautete derselbe im Entwurfe (als Art. 72) also:

„Insoweit die in Art. 71 bezeichneten Handelssachen sich zum Exekutiv-, Mandats- oder Arrestprozeß eignen, hat es bei dem für diese Prozeßarten vorgeschriebenen Verfahren sein Bewenden;"

und nachdem der Eingang des citirten Art. 71 des Entwurfes lautet:

„Ist das Verfahren vor den Handelsgerichten nicht durch besondere Gesetze geregelt," so kann nicht bezweifelt werden, daß die Bestimmung des Art. 72 des Entwurfes sich nur auf jene Handelssachen beziehen sollte, für welche nach der G.O. und den Novellen geurtheilt werden muß und keine speziellen Handels- oder Wechselgerichtsordnungen bestehen.

Bei der Berathung hat zwar der Art. 71 des Einf.-Ges. eine weniger beschränkte Fassung erhalten, indem sich dieselbe auf die Handelssachen überhaupt erstreckt, und ein Unterschied, welche Prozeßordnung für dieselben gilt, nicht mehr gemacht ist; allein diese, wie die Verhandlungen (Bd. II S. 100) bezeugen, aus formellen Gründen gemachte Aenderung hat offenbar nicht eine so bedeutende Neuerung, wie sie in der von der Berufungsschrift vertretenen Ansicht gelegen wäre, bewirken können. Hätte der Gesetzgeber dieses gewollt, so würde er ausdrücklich haben sagen müssen, daß auch in jenen Prozeßgebieten, woselbst besondere Handelsgerichtsordnungen gelten, Sachen, welche sich zum Exekutiv-, Mandats- oder Arrestprozesse eignen, nach der bayerischen Gerichtsordnung und ihren Novellen behandelt werden sollen. Daß aber dieß nicht in der Intention des Gesetzgebers gelegen war, ergibt sich aus dem bereits oben Erwähnten, — wie sich denn auch kein Grund denken ließe, weßhalb z. B. der Nürnberger Arrestprozeß durch die deßfallsigen Bestimmungen der G.O. hätte ersetzt werden sollen.

Endlich kann auch in dem Absatze 2 des Art. 70 des Einf.-Ges. nach der klar ausgesprochenen Intention des Gesetzgebers nicht die Einführung der bayer. G.O. mit Novellen als subsidiäres Recht zu den besonderen Handels- und Wechselgerichtsordnungen gefunden werden, so daß, wo in diesen besonderen Gesetzen eine Lücke ist, sofort das bayerische Prozeßrecht als Hülfsrecht in Anwendung kommen müßte, sondern die Worte „in deren Ermangelung" haben lediglich eine territoriale Richtung; in jenen Bezirken, in welchen es an einer besonderen Handelsprozeßgesetzgebung mangelt, kommt das allgemeine bayerische Prozeßrecht zur Anwendung.

Es würde dem Allen gemäß der Erstrichter allerdings zur Verweigerung des Exekutivprozesses veranlaßt gewesen sein, wenn mit der Nürnberger Handelsgesetzgebung der Exekutivprozeß überhaupt unvereinbar oder diese Prozeßart durch dieselbe etwa ausdrücklich für unzulässig erklärt sein würde. Allein dieses ist nicht der Fall. Nach §. 14 der Handelsgerichtsordnung findet zwar in der Regel

Verhandlung in Schriftsätzen statt, allein hiedurch ist die Befugniß und die Verpflichtung des Gerichtes nicht ausgeschlossen, nach Umstän= den zu Protokoll zu verhandeln; §. 52 bestimmt, daß solches zu ge= schehen habe, „wo es nach Erkenntniß des Gerichtes auf einen noch schleunigeren Rechtsgang ankommt.‟

Die Fälle, in welchen ein derartiges schleuniges Verfahren ein= zutreten hat, sind in der erwähnten Handelsgerichtsordnung nicht näher bezeichnet; es kommt daher subsidiär nach §. 59 der gemeine deutsche Prozeß zur Anwendung. Nach diesem aber unterliegt es kei= nem Zweifel, daß auf Grund sogenannter guarentigirter Urkunden ein schleuniger Prozeß von besonders summarischer Beschaffenheit, der sog. Exekutivprozeß, einzuleiten ist.

Aus diesem Allen geht hervor, daß, soferne sich die Voraussetz= ungen dazu in einem gegebenen Falle vorfinden, und die Klagpartei darauf anträgt, auch im Gebiete des Nürnberger Prozeßrechtes der Exekutivprozeß eingeleitet werden muß; und diesen Satz bekräftigt auch, wie bereits oben erörtert, der Art. 71 des Einf.=Ges. zum a. b. HG. in seiner gegenwärtigen Fassung.

Nachdem nun aus den von der k. Bank vorgelegten Urkunden die Person des Gläubigers und des Schuldners, sowie quale und quantum der Schuld sammt dem Forderungsgrunde deutlich hervor= gehen, war eine Abänderung des erstrichterlichen Beschlusses geboten, wobei nur noch zu bemerken kommt, daß die im Gebiete der Ge= richtsordnung maßgebenden und in Seuffert's Kommentar Bd. II Seite 51 u. f. näher entwickelten Grundsätze des Exekutivprozesses ohnehin keine anderen sind, als die durch Wissenschaft und Praxis des gemeinen Rechtes für diese Prozeßart festgestellten[1]).

(Nürnberg Reg.=Nr. 144.)

---

[1]) Zweifelhaft könnte nur sein, ob nicht die Bestimmung des §. 16 der Handelsgerichtsordnung, daß alle Urkunden, mit welchen eine Klage zu belegen ist, in Original oder beglaubigter Abschrift sofort bei Gericht zu übergeben sind, auch auf den Exekutivprozeß Anwendung finde.

## CCXXI.

# Erekutivprozeß auf Grund eines präjudizirten Wechsels.

### (A. d. WO. Art. 83. — GO. Kap. III §. 3 Nr. 5.)

Der Handelsmann A. A. hatte auf Grund eines durch Unterlassung rechtzeitigen Protestes bei dem Domiziliaten präjudizirten Eigenwechsels des Handelsmannes N. N., welcher Wechsel angeblich in Folge eines Darlehensgeschäftes ausgestellt worden, gegen den Aussteller Klage auf Zurückzahlung des in der Wechselurkunde als baar erhalten bekannten Werthes erhoben und gebeten, auf diese Klage den Erekutivprozeß einzuleiten.

Von dem Erstrichter abgewiesen, „weil in der Urkunde eine causa debendi nicht ausgedrückt sei", hatte Kläger Berufung eingelegt und erlangte in zweiter Instanz ein obsiegliches Urtheil.

Das k. Handelsappellationsgericht motivirte sein Erkenntniß (vom 7. November 1864) in Folgendem:

Zwar kann der Ausführung des erstrichterlichen Bescheides darin beigestimmt werden, daß die in einer Wechselurkunde enthaltenen Worte: „Werth baar erhalten" an und für sich nicht zur Konstatirung eines Darlehens-Empfanges genügen. Die Ausstellung der Wechselurkunde bekundet lediglich die Eingehung einer Wechselverbindlichkeit, der Wechsel ist von allen zwischen den Parteien etwa sonst noch bestehenden rechtlichen Beziehungen abgetrennt, er stützt sich seiner Natur nach in keiner Weise auf das unterliegende Rechtsverhältniß, sondern wirkt allein als ein auf eine Summe gerichtetes absolutes Zahlungsversprechen; die causa debendi des Wechsels ist keine andere als der formale Verpflichtungswille des Ausstellers, auf einen materiellen Forderungsgrund kann sich der Wechsel niemals beziehen.

Die Wechselurkunde beweist daher als solche immer nur, daß zwischen dem Aussteller und Remittenten eine Wechselverbindlichkeit bestand; ob außerdem noch zwischen den Parteien eine Verbindlichkeit vorhanden war, darüber Etwas zu beurkunden, ist nicht Aufgabe und Absicht des Wechsels.

Allein insoferne in der vorgelegten Wechselurkunde nicht nur der Empfang von baarem Gelde, sondern auch das Versprechen, dasselbe nicht als Spezies, sondern seinem Werthe nach, nach einer bestimmten Zeit zurückzuerstatten, bekundet ist, erscheinen, ganz abgesehen von der

Wechselverbindlichkeit, jedenfalls die beiden Momente urkundlich belegt, welche den Darlehensvertrag konstituiren [1]).

Abgesehen hievon wäre aber die erhobene Klage noch von einem anderen Gesichtspunkte aus zu halten.

Art. 83 der a. d. WO. bestimmt, daß der Wechselaussteller, auch wenn dessen wechselmäßige Verbindlichkeit dadurch, daß die zur Erhaltung des Wechselrechtes gesetzlich vorgeschriebenen Handlungen verabsäumt sind, erloschen wäre, doch dem Inhaber des Wechsels so weit verpflichtet bleibt, als ersterer sich mit dem Schaden des letzteren bereichern würde.

Eine solche ungerechte Bereicherung des Ausstellers läge aber offenbar darin, daß der Wechselinhaber, welcher dem Aussteller für die von demselben eingegangene Wechselverbindlichkeit den Werth baar vergütet, das heißt demselben den Wechsel so zu sagen abgekauft hat, nunmehr ohne Deckung bleibt.

Nachdem nun der oben citirte Artikel die ungerechte Bereicherung des Ausstellers als den Grund erklärt, durch welchen derselbe zur Zahlung eines präjudizirten Wechsels verpflichtet wird, und dieser Verpflichtungsgrund allerdings durch den vorgelegten Wechsel und insbesondere durch die in demselben enthaltene Erklärung des Ausstellers, den Werth baar empfangen zu haben, urkundlich belegt ist, so fehlt auch deßhalb der genügende Anlaß, im gegebenen Falle die Einleitung des Exekutivprozesses zu verweigern.

Es kann dies insbesondere auch nicht etwa wegen ungenügender urkundlicher Nachweisung des geschuldeten Quantums geschehen. Denn wenn auch angenommen werden wollte, die Höhe des Darlehens, dessen Hingabe das Motiv zur Wechselausstellung gewesen sein soll, könne durch den Inhalt der Wechselurkunde nicht mit Sicherheit nachgewiesen werden, so ist doch die Höhe des Schadens, welchen der Wechselinhaber durch die ungerechte Bereicherung des Ausstellers erleiden würde, dadurch, daß letzterer den Werth des Wechsels, also den Werth des zur Verfallzeit von dem Schuldner zu zahlenden Geldes, in Händen zu haben bekannte, nothwendig gleich der am 14. Septbr. l. J. verfallenen Summe des Wechsels [2]).

(Nürnberg Reg.-Nr. 143.)

---

[1]) Vgl. hierüber Bl. f. RA. Bd. VI S. 218; Bd. IV S. 73. Dann Seuffert's Archiv Bd. VII Nr. 254 und Bd. XVII Nr. 186.

[2]) Die Zuständigkeit der Handelsgerichte zur Entscheidung vorwürfiger Sache wurde deduzirt aus Art. 273 und 274 des a. d. HG. in Verbindung mit Art. 63 Nr. 1 des Einf.-Ges.

## CCXXII.

**Delegation ist nicht geboten, wenn für die in verschie=
benen Untergerichtsbezirken wohnhaften Verklagten ein
aus anderen Gründen zuständiges gemeinsames Ge=
richt besteht.**

Ger.=Verf.=Ges. v. 10. November 1861 Art. 59. — Einf.=Ges. zum a. b.
HGB. Art. 69. — Nürnberger HGO. vom Jahre 1804 Art. 41.

Zwei aus einem zu Nürnberg abgeschlossenen Handelsgeschäfte[1]
als Solidarschuldner verhaftete Kaufleute, von denen der eine zu
Gostenhof (Vorstadt Nürnbergs), der andere an dem im Bezirke des
Handelsgerichtes Fürth gelegenen Orte A. wohnte, waren auf Be=
zahlung ihrer Schuld aus jenem Geschäfte vor dem k. HG. Nürnberg
belangt worden. Dieses wies die Klage unter Bezugnahme auf
Art. 59 des GVG. vom 10. November 1861 ab, wogegen Kläger
appellirte und auch den Ausspruch II. Instanz erlangte, daß auf die
Klage weiter prozeßordnungsmäßig zu verfügen sei. Die Gründe des
zweitrichterlichen Urtheiles vom 23. Dezember 1864 enthalten:

Der Art. 59 a. a. O. will in seinem Eingange, welcher hier
allein in Betracht kommt, nicht ausnahmslos für den Fall Vorsorge
treffen, daß die Wohnorte der verschiedenen Verklagten zu verschie=
benen Untergerichtssprengeln gehören, so daß in allen Fällen, in
welchen diese Voraussetzung vorläge, Delegation einzutreten hätte; der=
selbe will überhaupt für solche Fälle eine Aushilfe gewähren, in wel=
chen, sei es aus welchem Grunde immer, die Verklagten nach
den in jedem einzelnen Falle einschlagenden Kompetenzvorschriften nicht
vor Einem Gerichte belangt werden könnten, sondern vor verschiedenen
Untergerichten verklagt werden müßten. Hiefür spricht außer der all=
gemeinen Fassung des Gesetzes, welches nicht unterscheidet, weßhalb die
Verklagten in einem gegebenen Falle nicht vor Einem Gerichte belangt
werden können, auch der Zweck desselben; denn die fragliche Vorschrift
sollte an die Stelle der in GO. Kap. I §. 10 beziehungsweise der
Novelle vom 8. August 1810, die Anwendung der letzteren Gesetzes=
stelle betreffend, enthaltenen Bestimmungen treten, und daher einer
außerdem in Fällen der fraglichen Art eintretenden Zersplitterung und

---

[1] Es handelte sich um ein den beiden Verklagten, welche früher zu
Nürnberg unter gemeinsamer Firma ein Hopfenhandelgeschäft betrieben
hatten, daselbst gegebenes Darlehen.

dadurch herbeigeführten Vermehrung und Verlängerung der Prozesse vorbeugen, was zeuge der Anm. zur zitirten Stelle der GO. mit der dort gegebenen Vorschrift bezweckt werden wollte. Einer solchen Vorschrift bedurfte es aber offenbar nur für solche Fälle, in welchen überhaupt kein, sei es weßhalb immer, für sämmtliche Verklagte zuständiges Untergericht vorhanden ist, nicht aber für solche, in welchen die, wenn auch in verschiedenen Untergerichtsbezirken wohnhaften, Verklagten aus einem anderen Grunde als dem Wohnsitze vor Einem gemeinsamen Untergerichte belangt werden können. Da nun in keiner Weise anzunehmen ist, daß das Gesetz die als Ausnahme von den allgemeinen Kompetenzregeln erscheinende Vorschrift des Art. 59 a. a. O. weiter, als es der Grund ihrer Einführung nothwendig erheischt, ausgedehnt haben wollte, so kann in Fällen der so eben genannten Art die Nothwendigkeit einer Delegation nicht anerkannt werden, sondern muß es dem Kläger frei gestellt bleiben, die verschiedenen Verklagten bei dem Untergerichte zu belangen, welches, wenn auch nicht als Gericht des Wohnsitzes, so doch aus anderen Gründen, für alle Verklagte kompetent erscheint.

Ein Fall dieser Art liegt nach Inhalt der Klage und Berufung hier vor.

Kläger behauptet, daß er das eingeklagte Darlehen den beiden Verklagten in hiesiger Stadt gegeben habe, und leitet aus diesem Umstande die Kompetenz des angegangenen Gerichtes als forum contractus ab.

Die Frage, ob dieser Umstand die Kompetenz des angegangenen Gerichtes zu begründen vermöge, ist im gegebenen Falle, wie Appellant richtig angenommen, nach der in Nürnberg für Handelssachen maßgebenden Prozeßordnung, mithin der Nürnberger HG. vom Jahre 1804 und den dieselbe ergänzenden Gesetzen und Vorschriften zu beurtheilen. Denn das in jedem einzelnen Falle anzuwendende Verfahren richtet sich nach dem Gesetze, welches an dem für die Kompetenz des angegangenen Gerichtes entscheidenden Orte gilt; ist daher das Gericht als Gericht des Wohnsitzes des oder der Verklagten angegangen, so kommt das Prozeßgesetz des letzteren Ortes, — ist das Gericht als Gericht des Vertragsabschlusses oder der Vertragserfüllung angegangen, das am Orte des Vertragsabschlusses oder der Vertragserfüllung geltende Prozeßrecht zur Anwendung. Da nun Kläger als die für die Kompetenz des angegangenen Gerichtes entscheidende Thatsache den in hiesiger Stadt angeblich erfolgten Vertragsabschluß hinstellt, so ist die Frage, ob dieser Thatumstand einen Kompetenzgrund bilde, im Hinblicke auf die Bestimmung des Art. 70 Abs. 1 des Einführungsgesetzes zum a. b. HGB. auch nach hiesigem Handelsprozeßrechte zu entscheiden; hiernach ist dieselbe aber bejahend zu beantworten.

Die nach Vorstehendem zunächst zur Anwendung zu bringende Nürnberger HGO. vom Jahre 1804 hat zwar in ihrem Abschnitte 8, woselbst sie von der Zuständigkeit des Handelsgerichtes spricht, eine Vorschrift des hier in Frage stehenden Inhaltes nicht getroffen, dagegen in dem über Arreste handelnden Abschnitte 41 gelegenheitlich eine Reihe von Kompetenzbestimmungen gegeben, welche als ergänzender Bestandtheil des Abschnittes 8 zu betrachten sind, da mit denselben nach dem klaren Wortlaute jener Gesetzesstelle keineswegs blos die Kompetenz für Arrestsachen, sondern die Kompetenz des Handelsgerichtes überhaupt näher bestimmt werden wollte. Diese Bestimmungen haben, soweit sie nicht mit denen des Einführungsgesetzes zum a. b. HGB. im Widerspruche stehen, und daher gemäß Art. 68 dieses Gesetzes aufgehoben sind, nach dem im Art. 69 daselbst ausgesprochenen Vorbehalte auch dermalen noch in Anwendung zu kommen.

Hiernach ist es nun u. A. auch als Grund für die Kompetenz des Handelsgerichtes erklärt, wenn der Vertrag, aus welchem geklagt wird, im Nürnbergischen Gebiete geschlossen worden ist, — eine Bestimmung, welche auch mit der früheren gemeinrechtlichen Theorie über den Gerichtsstand des Kontraktes im Einklange steht, und für deren Anwendbarkeit es bei ihrer allgemeinen Fassung ganz gleichgiltig ist, ob der Verklagte zur Zeit der Klagezustellung sich am Sitze des Vertragsabschlusses befindet oder nicht. Unter dem Nürnbergischen Gebiete konnte zwar im Jahre 1804, in welchem die HGO. publizirt wurde, nur der innerhalb der Ringmauern gelegene Theil der Stadt verstanden werden, da die Vorstädte von Preußen okkupirt waren; nachdem indessen durch das Gesetz vom 1. Juli 1856, die Ausdehnung der Zuständigkeit der Handelsgerichte zu Nürnberg betreffend, diese Zuständigkeit nebst der für die Handelsgerichte geltenden Prozeßordnung auch auf die Vorstädte erstreckt wurde, muß jener Kompetenzgrund nun auch dann als gegeben erachtet werden, wenn ein Vertrag, aus welchem vor dem Handelsgerichte geklagt wird, in einer der Vorstädte abgeschlossen wurde.

Mag daher im gegebenen Falle der Darlehensvertrag, aus welchem geklagt wird, in hiesiger Stadt innerhalb der Ringmauern oder mag er in Gostenhof, woselbst der Mitbeklagte N. wohnen soll, abgeschlossen worden sein, so erscheint die Kompetenz des hiesigen Handelsgerichtes gegen beibe Verklagte als forum contractus begründet, ohne daß der Umstand, daß der eine der Mitverklagten seinen Wohnsitz zu A. hat, die Kompetenz des angegangenen Gerichtes zu alteriren und zu einer Delegation Veranlassung zu geben vermöchte.

Daß die Klage gegen den Mitverklagten N. in Folge nach einer anderen Prozeßordnung, als welcher er nach seinem Wohnsitze unterworfen ist [1]), zu verhandeln wäre, vermag die gleichzeitige Verhandlung beider Klagen in einem Akte nicht auszuschließen, da N. dadurch, daß er in hiesiger Stadt kontrahirt, auch der Bestimmung im Abschnitte 41 der HGO. sich unterworfen hat und in Folge dessen die Vorschriften dieser Prozeßordnung in vorwärtiger Reihe überhaupt gegen sich gelten lassen muß.

(Nürnberg Reg.-Nr. 159.)

## CCXXIII.

### Verhältniß der Handelsgerichte zu den Gantgerichten.
#### B.-W.- u. MGO. von 1785 Kap. XI §. 1.

Gestützt auf einen Beschluß des k. Bezirksgerichtes Donauwörth, welches in Folge Insolvenzanzeige des Handelsmannes N. N. die Sistirung aller Partikularexekutionen gegen denselben verfügt hatte, wies das k. Handelsgericht Augsburg den Antrag des Gläubigers A. A. auf Androhung der Sperre zurück. In den Gründen war ausgeführt [2]):

------------

[1]) In A. kommt für Handelssachen die b. GO. nebst Novellen zur Anwendung.

[2]) Die Praxis des Handelsappellationsgerichtes hat beinahe in keinem Punkte so viel Anfechtung erlitten als in diesem (vgl. z. B. Anwaltszeitung von 1864 Nr. 9 und Nr. 24); allein wohl nur deßhalb, weil weder der Inhalt noch der Zweck dieser Praxis vollständig und richtig aufgefaßt wurde. Das k. HAG. beabsichtigt nichts Weiteres als jenem von den bedeutendsten Rechtslehrern (vgl. die trefflichen Ausführungen Edel's) längst verurtheilten Schlendrian entgegen zu treten, welcher unter der Firma „Debitwesen", „Präparatorisches Verfahren", „Konkurspräliminarien" u. s. w. dem zahlungsflüchtigen Schuldner, der so weise war, nicht blos Einen, sondern viele Gläubiger anzuführen, Schutz und Hilfe gewährt. Das muß doch als logisch richtig allgemein anerkannt werden, daß ein Schuldner nicht dadurch in eine bessere Lage kommen darf, daß er statt einer Schuld eine Schuldenmasse kontrahirt, die er nicht mehr bezahlen kann. Man sucht auch in der GO. von 1753 vergeblich nach einer Gesetzesstelle, welche die „Sistirung der

1) Die Bestimmung in Kap. XI §. 1 der B. W.= und MGO. habe offenbar 3 Fälle vor Augen, wofür nicht nur der Wortlaut derselben, sondern auch die in den Allerhöchsten Reskripten vom 1. August und 17. Dezember 1816 enthaltene Interpretation derselben spreche.

2) Die in diesen Reskripten ausgesprochene Zulässigkeit einer Sicherheitssperre sei nunmehr ausgeschlossen, da das früher bestandene Vorzugsrecht der Wechselforderungen im Konkurse, — wonach der Wechselgläubiger durch Erwirkung der Erekution keine größeren Rechte erlangte, als er ohnehin besaß, — aufgehoben sei, diese Aufhebung aber illusorisch gemacht würde, wenn zu Gunsten der Wechselgläubiger die Erekution fortgesetzt werden könnte, während sie bezüglich der übrigen Gläubiger zu sistiren wäre.

3) In der Sistirung der handelsgerichtlichen Erekutionen liege auch keine Unterordnung der Handelsgerichte unter die gewöhnlichen Gerichte, da mit der Nachricht, daß von Seite der letzteren die Partikularerekutionen sistirt seien, die Handelsgerichte kraft des Gesetzes auch ihrerseits die Partikularerekutionen einzustellen verbunden seien. Endlich könne auch nicht

4) zu Gunsten des Fortganges der handelsgerichtlichen Erekutionen der Satz „vigilantibus jura scripta" geltend gemacht werden, da ja die übrigen Gläubiger ihre Erekutionsrechte nicht weiter verfolgen dürften, auch

5) der Schuldner vermöge des ihm ertheilten Veräußerungsverbotes gar nicht mehr zahlen dürfe, daher auch mit einem Zahlungsauftrage nicht mehr vorgegangen werden könne.

6) Zum Gantverfahren gehöre auch das sogenannte präparatorische Verfahren, und auch in diesem handle die „ordentliche Obrigkeit des Schuldners" schon als Gantrichter.

---

Partikularerekutionen" anordnet oder gestattet, und nur gegen diese Beschlüsse, durch welche über die Zuständigkeit der Handelsgerichte zur Fortführung ihrer Erekutionen abgesprochen werden will, richtet sich die Praxis des Handelsappellationsgerichtes. Sobald einmal die ordentlichen Gerichte jedes Präliminarverfahren damit beginnen werden, daß sie selbst sofort das ganze Vermögen des Schuldners für die Gesammtheit der Gläubiger sperren, d. h. die Erekution nicht sistiren, sondern im Gegentheile recht ernstlich vornehmen, wozu die Insolvenz eines Schuldners vollen Grund bietet, dann wird auch für die Handelsgerichte kein Anlaß mehr vorliegen, ihre Erekutionen weiter vorzunehmen.

Hiegegen führte das k. HAG. in einem am 9. Dezember 1864 erlassenen Urtheile Nachstehendes aus:

Die bayerische Wechsel= und Merkantilgerichtsordnung hat in Kap. XI §. 1 die Sistirung der Exekution und die Verweisung des Schuldenwesens zum Gantrichter angeordnet, wenn der Schuldner schon wirklich gantmäßig ist, oder durch Bezahlung der Wechselschuld gantmäßig wird, oder sich selbst für insolvent erklärt und die Insolvenz gerichtlich hergestellt und die Gant gesetzlich erkannt ist.

Die beiden ersten Alternativen hatten ersichtlich ihre Begründung darin, daß bis zum Gerichtsverfassungsgesetze vom 1. Juli 1856 der Richter von Amtswegen verpflichtet war, wenn das Vermögen des Schuldners zur Befriedigung sämmtlicher Gläubiger offenbar nicht hinreiche, oder die Gefahr bestand, es werde die Unzureichendheit des Vermögens in naher Zukunft eintreten, im Interesse sämmtlicher Betheiligten das Konkursverfahren oder doch das präparatorische Verfahren zu solchem einzuleiten.     Diese Obsorge des Gesetzes im Interesse sämmtlicher Gläubiger hat aber durch die Bestimmung des vorerwähnten Gerichtsverfassungsgesetzes Art. 16 Abs. 5 ihr Ende gefunden, indem nun die Konkurseröffnung von Amtswegen aufgehoben und somit die Anregung des Konkurses den Gläubigern und dem Gemeinschuldner überlassen ist.     Es ist diese Bestimmung aus der Betrachtung hervorgegangen, daß die Eröffnung des Konkurses von Amtswegen eine Anomalie von dem das ganze Prozeßverfahren beherrschenden Prinzipe sei, wornach die Partei die Thätigkeit des Richters hervorzurufen und ohne Auftreten einer Partei der Richter in kein Privatrechtsgeschäft einzugreifen hat, so daß somit es nicht Sache des Richters, sondern des Gläubigers ist, seine Rechte selbst zu wahren [1]).     Noch weitere Anerkennung dieses Rechtes, das eigene Interesse ohne Rücksicht auf die anderen Gläubiger zu jeder Zeit zu wahren, ist in der in dem Einführungsgesetze zum allgemeinen d. HGB. Art. 52—55 dem kaufmännischen Pfandrechte, den gesetzlichen Pfandrechten des Kommissionärs, Spediteurs und Frachtführers, so wie dem nach Art. 313—315 des a. d. HGB. begründeten Zurückbehaltungsrechte eingeräumten Befugniß ausgedrückt, auch bei eröffnetem Konkurse die Befriedigung aus dem Pfande oder der zurückbehaltenen Waare oder Papiere ebenso zu suchen, wie es den Berechtigten gegen den Gemeinschuldner zugestanden wäre, ohne sich auf den Konkurs einzulassen und das Pfand oder die Waare zum Konkursgerichte einliefern zu müssen.

---

[1]) Ebel, das bayer. Gesetz vom 1. Juli 1856 S. 110.

Es kann daher gegenüber der Bestimmung des Art. 16 Abf. 5 des Gerichtsverfaffungsgesetzes vom 1. Juli 1856 den beiden erften Alternativen des §. 1 Kap. XI der bayer. Wechsel- und Merkantil-gerichtsordnung nicht mehr der Sinn beigelegt werden, daß, wenn der Schuldner nach seiner Behauptung gantmäßig ist oder durch Bezahl-ung der Schuld gantmäßig werden wird, oder wenn etwa der Han-delsrichter dieses annimmt, der letztere sofort die Erekution einzuftellen und die Sache an den Gantrichter zu verweisen hat; denn so lange nicht entweder von Seiten eines Gläubigers oder des Schuldners ein Antrag auf Konkurseröffnung gestellt wurde, exiftirt kein Gantrichter und keine Veranlaffung zur Einleitung eines Präliminarverfahrens, und wenn der Schuldner seine Insolvenz anzeigt, genügt ja nach dem Gesetze nicht deffen Anzeige, um die Sache vom Handelsgerichte an den Gantrichter zu bringen, sondern es muß dann hiezu auch noch die gerichtliche Herstellung der Insolvenz und das gesetzliche Erkennt-niß auf Ganteröffnung kommen.

Die Annahme des Unterrichters, daß auch schon ein Beschluß des gewöhnlichen Gerichtes auf Einstellung der Partikularerekutionen, wie ein solcher im gegebenen Falle vorliegt, für die Handelsgerichte bin-bend sei, weil die Einstellung der Partikularerekutionen sich als ge-setzliche Folge des von dem Konkursgerichte eingeleiteten Präliminar-verfahrens darstelle, ist unrichtig. Die Siftirung der Erekution vor Eröffnung des Konkurses ist in der bayer. Gerichtsordnung nicht vor-geschrieben, sondern beruht lediglich auf dem Ermeffen des mit dem Präliminarverfahren befaßten Gerichtes; sie wird beshalb auch nicht allgemein anerkannt, vielmehr sind bedeutende Rechtslehrer der Ansicht, daß bis zum Dekrete über die Eröffnung des Konkurses die einzelnen Erekutionen ihren Fortgang zu nehmen haben. (Bayer, Konkurs-prozeß §. 27 Anm. 2.)

Dieser Ansicht ist dermalen um so mehr beizupflichten, als, wie oben bereits erwähnt, der Richter nicht mehr von Amtswegen die Rechte der Gläubiger gegen einander zu wahren hat, sondern seine Thätigkeit auf Anträge der Betheiligten beschränkt und gerade die Einstellung der Erekutionen in der Regel das Hauptmotiv ist, wes-halb der Schuldner seine Insolvenz erklärt, — um nämlich auf diese Weise, von seinen Gläubigern unbeläftigt, das Präliminarverfahren möglichst zu verschleppen. Dieser Ausführung stehen auch die beiden allerh. Entschließungen vom 1. August 1816 und 17. Dezember 1816 keineswegs entgegen. Denn wenn in letzterer von den in Kap. XI §. 1 der b. W.- u. MGO. angeführten Fällen gesprochen wird, so

35

ist dabei in's Auge zu fassen, daß die Voraussetzungen dieser Entschließung, — es habe nämlich der Richter von Amtswegen das Konkursverfahren zur Wahrung der Rechte der Gläubiger zu eröffnen, — nunmehr durchaus wegfällt; ferner, daß die Entschließung vom 1. August 1816, welche überdies in einer bestimmten Rechtssache zur Bescheidung eines Kompetenzkonfliktes ergangen ist, überhaupt nur von der
Zuständigkeit des ordentlichen Gerichtes zur Bescheidung eines Fristen-
und Nachlaßgesuches in einer Sache handelt, in welcher der Konkurs
b e r e i t s  e r k a n n t  war.

Eine Rechtsungleichheit unter den verschiedenen Gläubigern zu
verhindern, liegt vollständig in der Hand des mit dem Präliminarverfahren betrauten Richters; er kann derselben dadurch vorbeugen,
daß er das Präliminarverfahren möglichst abkürzt und die Exekutionen
nicht früher einstellt, als bis der Konkurs erkannt ist. Wenn übrigens,
so lange dieses noch nicht geschehen, der W.- und M.-Gläubiger vor
den anderen Gläubigern einen Vorzug genießt, so liegt darin nicht
eine Rechtsungleichheit, sondern eine vom Gesetze beabsichtigte Bevorzugung, wie dieses nicht nur in dem beschleunigten Prozeßverfahren
durch die strackere Exekution angedeutet, sondern in den oben angeführten
Bestimmungen des a. d. HGB. und des Einf.-Ges. zu diesem ausdrücklich ausgesprochen ist.

Ist nun aber durch das Gesetz dem Privatwillen der Par-
teien in e i n z e l n e n  R e c h t s v e r h ä l t n i s s e n  eine solche weitgehende
Bevorzugung der Handelsgläubiger beigelegt worden, so liegt um so
weniger Grund vor, dem, der sein Recht vor Gericht geltend
macht, die Verfolgung seines Rechtes durch restriktive Interpretation
des Gesetzes zu erschweren.

(Augsburg Reg.-Nr. 98.)


## CCXXIV.

### Bestimmung der Zahlzeit eines eigenen Wechsels.
#### A. d. WO. Art. 4 Nr. 4.

Ein klagbar verfolgter eigener Wechsel mit dem Ausstellungsdatum des 12. Juni 1864 enthält folgende Zahlungsbestimmung:
„In einen Monat, am 12. Juli zahle ich ꝛc."

Diese Bestimmung der Zahlungszeit wurde von beiden Instanzen als genügend anerkannt, und in den Gründen des zweitrichterlichen Urtheiles vom 28. Oct. 1864 bemerkt:

Würde der fragliche Wechsel verlauten: „in einem Monat zahle ich" oder am „12. Juli zahle ich", so würde die Behauptung des Beklagten, daß aus dem Wechsel nicht zu ersehen sei, wann gezahlt werden solle, vollkommen begründet sein, weil nicht gewiß wäre, von wann an der Zeitraum des einen Monates zu rechnen ist, oder der 12. Juli welchen Jahres als Zahlungstag bezeichnet werden wollte [1]).

Allein die Vereinigung beider Bezeichnungen der Zahlungszeit ergänzt sich gegenseitig so, daß hiedurch der Verfalltag als fest bestimmt erscheint; denn es wird durch den Beisatz „am 12. Juli" zu der Bezeichnung „in einem Monat" unzweifelhaft, daß die Zahlungszeit auf einen Monat vom Tage der Ausstellung an festgestellt werden wollte, und auch wirklich festgestellt ist.

Nach Art. 32 Abs. 2 der a. d. WO. tritt nämlich bei Wechseln, welche mit dem Ablaufe einer bestimmten Frist zu zahlen sind, wenn dieselbe nach Wochen oder Monaten bestimmt ist, die Verfallzeit an demjenigen Tage des Zahlungsmonates ein, welcher durch seine Benennung oder Zahl dem Tage der Ausstellung entspricht; es trifft also ein Monat nach Ausstellung des in Frage stehenden Wechsels gerade auf den im Wechsel bezeichneten 12. Juli. Allerdings fehlt nun bei dieser im Wechsel bezeichneten Zeit wieder die Angabe des Jahres, allein dieser Mangel wird durch den vorausgehenden Beisatz „in einem Monat" gehoben, weil der nach einem Monate fallende 12. Juli bei einem am 12. Juni 1864 ausgestellten Wechsel kein anderer sein kann als der 12. Juli 1864, indem jeden in ein späteres Jahr fallenden 12. Juli der Beisatz „in einen Monat" ausschließt. Daß bei der Bezeichnung „in einen Monat" ein falscher Kasus sich findet, kann der Giltigkeit des Wechsels nicht entgegen gehalten werden, da dieser grammatikalische Fehler einen anderen Sinn nicht zur Folge hat. Das Vorwort „in" hat nun zwar in zeitlicher Beziehung eine doppelte Bedeutung, indem damit nicht nur das Eintreten eines Vorganges nach Ablauf des damit benannten Zeitraumes bezeichnet wird, sondern auch ein innerhalb des benannten Zeitraumes fallender Zeitpunkt; allein die rechte Bedeutung wird im gegebenen Falle durch die Bezeichnung des bestimmten Endtermines so bestimmt aus-

---

[1]) Vgl. oben S. 262.

geſprochen, daß jeder Zweifel hierüber ſchwindet. Man kann daher auch nicht geltend machen, die eine Zeitbeſtimmung widerlege die andere. Denn, daß der Beiſatz „am 12. Juli" nichts Anderes iſt, als die nähere Beſtimmung des vorausgegangenen „in einen Monat" kann nach dem gewöhnlichen Sprachgebrauche nicht beſtritten werden.

(Landshut Reg.-Nr. 73.)

### CCXXV.

**Der Name des Ausſtellers einer Tratte muß aus dem Wechſel ſelbſt mit Beſtimmtheit erhellen.**

**A. d. WO. Art. 4 Nr. 5.**

Ein die Form einer Tratte tragender Wechſel, welcher an N. N. adreſſirt und von dieſem auch acceptirt war [1]), enthielt auf der Rückſeite ein Prokuraindoſſament des A. A. auf Advokat X., ohne daß jedoch A. A. oder ſonſt Jemand auf der Vorderſeite des Wechſels als Ausſteller genannt geweſen wäre.

Die von X. Namens des A. A. auf Grund dieſes Wechſels gegen N. N. erhobene Klage wurde in beiden Inſtanzen abgewieſen, und wurde in den Gründen des zweitrichterlichen Urtheiles vom 21. Dezember 1864 bemerkt:

Der eingeklagte Wechſel hat die Form eines gezogenen Wechſels; er iſt daher auch nach den für die Tratte gegebenen Vorſchriften der a. d. WO. zu beurtheilen.

Nach Art. 4 gehört zu den weſentlichen Erforderniſſen eines gezogenen Wechſels ſowohl die Unterſchrift des Ausſtellers mit ſeinem Namen oder ſeiner Firma, als auch der Name der Perſon oder die Firma, welche die Zahlung leiſten ſoll (des Bezogenen oder Traſſaten).

In dem vorliegenden Wechſel iſt zwar dem letzteren Erforderniſſe durch die Beifügung der Adreſſe: „Herrn N. N." Genüge geleiſtet; die Unterſchrift des Ausſtellers (Traſſanten) aber fehlt gänzlich; wer den Wechſel ausgeſtellt habe, iſt aus ſolchem nicht erſichtlich, — derſelbe leidet

---

[1]) Der Wechſel ſah etwa ſo aus:

Am — zahlen Sie gegen dieſen Primawechſel an die Ordre des Herrn A. A. die Summe von — Werth in Rechnung u. ſ. w.

Herrn N. N. in Lindau.                     (Ohne Unterſchrift.)

acceptirt

N. N.

somit an einem wesentlichen Mangel und vermag keine wechselmäßige Verbindlichkeit zu erzeugen. (Art. 7 der WO.)

Appellant vermeint wohl, daß der in der Adresse enthaltene Name „N. N." und ebenso auch der unter dem Accepte befindliche gleiche Name zugleich die Unterschrift des Ausstellers darstelle; es bedarf aber nur eines geringen Maßes von Einsicht in das Wesen einer Tratte, um zu erkennen, daß Unterschrift des Ausstellers, Adresse und Accept verschiedene Dinge sind, und es ist die Behauptung, „es finde sich auf dem fraglichen Wechsel die Unterschrift des Ausstellers", eine völlig ungerechtfertigte.

Wenn sich Appellant weiter darauf zu stützen sucht, daß er den in Frage stehenden Wechsel als einen trassirt eigenen Wechsel bezeichnet, so übersieht er, daß die WO. auch den trassirt eigenen Wechsel als Tratte behandelt, derselbe daher, wie jeder andere gezogene Wechsel, neben der Adresse die Unterschrift des Ausstellers enthalten muß, daß ferner die Wechselordnung im Art. 6 einen Wechsel, in welchem sich der Aussteller selbst als Bezogenen bezeichnet, nur unter der Voraussetzung als solchen anerkennt, daß die Zahlung an einem anderen Orte als dem der Ausstellung geschehen soll, — eine Voraussetzung, die hier nicht gegeben ist. Wenn endlich Appellant geltend macht, daß der trassirt eigene Wechsel dem eigenen Wechsel ganz gleich stehe, so widerspricht diese Behauptung den Beschlüssen der Leipziger Konferenz (Protokolle S. 17 und 158), nach welchen die Form der Tratte als entscheidend für die rechtliche Beurtheilung des trassirt eigenen Wechsels und seiner Folgen erachtet wurde, und nach welcher auch die Zulässigkeit der Behandlung eines nicht mit allen Erfordernissen des Art. 6 und beziehungsweise Art. 4 versehenen trassirt eigenen Wechsels als eigenen Wechsels nach Art. 96 ausgeschlossen erscheint [1]).

(Kempten Reg.-Nr. 32.)

## CCXXVI.

**Eine Differenz zwischen dem Datum der Ausstellung und der Acceptation eines Wechsels ist unschädlich.**

A. d. WO. Art. 4 Nr. 6; Art. 21, 23.

Eine auf N. N. gezogene, das Ausstellungsdatum des 25. Juni

---

[1]) Hiemit fällt auch die Voraussetzung für die Anwendbarkeit derjenigen Grundsätze, welche in dem vom Appellanten gleichfalls in Bezug genommenen Urtheile des HAG. vom 15. Dezember 1862 (siehe oben S. 99) niedergelegt sind.

1864 tragende Tratte war von N. N. mit Beisetzung des Datums „24. Juni 1864" angenommen worden. Das HG. A., bei welchem dieser Wechsel nach Verfall gegen den Acceptanten eingeklagt wurde, erachtete denselben für ungiltig, weil zwischen den beiden genannten Daten ein Widerspruch bestehe, und wies die Klage ab: durch Urtheil des HAG. vom 21. Dezember 1864 wurde jedoch die Verhandlung der Sache angeordnet und in den Gründen bemerkt:

Der mit der Klage vorgelegte Wechsel trägt alle gesetzlichen Erfordernisse einer Tratte an sich; er ist ferner von dem bezogenen N. N. acceptirt und dieser ist daher nach Art. 23 der a. d. WO. durch diese Annahme wechselmäßig verpflichtet.

Zwar führt das Accept das Datum des 24. Juni 1864, während der Wechsel selbst vom 25. Juni 1864 datirt ist.

Allein dieser Umstand kann dem Accepte seine Giltigkeit und rechtliche Wirksamkeit nicht entziehen.

Die Datirung des Acceptes ist kein wesentliches Erforderniß seiner Giltigkeit.

Die wechselmäßige Verpflichtung des Bezogenen wird einzig und allein durch die aus dem Wechsel ersichtliche Annahme begründet.

Liegt ein mit allen gesetzlichen Requisiten versehener, also giltiger, Wechsel vor, so verpflichtet dessen Acceptation den Acceptanten zur Zahlung, gleichviel, ob das Accept datirt ist oder nicht.

Ist aber die Datirung des Acceptes zu dessen Giltigkeit nicht erforderlich, und beruht die wechselmäßige Verpflichtung des Acceptanten lediglich auf der Thatsache der auf der Wechselschrift erfolgten Acceptation, so kann auch jene Verpflichtung nicht dadurch alterirt werden, daß dem Accepte ein dem Datum des Wechsels vorausgehendes Datum beigefügt ist.

In der Datirung des Acceptes liegt ebensowenig eine Aufhebung als eine Beschränkung desselben; die aus dem Wechsel ersichtliche Thatsache der erfolgten Acceptation besteht, mag das Accept datirt sein oder nicht; es ist daher auch in dieser Hinsicht gleichgiltig, welches Datum das Accept trägt.

Sodann schließt aber auch der Umstand, daß das dem Accepte beigefügte Datum ein dem Datum des Wechsels vorausgehendes ist, den Willen des Acceptanten, sich durch sein Accept wechselmäßig zu verpflichten, überall nicht aus.

Ist nämlich in der That das Accept der Datirung des Wechsels vorausgegangen, so muß, — insbesondere wenn, wie im vorliegenden Falle, das Accept auf ein Wechselformular gesetzt wurde, — angenommen

werden, daß der Acceptant demjenigen, welchem er das acceptirte For=
mular aushändigte, die Beifügung des Wechseldatums nach Ueberein=
kommen oder nach seinem Ermessen überlassen hat.

Wurde aber ein bereits datirter Wechsel acceptirt, ist somit dem
Wechsel, so wie er hier vorliegt, das Accept beigesetzt worden, so kann
über die Absicht des Acceptanten, sich wechselmäßig zu verpflichten,
ohnedies ein Zweifel nicht bestehen. Steht hienach fest, daß der ein=
geklagte Wechsel mit allen gesetzlichen Erfordernissen versehen ist, gibt
das auf demselben befindliche Accept den Willen des Acceptanten kund,
sich nach Inhalt des Wechsels zu verpflichten, und zwar ohne
Unterschied, ob das Accept der Datirung des Wechsels vorausgegangen
oder nachgefolgt ist, so kann dem bei dem Accepte befindlichen Datum
eine rechtliche Bedeutung nicht beigelegt, und insbesondere ein Wider=
spruch zwischen Wechsel und Accept aus demselben nicht abgeleitet
werden [1]).                             (Augsburg Reg.=Nr. 2.)

## CCXXVII.

**Rechte des Indossanten, welchem der Wechsel nach ergan=
genem Urtheile begeben wurde, und desjenigen, welcher
den Wechsel als regreßpflichtig bezahlt hat [2]). — Beruf=
ung in der Exekutionsinstanz. — Provisorische Be=
schlagnahme.**
**A. b. WO. Art. 14, 16.**

Der ehemalige Wirth N. N. zu München stellte unter dem
17. Januar 1862 einen drei Monate a dato fälligen Eigenwechsel an
Ordre des A. aus; dieser girirte denselben an X., welcher ihn unter
gleichzeitiger Unterschrift seiner Ehefrau an Y. begab. Letzterer erwirkte
unter dem 28. Mai 1862 ein solidarisch verurtheilendes Erkenntniß
gegen den Aussteller N. N. und die Indossanten, Eheleute X. Am
4. September 1862 girirte Y. den Wechsel an Z.; dieser verzichtete
urkundlich auf Beitreibung der Forderung gegen N. N., und rief auf
Exekution der Eheleute X. an, worauf dieselben auch zur Zahlung bei
Vermeidung der Sperre beauftragt wurden. Eine hiegegen ergriffene Be=

---

[1]) Nach gleichen Prinzipien wurde entschieden, daß es einerlei sei, ob die
Acceptation eines Wechsels vor oder nach Beisetzung der Unterschrift
des Ausstellers erfolgte, vgl. oben S. 217.

[2]) Die thatsächliche Verwicklung des obigen Falles zeigt, wie schwierig die
anscheinend so einfachen Verhältnisse eines Wechselprozesses unter Um=
ständen werden können.

rufung blieb fruchtlos, indem das k. HAG. (Urtheil vom 26. Nov. 1862) Folgendes ausführte:

„Der Zahlungsauftrag, welcher von den Eheleuten X. als beschwerend bezeichnet wird, läßt sich unter keine der Kategorieen des Landtagsabschiedes von 1856 (Abschn. III, C. §. 27) einreihen. Insbesondere kann man denselben nicht als „einen Beschluß über die Art der Exekution" auffassen; denn er ist kein Beschluß, sondern ein einfacher Erlaß, der nach Ziff. 3 der erwähnten Gesetzesstelle nicht selbständig appellabel ist, und gegen welchen daher mit Remonstration hätte eingekommen werden können[1]); es wird aber auch nicht die Art der Exekution angefochten, sondern die Exekution als solche.

Darüber aber, daß ein rechtskräftiges Erkenntniß vollstreckt werden solle, zu appelliren, ist in dem mehrerwähnten Landtagsabschiede nirgends gestattet und wurde auch die GO. von 1753 Kap. XV §. 3 Nr. 4 — das Vorbild jener Bestimmung des Landtagsabschiedes von 1856 — stets in diesem Sinne ausgelegt[2]).

Hienach erscheint die erhobene Beschwerde als Berufung formell unzulässig; aber auch als Nichtigkeitsbeschwerde — wegen angeblicher Entziehung des rechtlichen Gehöres — ist dieselbe nicht gerechtfertigt.

In dieser Beziehung kommt zuvörderst zu bemerken, daß es einer Vorlage und Anerkennung des in Frage stehenden Indossaments (welche Beschwerdeführer verlangen) nicht bedurfte, um die Aktivlegitimation des jetzigen Imploranten herzustellen. Die Uebertragung des Wechsels durch Indossament ist durch Art. 16 Abs. 2 der a. d. WO. auch nach der Protesterhebung, und zwar ohne Beschränkung auf eine bestimmte Zeit nach derselben, also auch während des Laufes der Wechselklage gestattet. Ein solches Indossament hat nach der angeführten Gesetzesstelle die Wirkung einer Abtretung aller dem bisherigen Wechselinhaber zustehenden Rechte und es ist sonach der jetzige Exekutionsimplorant vermöge des Indossaments allerdings befugt, die für den früheren Kläger durch die rechtskräftige Verurtheilung der Eheleute X. begründeten Ansprüche zu verfolgen. Wenn nun aber auch eine derartige Uebertragung des Wechsels nach Verfall materiell nur die Wirkungen einer gewöhnlichen Cession hat[3]), so bleibt sie

---

[1]) Verhandlungen der Kammer der Abgeordneten von 1855/56 Protokoll Bd. II S. 72, 81, 120; Bd. III S. 206 ff.

[2]) Seuffert's Kommentar Bd. IV S. 50.

[3]) Rießer im neuen Archiv für HR. Bd. III p. 1.

doch formell immerhin ein Indoffament [1]), und nachdem der Zahlende gemäß Art. 36 der a. d. WO. zur Prüfung der Aechtheit der Indoffamente nicht verpflichtet ist, war auch kein Grund vorhanden, die Beklagten zur Anerkennung des Giro aufzufordern, weßhalb die Unterlassung einer nochmaligen Wechselproduktion im vorliegenden Falle eine Nichtigkeit nicht begründet.

Ebensowenig kann darin eine Nichtigkeit gefunden werden, daß den Beklagten nicht eine besondere Frist zur Vorbringung ihrer etwaigen Einreden vorgesetzt wurde. Denn wenn auch der ergangene Zahlungsauftrag an sie in unbedingter Form erfolgte, so war ihnen doch unbenommen, innerhalb der gegebenen dreitägigen Frist ihre Einwendungen gegen die Fortsetzung der Exekution vorzubringen, und dürfen diese auch, soferne sie nur sofort liquid waren, noch im Exekutionsstadium vom Erstrichter gewürdigt werden, — abgesehen davon, daß den Beklagten jedenfalls das Recht der Nachklage und im Falle besonderer Umstände die Deposition der Wechselsumme vorbehalten blieb". —

Es wurde nun die Sperre vollzogen, die von den Eheleuten X. nachträglich vorgebrachte Einrede der Zahlung verworfen, und ihre hiegegen ergriffene Berufung blieb ohne Erfolg. Bevor es jedoch zur Versteigerung kam, wurde im Dezember 1862 die Forderung des B., welcher mit seiner Ehefrau im Scheidungsprozesse stand, auf Antrag der letzteren, zur Sicherung ihrer Alimentationsansprüche provisorisch mit Beschlag belegt.

Frau Julie B. machte nun den Anspruch wieder gegen den Aussteller N. N. geltend, wogegen dieser auf Grund des oben erwähnten Verzichtes des Ehemannes B. opponirte. Während hierüber verhandelt wurde und ehe der Scheidungsprozeß der Ehefrau B. gegen den Ehemann B. so weit gediehen war, daß eine definitive Beschlagnahme der Forderung hätte eintreten können, hatte der Bruder des N. N., Peter N., seinerseits gegen den Ehemann B. eine Wechselklage durchgeführt, und wurde demselben im Exekutionswege durch Dekret vom 15. Dezember 1863 die Forderung des B. gegen die Eheleute X. förmlich eingeantwortet. Als nun Peter N. auf Exekution der letzteren anrief, remonstrirte und beziehungsweise appellirte die Ehefrau B., wurde aber, — nachdem schon Erstrichter ausgesprochen hatte, „daß ihr durch die Erwirkung einer provisorischen Beschlagnahme weder das Recht, die Fortsetzung der Exekution im vorliegenden Prozesse auf

---

[1]) Seuffert's Archiv Bd. XIV Nr. 160.

eigenen Namen zu betreiben, noch auch die Befugniß, den Fortgang der Exekution zu Gunsten Anderer zu hindern, erworben sei," — zurückgewiesen.

Am 11. April 1864 zahlte die Ehefrau X. die Wechselvaluta nebst Zinsen baar bei Gericht ein, worauf der Wechsel unter Durchstreichung der späteren Giro's und der gerichtlichen Vormerkungen auf Rückseite und Allonge an den Indossatar X. zurückgegeben wurde. Dieser girirte solchen am 21. September 1864 an seinen Bruder Johann X., und letzterer am 7. Oktober 1864 zum Incasso wieder an den vorigen Indossanten X.

Dieser rief nun auf Vollzug des Erkenntnisses vom 28. Mai 1862 gegen den Aussteller N. N. an, wurde jedoch durch Bescheid des k. Handelgerichtes München I/J. vom 5. November 1864 abgewiesen, und dieser Bescheid auf erhobene Beschwerde unter dem 9. Dezember 1862 zweitrichterlich aus folgenden Gründen bestätigt:

Das Erkenntniß, welches Appellant vollzogen wissen will, verurtheilt den N. N. zur Zahlung an Y.; daß Y. oder dessen Cessionar Z. die ihnen hiedurch erworbenen Rechte auf den Ehemann X. oder auf dessen Bruder, den Incasso-Giranten Johann X., übertragen habe, hat Appellant selbst nicht behauptet, — ganz abgesehen davon, daß wenn nicht durch den Verzicht des Z. auf den Anspruch gegen N. N., so doch jedenfalls durch die Zahlung Seitens des Einen solidarisch Verpflichteten, auch die Verpflichtung des Anderen — so weit diese auf dem Urtheile vom 28. Mai 1862 beruht, — getilgt worden ist. Aus diesem Urtheile kann daher ein Anspruch gegen N. N. überhaupt nicht mehr abgeleitet werden; das Recht des Ehemannes X. als nunmehrigen Wechselinhabers ist kein anderes, als das nach Art. 14 der a. WO. dem Nachmanne gegen seinen Vormann zustehende.

Dieses Recht ist gegen N. N. noch nicht prozeßordnungsgemäß festgestellt, und weder der Ehemann X. selbst, noch sein Cessionar Johann X. kann daher anders als im Wege der Wechselregreßklage gegen N. N. auftreten. Eine solche ist aber offenbar der Antrag auf Exekution des im Prozesse „Y. gegen N. N. und Genossen" ergangenen Urtheiles nicht[1]).

(München I/J. Reg.-Nr. 44.)

---

[1]) Ebenso entschied das Obertribunal zu Berlin, vgl. die Erkenntnisse in Borcharbt, 3. Aufl., S. 196, Nr. 373.

## CCXXVIII.

**Eine ganz allgemein lautende Bürgschaftserklärung auf der Rückseite einer Tratte ist unwirksam.**

**A. d. WO. Art. 81.**

Einer von dem Bezogenen acceptirten Tratte war auf der Rück=
seite von den Geschwistern N. N. die Erklärung beigesetzt worden:
„Als Wechselbürginen haften für umstehenden Betrag, N. N." Die
von dem Remittenten später gegen N. N. erhobene Wechselklage wurde
in beiden Instanzen abgewiesen und dieser Ausspruch in II. Instanz
(Urtheil v. 21. Dez. 1864) motivirt, wie folgt:

Der Umstand, daß die beiden Verklagten nur als Bürginnen un=
terzeichnet haben, kann zwar keinen Grund zur Abweisung der Klage
bieten. Denn nach Art. 81 der a. d. WO. haftet der Mitunterzeich=
ner solidarisch selbst dann, wenn er sich dabei nur als Bürge benannt
hat, d. h. die Haftpflicht des Mitunterzeichners wird durch diesen
Beisatz keine accessorische, sondern ist und bleibt eine durch die Mit=
unterzeichnung begründete selbständige Verpflichtung. Der bezeichnete
Beisatz berechtigt daher den Mitunterzeichner nicht zu einer aus dem
Bürgschaftsverhältnisse abgeleiteten Einrede. Dagegen ist die Klag=
abweisung aus dem anderen vom Erstrichter ausgeführten Grunde
gerechtfertigt.

Der Mitunterschrift kommt, soferne nicht bei derselben ausdrück=
lich bemerkt ist, welcher Verpflichtung der Unterzeichnete beitreten
will, nur kraft des Ortes, an welchem sie sich auf dem Wechsel be=
findet, eine rechtliche Wirkung zu; nur als Mitunterschrift, als Bei=
tritt zu einer anderen Unterschrift, führt dieselbe auch eine gleiche Haf=
tungsverbindlichkeit herbei [1]).

Die Unterschriften der beiden Beklagten N. N. befinden sich aber
auf der Rückseite des eingeklagten Wechsels nach den vorausgehenden
Worten: „als Wechselbürginen haften für umstehenden Betrag."

Es ist demnach aus dieser Stellung derselben ebensowenig wie
aus den bezeichneten Worten zu entnehmen, ob die Genannten der
Verpflichtung des Ausstellers oder jener des Acceptanten durch
ihre Unterzeichnung beitreten wollten, und es kann deshalb eine wech=
selmäßige Haftbarkeit derselben um so weniger als begründet erachtet

---

[1]) Vgl. oben S. 512.

werden, als die Verpflichtung des Ausstellers durch andere Voraussetzungen bedingt ist, als jene des Acceptanten.

(Augsburg Reg.=Nr. 102.)

### CCXXIX.

Die Einrede der Zahlung ist als solche gegenüber einer
Wechselforderung nur dann begründet, wenn die Zahl-
ung zur Tilgung der Wechselschuld erfolgte.
A. d. WO. Art. 82.

N. N. setzte der Klage auf Zahlung des angeblich in 211 fl.
50 kr. bestehenden Restes eines von ihm über den ursprünglichen
Betrag von 400 fl. ausgestellten eigenen Wechsels den Einwand entgegen, der eingeklagte Wechsel sei von ihm zur Sicherung des Klägers
wegen einer Forderung für im Dezember 1863 gelieferte Waaren zu
440 fl. 55 kr. ausgestellt worden, an dieser Schuld habe er im März
1864 den Betrag von 300 fl. bezahlt, so daß er abzüglich eines
Sconto zu 5% mit 22 fl. dem Kläger aus dem Waarengeschäfte nur
noch 118 fl. 55 kr. schulde, — über welche Thatumstände er eine abschriftlich vorgelegte Faktura als Beweismittel benannte und eventuell
dem Kläger den Eid zuschob. Kläger erkannte den Empfang einer
Zahlung von 300 fl. als richtig an, widersprach jedoch, daß die Wechselausstellung mit Bezug auf die Schuld von 440 fl. 55 kr. und die
Zahlung von 300 fl. gerade an dieser Schuld erfolgt sei, behauptete
vielmehr, der Wechsel sei zu seiner Sicherung wegen aller Forderungen
an den Verklagten überhaupt ausgestellt worden und Verklagter
habe unmittelbar vor der Zahlung der 300 fl. vom Kläger eine weitere Waarenlieferung im Betrage von 70 fl. 55 kr. erhalten, weßhalb
seine Restschuld den eingeklagten Betrag entziffere.

Das Untergericht legte dem Kläger den Eid darüber auf, daß
Verklagter am eingeklagten Wechsel weder 300 fl., noch überhaupt
mehr als 288 fl. 10 kr. (400 fl. — 211 fl. 50 kr.) bezahlt habe;
das HAG. verurtheilte jedoch am 9. Dezember 1864, der klägerischen
Berufung entsprechend, den Verklagten zur Zahlung, und zwar aus
folgenden Gründen:

Verklagter hat gar nicht behauptet, den Wechsel ganz oder theilweise bezahlt zu haben, sondern er hat lediglich vorgebracht, daß er
an der Schuld eine Abzahlung gemacht habe, für welche der Wechsel ausgestellt worden sei. Nachdem sich aber die Wechselverbindlichkeit

als eine für sich selbst bestehende, rein formale Verpflichtung darstellt, welche keineswegs mit dem etwa unterliegenden Rechtsverhältnisse in rechtlicher Verbindung steht, letzteres vielmehr nicht mehr als den An= laß zur Wechselausstellung bilden kann, so hat eine Tilgung der materiellen Schuld des Beklagten an den Kläger für gelieferte Waa= ren durchaus nicht die Erlöschung der formalen Verpflichtung des Be= klagten an den Kläger aus dem Wechsel zur Folge; sondern wenn Beklagter vermöge dieser Umstände doppelt zahlen würde, so müßte er sich durch Rückforderung des für die Waaren im Hinblicke auf deren Deckung durch einen Wechsel ohne Grund Gezahlten schadlos halten. Wenn nun auch, mit Rücksicht auf den Rechtssatz: „Niemand kann mit Grund fordern, was er sofort wieder zurückgeben müßte," der Beklagte dieses Rückforderungsrecht dem Kläger gegenüber auch im Wechselprozesse mittelst Einrede geltend machen könnte, so würde doch diese Einrede, da sie sich nur auf eine Gegenforderung des Beklagten an den Kläger stützt, nach W.= und MGO. Cap. III §. 4 lit. B nur dann eine Berücksichtigung finden dürfen, wenn sie offenbar liquid und zahlbar wäre. Dies ist hinsichtlich des vom Beklagten vorge= brachten Anspruches keineswegs der Fall.

Kläger stellt nicht in Abrede, daß der Beklagte am 12. März l. Jrs. a conto dessen Saldo den Betrag von 300 fl. bezahlt habe; er behauptet aber, daß des Beklagten Saldo nicht blos jene 400 fl. Wechselschuld, sondern im Ganzen 511 fl. 50 kr. betrage, und daß derselbe insbesondere einen Sconto von 22 fl. sich gut zu rechnen nicht befugt sei. Hiernach ist also die Gegenforderung des Beklagten, welcher den vom Kläger behaupteten Waarenempfang vom 12. März 1864 zu 70 fl. 55 kr. in der Schlußerinnerung nicht einmal in Abrede stellen konnte, nur im Betrage von 188 fl. 10 kr. offenbar liquid, und in diesem hat sie Kläger von Anfang an anerkannt.

Hiernach und nachdem Beklagter, wie bereits erwähnt, die Be= hauptung, er habe, abgesehen von den Zahlungen an seiner Waaren= schuld, an dem Wechsel selbst und als solchem eine Zahlung geleistet, gar nicht vorgebracht hat, jedenfalls dieselbe mit dem sonstigen In= halte der Vertheidigung im Widerspruche stände, kann dem Kläger ein Eid nicht mehr aufgebürdet werden, sondern die Verpflichtung des Schuldners zur Zahlung der geforderten Wechselschuld steht schon jetzt fest.　　　　　　　　　　　　　　　　　　( Passau Reg.=Nr. 70.)

## CCXXX.

## Umfang der handelsgerichtlichen Zuständigkeit bei Streitigkeiten zwischen Kaufleuten.

**A. d. HGB. Art. 4, 271. — Einf.-Ges. hiezu Art. 62, 63, 64 Abs. 1.**

Der Ziegeleibesitzer A. A., welcher sein Geschäft mit anderwärts angeschafftem Materiale betrieb, hatte an den Porzellainhändler N. N. eine Partie Ziegelsteine zur Verwendung bei dem von letzterem beabsichtigten Umbaue seines Hauses geliefert und, da letzterer seiner Zahlungsverbindlichkeit nicht nachkam, bei dem Handelsgerichte B. Klage erhoben. Dieses wies die Klage nach gepflogener Verhandlung wegen mangelnder Zuständigkeit der Handelsgerichte ab, weil Verklagter die Steine nicht zur Weiterveräußerung sondern zur eigenen Verwendung außerhalb seines Geschäftes angeschafft habe; das k. Handelsappellationsgericht sprach jedoch durch Urtheil vom 24. Okt. 1864 aus, daß die Klage nicht wegen mangelnder Zuständigkeit der Handelsgerichte abzuweisen, sondern weiter in der Sache selbst zu erkennen sei, was Rechtens. In den Gründen kommt vor:

Es handelt sich hier um den Abschluß eines Lieferungsgeschäftes und dessen Erfüllung, wobei die Uebernehmer der Lieferung die zu liefernden Gegenstände als Rohmaterial angeschafft, in einer dem Lieferungsvertrage entsprechenden Art verarbeitet und sodann dem Gegenkontrahenten abgeliefert haben.

Hiemit sind alle Voraussetzungen des Art. 271 Abs. 2 des HGB. erfüllt, und es ist somit der richterlichen Entscheidung ein absolutes Handelsgeschäft, d. h. ein solches handelsrechtliches Rechtsverhältniß unterstellt, wobei es auf die Frage, ob die Kontrahenten oder wenigstens einer derselben Kaufmann im Sinne des Art. 4 seien, nicht weiter anzukommen hat, — wie dies aus der gegensätzlichen Stellung des einen gewerbsmäßigen Geschäftsbetrieb voraussetzenden Art. 272 zu Art. 271 a. a. O. klar hervorgeht. Nun erstreckt sich aber in Folge der Art. 62 und 63 Ziff. 1 des Einf.-Ges. die Zuständigkeit der Handelsgerichte auf alle Streitigkeiten, welche aus Handelsgeschäften — Art. 271—277 des HGB. — zwischen den Betheiligten entstehen.

Von dieser Regel des Art. 62 ist nur in den beiden Fällen eine Ausnahme zu machen, wenn der Art. 64 in Frage kommen sollte, d. h. wenn die Klage gegen einen „Nichtkaufmann" gerichtet sein, oder wenn es sich um nicht mehr als um 150 fl. handeln sollte.

Keiner dieser beiden Ausnahmefälle ist hier gegeben. Denn es sind über 600 fl. eingeklagt und die Klage ist aus einer der in Art. 63 Ziff. 1 erwähnten Handelssachen gegen einen Käufer gerichtet, welcher als Porzellainhändler von den Klägern bezeichnet ist und geständigermaßen mit Porzellain Handel treibt, somit als „Kaufmann" im Sinne des Handelsgesetzbuches — im Gegensatze zu den „Nichtkaufleuten", für welche die Ausnahmsbestimmung des Art. 64 getroffen wurde — anzusehen ist.

Demgemäß hat es bei den gesetzlichen Regel der handelsgerichtlichen Zuständigkeit hier sein Verbleiben.

Ob das der Klage zu Grunde liegende Geschäft auch auf Seiten des Verklagten als Handelsgeschäft sich darstelle, ist gleichgiltig. Das Einf.-Ges. hat bei Regelung der Kompetenzverhältnisse, so weit hiebei die Rechtssubjekte in das Auge zu fassen waren, lediglich die Unterscheidung zwischen Kaufmann und Nichtkaufmann getroffen und hiebei an dem Grundsatze festgehalten, daß die Nichtkaufleute vor den ordentlichen Gerichten auch aus handelsrechtlichen Verhältnissen zu belangen sind, wenn das Geschäft, aus welchem geklagt wird, nicht auf ihrer Seite ein Handelsgeschäft war oder wenn nicht eine Widerklage vorliegt, Art. 64, während alle Klagen gegen Kaufleute aus den in Art. 63 aufgeführten handelsrechtlichen Verhältnissen vor die Handelsgerichte zu ziehen sind, weil der Art. 62 alle Handelssachen — mit Ausnahme der auf Nichtkaufleute Bezug habenden Bestimmung des Art. 64 — der Zuständigkeit der Handelsgerichte zuweist, ohne daß hiebei ein Unterschied gemacht wäre, auf Seite welches Kontrahenten das Handelsgeschäft vorliegen müsse.

Völlig willkürlich erscheint daher die vom Prozeßgerichte aus Art. 62 abgeleitete Aufstellung, als habe bei Klagen gegen Kaufleute bezüglich der Kompetenz etwas darauf anzukommen, ob auf Seite des Verklagten ein Handelsgeschäft vorliege, wenn einmal unzweifelhaft feststeht, daß das zu entscheidende Rechtsverhältniß zu den Handelssachen zählt und der Beklagte — wie hier in der Duplik — zudem ausdrücklich einräumt, daß er im Sinne des Art. 4 des allg.

b. HGB. Handel treibe, also Kaufmann ist und dem Handelsstande angehört [1]).

(Bamberg Reg.-Nr. 47.)

## CCXXXI.

### Lohnkutscher sind den Kaufleuten nicht beizuzählen.

#### A. d. HGB. Art. 4, 272 Ziff. 3.

Dieser Satz wurde in einem Urtheile des Handelsappellationsgerichtes vom 16. Dez. 1864 ausgesprochen und zu dessen Begründung ausgeführt [2]):

Nicht jeder gewerbsmäßige Betrieb macht den das Geschäft Betreibenden zum Kaufmanne, sondern es ist dies nur unter der Voraussetzung der Fall, daß das betriebene Geschäft ein Handelsgeschäft ist. Zu den Handelsgeschäften im Sinne des allgemeinen deutschen HGB. ist aber die Ausübung einer Lohnkutschereigerechtsame nicht zu zählen; die einzige gesetzliche Bestimmung, nach welcher die Beförderung von Personen von einem Orte zum anderen überhaupt als ein Handelsgeschäft aufgefaßt werden könnte, ist die des Art. 273 Ziff. 3. Mit Recht hat jedoch das Untergericht unter Bezugnahme auf die einschlägigen Stellen der Konferenzprotokolle [3]) hervorgehoben, daß diese Gesetzesstelle den Betrieb des Personentransportes im Großen, durch eigens zu diesem Zwecke bestimmte Anstalten, im Auge habe, auf die Geschäfte eines einzelnen Lohnkutschers aber keine Anwendung finde. Da nun im gegebenen Falle der Verklagte sein Geschäft nicht im Großen sondern in dem gewöhnlichen Umfange betreibt, so erscheint sein Geschäftsbetrieb nicht als ein Handelsgeschäft und er selbst daher auch nicht als Kaufmann, weshalb die handelsgerichtliche Kompetenz gegen ihn nicht begründet ist [4]).

(München I/J. Reg.Nr. 371.)

---

[1]) Vgl. das oben S. 489 mitgetheilte Erkenntniß und die davon unterschiedenen Fälle a. a. O. S. 395, 450 u. 493.

[2]) Es handelte sich in dem fraglichen Falle um eine Klage gegen einen Lohnkutscher auf Bezahlung gelieferter Sattlerarbeit.

[3]) Protokoll Bd. III S. 1298, 1294.

[4]) Ebenso wurde erkannt am 30. Dez. 1864 in der Sache München I/J. R.-Nr. 378.

## CCXXXII.

Handelsgerichtliche Zuständigkeit in Bezug auf Ansprüche gegen Verpächter realer Gewerbsrechte aus deren Gewerbsbetriebe.

A. b. HGB. Art. 4, 273 Abs. 1. Einf.-Gef. Art. 63 Ziff. 1.

Schneidermeister N. N. zu München, von dem Tischler A. A. bortfelbft auf Bezahlung des Kaufschillings für verschiedene ihm gelieferte Geräthschaften, welche er in einer von ihm bortfelbft nach Angabe des A. A. betriebenen Wirthschaft verwendet hatte, vor dem treffenden Handelsgerichte belangt, hatte vor Allem die handelsgerichtliche Zuständigkeit bestritten, indem er behauptete, er sei zwar Eigenthümer des Hauses, in welchem die Wirthschaft betrieben werde, allein deren Betrieb habe nicht durch ihn für seine Rechnung, sondern im Wege der Verpachtung stattgefunden. Das Untergericht erblickte in dieser letzteren Behauptung das Zugeständniß, daß Verklagter Verpächter der erwähnten Wirthschaft sei, und erachtete diesen Umstand für sich allein als genügend, um seine Zuständigkeit als gegeben anzunehmen. Das in Folge Beschwerde des N. N. mit der Sache befaßte HAG. pflichtete jedoch in seinem Urtheile vom 10. Okt. 1864 dieser Ansicht nicht bei, sondern erkannte noch auf Beweis über Ausübung der Wirthschaft Namens des Verklagten, und zwar aus nachstehenden Gründen [1]):

Nach Art. 4 des b. HGB. ist als Kaufmann anzusehen, wer gewerbemäßig Handelsgeschäfte betreibt, und nach Art. 273 Abs. 1 sind alle einzelnen Geschäfte eines Kaufmannes, welche zum Betriebe seines Handelsgewerbes gehören, als Handelsgeschäfte zu betrachten; dies gilt nach Art. 273 Abs. 2 insbesondere für die Anschaffung von Geräthen, Material und anderen beweglichen Sachen, welche bei dem Betriebe des Gewerbes unmittelbar benutzt oder verbraucht werden sollen.

Hiernach kann die hier in Frage stehende Anschaffung nur dann als Handelsgeschäft betrachtet werden, wenn der Anschaffende, nämlich der Beklagte, als Kaufmann im Sinne des HGB. sich darstellt. Zur Annahme dieser Eigenschaft auf Seite des Beklagten genügt

---

[1]) Vgl. auch Dr. Goldschmidt's Handbuch des Handelsrechtes Bd. I S. 331, 332; Hahn's Kommentar Bd. I S. 955.

aber die thatsächliche Feststellung des Erstrichters, daß der Genannte eine Wirthschaft, also ein Handelsgeschäft, verpachtet und die Gegenstände, deren Bezahlung mit der Klage verlangt wird, für diese Wirthschaft angeschafft habe, offenbar nicht. Denn als Kaufmann gilt nur derjenige, welcher Handelsgeschäfte gewerbemäßig betreibt; weder die Verpachtung einer Wirthschaft an sich noch die Anschaffung von Geräthen und dergleichen für eine verpachtete oder zu verpachtende Wirthschaft kann aber als Betrieb der Wirthschaft bezeichnet werden.

Selbst wenn feststünde, daß der Beklagte in seiner Eigenschaft als Schneider als Kaufmann im Sinne des HGB. zu gelten hätte, könnte die Verpachtung einer ihm gehörigen Wirthschaft und die Anschaffung von Geräthschaften zum Betriebe derselben nicht als Handelsgeschäft angesehen werden, weil nach Art. 273 Abs. 1 nur jene einzelnen Geschäfte eines Kaufmannes als Handelsgeschäfte zu betrachten sind, welche zum Betriebe seines Handelsgewerbes gehören, die Wirthschaftsverpachtung und Anschaffung von Wirthschaftsgeräthen mit dem Betriebe des Schneidergewerbes aber offenbar in keinerlei Zusammenhange stehen.

Zur Begründung der Kompetenz der Handelsgerichte gehört demnach außer den erwähnten vom Erstrichter festgestellten thatsächlichen Momenten noch das weitere Moment des Betriebes der Wirthschaft auf Seite des Beklagten.

Ein solcher Betrieb liegt aber schon dann vor, wenn nur die Wirthschaft im Namen des Beklagten ausgeübt wird oder wurde, gleichviel, ob diese Ausübung durch ihn selbst oder durch einen Pächter, auf seine eigene Rechnung oder auf Rechnung eines Dritten, geschah.

Daß dieses der Fall gewesen, wurde in der Klage behauptet, und es erscheint daher, die Richtigkeit dieser Behauptung vorausgesetzt, die handelsgerichtliche Kompetenz gegeben.

(München I/J. R.-Nr. 321.)

## CCXXXIII.

Verhältniß der statutarrechtlichen Haftung der mit ihren Männern zu offenem Kram und Markt sitzenden Frauen für die Geschäftsschulden zu den Bestimmungen des a. d. HGB.

A. d. HGB. Art. 7 Abs. 3.

Ein im Gebiete des bayerischen Landrechtes wohnender Handelsmann und dessen mit ihm angeblich zu offenem Kram und Markt sitzende Ehefrau waren auf Bezahlung des Kaufschillings für bezogene Waaren vor dem HG. Amberg belangt worden, welches jedoch die Klage in der Richtung gegen die mitverklagte Ehefrau von der Gerichtsschwelle zurückwies, weil die vorallegirte Bestimmung des bayerischen Landrechtes durch Art. 7 Abs. 3 des HGB. aufgehoben worden sei. Durch Urtheil des HAG. vom 24. Okt. 1864 wurde jedoch ausgesprochen, daß die Klage auch in der Richtung gegen die Ehefrau zur Verhandlung zu ziehen sei, und in den Gründen Folgendes bemerkt:

Das a. d. HGB. bezweckt nur diejenigen kommerziellen Institute umfassender zu regeln, welche in dem Civilrechte gar keine oder doch keine genügende Normirung erfahren haben. Auf welche Rechtsinstitute und Rechtsverhältnisse aber das HGB. Anwendung finden soll, ist in diesem Gesetze nicht speziell festgesetzt, es läßt sich daher nur im Allgemeinen so viel behaupten, daß dasselbe auf alle Rechtsverhältnisse Anwendung finde, über welche sich in demselben überhaupt Bestimmungen finden. Hieraus ergibt sich aber zugleich, daß die Anwendbarkeit dieses Gesetzbuches bezüglich aller Rechtsinstitute und Rechtsverhältnisse ausgeschlossen ist, welche nicht kommerzieller Natur sind und in demselben keine Regelung erfahren haben.

Das unter Eheleuten bestehende Güterrecht und die daraus für die Ehegatten sich ergebenden Rechte und Verpflichtungen in Bezug auf das beiderseitige Vermögen bilden nun keinen Gegenstand kommerzieller Natur, und abgesehen von einzelnen Bestimmungen, welche in das eheliche Güterrecht eingreifen, wie z. B. die Bestimmung des Art. 8, hat auch das HGB. keine allgemeinen Bestimmungen getroffen, wodurch an den in den einzelnen Landestheilen bestehenden ehelichen Güterrechten und deren rechtlichen Wirkungen etwas geändert worden wäre, vielmehr ergeben die Verhandlungen der Konferenz zum Art. 6, so wie zum Tit. 3 Th. I des Preußischen Entwurfes, daß es außer der Absicht derselben gelegen war, über die Güterverhältnisse von Ehegatten, welche dem Handelsstande angehören, Bestimmungen zu treffen oder in solche im Allgemeinen einzugreifen. Vgl. Prot. S. 18, 19, 26—31, 63—70, 904—910.

Hiernach müssen die über diese Rechtsverhältnisse in den einzelnen Landestheilen geltenden Bestimmungen, so weit sie nicht durch einzelne Vorschriften des a. d. HGB. als modifizirt erscheinen, nach wie vor als in Kraft bestehend erachtet werden, — eine Annahme, welche auch durch die Motive zu Art. 3 und 6 des Entwurfes des Einf.-Ges. zum a. d. HGB. ausdrückliche Anerkennung gefunden hat.

Was so eben über das Verhältniß der Bestimmungen des HGB. zu den civilrechtlichen Vorschriften über die gegenseitige Haftung der Ehegatten in Folge des ehelichen Güterrechtes im Allgemeinen bemerkt wurde, findet aber insbesondere auch für die Vorschrift in Art. 7 Abs. 3 daselbst Anwendung. Diese Bestimmung findet sich unter dem vom Handelsstande handelnden Titel des I. Buches, woselbst die Frage entschieden wird, wer als Kaufmann zu erachten sei, — eine Frage, welche, wie die Vorschriften in Art. 10, 15—27, 28—40, 41—46, 273, 274, 289, 290, 291, 292, 301, 306, 310 und 311 entnehmen lassen, für eine ganze Reihe von Rechtssätzen von dem wichtigsten Einflusse ist. In Art. 6 daselbst ist aber insbesondere bestimmt, daß eine Frau, welche gewerbmäßig Handelsgeschäfte betreibt (Handelsfrau) in dem Handelsbetriebe alle Rechte und Pflichten eines Kaufmannes habe, was nach Art. 7 Abs. 1 auch für Ehefrauen, welche mit Wissen oder Willen ihres Mannes Handelsfrauen sind, Geltung hat. Wenn nun im Abs. 3 daselbst verordnet ist, daß eine Ehefrau, welche ihrem Manne nur Beihilfe in dessen Handelsgewerbe leiste, keine Handelsfrau sei, so ist damit offenbar nicht eine auf das eheliche Güterrecht influenzirende Vorschrift gegeben, sondern nichts Weiteres gesagt, als daß auf eine solche Frau die Bestimmungen des Gesetzbuches, welche für Kaufleute und deren Rechtsverhältnisse gegeben sind, keine Anwendung finden sollen. Eine derartige Frau hat sich daher einer besonderen rechtlichen Ausnahmestellung überhaupt gar nicht zu erfreuen; sie wird von den Bestimmungen des Handelsgesetzbuches nicht berührt, sondern ihre Rechtsverhältnisse, so weit sie bei dem Handelsbetriebe ihres Mannes überhaupt in Betracht kommen, sind lediglich nach den allgemeinen bürgerlichen Bestimmungen zu beurtheilen. (Amberg Reg.-Nr. 29.)

Ueber die rechtliche Bedeutung des in den verschiedensten Statutarrechten [1]) vorkommenden „Sitzens zu offenem Kram und Laden" äußert sich ein handelsappellationsgerichtliches Erkenntniß v. 23. Sept. 1864 in Folgendem:

Das Verhältniß der Ehefrau eines Kaufmannes zu dem von ih-

[1]) Bayer. LR. Th. I Kap. 6 §. 32 Nr. 6. — Nürnberger Reformation Th. II Tit. XXVIII Gef. 6 Abf. 1. — Augsburger Pflegeordnung v. 1799 §. 44. Fallitenordnung v. 1749 §. 6. — Ansbacher Konkursordnung von 1731 Art. XXIV Nr. 8.

rem Manne betriebenen Geschäfte läßt sich in dreifacher Weise denken.
Es können Mann und Frau in Gesellschaft das Handelsgewerbe aus=
üben, sie können vertragsmäßig gemeinsame Inhaber der Firma sein;
in diesem Falle ist die Frau nach Art. 6 Abs. 3 des a. b. HG. Han=
delsfrau und sie haftet für die Geschäftschulden nach Handelsrecht.
(Art. 112 des a. b. HG.)

Die Ehefrau kann andererseits von dem Geschäfte ihres Mannes
in vermögensrechtlicher Beziehung getrennt bleiben; sie kann vertrags=
mäßig sich von Gewinn und Verlust des durch den Ehemann betrie=
benen Gewerbes ausschließen und dasselbe diesem allein überlassen.
In solchem Falle und soferne die Gesetze nicht die Wirksamkeit dieser
Verträge gegen Dritte an besondere Voraussetzungen knüpfen, kommt
es auf die persönliche Thätigkeit der Ehefrau nicht weiter an; ob sie
sich in das Geschäft einmischt oder nicht, ist irrelevant.

Es kann aber drittens die Ehefrau zwar nicht gemeinsame Inha=
berin der Firma sein, aber auch nicht durch Vertrag die Gemeinschaft
am Geschäfte ausgeschlossen haben. In diesem Falle ist ihr persön=
liches Verhalten entscheidend.

Die Heirath mit einem Kaufmanne macht nämlich da, wo nicht
vermöge Gesetzes die eheliche Gütergemeinschaft besteht, die Frau noch
nicht haftbar für die Schulden des Mannes; so lange sie sich der
Theilnahme am Geschäfte enthält, tritt in ihren Rechtsverhältnissen
eine Aenderung nicht ein.

Wenn sie aber solchen Falles öffentlich am Gewerbsbetriebe sich
betheiligt, wenn sie im Laden oder auf dem Markte mit Käufen und
Verkäufen „hanthirt“, dann hat sie ihr Vermögen mitbetheiligt, sie
haftet für die Schulden des Geschäftes. Jedoch nicht vermöge Han=
delsrechtes; sie übt dadurch, daß sie ihrem Ehemanne Beihilfe in dem
Gewerbe leistet, nicht das Gewerbe selbständig aus, sie erscheint
vermöge ihrer Theilnahme nicht als Gewerbtreibende und wird
auch nicht zur Handelsfrau[2]) (Art. 7 Abs. 3 des a. b. HGB.),
sie bildet mit ihrem Ehemanne nicht eine offene Handelsgesellschaft,
allein es tritt kraft des Gesetzes unter den oben bezeichneten Voraus=
setzungen faktisch zwischen den Eheleuten Gütergemeinschaft ein[3]), und

---

[2]) Deshalb wurde auch durch Erk. v. 28. Sept. 1864 (München r/J.
Nr. 109) ausgesprochen, daß durch das Moment des Sitzens zu ge=
meinsamem Kram und Laden allein die Personalarrestfähigkeit der Frau
noch nicht begründet werde.

[3]) Bl. f. RA. Bd. XXII S. 378, Bd. XXIV S. 339.

die Ehefrau haftet für die Schulden des Geschäftes, vermöge des Eherechtes⁴). Das Gesetz hat aber nirgends die Haftung der Ehefrau von dem Umfange und der Zeit der von derselben bethätigten Theilnahme am Geschäfte abhängig gemacht; es ist weder gesagt, daß die Ehefrau nur für jene Geschäfte hafte, welche während ihrer Thätigkeit im Gewerbe vor sich gingen, noch wird ein Unterschied gemacht⁵), ob die Ehefrau das Gewerbe als Mitinhaberin des Geschäftes oder als blose Gehilfin ihres Mannes betreibe. Insonderheit ist es zur Belastung der Frau nicht nothwendig, daß dieselbe am Gewinne des Geschäftes wirklich Theil genommen habe; ebenso kommt darauf nichts an, ob sie bloß verkauft oder auch eingekauft habe; es genügt, daß sie dem Publikum gegenüber mit dem Ehemanne gemeinsam handelnd und wirthschaftend aufgetreten ist. Denn⁶) der Gewerbsgläubiger, welcher sieht, daß die von ihm kreditirten Waaren von der Frau öffentlich feilgeboten und verkauft werden, ist berechtigt, dieselbe als Gewerbsgenossin des Ehemannes anzusehen, und einem Dritten ist es nicht leicht möglich, zu wissen, auf welche Weise etwa die Ehefrau ihre Thätigkeit im Geschäfte angesehen wissen will.

Was also die Frage betrifft, welche thatsächlichen Momente die statutarrechtliche Schuldhaftung der Ehefrau begründen, so muß daran festgehalten werden, daß eine Ehefrau zwar nicht als zu Kram und Laden sitzend angesehen werden kann, wenn sie etwa ein oder das andere Mal aus einem besonderen Anlasse ausnahmsweise im Laden thätig gewesen ist, daß es aber zur Annahme des Bestehens dieses faktischen Verhältnisses nur des Nachweises bedarf, daß die Ehefrau regelmäßig und gewöhnlich (keineswegs immer) in öffentlichem Laden, sei es in ihrem Wohnhause oder auf Märkten, allein oder neben ihrem Ehemanne das Kaufen und Verkaufen oder nur letzteres allein besorgt hat; ferner daß ihr die Ausrede, sie sei bloß

---

⁴) In einem in derselben Sache ergangenen Erkenntnisse vom 21. Jan. 1864 ist bemerkt, daß, nachdem der Cod. Max. Bd. I Kap. VI §. 32 Nr. 4 bestimmt, daß die Gütergemeinschaft der Ehegatten nach den allgemeinen Gesellschaftsrechten und Regeln zu beurtheilen sei, nunmehr die Gütergemeinschaft zweier als Kaufleute anzusehender Ehegatten wenigstens soweit nach den Vorschriften des a. b. HG. über die offene Handelsgesellschaft beurtheilt werden müsse, daß die solidarische Haftung jedes Theilhabers nicht bezweifelt werden könne.

⁵) Bl. f. RA. Bd. VIII S. 320, Bd. XVII S. 124, Bd. XIX S. 201.

⁶) Vgl das in den oben citirten Bl. f. RA. abgedruckte Erkenntniß des Oberappellationsgerichtes vom 11. Juli 1853.

Schiffin gewesen, sie habe im Geschäfte lediglich Aushülfe geleistet, nicht frommen kann, da Dritten gegenüber ihre Thätigkeit diese Unterschiede nicht erkennen läßt. (Landshut Reg.-Nr. 37.)

## CCXXXIV.

**Beweisdienlichkeit kaufmännischer Bücher bezüglich der käuflichen Bestellung von Waaren und der Preisverabredung, insbesondere gegen Nichtkaufleute.**

A. d. HGB. Art. 34, Einf.-Ges. hiezu Art. 70.

Eine auf Zahlung der Kaufschillinge für gelieferte Waaren gegen einen Schneidermeister klagende Handlung hatte den ihr u. A. auferlegten Beweis darüber, daß die Waaren vom Verklagten bestellt und die eingeklagten Preise bedungen gewesen seien, durch ihre Bücher, Journal und Hauptbuch, angetreten, in welchen die fraglichen Waaren als versendet vorgetragen und die eingeklagten Preise beigesetzt waren. Das Handelsgericht I. Instanz nahm an, daß durch Handlungsbücher nur der Umfang einer Sendung und die Größe der fakturirten Preise, nicht aber die vorausgegangene Bestellung und die Preisverabredung, bewiesen werden könne, und erkannte demgemäß in beiden eben erwähnten Beziehungen noch auf den Haupteid. Das in Folge Berufung der Klägerin, welche zum Bucheide zugelassen zu werden begehrte, mit der Sache befaßte HAG. bestätigte nun zwar durch Urtheil vom 27. Dezember 1864 den erstrichterlichen Ausspruch, bemerkte jedoch in den Gründen:

1) Der Art. 34 des HGB. beruht auf der Voraussetzung, daß die in Streit Befangenen beiderseits solche Kaufleute sind, welchen in Gemäßheit des Art. 28 verglichen mit Art. 10 zur Pflicht gemacht ist, kaufmännische Handelsbücher zu führen.

In diese Kategorie der Kaufleute im engeren Sinne ist offenbar der Beklagte nicht zu reihen, weil derselbe unbestrittenermaßen das Schneidergewerbe bezw. den Verkauf fertiger Kleider nur in einem mäßigen Umfange betreibt, so daß von einem förmlichen Betriebe einer Kleiderfabrik nicht gesprochen werden kann.

Die Bestimmung darüber, ob und in wie ferne die Handelsbücher in Fällen der obengedachten Art Beweiskraft haben, ist nach Abs. 3 des Art. 34 den einschlägigen Landesgesetzen gemäß zu beurtheilen.

2) Nun hat aber das bayer. Einf.-Ges. zum a. d. HGB. in

Art. 73 ausgesprochen, daß ordnungsgemäß geführte Handelsbücher, wie sie das HGB. in Art. 28, 32, 34 und 36 vorschreibt bezw. voraussetzt, bei Streitigkeiten über Handelssachen auch gegen Nichtkaufleute Beweis liefern, wenn dieselben von dem Kaufmanne oder seinen Erben mit einem körperlichen Eide bekräftigt sind.

Insoferne nun diesem Bucheide im Sinne der Anmerkung zu GO. Kap. XI §. 3 die Natur eines Erfüllungseides — als einer besonderen Spezies des letzteren — zukommt, stimmen die gesetzlichen Vorschriften des a. b. HGB. über die Beweiskraft der Handelsbücher unter Kaufleuten wenigstens im Wesentlichen mit denjenigen Normen überein, welche in Bayern über den Beweis durch Handelsbücher gegenüber den Nichtkaufleuten Geltung haben; denn auch das HGB. fordert in der Regel noch eine Ergänzung des in den Handelsbüchern liegenden Beweises.

Insoferne jedoch bei Streitigkeiten von Kaufleuten unter sich diese Ergänzung durch einen Eid b. i. durch den Erfüllungseid, oder auch durch andere Beweismittel herbeigeführt werden kann, besteht für Fälle der vorliegenden Art, in welchen die Beweiskraft des Buches nach Absatz 3 des Art. 34 des HGB. und Art. 73 des Einf.=Ges. zu beurtheilen ist, ein nicht unwesentlicher Unterschied. Denn während der Art. 73 die eidliche Bekräftigung der Handelsbücher bezw. der dort gemachten Einträge fordert, also die Beweiskraft des Buches selbst zu verstärken sucht, hat das HGB. in Art. 34 Abs. 1 einen außerhalb der Bücher liegenden Beweis im Auge, weil es zur Ergänzung des durch die Bücher erbrachten unvollständigen Beweises sowohl einen Eid als auch noch andere Beweismittel als nothwendig bezeichnet, um das in den Handelsbüchern beurkundete Handelsgeschäft als erwiesen anzusehen.

Hieraus folgt, daß bezüglich des durch die Handelsbücher zu erbringenden Beweises im gegebenen Falle es sich zunächst allerdings darum fragt, ob nicht der betreffende Inhalt der klägerischen Handelsbücher durch den Bucheid — wie Appellant behauptet — nach Vorschrift des Art. 73 a. a. O. zu verstärken und zu bekräftigen sei.

3) Ein ordnungsmäßig geführtes und eidlich bekräftigtes Handelsbuch hat, indem ihm nach Art. 73 des Einf.=Ges. volle Beweiskraft zukommt, wenn es vom Gegentheile mit Grund nicht angefochten werden kann, dieselbe rechtliche Wirkung wie eine als Beweismittel benützte Privaturkunde, welche vom Probaten selbst herrührt und deren Inhalt er gegen sich gelten lassen muß.

Wie aber eine vom Probaten herrührende Urkunde nicht über

beren Inhalt hinaus, und insbesondere nicht über solche Thatsachen gegen den Aussteller Beweis liefern kann, welche weder aus dem wörtlichen Inhalte noch aus dem Sinne, in dem die Urkunde verfaßt ist, zu entnehmen sind, ebenso ist klar, daß auch die vom Probanten herrührenden Bucheinträge, selbst wenn sie von ihm eiblich bekräftigt sind, nicht in einem weiteren Umfange Beweis erbringen können, als aus diesen Einträgen selbst hervorgeht, und daß daher thatsächliche Vorgänge, welche durch die Handelsbücher nicht speziell konstatirt sind, auch durch diese — selbst bei eiblicher Bekräftigung — nicht erwiesen erscheinen.

Anstatt daß nun im gegebenen Falle aus dem Journale oder Hauptbuche eine Bezugnahme auf die angeblich aufgenommene und dem Verklagten abschriftlich zurückgelassene Bestellungsnote ersichtlich, diese Note als Beleg bezeichnet und zur Darlegung des in Rede stehenden Handelsgeschäftes, so weit es aus den klägerischen Aufschreibungen muß ersehen werden können, benützt worden wäre, hat sich Klägerin nur auf ihre Bücher berufen, welche aber lediglich so viel entnehmen lassen, daß für die in der Klage verzeichneten Waaren die eingeklagten Preise angesetzt sind, — keineswegs aber, auf welchem faktischen Vorgange dieser Eintrag beruhe, ja welche nicht einmal der zu beweisenden Bestellung und Vereinbarung im Allgemeinen Erwähnung thun.

Kann daher auch der erstrichterlichen Ansicht in dem Punkte nicht beigepflichtet werden, daß die Preisbestimmung und Bestellung, selbst wenn sie in den Büchern[1]) eingetragen und diese ordnungsmäßig geführt sowie durch den Bucheid bekräftigt wären, hiedurch nicht bewiesen werden könnte, so ist doch anbererseits mit Recht deßhalb nicht auf den Bucheid erkannt worden, weil der Inhalt der beiden vorgelegten Urkunden sich nicht auf diese beiden Thatumstände, so weit sie zu beweisen waren, erstreckte.          (Augsburg Reg.=Nr. 57.)

### CCXXXV.

Handelsgerichtliche Zuständigkeit für Streitigkeiten zwischen Kaufleuten und ihren Lehrlingen bezw. beren rechtlichen Vertretern. — Golbschläger sind ben Kaufleuten beizuzählen.

A. d. HGB. Art. 57 u. f. — Einf.=Ges. hiezu, Art. 63 Ziff. 4.

Der Gastwirth A. A. zu Nürnberg hatte seinen Sohn bei dem

---

[1]) Vgl. jedoch hierüber oben S. 439.

Goldschläger N. N. daselbst in die Lehre gegeben und mit diesem das Uebereinkommen getroffen, daß sein Sohn — dem bei dieser Innung bestehenden Gebrauche gemäß — schon nach Ablauf von 4 Wochen ein Salair erhalten solle, welches je nach den Dienstleistungen des letzteren bemessen und in wöchentlichen Raten, wovon stets die Hälfte baar zu bezahlen, die Hälfte von dem Lehrherrn zu abmassiren sei, abgetragen werden sollte. Als dieses Verhältniß zwischen N. N. und dem Sohne des A. A. sein Ende erreicht hatte, begehrte Letzterer von Ersterem die Einsichtnahme seiner Geschäftsbücher, um daraus die Größe der abmassirten Salairtheile seines Sohnes bemessen zu können, und erhob, da ihm dieselbe verweigert wurde, bei dem HG. R. Klage. Dieses Gericht wies die Klage wegen Unzuständigkeit ab. Durch Urtheil des Handels=AG. vom 21. Dezbr. 1864 wurde jedoch ausgesprochen, daß weitere prozeßordnungsgemäße Verfügung auf die Klage zu erlassen sei.

In den Gründen wurde zunächst ausgeführt, daß der regelmäßige Gewerbsbetrieb eines Goldschlägers in der Anschaffung edler Metalle, um solche in bearbeitetem Zustande weiter zu veräußern, bestehe, ein Goldschläger daher als Kaufmann zu erachten sei, worauf fortgefahren wurde:

Nach Art. 63 Ziff. 4 des Einf.=Ges. zum HGB. sind Handelssachen die Rechtsverhältnisse zwischen den Kaufleuten und ihren Prokuristen, Handlungsbevollmächtigten und Handlungsgehilfen, so wie der in ihrem Gewerbe angestellten Beamten und sonstigen Bediensteten. Auf sie erstreckt sich in Gemäßheit des Art. 62 a. a. O. die Zuständigkeit der Handelsgerichte. Die Bestimmung im Art. 63 Ziff. 4 beschränkt sich nicht auf die sogenannten Vollkaufleute, sondern bezieht sich, da das Gesetz keinen Unterschied macht, auf alle Personen, welche Kaufleute im Sinne des HGB. sind, bezw. auch auf jene Kaufleute, auf welche in Gemäßheit des Art. 10 des HGB. die Bestimmungen dieses Gesetzbuches über die Firmen, die Handelsbücher und die Prokura keine Anwendung finden.

Es müssen demnach auch die Rechtsverhältnisse zwischen diesen Kaufleuten mit minderen Rechten und ihren Handlungsbevollmächtigten, Handlungsgehilfen und sonstigen in ihren Gewerben bediensteten Personen als Handelssachen erachtet werden[1]).

Darüber, daß der Sohn des Klägers in seiner Eigenschaft als Lehrling des Beklagten sich als eine in dem Handelsgewerbe des Letzteren bedienstete Person, ja selbst als ein Bediensteter darstellt,

---

[1]) Vergl. die Ausführung hierüber oben S. 471.

dessen Dienstleistungen nicht in Gesindediensten bestehen, kann ein Zweifel nicht erhoben werden[2]).

Es ist somit die Voraussetzung für die Anwendbarkeit des Art. 63 Ziff. 4 des Einf.-Ges., und in Folge hievon eine Handelssache in vorliegendem Falle, in welchem auf Grund des zwischen einem Kaufmanne und seinem Lehrlinge bestehenden Vertragsverhältnisses von Ersterem die Edition von Geschäftsbüchern verlangt wird, — gegeben, die Kompetenz der Handelsgerichte begründet.

Hiegegen kann auch nicht geltend gemacht werden, daß der Zweck des Eintrittes in die Lehre bei dem Beklagten auf Seite des Sohnes des Klägers die Erlernung des Goldschlägergewerbes gewesen sei, — weil, abgesehen von dem noch keineswegs festgestellten Umstande, wie weit sich die Verwendung desselben in dem Handelsgewerbe des Beklagten erstreckte, der Letztere bei der Aufnahme des Lehrlings jedenfalls auch dessen Dienstleistung in seinem Gewerbe im Auge hatte, — wie schon daraus hervorgeht, daß nach der Behauptung des Klägers vermöge einer bei dem Goldschlägergewerbe bestehenden Uebung die Lehrlinge nach den 4 ersten Probewochen Lohn erhalten, und hier eine mit der Zeit nach der Brauchbarkeit des Lehrlings sich erhöhende Vergütung für dessen Dienstleistungen ausdrücklich verabredet wurde.

(Nürnberg Reg.-Nr. 152.)

## CCXXXVI.

**Legitimation offener Handelsgesellschaften als solcher bei Ausstellung von Prozeßvollmachten.**
**A. d. HGB. Art. 111, 114, 115, 117.**

Einer von der Firma N. N. zu Frankfurt a. M. für einen bayerischen Rechtsanwalt ausgestellten, die Unterschrift der Firma tragenden Prozeßvollmacht war von einem Notare zu Frankfurt die Be-

---

[2]) Die Frage, ob überhaupt der von einem Goldschläger in sein Gewerbe aufgenommene Lehrling als Handlungsgehilfe, als eine Person aufzufassen sei, welche in einem Handelsgewerbe angestellt ist, um kaufmännische Dienste zu leisten, wurde hiebei unentschieden gelassen. In einem anderen Erkenntnisse vom 16. November 1864 (Fürth Nr. 32) wurde ausgesprochen, daß der Werkführer einer Fabrik keinesfalls unter die Personen gezählt werden könne, welche beim Betriebe des Handelsgewerbes lediglich Gesindedienste verrichten.

glaubigung beigesetzt, daß die Inhaber der Firma N. N. die vorstehende Unterschrift abgegeben haben. Diese Vollmacht wurde von dem bayerischen Prozeßgerichte, bei welchem sie in Vorlage kam, nicht als genügend anerkannt, vielmehr noch eine Konstatirung darüber verlangt, welche Person die Vollmacht unterzeichnet habe, bezw. daß die vor dem Notare erschienene Person zu den nach Art. 117 des a. b. HGB. befugten Theilhabern gehöre, — welche Verfügung auf Beschwerde des Anwalts durch Urtheil des HAG. vom 23. November 1864 aus folgenden Gründen bestätigt wurde:

Richtig ist allerdings, daß nach Art. 111 des a. b. HGB. eine Handelsgesellschaft unter ihrer Firma d. i. unter demjenigen Namen vor Gericht klagen kann, unter welchem die Gesellschafter ihre Geschäfte betreiben und die Unterschrift abgeben, Art. 15 a. a. O.

Dagegen ist einleuchtend, daß der als Firma von den Gesellschaftern geführte gemeinschaftliche Name nicht sich selbst in oder auch außer Gericht vertreten kann, daß vielmehr das Handlungsgeschäft, wenn es eine Willensthätigkeit manifestirt, doch jedenfalls durch eine oder auch mehrere physische Personen repräsentirt sein muß. Die Gesellschaft, welche eine gemeinschaftliche Handlung betreibt und einen Rechtsstreit beginnen will, muß also in einer physischen Person ein Organ haben, welches diesen Willen kund gibt, die Gesellschaft muß zur Führung eines Rechtsstreites jedenfalls einen **persönlichen Vertreter** haben.

Nach Art. 117 wird nun die Gesellschaft vor Gericht von jedem Gesellschafter gültig vertreten, welcher von der Befugniß, die Gesellschaft zu vertreten, nicht ausgeschlossen ist, und können die Ladungen an die Gesellschaft einem solchen Gesellschafter zugestellt werden.

Wer aber als Repräsentant einer Gesellschaft auftritt, hat sich dem Gerichte gegenüber als solcher zu legitimiren, wenn dieses Repräsentationsverhältniß bei dem Gerichte nicht etwa durch das Handelsregister u. dgl. als Notorium zu gelten hat.

Es kann demnach auch darüber kein Anstand erhoben werden, wenn das Gericht demjenigen, welcher als Vertreter einer Gesellschaft auftreten will, Angesichts des Art. 117 auferlegt, daß er sich als Gesellschafter legitimire.

Führt die Gesellschaft ihren Prozeß nicht selbst durch einen ihrer Vertreter, sondern bedient sie sich hiezu eines Dritten, wie dieß hier der Fall ist, so vermag diese Uebertragung des Mandats an der ursprünglichen Verpflichtung der Gesellschaftsvertreter, sich als solche zu legitimiren, nichts zu ändern. Etwas Anderes hat der Prozeß-

richter bei Bemängelung der von dem klägerischen Rechtsanwalt vorgelegten Vollmacht offenbar auch nicht im Sinne gehabt, wenn er
darauf bringt, daß der urkundliche Nachweis auch ersehen lassen müsse,
wer die Vollmacht ertheilt habe, von welcher physischen Person
die Firmenzeichnung herrühre. Denn war der Auftraggeber nicht befugt, in Vertretung der klagenden Gesellschaft die dem Anwalte ertheilte Vollmacht auszustellen und mit der Firma zu unterzeichnen, so
kann nach den in Art. 114 und 115 aufgestellten Grundsätzen auch
der Anwalt nicht als von der Gesellschaft legitimirt angesehen werden.

Es genügt daher auch nicht, — was das Prozeßgericht anfänglich verlangt hat, — zu wissen, welche Namen die Inhaber des klagenden Handlungsgeschäftes führen, sondern es ist nothwendig, daß
von derjenigen oder von denjenigen physischen Personen, welche vor
dem Notar erscheinen und einen Dritten zur Vertretung einer Gesellschaft in einem Rechtsstreite bevollmächtigen wollen, durch den Notar
oder sonst in offizieller Weise konstatirt werde, daß sie zur Vertretung
der Firma, für welche sie agiren, auch im Sinne des Art. 117 des
HGB. befugt sind.

So lange daher der klagende Advokat nicht nachweist, wer die
Vollmacht unterzeichnet habe, bezw. daß die vor dem Notare erschienene
Person zu den nach Art. 117 befugten Theilhabern gehöre, — die
Unterschrift hat ohnehin jedenfalls nur Eine Person abgegeben, —
handelt das k. Handelsgericht gewiß nur im Sinne der dießfalls gel-
tenden prozeßgesetzlichen Bestimmungen, wenn es, um Nichtigkeiten zu
begegnen, auf vorgängige Bereinigung des Legitimationspunktes von
Seite des für die klagende Firma aufgetretenen Anwalts bringt.

(Kempten Reg.-Nr. 28.)

## CCXXXVII.

### Der Ankauf von Holz auf dem Stocke zur Weiterver-
### äußerung bildet ein Handelsgeschäft.
#### A. d. HGB. Art. 271 Ziff. 1.

Eine Klage auf Zahlung des Kaufschillings für das von dem
Käufer zur Weiterveräußerung erworbene schlagbare Holz einer Waldparzelle wurde von dem angegangenen Handelsgerichte deßhalb wegen
mangelnder Zuständigkeit abgewiesen, weil es sich um Ankauf eines
Immobile handle. Durch Urtheil des Handelsappellationsgerichtes
vom 8. September 1864 wurde jedoch das Untergericht angewiesen,

auf die Klage weitere prozeßordnungsmäßige Verfügung zu erlassen
und in den Gründen von folgenden Erwägungen ausgegangen:

Nach gemeinem Rechte werden allerdings die mit dem Boden
noch verbundenen Früchte oder Bäume als ein Theil desselben, als
Pertinenzien, betrachtet, allein nur so lange, als sie, noch mit dem
Boden verbunden, ein Theil desselben sind. Im gegebenen Falle sind
aber nach dem Klagevortrage nicht die Bäume als Pertinenzien der
Waldfläche, welche Eigenthum der Verkäuferin bleibt, ja es sind nicht
einmal alle auf der fraglichen Waldparzelle befindlichen Bäume, sondern
lediglich das darauf stehende schlagbare Holz das Kaufobjekt. Es
ist demnach bei dem fraglichen Vertrage das schlagbare Holz als bereits abgetrennt gedacht und als solches das Kaufobjekt, während
dabei der Bodenfläche, von der es genommen wird, eben so wenig gedacht wird, als der auf dessen Abtrieb erwachsenden Kosten und des
sonst noch auf dem fraglichen Areal stehenden nicht schlagbaren Holzes.
Das auf der fraglichen Waldparzelle stehende schlagbare Holz ist aber
auch von den Käufern nach der Klagebehauptung in der Absicht der
Wiederveräußerung erworben worden, so daß auf Seite der Verklagten
ein Handelsgeschäft nach Art. 271 Ziff. 1 des a. b. HGB. vorliegt.

Die Vorschrift des Art. 275 a. a. O., wonach Verträge über
Immobilien keine Handelsgeschäfte sind, kann auf den gegebenen Fall
keine Anwendung finden, weil dieselbe nur auf Immobilien im eigentlichen Sinne des Wortes beschränkt, keineswegs aber auch von dem
Verkaufe der mit den Immobilien verbundenen Bäume oder Früchte
verstanden werden wollte. Es ergibt sich dies aus den Motiven zu
Art. 211 Abs. 4 des preuß. Entwurfes eines Handelsgesetzbuches, der
die Grundlage des Art. 275 des allg. b. HGB. bildet, — indem dort
S. 103 ausdrücklich bemerkt ist, die in Frage stehende Bestimmung
beziehe sich auf alle Verträge, deren unmittelbarer Gegenstand
Immobilien seien, während Käufe von Früchten auf dem Halm und
von Holz auf dem Stamme deßhalb nicht darunter fielen, weil bei
diesen Geschäften die separirten Früchte bezw. das gefällte Holz als
künftige Mobilien Gegenstand des Vertrages seien, welche Sätze bei
den Berathungen und Verhandlungen über diesen Artikel von keiner
Seite angefochten wurden[1]).          (Schweinfurt Reg.-Nr. 34.)

---

[1]) In gleicher Weise hat der Gerichtshof in einem ähnlichen Falle, in
welchem ein Gebäude auf den Abbruch verkauft war und die das Gebäude bildenden Materialien das Kaufobjekt bildeten, diesen Kauf als
eine Handelssache anerkannt. Vgl. oben S. 412.

## CCXXXVIII.

## Werthangemeffenheit des Kaufpreifes.
### A. b. HGB. Buch IV Tit. 2.

Der Verkäufer einer Quantität Waizen, welcher gegen den Käufer des letzteren Klage erhoben hatte, hielt sich durch den ihm von I. Instanz auferlegten Beweis, daß für den Schäffel des verkauften Waizens ein Preis von 17 fl. 12 kr. bedungen worden, deßhalb für beschwert, weil ihm nicht alternative auch der Beweis darüber, daß der erwähnte Preis werthentsprechend sei, auferlegt wurde. Das HAG. gab jedoch (Uthl. vom 28. Oktober 1864) der Beschwerde nicht statt, und führte in den Gründen aus:

Zum Wesen eines Kaufgeschäftes gehört die Vereinbarung der Kontrahenten über einen bestimmten Kaufpreis (pretium certum).

Die Behauptung, daß der für eine dem Anderen gelieferte Waare geforderte Preis dem Werthe der Waare entspreche, begründet an sich für den Empfänger noch keine Verpflichtung, diesen Werth zu bezahlen. Eine solche Verpflichtung setzt vielmehr einen besonderen rechtlichen Entstehungsgrund voraus. Dieser Grund kann darin liegen, daß der Empfänger den Werth der Waare als Preis zu zahlen versprochen hat; er kann auch in einer den Empfänger zur Erstattung des Werthes verpflichtenden Handlung oder Unterlassung desselben enthalten sein; immer aber muß ein solcher thatsächlicher Grund für die Entstehung seines Rechtes von demjenigen angeführt werden, welcher von dem Anderen die Bezahlung des Werthes einer ihm überlieferten Sache verlangt.

Der thatsächliche Grund vorwürfiger Klage beruht auf einem Kaufgeschäfte; kraft des Kaufvertrages ist aber Verkäufer nur berechtigt, die Zahlung des Kaufpreises von dem Käufer zu fordern.

Daß als Kaufpreis der Werth des Kaufgegenstandes stipulirt worden sei, wurde vom Kläger überall nicht behauptet; er gibt vielmehr ausdrücklich an, daß eine bestimmte, in Ziffern ausgedrückte Summe, nämlich 17 fl. 12 kr. für den Schäffel des gelieferten Waizens, als Kaufpreis bedungen worden sei.

Er kann demzufolge auch nur diesen und keinen anderen Kaufpreis fordern, und es kann ihm daher auch nur dieser und kein anderer Kaufpreis zum Beweise auferlegt werden[1]). (Kempten Reg.-Nr.26.)

---

[1]) Vergl. oben S. 386 und die hiedurch veranlaßte Abhandlung im Central-Organ für b. b. H- u. WR. Bd. I S. 22 ff.

## CCXXXIX.

### Rechtswirksamkeit des Vorbehaltes Seitens eines Kaufmannes, die bestellte Waare zurückzugeben, wenn sie seinen Abnehmern nicht zusage.

A. b. HGB. Art. 339.

Der auf Zahlung einer Cigarrensendung verklagte Käufer, von welchem solche rechtzeitig zur Verfügung gestellt waren, hatte der Klage den Einwand entgegengesetzt, er habe bei der Bestellung sich ausdrücklich vorbehalten, die Cigarren zurückzugeben, wenn sie seinen Abnehmern nicht zusagten, und das Untergericht hatte dem Verklagten auch eventuell den Beweis hierüber freigelassen, von der Annahme ausgehend, daß durch diese Bestimmung das der Klage zu Grunde liegende Geschäft ein Kauf auf Probe geworden sei.

Gegen diese Beweisauflage appellirte Kläger, indem er auszuführen suchte, daß jener Einwand deßhalb völlig unerheblich sei und insbesondere das Geschäft nicht zu einem Kaufe auf Probe machen könne, weil derselbe zu allgemein gehalten erscheine, insbesondere aber, weil es an jeder Bestimmung darüber gebreche, wer und binnen welcher Frist er die Waare zu proben habe. Durch Urtheil des HAG. vom 9. Dezember 1864 wurde jedoch die angefochtene Beweisauflage bestätigt. Die Gründe besagen:

Der Vorbehalt, eine gekaufte Waare wieder zurückgeben zu dürfen, wenn sie dem Käufer oder den von diesem bezeichneten Abnehmern nicht zusage, ist offenbar ein Kauf auf Probe: denn es wird dadurch die Gültigkeit des Kaufes von einer nachträglichen Untersuchung und Genehmigung abhängig gemacht. Allerdings wird ein derartiger Kauf auf Probe im Handelsverkehre selten vorkommen, allein der Verklagte hat auch diese abnorme Vertragsbedingung damit motivirt, daß er selbst nicht rauche, daher die Cigarren nicht zu proben vermöge. Wenn nun die klagende Handlung einen derartigen Vorbehalt eingegangen hat, so kann derselbe nicht anders als ernstlich gemeint gewesen sein; es muß aber auch ein derartiger Vorbehalt bei der großen Konkurrenz in dem bezeichneten Artikel als durchaus nicht unglaublich erachtet werden.

Die Anstände, welche Appellantin gegen den fraglichen Vorbehalt erhebt, weil weder bestimmt sei, wer die Waare zu proben habe, noch innerhalb welcher Frist die Probe zu machen sei, sind im gegebenen Falle durchaus unbegründet. Denn es wurde vom Verklagten zugestandenermaßen die Waare innerhalb einer nicht einmal achttägigen Frist zur Verfügung gestellt, so daß es durchaus gleichgiltig ist, wer von den Gästen die Waare geprobt hat, da bei erfolgter Dispositions=stellung der Cigarren die Nichtgenehmigung des Kaufes von Seiten des Käufers erklärt ist und dem anderen Kontrahenten ohnehin bei dem Kaufe auf Probe eine Erinnerung wegen der nicht erfolgten Ge=nehmigung nicht zusteht.

Zwar könnte es zweifelhaft erscheinen, ob bei dem Vorbehalte, daß die Cigarren den Gästen zusagen, nicht Dritte als diejenigen bezeichnet seien, von deren Entscheidung die Giltigkeit des Kaufes abhängig sein soll. Allein wie das kgl. Handelsgericht mit Recht ausgeführt hat, muß bei dem Umstande, daß bestimmte Personen, von deren Urtheil die Genehmigung des Kaufes abhängen soll, nicht bezeichnet sind, an=genommen werden, daß Verklagter deren Bestimmung und somit die Genehmigung der Waare seinem Ermessen vorbehalten wollte.

(Kempten Reg.=Nr. 27.)

## CCXL.

### Die Stipulation gewisser Eigenschaften einer bestellten Waare schließt in Ermangelung anderweiter Abreden das Vorhandensein eines Kaufes auf Besicht aus.

### A. d. HGB. Art. 339.

In einer Streitsache wegen Zahlung des Kaufschillings für ge=lieferte Bretter wollte der appellirende Verklagte zum Beweise seiner Exzeptionsbehauptung zugelassen werden, daß er bei der Bestellung die Bedingung gemacht, die Bretter müßten schön und 2 fl. per Ring mehr werth sein als die Bretter des X. (eines anderen Käufers), in=dem er auszuführen suchte, daß hiernach nur ein Kauf auf Besicht angenommen werden könne, und er daher, nachdem er die Waare nicht annehmbar befunden, an den Handel nicht gebunden sei.

Das HAG. gab jedoch in seinem Urtheile vom 30. Novbr. 1864 dem Berufungsantrage nicht statt und bemerkte in den Gründen:

Appellant meint, aus der Verabredung, die Bretter müßten schön und um 2 fl. per Ring mehr werth sein als jene des X., in Verbind=ung mit dem weiteren Umstande, daß Käufer die Bretter damals noch gar nicht gesehen gehabt, ergebe sich augenscheinlich, daß ein Kauf auf Besicht nach Art. 339 des a. d. HGB. vorliege, weil Käufer, — der die Bretter nicht kannte, nothwendigerweise und daher selbstverständlich die

37

Berechtigung sich vorbehalten habe, dieselben vorerst anzusehen und zu untersuchen.

Dieser Ausführung kann nicht beigepflichtet werden[1].

Appellant behauptet selbst nicht, daß er dem Kläger gegenüber sich a u s d r ü c k l i c h vorbehalten habe, seine bindende Erklärung, ob er die Bretter kaufe, erst noch von einer vorgängigen Besichtigung und Genehmigung derselben abhängig zu machen; aus dem Umstande aber, daß bestimmte Eigenschaften der Bretter stipulirt wurden, und er die Bretter vorher noch nicht gesehen hatte, kann ein solcher Vorbehalt der Kaufgenehmigung, wie ihn nach Art. 339 ein Kauf auf Besicht oder Probe erfordert, nicht gefolgert werden; auf das endlich, was sich der Beklagte bei den Vertragsberedungen etwa noch weiter g e d a c h t haben mag, hat es selbstverständlich nicht anzukommen. Nach der ganzen Geschichtserzählung des Beklagten liegt vielmehr ein perfekter Vertrag vor, ein vollständiger Kaufabschluß über Lieferung einer Quantität vertretbarer Sachen. im Sinne des Art. 338, wie solche Kaufgeschäfte über vorher vom Käufer nicht gesehene Waaren gerade im kaufmännischen Verkehre sehr häufig vorzukommen pflegen.

Durch jenes Exzeptionsvorbringen ist daher der Einwand eines auf Besicht geschlossenen, suspensiv bedingten, Kaufes nicht substanzirt, und als Einrede des nicht gehörig erfüllten Vertrages wurde dasselbe

---

[1] Die Behauptung des Appellanten, er habe sich, indem er eine bestimmte Eigenschaft der Bretter stipulirte und diese letzteren vorher nicht gekannt habe, selbstverständlich die Berechtigung vorbehalten, die Bretter vorerst anzusehen und zu untersuchen, wird an sich als vollkommen richtig erachtet werden müssen. Allein dieser Vorbehalt kann nur dahin aufgefaßt werden, Beklagter werde die Bretter untersuchen, ob sie die vorgeschriebenen Eigenschaften haben, und solche, v e r n e i n e n d e n Falles, nicht annehmen, während entgegengesetzten Falles ihn gerade die Art seiner Bestellung, das Geding bestimmter Eigenschaften, zur Annahme verpflichtet. Ganz anders aber liegt die Sache beim Kaufe auf Besicht, in welchem es e i n z i g u n d a l l e i n von dem f r e i e n Belieben des K ä u f e r s abhängt, ob er die Waare käuflich übernehmen will oder nicht; wobei insbesondere der Käufer gar nicht erklärt, welche Eigenschaften der Sache er verlange und unter welchen Voraussetzungen er an den Kauf gebunden sein solle. Allerdings läßt sich aber auch unter Umständen denken, daß Käufer und Verkäufer über das Vorhandensein bestimmter Eigenschaften übereingekommen sind, die Entscheidung über das Vorhandensein derselben aber lediglich dem K ä u f e r nach seinem eigenen freien Ermessen überlassen wird, was von den Fällen des gewöhnlichen Kaufgeschäftes einigermaßen abweicht.

vom Beklagten in der Berufung selbst nicht mehr hervorgehoben, und könnte solches auch nicht berücksichtigt werden, nachdem der Beklagte, wie schon im erstrichterlichen Erkenntnisse genügend erörtert ist, die Erfüllung seiner Anzeigepflicht gemäß Art. 347 des a. d. HGB. nicht gehörig dargelegt hat.　　　　　　　　　(Bamberg Reg.-Nr. 49.)

## CCXLI.

**Der Verkauf einer Waare nach Art. 343 Abs. 2 des a. d. HGB. liegt außerhalb des Wirkungskreises der Gerichte.**

Einf.-Ges. zum a. d. HGB. Art. 63 Ziff. 10.

In einer Streitsache wegen Uebernahme und Bezahlung einer Partie verkauften Gypses wollte der klagende Verkäufer das bei einem Dritten lagernde Kaufobjekt, weil dasselbe bei längerem Verbleiben an seinem gegenwärtigen Aufbewahrungsorte dem Verderben ausgesetzt wäre, auf Grund des Art. 343 des HGB. öffentlich verkaufen lassen und hatte zu diesem Zwecke an das Prozeßgericht den Antrag gestellt, den Verkauf durch einen Handelsmäkler bewerkstelligen zu lassen. Das Untergericht wies den Antrag deshalb ab, weil noch nicht feststehe, ob der Beklagte mit der Empfangnahme der Waare im Verzuge sei, welche Abweisung am 20. Okt. 1864 in zweiter Instanz bestätigt wurde, jedoch aus dem Grunde, weil das Gericht mit einem solchen Verkaufe sich überhaupt nicht zu befassen habe[1]). In den Motiven ist hierüber bemerkt:

Die Ausübung der dem Verkäufer nach Art. 343 zustehenden Befugniß, die Waare, wenn der Käufer mit der Empfangnahme derselben im Verzuge ist, nach vorgängiger Anbrohung öffentlich verkaufen zu lassen, hängt nicht, wie der Verkauf eines Faustpfandes nach Art. 310, von gerichtlicher Bewilligung ab. Dies ergibt sich schon aus der verschiedenen Fassung beider Artikel und noch unzweifelhafter aus der über Art. 260 des preuß. Entwurfes (nun Art. 343 des HGB.) gepflogenen Verhandlung der Berathungskommission, in Folge deren nicht nur die in jenem Entwurfe beantragte Vorschrift der Angehung des Richters beseitigt, sondern sogar ein Zusatzantrag über

---

[1]） Vgl. die Ausführungen in den Motiven zu obigem Artikel (Verh. Bd. I S. 72 und 73) und dem Lutz'schen Kommentar S. 182. Vgl. auch das Erkenntniß des Handelsgerichtes zu Coblenz über diesen Artikel im Centralorgan Jahrg. 1862 Nr. 32 u. Busch's Archiv Bd. 1, S. 405.

alternative Befugniß der Antragstellung bei dem Richter abgelehnt worden ist. (Conf. Prot. der Kommission zur Berathung eines allg. d. HGB. Bd. II S. 624, 627, 628.)

Hienach ist es lediglich Sache des Verkäufers, unter seiner Verantwortlichkeit für das Vorhandensein der gesetzlichen Bedingungen den Verkauf nach den gegebenen Normen zu bewirken, nicht aber ist das Gericht berufen, auf Antrag des Verkäufers durch Anordnung des Verkaufes nach Art. 343 einen Akt der nicht streitigen Gerichtsbarkeit auszuüben.

Es hätte daher der klägerische Antrag vom 13./14. v. Mts., insoweit hierin ein Verfahren nach Art. 343 bezielt wird, schon wegen Mangels der Zuständigkeit sofort abgewiesen werden sollen, und fällt somit eine Erörterung der Frage, ob die Voraussetzung des Verzuges gegeben sei, als überflüssig hinweg.                    (Landshut Nr. 43.)

## CCXLII.
### Dispositionsstellung bei Mehrsendung.
#### A. d. HGB. Art. 347.

Gasthofbesitzer N. N. hatte von der Handlung A. A. in Folge einer bei dieser auf drei verschiedene Sorten Cigarren gemachten, nach seiner Behauptung auf 1000 Stück jeder Sorte lautenden, Bestellung im Ganzen 11,000 Stück und zwar von zweien der bestellten Sorten je 4000 Stück mehr zugesendet erhalten, jedoch die ganze am 19. Okt. 1863 an ihn abgegangene Sendung mit Brief vom 28. Okt. der Absenderin wegen schlechter Qualität zur Verfügung gestellt und erst auf die ihm am 29. Okt. von letzterer zugegangene Aufforderung, die Waare zu behalten und zu verkaufen, indem sie wegen des Preises schon mit einander übereinkommen würden, einen, wiewohl vergeblichen, Versuch gemacht, die Cigarren im Detailverkaufe abzusetzen. Da eine Einigung der Kontrahenten wegen Uebernahme der Waare zu geringeren Preisen nicht erfolgte, erhob die Handlung A. A. gegen N. N. auf Bezahlung des fakturirten Preises der sämmtlichen übersendeten Cigarren Klage, zu deren Begründung sie unter Anderem behauptete, die Bestellung habe sich auf 11,000 Stück erstreckt. Ueber diese letztere Behauptung legte das HG. Kempten der Klägerin Beweis auf, wogegen diese sich deshalb beschwerte, weil Verklagter nach seinem eigenen Zugeständnisse 3000 Stück Cigarren bestellt, das angeblich zu viel gesandte Quantum aber nicht zur Verfügung gestellt und daher stillschweigend genehmigt habe. Durch Urtheil des HAG. vom 9. Dezember 1864 wurde jedoch die erstrichterliche Beweisauflage bestätigt und in den Gründen bemerkt:

Durch die Dispositionsstellung der sämmtlichen Waaren wegen schlechter Beschaffenheit hat Verklagter sich genügend gegen die Annahme der darunter befindlichen nicht bestellten Quantität verwahrt, so daß aus der Art der Dispositionsstellung eine Genehmigung des übersendeten Mehrbetrages nicht gefolgert werden kann. Denn, wenn man eine nicht bestellte Waare überhaupt nicht zur Disposition zu stellen braucht, weil ja bezüglich ihrer ein Vertrag nicht vorliegt und im Allgemeinen keine Verpflichtung besteht, über Anträge bei Vermeidung der Annahme des Einverständnisses Erklärungen abzugeben, — wiewohl ein vorsichtiger Kaufmann auch unbestellte Waaren kaum ohne Notiz an den Absender bei sich liegen lassen wird, — so kann um so weniger daraus, daß der Verklagte mit der bestellten auch die unbestellte Waare wegen mangelhafter Beschaffenheit zur Verfügung stellte, auf eine Genehmigung des die bestellte Waare um mehr als das Doppelte übersteigenden Ueberschusses geschlossen werden, da ja Verklagter hiernach bezüglich der unbestellten Waaren mehr that, als wozu er verpflichtet war. Einer besonderen Verwahrung gegen den Ueberschuß über die bestellte Quantität hätte es zur Wahrung der Rechte des Empfängers, selbst abgesehen von dem eben Bemerkten, schon deshalb nicht bedurft, weil ja Verklagter die ganze übersandte Quantität nicht annahm und zudem eine Trennung zwischen den bestellten und unbestellten Cigarren gar nicht möglich gewesen wäre, da Verklagter aus den übersendeten Cigarren sich nicht beliebig die bestellte Quantität hätte aussuchen dürfen.

Aber auch in dem Verkaufe der Cigarren nach erfolgter Dispositionsstellung kann im gegebenen Falle eine thatsächliche Genehmigung weder der bestellten Cigarren, noch der Mehrsendung über die bestellte Quantität gefunden werden; denn die klagende Handlung hat unter Zusicherung einer späteren Ausgleichung und sogar nöthigenfalls eines Preisnachlasses den Verklagten aufgefordert, den Verkauf aller Sorten fortzusetzen, und hat damit selbst die sonst aus dem Verkaufe der Waare entstehende Vermuthung, daß der Empfänger sie genehmigt habe, ausgeschlossen, da sie ein späteres Uebereinkommen wegen der zur Verfügung gestellten Cigarren in Aussicht stellte und den Verkauf der Cigarren ausdrücklich nicht nur gestattete, sondern dazu aufforderte. Demnach würde dem klagenden Hause, wenn es aus dem Verkaufe der Cigarren eine Genehmigung der Waare ableiten wollte, die Einrede des Betruges entgegen stehen, weil es selbst den Verklagten unter

Zusicherung nachträglicher Ausgleichung zum Verkaufe der Cigarren
veranlaßte. In der Vernehmlassung hat der Verklagte zwar angeführt,
er hätte sich Angesichts der Vertragsbedingung, daß Klägerin die
Cigarren zurücknehmen müsse, sobald sie seinen Gästen nicht conveni-
ren würden, gegen die Mehrsendung der Cigarren nicht weiter aufgehalten, allein die allgemeine Mißbilligung habe ihn veranlaßt, die
sämmtlichen Cigarren schleunigst zur Disposition zu stellen. Aber
auch hieraus kann eine Genehmigung des über die bestellte Quantität
gesendeten Quantums nicht gefolgert werden, weil Verklagter nicht
sagt, er habe sich über die Mehrsendung nicht aufgehalten, sondern
nur, er würde sich, wäre sie vertragsgemäß gewesen, nicht aufgehalten haben, woraus mit Nothwendigkeit folgt, daß er mit der Dispositionsstellung sich auch gegen den nicht bestellten Ueberschuß ver-
wahren und denselben zurückweisen wollte [1]).

(Kempten Reg.-Nr. 27.)

---

[1]) Die Einrede der Dispositionsstellung wird immer noch nicht richtig aufgefaßt und es ist zu wünschen, daß hier von Seite der Anwälte möglichst sorgfältig zu Werke gegangen wird. Das k. Handelsappellationsgericht hat in einem Erkenntnisse vom 18. Nov. 1864 (München l/J.
Nr. 361) die von dem k. Handelsgerichte München l/J. aufgestellte
Ansicht gebilligt, daß man im Hinblicke auf Art. 28 des a. d HG.
von einem Kaufmanne, welcher die Einrede der Dispositionsstellung
vorschützt, mit Grund die sofortige Vorlage einer Kopie der betreffenden
Korrespondenz verlangen könne. Wird insbesondere die Musterwidrigkeit einer Waare behauptet, so wird man von einem redlichen Kaufmanne erwarten können, daß er dem Gerichte die nöthigen Proben vorlegt oder doch den Unterschied thatsächlich genau angibt.
Jedenfalls genügt nicht die bloße Angabe, „sofort“ oder „ungesäumt“
zur Disposition gestellt zu haben; denn eine solche Behauptung enthält
(wie das obige Erkenntniß ausführt) lediglich ein dem Beklagten gar nicht
zustehendes Urtheil. Dieses Urtheil hat aber nur der Richter zu fällen
und nachdem das Gesetz keine bestimmte, nach Tagen, Wochen oder
Monaten ausgemessene Frist vorschreibt, innerhalb welcher dem Absender
die Anzeige geschehen muß, sonach die Beurtheilung der Rechtzeitigkeit
dem freien richterlichen Ermessen anheimfällt, so erhellt hieraus klar,
daß die Vertheidigung eines Beklagten die Zeit der Dispositionsstellung
bestimmt und genau angeben muß, wenn dieselbe nicht als ungenügend
substanzirt erachtet werden soll.

## CCXLIII.

Für Klagen auf Erfüllung sog. Firgeschäfte bildet die
Behauptung, es sei dem Säumigen unverzüglich das
Verlangen der Erfüllung angekündigt worden, einen
wesentlichen Bestandtheil. — Begriff der unverzüglichen
Anzeige.
A. d. HGB. Art. 357.

Am 5. April 1864 kamen A. A. und R. R. mit einander über=
ein, daß letzterer sofort am 3. Tage darauf, nämlich am 8. April
1864, für den vereinbarten Preis 60 — 70 Zentner Kleesaamen in
Bamberg zu liefern habe. R. R. hielt die Lieferfrist nicht ein, worauf
A. A. unter Vorbehalt seiner Schadenersatzansprüche auf nachträgliche
Erfüllung des Liefervertrages Klage gegen ihn erhob, welche jedoch
in der hier in Frage kommenden Beziehung nur die Behauptung ent=
hielt, Kläger habe sich wiederholt zur Zahlung des Kaufschillings er=
boten. Das Handelsgericht I. Instanz wies die Klage in angebrach=
ter Art zurück, weil nicht behauptet sei, daß Verklagter unverzüglich
nach Ablauf der Lieferfrist davon in Kenntniß gesetzt worden sei, es
werde auf nachträglicher Vertragserfüllung bestanden. Dieser Aus=
spruch wurde auf Berufung des Klägers, in welcher unter Anderem
auch geltend gemacht war, die Klagzustellung habe jene Anzeige ver=
treten, durch Urtheil des HAG. vom 16. Dezember 1864 aus nach=
stehenden Gründen bestätigt:

Da bedungen worden ist, daß die Waare an einem ganz nahen
Tage, genau zu einer festbestimmten Zeit, geliefert werden solle, so
kommt für Beurtheilung des vorliegenden Rechtsverhältnisses die Be=
stimmung des Art. 357 des HGB. in Anwendung. Hiernach ist die
Klage auf Erfüllung im Allgemeinen statthaft; denn nach Vorschrift
dieses Artikels kann der Käufer die Rechte, welche ihm gemäß Art. 354
zustehen, wozu auch das Recht auf Vertragserfüllung gehört, nach
seiner Wahl ausüben.

Das Gesetz schreibt jedoch ausdrücklich vor:

es muß jedoch derjenige, welcher auf der Erfüllung
bestehen will, — also hier der Kläger, — dies unverzüglich nach
Ablauf der Zeit dem anderen Kontrahenten anzeigen; unterläßt
er dies, so kann er nicht auf der Erfüllung bestehen[1].

---

[1] Das Motiv dieser Gesetzesbestimmung lag darin, dem nicht säumigen
Kontrahenten die Möglichkeit zu entziehen, auf Kosten des Säumigen

Hieraus folgt zweifellos, daß diese unverzügliche Anzeige als eine unerläßliche Voraussetzung des Rechtes, auf Vertrags=erfüllung zu klagen, vom Gesetze angesehen wird, weil nur durch den Rechtsakt unverzüglicher Anzeigeerstattung der Anspruch auf Vertragserfüllung gewahrt ist.

Durch jenen Schlußsatz des Art. 357 Abs. 1 ist somit die unver=zügliche Anzeigeerstattung als ein wesentliches Moment der Klage auf Vertragserfüllung erklärt, so daß (wenn Käufer diese Klage an=stellen will) die Behauptung, es sei dem Verkäufer „unverzüglich nach Ablauf der Lieferzeit beßfallsige Anzeige erstattet worden," einen absolut nothwendigen Bestandtheil dieser Klage bildet.

Ob diese Anzeigeerstattung eine unverzügliche im Sinne des Ge=setzes sei, ist dem richterlichen Ermessen anheimgegeben, und nach den Umständen des Falles zu beurtheilen.

Handelt es sich bei dem Vertragsabschlusse um Stunden und ist ein Börsengeschäft in Frage, so kann das Klagerecht auf Erfüllung schon dann verwirkt sein, wenn der auf nachträglicher Erfüllung be=stehende Kontrahent sich der ersten abgehenden Briefpost — statt eines Telegrammes — zu dieser Benachrichtigung bedient hat.

Das hier in Frage stehende Geschäft betrifft einen Handelsartikel, dessen Preis, namentlich im Frühjahre — zur Zeit der Aussaat — den größten Schwankungen unterliegt. Schon hieraus ergibt sich, daß dem säumigen Kontrahenten unter allen Umständen darum zu thun sein muß, mit erster Gelegenheit vom Gegenkontrahenten zu erfahren, ob die um einen oder einige Tage später ankommende Nach=lieferung vom Käufer noch werde angenommen oder zurückgewiesen werden. Zudem war ein festbestimmter Liefertag ausgemacht.

Wenn man nun auch, da ein eigentliches Börsengeschäft, wobei es sogar auf Stunden ankommen kann, hier nicht vorliegt, mit Rück=sicht auf die Natur des gegebenen Geschäftes den Käufer nicht als gehalten betrachten kann, dem Verkäufer die betreffende Erklärung augenblicklich, etwa mittelst der Drahtleitung, zukommen zu lassen, so folgt doch aus der Intention des Art. 357 unzweifelhaft, daß er ge=halten war, im Laufe des nächsten Tages, also am 9. April, die betreffende Erklärung auf dem sonst im Handelsverkehre üblichen Wege, also mittelst Post oder Eisenbahn, mündlich oder brieflich, zu=kommen, beziehungsweise an denselben abgehen zu lassen.

---

zu spekuliren und, je nachdem die verkaufte Waare im Preise steige oder sinke, seinen Entschluß zu mobilisiren. (Prot. S. 4600.)

Prüft man nun die vorliegende Klage vom 3./4. Mai l. Js. an der Hand dieser leitenden Grundsätze, so ergibt sich deren mangelhafte Substanzirung auf den ersten Blick, denn es ist klar, daß der diesbezügliche Satz, Kläger habe sich zur Zahlung des Kaufschillings wiederholt erboten, sowie die in der Berufungsschrift verfochtene Meinunn, selbst die am 21. Mai 1864 erfolgte Klagzustellung könne noch als unverzügliche Anzeigeerstattung angesehen werden, sich weder mit dem Wortlaute, noch mit der Absicht der einschlägigen Gesetzesbestimmung vereinbaren läßt. (Bamberg Reg.-Nr. 57.)

## CCXLIV.

### Begriff der die Haftpflicht des Frachtführers ausschließenden höheren Gewalt (vis major).
### A. d. HGB. Art. 395.

Schiffer N. N. zu Bamberg hatte im März 1863 von der Handlung A. A. zu Marktbreit eine größere Partie für verschiedene Häuser bestimmter und von der Absenderin bei der Versicherungsgesellschaft Agrippina versicherter Waaren zum Weitertransporte auf dem Maine und Donau-Main-Kanale übernommen. Am 21. März, Nachts 3 Uhr, stieß das mit den Waaren beladene Schiff auf der Strecke oberhalb Vierath (am Maine), nachdem es kaum 10 Minuten den Landungsplatz verlassen, mit einem auf der Thalfahrt begriffenen Floße derart zusammen, daß ein Stamm des letzteren im Schiffe stecken blieb und dieses nach einigen Minuten untersank. Die von dem Unfalle sofort in Kenntniß gesetzte Versicherungsgesellschaft zahlte an die Handlung A. A. die Versicherungssumme mit 6398 fl. 3 kr. aus, worauf der Prokuraträger der letzteren die Versicherungsgesellschaft in sämmtliche der Handlung A. A. wegen des in Frage stehenden Schadenfalles gegen Dritte zustehende Rechte mittelst notariell beglaubigter Urkunde einsetzte. Die Versicherungsgesellschaft, welche sofort nach dem Unfalle einen Theil der untergegangenen Waaren zu Tage hatte fördern und später verkaufen lassen, nahm nun ihrerseits gegen den Schiffer N. N. ihren Regreß. Dieser bestritt seine Haftpflicht aus dem Grunde, weil der Untergang des Schiffes, beziehungsweise die Beschädigung der Ladung durch höhere Gewalt erfolgt sei, indem an der Stelle des Zusammenstoßes der Main durch Wasserbauten mehr als anderwärts eingeengt, in Folge dessen die Strömung dort sehr stark und deshalb, obschon bei Führung des Schiffes alle einem Frachtführer obliegende Sorgfalt angewendet worden, ein Zusammenstoß unvermeidlich gewesen sei. Es wurde jedoch dieser Einwand in beiden Instanzen für unbegründet erklärt und in den Gründen des zweitrichterlichen Urtheiles vom 21. November 1864 bemerkt:

Wohl schließt das Vorhandensein einer höheren Gewalt (vis major) ihrer Natur nach jedes Verschulden des Frachtführers aus; allein nach der Vorschrift des Gesetzes darf nicht umgekehrt jedes beschädigende Ereigniß, dessen Eintritt außerhalb eines civilrechtlichen Verschuldens des Frachtführers liegt, nicht durch die Anwendung der einem ordentlichen Frachtführer obliegenden Sorgfalt abgewendet werden konnte, als höhere Gewalt mit der durch den Art. 395 festgesetzten, vom Ersatze befreienden Wirkung angesehen werden.

Dies ergibt sich klar und deutlich aus der Entstehungsgeschichte des bezeichneten Artikels.

In den Motiven zum preußischen Entwurfe des HGB. wurde zwar bemerkt, daß die strengere mit den Grundsätzen der gemeinrechtlichen actio de recepto übereinstimmende Haftpflicht des Schiffers dem bei sämmtlichen Frachtführern eintretenden praktischen Bedürfnisse allein entspreche, und daß die neueren Handelsrechte auch übereinstimmend den Frachtführer für alle Verluste und Beschädigungen des Gutes verantwortlich machen, nur mit Ausnahme derjenigen, welche von höherer Gewalt oder von eigenen Mängeln der Sache herrühren; allein der Begriff der höheren Gewalt wurde in dem auch der Beschwerde des Beklagten zu Grunde gelegten weiteren Sinne genommen, der Frachtführer war demzufolge gemäß Art. 310 des preußischen Entwurfes von seiner Verbindlichkeit befreit, wenn er beweisen konnte, daß er den Verlust oder die Beschädigung durch Anwendung der Sorgfalt eines ordentlichen Frachtführers nicht würde haben abwenden können, und jener Strenge, welche nach den Motiven durch das HGB. sanktionirt werden sollte, war durch Hereinziehung der Untersuchung über das Verschulden des Frachtführers, um zur Entscheidung über die Frage, ob höhere Gewalt vorhanden sei, zu gelangen, die Spitze abgebrochen. Gegen eine solche Auffassung des Begriffes von höherer Gewalt, gegen die Zulässigkeit einer Beweis-, resp. Gegenbeweisführung über die vom Frachtführer angewendete Sorgfalt oder etwaigen Unterlassungen und Versäumnisse desselben kämpfte bei den Konferenzverhandlungen die Mehrheit der Konferenzmitglieder, davon ausgehend, daß nur jenes den Grundsätzen des receptum folgende System den Bedürfnissen des Handelsverkehres entspreche, nach welchem lediglich der Nachweis höherer Gewalt den Frachtführer von seiner Haftverbindlichkeit für Verluste und Beschädigungen am Frachtgute befreie und die Untersuchung der Schuldfrage abgeschnitten werde, nach welchem somit das Vorhandensein höherer Gewalt nicht davon abhängig ist, daß der Frachtführer alle ihm als solchem obliegende Sorgfalt angewendet hat, sondern unter Zurückweisung jeder desfallsigen Untersuchung einzig und allein aus der Beschaffenheit des beschädigenden Ereignisses festgestellt werden soll. Vgl. Prot. Bd. II, S. 794; Bd. IX, S. 4692 u. ff.

Letztere Ansicht wurde schließlich zum Beschlusse erhoben und der Fassung des Art. 395 zu Grunde gelegt.

Nur bei einer Interpretation des Gesetzes in diesem Sinne findet auch der Art. 397 seine Erklärung.

Hier ist bestimmt, daß der Frachtführer für den Schaden haftet, welcher durch Versäumung der bedungenen oder üblichen Lieferzeit entstanden ist, soferne er nicht beweist, daß er die Verspätung durch Anwendung der Sorgfalt eines ordentlichen Frachtführers nicht habe abwenden können. Die Konferenzprotokolle Bd. II S. 801 ergeben klar, daß auf den Fall einer Versäumung der Lieferzeit das dem Art. 395 zu Grunde liegende strenge Prinzip nicht in Anwendung gebracht, vielmehr hier eine Untersuchung über die angewendete Sorgfalt zugelassen und die Befreiung von der Haftung für das vorliegende Versäumniß dann anerkannt werden wollte, wenn sich ergeben würde, daß der Frachtführer bei jenem Versäumnisse außer Verschulden sei. Die Bestimmung des Art. 397 wäre aber offenbar überflüssig, wenn auch im Falle des Art. 395 der Frachtführer unter der Voraussetzung der Anwendung der ihm obliegenden Sorgfalt befreit sein würde, oder das Gesetz würde sich zur Bezeichnung gleicher Befreiungsgründe ganz verschiedener Ausdrücke bedienen. Weder das Eine noch das Andere darf aber bei dem jeden Zweifel beseitigenden Inhalte der Protokolle angenommen werden; vielmehr ergibt das Dasein und die Fassung des Art. 397, daß derselbe eine Ausnahme von dem strengen Prinzipe des Art. 395 aufstellt, daß die Haftung des Frachtführers für Verluste und Beschädigungen am Frachtgute eine umfassendere sein soll, als seine Haftung für Versäumungen in der Lieferzeit; daß mithin, weil hier ausdrücklich die Untersuchung über die angewendete Sorgfalt zugelassen wurde, dieselbe im Falle des Art. 395 ausgeschlossen ist. Ein ähnliches Verhältniß besteht zwischen Abs. 1 und 2 des Art. 607.

Hiernach ist lediglich die Frage zu entscheiden, ob der beschädigende Vorgang, wie er von dem Beklagten in seiner Vernehmlaffung geschildert wurde, als höhere Gewalt im Sinne des Gesetzes aufzufaffen ist oder nicht.

Mag man nun hierunter ein unabwendbares Naturereigniß oder eine andere unwiderstehliche Gewalt verstehen, oder diefelbe mit Mittermaier's deutschem Privatrecht Bd. II §. 540 VIII als ein Ereigniß bezeichnen, welches der Frachtführer nicht vorhersehen und vermeiden konnte, in Ansehung beffen ihn auch keine Schuld trifft, so mangelt immerhin dem oben angeführten Vorgange die bezeichnete Qualität [1]).

(Bamberg Reg.=Nr. 48.)

## CCXLV.
### Begriff des im Falle des Verluftes oder der Befchädigung eines Frachtgutes zu erfetzenden gemeinen Handelswerthes.

#### A. b. HGB. Art. 396.

Die Verficherungsgefellfchaft A. forderte von dem Frachtführer N. N. Erstattung der Differenz zwischen dem fakturirten Werthe der angeblich durch fein Verschulden verdorbenen Waaren, für welche sie dem Eigenthümer die Verficherungsfumme ausgezahlt hatte, und dem Verkaufserlöfe nach Abzug der erfparten Fracht. Hiebei hatte sie jedoch zu den Fakturapreisen noch 10°/₀ geschlagen, weil so viel der muthmaßliche Gewinn des Beftellers der Waaren betragen haben würde. Der erftere Anspruch wurde nach gepflogener Verhandlung in I. Instanz als begründet und erwiesen erkannt, der Anspruch auf einen Zufchlag von 10°/₀ jedoch als unbegründet erachtet, welches Urtheil auf Befchwerde beider Theile [2]) am 21. November 1864 beftätigt wurde aus nachfolgenden Gründen:

---

[1]) Zur Begründung diefer Annahme wurde ausgeführt, daß, nach dem eigenen Vorbringen des Verklagten, das Schiff vom Landungsplatze an bis zu dem Orte, an welchem der Zufammenftoß ftattgefunden, nur eine kleine Strecke zurückgelegt haben könne, und daher die Schifführer vor der Abfahrt leicht über das Entgegenkommen anderer Fahrzeuge auf der fraglichen Strecke sich hätten vergewiffern können u. f. w.

[2]) Verklagter erachtete sich als befchwert, weil Unterrichter den gemeinen Handelswerth als erwiesen angenommen hatte, Kläger, weil fein Anspruch auf Erfatz von 10°/₀ über den Fakturawerth abgewiesen wurde.

Nach Art. 396 des HGB. ist im Falle der Beschädigung der Unterschied zwischen dem Verkaufswerthe des Gutes im beschädigten Zustande und dem gemeinen Handelswerthe zu ersetzen, welchen das Gut ohne diese Beschädigung am Orte und zur Zeit der Ablieferung gehabt haben würde, nach Abzug der Zölle und Unkosten, so weit sie in Folge der Beschädigung erspart sind.

Den gemeinen Handelswerth der beschädigten Waare am Orte und zur Zeit der Ablieferung hat Klägerin in ihrer Klage gar nicht näher dargelegt.

Sie gibt den Betrag des Erlöses aus dem Verkaufe der beschädigten Güter und den Fakturapreis derselben an, bemerkt zwar, daß hier nicht der Fakturawerth als Maßstab in Anwendung zu bringen sei, sondern jener Werth, den die einzelnen Güter ohne Beschädigung am Orte und zur Zeit ihrer Ablieferung gehabt haben würden, stellt aber diesen Werth nicht in bestimmten Ziffern auf, sondern bezeichnet ihn als jenen Betrag, um den diese Güter von den Bestellern an dem Orte ihres Handelsgeschäftes verkauft worden wären, und zwar im Detail, da dieselben zum Detailverkaufe bestimmt gewesen seien, und nimmt nun diesen Betrag beziehungsw. Werth ohne nähere Begründung um 10°/₀ höher an als den Fakturawerth. Eine solche Schadensersatzberechnung steht nicht im Einklange mit der Vorschrift des Art. 396. Der gemeine Handelswerth der Waare am Orte und zur Zeit der Ablieferung ist nicht der Preis, um welchen sie daselbst der Detailist verkauft, sondern der Preis, um welchen sie der Versender oder Empfänger am Orte und zur Zeit der Ablieferung sich verschaffen kann.

Diesen Preis hätte Klägerin angeben sollen, wenn sie glaubte, auf solchen eine den Fakturapreis übersteigende Forderung gründen zu können.

Der Zuschlag von 10°/₀ zu dem Fakturawerthe ist ein willkürlicher, in keiner Weise gerechtfertigter, und kann daher bei der Feststellung der Ersatzforderung nicht berücksichtigt werden. Um wie viel der gemeine Handelswerth am Orte und zur Zeit der Ablieferung den Fakturawerth übersteige, hat Klägerin anzuführen unterlassen; es kann daher der Berechnung der Ersatzforderung nur der von ihr angegebene, nach ihrer Behauptung geringere, Fakturawerth zu Grunde gelegt werden.

Daß der Fakturawerth ein höherer sei als der gemeine Handelswerth der Waare zur Zeit und am Orte der Ablieferung, wurde vom Beklagten überall nicht geltend gemacht, derselbe hat vielmehr in seiner Vernehmlassung selbst den Fakturawerth als Maßstab für die Schadensberechnung bezeichnet. Der Fakturawerth bedarf aber keines weiteren Beweises, denn dieser Werth ist eben kein anderer als der in der Faktura angegebene Preis der beschädigten Waaren, und der Inhalt der Faktura ist unbestritten.

Beklagter kann nicht nachträglich in der Berufungsinstanz auf den gemeinen Handelswerth der Waare zurückgehen und dessen Beweis von der Klägerin fordern, nachdem er in der Verhandlung selbst sich auf den Fakturawerth als Maßstab für die Ersatzberechnung berufen hat.

Wollte man aber auch annehmen, daß unter dem Ausdrucke „Fakturawerth" der gemeine Handelswerth der Waare verstanden werden sollte, so hat Erstrichter mit Recht den Widerspruch als ungenügend bezw. als nicht ernstlich gemeint bezeichnet.

Daß die durch den Beklagten verladene Waare einen Handelswerth gehabt habe, kann wohl vernünftiger Weise nicht bestritten werden; Klägerin hat diesen Werth unter Berufung auf die Preisansätze der Faktura speziell angegeben; wollte Beklagter die Richtigkeit dieser Ansätze mit Erfolg bestreiten, so mußte er anführen, welche derselben unrichtig und in wie weit dieselben unrichtig seien; eine Nichtanerkennung des Gesammtbetrages, eine Abläugnung des Fakturawerthes, der Richtigkeit des Vortrages der Klagebeilage 1 im Allgemeinen ist ein mangelhafter Widerspruch, dessen Ernstlichkeit durch die Art und Weise, wie er vorgebracht wurde, sofort widerlegt wird.

(Bamberg Reg.-Nr. 48.)

# Systematisches Register.

---

## I. Einführungsgesetz zum allgemeinen deutschen Handelsgesetzbuch.

Art. 6. S. 124.
Art. 7. S. 419.
Art. 25. 26. S. 103. 106. 171.
Art. 52. S. 373.
Art. 62 ff. (Zuständigkeit). S. 28. 109.
128. 189. 228. 244. 246. 266. 342.
346. 348. 393. 395. 412. 414. 450.
467. 471. 474. 487. 488. 492. 544.
546. 547. 555. 559. 565.

Art. 64 Abs. 2. S. 283.
Art. 67. S. 339. 475.
Art. 69. S. 525.
Art. 70 (Berufungssumme). S. 13.
17. 61. 65. 411.
Art. 75. S. 317.
Art. 76. S. 207.

## II. Allgemeines deutsches Handelsgesetzbuch.

Art. 1. S. 229.
Art. 4 (Kaufmann). S. 109. 124.
204. 348. 393. 395. 450. 471. 474.
492. 546. 547. 555.
Art. 7 (Handelsfrau). S. 548.
Art. 12 (Handelsregister). S. 268.
437.
Art. 16 (Firma). S. 103. 174. 380.
Art. 22. 24. S. 174.
Art. 34. 37 (Handelsbücher). S. 8.
41. 439. 478. 553.
Art. 47. 52 (Handlungsbevollmächtigte).
S. 140. 444. 495.
Art. 57 (Handlungsgehülfen). S. 555.
Art. 62. 64. S. 223.
Art. 86 (Handelsgesellschaften). S. 225.
Art. 96. S. 390.
Art. 99. S. 225.
Art. 102. S. 225.

Art. 105. S. 447.
Art. 111. S. 557.
Art. 112. S. 225.
Art. 137. 141. S. 377.
Art. 144. S. 375.
Art. 207 (Aktiengesellschaften). S. 268.
Art. 210. S. 181.
Art. 229. S. 380.
Art. 271 ff. (Handelsgeschäft). S. 109.
128. 189. 204. 228. 244. 342. 348.
393. 395. 412. 414. 450. 471. 474.
487. 488. 492. 544. 546. 547. 555.
559.
Art. 278. 279. S. 229.
Art. 283. S. 459.
Art. 291. S. 53.
Art. 294. S. 497.
Art. 298. S. 160.
Art. 301. S. 498.

Art. 310. S. 373.
Art. 318 ff. S. 452. 480. 483.
Art. 339 (Kauf). S. 562. 563.
Art. 342 (Preis). S. 313. 386. 457.
  464. 499. 561.
Art. 343. S. 331. 565.
Art. 347. S. 184. 243. 271. 275.
  383. 452. 495. 566.
Art. 354 ff. S. 275. 277. 331. 333.
  457. 459. 569.

Art. 363 (Commiſſionsgeſchäft). S. 179.
Art. 371. S. 173.
Art. 380 (Spedition). S. 501.
Art. 382. S. 461.
Art. 391 (Frachtgeſchäft). S. 280.
  501. 571.
Art. 396. S. 574.
Art. 407. S. 296.

## III. Allgemeine deutſche Wechſelordnung.

Art. 1. S. 96. 132. 133. 419. 363.
Art. 2. S. 1. 6. 67. 70. 122. 196.
  366.
Art. 3. S. 94.
Art. 4. S. 47. 50. 87. 90. 136. 166.
  167. 172. 217. 238. 262. 300. 301.
  312. 361. 362. 368. 417. 427. 532.
  534. 535.
Art. 6. S. 429.
Art. 7. S. 97. 217. 512.
Art. 8. S. 512.
Art. 10. S. 144 Anmerk. 199.
Art. 11. S. 97.
Art. 12. S. 46.
Art. 13. S. 515.
Art. 14. S. 537.
Art. 16. S. 88. 199. 537.
Art. 18. S. 137.
Art. 20. S. 99.
Art. 21. S. 217. 535.
Art. 23. S. 535.
Art. 24. S. 301.
Art. 29. S. 46. 78. 325.
Art. 30. S. 370.
Art. 31. S. 100. 137. 167.
Art. 41. S. 23. 88.
Art. 42. S. 219.

Art. 43. S. 45. 139. 168. 266. 517.
  301.
Art. 44. S. 23.
Art. 50 ff. S. 328.
Art. 62 ff. S. 328.
Art. 73. S. 336. 338. 339.
Art. 74. S. 144 Anmerk.
Art. 75. S. 94.
Art. 77. S. 505 Anmerk.
Art. 80. S. 292. 504.
Art. 81. S. 132. 133. 199. 363. 541.
Art. 82. S. 43. 85. 102. 163. 307.
  542.
Art. 83. S. 266. 523.
Art. 88. S. 421. 431. 371.
Art. 91. S. 302. 371.
Art. 93. S. 221. 510.
Art. 94. S. 304.
Art. 95. S 433. 508.
Art. 96. S. 46. 50. 87. 90. 99. 100.
  136. 166. 167. 172. 238. 262. 310.
  312. 361. 362. 368. 417. 427.
Art. 97. S. 221. 359.
Art. 98. S. 78. 199. 292. 336.
  339. 504.
Art. 99. S. 23. 517.

## IV. Prozeß.

A. Bayeriſche Wechſel= und Merkantilgerichtsordnung v. 1785.

Im Allgemeinen: S. 31. 51. 155. 284.    Umfang ihrer Gültigkeit.    S. 187.
  288. 399. 403. 408. 416. 469. 475.       306.

Cap. I. §. 1 S. 35. §. 7. S. 67. 78. 80. 370.
Cap. III. §. 1. S. 75. 143. 194. 315. §. 2. S. 241. 357. §. 3. S. 339. §. 4. S. 102. 163. 307.
Cap. V. §. 5. S. 155. 253. §. 7. S. 315. 403.
Cap. VIII. §. 5. S. 59.

Cap. IX. §. 1 S. 233. §. 3. S. 59. 255. §. 9. S. 67. 78.
Cap. X. §. 1. S. 403. §. 3. S. 306. 353. §. 5. S. 195. 355. §. 9. S. 1. 6. 31. 67. 70. 73. 126. 148. 157. 293. 295. 366. 404.
Cap. XI. §. 1. S 112. 130. 151. 157. 213. 528.

**B. Augsburger Wechselprozeß.**

Cap. X. §. 4. u. 5. S. 319.

**C. Preußischer Wechselprozeß.**

Berufungen. S. 56. 151. 322.    Intervention. S. 120.

**D. Nürnberger Handelsprozeß.**

Appellationsgerichtsordnung von 1802. §. 17. S. 231.
Taxordnung von 1803. Abschn. III. Ziff. 32. S. 17.

Handelsgerichtsordnung v. 1804. §. 14. S. 521. §. 20. S. 467. §. 33. S. 8. §. 59. S. 159.

**E. Gerichtsordnung von 1753.**

Cap. I. §. 8. S. 35. 206.
Cap. III. §. 3. S. 63. 523.
Cap. IV. §. 13. S. 25.
Cap. V. §. 6. S. 25. 191. §. 9. S. 25.
Cap. VI. §. 2. S. 351.
Cap. VIII. §. 4. S. 256. 260. §. 6. S. 35. 206.

Cap. XI. §. 5. S. 143. §. 8. S. 241.
Cap. XIII. §. 1. S. 75.
Cap. XIV. §. 9. S. 153.
Cap. XVIII. §. 3. S. 1. 293. 366. 409.
Cap. XIX. §. 20. S. 115. 118. 237. 250.

**F. Prozeßnovelle von 1819.**

§. 8. S. 351. 506.

**G. Prozeßnovelle von 1837.**

Subsidiäre Geltung. S. 83.
§. 19. (Spezieller Widerspruch) S. 77. 161. 519.
§. 24. S. 351.

§. 52. S. 25. 41. 63.
§. 58. 59. S. 13. 61.
§. 70. S. 213.

# Alphabetisches Register.

Die beigefügten Zahlen sind jedesmal die Seitenzahlen.

Abbruch, Kauf eines Gebäudes auf Abbruch und Weiterveräußerung der Materialien ist Handelsgeschäft, 412.

Abzug am Kaufpreis einer, wenn auch als vertragswidrig beanstandeten, Waare ist unstatthaft, 271.

Acceptant eines Wechsels, Klage gegen diesen auf Sicherheitsleistung, 325.

Acceptation eines Wechsels, Differenz zwischen dem Datum dieser und der Ausstellung, 535

— — — vor Beisetzung der Unterschrift des Ausstellers, 217. 537 Anm. 1.

Accord, Anschaffung von Baumaterialien zur Ausführung eines in Accord übernommenen Baues ist kein Handelsgeschäft, 492.

—, Aufführung ganzer Häuser in Accord oder Errichtung eigener Gebäude auf Spekulation macht einen Maurermeister nicht zum Kaufmann, 450.

Abhäsion, deren Zulässigkeit nach der bayer. Wechsel= und Merkantilgerichts= ordnung, 233.

Adresse bei eigenen Wechseln, 100.

Aechtheitsbeweis statt des Diffessions= eides des Beklagten, 75.

Aenderung der Prozeßart im Laufe des Rechtsstreites, 25.

Agenten, deren Befugnisse, 444.

Aktenauslösungsgebühren, 17.

Aktiengesellschaft, Bedeutung der Firmen= zeichnung bei einer solchen, 380.

—, Eintragung der Gerauten und sonstigen Beamten derselben in das Handelsregister, 268.

—, Sitz derselben, 181.

—, Zuständigkeit zur Eintragung der= selben in das Handelsregister, 181.

Allonge, deren Unterschied von einem auf dem Wechsel aufgeklebten Papier, 99 Anm. 2.

Amortisation eines abhanden gekomme= nen Wechsels, Kompetenz hiefür, 336.

Amortisationsverfahren, wegen eines abhanden gekommenen Wechsels, Pas= sivlegitimation in diesem, 338.

—, Umfang des Berufungsrechtes in diesem, 338.

—, Zuständigkeit in Wechselsachen, wenn bezüglich des eingeklagten Wechsels das Amortisationsverfahren eingeleitet ist, 339.

Androhung, vorherige, des Wechselarre= stes, 6.

Anerkenntniß einer Handelsschuld, keine Novation, 130 Anm. 1.

— —, handelsgerichtliche Kompetenz bei einem solchen, 128. 189.

Anerkenntniß einer Schuld als Verpflichtungsgrund, 497.

Angemessenheit des Kaufpreises, 466 Anm. 561.

Ankauf von Holz auf dem Stocke ist Handelsgeschäft, 559.

Anmeldung bereits vor dem 1. Juli 1862 durch Vertrag oder Erbgang erworbener Firmen zum Handelsregister, 103.

Anmeldefrist, Wiedereinsetzung gegen Ablauf der dreimonatlichen Frist zur Anmeldung bereits vor dem 1. Juli 1862 bestandener Firmen, 106.

—, Berechnung der in Art. 26 Abs. 2 des Einf.-Ges. zum ADHGB. vorgesteckten dreimonatlichen Frist, 108. Anm.

Annahme, unbeanstandete einer auf Bestellung von auswärts käuflich übersendeten Waare nebst Faktura, 184.

Annahmserklärung bezüglich eines Antrages, deren Rechtzeitigkeit, 483.

Antrag, dessen Unterschied von Auftrag, 480.

—, Rechtsverhältniß aus einem solchen zwischen Antragsteller und dem anderen Theile, 483.

—, Begriff der rechtzeitigen, ordnungsmäßigen Absendung der Antwort auf einen solchen, 483.

—, Umfang der Zulässigkeit des Widerrufes einer solchen, 483.

Antwort auf einen Antrag, deren rechtzeitige und ordnungsmäßige Absendung, 483.

Anweisung, Rechtsverhältniß aus einer solchen, 498.

Anzeige, die Unterlassung der Anzeige über den Befund der unbestellt zugesandten Waaren ist dem Empfänger unnachtheilig, 452.

Apotheker sind Kaufleute, 204.

Appellabilität im Kostenpunkte, deren Wirkung in Beziehung auf Devolution der Hauptsache an die II. Instanz, 13.

Appellation, selbständige, gegen ein das Restitutionsgesuch ohne weitere Verhandlung abweisendes Dekret, 41.

Arrangirte Schuldner, ein solcher kann sich auf die dem Kridar zustehende Rechtswohlthat des besseren Glückes nicht berufen, 118.

Arrestimpugnation und Justifikation, Termin hiezu nach der bayer Wechsel- und Merkantilgerichtsordnung, 81 Anm.

Arrestkosten, Maßstab für deren Festsetzung, 126. 295.

—, welche der Gläubiger für den inhaftirten Schuldner zu entrichten hat, Begriff derselben, 404.

Arrestmittel, Beschlagnahme von Pässen und Legitimationspapieren als solches, 80.

Arrestprivileg der Münchener Bürger, dessen Stattfinden im Wechsel- und Merkantilprozeß, 35.

— —, dessen Ausübung an Forderungen, 35.

Arrest, provisorischer, wegen noch nicht fälliger Wechselforderungen, 78.

Arrestverhängung, die Eigenschaft eines Ausländers für sich allein ist in Handelssachen kein Grund mehr dazu, 206.

Arrest vgl. Personalarrest.

Atzungskosten, Maßstab für deren Festsetzung, 126. 295.

Aufgeklebte und zerrissene Wechsel, deren Rechtswirksamkeit, 97.

Auflösung des Dienstverhältnisses zwischen Prinzipal und Handlungsgehilfen, 223.

Auftrag, Unterschied einer Handlungsvollmacht von einem gewöhnlichen Auftrage, 140.

Auftrag, dessen Unterschied von Antrag. 480.

Augsburger Wechselprozeß, Unstatthaftigkeit der Eideszuschiebung über die Einrede der Kompensation, 319.

Ausländer, die Eigenschaft eines solchen für sich allein ist in Handelssachen kein Grund mehr zur Verhängung eines Arrestes, 206.

Aussteller, bestimmte Angabe des Ausstellers einer Tratte, 534.

Ausstellung eines Wechsels, Differenz zwischen dem Datum dieser und der Annahme, 535.

Baar, Handel auf baar, ob zu vermuthen, 311 Anm.

Bäcker sind Kaufleute, 245.

—, Zuständigkeit der Handelsgerichte gegen diese, 394 Anm.

Bauaccordant ist als solcher nicht Kaufmann, 414 Anm.

Baumaterialien, deren Anschaffung zur Ausführung eines in Accord übernommenen Baues bildet kein Handelsgeschäft, 492.

Bereicherungsklagen nach Art. 83 der ADWO., Zuständigkeit der Handelsgerichte hiefür, 266.

Berufung, deren Zulässigkeit im preußischen Wechselprozesse, 151.

Berufungen der Klagspartei gegen Beschlüsse über Personalexekution sind an das Dasein der Berufungssumme gebunden, 411.

Berufung des Beklagten gegen den Bescheid auf Verfügung des Personalarrestes ist an die Berufungssumme nicht gebunden, 14 Anm.

— gegen die Verfügung der Einschaffung der gesperrten Gegenstände, 260. Anm.

— in der Exekutionsinstanz, 537.

— im Exekutivprozeß, 63.

Berufung im Wechselexekutionsverfahren nach preußischem Recht, 56.

Berufungsförmlichkeiten nach der bayer. Wechsel=und Merkantilgerichtsordnung, 59.

Berufungskosten, Verurtheilung des Beklagten in dieselben bei der auf Berufung des Klägers erfolgten Abänderung des erstrichterlichen Dekretes, 33 Anm.

Berufungsrecht im Wechselamortisationsverfahren, 338.

Berufungssumme, deren Vorhandensein ist nothwendig bei Berufung der Klagspartei gegen Beschlüsse über Personalexekution, 411.

—, deren Vorhandensein ist nicht erforderlich bei Berufung des Beklagten gegen den Bescheid auf Verfügung des Personalarrestes, 14 Anm.

—, nach bayer. Wechsel= und Merkantilprozeß, 13.

— in Handelssachen, die bereits vor dem 1. Juli 1862 anhängig geworden, 61.

— in Wechselsachen, 65.

—, Zusammenrechnung des Betrages der Haupt= und Nebensache, 61.

Berufungszulässigkeit nach preußischem Wechselprozeß, 322.

Berufung, Zulässigkeit selbständiger Berufung gegen ein Dekret, wodurch der Antrag auf Einleitung des bedingten Mandatsverfahrens ohne Weiteres abgewiesen wurde, 25

—, Unstatthaftigkeit derselben in Wechselsachen nach dem Nürnberger Wechselprozeß, 231.

—, Unzulässigkeit derselben, wenn der Erstrichter der provisorischen Arrestverhängung auf ergriffene Remonstration inhärirt hat, nach bayer. Wechsel= und Merkantilgerichtsordnung, 81 Anm.

Bescheinigung der Klage im Verfahren nach der bayer. Wechsel- und Merkantilgerichtsordnung, 54. 155.

Bescheinigungsmittel, beglaubigter Buchauszug als solches, 25.

Beschlagnahme einer zu hoffenden Erbschaft, 353.

— von Pässen und Legitimationspapieren als Arrestmittel, 80.

Beschwerdesumme bei Berufungen gegen Erkenntnisse der Handelsgerichte, 17.

Besicht, Kauf auf Besicht, 563.

Besseres Glück, der Nachweis desselben ist in Handelssachen nicht Erforderniß der Ausklagung eines verganteten Schuldners, 115.

—, ein arrangirter Schuldner kann sich auf die Rechtswohlthat des besseren Glückes nicht berufen, 118.

—, Zuständigkeit bei Nachforderungen wegen eingetretenen besseren Glückes des Gantirers, 236. 250.

Bestellt zugesandte Waaren, bei solchen vertritt die blose Rücksendung nicht die Stelle der Dispositionsstellung, 452. 495 Anm. 2.

Bestellung, unbeanstandete Annahme einer auf Bestellung von auswärts käuflich übersendeten Waare nebst Faktura, 184.

— einer zu einem gewissen Preise zu liefernden Sache, 480.

Bevollmächtigte, Einsichtnahme von Geschäftsbüchern des Prozeßgegners durch solche oder mit solchen, 8.

—, Haftung dessen, welcher einen Wechsel in Vollmacht eines andern ausgestellt hat, 508.

Beweiskraft kaufmännischer Bücher bezüglich der käuflichen Bestellung und Preisverabredung, 553.

— —, gegen Nichtkaufleute, 553.

Beweislast bei Forderungen aus einer kaufmännischen Geschäftsverbindung, 53.

Bier, Einrede des Wirthes. „schlechtes“ Bier empfangen zu haben, 243 383.

Bierlieferungsvertrag, Geltendmachung von Entschädigungsansprüchen Seitens des Wirthes aus einem solchen, 383.

Blankogiro, dessen Ausfüllung durch den Blankoindossatar, 515.

—, dessen Unterschied von Procuraindossament, 46.

—, Legitimation des Anwaltes durch ein solches zur Einklagung des Wechsels, 46.

Blankoindossatar, dessen Befugniß zur Ausfüllung des Blankogiro, 515.

Blanquet, Setzung des Acceptes auf ein Wechselblanquet, 217. 427 Anm.

Blanquet-Einrede, 427.

Böser Glaube, Einreden gegen den Wechselinhaber auf Grund seines bösen Glaubens, 85.

Buchauszüge, beglaubigte, als Bescheinigungsmittel, 25.

—, Nichtanerkennung eines der Klage beiliegenden Buchsauszuges vertritt nicht die Stelle speziellen und bestimmten Widerspruches, 161.

—, Unwirksamkeit einer allgemeinen Erklärung der Nichtanerkennung des zur Begründung einer Forderung mit der Klage vorgelegten Buchauszuges, 77.

—, Verpflichtung des Beklagten zur speziellen Angabe seiner Erinnerungen gegen die in einem Buchauszug aufgeführten einzelnen Posten, 77.

Bücher, kaufmännische, deren Beweiskraft, 439.

Bürgschaften der Frauen und Ehefrauen, deren Formen finden auf das Wechselrecht keine Anwendung, 133.

—, Zuständigkeit der Handelsgerichte für Klagen gegen Nichtkaufleute aus Bürgschaften für Handelsschulden, 488.

Bürgschafterklärung auf der Rückseite einer Tratte, 541.

Casstertage f. Kasstertage.

Caution, Einrede des Mangels derselben, deren Wirkung auf die Einlassung. 351.

Commissionär, dessen Recht auf Honorar, 173.

Commissionsbücher, deren Beweiskraft, 439.

Commissionshandel, Limitum bei diesem, 179.

Compensationseinrede, die Eideszuschiebung hierüber ist nach Augsburger Wechselprozeß unstatthaft, 319.

Competenz, siehe Zuständigkeit.

Concurrenz mehrerer Gerichte, 246.

Concurs, Personalhaft während desselben, 56.

Concurseröffnung, Einfluß derselben auf das Wechselexekutionsverfahren, 151.

— über das Vermögen eines Wechselschuldners steht der Geltendmachung und Liquidstellung wechselrechtlicher Ansprüche gegen ihn vor dem Handelsgerichte nicht im Wege, 112.

Correkturen, Einfluß von Correkturen an dem im Wechsel vorkommenden Namen des Remittenten, 47.

Creditzeit, stillschweigendes Uebereinkommen einer solchen, 211 Anmerkung.

Darlehensklagen gegen Kaufleute, handelsgerichtliche Competenz hiefür, 342.

Datum der Ausstellung und des Acceptes eines Wechsels, Differenz zwischen beiden, 535.

Delegation durch den Oberrichter, deren Voraussetzung, 525.

Deposition der Wechselsumme bei Gericht statt Zahlung ist unstatthaft, 506.

Diebstahl, Haftung des Frachtführers hiefür, 280.

Dienstverhältniß zwischen Prinzipal und Handlungsgehilfen, dessen Auflösung, 223.

Diffessionseid des Beklagten, Aechtheitsbeweis statt dessen, 75.

Diffessionseid, dessen Ableistung in Credulitätsform durch die Erben eines Wechselschuldners, 356.

—, dessen Formel nach bayer. Wechsel- und Merkantilprozeß, 241.

—, Vertretung des Wechselbeklagten bei dessen Ableistung, 75.

Dispositionsstellung, 186 Anmerkung.

— an Geschäftsreisende, 495.

— bei Mehrsendung, 566.

— bei nicht vollständig erfolgter Lieferung, 275.

— deren Einfluß auf den Vertrag, 277 Anm. 1.

— einer Waare wird durch deren spätere Weiterveräußerung aufgehoben, 274 Anm. 2.

— wird nicht ersetzt durch bloße Rücksendung einer auf Bestellung gelieferten Waare, 452.

—, Zeit derselben, 568 Anm.

Domizilwechsel, 301.

—, Benennung eines Domiziliaten durch die Bezeichnung: „zahlbar bei R. R." 168.

—, einfache, bei solcher ist Protesterhebung zur Erhaltung des Wechselrechtes gegen den Acceptanten nicht erforderlich, 139.

—, Nothwendigkeit der Protesterhebung zur Erhaltung des Wechselrechtes gegen den Acceptanten im Falle der Identität des Trassanten und Domiziliaten, 168.

— ohne Benennung eines Domiziliaten, Protestirung desselben, 517.

Editionsanträge, deren Zulässigkeit im Merkantilprozeß, 41.

Editionsberechtigter, Befugniß desselben zur Einsichtnahme von Geschäftsbüchern des Gegentheils, einen Sachverständigen beizuziehen oder zu bevollmächtigen, 8.

Editionspflicht, Umfang derselben, 8.

Editionspflicht, Umfang derselben in Beziehung auf Handelsbücher, 478.

Ehefrau, deren Berufung auf die weiblichen Rechtswohlthaten, 138.

—, deren Haftung aus der Mitunterschrift eines Wechsels ihres Ehemannes, 363.

— eines Kaufmanns, Competenz der Handelsgerichte bezüglich derselben, 189.

— —, Wechselarrest gegen dieselbe, 196.

— —, Haftung der zu offenem Kram sitzenden Ehefrau, deren Personalarrestfähigkeit, 548. 551 Anm. 2.

—, Wechselausstellung von Seite einer solchen, 96. 365.

Ehrenzahler, dessen Rechte und Pflichten, 328.

Eideszuschiebung über dilatorische Einreden nach bayer. Wechselprozeß. 102.

— über die Einrede der Compensation nach Augsburger Wechselprozeß, 319.

Einreden, das bloße Anmelden solcher ersetzt im bedingten Mandatsprozeß die wirkliche Geltendmachung nicht und ist kein Grund zur Zurücknahme des Mandates, 191.

Einrede der Compensation, Eideszuschiebung hierüber nach Augsburger Wechselprozeß unstatthaft, 319.

— der Prolongation eines Wechsels, wenn sie auf dem Wechsel nicht bemerkt ist, 102.

— der Zahlung im Wechselprozeß, 542.

— des Ausstellers eines eigenen Wechsels, dem letzteren habe es zur Zeit der Unterzeichnung noch an der Angabe der Summe gefehlt, 427.

Einreden im Wechselprozeß, 307.

—, dilatorische, Eideszuschiebung über solche nach bayer. Wechselprozeß, 102.

—, peremtorische, Eideszuschiebung über solche nach bayer. Wechselprozeß, 102.

— gegen den Wechselinhaber auf Grund seines bösen Glaubens, 85.

Einreden im Wechselprozeß, Unzulässigkeit solcher aus dem dem Wechsel unterliegenden Rechtsverhältniß, 43.

—, welche die Vermögensexekution betreffen, gegen den die Sperre androhenden Zahlungsbefehl, 214 Anmerkung 1.

Einrede mangelnder Kaution, deren Wirkung in Beziehung auf die Einlassung, 351.

Einschaffung der gepfändeten Mobilien bei gestellter Interventionsklage, 257. 258 Anm.

—, Berufung dagegen, 260 Anm.

Entschädigungsansprüche auf Grund der Nichterfüllung von Lieferverträgen, 459.

— des Käufers wegen Lieferungsversäumniß des Verkäufers, 277.

Erben eines Kaufmanns, Zuständigkeit der Handelsgerichte gegen diese, 246.

Erbschaft, Beschlagnahme einer zu hoffenden, 353.

Erekution an Forderungen nach der bayer. Wechsel- und Merkantilgerichtsordnung, 195. 355.

— an Mobilien, deren Vollzug nach Nürnberger Handelsprozeß, 257 Anm. 258 Anm.

—, Einfluß der Intervention auf dieselbe, 120. 256. 260.

Erekutionseinreden, Recht des Unterrichters zur Würdigung derselben, 153.

Erekutionsinstanz, Berufung in derselben, 537.

Erekutionsstadium, Kontirung der Taren in diesem auf den Beklagten, 33 Anm.

Erekutionsverfahren, Kosten in diesem sind regelmäßig sofort vom Verklagten zu erheben, 408.

Erekutivprozeß auf Grund eines präjudizirten Wechsels, 523.

—, Berufung in diesem, 63.

—, dessen Zulässigkeit nach der Nürnberger Handelsgerichtsordnung, 520.

Exekutivprozeß, dessen Zulässigkeit durch Bestimmung der Zahlungszeit in der Urkunde nicht bedingt, 63 Anm. 2.

Exekutorische Urkunden, das in Art. 87 des Not.-Ges. bezüglich dieser vorgeschriebene Verfahren findet auch im Gebiete der bayer. Wechsel- und Merkantilgerichtsordnung auf Handelssachen Anwendung, 399.

Fälligkeit einer Leistung zur Zeit des Urtheils, die zur Zeit der Klagstellung noch nicht fällig war, 211.

Faktura, deren Beweiskraft gegen den Verkäufer, 464.

—, deren unbeanstandete Annahme bei käuflicher Lieferung bestellter Waaren, 184.

Firma, bereits vor dem 1. Juli 1862 durch Vertrag oder Erbgang erworbene, deren Anmeldung zum Handelsregister, 103.

— der Apotheker, deren Eintragung in das Handelsregister, 204.

—, Fortführung der Firma einer aus zwei Theilhabern bestehenden offenen Handelsgesellschaft, falls einer derselben austritt und der andere das Geschäft unter Uebernahme der Aktiva und Passiva allein fortsetzt, 174.

Firgeschäft, Klage auf Erfüllung desselben, 569.

Flucht des Schuldners als Arrestgrund, 78.

Forderungen, Exekution an solchen nach bayer. Wechsel- und Merkantilgerichtsordnung, 195. 355.

Frachtbriefe, deren Bedeutung, 280.

Frachtführer, dessen Haftpflicht, 571.

—, dessen Haftung bei Diebstahl, 280.

—, dessen Haftung bei höherer Gewalt, 282 Anm.

Fristen- und Nachlaßgesuch, Einfluß eines an dem ordentlichen Richter angebrachten auf die von Handelsgerichten anhängigen Streitsachen, 130. 213.

Fristverlängerung im Exekutivprozeß der bayer. Wechsel- und Merkantilgerichtsordnung, 194.

— im Wechselprozeß, 288.

— im Nürnberger Handelsprozeß, 467.

— im bayer. Wechsel- und Merkantilprozeß, 253.

—, Folgen der Verwerfung derselben im bayer. Wechsel- und Merkantilprozeß, 315.

Gant, die Erkennung derselben über das Vermögen eines Wechselschuldners steht der Geltendmachung und Liquidstellung wechselrechtlicher Ansprüche gegen denselben vor dem Handelsgerichte nicht im Wege, 112.

Gantgericht, Verhältniß des Handelsgerichtes zu diesem, 528.

Gebäude, Ankauf solcher behufs Abbruch und Weiterveräußerung der Materialien ist Handelsgeschäft, 412.

Geldempfangnahme durch Agenten, 444.

Gerber sind Kaufleute, 474.

Gerichtsablehnende Einrede im Wechsel- und Merkantilprozeß, 284.

Gerichtsordnung, bayerische, findet bei der Wechsel- und Merkantilgerichtsordnung von 1785 keine subsidiäre Anwendung, 40 Anm. 4.

Geschäftsbücher, Einsichtnahme von Geschäftsbüchern des Prozeßgegners mit einem Sachverständigen oder durch einen dazu bevollmächtigten Sachverständigen, 8.

—, gemeinschaftliche Urkunden für Prinzipal und Handlungsreisenden, 11.

Geschäftsreisende, Dispositionsstellung an diese, 495.

Geschäftsverbindung, kaufmännische, Beweislast bei Forderungen aus einer solchen, 53.

Gesellschafter, deren Rechte aus den von einem Gesellschafter für eigene Rechnung gemachten Geschäften, 390.

Gesellschafter, deren Befugnisse in Bezug auf das gemeinschaftliche Vermögen nach eingetretener Liquidation, 375.

Gesellschaftsverhältnisse, Zuständigkeit der Handelsgerichte bei Streitigkeiten aus solchen, 346.

Gewalt, höhere, deren Begriff bei der Haftpflicht des Frachtführers, 571.

Gewerbsrechte, vertragsmäßig festgestellte, handelsgerichtliche Zuständigkeit bei Streitigkeiten über Ausübung und Umfang derselben, 467.

Glück, besseres, dessen Nachweis ist in Handelssachen nicht Erforderniß der Ausklagung eines verganteten Schuldners, 115.

—, ein arrangirter Schuldner kann sich auf die Rechtswohlthat des besseren Glückes nicht berufen. 118.

—, Zuständigkeit bei Nachforderungen wegen eingetretenen besseren Glückes, 236. 250.

Goldschläger sind Kaufleute, 555.

Handelsbücher, deren Beweiskraft, 439.

—, deren Beweiskraft gegen Nichtkaufleute, 553.

—, deren Beweiskraft für den Nichtabschluß eines Geschäftes, 478.

—, deren Beweiskraft bezüglich der käuflichen Bestellung und der Preisverabredung, 553.

—, Umfang des Editionspflicht in Beziehung auf dieselben, 478.

Handelsgerichte, deren Zuständigkeit, 244.

— —, Unanwendbarkeit des forum accessorium, 189.

— — für alle Wechselsachen, 56.

— — in Beziehung auf Sachen, die vor dem 1. Juli 1862 rechtshängig waren, 28.

— —, bei Klagenkumulation, 283.

Handelsgerichte, deren Zuständigkeit bei Bereicherungsklagen nach Art. 83 der ADWO., 266.

— — gegen die Erben eines Kaufmannes, 246.

— — in Sachen von nicht über 150 fl., 246

— — bei vorliegendem Anerkenntniß einer Handelsschuld, 128. 189.

— — für Darlehensklagen gegen Kaufleute, 342.

— — bezüglich der Ehefrau eines Kaufmannes, 189.

— — für Klagen gegen Nichtkaufleute aus Bürgschaften für Handelsschulden 488.

— — gegen Kürschner, 394 Anm.

— — gegen Bäcker, 394 Anm.

— — gegen Schäffler, 393.

— — gegen Wirthe, 109.

— — hinsichtlich des Betriebes einer Lohmühle durch Gerber, 474.

— — gegen Verpächter realer Gewerbsrechte aus deren Gewerbsbetrieb, 547.

— — in Werkverdingungsverträgen, 487.

— — bei Streitigkeiten zwischen Kaufleuten und Lehrlingen, 555.

— — — zwischen Kaufleuten und Kaufleuten, 544

— — — unter Kaufleuten über ihr Rechtsverhältniß aus einem nicht acceptirten Kaufoffert, 414.

— — — aus Gesellschaftsverhältnissen, 346.

— — —, deren Zuständigkeit bei Streitigkeiten über Ausübung und Umfang vertragsmäßig festgestellter Gewerbsrechte, 467.

— — — zwischen Wirthen und ihrem Geschäftspersonale, 471.

—, deren Unzuständigkeit für den Verkauf von Waaren nach Art. 343 Abs. 2 des ADHG., 565.

Handelsgerichte, deren Unzuständigkeit in Streitsachen über Speculationsgeschäfte mit Immobilien, 348.

—, deren Verhältniß z. den Gantgerichten, 528.

Handelsgeschäft, dessen Begriff, 128.

— ist der Ankauf eines Gebäudes auf Abbruch und Weiterveräußerung der Baumaterialien, 412.

Handelsgesellschaft, Vertragsabschluß für Rechnung eines solchen, dessen Wirkung für den einzelnen Gesellschafter in Bezug auf dessen Verhältniß zu Dritten, 225.

—, offene, Vollmachtausstellung Seitens einer solchen, 557.

— —, Fortführung der Firma einer aus zwei Theilhabern bestehenden offenen Handelsgesellschaft, falls einer derselben austritt und der andere das Geschäft unter Uebernahme der Aktiva und Passiva allein fortsetzt, 174.

Handelsgesellschafter, Umfang und Art der Rechnungslegung unter solchen, 447.

Handelsregister, Anmeldung bereits vor dem 1. Juli 1862 durch Vertrag oder Erbgang erworbener Firmen zum Handelsregister, 103.

—, Einträge in dasselbe im Allgemeinen, 268.

—, Eintragung der Firmen der Apotheker in dasselbe, 204.

—, Eintragung von Geranten und sonstigen Beamten der Aktiengesellschaften, 268.

—, Zeugnisse über das Nichtbestehen gewisser Einträge in diesem, 437.

Handelssachen, Zeitpunkt, nach welchem zu beurtheilen ist, ob eine Sache Handelssache sei, 30. 228.

Handelswerth, gemeiner, Begriff desselben bei Verlust oder Beschädigung eines Frachtgutes, 574.

Handlungsgehilfe, Auflösung des Dienstverhältnisses zwischen diesen und dem Prinzipal, 223.

Handlungsvollmacht, Inhalt und Umfang derselben, 140.

—, Unterschied von einem gewöhnlichen Auftrag, 140.

Haussohn, Einrede des SC. Macedonianum schützt denselben nicht gegen Bezahlung einer übernommenen Wechselverbindlichkeit, 132.

Holz, Ankauf von solchem auf dem Stocke ist Handelsgeschäft, 559.

Immission in Immobilien, Zulässigkeit derselben nach der bayer. Wechsel- und Merkantilgerichtsordnung, 355.

Immobilien, Spekulationsgeschäft mit solchen, Unzuständigkeit der Handelsgerichte hiefür, 348.

Immobiliarexekution in Handels- und Wechselsachen, Umfang der stadt- und landgerichtl. Kompetenz bei solcher, 316.

Indossament auf dem auf einem Wechsel aufgeklebten Papier, 97.

Indossant, dessen Rechte nach Einlösung des Wechsels, 537.

Indossirung eines eigenen Wechsels von Seite des Remittenten auf einen der Mitaussteller desselben, 199.

— — eines eigenen Wechsels durch einen Wechselunfähigen, 94.

Intervention, deren Einfluß auf die Exekution, 120. 256. 260.

Interventionsklage, deren Stellung hindert nicht die Einschaffung der gepfändeten Mobilien, 257. 258 Anm.

Kassiertage, deren Einfluß auf die Protestschrift, 510.

Kauf auf Besicht, 563.

Kaufmann, nach welchem Gesetze ist zu beurtheilen, ob Jemand im Gebiete des preußischen Landrechtes Kaufmann ist, 124.

Kauffoffert, nicht acceptirtes, handelsgerichtliche Zuständigkeit bei Streitigkeiten unter Kaufleuten aus einem solchen, 414.

Kaufpreis, Abzug am Kaufpreise einer wenn auch als vertragswidrig beanstandeten Waare ist unstatthaft, 271.

—, dessen Bestimmung, 386.

—, dessen Angemessenheit, 561.

—, Bedeutung der Beweisauflage, daß der Kaufpreis bedungen oder üblich sei, 464.

—, dessen Zahlung bei ratenweiser Lieferung einer Quantität fungibler Sachen, 457.

—, dessen Zahlung, sobald der Käufer seinerseits die Waare an Dritte veräußert haben werde, 313.

—, Verabredung der Bezahlung „nach Belieben und Möglichkeit", 499.

—, Mangel einer ausdrücklichen Stipulation, 386.

Klage auf Sicherheitsleistung gegen den Acceptanten eines traffirten oder den Aussteller eines eigenen Wechsels, 47.

Klagenkumulation. Zuständigkeit der Handelsgerichte bei solchen, 283.

Klagsbescheinigung nach dem bayer. Wechsel- und Merkantilprozeß, 54. 155.

Kosten der Berufungsinstanz, Ueberbürdung derselben auf den Beklagten bei der auf Berufung des Klägers erfolgten Abänderung des erstrichterlichen Dekretes, 33 Anm.

— im Exekutionsstadium sind regelmäßig sofort vom Verklagten zu erheben, 408.

Kostenforderung, Einfluß der Präsentation des Wechsels auf diese, 23.

Kostenpunkt, Appellabilität in diesem und Devolution der Hauptsache an die II. Instanz, 13.

Kostenvorschuß, Pflicht dazu für den Personalarrest, 73.

Kreuze auf einem Wechsel statt der Unterschrift, 304.

Kündigungswechsel, deren Rechtsunwirksamkeit, 238. 240 Anm.

Kürschner, Zuständigkeit der Handelsgerichte gegen diese, 894. Anm.

Legitimationspapiere, Beschlagnahme derselben als Arrestmittel, 80.

Lehrlinge, Streitigkeiten zwischen Kaufleuten und diesen, handelsgerichtliche Zuständigkeit hiefür, 555.

Lieferungsversäumniß des Verkäufers, Entschädigungsanspruch des Käufers wegen derselben, 277.

Lieferverträge, Entschädigungsanspruch auf Grund der Nichterfüllung solcher, 459.

Limitum beim Commissionshandel. 179.

Liquidation, Befugnisse der Gesellschafter in Bezug auf das gemeinschaftliche Vermögen nach eingetretener Liquidation, 375.

Liquidator einer Gesellschaft, dessen Rechte, 377.

Litisdenuntiation im Wechselprozeß, 292.

— — ist im bayer. Merkantilprozeß nicht unbedingt ausgeschlossen, 416.

Lohnkutscher sind nicht Kaufleute, 546.

Macedonianischer Rathschluß. Einrede desselben schützt einen Haussohn nicht gegen die Bezahlung einer übernommenen Wechselverbindlichkeit, 132.

Mandatsprozeß, bedingter, in Handelssachen, 25.

— —, das blose Anmelden von Einreden ersetzt die wirkliche Geltendmachung nicht und ist kein Grund zur Zurücknahme des Mandates, 191.

— —, Zulässigkeit selbständiger Berufung gegen ein Dekret, wodurch der Antrag auf Einleitung des bedingten Mandatsprozesses ohne Weiteres abgewiesen wurde, 25.

Maurermeister wird durch Aufführung ganzer Häuser in Accord oder Errichtung eigener Gebäude auf Spekulation noch nicht zum Kaufmann, 450.

Mehrsendung, Dispositionsstellung hiebei, 566.

Merkantilprozeß, Zulässigkeit von Editionsanträgen in diesem, 41.

—, bayerischer, Litisdenuntiation in diesem nicht unbedingt ausgeschlossen, 416.

— —, Nothwendigkeit speziellen und bestimmten Widerspruches in diesem, 161.

Minderjährige Gewerbsleute, Wechselausstellung von Seite solcher, 419.

Mobiliarsperre wegen Wechselforderungen nach der Konkurseröffnung unzulässig, 113 Anm. 3. 157.

Nachforderung wegen eingetretenen besseren Glückes des Kribars, Zuständigkeit für dieselbe, 236. 250.

Nachklage, deren Vorbehalt im Wechselprozeß unnöthig, 506.

Nichtanerkennung eines der Klage beiliegenden Buchsauszuges vertritt nicht die Stelle des speziellen und bestimmten Widerspruches, 161. 519.

Novation einer Schuld durch Wechselausstellung, 266.

Nürnberger Handelsgerichtsordnung, deren Anwendung auf Nichtkaufleute, 31.

— —, Fristverlängerungen nach dieser, 467.

— Handelsprozeß, Zulässigkeit des Erekutivprozesses, 520.

— —, Remonstrationen in demselben, 159.

— —, Vollzug der Mobiliarexekution in diesem, 257 Anm. 258 Anm.

Nürnberger Wechselprozeß, Unstatthaftigkeit der Berufung in diesem, 231.

Offiziere, Personalexekution gegen diese, 148.

Originalwechsel, Nothwendigkeit der Uebergabe desselben mit der Klage, 434 Anm.

Ort der Unterschrift des Ausstellers auf einem eigenen Wechsel, 99.

Pässe, Beschlagnahme derselben als Arrestmittel, 80.

Personalarrest, dessen Unterschied vom Wechselarrest, 34. 68. 70.

—, dessen Voraussetzung nach der bayer. Wechsel- und Merkantilgerichtsordnung, 148.

—, nach GO. Cap. XXVIII §. 3 Nr. 7 durch verschuldete Unvermögenheit des Schuldners nicht bedingt, 409.

—, dessen Zulässigkeit in Handelssachen, 3. 6.

—, dessen Zulässigkeit wegen Wechselschulden, 70.

—, Pflicht zum Kostenvorschuß dafür, 73.

—, Spezialvollmacht zu dessen Beantragung nicht erforderlich, 3 Anm.

—, in Wechselsachen durch vorherige Durchmachung der Vermögensexekution nicht bedingt, 34 Anm. 5.

—, Berufung gegen den Bescheid auf dessen Verhängung an die Berufungssumme nicht gebunden, 14 Anm.

—, Nothwendigkeit des Vorhandenseins der Berufungssumme bei Berufungen des Klägers gegen Beschlüsse über denselben 411.

— gegen Nichtkaufleute, 31.

— gegen Offiziere, 148.

—, gegen die vom Wechselarrest nicht exrimirten Personen, 366.

Perſonalarreſt bei nicht vorhandener Wechſelarreſtfähigkeit des Wechſelſchuldners, 67.

— während des Konkurſes, 56. 113. 187.

— für Handelsſachen, deren Unzuläſſigkeit bei den Handelsgerichten desjenigen Gebietes, wo blos die bayer. Wechſelgerichtsordnung, nicht aber die bayer. Merkantilgerichtsordnung gilt, 34 Anm. 3.

— proviſoriſcher eines Wechſelverklagten bei nicht vorhandener Wechſelarreſtfähigkeit deſſelben, 80.

Perſonalarreſtfähigkeit der zu offenem Kram ſitzenden Ehefrau, 551 Anm. 2.

Pfand, kaufmänniſches, Verfahren bei Veräußerung eines ſolchen, 373.

— —, Zuſtändigkeit zur Einleitung des Verfahrens der Veräußerung deſſelben, 373.

Pfuſchmäkler, Verkauf von Waaren durch ſolche, 331.

Präjudizirter Wechſel, Exekutivprozeß auf Grund eines ſolchen, 523.

Präſentation des Wechſels, Ort derſelben, 302.

— —, Einfluß auf Zinſen und Koſtenforderung, 23.

— eines auf Sicht geſtellten Wechſels zur Annahme, 137.

— , Nothwendigkeit des Nachweiſes der Präſentation eines eigenen Wechſels zur Begründung der Klage aus dieſem, 23.

— , Nothwendigkeit urkundlichen Nachweiſes der Präſentation zur Begründung der Klage aus einem bei Sicht zahlbaren Wechſel, 100.

Preußiſches Recht, nach welchem Geſetz zu beurtheilen, ob Jemand im Gebiete des preußiſchen Landrechtes Kaufmann iſt, 124.

— —, Statthaftigkeit des Wechſelarreſtes im Gebiete deſſelben, 124.

Preußiſches Recht, Berufung im Wechſelexekutionsverfahren nach demſelben, 56.

— —, Einfluß der Intervention auf die Exekution nach demſelben, 120.

Preußiſcher Wechſelprozeß, Zuläſſigkeit der Berufung nach dieſem, 151. 322.

Prinzipal, Auflöſung des Dienſtverhältniſſes zwiſchen Prinzipal und Handlungsgehilfen, 223.

Privilegium Albertinum der Münchener Bürger, 35.

Prozeßart, Aenderung derſelben im Laufe eines Rechtsſtreites, 25.

Prozeßnovellen von 1819 und 1837, deren ſubſidiäre Geltung im Wechſelund Merkantilprozeß, 13. 16 Anm. 4 82.

Procuraindoſſament, deſſen Unterſchied vom Blankoindoſſament, 46.

Produzent iſt nicht Kaufmann, ſofern er nicht Anſchaffungen behufs Herſtellung ſeines Produktes macht, 397.

Prolongation, Einrede derſelben, wenn die Prolongation auf dem Wechſel nicht bemerkt iſt, 102.

Proteſt, Form des Wechſelproteſtes, 302.

— , Nothwendigkeit vollſtändiger Wechſelabſchrift in dieſem, 431.

— , Ergänzung eines mangelhaften Proteſtes durch anderweite Beweismittel, 371.

— , Ort der Proteſterhebung, 302.

— , Einfluß ſog. Kaſſiertage auf die Proteſtſchrift, 510.

— , Einfluß der Unmöglichkeit rechtzeitiger Proteſterhebung, 88.

— , Aufnahme der Bemerkung in benſelben, daß Proteſtat nicht anzutreffen geweſen, 421.

— , bei einfachen Domicilwechſeln iſt Proteſterhebung zur Erhaltung des Wechſelrechtes gegen den Acceptanten nicht erforderlich, 139.

Protest, Nothwendigkeit der Protester=
hebung bei Domizilwechseln zur Er=
haltung des Wechselrechtes gegen den
Acceptanten im Falle der Identität des
Trassanten und Domiziliaten, 168.
— bei domizilirten Wechseln ohne Be=
nennungeines Domiziliaten, 517.
—, Wechselklausel „ohne Protest", 219.
Provisorischer Arrest wegen noch nicht
fälliger Wechselforderungen, 78.
Provisorische Beschlagnahme, 537.

Ratenwechsel, Ungiltigkeit derselben, 87.
Ratenweise Lieferung einer Quantität
fungibler Sachen, Zahlung des Kauf=
preises bei derselben, 457.
Rechnungslegung unter Handelsgesell=
schaftern, deren Umfang und Art,
447.
Rechtswohlthaten, weibliche, Berufung
der Ehefrauen auf diese, 133
Reisende, Dispositionsstellung an solche,
495.
Remittenten, mehrere auf einem Wechsel,
90. 166.
Remonstrationen gegen einfache Dekrete
im Nürnberger Handelsprozeß, 159.
— im bayer. Wechsel= und Merkantilpro=
zeß, 153.
Restitution im Berufungsstadium bei
Wechsel= und Handelssachen, 255.
Restitututionsgesuche, subsidiäre Anwend=
ung der Prozeßnovellen von 1819 und
1837 auf Restitutionsgesuche im bay.
Wechsel= und Merkantilprozeß, 82.
—, selbständige Appellation gegen ein
das Restitutionsgesuch ohne weitere
Verhandlung abweisendes Dekret, 41.
Risse in einem Wechsel, 99 Anm. 1.
Rückforderung einer ohne Verpflicht=
ung gezahlten Wechselregreßsumme,
88.
Rücksendung einer auf Bestellung gelieferi=
ten Waare vertritt nicht die Stelle der
Dispositionsstellung, 452. 495 Anm. 2.

Sachverständige, Einsichtnahme von Ge=
schäftsbüchern des Prozeßgegners durch
solche oder mit solchen, 8.
—, Feststellung des Thatbestandes durch
diese, 296.
—, Rechtsmittel gegen Anordnung der
Feststellung des Thatbestandes durch
Sachverständige, 296.
Saldoforderung aus Speditionsgeschäften,
77.
Saumsal des Käufers, Rechte und Pflich=
ten des Verkäufers bei Saumsal des
Käufers, 331. 333.
Schaden wegen Nichtlieferung oder nicht
gehöriger Lieferung bestellter Waaren,
dessen Substantiirung, 386 Anm.
Schadensersatzklage, deren Begründung,
wenn der Verkäufer die Waare für
Rechnung des säumigen Käufers ver=
kauft, 331. 333.
Schuldanerkennung als Verpflichtungs=
grund, 497.
Schäffler, Zuständigkeit der Handelsge=
richte gegen diese, 393.
Sicherheitsleistung, Klage hierauf gegen
den Acceptanten eines Wechsels, 47.
325.
—, Klage hierauf gegen den Aussteller
eines eigenen Wechsels, 47.
Sichtwechsel, deren Unterschied von Kün=
digungswechseln, 240 Anm.
—, deren Präsentation zur Annahme,
137.
—, Nothwendigkeit urkundlichen Nach=
weises der Präsentation zur Begründ=
ung der Klage aus einem bei Sicht
zahlbaren Wechsel, 100.
Solidarobligation, aktive, im Wechsel=
rechte, 90. 93. Anm.
Specialvollmacht zur Beantragung des
Personalarrestes nicht erforderlich, 3.
Speculation, Errichtung eigener Ge=
bäude auf Speculation macht den
Maurermeister nicht zum Kaufmann,
450.

Spediteur, Umfang der Haftpflicht desselben, 501.

—, dessen Beweislast gegenüber Ansprüchen aus angeblicher Pflichtverletzung desselben, 461. 501.

Speditionsgeschäfte, Saldoforderung aus solchen, 77.

Sperre, Ladung des Klägers zu deren Vornahme, 306.

Steckbriefe gegen flüchtige Schuldner, 67. 293.

Stempelmarken, Unterschrift des Wechsels auf den nach den Landesgesetzen aufgeklebten Stempelmarken, 310.

Streitverkündigungen im Wechselprozeß, 292.

— im bayerischen Merkantilprozeß, 416.

Succumbenzgelder, 17.

Taxen im Exekutionsstadium, deren Kontirung auf den Kläger, 33 Anm.

Termin zur Wechselproduktion, dessen Bedeutung, 143.

Terminsverlegungen im Wechselprozeß unzulässig, 194.

Ueblichkeit des Kaufpreises, Beweisauflage hierüber, 466 Anm.

Uebung, rechtliche Bedeutung einer zwischen Kaufmann und Geschäftskunden längere Zeit bestandenen Uebung, 229.

Unbestellt zugesandte Waaren braucht der Empfänger nicht sofort zu untersuchen und den Befund dem Absender anzuzeigen, 452.

Unmöglichkeit rechtzeitiger Protesterhebung, Einfluß derselben, 88.

Unterschrift, Ort der Unterschrift des Ausstellers auf einem eigenen Wechsel, 99.

Untersuchung, deren Unterlassung bei unbestellt zugesandten Waaren ist dem Empfänger unnachtheilig, 452.

Unwirksamkeit einer allgemeinen Erklärung der Nichtanerkennung des zur Begründung einer Forderung mit der Klage vorgelegten Buchsauszuges, 77.

Urkunden mit der Vollziehbarkeitsklausel können auch über Handelsgeschäfte errichtet werden, 399.

Verfall, Klage auf Zahlung eines Wechsels vor dessen Verfall, 370.

Verjährter Wechsel, Klage aus einem solchen ist von Amtswegen abzuweisen, 504.

Verkauf einer Waare nach Art. 343 Abs. 2 des ADHGB., Unzuständigkeit der Gerichte dafür, 565.

Vermögensverwalter, Wechselausstellung von Seite eines solchen, 433 508.

Vertragsabschluß für Rechnung einer Handelsgesellschaft, dessen Wirkung für den einzelnen Gesellschafter in Beziehung auf dessen Verhältniß zu Dritten, 225.

Vertretung des Wechselbeklagten bei Ableistung des Diffessionseides, 75.

Verurtheilung zu Leistungen, die zur Zeit der Klagestellung noch nicht verfallen waren, 211.

Verwahrung gegen nicht selbständig appellable Dekrete nach bayer. Wechsel- und Merkantilgerichtsordnung nicht nothwendig, 145 Anm. 2.

Vollmacht einer offenen Handelsgesellschaft, 557.

Vollziehbarkeitsklausel, notarielle Urkunden mit dieser können auch über Handelsgeschäfte errichtet werden, 399.

Vorbehalt der Zurückgabe einer bestellten Waare, 562.

Vorverfahren nach der bayer. Wechsel- und Merkantilgerichtsordnung, 287 Anm.

Waarenschuld, Wechsel als Zahlungsmittel bezüglich einer solchen, 44.

Wechsel, Aufnahme der Bezeichnung „Wechsel" in den Text der Urkunde ist wesentlich, 361.

—, die Bezeichnung des Zahlungsjahres im Wechsel ist wesentliches Erforderniß desselben, 262. 533.

—, dessen Ausstellung durch einen Bevollmächtigten, 508.

— — durch einen Vermögensverwalter, 433.

—, dessen Acceptation vor Beisetzung der Unterschrift des Ausstellers, 217. 537 Anm. 1.

— mit Kreuzen statt der Unterschrift, 304.

—, bestimmte Angabe des Namens des Ausstellers gezogener Wechsel, 534.

— mit mehreren Remittenten, 90. 166.

— mit Zinsversprechen, 50. 87.

—, Klausel bei demselben „ohne Protest", 219.

—, Klausel bei demselben „zahlbar hier und aller Orten", 221. 360 Anm. 2.

—, Indossirung durch einen Wechselunfähigen, 94.

— an eigene Ordre, Rechtsverhältniß zwischen Aussteller und Indossatar, 429.

—, Ort der Unterschrift des Ausstellers auf eigenen Wechseln, 99.

—, Adresse bei eigenen Wechseln, 100.

—, Zahlungszeit desselben, 300.

—, Bestimmung der Zahlungszeit eines eigenen Wechsels, 532.

—, Zahlungszeit eines eigenen Wechsels, bestimmt mit „3 Wochen nachdem es verlangt wird", 238.

—, Bezeichnung der Zahlungszeit eines Wechsels mit „binnen 3 Monaten", 368.

—, Bezeichnung der Zahlungszeit desselben mit „an Michaeli (mit Angabe des Jahres)", 136.

— — mit „nach Verlauf von 14 Tagen", 312.

— — mit „14 Tage a. c.", 172.

Wechsel, Bezeichnung der Zahlungszeit desselben mit „in 3½ Monaten", 417.

— — mit „bis", 362.

—, Nothwendigkeit des Nachweises der Präsentation eines eigenen Wechsels für Begründung der Klage aus demselben, 23.

—, Indossirung eines eigenen Wechsels von Seite des Remittenten auf einen der Mitaussteller desselben, 199.

— auf Sicht, dessen Präsentation zur Annahme, 137.

— bei Sicht zahlbar, Nothwendigkeit urkundlichen Nachweises der Präsentation zur Begründung der Klage aus solchem, 100.

— „nach Sicht", gleichbedeutend mit „auf Sicht", 167.

— das Zahlungsmittel bezüglich einer Waarenschuld, 44.

— Klage auf Zahlung eines Wechsels vor Verfall desselben, 370.

—, zerrissene und auf Papier aufgeklebte, deren Wirksamkeit, 97.

—, Risse in solchen, 99 Anm. 1.

—, Amortisation eines abhanden gekommenen Wechsels, Zuständigkeit hiefür, 336.

— —, Berufungsrecht in diesem Verfahren, 338.

— —, Passivlegitimation in diesem Verfahren, 338.

—, verjährter, Klage aus einem solchen ist von Amtswegen abzuweisen, 504.

Wechselarrest, dessen Statthaftigkeit, 122. 124.

—, vorherige Androhung desselben, 6.

— gegen die Ehefrau eines Kaufmannes, 196.

—, dessen Zulässigkeit vor und neben der Vermögensexekution, 67.

—, dessen Statthaftigkeit nach bayer. Recht, 6.

Wechselarreftfähigkeit des Schuldners, nach welchem Zeitpunkt zu beurtheilen, 122.

—, deren Voraussetzungen nach bayerischem Recht, 196.

——, Zulässigkeit provisorischer Personalhaft bei nicht vorhandener Wechselarreftfähigkeit des Verklagten, 80.

Wechselausstellung, Novation einer Schuld durch dieselbe, 266.

— von Seite einer Ehefrau, 96. 365.

— von Seite minderjähriger Gewerbsleute, 419.

— von Seite eines procurator omnium bonorum, 433. 508.

Wechselbürge, dessen Haftung, 512. 541.

Wechselbürgschaft durch eine Erklärung auf der Rückseite einer Tratte, 541.

Wechselerekutionsverfahren, Berufung in diesem nach preuß. Recht, 56.

—, Einfluß der Concurseröffnung auf dasselbe, 151.

Wechselforderungen, provisorischer Arreft wegen noch nicht fälliger Wechselforderungen, 78.

Wechselinhaber, Einreden gegen denselben auf Grund seines bösen Glaubens, 85.

Wechselobligation, deren Verhältniß zum ursprünglichen Schuldverhältniß, 44.

Wechselprozeß, Einreden in demselben, 307.

—, Unzulässigkeit von Einreden und dem dem Wechsel unterliegenden Rechtsverhältniß, 43.

—, Fristverlängerungen in diesem, 288.

—, Litisdenuntiation in diesem, 292.

—, Terminsverlegungen in demselben, 194.

—, bayerischer, Eideszuschiebung über dilatorische und peremtorische Einreden, 102.

—, preußischer, Zulässigkeit der Berufung, 151.

Wechselprobuktionstermin, dessen Bedeutung, 143.

Wechselproteft, dessen Form, 302; s. auch Proteft.

Wechselrecht, das Versprechen „nach Wechselrecht zu zahlen" ersetzt nicht die Bezeichnung „Wechsel" in der Wechselurkunde, 361.

Wechselregreßsumme, Rückforderung einer ohne Verpflichtung gezahlten Wechselregreßsumme, 88.

Wechselsachen, Berufungssumme in solchen, 65.

—, Zuständigkeit der Handelsgerichte für alle Wechselsachen, 56.

Wechselsumme, Mangel der Angabe derselben zur Zeit der Unterschrift des Wechsels, 427.

Wechsel- und Merkantilgerichtsordnung, bayerische, deren Anwendung auf alle vor die Handelsgerichte gehörigen Handelssachen, 54.

—, deren Anwendung auf Nichtkaufleute, 31.

—, bei derselben findet die bayer. Gerichtsordnung keine subsidiäre Anwendung, 40 Anm. 4.

—, deren Anwendung in den zum vormaligen Herzogthum Neuburg gehörenden Gebietstheilen, 187. 469.

—, deren Geltung, 306.

—, Klagsbescheinigung beim Verfahren nach derselben, 54. 155.

—, Vorverfahren nach derselben, 287 Anm.

— protokollarisches Verfahren, 288 Anm.

—, Verfahren im Schriftenwechsel, 288 Anm.

—, Verfahren im Erekutivprozeß, 288 Anm.

—, Anwendung des gewöhnlichen Verfahrens derselben in Wechselsachen, 339. 475.

—, Folgen des Ungehorsams bezüglich der Abgabe der Schlußsätze, 403.

—, Fristverlängerung im Erekutivprozeß des Cap. III. derselben, 194.

39

Wechsel- und Merkantilgerichtsordnung, Berufungsförmlichkeiten nach derselben, 59.

—, Unzulässigkeit der Berufung, wenn der Erstrichter der provisorischen Arrestverhängung auf ergriffene Remonstration inhärirt hat, 81 Anm.

—, Zulässigkeit der Abhäsion nach derselben, 233.

—, Verwahrung gegen nicht selbständig appellable Dekrete nicht erforderlich, 145 Anm. 2.

—, Erekution an Forderungen nach derselben, 195. 355.

—, Zulässigkeit der Immission in Immobilien nach derselben, 355.

—, Voraussetzung der Personalerekution nach dieser, 148.

—, Termin zur Arrestimpugnation und Justifikation, 81 Anm.

—, Anwendung des cap. I §. 7 und cap. V §. 2. derselben, 80.

—, gerichtsablehnende Einreden, 284.

—, Begründung von Fristverlängerungsgesuchen, 253.

—, Remonstrationen, 153.

—, Folgen der Verwerfung von Fristverlängerungsgesuchen, 315.

—, Formel des Diffessionseides, 241.

Wechselunfähiger, Indossirung eines Wechsels durch einen solchen, 94.

Wechselunterschrift auf den nach dem Landesgesetze aufgeklebten Stempelmarken, 310.

Wechselverjährung, Verzicht auf diese ist rechtlich unwirksam, 505.

Weiterveräußerung einer zur Disposition gestellten Waare hebt die Dispositionsstellung auf, 274 Anm. 2.

Werkverdingungsverträge, handelsgerichtliche Zuständigkeit in solchen, 487.

Werthentsprechendheit des Kaufpreises, 387 Anm. 466 Anm. 561.

Widerruf eines Auftrages, 483.

Widerspruch, allgemeiner, der gegnerischen Behauptungen ist unwirksam, 519.

—, Nothwendigkeit speziellen und bestimmten Widerspruches im bayerischen Merkantilprozeß, 161.

Wiedereinsetzung gegen den Ablauf der in Art. 26 Abs. 2 des Einf.-Ges. zum ADHGB. vorgesteckten dreimonatlichen Frist, 106.

Wirthe sind Kaufleute, 471.

—, Zuständigkeit der Handelsgerichte bezüglich derselben, 109.

—, Einrede des Wirthes, „schlechtes“ Bier empfangen zu haben, 243. 383.

—, Streitigkeiten zwischen diesen und ihrem Geschäftspersonale, handelsgerichtliche Zuständigkeit hiefür, 471.

Wucher, Einrede des Wuchers im Wechselprozeß, 163.

Zahlung des Kaufpreises bei ratenweiser Lieferung einer gekauften Quantität fungibler Sachen, 457.

— — „nach Belieben und Möglichkeit“, 499.

— — sobald der Käufer seinerseits die Waaren an Dritte veräußert haben würde, 313.

Zahlungen, Vormerkung derselben auf dem Wechsel, 86.

— an den früheren Wechselinhaber, keine dem Schuldner unmittelbar gegen den klagenden Indossatar zustehende Einrede, 85. 144 Anm. 1.

Zahlungseinrede im Wechselprozeß, 542.

Zahlungsjahr, dessen Beziehung im Wechsel ist wesentliches Erforderniß desselben, 262. 533.

Zahlungsort eines Wechsels, dessen Bedeutung für den Gerichtsstand, 358.

— —, Bedeutung der Clausel „zahlbar hier und aller Orten“, 221. 360 Anm. 2.

Zahlungszeit bei Geschäften zwischen Großhändlern und Detaillisten, 211 Anm.

—, deren Bestimmung in der Urkunde zur Zulässigkeit des Exekutivprozesses nicht erforderlich, 63 Anm. 2.

— des Wechsels, 300.

— —, deren Bestimmung bei eigenen Wechseln, 532.

— —, deren Bestimmung bei eigenen Wechseln mit „3 Wochen nachdem es verlangt wird", 238.

— —, deren Bestimmung mit „bis", 362.

— — — mit binnen 3 Monaten, 368.

— — — mit „in 3½ Monaten zahle ich", 417.

— — — mit „14 Tage a. c.", 172.

— — — mit „nach Verlauf von 14 Tagen", 312.

— — — mit „an Michaeli (mit Angabe des Jahres" 136.

Zerrissene und auf anderes Papier aufgeklebte Wechsel, deren Rechtswirksamkeit, 97.

Zeugnisse über das Nichtbestehen gewisser Einträge im Handelsregister, 437.

Ziegelsteine, deren Lieferung aus eigenem Grund und Boden ist kein Handelsgeschäft, 395.

Zinsenforderung, Einfluß der Präsentation eines Wechsels auf diese, 23.

Zinsversprechen, Wechsel mit Zinsversprechen, 50. 87.

Zurückgabe einer bestellten Waare, Vorbehalt derselben, 562.

Zusammenrechnung des Betrages der Haupt- und Nebensache bei der Berufungssumme, 61.

Zuständigkeit der Handelsgerichte, 244.

— — für alle Wechselsachen, 56.

— — in Sachen von nicht über 150 fl., 246.

Zuständigkeit der Handelsgerichte in Sachen, die vor dem 1. Juli 1862 rechtshängig waren, 28.

— — bei Klagencumulation, 283.

— —, Unanwendbarkeit des forum accessorium, 189.

— — bei Berufungsklagen nach Art. 83 der ADWO., 266.

— — für Klagen aus dem Anerkenntniß einer Handelsschuld, 128. 189.

— — für Klagen gegen Nichtkaufleute aus Bürgschaften für Handelsschulden, 488.

— — für Darlehensklagen gegen Kaufleute, 342.

— — bei Streitigkeiten zwischen Kaufleuten, 544.

— — der Handelsgerichte bei Streitigkeiten aus Gesellschaftsverhältnissen 346.

— — bei Streitigkeiten zwischen Kaufleuten aus einem nicht acceptirten Kaufoffert, 414.

— — bei Streitigkeiten zwischen Kaufleuten und Lehrlingen, 555.

— — bei Streitigkeiten zwischen Wirthen und ihrem Geschäftspersonale, 471.

— — bei Streitigkeiten über Ausübung und Umfang vertragsmäßig festgestellter Gewerbsrechte, 467.

— — bezüglich der Ehefrau eines Kaufmannes, 189.

— — gegen die Erben eines Kaufmannes, 246.

— — gegen Bäcker, 394 Anm.

— — gegen Kürschner, 394 Anm.

— — gegen Schäffler, 393.

— — gegen Wirthe, 109.

— — hinsichtlich des Betriebes einer Lohmühle durch Gerber, 474.

— — gegen Verpächter realer Gewerbsrechte aus deren Gewerbsbetrieb, 547.

— — in Werkverdingungsverträgen, 487.

Zuständigkeit in Wechselsachen, wenn bezüglich des eingeklagten Wechsels das Amortisationsverfahren eingeleitet ist, 339.

— — der Handelsgerichte, deren Mangel für den Verkauf einer Waare nach Art. 343 Abs. 2 des ADHGB., 565.

Zuständigkeit zum Eintrag einer Aktiengesellschaft in das Handelsregister, 181.

— bei Nachforderungen wegen eingetretenen besseren Glückes des Gantirers, 236. 250.

— zur Einleitung des Amortisationsverfahrens bezüglich eines abhanden gekommenen Wechsels, 336.

1/12/12,

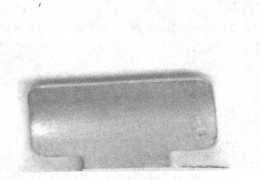

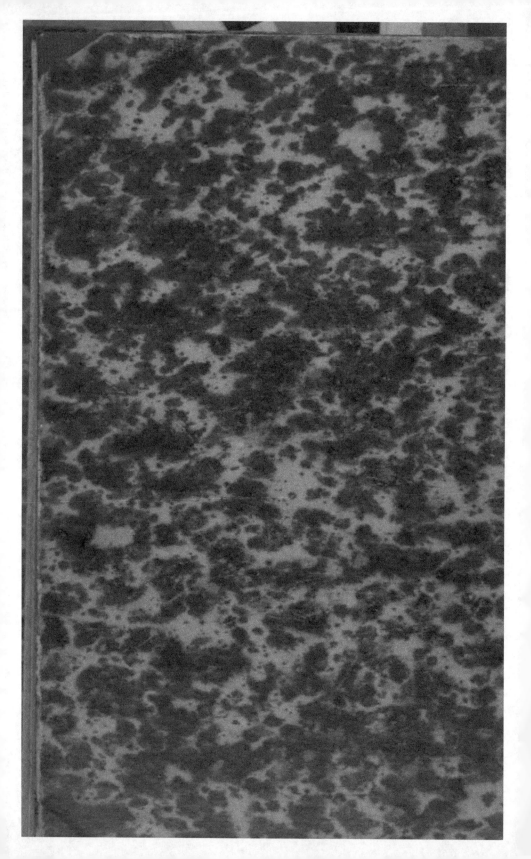

Check Out More Titles From HardPress Classics Series In this collection we are offering thousands of classic and hard to find books. This series spans a vast array of subjects – so you are bound to find something of interest to enjoy reading and learning about.

Subjects:
Architecture
Art
Biography & Autobiography
Body, Mind &Spirit
Children & Young Adult
Dramas
Education
Fiction
History
Language Arts & Disciplines
Law
Literary Collections
Music
Poetry
Psychology
Science
…and many more.

Visit us at www.hardpress.net